여러분의 합격을 응원하[ ] 해커스공무원의 특별 혜택

FREE 공무원 교육학 특강

해커스공무원(gosi.Hackers.com) 접속 후 로그인 ▶ 상단의 [무료강좌] 클릭 ▶ [교재 무료특강] 클릭 후 이용

 해커스공무원 온라인 단과강의 20% 할인쿠폰

DACFAAF32BF53FLK

해커스공무원(gosi.Hackers.com) 접속 후 로그인 ▶ 상단의 [나의 강의실] 클릭 ▶
좌측의 [쿠폰등록] 클릭 ▶ 위 쿠폰번호 입력 후 이용

* 등록 후 7일간 사용 가능(ID당 1회에 한해 등록 가능)

해커스 회독증강 콘텐츠 5만원 할인쿠폰

FC32F6887FARP2GA

해커스공무원(gosi.Hackers.com) 접속 후 로그인 ▶ 상단의 [나의 강의실] 클릭 ▶
좌측의 [쿠폰등록] 클릭 ▶ 위 쿠폰번호 입력 후 이용

* 등록 후 7일간 사용 가능(ID당 1회에 한해 등록 가능)
* 특별 할인상품 적용 불가
* 월간 학습지 회독증강 행정학/행정법총론 개별상품은 할인대상에서 제외

합격예측 온라인 모의고사 응시권 + 해설강의 수강권

B57FDA4F962ECB9D

해커스공무원(gosi.Hackers.com) 접속 후 로그인 ▶ 상단의 [나의 강의실] 클릭 ▶
좌측의 [쿠폰등록] 클릭 ▶ 위 쿠폰번호 입력 후 이용

* ID당 1회에 한해 등록 가능

쿠폰 이용 관련 문의 **1588-4055**

단기 합격을 위한
해커스공무원 커리큘럼

입문

탄탄한 기본기와 핵심 개념 완성!

누구나 이해하기 쉬운 개념 설명과 풍부한 예시로 부담없이 쌩기초 다지기

TIP 베이스가 있다면 **기본 단계**부터!

▼

기본+심화

필수 개념 학습으로 이론 완성!

반드시 알아야 할 기본 개념과 문제풀이 전략을 학습하고
심화 개념 학습으로 고득점을 위한 응용력 다지기

▼

기출+예상 문제풀이

문제풀이로 집중 학습하고 실력 업그레이드!

기출문제의 유형과 출제 의도를 이해하고 최신 출제 경향을 반영한
예상문제를 풀어보며 본인의 취약영역을 파악 및 보완하기

▼

동형문제풀이

동형모의고사로 실전력 강화!

실제 시험과 같은 형태의 실전모의고사를 풀어보며 실전감각 극대화

▼

최종 마무리

시험 직전 실전 시뮬레이션!

각 과목별 시험에 출제되는 내용들을 최종 점검하며 실전 완성

PASS

* 커리큘럼 및 세부 일정은 상이할 수 있으며,
자세한 사항은 해커스공무원 사이트에서 확인하세요.

단계별 교재 확인 및
수강신청은 여기서!

gosi.Hackers.com

해커스공무원

이이수
교육학

기본서 | 2권

이이수

약력

성균관대학교 대학원 교육학 전공(철학박사)
성균관대, 충남대, 경희대, 명지대, 아주대 교육대학원
교육학 특강
현 | 해커스공무원 교육학 강의
현 | 해커스임용 교육학 강의
현 | 서울 및 경기지역 대학 및 교육대학원 교직과목 강의
현 | 에이플러스 교직논술 아카데미 대표

저서

해커스공무원 이이수 교육학 기본서
해커스공무원 이이수 교육학 단원별 기출문제집
이이수 교육학 논술 기초편
이이수 교육학 논술 심화편
Edutopia 교육학, 북타운
Eduvision 교육학, 열린교육
통합 교과 교육론, 희소

공무원 시험 합격을 위한 필수 기본서!

공무원 공부, 어떻게 시작해야 할까?

교육학을 공부하는 수험생이라면 누구나 교육학 과목의 복잡함과 광범위한 분량에 대해 익히 알고 있을 것입니다. 게다가 최근 교육학 시험의 출제경향을 분석해보면, 난이도가 점점 높아지고 있어 수험생 여러분들의 부담 또한 더해지고 있습니다.

이에 『해커스공무원 이이수 교육학 기본서』는 수험생 여러분들의 부담을 줄이고, '시험에 나오는' 교육학만을 효율적으로 학습할 수 있도록 다음과 같은 특징을 가지고 있습니다.

첫째, 오랜 교육학 학습 및 강의 경험을 바탕으로 핵심 이론들을 체계적으로 수록하였습니다.

최근 30여 년간 출제된 모든 교육학 시험(교사임용, 교육행정직 등)을 분석하여 중요하고 자주 다루어지는 내용들을 중심으로 이론 구성을 체계화하였습니다. 또한, 교육학을 이해하는 데에 불필요하거나 낡은 이론들은 가능한 한 제외시켰으며, 자주 등장하는 주요 교육사상가들의 사상을 집중적으로 다루었습니다.

둘째, 다양한 학습장치를 통해 수험생 여러분들의 입체적인 학습을 지원합니다.

커리큘럼과 학습 정도에 맞추어 교육학 이론을 공부할 수 있도록 핵심체크 POINT, 秀 POINT, 참고 등 다양한 학습 장치를 교재 곳곳에 배치하였습니다. 또한, 본문에서 학습한 내용을 다시 한번 확인하고 스스로 실력을 점검할 수 있도록 기출문제를 수록하였습니다.

셋째, 효율적인 학습을 위해 교육관련법령 및 찾아보기를 수록하였습니다.

광범위한 교육학 이론 중 확인이 필요한 법령 및 이론, 사상가 등을 즉시 찾을 수 있도록 교재 말미에 교육관련법령 및 찾아보기를 수록하였습니다. 특히 인물편·내용편으로 분리하여 수록한 찾아보기를 통해 빠르고 정확한 학습이 가능합니다.

더불어, 공무원 시험 전문 사이트 **해커스공무원(gosi.Hackers.com)**에서 교재 학습 중 궁금한 점을 나누고 다양한 무료 학습 자료를 함께 이용하여 학습 효과를 극대화할 수 있습니다.

부디 『해커스공무원 이이수 교육학 기본서』와 함께 공무원 교육학 시험 고득점을 달성하고 합격을 향해 한걸음 더 나아가시기를 바랍니다.

『해커스공무원 이이수 교육학 기본서』가 공무원 합격을 꿈꾸는 모든 수험생 여러분에게 훌륭한 길잡이가 되기를 바랍니다.

이이수

목차

목차

XII | 교육행정 및 교육경영

교육관련법령

찾아보기 및 참고문헌

VIII

교육과정

01 | 교육과정의 의미

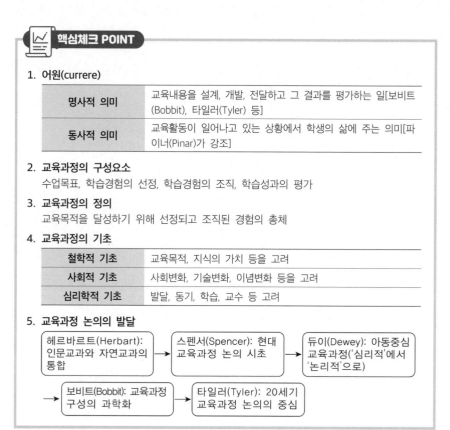

1 교육과정(Curriculum)

1. 어원

(1) 커리큘럼(curriculum)의 라틴어 어원인 '쿠레레(currere)'라는 말은 동사적 의미의 '경주로를 달린다(running of the race).'와 명사적 의미의 '주로(走路, race)', 즉 '말이 달리는 코스'를 의미하였다.

(2) 커리큘럼(curriculum)의 초기 개념은 명사적 의미의 '주로', 즉 'course of study(교수요목)'를 뜻하였다. course of study의 원리를 이론적으로 제시한 사람은 타일러(Tyler)이다.

2. 이론화 과정

(1) 커리큘럼(curriculum)이라는 말은 보비트(F. Bobbit)가 『The curriculum(1918)』에서 처음 사용하였다. 그는 과학적 교육목표의 설정과 이들 목표의 실현을 위한 내용을 선정하는 원리를 공식화하였다.

(2) 차터스(Charters)는 목표달성을 위해 하위 목표군으로 세분화시켜 나갈 것을 제안하였다.

(3) '과학적 교육과정 구상' 혹은 '사회적 효율성을 위한 교육'이라고 한다.

> 참고 종전의 교육과정은 교과의 의미를 마음의 발달과 관련하여 설명하려는 '형식도야설'에 근거하였다.

3. 일반적 정의

'교육목적을 달성하기 위해 선정되고 조직된 경험의 총체', 혹은 '교육적 성취를 의도하여 학교에서 유효할 수 있도록 선정되고 조직된 경험의 총체'이다.

4. 교육과정 개념 규정을 위한 준거

(1) 교육과정은 학습자의 교육적 성취에 직결된 모든 수준의 교육계획이다.

(2) 학습자의 교육적 성취는 학습자의 인간 가치를 드높이는 데 기여하는 지적·정신적·도덕적 측면 등 모든 영역의 발달을 의미한다.

(3) 교육과정은 지식, 사고의 양식, 집단경험, 생활경험 등 우리의 문화 내용을 재구성한 것이다.

(4) 교육과정의 계획은 유형·무형의 형태로 다양한 자료를 통해 보존되고 표현될 수 있어야 한다.

(5) 교육과정 계획은 학교에서 유효할 수 있어야 한다.

5. 구성요소

(1) 학자별 분류

타일러(Tyler)	타바(Hida Taba)	길스(Giles)
① 수업목표	① 교육목적 및 목표	① 교육목표
② 학습경험의 선정	② 내용 및 학습경험	② 교과
③ 학습경험의 조직	③ 평가	③ 방법과 조직
④ 평가		④ 평가

(2) 구성요소

교육목표	기르려는 행동 특성(지적, 정의적, 신체적)
교육내용	내용 선정, 내용 조직, 교수방법 결정, 교수자료 정비
학습경험	학생 속에 일어나는 모든 지적·정서적·신체적 경험(학생 - 환경의 상호작용)
학습결과	기르려는 행동 특성과의 일치도

6. 최근 경향

최근 교육과정에서 설계와 개발에 중점을 둔 것에 대한 반발로 그 어원인 'currere'로 돌아가자고 하는 움직임은 교육과정에서 강조해야 할 것은 아동의 올바른 의미형성이라는 것과 일맥상통한다고 볼 수 있다.

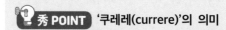 **秀 POINT** '쿠레레(currere)'의 의미

1. 명사적 의미로서의 'currere'
① '경마장에서 어느 말이든 마땅히 따라 달려야만 하는 일정하게 고정된 길'을 의미한다. 이 경우 말은 뛰는 길이 정해져 있어 다른 길로 뛰는 것이 허용되지 않을 뿐만 아니라 임의로 길을 변경시킬 수도 없고, 결승점을 임의대로 단축시킬 수 없으며, 코스 자체는 외부로부터 주어지고 그 모습은 어디를 가나 일정하게 공인된 규격으로 통일되어 있다.
② 교육과정은 가르치는 사람에 의해 미리 선정되고 조직된 특정한 지식이나 기술의 묶음일 뿐이다. 그것은 언제나 고정적이고 획일적인 것으로 도시에서나 농촌에서나 똑같이 주어지며 그 틀에서 벗어나는 일은 인정되지 않는다.

2. 동사적 의미로서의 'currere'
① 말이 '주어진 코스를 따라 달리는 일'을 의미한다. 이는 공식적인 길을 의미하는 것이 아니라 말들이 경주로를 따라 달리는 행위 또는 그 과정 자체를 의미한다. 이때의 관심은 경주 도중에서 말과 마부들이 갖게 되는 실제적인 경험 그 자체의 이해에 초점이 있다.
② 교육과정의 개념은 고정되어 있거나 모든 학생들에게 획일적으로 적용되는 것이 아니라 교사와 학생이 만나 가르치고 배우는 현장에서 살아 움직이는 것이다. 외부로부터 일방적으로 주어지는 것이 아니라 내부로부터 그들이 스스로 앎과 삶의 의미를 창출해 내는 일이다.
③ 교육과정이란 중앙으로부터 주어지는 문서나 교과서가 아니라 내가 가르치고 학생들이 배우고 있는 '지금 이 상황(here and now)'에서 이루어지고 있는 일이 우리의 삶에 주고 있는 의미라고 할 수 있다.

 참고

교육과정의 최근 동향

교육과정 차별화	의미	교육과정 이수자의 여러 차원에 적합하게 교육과정 이수 양태를 차별화하여 수준에 따라 분화시키는 것이다.
	방법	① 교육과정 운영의 자율성을 부여한다. ② 교육 수요자의 선택권을 부여한다.
	차별화 모형	교육과정 압축: 상위 학습자들에게 불필요한 학습 반복을 막고 보다 도전적인 학습 기회를 마련해주기 위한 정규 교육과정의 재구성 전략이다.
교육과정 통합	의미	교과가 분리·독립되어 있는 것들을 상호 관련짓고 통합함으로써 하나의 의미 있는 체계로 발전시키려는 노력이다.
	관점	① 전체론적 관점: 학교교육의 목적을 전인적 발달, 균형 잡힌 인격의 완성, 자아실현 등을 강조한다(경험중심 교육과정). ② 원자론적 관점: 학문마다의 특수성 또는 연구방법 등에 의해 세분화, 영역화되어 있는 지식을 주제, 구조, 간학문적 접근 등에 의해 상호관련지우거나 상호 의존적 관계로 시도하려는 것이다(학문중심 교육과정).
학생중심 교육과정	의미	교육받는 당사자 각자가 가지고 있는 다양한 능력과 잠재 가능성을 실현시키는 데 요구되는 필요와 요구에 부응하는 교육이다.
	특징	① 학습자에게 학습 선택권을 부여한다. ② 학습자의 필요나 요구를 반영한다. ③ 학습자의 개별적 차이와 다양성을 반영한다.

성취기준 교육과정 운동	의미	교육의 효율성을 높이기 위해서 기준(standard)이 필요하다는 운동으로 무엇을 가르칠 것인가 그리고 그 기대하는 성취수준이 어디에 있는가에 대한 기준을 세우는 것이다.
	기준의 유형	① 내용기준: 학생들이 무엇을 알아야 하고, 무엇을 해야 할 것인가를 구체화한다. ② 수행기준: 학생들이 얼마나 잘했으면 잘했다고 할 것인가를 구체화한다. ③ 수준별 벤치마크: 일반적인 언어로 표현된 기준을 발달적으로 적합하게 그 의미를 규정한 것으로, 기준을 지식과 기능으로 상세화하고 구체화하여 표현한 것이다.

2 교육과정의 정의에 관한 다양한 관점

1. 교과목에 담긴 내용으로 보는 견해

(1) 교육과정에 대한 가장 전통적인 관점으로 서양의 '7자유과'나 동양의 '4서 5경' 등이 해당한다. 이때 교육과정은 학교에서 가르치는 교과목과 동일시된다.

(2) 국어, 사회, 과학, 영어, 수학과 같은 교과목을 일컫는 경우로 구체적으로는 교과목의 내용 혹은 개설된 강좌명이나 강의 요목으로 표현된다.

(3) 허친스(Hutchins)

"교육과정이란 영구불변의 지식을 조직화해놓은 교과의 모음이다. 즉 초·중등학교에서는 문법, 읽기, 수사학과 논리학 및 수학의 규칙들을, 그리고 중등학교 이후에는 서양 세계의 위대한 고전을 중심으로 교육과정을 구성해야 한다."

2. 계획된 활동으로 보는 견해

(1) 교육과정을 학생들이 읽고, 쓰고, 연구하고, 실험하고, 프로젝트를 수행하는 등 학습을 촉진하기 위해 의도적으로 계획하는 모든 활동을 포함하는 것으로 본다.

(2) 계획이란 교육과정을 문서화된 서류로 보는 견해와 교육자들의 생각 속에는 있지만 문서화되지 않은 계획까지를 모두 포함한다.

(3) 문서화된 서류는 교사의 일상적인 수업계획이나 지도안으로부터 교육과정 지침서, 국가수준의 교육과정 기준까지를 포함한다.

3. 학교의 지도 아래 학생이 하는 실제 경험으로 보는 견해

(1) 교육과정을 일련의 활동의 묶음으로 보는 견해는 듀이(Dewey)에 의해 강조되었다. 교육과정이란 한 개인의 경험에 대한 반성적인 관심과 한 개인의 사고와 행동의 결과를 예측하고 탐지하려는 끊임없는 노력이라고 본다.

(2) 교사는 학생들의 개인적 성장을 위한 촉매자이며, 교육과정이란 교사와 학생 간의 대화에서 야기되는 의미와 방향성을 경험하는 과정이다.

4. 수행해야 할 일련의 과업(task)으로 보는 견해

(1) 기업이나 산업체 혹은 군대 등의 훈련 프로그램에서 유래한 것으로 교육과정이란 새로운 과업을 학습한다든지 과거의 과업을 더 잘 수행한다든지 등의 구체적인 행동목표를 갖는다.

(2) 초등학교에서 문법, 수학의 연산, 발음 규칙 등의 습득이라든가 사무실에서 서류철 정리, 컴퓨터로 프로그램을 가동시키는 일 등은 수행수준에서 구체적으로 명세화된다.

5. 의도한 학습결과로 보는 견해

(1) 학습결과란 학생들이 실제로 배운 것으로, 이는 교육과정의 초점을 활동 자체가 아니라 의도한 학습결과에 맞추고자 하는 견해이다.

(2) 의도된 학습결과는 목적을 세분화하는 편리한 방법이다. 즉 구조화, 계열화, 명세화된 일련의 학습결과를 중시한다.

6. 문화적 재생산의 도구로 보는 견해

어떤 사회나 문화를 막론하고 교육과정이란 그 문화의 반영이며, 학교교육은 다음 세대에 대하여 특정 지식이나 가치를 재생산하는 일이라고 주장한다.

> **예** 외국문화보다는 자국문화에 대한 편향된 강조, 남성적 가치관을 여성적 가치관보다 중시하는 내용, 정치적·경제적으로 힘이 있는 측의 입장을 대변하는 교과내용을 담은 교육과정이나 교과서의 내용 등

7. 개인의 삶의 과정에 대한 해석으로 보는 견해

(1) 교육과정이란 개인의 생활 경험에 관한 해석으로서 자서전과 같은 것이다. 이는 최근 교육과정을 'currere'의 정신을 강조하는 파이너(Pinar)의 견해를 반영한다.

(2) 개인은 현재의 사건들 속에서 의미를 찾고 과거로부터 기원을 찾아 재구성하며 미래의 가능한 방향을 상상하거나 창출한다. 교육과정이란 타인과 자서전적인 대화를 나누는 것을 바탕으로 삶에 대한 개인의 전망을 재기획하는 일이다.

(3) 재개념화의 목적은 부당한 관습과 이데올로기, 획일성 등의 구속으로부터 개인을 해방시키는 일이다. 상호 간의 재개념화를 통해 다른 의미의 영역을 탐구하고 가능성을 창출하는 일이며 자신과 타인 및 세계에 대한 새로운 방향을 형성하는 일이다.

3 교육과정 구성의 기초

1. 철학적 기초

(1) 특징

교육과정 구성의 기초로서 철학적 차원은 ① 교육은 무엇인가?, ② 인간은 어떤 존재인가?, ③ 교육의 목적은 무엇이고 어떤 지식이 가치 있는가? 등의 문제를 다룬다. 교육은 철학적 측면에서 마음이나 정신을 개발하는 일이고 이때 가장 중요한 것이 지식이다. 지식의 본질, 지식의 가치, 정신활동의 본질 등의 파악이 필요하다.

(2) 철학적 관점

지식의 가치를 논의하는 방식으로는 인지적 관점, 공리주의적 관점, 그리고 아동 중심적 관점이 있다.

① 인지적 관점(cognitive viewpoint)
  ㉠ 지식 자체가 가져오는 높은 분별력, 사고력, 의식의 확대, 깊은 이해력과 같은 정신적 힘의 확대에 기여한다고 보는 입장이다.
  ㉡ 앎을 위한 앎 그 자체를 중시하며 지식의 내재적 가치를 중시한다.

② 공리주의적 관점(utilitarian viewpoint)
  ㉠ 학교교육의 가치 혹은 학교에서 가르치는 지식의 가치를 학생의 행복을 증진시킨다는 이유에서 정당화된다.
  ㉡ 지식의 유용성이나 수단성과 지식의 외재적 가치를 중시한다.

공리주의적 관점의 예

스펜서(Spencer)는 『어떤 지식이 가장 가치 있는 지식인가(What Knowledge is Most Worth)?』라는 논문에서 사회 속에서의 생존을 위한 유용성이라는 척도에서 교과목의 서열을 나열하였다. 다윈의 진화론적 관점 반영해서 생존과 관련된 지식을 앞에, 전통적 인문적 지식을 가장 뒤에 분류하였다.

> 📁 **참고**
>
> 스펜서(Spencer) 『교육론: 지, 덕, 체(Education: Intellectual, Moral, and Physical, 1860)』의 「어떤 지식이 가장 가치 있는 지식인가(What Knowledge is Most Worth)?」
>
> 1. 자기보존으로 이끄는 지식, 즉 생리학, 위생학, 물리학, 화학
> 2. 의·식·주 획득에 관련되는 과학 및 기술
> 3. 자녀를 양육시키는 데 필요한 지식
> 4. 사회생활 및 정치생활에 관한 지식
> 5. 외국어 및 외국 문학을 포함한 문학, 예술, 미학 등과 같이 여가생활을 위해 필요한 지식

③ 아동 중심적 입장(child centered viewpoint)
  ㉠ 교육의 가치를 아동의 흥미, 문제, 관심, 요구를 중심으로 하는 입장이다.
  ㉡ 즉, 지식이나 가치를 아동의 흥미와 관심이 선택하는 일이면 그것이 교육적으로 가치 있다고 본다.

(3) 지식의 종류

지식을 명제적 지식 혹은 방법적 지식 가운데 어떤 방식(지식의 종류)으로 표현할 것인가도 교육과정에서 고려되어야 할 지식의 문제이다.

2. 사회적 기초

(1) 특징

① 산업혁명과 시민혁명 이후: 교육을 사회적인 관점에서 다루기 시작하였다. 교육과정의 사회적 차원은 사회의 변화, 사회의 요구, 이데올로기적 변화 등의 문제를 다룬다. 교육은 사회적인 활동이고 사회의 조건이 교육활동에 반영되는 것은 불가피하다.

② 19세기 중엽 이후: 교육은 개인의 발달이나 잠재능력의 개발이 아니라 사회적으로 바람직한 행동이나 삶을 추구하는 일이라고 보았다. 이때 교육에서 필요한 일은 경제적 문제를 해결하는 능력이나 자원을 유용하게 관리하는 능력, 시민적 자질로서의 능력 등이 요구되었다.

③ 최근 교육과정의 논의: 사회학적 차원(지식의 사회적 결정, 교육과정에 속에 포함된 지식의 소유관계, 성역할 차별구조 등)을 밝히고자 한다.

(2) 한국 사회의 미래상과 교육과정에서 고려되어야 할 차원

① 고도 산업화 정보화 사회: 수학과 과학 교과의 개편 및 정보교육, 컴퓨터 교육 등을 강화할 필요성이 증가하였다.
② 민주화, 자율화 사회: 민주 시민적 자질(공동체 의식, 협동심, 토론 능력, 갈등해결 능력 등) 양성의 필요성이 증가하여, 각 교과 활동에서 이 능력의 배양이 중요시되었고 특별활동의 강화가 요구되었다.
③ 세계화, 개방화 사회: 국제 간의 상호 이해 교육, 언어 소통 능력, 국제문화 이해 교육(다문화 주의), 환경문제, 매스컴의 발달에 따른 정보의 비판적 수용능력 등 다양한 능력이 요구되었다.

3. 심리적 기초

(1) 교육과정의 심리적 기초로는 학습자의 기본 욕구, 성장 및 발달, 학습 및 학습이론, 교수이론 등의 문제를 다룬다.

(2) 심리학적 차원은 교육과정 구성의 모델이나 방법론적 차원과 관련된다.

4. 교육과정 구성의 원리

교육과정 구성의 원리는 다음과 같다.

개인과 사회의 조화의 원리	개인의 발전과 사회의 발전을 고려해야 한다.
시대성의 원리	교육과정은 시대적 변화나 요구를 반영해야 한다.
지역성의 원리	지역 사회의 특성이나 요청을 반영한다.
최소필요량의 원리	특히 국가적 차원에서 교육과정을 구성할 경우에 요구된다.
민주적 협력의 원리	교육관련 기관 및 사람들과 민주적 협력을 통해 구성된다.

4 교육과정의 수준

1. 의도된 교육과정(공약된 교육과정, 국가 수준의 교육과정)

교육부령으로서의 교육과정을 말한다. 교육부령으로 교육과정이 공포되는 것은 일반적으로 각급 학교에서 가르쳐야 할 내용의 수준을 국가적인 수준에서 결정한 것이다. 이를 바탕으로 1종 도서, 2종 도서를 편찬하고, 각 지역교육청이나 각 학교 단위에서 가르쳐야 할 내용의 일반적 지침이 된다.

2. 수업 속에 반영된 교육과정(전개된 교육과정, 교사 수준의 교육과정)

교사에 의해 재해석되고 교사의 손에 의해 수업행위 속에서 재현된다.

3. 실현된 교육과정

학습 성과로서의 교육과정으로 수업을 통해 학생들에게 실제로 실현된 교육과정을 말한다. 학생들의 학습능력이나 경험배경이나 교육적 필요에 개인차가 있기 때문에 다양한 결과를 기대할 수 있다(최근의 잠재적 교육과정의 중요성, 학습자 수준의 교육과정).

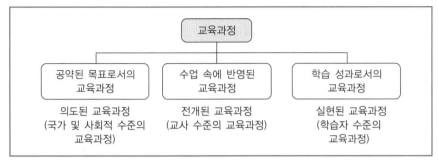

⬆ 교육과정의 수준

5 교육과정 논의의 발달과정

1. 전통적 인문교과와 자연 교과의 통합[헤르바르트(Herbart)]

(1) 특징

① 헤르바르트는 교육목적인 도덕적 품성을 도야하기 위한 교과로 역사나 문학이 효과적이라고 보았고, 학생의 인지적 작용을 촉진하는 것은 사물과 사람에 관련된 경험과 연결된 관심이라고 하였다.

② 학교에서 가르칠 교과는 사람과 사물에 대한 관심 영역, 즉 도덕, 사회, 종교, 과학, 예술 등 인문사회과학, 자연과학, 예술 등이다. 이는 전통적 인문주의와 자연주의 교과의 통합을 강조한 것이다.

(2) 관심 영역

사람과 관련된 관심 영역	① 다른 사람들에게 친절하게 대하는 동정적 관심 ② 공공 문제에 참여함으로써 갖게 되는 사회적 관심 ③ 인간의 운명을 관조해보는 종교적 관심
사물을 다루면서 겪게 되는 경험과 관련된 관심 영역	① 사물을 자세히 살펴보는 경험적 관심 ② 자연법칙을 곰곰이 따져보는 반성적 관심 ③ 아름다움에 대한 느낌과 감흥에서 오는 심미적 관심

2. 현대 교육과정 논의의 시작[스펜서(H. Spencer)]

(1) 특징

① 스펜서는 『교육론: 지, 덕, 체(Education: Intellectual, Moral, and Physical, 1860)』의 「어떤 지식이 가장 가치 있는 지식인가(What Knowledge is Most Worth)?」라는 논문에서 교육에서 중요한 것은 인간의 삶에 필요한 활동에 따라 기여 정도가 높은 순서대로 지식이나 교과를 나열하였다.

② 생활에서 가장 중요한 지식은 직접적 혹은 간접적 자기보존으로서의 과학, 즉 생물학, 화학, 수학, 지질학, 천문학 등의 자연과학과 자녀양육을 위한 생리학, 심리학, 시민으로서의 삶을 즐기기 위한 역사와 사회학, 여가를 즐기기 위한 미술과 음악도 포함되어야 한다.

③ 교육방법: 발달 심리학에 기초해서 자연의 과정에 합치하는 인간 발달과정을 중시하였다. 즉, 고전어 중심의 엄한 훈육과 암송의 방법을 배척하고 '자연에 따른 방법'을 주장하였다.

(2) 스펜서의 영향

1918년 미국의 중등학교 7대 교육목적 설정에 직접적인 영향을 주었다.

3. 아동중심 교육과정 논의의 구체화[존 듀이(J. Dewey)]

(1) 특징

① 듀이는 교육과정의 중심축을 개인의 경험에 두고, 정련된 경험의 집합체로서의 교과, 아동에 의해 발현되고 교사에 의해 이해되는 아동의 본성, 전체 환경의 일부로 경험되는 사회가 어떻게 개인의 건전한 경험의 성장에 기여하는지를 밝혔다.

② 전통적 교과는 성인에게 익숙한 사실의 세계, 직접 경험을 논리적으로 해석하여 원리를 만들어 내고 이를 논리적으로 분절·분화한 것으로 아동과 교육과정의 간격이 매우 넓다. 이 간격을 경험을 통해 연결지어야 한다.

③ 교사의 역할: 교과의 지식을 아동의 경험의 일부로 만드는 데 도움을 주는 안내자이다. 교육과정 구성의 근본은 교사와 학생의 일상적 삶을 축으로 삼아야 한다.

(2) 교육과정의 구성방법

① 듀이는 교육과정은 심리적인 것(the psychological)에서 점차 논리적인 것(the logical)으로 진보적으로 조직되어야 한다고 주장했다. 심리적인 것이란 아동의 흥미와 관심을 말하며, 논리적인 것은 교과의 지식과 관계된 것이다.

② 듀이에게 있어 참된 교과는 특정한 교과(예 과학, 수학, 역사, 지리 등)라기 보다는 아동의 사회적 활동이다. 교과의 주된 역할은 사회활동 전반을 의지적이고, 목적적이고, 호기심 있고, 능동적인 아동과 공유하는 일이다.

4. 교육과정 구성의 과학화[보비트(F. Bobbit)와 챠터스(W. Charters)]

(1) 특징

① 교육을 성인생활을 위한 준비로 보고, 교육과정은 성인이 되어 할 일을 미리 준비시켜주는 과정으로 보았다.

② 활동분석법: 교육과정을 과학적으로 만든다는 것은 무엇을 가르칠 것인가를 결정할 때 경험적 방법(조사나 인간 행동 분석)을 활용하는 것이다. 즉 인간 행동의 분석, 성인 생활의 활동영역 조사 분석을 통해 교육과정 개발절차를 정교화하는 것이다.

③ 교육과정의 기본 관심사는 목적이나 목표, 목표와 활동 사이를 연결시키는 일이다. 이 가운데 목표와 활동의 선정은 경험적·과학적 과정이고 이들은 과학적 분석과 증명의 대상이다. 이들에 의해 교육과정은 특별한 훈련을 받은 전문가의 영역이라는 견해가 확립되었다.

(2) 교육과정을 구성하는 5단계 - 『교육과정 구성법(How to Make a Curriculum, 1924)』

인간 경험을 광범위하게 분석	① 교육과정을 만드는 첫 단계는 광범한 인간경험을 주요한 몇 개의 분야로 구분하는 일이다. ② 언어, 건강, 시민생활, 종교생활, 가정생활, 직업 등이 그 영역이다.
주요 분야의 직무를 분석	주요 분야를 다시 몇 개의 구체적인 활동으로 분류하는 단계이다.
교육목표를 열거	① 활동을 수행하는데 필요한 능력들을 진술하여 교육목표를 추출한다. ② 그는 10개의 인간 경험 분야에서 800개 이상의 주요 목표를 제시하였다.
교육목표를 선정	학생의 활동을 위한 기초로 작용하는 목표들의 목록에서 선정하는 단계이다.
상세한 교육계획을 수립	목표를 달성하는 데 포함되는 다양한 활동, 경험, 기회를 상세하게 제시한다.

5. 20세기 교육과정 논의의 중심[타일러(R. Tyler)]

(1) 특징

① 『교육과정과 수업의 기본원리(Basic Principles of Curriculum and Instruction, 1949)』에서 20세기 교육과정 연구개발에 획기적인 전기를 마련하였다. 이 책은 20세기 전반의 교육과정 논의를 종합·정리하였고, 20세기 후반의 교육과정 논의나 개발은 타일러의 부연 혹은 극복과 대안의 과정이었다.

② 타일러의 영향: 블룸(Bloom), 메이거(Mager)의 교육목표의 위계화와 상세화로, 타바(H. Taba), 멕니일(McNeil) 등의 교육과정 개발 논의에 영향을 주었으며, 워커(Walker), 아이즈너(Eisner) 등은 타일러를 극복하고자 하였다.

③ 타일러의 교육과정 수업과 계획과 준비는 합리적이고 단계적이며 선형적인 성격을 띠는 것으로 학습경험이 효과적 수업으로 실행되기 위한 활동들의 종적 조직과 횡적 조직 원리를 강조한다.

(2) 교육과정과 수업의 단계에 관한 질문

① 학교에서 달성하고자 하는 교육목표는 무엇인가?
② 수립된 교육목표를 달성하는 데 유용한 학습경험은 어떻게 선정되는가?
③ 효과적인 수업을 위해 선정된 교육경험은 어떻게 조직할 수 있는가?
④ 학습경험의 효과성은 어떻게 평가할 수 있는가?

(3) 8년 연구

타일러 교육과정과 평가에 대한 연구 발판으로서의 '8년 연구(「The Eight Year Study」, 1933 ~ 1941)'는 교육과정 개선을 위한 대규모 현장 실험의 연구였다. 이 연구는 교육과정의 연구 개발 성과가 초등학교에서와 같은 진전을 중등학교에서도 가져올 수 있는가에 대한 물음으로, 곧 진보주의적 교육이 중등학교에서도 성공적으로 적용될 수 있는가를 확인, 검증하는 실례였다. 타일러는 이 연구의 평가위원장이었으며, 초등학교에서 시작된 진보적 교육이 중등학교로 파급되는 계기가 되었다.

> 📁 **참고**
>
> **타일러(R. Tyler)**
>
> 20세기 전반기 교육과정에 대한 주요 성과를 집대성하여 20세기 후반기의 교육과정에 가장 큰 영향을 미쳤다. 교육과정의 개발, 계획, 평가를 위한 교육목표 설정, 학습경험 선정, 학습경험 조직, 평가의 절차를 제창하였다. 타일러는 1938년 8년 연구로 알려지기 시작하여 허친스(Robert Hutchins)에 의해 시카고 대학으로 자리를 옮기면서 더욱 왕성한 활동을 하였다. 이후 스탠포드 대학의 행동과학연구소(Center for Advanced Study in the Behavioral Sciences)의 소장을 14년 동안 맡으면서 미국 국가교육정책에 지대한 영향력을 발휘하였다.

기출문제

보비트(Bobbitt)의 교육과정이론에 대한 설명으로 옳지 않은 것은? 2021년 국가직 7급

① 교육에 과학적 관리기법을 적용하였다.
② 원만한 성인생활을 영위하는 데 필요한 준비로서의 교육을 주장하였다.
③ 직무분석을 통한 교육과정 개발을 주장하였다.
④ 아동의 흥미와 요구를 중심으로 교육과정을 구성할 것을 주장하였다.

> 해설
>
> 보비트는 교육을 성인생활을 위한 준비로 간주하고 교육과정은 성인이 되어야 할 일을 미리 준비하는 과정으로 보았다. 아동의 흥미와 요구를 중심으로 교육과정을 구성할 것을 주장한 인물은 존 듀이(J. Dewey)이다. **답 ④**

02 | 교육과정의 유형

핵심체크 POINT

교과중심 교육과정	전통주의에 기초, 교과의 체계적 전달 강조
경험중심 교육과정(진보주의)	아동의 생활 경험, 학습자의 자발성 강조
학문중심 교육과정	지식의 구조 강조, 나선적 조직원리, 발견학습, 기본언어 학습, 일반적 전이 강조
인간중심 교육과정	자아실현, 교과의 통합 강조
사회중심 교육과정	교육내용 속에 포함된 불평등 문제 중시

1 교과중심 교육과정

1. 특징

(1) 수업은 미리 정해진 계획과 조직에서 출발한다.

(2) 지식과 기능의 신장에 중점을 둔다(형식도야이론에 기초).

(3) 교사는 수업을 통제하고 학생에게 일률적인 교재가 부여된다.

(4) 교과조직의 핵심적인 내용은 지식의 논리적 체계를 이루는 원리, 사실, 개념 등이다.

2. 유형

(1) 분과형 교육과정

① 각 교과 혹은 과목들이 다른 교과 혹은 과목과 횡적인 연관이 전혀 없이 분명한 종적 체계를 가지고 조직된 교육과정이다.

② 교과 혹은 과목이 분리, 독립되어 하나의 완전한 체계를 이루고 있기 때문에 계열성이 분명하다.

③ 내용 조직은 교과 내의 개념이나 내용들이 간단한 것에서 복잡한 것으로, 구체적인 것에서 추상적인 것으로, 쉬운 것에서 어려운 것으로, 가까운 것에서 먼 것으로 조직된다.

(2) 상관형 교육과정

① 교과내용을 무너뜨리지 않으면서도 두 개 혹은 그 이상의 교과나 과목을 서로 관련시켜 내용을 조직하고 가르치는 교육과정이다. 각 교과목은 그대로 인정되고 독립된 과목으로 취급된다.

② 상관시키도록 되어 있는 교과목을 담당하는 교사들이 함께 모여 교과 간의 상관성을 높이기 위한 체계적인 구상을 한다.

③ 교과 또는 과목 간의 계열성을 분명히 가지면서도 교과내용에서 다소 포괄성과 통합성을 기하려는 것이다.

(3) 융합형 교육과정

① 두 개 혹은 그 이상의 교과목을 하나로 융합한 교육과정 형태이다.
② 융합형을 확대하면 광역형이 되기도 한다.

(4) 광역형 교육과정

① 상관형 교육과정보다 더 엄격한 교과목 간의 구분을 해소하고, 더 넓은 영역에서 사실이나 개념, 원리들을 조직하는 교육과정이다.
② 영국의 헉슬리(T. Huxley)에 의해 논의되기 시작하였으며 미국에서는 1920년대부터 활용되기 시작하였다.

3. 장점

(1) 문화유산의 체계적 전달에 유리하다.

(2) 학습효과의 판정이 용이하다.

(3) 교육과정의 개편이 쉽다.

(4) 교육과정의 중앙집권적 통제가 용이하다.

4. 단점

(1) 비실용적 지식의 습득 가능성이 높다.

(2) 단편적이고 분과(分科)적인 교과조직이 되기 쉽다.

(3) 학습에서 학생의 적극적 반응 유발에 실패한다.

２ 경험중심 교육과정(생활중심 교육과정)

1. 특징

(1) 생활의 문제를 종합적으로 처리하는 능력을 기르고자 한다(자기활동의 원리에 기초).

(2) 교재는 생활의 장에서 결정된다.

(3) 교재를 체계적으로 전달하기보다는 학생의 원만한 성장을 강조한다.

(4) 경험중심 교육과정 조직은 통합형의 형태를 취한다.

(5) 내용의 논리적인 조직보다는 생활 경험을 심리적인 과정과 관련하여 욕구, 문제, 흥미 등을 중심으로 조직한다.

(6) 수업은 완결 짓는 데 비교적 긴 시간이 소요되는 과제(프로젝트)를 중심으로 조직되며, 소집단별 협동적인 학습 분위기를 강조하는 학생중심의 수업을 요구한다.

2. 유형

(1) 활동형 교육과정

① 학습자들의 흥미와 문제가 학습 경험의 선정과 조직에서 기본을 이루어 활동을 조직하는 교육과정이다.

② 학습자들에게 의의가 있고, 심리에 알맞으며, 그들의 문제를 해결하는 데 도움이 되는 활동을 다루고자 한다.

③ 장점

㉠ 학습자의 필요, 흥미, 문제에 적합하다.

㉡ 학생 개개인의 생활 경험을 직접 반영한다.

㉢ 활동 속에서 여러 가지 교육목표를 달성한다.

㉣ 교육내용을 활동과 관련시켜 통합한다.

(2) 중핵형 교육과정

① 중핵과정과 주변과정이 동심원적으로 조직된 교육과정이다.

② 중핵과정은 주로 생활이나 욕구와 관련된 내용이나 경험이 중심을 이루고, 주변과정은 중핵과정을 둘러싸고 있으면서 계통학습을 하도록 되어 있다.

③ 교과중심의 조직 유형이 너무 교과내용에 집착하고, 활동형 교육과정은 지나치게 학습자의 흥미나 필요에만 집착하는 문제점을 인정하고 통합학습과 사회적 문제해결을 강조한다.

(3) 생성형 교육과정

사전에 계획을 하지 않고, 교사와 학습자들이 학습 현장에서 함께 학습주제를 정하고 내용을 계획하여 교육이 이루어지는 교육과정이다.

3. 장점

(1) 학습에서 학생의 자발적 참여를 유도할 수 있다.

(2) 문제해결력을 기를 수 있다.

(3) 자발성 및 개별화의 원리에 적합하다.

(4) 학교와 지역 사회의 결합 능력을 기를 수 있다.

4. 단점

(1) 문화유산의 체계적 전달에 불리하다.

(2) 교육과정의 설계·실천·평가가 곤란하다.

(3) 행정적 통제가 곤란하다.

(4) 교직적 교양과 지도 요령이 미숙한 교사는 실패 가능성이 높다.

교과중심 교육과정	경험중심 교육과정
교과목 중심이다.	학습자 중심이다.
교재의 교수를 중시한다.	학습자의 전인적 발달을 중시한다.
자기 자신을 위하여, 또는 장래생활을 대비하기 위하여 지식과 기능의 전달을 강조한다.	자신의 생활개선을 목표로 하고, 그에 활용될 수 있는 경험을 강조한다.
인류의 생활경험을 간접적으로 받아들인다.	자기의 생활경험을 직접적으로 받아들인다.
실제 지도에 직접 관계없는 제3자에 의하여 구성되고 통제된다.	학생·교사·부모·교육행정가 및 기타 많은 사람에 의하여 구성되고 통제된다.
모든 학습자가 학습장면에서 동일한 반응을 보이고, 동일한 학습효과를 기대한다.	개개의 학습자가 학습장면에서 다양성 있는 반응을 보이고, 획득된 학습결과가 다양성 있기를 기대한다.
특수한 교과의 특수한 교수방법의 개선을 강조한다.	학습과정의 끊임없는 변화를 도모하고 진보를 촉진하는 것을 강조한다.
교육과정 구성의 원칙에 기인하는 교육을 강조한다.	사회성 있는 역동적·창조적 개성 구성에 중점을 둔다.
학교에서 가르치는 것을 내용으로 한다.	경험의 연속적·총체적 발전으로서의 내용을 생각한다.
활용가치가 없는 지식의 획득이나 언어주의에 빠지기 쉽다.	사람은 행함으로써 배운다는 학습심리의 근본적 진리에 합치한다.

3 학문중심 교육과정

1. 성립 배경

1957년 스푸트니크(Sputnik)사건 이후 우즈홀(Woodshole) 회의에서 과학교육 개혁의 필요성을 논의한 것에서 비롯되었다.

2. 기본입장

(1) 학교는 전인교육이나 민주시민을 기르는 곳이 아니라 지식을 체계적으로 가르치는 곳이다.

(2) 학교는 폭발적으로 증가되는 지식 가운데 핵심적인 것만 교육해야 한다.

(3) **교육목적**

각 개인으로 하여금 최고의 지적 발달수준에 도달하도록 도와주는 일이다.

> 참고 수월성 교육, Excellence: 개인이 갖고 있는 잠재적 능력과 적성을 최대로 발휘할 수 있도록 하여 개인의 능력 신장과 교육 체제의 효율성을 극대화시키는 것이다.

3. 특징

(1) 단일 교과 내에는 단일 학문으로 제한하여 조직한다.

(2) 소수의 근본적인 개념 혹은 원리를 정선하여 구조화한다.

(3) 학습자의 인지발달 단계와 지식의 표현양식을 관련시킨다.

(4) 지식의 탐구절차, 자료 제시 순서, 실험실 활용 등을 통해 학습자의 능동적인 탐구와 발견을 강조한다.

(5) 학습자의 학습 성향을 파악하고 동기를 유발하며, 문제해결과제, 해석할 자료, 설계해 볼 실험과제를 제시하여, 학습자가 교과의 구조에 관한 통찰력과 탐구행위를 경험하게 한다.

(6) 교사는 정보를 제공하는 자원으로 활동하기보다는 학문적 탐구활동을 시범으로 보여주는 사람이어야 한다.

> **POINT 학문중심 교육과정의 특징**
>
> 1. 지식의 구조를 강조한다.
> 2. 기초교육을 강조하며, 교재의 목표를 체계적인 지식의 습득에 둔다.
> 3. 교과조직에서의 구조와 학습방법에서의 탐구를 주요 내용과 활동으로 한다. 즉 교과조직에서의 구조는 학문의 기본적인 개념과 원리와 방법의 구성 관계를 파악하는 것이고, 학습방법에서의 탐구는 사물의 상호 관계를 파악하는 인지적 과정이면서 동시에 인지적 능력이다.

4. 지식의 구조

(1) 개념

학문이나 지식의 기저를 이루고 있는 일반적 원리 혹은 기본개념을 말한다.

(2) 구조의 특징

① 표현방식

ㄱ **작동적 표현**: 동작으로 표현한다. 피아제의 인지발달 단계에서 전조작기에 해당하며, 이 단계에서 아동의 지적 활동은 주로 경험과 동작에 의존한다.

ㄴ **영상적 표현**: 구체적 조작기에 해당하며, 이때 아동은 조작(操作)의 기초가 되는 내면화된 정신구조(아동이 세계를 지각·표현하는 내면화된 상징체계)가 발달함으로써 직접 눈앞에 보이는 것, 직접 경험한 것에 얽매이게 되며, 그림이나 도형으로 표현해주면 쉽게 이해한다.

ㄷ **상징적 표현**: 이 단계에서 아동의 지적 활동은 가설적 명제를 조작하는 능력을 지니게 되며, 가능한 변인들을 생각할 수 있고 나아가 가능한 관계를 추리하여 그것을 실험이나 관찰로 검증하는 것이 가능하다. 그러므로 이 단계의 아동에게는 원리나 개념으로 표현해도 이해가 가능하다.

② **생성력(power)**: 지식 간에 비교가 쉬운 것 그리고 한 가지 현상을 알면 그것과 관련되는 여러 가지 현상과의 관계를 파악하는 힘을 말한다.

③ **경제성(economy)**: 머릿속에 기억해야할 정보의 양이 최소화된 것을 의미한다 (공식이나 원리 등).

(3) 구조의 장점

① **이해하기 쉬움**: 기본적인 사항을 알면 교과를 훨씬 쉽게 이해할 수 있게 된다.

② **기억하기 쉬움**: 세세한 사항은 그것이 전체적으로 구조화된 형태 안에 들어 있지 않으면 곧 망각된다.

③ 일반적 전이(원리의 전이)가 쉬움: 기본적이고 일반적인 아이디어를 학습하면 부단히 지식의 폭을 확장하고 깊이를 심화시키게 된다.

④ 초보 지식과 고등 지식 간에 간격을 좁힐 수 있음: 초등학교와 중학교에서 가르치는 학습 자료가 어떤 기본적인 성격을 나타내고 있는가를 끊임없이 재조사함으로써 고등 지식과 초보 지식 사이의 간격을 좁힐 수 있다(나선적 조직).

5. 유형

학문중심 교육과정의 유형으로는 나선형 교육과정과 학제형 교육과정 등이 있다.

6. 장점

(1) 교육내용의 선정, 조직에 경제적 단순화를 기할 수 있다.

(2) 저학년에서 조기교육이 가능하다.

(3) 학습동기 유발의 범위를 확대하는 데 기여하였다.

7. 단점

(1) 모든 교과에 교과의 구조를 발견하기가 곤란하다.

(2) 교과의 세분화를 초래한다.

(3) 아동 개개인의 학습 필요성을 무시한다.

8. 공헌점

(1) 조기교육의 이론적 근거 제공

브루너(Bruner)가 말한 "어떤 교과든지 지적으로 올바른 방식으로 표현하면 어떤 발달단계에 있는 어떤 아동에게도 효과적으로 가르칠 수 있다."라는 가설은 오늘날 조기교육의 이론적 근거가 되었다.

(2) 내적 동기

구조를 발견했을 때 오는 내적 만족감 혹은 지적 희열감은 외적 동기(행동주의적 동기화 방법)만을 강조하던 동기화 전략에서 내적 동기유발의 중요성을 강조하는 계기가 되었다.

(3) 발견학습의 중시

학문중심 교육과정에서는 지식의 구조를 학습자의 지적 활동을 통해 스스로 발견하는 학습을 중시한다.

(4) 기본언어 교육의 중시

학문중심 교육과정에서는 기본언어를 중시하고 중간언어 학습을 배제하였다. 기본언어 교육이란 교과를 배울 때 법칙 자체가 아니라 그 법칙을 다루는 데 쓰이는 사고방법 혹은 탐구방법을 말한다.

중간언어
과학자들이 발견해놓은 탐구결과를 학습자들이 이해할 수 있을 것이라는 것을 추측에 의거하여 누군가가 풀어서 만들어 놓은 학습언어를 말한다.

秀 POINT 기본언어의 중요성과 문제점

1. 기본언어의 중요성
지식의 최전선에서 새로운 지식을 만들어 내는 학자들이 하는 일이나 초등학교 3학년 학생들이 하는 일이나 지적 활동은 근본적으로 동일하다. 다만 지적 활동의 수준 차이가 있을 뿐이다[브루너(Bruner)].

2. 학문중심 교육과정의 문제점
① 학문중심 교육과정을 운영하기 위해서는 교사들에게 가르칠 교과의 학문 및 탐구 방법에 상당한 정도의 특별 훈련이 필요하다. 학문중심 교육과정은 교육과정 자체로는 높은 수준의 완성도를 지니지만 학생의 형편이나 교사들이 실제 처한 조건을 미처 고려하지 못하였다.

② 교육과정 개발과정에서 학생의 특성이나 교사의 경험적 실천적 예지(叡智)를 반영하지 않은 교육과정(Teacher-proof curriculum, 교사배제 교육과정)을 산출하였고, 교사들은 학자들과의 거리로 인해 점차 교육과정에 무관심해지고 자신이 항상 써오던 학습 자료와 교수방식으로 회귀하는 교사의 교육과정에 대한 무관심과 외면(Curriculum-proof teacher, 교육과정 배제 교사)을 초래하기도 하였다.

③ 나선형 조직 방법은 잘못 사용하면 내용의 반복이 심하게 되어 학년이 올라갈수록 내용이 늘어나고 어려워지는 폐단이 있다. 이는 시대 변화나 학생의 요구와 관계없이 교과의 독특성만을 우선시하는 것이 되어 교과마다 제 집을 짓고 그 집의 구조도 복잡해졌기 때문이다. 이는 학문 구조의 경제성을 놓친 결과이다. 결과적으로 교과에 담을 내용 항목만 늘어나 교과중심 교육과정으로 떨어져 버렸다.

 참고

교과중심 교육과정과 학문중심 교육과정의 특징 비교

구분	교과중심 교육과정	학문중심 교육과정
공통점	지적인 성장을 강조한다.	
차이점	형식도야설과 능력심리학에 기초를 둔 훈련의 전이 개념을 인정한다.	광범위하고 일반적인 전이라는 관점에서 형식도야의 수정된 이론을 수용한다.
	모든 학습자의 성적을 일률적으로 향상시키고자 한다.	성취도의 수준에 차이가 있음을 인정한다.
	성인에의 준비를 강조한다.	성인에의 준비와 아울러 현재에 대한 준비도 강조한다.
	규정적이고 권위적인 성격이다.	현재에 있어서 규정적이라고 할지라도 권위적인 성격을 띠지 않는다.
	학습자가 협력적인 것보다는 도리어 경쟁적이다.	경우에 따라서는 협력적 연구방식을 활용하여 그다지 경쟁적이지 않다.
	집단학습 또는 학급으로서의 일정 수준을 강조한다.	개인차를 인정하고 개별학습과 함께 집단학습의 장을 갖도록 한다.
	교재의 곤란도에 서열을 정한다.	아동에게 일찍부터 교과의 본질적인 것(요소적인 것)을 가르칠 수 있다고 생각한다.
	사실의 기억을 강조한다.	의미를 파악하고 개념을 이해하는 일에 중점을 두고, 지식의 구조, 목적, 방법, 역사의 이해를 강조한다.

차이점	지식의 제 분야 또는 관련에 중점을 두지 않는다.	일반적으로 각 학문의 분야를 개별적으로 분리하여 제시한다.
	교과서로서 교수할 것을 추천한다.	발견, 실험, 탐구, 발명 등에 관계되는 여러 종류의 도서와 시청각적 교재를 사용할 것을 추천한다.
	학습에 논리적인 접근을 강조한다.	학습의 방법은 학습될 교과 또는 학문에 따라 결정된다. 때때로 이론적 방법 사용한다.
	학습되는 교과목의 수를 제한한다.	학습될 수 있는 학문영역의 수를 제한한다.
	학습에 있어 창의성을 계발할 기회를 거의 부여하지 않는다.	학습에 있어 창의적 활동의 중요성을 강조한다.
	건전한 민주시민이 되기 위한 준비를 목표로 강조하지 않는다.	경우에 따라서는 시민성의 형성을 목적으로 제시한다.

4 인간중심 교육과정

1. 배경

(1) 학교의 비인간화 현상이 고조된 1970년대 발생하였다.

(2) 기존의 학문중심 교육과정에 대한 대안으로 나타났다.

(3) 인간중심 교육은 흔히 정의적 교육, 열린 교육, 실존주의 교육으로도 불린다.

2. 특징

(1) 잠재능력 계발과 자아실현을 강조한다.

(2) 교과의 통합을 강조한다.

(3) 교사와 학생의 관계에서 존중, 수용, 공감적 이해를 중시한다.

(4) 교육과정의 전개에서 결과보다는 과정을 중시한다.

(5) 인간중심 교육과정은 융합교육을 통해 확고해졌다.

 참고

융합교육(confluence education)

느낌, 태도, 가치 등 정서적인 영역을 인지적 영역에 녹여서 융합시키자는 교육을 말한다. 즉 교과중심 교육에다 정의적 요소를 통합시키고자 하는 것이다. 교육과정은 읽기, 쓰기, 셈하기 등의 기본교육, 학습자 개개인의 잠재적 능력을 이끌어내기 위한 개별적 창의성 교육, 그리고 사회적 문제를 여럿이 탐구하는 집단탐구의 3층 구조(three-tiered structure)로 조직된다.

3. 장점

(1) 학습활동에서 아동의 자유를 강조한다.

(2) 개별화, 발견학습이 가능하다.

(3) 내적 동기유발에 효과적이다.

4. 단점

(1) 명확한 개념이나 원리를 제시하지 못하였다.

(2) 학습에서 지나친 개인주의를 강조한다.

(3) 무계획한 학습운영의 가능성이 높다.

분류 ＼ 특징	교과중심	경험중심	학문중심	인간중심
연대	1920년대 이전까지	1930 ~ 1950	1960 ~ 1970	1970 ~ 1980
정의	교수요목	학습자의 생활 경험	일련의 구조화된 의도적인 학습 결과	모든 경험의 총체
목적	이성의 계발	생활인의 육성	탐구력의 배양	전인적 인간형성, 자아실현
내용	문화유산	생활경험	구조화된 지식 (지식의 구조)	포괄적 내용 (지·덕·체)
지향점	과거	현재	미래	현재와 미래

⬆ **교과중심·경험중심·학문중심·인간중심 교육과정의 특징 비교**

5 사회중심 교육과정

1. 기본 관점

(1) 기능론적 관점

학교에서 학생들에게 사회적으로 유용한 지식과 기능을 가르쳐 사회에 마찰 없이 적응하도록 돕는 사회 적응적 입장이다.

(2) 갈등론적 관점

학교교육을 통해 학생들로 하여금 사회가 지닌 문제와 모순을 깨닫고 이를 극복할 대안을 모색해보게 하는 사회 개혁적 입장이다.

2. 목적

(1) 학습자로 하여금 인류가 당면한 심각하고 절실한 문제를 정면으로 보도록 한다.

(2) 학교교육을 통한 미래 사회변화 추구를 뒷받침하는 학생들의 태도와 신념을 기르는 도덕과 비판적 지성의 재건설을 강조한다.

3. 연구경향

(1) 주로 학교지식을 분석하고 비판함으로써 사회변화의 새로운 가능성을 찾는다.

(2) 애니언(J. Anyon)은 미국의 역사 교과서를 분석한 결과, 미국 자본주의 경제가 급성장한 시기를 두고 교과서에서는 지배집단의 입장에서 경제성장을 찬양하면서도 성장의 밑거름이 된 노동자 계급의 문제를 외면하고 있다고 비판하였다.

(3) 폭스와 헤스도 초·중등학교의 사회 교과서를 분석한 결과, 사회를 있는 그대로 현실감 있게 전달하는 것이 아니라 편파적으로 제시하고 있다고 비판하였다.

4. 일반적 수업 순서

(1) 학생의 사회생활 주변에서 가장 문제가 될 만한 쟁점이 무엇인가를 찾아낸다.

(2) 이 문제를 초래한 근본적 원인과 제약과 학생들이 이로 인해 일상에서 겪는 현실을 조사하여 발표한다.

(3) 문제를 보다 넓은 사회의 제도나 구조와 연결시켜 본다.

(4) 사회적 분석 결과를 세계, 사회, 자신에 대한 희망과 이상에 연결시켜 본다.

(5) 이상을 현실화시키기 위한 모종의 책임 있는 조치나 행동을 취한다.

6 행동주의 교육과정

1. 기본 관점

(1) 교육과정의 내용은 관찰 가능하고 측정 가능한 행동을 명세화한 진술문, 즉 행동 혹은 성취수행 목표로 진술된 일련의 가능성들로 구성되어 있다고 본다.

(2) 교육목적은 가치중립적이며 도착점 행동으로 기술될 수 있다고 본다.

2. 특징

(1) 평가방법과 밀접한 연관을 맺고 있는 비연속적인 성질의 구분된 성취 수행이 목표이다.

(2) 교사중심의 기능교수법으로서 학생들에게 충분한 기능 연습의 기회를 제공한다.

(3) 준거지향의 평가방법을 사용한다.

(4) 적절한 행동 및 성공적인 수행에 대한 보상 체제를 갖는다.

7 구성주의 교육과정

1. 기본 관점

(1) 지식은 개인의 독특하고 개별적인 인지적 활동인 동시에 특정 사회 구성원 간에 공유하는 사회적 요소로 포함되는 개인적, 집단적, 상황적 의미형성이다.

(2) 지식의 습득과 형성은 개인의 인지적 작용과 개인이 속한 사회에의 참여하는 두 요소의 상호작용에 의한 지속적인 변화, 수정, 보완을 통해 구성된다.

2. 특징

(1) 교육과정은 전체에서 시작하여 부분으로 나가고 포괄적인 개념을 중심으로 구성된다.

(2) 학생이 생활과 당면한 문제에서 부딪히는 질문을 존중한다.

(3) 학생들의 주체적 지식 구성과 학습자의 참여를 강조한다.

(4) 교사의 역할은 학생들과 상호작용하는 데서 도와주고 같이 배워가는 동반자적 관계를 강조한다.

참고

전통적 교육과정과 구성주의 교육과정의 특징 비교

구분	전통적 교육과정	구성주의 교육과정
교육과정의 구성	부분에서 시작하여 전체로 나아가며, 특히 기초학습 기능을 강조한다.	전체에서 시작하여 부분으로 나아가며 포괄적인 개념을 중심으로 구성한다.
교육과정의 강조점	학생들을 교과나 고정된 교육과정에 적응·동화하도록 강조한다.	학생이 생활과 당면한 문제에서 부딪히는 질문을 존중한다.
교육내용의 강조점	교사가 가르쳐 주는 지식을 받아들이는 것을 강조한다.	학생들의 주체적 지식 구성과 학습참여를 강조한다.
교사의 역할	지식과 정보를 전달하고 가르치는 입장을 강조한다.	학생들과 상호작용하는 데서 도와주고 같이 배워가는 동반적 관계를 강조한다.
교육평가	학생이 얼마나 배워 알고 있는가를 확인하는 총괄적, 객관적 평가를 강조한다.	학습과정을 중심으로 일어나며 학습의 다양한 측면을 학생 작품, 관찰 등 다양한 기법을 동원해서 평가한다.

 秀 POINT 형식도야 이론(formal discipline theory)

1. 특징

① 교과 선정에 관한 가장 고전적인 이론으로, 교과는 지각·기억·추리·감정 등과 같은 몇 가지의 기본적인 정신기능을 개발하는 수단이며 이러한 정신기능을 개발하는 데 적합한 교과가 따로 있다고 주장한다.

② 인간의 정신(mind)은 서로 뚜렷이 구별되는 지각, 기억, 상상, 추리, 감정, 의지 등 부소(部所) 능력들로 구성되어 있으며(능력 심리학), 각 부소 능력을 단련하는 데 적합한 교과가 있다고 간주한다.

③ 교과는 그것이 개인 생활에 의미가 있다든가 사회적 유용성이 있다고 해서 중요시되는 것이 아니라 정신도야의 기회를 제공해준다는 점에서 중요하다. 즉 교과를 배우는 것은 마음의 능력을 개발하기 위한 것이다.

2. 훈련의 전이(transfer of training)

자동적인 것으로 보장된다. 근대 형식도야 이론은 로크와 심신(心身) 2원론의 철학을 기초로 한 데카르트의 철학에 연원을 두고 있다.

3. 비판

① 형식도야 이론을 근거로 하였던 능력심리학은 20세기에 들어 제임스(W. James)와 손다이크(Thorndike)의 전이(轉移) 실험에 의해 부정되었고, 특히 듀이(J. Dewey)의 1원론적 교과관에 의해 철저히 부정되었다.

② 듀이(Dewey)는 형식도야설은 일반적인 '능력'과 그 능력이 행사되는 대상인 '교과'를 분리시키는 2원론적 성격을 가졌다고 비판하고, 교과의 중요성을 판단하는 기준은 '사회적'인 것이어야 한다고 주장했다. 즉 교과의 내용은 '사회생활'에 얼마나 유용한가에 비추어 판단되어야 한다.

③ 피터스(R. S. Peters)의 '지식의 형식'이 전통적인 형식도야설을 부정한 이론이다.

④ 비록 형식도야 이론이 비판을 받고 있지만, 오늘날 누구든지 교과의 가치를, 교과가 개인의 '마음'에 어떤 영향을 미치는가 하는 관점에서 설명한다고 한다면 다소 형식도야 이론에 따르고 있다고도 볼 수 있다(교육을 마음의 단련과 관련해서 설명하는 것).

03 | 교육과정 개발 모형

타일러(Tyler)의 합리적 모형(개발 중시)	목표설정 → 경험의 선정 → 경험의 조직 → 성과의 평가
워커(Walker)의 숙의 모형(실제적 모형)	토대 다지기(강령) → 숙의(대안적 지각, 대안적 해결책) → 설계(프로 그램 계획)
아이즈너(Eisner)의 예술적 모형(이해, 해석)	목표설정(표출목표, 문제해결목표), 내용선정(대중예술), 학습기회(교 육적 상상력), 조직(비선형적 접근), 제시양식(은유 혹은 비유), 평가 (교육적 감식안, 교육비평)
스킬벡(Skilbeck)의 학교중심 모형	상황분석(학교 내적 및 외적 요인) → 목표설정 → 프로그램 구성(교수 - 학습활동 설계) → 해석과 실행 → 조정, 피드백, 평가 및 재구성
7차 교육과정 개발과정	계획단계 → 편성단계 → 운영단계 → 평가단계
위긴스(Wiggins)의 백워드(Backward) 설계 모형	① 성취기준 중심 교육과정[이론기초 - 타일러(Tyler), 브루너(Bruner), 평가의 지위와 역할의 향상] ② 설계과정(목표설정 → 평가계획 → 학습경험과 수업계획)

1 합리적 모형[타일러(Tyler), 타바(Taba)]

1. 성격

교육과정 설계에서 교육과정 구성 요소의 고정된 계열을 강조하며, 목표, 내용, 방법, 평가에 이르기까지 하나의 계열적 형태를 띤다.

2. 타일러(Tyler)의 합리적 모형

(1) 특징

① 종합적 교육과정 모형: 타일러의 교육과정 설계모형은 실증주의, 경험주의, 성과
주의, 기술공학적 절차를 중시하는 시대정신을 반영하는 것으로 교육과정의 계
획과 개발에 대한 합리적 - 선형적 접근을 강조한다.

② 합리적 모형, 목표중심 모형, 평가중심 모형, 혹은 목적 - 수단모형으로 불리우기도
한다. 흔히 목표 - 수단 - 실행 - 평가(OMOE, Objectives-Means-Operation-
Evaluation)로 표현되는 실제적 활동의 일반모형이다.

(2) 교육과정 설계 절차

① 교육목표의 설정

타당한 목표의 바탕이 되는 원천	㉠ 교육과정의 최종 수혜 대상이 되는 학습자에 대한 연구: 학습자에 대한 연구는 그들이 모르고 있는 지식, 일상생활에서 요구되는 폭넓은 가치 적용상의 문제, 애정, 소속, 인정, 목적의식을 둘러싼 심리학적 요구, 학생의 관심과 흥미 등을 연구하는 것이다. 이를 토대로 가치판단이 포함된 추론이 요구된다. ㉡ 학교 밖의 현대 사회에 대한 연구: 학교 밖의 지역사회, 국가, 세계를 알아야 한다. ㉢ 시민들에게 가장 중요한 지식은 무엇인가에 대한 교과전문가의 목표에 대한 제안과 권고이다.
교육철학과 학습심리학	원천으로부터 잠정적 목표를 구성하고 교육철학과 학습심리학을 통해 여과되어 최종적으로 명세적 교육목표를 수립해야 한다고 보았다. 교육철학은 그 목표가 가치 있는가를 검토하게 해주며, 학습심리학은 도출된 목적이 달성 가능한지를 확인하게 해준다.
잠정적 목표의 기준	잠정적 목표는 합의된 가치와 기능, 포괄성, 일관성, 달성가능성의 기준에 적합해야 한다. ㉠ 교육목표는 교육과정 총괄기구에 의해 채택된 가치와 기능과 일치해야 한다. ㉡ 목표는 특정 학습자의 사소한 행동을 다루는 것이 아니므로 보다 많은 사람들이 가치 있게 받아들이는 것을 포괄해야 한다. ㉢ 목표들 사이에는 서로 일관성이 있어야 한다. ㉣ 목표는 교사의 교수 가능성, 학습자의 학습 가능성, 지역사회의 교육자원의 구입 용이성, 시설과 설비 및 비용을 고려한 목표가 선정되어야 한다.

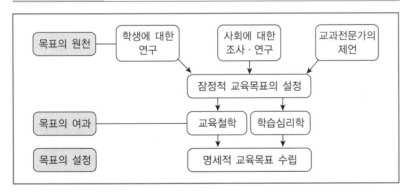

❶ 목표수립 절차

② 학습경험의 선정

　　㉠ 학습경험은 학습자와 외적 환경과의 상호작용으로 학습은 학습자가 행한 행위를 통해서 달성된다. 따라서 학습경험은 학생들이 무엇을 경험했는가의 문제이다.

　　㉡ 학습경험을 선정할 때에는 기회의 원리, 만족의 원리, 학습가능성의 원리, 일목표 다경험의 원리, 일경험 다성과의 원리를 고려하여야 한다.

③ 학습경험의 조직

　　㉠ 학습경험은 교육적 효과를 가져 오기 위해 경험이 축적되어서 상승효과를 가져올 수 있도록 조직되어야 한다. 조직은 시간적 관계와 공간적 관계를 고려한 수직적, 수평적 조직으로 나누어진다.

　　㉡ 학습경험의 조직 원리는 계속성, 계열성, 통합성 등이 있다.

④ 학습경험의 평가

　　㉠ 교육목표가 교육과정이나 학습지도를 통해 어느 정도 실행되고 있는가를 확인하는 일이다.

　　㉡ 어떤 프로그램의 성공 여부는 목표로 구체화된 행동이 얼마나 달성되었는가 하는 정도에 따라 결정된다. 평가를 통해서 프로그램에 내재되어 있는 가정과 가설의 타당성을 따지고 사용된 방법의 효율성을 판단하게 된다.

(3) 장단점

① 장점

　　㉠ 어떤 교과나 어떤 수업에서도 활용, 적용될 수 있다.

　　㉡ 논리적이고 합리적인 절차를 제시하고 있어 교육과정 개발자나 수업계획자가 적용하기 쉽다.

　　㉢ 학습자의 행동과 학습경험을 강조함으로써 평가를 위한 지침을 제공해준다.

　　㉣ 교육과정과 수업을 구분하지 않고 통합적으로 목표 - 경험선정 - 경험조직 - 평가를 포괄하는 종합성을 띠고 있다.

　　㉤ 경험적, 실증적으로 교육성과를 연구하는 경향을 촉발시켰다.

② 단점

　　㉠ 목표의 원천은 제시하고 있으나 무엇이 목표이고 그것은 왜 다른 목표를 제치고 선정되었는지를 밝혀주지 못한다.

　　㉡ 목표를 사전에 미리 설정함으로써 수업 진행과정 중에 새롭게 생겨나는 부수적, 확산적 목표의 중요성을 간과했다.

　　㉢ 목표를 내용보다 우위에 두고, 내용을 목표 달성의 수단으로 전락시켰다.

　　㉣ 절차만을 지나치게 강조함으로써 무엇을 가르쳐야 할 것인가에 대한 대답을 회피한다.

　　㉤ 겉으로 평가할 수 있는 행동만을 지나치게 강조함으로써 잠재적 측면이나, 내면적 변화, 가치와 태도, 감정 등의 변화를 확인하기 곤란하다.

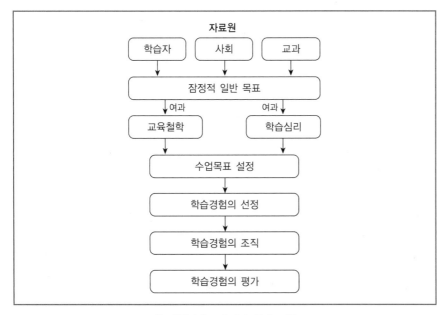

↑ 타일러의 교육과정 설계 모형

기출문제

타일러(R. W. Tyler)의 교육과정 이론에 대한 설명으로 옳지 않은 것은?

2019년 국가직 9급

① 교육목표를 설정할 때 학습자, 사회, 교과를 균형 있게 고려한다.
② 교육과정을 교육목적, 교육내용, 교육방법, 학습활동까지 포함하는 경험으로 파악한다.
③ 학습목표를 행위동사로 진술할 것을 주장한다.
④ 기존 교육과정에 대해 기계적이고 절차적인 모형이라는 비판을 가하였다.

해설

타일러의 교육과정 이론은 행동주의에 기초해서 기계적이고 선형적인 특징을 지닌다. 목표설정의 원천으로 학습자, 사회, 교과를 고려해서 잠정적인 목표를 정하고 학습목표는 행위동사로 진술한다.　　　　　**답 ④**

---

3. 타바(H. Taba)의 교육과정 설계모형

(1) 특징

① 타바의 교육과정 설계모형은 타일러의 모형을 발전시킨 것이다. 그는 『교육과정 개발: 이론과 실제(Curriculum Development: Theory and Practice 1962)』에서 귀납적 접근방법을 제시하였다.

② 교육과정 설계 과정의 각 단계에서 보다 많은 정보들이 투입되어야 한다고 보고, 내용(교육과정의 논리적 조직)과 개별학습자(교육과정의 심리적 조직)의 2원적인 고려를 제안하고 있다.

③ 교육과정 개발이 합리적이고 과학적이기 위해서는 근본적인 요인에 대한 의사결정이 타당한 준거에 따라 이루어져야 하며, 이러한 준거는 전통, 사회 압력, 기존 습관 등 다양한 자원들로부터 나온다.

④ 타바는 사회 및 문화의 분석, 학습자와 학습과정의 연구, 교육과정의 본질과 학교의 목적을 위한 지식의 본질에 대한 분석을 이끌어내기 위하여 과학적 교육과정 개발의 필요성을 역설하였다.

(2) 교육과정 설계 단계

제1단계	요구의 진단
제2단계	목표의 설정
제3단계	내용의 선정
제4단계	내용의 조직
제5단계	학습경험의 선정
제6단계	학습경험의 조직
제7단계	평가의 대상·방법·수단의 결정

2 순환적 모형[휠러(Wheeler), 니콜스(Nicholls)]

1. 성격

합리적 모형과 역동적 모형의 양극단 사이에 있는 모형이다. 접근방법에 있어 논리적, 계열적이라는 점에서 합리적 모형의 연장이지만 순환적 모형은 교육과정 설계과정을 새로운 정보나 실제에 따라 항상 변화하는 하나의 지속적 활동이라고 간주한다. 또한 교육과정의 요소를 상호 관련적이고 의존적인 것으로 파악한다.

2. 휠러(Wheeler)의 교육과정 설계모형

(1) 특징

① 타일러와 타바의 아이디어들을 발전시키고 확장시킨 모형이다. 교육과정의 각 요소들이 상호 관련되어 있고 상호의존적이며 순환적인 형태를 지닌다.

② 각 단계는 바로 앞 단계의 논리적 발전 형태이다. 어떤 단계에서의 작업은 바로 앞 단계에서의 일이 완성되어야만 시작될 수 있기 때문이다.

(2) 설계 단계

① 목적, 목표, 명세적 목표를 선정한다.

② 목적, 목표, 명세적 목표를 성취하는 데 도움을 주는 학습경험을 선정한다.

③ 제공된 경험 유형에 따른 내용을 선정한다.

④ 교수 - 학습과정에 비추어 학습경험과 내용을 조직하고 통합한다.

⑤ 각 단계와 목표 성취도를 평가한다.

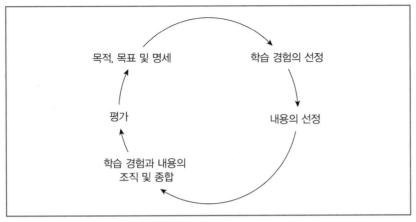

↑ 교육과정 개발 절차

3. 니콜스(H. Nicholls)의 모형

(1) 특징

① 『Developing a Curriculum: A Practical Guide(1978)』에서 순환적 접근방법을 제시하였다.

② 상황의 변화에 따라 새로운 교육과정을 필요로 하는 경우에 교육과정 개발의 논리적 접근을 강조한다.

③ 교육과정 개발의 순환적 성질과 예비단계(상황분석)를 강조함으로써 타일러(Tyler), 타바(Taba), 휠러(Wheeler)의 연구를 더욱 세련시켰다.

(2) 개발 단계

① 상황분석, ② 목표의 설정, ③ 내용의 선정 및 조직, ④ 방법의 선정 및 조직, ⑤ 평가로 이루어진다.

3 역동적 모형[워커(Walker), 스킬벡(Skilbeck)]

1. 성격

교육과정 설계의 대안적 관점을 제공한다. 이들은 합리적 및 순환적 모형이 교육기관에서 교육과정 설계의 실제를 제대로 반영하지 못한다고 주장한다. 역동적 모형은 교육과정을 설계할 때 나타나는 교사와 설계자들의 행동을 연구자들이 관찰한 결과로부터 도출되었고, 기술적 특징을 지닌다.

2. 워커(Walker)의 숙의(熟議, deliberation) 모형

(1) 특징

① 교육과정을 개발하고 설계하는 참여자들의 다양한 견해를 반영할 수 있다.

② 실제적 교육과정 모형: 교육과정 설계를 특수한 상황에 맞추어야 할 필요성을 강조한다.

(2) 교육과정 개발 과정

① 토대 다지기(강령, platform)

    ㉠ 강령: 교육과정 개발 활동에 참여하는 사람들이 지닌 교육적 신념, 가치, 각종 교육이론, 교육목적, 교육과정 구상, 교육과정 개발절차, 자기가 속하여 이해관계를 대변해야 하는 집단의 전략, 자신의 숨은 의도 및 선호 등을 총칭한다.

    ㉡ 토대: 일반적으로 다양한 개념, 이론, 그리고 상대적으로 잘 설정되고 심사숙고된 목적으로 구성되며, 앞으로의 토론과정에서 기준 또는 합의의 발판이 된다.

② 숙의(deliberation)

    ㉠ 본질적으로 적절한 여러 대안들, 대안적 지각들, 대안적 문제들과 대안적 해결들을 찾아내고 형성하고 고려하기 위한 체계적인 방법이다.

    ㉡ 대안들 간의 충돌을 제거하는 것이 목적이다.

    ㉢ 숙의 과정에서 학생들의 요구가 무엇이고 그들은 어떻게 배우며, 교사의 수업방법과 절차에 대한 토론을 통해 실행 가능한 해결이 제안되기를 기대한다.

    ㉣ 올바른 의미의 숙의

        ⓐ 주어진 교육과정 문제를 가장 설득력 있고 타당한 방법으로 논의한다.

        ⓑ 가장 유망한 교육과정 실천 대안을 검토한다.

        ⓒ 대안을 내세우면서 거론한 관련 지식을 고려하고, 그 지식에 대한 적절한 논쟁과 장단점을 따져본다.

        ⓓ 작은 결정 하나에도 관련된 모든 집단의 입장과 가치를 탐색한다.

        ⓔ 공정하고 균형 잡힌 판단에 이르도록 한다.

③ 설계(design)

    ㉠ 교육 프로그램의 상세한 계획을 수립하는 일이다.

    ㉡ 명시적 설계는 대안들을 가려내어 가장 옹호할만한 해결을 발견한 다음에 만들어지는 모든 토론으로 이루어지며, 함축적 설계는 대안들은 고려하지 않은 채 무의식적으로 취해진 행동방침으로 구성된다.

    ㉢ 설계 단계의 궁극적 활동은 특정 교수자료를 생산하는 일이다.

(3) 평가

① 교육과정을 계획하는 동안 실제로 일어나는 것을 아주 정확하게 묘사해준다. 또한 참여자들이 다른 입장에 반응하고 숙의하기 위해 대화에 상당한 시간을 보내야 할 필요성을 강조한다.

② 전적으로 교육과정 계획에만 초점이 맞추어져 있어 교육과정 설계가 완성된 뒤에 무슨 일이 일어나야 할지에 대한 언급이 부족하다.

③ 대규모의 교육과정 프로젝트에는 적절하지만 소규모, 학교중심 교육과정 계획에는 적절하지 않을 수 있다. 학교는 전문가, 자금, 시간 등이 충분하지 않고, 처음부터 격렬한 이해관계의 충돌이나 상당한 시간을 요하는 충분한 숙의를 지속할 수 없기 때문이다.

잘못된 숙의
파당적 숙의, 제한적 숙의, 한정적 숙의, 유사숙의, 공청회 수준 등이 있다.

이런 문제점을 해결하고자 하는 것이 '학교중심 교육과정 개발'이다.

3. 스킬벡(Skilbeck)의 학교중심 교육과정 설계모형(SBCD)

(1) 특징

① 학교중심 교육과정 설계(School-based curriculum design)란 학생이 구성원인 교육기관에 의한 학습 프로그램을 계획, 설계, 시행 그리고 평가하는 것을 말한다.

② 스킬벡은 교사와 학생 간의 공유된 의사결정을 강조한다.

③ 기관의 내부에서 이루어지고 유기적이며 다양한 집단들과의 관계망을 포함하고 한정된 가치, 규범, 절차, 역할 패턴에 의해 특징지어진다고 본다.

(2) 교육과정 설계모형과 과정

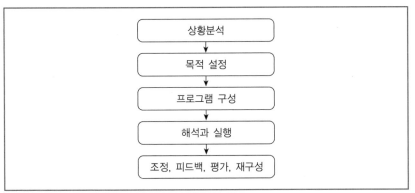

상황분석	① 외적 요인 　㉠ 문화적, 사회적 변화 그리고 부모의 기대를 포함한 기대, 고용주 요구, 지역사회의 가치, 인간관계의 변화, 이데올로기 　㉡ 교육제도의 요건 및 도전 　　예 정책, 시험, 지방당국의 기대, 요구 혹은 압력, 교육과정 프로젝트, 교육연구 등 　㉢ 가르쳐야 할 교과의 성격변화 　㉣ 교사지원체제의 잠재적 공헌 　　예 교육대학교, 연구기관 등 　㉤ 학교 내의 자원 유입 ② 내적 요인 　㉠ **학생**: 적성, 능력 및 교육적 요구 　㉡ **교사**: 가치, 태도, 기능적 지식, 경험, 특별한 장점과 단점, 역할 　㉢ **학교풍토 및 정치적 구조**: 권력분배, 권위관계, 규범의 조화를 이룰 수 있는 방법, 일탈행위의 처리 등을 포함한 물적 자원
목표설정	① 목표 진술은 기대되는 학습성과의 진술을 포함한 교사와 학생의 행동을 담고 있다. ② 목표는 교육활동이 나아가야 할 방향에 대한 선호성, 가치, 판단 등을 암시, 진술하고 있다.
프로그램 구성	① 교수 - 학습활동의 설계: 내용, 구조와 방법, 폭과 깊이, 계열 ② 수단 - 자료, 자료단원, 교과서 등 ③ 인사배치와 역할분담 ④ 학습시간표 및 규정 제정

해석과 실행	교육과정 변화를 야기시키는 문제들(신구세대의 충돌, 저항, 혼란 등)을 미리 예측하고 경험의 회고, 혁신에 관련된 이론 및 연구의 분석, 상상력 있는 예언을 통해 해결한다.
조정, 피드백, 평가 및 재구성	① 조정 및 의사소통 체제의 설계 ② 평가의 시간계획 ③ '연속적인' 평가과정에서 야기되는 문제 ④ 이 과정들의 계속성 조절 및 유지

📁 참고

해리슨(Harrison)의 학교중심 교육과정 설계모형

해리슨도 학교중심 교육과정 설계모형을 제시하였다. 그는 학교중심 교육과정이란 참여자들이 '의도한 교육과정의 조합(진보적으로 수정될 수 있는 계획)'으로 시작해서 그들 스스로의 '작동적 교육과정(사람에게 실제로 일어나는 것)'의 단계를 거쳐 그들에게 '지각된 교육과정(그들의 지각된 상황과 결과)'으로 끝맺는 것이라고 보았다. 이 세 단계는 교육과정을 진보적으로 수정하기 위해 계속적인 평가와 의사결정을 하는 과정에서 유기적으로 상호작용한다.

4 예술적 교육과정 모형[아이즈너(Eisner)]

1. 성격

(1) 1960년대 행동적 교육목표와 전통적 학문교과를 지나치게 강조해왔던 교육과정의 풍토를 비판한다.

(2) 아이즈너는 질적인 연구양식의 개발 필요성을 지적하면서 1970년대 중반에 예술 교육과정에 대한 자신의 관점을 질적인 형태로 조합시켰다. 그는 사회적 실제를 협의적이고 주관적이며 구성적이고 다원적인 것으로 묘사한다. 또한 개인의 의미를 구성하는 방법은 다양하다고 보았다.

(3) 따라서 교육과정에 대한 의사결정을 하는 사람은 실재에 대한 다양한 시각을 표현하는 예술가와 같은 사람이라고 한다.

2. 특징

(1) 행동적 교육목표와 전통적 학문교과를 지나치게 강조해 왔던 학교교육과정 풍토를 비판하고 예술교육과 교육과정을 강조한다(『Educational Imagination, 1979』).

(2) 아이즈너의 모형에서는 숙의 과정에서 예술성이 계획된 교육과정, 실행된 교육과정, 학생이 경험한 교육과정의 내재적 가치를 어떻게 강화시켜 주는가에 초점을 맞추었다.

3. 교육과정 개발 과정

(1) 목표설정

① 명백한 교육목표뿐만 아니라 잘 정의되지 않은 목표도 함께 고려하여야 한다.

② 목표의 중요성(우선순위)을 논의하는 과정에서 심사숙고를 강조한다.

③ 행동목표에 대한 보완으로 학습과정 후에 드러나는 표출목표와 문제해결을 위한 목표를 강조한다.

④ 교육과정 설계 시 서로 다른 이해집단에서 주장하는 상충되는 목표의 처리를 위해서는 예술적 기술과 재능이 요구된다.

⑤ 교육과정의 우선순위에 대한 합의를 이끌어내는 예술적 모형에서는 슈왑(Schwab)이나 워커(Walker)의 숙의 과정이 포함되어야 한다.

> ### 秀 POINT 표출목표와 문제해결목표
>
> 1. **표출목표(expressive objectives)**
>   교육목표는 구체적인 목표를 미리 설정할 수 없고 어떤 상황에서는 교수 활동이 전개된 이후에 종합적이고 일반적인 용어로 표현되는 목표를 설정하는 것이 더 합당할 수 있다. 이는 아이즈너가 명백한 목표의 중요성을 비판하고 학습목표의 설정이 반드시 교수활동 이전에 이루어질 필요는 없다고 주장한 것이다.
>
> 2. **문제해결을 위한 목표(problem-solving objectives)**
>   학생들에게 제시해야 할 문제가 주어진 목표이다. 문제해결을 위한 목표는 해결책이 미리 정해져 있는 것이 아니므로, 학생이 개인적으로나 단체로 도달한 결론이 모두 다를 수 있다. 문제해결을 위한 목표 활동은 지적인 융통성이나 지적인 탐구, 고도의 정신력을 길러준다.

(2) 교육과정 내용의 선정

교육과정 선정 시 개인, 사회, 교과의 3가지 자원으로부터 추출해야 하지만 대중문화 같은 아주 중요하면서도 학교교육과정에서 전통적으로 배제되어왔던 내용(영교육과정)도 신중하게 고려해야 한다.

(3) 학습기회의 유형

다양한 학습기회가 학생들에게 제공되어야 하는데, 그 핵심적 개념은 '교육적 상상력'이다. 교육적 상상력이란 '예술성'에 대한 은유적 용어로, 교사들이 실제 학생들에게 의미 있고 만족스런 다양한 학습기회를 제공할 수 있도록 교육목표와 교육내용을 학생들에게 적합한 형태로 변형하는 능력을 말한다.

(4) 학습기회의 조직

학생들의 다양한 학습결과를 유도할 수 있는 비선형적 접근방법이어야 한다.

(5) 학습영역의 조직

학습내용을 조직할 때 다양한 교과들 사이를 꿰뚫는 내용(cross-curricula)조직을 강조한다.

(6) 제시양식과 반응양식

학생들의 교육기회를 넓혀주는 다양한 의사소통 양식을 사용해야 하며, 특히 은유(metaphors)는 그 자체가 목적을 지닌다. 은유적 표현은 나름대로의 양식을 지니며 일상적인 언어의 양식으로 의사소통되는 것보다 더 강력한 의미를 포함한다.

(7) 평가절차의 유형

① 평가의 특징: 교육과정 계획 및 개발과정의 전반에 걸쳐 있는 활동으로 인간이 끊임없이 자신의 삶과 자기를 둘러싸고 있는 세계를 이해하고자 하는 과정과 같다.

② 평가모형
　　⊙ 교육적 감식안(educational connoisseurship): 교육적 상황의 복잡성을 파악하는 능력과 복잡성을 세련되게 개념화하는 능력을 말한다.
　　⊙ 교육비평(educational criticism): 일종의 폭로 기법으로 비판적으로 파헤치고 표현함으로써 대상의 질적 속성을 생생하게 표현해내기 위해 감식안이 포착한 사상이나 사물의 질을 드러내는 예술 활동이다.

4. 평가

(1) 교육과정 계획·설계과정을 '무제한적인 과정(an open-ended process)'으로 간주한다.

(2) 숙의 과정에서 예술성이 계획된 교육과정, 실행된 교육과정, 학생이 경험한 교육과정의 내재적 가치를 강화시키는 데 초점을 두었다.

(3) 사회적 실재(social reality)

단순히 그 자체로 존재하는 것이 아니라, 그 안에 살고 있는 사람들에 의해 끊임없이 구성·재구성되는 것이라고 보았다.

(4) 교육과정 계획에 대한 기존의 합리주의적 접근방법을 적절하게 비판하였으나 실제적 대안 제시는 미흡하였다.

▌기출문제

아이즈너(Eisner)의 교육과정 이론에 대한 설명으로 옳지 않은 것은?

2020년 국가직 7급

① 교육적 감식안에 토대한 표준화 검사가 필요하다.
② 평가는 교육과정 개발의 모든 단계에서 이루어져야 한다.
③ 교육내용을 선정할 때 학교에서 가르치지 않는 것에 대하여 고려해야 한다.
④ 행동적 목표에 대한 보완으로 표현적 결과(expressive outcomes)를 고려해야 한다.

해설
평가모형으로서 교육적 감식안은 교육적 상황의 복잡성을 파악하는 능력으로 이는 질적 모형에 해당한다.　　　　　　　　　　　　　　　　　　　　　　　　　　**답 ①**

5 해방적 설계 모형과 생성적 설계 모형[프레이리(Freire), 파이너(Pinar)]

1. 성격

교육과정 설계를 일정한 절차나 객관적인 공식에 의해 진행되는 활동이기 보다는, 교사와 학습자가 상호 협력하여 새롭게 구성해나가는 과정으로 본다.

2. 프레이리의 해방적 교육과정 설계

(1) 설계 목적

교육과정 설계의 중요한 목적은 피억압자들에게 비판적 의식을 길러주는 일이다.

(2) 설계 단계

1단계	생성어나 생성적 주제 찾기
2단계	평가회 개최 및 기호화
3단계	'주제연구 서클'을 통한 해석
4단계	협업적 연구

3. 파이너의 자서전적 모형(쿠레레 모형)

(1) 개념

① 교육과정 설계는 자아의 구성을 위한 자료 만들기로서의 교육과정이다.

② 자아는 자서전으로서의 스토리텔링에 의해 계획되고 만들어진다.

③ 자서전적 글쓰기, 집단 토의, 현상학적 질문하기, 해석학적 읽기, 개별화 교수전략 등이 활용된다.

(2) 쿠레레(currere)의 의미

'currere'에 대해 파이너(Pinar)는 목표 또는 학습결과를 기술하거나 규정하는 활동으로서가 아니라 '코스에서 학생이 달리면서 갖게 되는 교육적 경험'으로 재해석하였다. 학습에서 지식은 습득하는 것이 아니라 학습자가 자신의 경험을 바탕으로 재구성하는 과정으로 보고 회귀(regressive) - 전진(progressive) - 분석(analysis) - 종합(synthesis)의 4단계를 거쳐 학습하는 동안 자신의 삶을 드러내면서 현재의 교육적 경험과 개념을 가치화하고 내면화하여 지적, 정서적, 행동적 측면의 통합을 실현하는 데 교육적 의의를 둔다. 현재 자신의 지적 경험은 과거의 경험과 미래의 상상적 경험 속에서 해석할 때 이해가 가능하며, 자기 존재의 통찰과 지식을 통해 변화를 경험할 수 있다고 보았다. 즉 아는 것과 살아간다는 것의 관련성을 강조하는 것이다.

(3) 원리

경험의 개별성 원리	학생 개인의 경험이 가지는 개별성을 존중하는 것으로 인식 주체인 학생이 경험하는 바의 의미와 해석이 각자 다르므로 모든 학생들에게 동일하게 주어지는 표준화된 과정을 지양하고 실제적인 삶의 맥락 속에서 교육적 경험을 분석한다.
지식 구성의 원리	학습자는 능동적, 주체적으로 학습 활동에 참여하는 학습 주체로 자기 개인의 경험 속에서 지식을 재구성한다
자기 이해의 원리	지적인 학습과정인 동시에 자신을 이해하고 실현하는 과정을 중시하여 자신에 대한 이해 수준을 높이고 아는 것과 삶, 자아실현의 연관성을 강조한다.
자기 주도적 학습의 원리	학습의 과정에서 학생이 능동적인 주체가 되어 자신의 경험을 충분히 드러내고 분석한다.
학습공동체의 원리	교사와 학생, 학생과 학생 간의 개방적이고 신뢰적인 분위기 속에서 지식과 경험을 공유하여, 서로가 동료로서 학습공동체를 형성한다.

(4) 교수 활동

지식을 가르치거나 전달하는 활동보다는 학생들이 자신의 교육적 경험을 이해하고 해석하는 학습활동을 안내하고 학생들이 이러한 학습활동에 적극적으로 임할수 있도록 조력하는 과정이다.

(5) 쿠레레(currere)의 단계

단계		활동유형	학습자 활동	학습원리
1단계	회귀	① 과거경험 회상하기 ② 자유로운 연상을 통한 기억 확장하기	① 회상하는 글쓰기 ② 인생연보 그리기	① 개별화 ② 자기이해 ③ 자기주도적
2단계	전진	자유연상을 통한 미래 회상하기	① 자서전적 글쓰기 ② 마인드 맵 ③ 앙케이트 / 질문표	① 개별화 ② 자기이해 ③ 자기주도적
3단계	분석	① 1, 2단계를 통해 회상한 것에 대해 비평적으로 반성하기 ② 과거·미래·현재라는 세 장의 사진을 놓고, 이들 간의 복잡한 관계 탐구하기	① 집단토의, 토론 ② 테이블 대화	① 학습공동체 ② 지식 구성 ③ 자기이해
4단계	종합	① 새로운 해석 정리, 느낌 말하기 ② 새롭게 발견한 모습, 변화 찾기	① 한 문장 정리 ② 자선적 에세이 쓰기	① 자식구성 / 자기이해 ② 자기주도적

6 백워드(backward) 교육과정 설계 모형

1. 특징

(1) 도입 배경

1990년대 말 성취기준(standards) 중심의 교육개혁운동에서 비롯되었다[위긴스와 맥타이(Wiggins & McTighe)].

(2) 교사들로 하여금 성취기준을 잘 가르치도록 안내하면서 평가활동에 많은 역점을 둔다.

(3) 교사들이 특정한 교수 - 학습관이 없이 학습지에만 의존하던 기존의 수동적 이미지를 탈피하여 교육과정 개발자로서 교사이미지를 부활시켜 교수 - 학습과정의 개선에 실질적으로 활용되고 있다.

백워드(backward)의 의미

예를 들어 부산에서 서울로 가는 경우, 여행 설계자는 부산에서 대구 및 대전에서 해야 할 사항을 나열하면서 최종 목적지인 서울에 다다른다고 생각하고 여행 계획을 짜는 경우[포워드(forward)]와 반대로 여행 계획 단계에서 서울에서 시작하여 대전, 대구, 그리고 부산으로 되돌아오는 과정[백워드(backward)]을 생각해볼 수 있다. 이 경우에는 서울에서 봐야할 가장 중요한 큰 용무를 제일 먼저 제시한 후, 이를 위해 필요한 일을 거꾸로 대전, 대구 그리고 부산 순으로 제시하는 방법이다. 포워드(forward) 교육과정이 교과서 중심 혹은 흥미 위주의 활동중심의 교육과정 설계에 비유되어 가장 쉬운 방법이지만 이 경우는 단원 전체에서 추구하는 큰 개념 혹은 나무는 보나 숲은 보지 못하는 문제를 지닌다. 반면 백워드(backward) 설계 방법은 큰 개념과 큰 이해의 틀을 학습자에게 단원의 학습 시작에서부터 분명히 숙지시킴으로써 보다 근본적인 이해에 이르는 매우 효과적인 방법이다.

2. 성취기준 중심의 교육과정 개발

(1) 낙오학생 방지법(No Child Left Behind)

교육기관의 책무성(accountability)을 중시하며, 학습권에 대한 국가의 적극 개입을 중심으로 하는 교육개혁운동에서는 학교가 철저히 수요자 중심의 교육과정을 개발해야 한다는 논리에 근거한다.

(2) 성취기준

학습자가 반드시 알아야 하고(최소한이 아닌), 수행해야만 하는 일반적 정보 혹은 기능의 기준 혹은 범주를 말한다. 즉 한 학문의 전체적 범주, 큰 목적 혹은 지향점을 말한다.

(3) 성취기준 중심의 교수 - 학습

구체적인 내용과 활동 자체는 수단이며, 내용 성취기준에서 제시한 포괄적 개념과 이해를 바탕으로 한 중요하고 배울 가치가 있는 지식과 기능을 모든 학습자들이 배우고, 그 학습의 질과 숙달을 수행 성취기준에서 제시한 수용 수준에 모든 학습자들이 도달할 수 있도록 교사에게 요구하는 것을 말한다.

3. 특징

(1) 이론적 근거

① 백워드 교육과정 설계모형의 이론적 틀은 ⊙ 타일러(Tyler)의 목표 모형, ⓒ 브루너(Bruner)의 학문중심 교육과정, ⓒ 평가의 지위와 역할의 향상이다.

② 교육과정의 지적 전통을 계승하면서도 1990년대의 수행평가의 원리를 접목한 것이다.

(2) 개념

① 타일러 모형의 절차를 변화시켜 목표 달성을 위해 평가를 강조한 모형이다.

② 전이 가능성이 높은 주요 아이디어에 초점을 둔다.

③ 교육목표로 학습자의 진정한 이해를 강조한다.

(3) 백워드 설계 모형

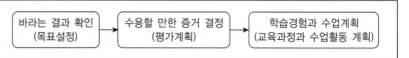

① **제1단계 - 단원 목적과 질문 개발**: 첫번째 단계는 '영속적 이해(enduring under-standing)'이다. '영속적'이란 학문의 중심부에 있는 기본적이고 중요한 아이디어, 개념 혹은 원리로 시간이 지나도 그 가치가 그대로 있는 불변의 지식을 말하고, '이해'란 어떤 실질적이고 응용적인 수행을 학습자가 직접 보여줄 수 있게 된 것을 말한다. 이해의 종류에는 설명, 해석, 적용, 관점, 공감, 자기 지식 등이 있다.

설명	사실이나 사건, 행위에 대해 타당한 근거를 제공하는 능력이다. 예 독립전쟁이 어떻게 발생하였는가?
해석	숨겨진 의미를 도출하는 능력이다. 예 11학년 학생은 걸리버 여행기가 영국 지성인들의 삶에 대한 풍자로서 읽을 수 있음을 보여준다.
적용	지식을 새로운 상황이나 다양한 맥락에 효과적으로 사용하는 능력이다. 예 7학년 학생은 자신의 통계적 지식을 활용하여 학생 자치로 운영하는 문구사의 내년 예산을 정확하게 산출한다.
관점	비판적인 시각으로 바라보는 능력이다. 예 학생은 가지지구의 새로운 협의안에 대한 이스라엘과 팔레스타인 관점을 설명한다.
공감	타인의 감정과 세계관을 수용할 수 있는 능력이다. 예 자신을 줄리엣으로 생각하여, 왜 그런 절박한 행위를 하여야만 했는지 설명하는 생각과 감정을 글로 써본다.
자기지식	자신의 무지를 아는 지혜 혹은 자신의 사고와 행위를 반성할 수 있는 메타인지 능력이다. 예 내가 누구인가가 어떻게 나의 관점을 결정하는가?

⊙ 이해의 종류와 정의

② **제2단계 - 평가계획**: 평가 단계에서는 6가지 이해의 종류에 상응하여 평가 계획을 수립한다. 즉 구체적인 이해의 특성에 맞추어 적절한 평가 계획을 세워야 학습자가 지금 어느 정도의 이해 수준에 도달했는지 가늠할 수 있다. 이는 평가의 타당도와 관련된다.

③ **제3단계 - 학습경험과 수업계획**: 학습경험과 수업의 내용 개요는 WHERETO의 절차적 원리를 따른다.

W(where and why)	학생들에게 단원이 어디로 나가고 있고, 왜 그런지를 이해시켜라.
H(hook and hold)	도입에서 학생들의 동기를 유발하고 관심을 계속 유지시켜라.
E(explore and equip)	학생들이 중요한 개념을 경험하고 주제를 탐구하도록 준비시켜라.

R(rethink, reflect, revise)	학생들에게 주요 아이디어를 재고하고, 과정 속에서 반성하고 활동을 교정하기 위한 많은 기회를 제공하라.
E(evaluate)	학생들에게 과정과 자기 평가의 기회를 제공하라.
T(tailor)	개인적인 재능, 흥미, 필요를 반영할 수 있도록 설계하라.
O(organize)	진정한 이해를 최적화하기 위하여 조직하라.

(4) 요약

① 전통적인 타일러(Tyler)의 목표 모형을 근간으로 한다.

② 상위 수준의 교육목표가 하위 수준까지 체계적으로 잘 연결되어야 하며 교사는 책무성을 가지고 이를 교실에 적용할 것을 요구한다.

③ 브루너의 지식의 구조 이론을 교수 - 학습의 궁극적 목적으로 삼으며 학문의 기본적인 아이디어, 개념, 혹은 원리에 학습자들이 깊은 이해에 도달할 것을 중요한 지침으로 삼는다.

④ 학문 혹은 교과에 대한 학습자의 심오한 이해나 고등사고능력 기능이 평가계획으로 연결된다.

⑤ 목표 확인과 동시에 평가를 고려하는 일원적이고 통합된 시각을 지닌다.

> **참고** 전통적인 모형에서는 목표 확인 다음에 학습경험이나 내용의 선정과 조직을 절차상의 흐름으로 삼는 것이 보통이었다.

기출문제

위긴스(Wiggins)와 맥타이(McTighe)가 제시한 이해중심교육과정(백워드 설계)의 세 가지 설계 단계에 해당하지 않는 것은?　　　　　　　　　　2021년 국가직 7급

① 학습자의 요구와 상황 분석하기

② 바라는 결과 확인하기

③ 학습경험 계획하기

④ 수용 가능한 증거 결정하기

해설 ······

백워드 모형의 설계 절차는 '바라는 결과 확인(목표설정) - 수용할만한 증거 결정(평가 계획) - 학습경험과 수업 계획(교육과정과 수업활동 계획)'으로 진행된다. 학습자의 요구나 상황 분석하기는 스킬벡(Skilbeck)의 학교중심 교육과정 설계모형의 상황분석 단계에서 실시된다.　**답 ①**

04 | 교육과정의 계획

 핵심체크 POINT

1. 수업목표의 설정

타일러(Tyler)의 내용과 행동, 메이거(Mager)의 명시적 동사, 수락기준, 중요조건, 블룸(Bloom)의 분류

2. 경험의 선정 원리

기회의 원리	수업목표와 관련
만족의 원리	학습성과 향상
가능성의 원리	학습자의 능력 고려
일목표 다경험의 원리	동일한 학습목표를 달성하는 데 수많은 경험 사용
일경험 다성과의 원리	한 학습경험은 여러 가지 학습결과를 야기

3. 경험의 조직 원리

계속성	경험의 반복
계열성(sequence)	반복에 심화 및 보강
범위(scope)	여러 가지 경험의 보강 및 강화

1 수업목표의 설정과 분류

1. 수업목표

(1) 개념

① 수업이 효과적인 경우 그 수업과정에 참여한 학생들의 생각과 느낌과 행동이 어떻게 변화해야 하는지를 규정한 진술문이다.

② 특정한 수업활동에 참여한 결과로서 학생들에게 얻어지는 변화된 지식, 지적능력, 흥미, 태도 등의 학습자 특성을 명확하게 표현한 문장이다.

(2) 기능 - 수업목표를 사용하는 이유[마시(Marsh)]

① 교사가 그들의 진정한 의도에 초점을 맞추는 데 도움을 준다.

② 무엇을 가르칠 것인가에 대해 교사에게 분명한 방향을 제시해준다.

③ 교사가 적절한 내용, 방법, 평가, 자원을 선택하는 데 도움을 준다.

④ 부모 및 학생들과 쉽게 의사소통할 수 있다.

⑤ 교사가 그의 교수의 질을 판단하도록 해준다.

⑥ 교사가 목표와 직접적으로 관련되는 평가절차를 세우도록 해준다.

⑦ 학생의 입장에서는 학생의 학습을 촉진하며, 평가의 차원에서 평가의 지표 구실을 한다.

(3) 수업목표 진술상의 유의점

① 교사가 해야 할 행동을 수업목표로 진술하지 않는다. 이는 수업의 결과로서 학생에게서 나타나야 할 변화나 성과가 분명하지 않기 때문이다.

　예 소리의 원리를 설명해준다.(×) → 소리의 원리를 설명할 수 있다.(○)

② 학습의 과정을 수업목표로 진술하지 않는다. 수업목표는 과정을 진술하는 것이 아니라 수업이 끝난 뒤의 학습자의 행동변화를 진술해야 한다.

　예 교통표지판을 배우게 한다.(×) → 교통표지판에 관해 설명할 수 있다.(○)

③ 내용이나 주요 제목을 수업목표로 열거하지 않는다. 그 이유는 내용이나 주요 제목만을 열거하면 그 내용이 어떤 방법으로 학습되어야 하는지에 대한 아무런 해명도 해주지 못하기 때문이다.

　예 공해문제와 자연보호(×) → 공해문제나 자연보호의 중요성을 말할 수 있다.(○)

④ 일반적인 행동만을 표시하지 않는다. 내용이 표시되지 않고 행동만을 표시하게 되면 구체적으로 어떤 학습경험이 계획되어야 하고 그것이 달성되었을 때 구체적으로 어떤 증거를 통해 그 달성도가 확인되고 평가되어야 할 것인가에 관한 분명한 시사점을 주지 못한다.

　예 비판적 사고력의 함양(×) → 비판적 사고력을 함양한다.(○)

⑤ 한 목표 속에 둘 이상의 학습결과를 포함시키지 않는다. 하나의 수업목표 속에 둘 이상의 학습결과가 포함되면 수업이 끝난 뒤 어떤 행동을 평가해야 할 것인지가 명료하지 않게 된다.

　예 낙하의 법칙을 이해하고, 이를 효과적으로 적용한다.(×)
　　→ 낙하의 법칙을 이해한다.(○), 낙하의 법칙을 효과적으로 적용한다.(○)

2. 수업목표 설정의 유형

(1) 타일러(Tyler)

① 특징

　㉠ 수업목표 속에는 어떤 내용에 관한 어떤 행동이 표현되어야 한다.

　㉡ 다루어야 할 내용영역과 추구해야할 행동형이 동시에 표시되어야 한다.

　예 • 영양에 관한 원리를 이해한다.
　　 • 베토벤 음악을 감상한다.

② 2원적 수업목표 세분화 목표(수업목표 2원 분류표)

　㉠ 전체 수업목표를 내용과 행동의 두 차원에 따라 표로 분류한 것이다.

　㉡ 타일러는 행동의 유형을 7가지로 세분화하였다.

　　ⓐ 중요사실 및 원리

　　ⓑ 정보원에 익숙하기

　　ⓒ 자료 해석력

　　ⓓ 원리의 적용

　　ⓔ 결과 보고

　　ⓕ 흥미

　　ⓖ 사회적 태도

③ 2원적 수업목표의 장점
  ㉠ 한 교과나 단원의 수많은 수업목표들을 간결하게 조직하고 요약해준다.
  ㉡ 수업계획과 평가의 전체 과정에서 커다란 도움이 된다. 즉 수업의 계획에서 어느 정도의 학습경험을 계획할 것인가를 밝혀주며, 평가계획을 수립할 때 설정된 수업목표와 평가 사이의 합치성을 유지하고 점검하게 해준다.
  ㉢ 이는 평가도구의 내용타당도를 높여주고 이미 만들어진 검사의 내용타당도 검증에도 활용된다.
④ 2원적 수업목표의 예

내용 \ 행동	A. 중요사실 및 법칙의 이해	B. 믿을만한 정보원에 대한 지식	C. 자료 해석력	D. 법칙을 적용하는 능력	E. 연구 결과를 보고하는 능력	F. 넓고 성숙한 흥미	G. 사회적 태도
1. 인체의 기능							
1.1 영양	V		V	V	V	V	V
1.2 소화	V		V	V	V	V	
1.3 호흡	V	V	V	V	V	V	
2. 동식물 자료의 활용							
2.1 에너지	V		V	V	V	V	
2.2 유전과 발생	V		V	V	V	V	V

(2) 메이거(Mager)의 수업목표 진술

① 수업목표
  ㉠ 학습자에게서 일어나도록 제안된 변화를 기술한 진술에 의해서 가르치는 사람과 배우는 사람 간에 서로 의사소통되는 의도이다.
  ㉡ 학습자가 그의 학습경험을 성공적으로 끝냈을 때, 어떠한 모습이 되어야 하는가를 기술한 진술이다. 뿐만 아니라 학습자가 행동으로 보일 수 있는 행동성취 유형을 기술한 것이다.
② 수업목표 속에 포함되어야 할 요소
  ㉠ 수업을 통해 가져오려고 하는 도착점 행동(혹은 종착 행동)을 나타내는 동사
  ㉡ 도착점 행동이 발생되어야 할 중요 조건이나 장면
  ㉢ 도착점 행동이 성공적인지 아닌지를 판단하기 위한 수락기준
  예 • 1개의 미지수를 포함하는 1차 방정식이 주어졌을 때, 학습자는 참고서나 계산기의 도움 없이 5분에 2문제를 푼다.
    • 세계지도를 주었을 때, 학생들은 15분 이내에, 지구상에 6대 해류를 화살표로 정확하게 표시할 수 있다.

③ 메이거(Mager)의 수업목표 진술의 4가지 구성 요소(Heinich et al. 1996)

A(Audience)	누가 학습할 것인지에 관한 대상을 분명히 한다.
B(Behavior)	학습자가 도달해야 할 관찰 가능한 행동으로 진술한다.
C(Condition)	목표에 도달하는 데 사용되는 자원, 시간 또는 자원의 제약 등을 제시한다.
D(Degree)	학습자가 목표에 도달했는지 여부를 나타내는 기준을 제시한다.

예 이 시간의 학습이 끝나면(C), 학습자들은(A) 화산활동이 일어나는 원인 5가지 가운데 4개를 정확하게(D) 설명할 수 있다(B).

④ 장점

㉠ 교수 - 학습 프로그램이나 코스를 효능적으로 평가할 수 있다.

㉡ 교수자료, 내용 및 방법을 선정하는 데 유익한 기초를 제공한다.

㉢ 학습자가 원래 계획하고 바랐던 방식으로 어느 정도나 성취할 수 있는지를 평가하는 데 용이하다.

㉣ 학습자에게 교수 - 학습 과정에서 언제든지 스스로 자신의 진전 정도를 평가할 수 있도록 도움을 주게 되며, 이에 따라 학습자는 스스로 자신의 학습 노력을 적절히 변화시켜 나갈 수 있게 된다(형성평가의 일종).

⑤ 단점

㉠ 메이거의 접근 방식대로 수업목표를 진술하면 교육과정의 목표를 너무 과도하게 단순화하여 사소한 목표에만 몰입하게 될 가능성이 높다.

㉡ 장기적인 시간을 두고 형성되는 학습결과나 태도, 가치와 같이 행위동사로 표현되기 어려운 인성적, 심리적 특성의 목표가 무시되기 쉽다.

㉢ 성취준거의 타당성에 문제가 있다. 오직 조작하기 위한 조건, 조작하기 쉬운 행동에만 집중하게 될 위험이 있다.

(3) 블룸(Bloom)의 수업목표 분류

① 특징

㉠ 수업목표를 생물학에서 동식물을 분류할 때 쓰는 방법에 따라 대(大) 항목으로 나누고, 그 항목을 다시 세분화하였다.

㉡ 수업목표의 영역을 인지적, 정의적, 운동 기능적 영역으로 분류하였다.

㉢ 1956년도에 지적 영역(블룸과 크래스월)을, 1964년에는 정의적 영역[블룸(Bloom), 크래스월(Krathwohl), 매시아(Masia) 등]을 분류하였고, 1972년 해로우(A. Harrow)가 운동 기능(심체 운동)영역을 분류하였다.

② 수업목표의 영역

㉠ 인지적 영역: 복합성의 원리에 따른다. 복합성의 원리란 어떤 인지적 행동에 필요한 정신적 작용이 얼마나 단순한가 혹은 복잡한가의 정도이다.

㉡ 정의적 영역: 내면화의 정도에 따라 구분된다.

㉢ 운동 - 기능적 영역: 행위에 관한 영역이다.

인지적 영역	ⓐ 지식(knowledge): 학습한 내용을 동일한 형태로 상기(想起)하는 행동	
	예 평면 도형에 관한 용어 암기하기	
	ⓑ 이해(comprehension): 지식을 변화, 해석하는 행동	
	예 위와 같은 뜻을 나타내는 영어 문장은?	
	ⓒ 적용(application): 개념이나 법칙을 문제사태에 사용하는 행동	
	예 사회과학의 여러 원리를 실제의 사회문제에 활용하기	
	ⓓ 분석(analysis): 구성 요소나 관계를 분해해서 위계관계를 파악하는 행동	
	예 경제현상의 원인과 결과를 찾아내기	
	ⓔ 종합(synthesis): 요소나 부분을 새로운 전체로 구성하는 행동	
	예 자신의 경험을 독특한 방식으로 표현하기	
	ⓕ 평가(evaluation): 가치 판단의 행동	
	예 작품전체의 의미를 판단하기	
정의적 영역	ⓐ 감수(awareness): 귀를 기울이는 단계	
	ⓑ 반응(responding): 흥미를 느끼는 단계	
	ⓒ 가치화(valueing): 어떤 행동이나 활동을 가치롭다고 느끼고 여기에 일관된 반응하기	
	ⓓ 조직화(organization): 어떤 가치들을 일관된 체제로 묶고, 여러 가치들 간의 상호관계를 밝히며 전체를 꿰뚫는 지배적인 가치를 정립하는 단계	
	ⓔ 인격화(characterization): 개개의 가치가 개인이 가진 가치 위계 속으로 흡수되는 단계	
운동 - 기능적 영역	ⓐ 블룸은 이 영역을 세분화하지 않았다.	
	ⓑ 해로우(A. J. Harrow)는 관찰, 모방, 연습, 적응 등으로 세분화시켰다.	
	ⓒ 심슨(Simpson)은 수용, 태세, 유도반응, 기계화, 복합 외현 반응, 독창성 등으로 분류하였다.	

③ 블룸의 교육목표 분류의 장점
  ㉠ 교사들 간의 의사소통의 편의를 도모해 줌으로써 주어진 교육목표를 같은 의미로 이해하는 데 도움을 준다.
  ㉡ 교육과정 계획에서 설정한 교육목표의 포괄성을 검증할 수 있도록 도와준다.
  ㉢ 길러져야할 행동특성과 평가되어야 할 특성이 정밀하게 정의될 수 있기 때문에 교육과정 계획과 평가에 구체적인 지침을 제시할 수 있다.

④ 행동적 수업목표 진술의 단점
  ㉠ 모든 수업목표를 행동적으로 정의하고 측정하기 곤란하다.
  ㉡ 수업목표를 미리 진술해 두면 수업과정에서 발생되는 예상치 못한 성취를 방해할 수도 있다.
  ㉢ 구체화하거나 측정이 곤란한 수업목표는 간과되거나 가볍게 다루어질 수 있다.
  ㉣ 행동적 진술이 쉬운 목표만을 진술할 가능성이 있다.
  ㉤ 학생의 창의적인 사고활동을 억제할 수 있다.
  ㉥ 세 가지 영역의 구분이 인위적이다. 이 세 영역들은 서로 밀접하게 관련되어 있는 것이며, 복합적이고 동시다발적이기도 하다.

기출문제

다음 설명에 해당하는 블룸(Bloom)의 교육목표 분류 범주는? 2023 국가직 9급

- 복잡한 사상이나 아이디어의 구조를 파악하는 수준의 행동으로, 그 구성요소나 관계의 확인을 포함한다.
- 이 범주에 속하는 목표 진술의 예로는 사실과 추론을 구분하기, 원인과 결과를 찾아내기 등이 있다.

① 적용 ② 평가
③ 종합 ④ 분석

해설

블룸(Bloom)의 교육목표 분류 범주 가운데 분석은 분석이란 구성 요소나 관계를 분해해서 위계관계를 파악하는 행동으로 이는 구성 부분을 확인하고 그 부분간의 관계를 분해해서 구성 원리를 인지하는 능력이다. 답 ④

秀 POINT 개정된 분류체계 - 앤더슨과 크래스월[Antherson & Krathwohl(2001)]

1. 특징

앤더슨과 크래스월 등은 기존의 블룸(Bloom)의 교육목표 분류학을 개정하여 인지적 영역에 대한 2차원 교육목표 분류표를 제시하였다. 개정된 내용은 '지식' 유목을 명사적 측면과 동사적 측면으로 구분한 것, '이해'가 '이해하다.'로 '종합'이 '창안하다.'로 바뀌고 그 위계도 종합과 평가가 뒤바뀌었다.

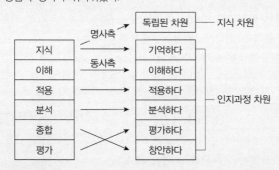

2. 분류

인지과정 차원 지식 차원	1. 기억 하다	2. 이해 하다	3. 적용 하다	4. 분석 하다	5. 평가 하다	6. 창안 하다
A. 사실적 지식						
B. 개념적 지식						
C. 절차적 지식						
D. 메타 인지적 지식						

2 학습경험의 선정

1. 학습경험

(1) 개념

학습을 불러일으키게 하는 학습자와 환경적 조건 사이의 상호작용을 말한다.

(2) 조건

어떤 학습사태에서 학습경험이 효과적으로 일어날 수 있기 위해서 다음의 조건이 충족되어야 한다.
① 유인가를 가진 수업목표
② 동기화된 학습자
③ 적절한 장애 등

(3) 학습경험 선정 시 유의점

학습경험 선정 시 다음의 사항을 고려해야 한다.
① 수업목표에 대한 타당성
② 학습경험의 현실적 맥락
③ 학교생활의 잠재적 기능 등

2. 학습경험 선정의 원리

(1) 기회의 원리

수업목표에서 의도하는 행위를 학생들이 실제로 해볼 수 있는 기회가 내포된 경험을 가져야 한다는 원리를 말한다(수업목표와 관련).

예 소설을 읽고 흥미를 느끼는 것이 목표라면 소설을 읽을 기회와 여러 종류의 소설을 읽을 기회를 부여해야 목표가 달성된다. 또한 수업목표가 문제해결력을 기르는 데 있다면 학생은 여러 가지 새로운 문제들을 스스로 풀어보는 기회를 가질 수 있어야 한다.

(2) 만족의 원리

수업목표에서 의도하는 학습경험을 선정하는 과정에서 만족감을 느껴야 한다는 원리이다(학습성과의 효과를 높이는 요인).

예 좋은 건강을 유지하는 것이 수업목표라면 학습경험을 통해 건강유지를 위한 유쾌하고 만족을 느끼는 경험이 필요하다.

(3) 가능성의 원리

학습경험에서 바라는 학생의 반응이 학생 자신의 능력 범위 내에 있어야 한다는 원리이다. 즉 학생경험은 학생의 현재의 능력, 학습 성취, 발달 정도 등에 알맞아야 한다.

예 겨우 300개의 영어 낱말을 알고 있는 학생에게 셰익스피어의 희곡을 읽히려고 한다면 가능성의 원칙에 어긋난다고 할 수 있다.

(4) 일(一)목표 다(多)경험의 원리

같은 목표를 달성하는 데 수많은 학습경험을 사용한다는 원리이다. 이론적으로 볼 때 특정 수업목표 달성에 거의 무한대의 다양한 학습경험이 있을 수 있다.

> 예 논리적으로 사고하기 위해 언어영역에서 언어를 논리적으로 조직하고 구사하는 경험을 하고, 수학에서 문제해결을 순서를 밟아 하는 것이 필요하다.

(5) 일(一)경험 다(多)성과의 원리

① 한 가지의 학습경험은 반드시 한 가지의 목표달성에 유용하거나 한 가지의 학습 성과를 가져오는 것이 아니라 동시에 여러 가지 목표를 달성하거나 여러 가지 학습결과를 가져온다는 원리이다.

② 수업에서 긍정적·부정적인 측면을 모두 갖는다. 긍정적인 면에서는 한 가지의 학습경험으로 여러 가지 학습성과를 동시에 가져올 수 있어 경제적인 원칙이지만, 원래 의도하지 않았던 나쁜 부산물을 가져올 수도 있다.

3 학습경험의 조직 원리

경험을 조직하는 원리로는 종적(수직적) 조직 원리와 횡적(수평적) 조직 원리가 있다. 타일러(Tyler)는 종적 원리에 계속성과 계열성, 횡적 원리에는 통합성이 있다고 주장하였다.

1. 계속성(continuity)

(1) 특징

① 동일한 경험요인이 반복되도록 조직하는 것을 말한다.

② 한 두 번의 경험만으로는 의미 있는 학습성과를 거두기가 어려울 때 계속 반복되도록 조직한다.

③ 동일한 개념이나 지적 기능이나 가치에 학습자들이 계속적으로 접할 수 있을 때 누적적(累積的) 효과를 가져온다.

(2) 계속성 계획의 전개과정

① 교과내용 분야에서의 계속성을 기한다.

② 각급 학교 수준 간, 그리고 동일한 수준에서의 교과목 상호 간에 연계성을 기한다.

③ 개개 학습자의 경험 속에서 계속성을 기한다.

2. 계열성(sequence)

(1) 동일한 경험요인이 반복되는 수준을 넘어 계속적인 줄기는 있으되 동시에 그 줄기에 좀 더 넓고 깊은 의미가 붙어갈 수 있도록 조직하는 것을 의미한다. 즉 선행경험 혹은 내용을 기초로 하여 다음 학습 요소가 깊이와 넓이가 증가하도록 조직하는 것이다.

(2) 교육목표를 달성하기 위해서 교육내용이 선수학습 혹은 인지발달 단계와 관련되어야 하고 이전 내용보다 깊이와 넓이가 더 심화·확대되어야 한다.

3. 통합성(integrity)

(1) 개념

① 여러 가지 학습경험이 서로가 서로를 보강하고 강화할 수 있도록 조직하는 것이다.

② 구성요소들 간에 서로 모순, 갈등, 충돌이 없이 의미 있게 연결되어 상호 보조적인 정도가 높도록 조직하는 것을 말한다.

(2) 예시

① 예를 들어 과학에 쓰이는 수식이 수학에서 미처 다루지 않은 것이라면 과학 공부에 어려움이 있을 것이고, 국어에서 이해되지 않은 어휘들이 사회에서 제시된다면 사회 학습에 진전을 가져오기 어려울 것이다. 즉 다른 교과에서 다루어지지 않은 신념이나 법칙을 학습된 것으로 전제하고 경험이나 내용을 조직하게 되면 교육과정(過程) 운영의 효과를 감소시킨다는 근거에서 강조되는 원칙이다.

② 킬패트릭(Kilpatrick)의 구안법(project method) 등이 그 예이며, 통합을 위한 시도로는 상관형, 광역형, 융합형 등이 있다.

(3) 범위(scope)

내용의 폭과 깊이에 관련되는 것으로 어떤 내용을 얼마만큼 폭넓고 깊이 있게 다루어야 하느냐의 문제이다. 예를 들어 음악시간에 악기를 다룰 경우 악기의 범위를 어디까지 다루어야 할 것인가와 관련된다.

기출문제

다음에서 설명하는 교육내용의 조직 원리는?   2022년 지방직 9급

- 학습내용과 경험의 여러 요소는 그 깊이와 너비가 점진적으로 증가되도록 조직된다.
- 예를 들어 단순한 내용에서 복잡한 내용으로, 친숙한 내용에서 친숙하지 않은 내용으로, 선수학습에 기초해서 다음 내용으로, 사건의 역사적 발생의 순서대로, 구체적인 개념에서 추상적인 개념으로 내용을 조직할 수 있다.

① 적절성   ② 스코프
③ 통합성   ④ 계열성

해설

교육내용의 조직 원리 가운데 계열성(sequence)은 종적 조직의 원리 중 하나로, 동일한 내용이 반복되는 수준을 넘어 계속적인 줄기는 있되 동시에 그 줄기에 좀 더 넓고 깊은 의미가 붙어갈 수 있도록 조직하는 것을 말한다.   답 ④

05 | 교육과정의 통합

핵심체크 POINT

1. 통합의 기능

인식론적 기능	지식의 팽창에 대비
심리적 기능	전인적 발달과 긍정적 자아개념 형성
사회적 기능	협동심, 공동 문제해결 능력 배양

2. 통합교육과정의 유형

교과형	상관형, 광역형
경험형	활동형, 중핵형, 현성형(생성형)
학문형	간학문형, 다학문형, 탈학문형

3. 학교수준의 통합
① 교과서 내용 통합
② 교육과정 내용 통합
③ 재량활동 운영을 위한 통합

1 통합교육과정의 의의

1. 개념

(1) 교과가 분리·독립되어 있는 것들을 상호 관련짓고 통합함으로써 하나의 의미 있는 체계로 발전시키는 노력이다.

(2) 시간적, 공간적, 내용 영역에 있어 각기 다른 학습경험들이 상호 관련지어지고 의미 있게 모아져서 하나의 전체로서의 학습을 완성시키고 나아가 인격적 성숙을 가져오게 하는 과정 또는 결과이다.

2. 교육과정 통합에 대한 두 견해

(1) 전체론적 입장

학교교육의 목적 달성의 일환으로 전인적 발달, 균형 잡힌 인격의 완성, 자아실현 등을 강조한다(경험중심 교육과정).

(2) 원자론적 입장

학문마다의 특수성 또는 연구방법 등에 의해 세분화, 영역화되어 있는 지식을 주제, 구조, 간학문적 접근 등에 의해 상호 관련짓거나 상호의존적 관계로 시도한다(학문중심 교육과정).

3. 통합교과의 필요성

(1) 듀이의 경험중심 교육과정의 영향으로 1940년대 중핵교육과정 운동이 대두되었다.

(2) 1970년대 인간중심 교육, 사회비판 이론, 재개념주의 등의 영향으로 교육과정 통합 운동이 재등장하였다.

4. 통합교과의 교육적 기능[인그램(Ingram)]

(1) 인식론적 기능

인식론적 입장에서 교과들을 통합함으로써 교사와 학생들로 하여금 지식의 팽창과 변화에 대처하고 여러 다른 영역의 지식들 간의 관련성을 높이며, 지식의 의미와 유용성을 높일 수 있다.

(2) 심리적 기능

심리적 측면에서 통합교과는 학습자의 학습이 용이한 교과내용을 제공할 수 있으며, 전인적인 인간발달과 긍정적인 자아개념의 형성에 도움을 준다.

(3) 사회적 기능

통합교과는 협동심을 길러줌으로써 공동문제의 해결에 대처하는 능력을 길러줄 수 있으며, 학습경험이 사회와 동일한 맥락에서의 학습경험을 강조함으로써 학교와 사회의 괴리현상을 해소할 수 있다.

5. 장점

(1) 학생들에게 의의 있고 중요한 학습경험의 사용을 촉진한다.

(2) 교육내용을 통합하고 개인의 통합적 혹은 전인적 성장에 도움을 준다.

(3) 문제해결과 비판적 사고력 신장, 협동적 태도를 함양할 수 있다.

2 통합교육과정의 유형

1. 교과중심 교육과정 통합

(1) 상관 교육과정(correlated curriculum)

① 교과내용을 무너뜨리지 않으면서 두 개 또는 그 이상의 교과나 과목을 서로 관련시켜 내용을 조직하는 교육과정이다.

② 각 교과목은 그대로 인정되고 독립된 과목으로 취급된다.

③ 유형

사실의 상관	역사적 사실을 배경으로 하는 문학작품을 가르칠 때 역사와 문학을 관련시킨다.
원리의 상관	두 개 이상의 교과에서 공통적인 원리를 활용하는 것이다. 예 심리학의 공격성의 원리와 역사 속 혁명을 관련시킨다.

(2) 광역형 교육과정(broad-fields curriculum)

① 교과목 간의 구분을 해소하고 보다 넓은 영역에서 사실이나 개념 또는 원리를 조직하는 교육과정이다.

② 영국의 헉슬리(T. Huxley)에 의해 논의되기 시작하였다.

③ 예시

    ㉠ 주제법을 활용한다.

        예 사회에서 역사, 지리, 정치, 경제, 사회, 문화 등을 주제나 원리에 따라 통합한다.

    ㉡ 초등학교의 국어, 수학, 사회, 과학, 체육, 음악, 미술, 실과 등

2. 경험중심 통합

(1) 활동형 교육과정(activity curriculum)

학습자들의 흥미와 문제가 학습경험의 선정에서 기본을 이루어 활동을 조직하는 교육과정이다.

예 킬패트릭의 구안법, 듀이의 실험학교 교육과정, 메리암의 미주리대학 부속학교 실험 교육과정 등

(2) 중핵 교육과정(core curriculum)

① 특징

    ㉠ 중핵과정과 주변과정이 동심원적으로 조직된 형태이다.

    ㉡ 생활이나 욕구와 관련된 내용이나 경험이 중심을 이루고, 주변과정은 중핵과정을 둘러싸고 있으면서 계통학습을 하되 몇몇의 영역으로 구분하여 조직된다.

    ㉢ 경험중심 교육과정에 기초를 둔다.

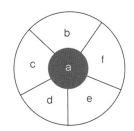

↑ a: 중핵과정, b ~ f: 주변과정

② 유형

교과중심 중핵	중핵요소를 교과의 범주에서 찾되 교과 간의 통합이 가능하도록 광역과목, 통합과목, 문화사 중심의 과목으로 구성한다. 예 역사를 중핵으로 하고 정치, 경제, 문학, 예술 등의 교과영역을 관련시키는 경우
개인중심 중핵	중핵의 요소를 학생 개인의 필요와 흥미에 둔다. 예 인간관계 수립, 인간행동의 이해, 사회에서 자아개발 등
사회중심 중핵 (가장 발전된 형태)	㉠ 사회 현상을 객관적으로 기술, 분석하여 중핵의 기준으로 하는 사회 기능 중심형이다. 예 의사소통, 교통, 여가활동, 자연보호 등 ㉡ 사회활동이나 사회변동으로부터 나타나는 문제를 분류하여 중핵의 기준으로 삼는 사회 문제 중심형이다. 예 실업, 소비, 전쟁, 범죄 등

③ 장점
　　㉠ 학생들에게 의의 있고 중요한 학습경험의 사용을 촉진한다.
　　㉡ 교육내용을 통합하고 개인의 통합적 성장에 도움을 주고, 문제해결과 비판적 사고력 신장, 협동적 태도를 함양한다.

(3) 현성형(생성형) 교육과정(emerging curriculum)

① 사전에 계획을 하지 않고 교사와 학생들이 학습 현장에서 함께 학습 주제를 정하고 내용을 계획하여 교육이 이루어지는 교육과정이다.
② 학습자의 심리적 측면과 환경적 측면에 가장 강조를 두고 이루어지는 경험형 교육과정이다.
③ 교사와 학생들에게 자유의 폭과 융통성이 매우 크지만, 그만큼 성숙한 자치적 집단의 학습능력이 요구된다.
④ 단점: 어떤 교육과정보다 현실성이 강하지만 내용의 계열성과 관련성을 지니기 어렵다.

3. 학문중심 교육과정 통합

(1) 나선형 교육과정(spiral curriculum)

① 특징
　　㉠ 기본 개념이나 핵심적 아이디어를 조직함에 있어 질적으로 향상되면서 양적으로 취급 범위가 넓어지는 입체적인 조직을 이루어 가는 교육과정이다.
　　㉡ 나선형 교육과정에서는 분과별로 가지고 있는 개념과 원리 또는 핵심적 아이디어를 교육과정 조직의 핵심 내용으로 본다.
② 고려할 사항

연속성	학생에게 가르치는 교과가 학년 수준에 관계없이 동일해야 한다.
차이	동일한 교과가 해당 학년 수준에 맞게 상이한 형태로 번역되어야 한다.

(2) 간학문형 교육과정(interdisciplinary curriculum)

① 두 개 이상의 학문분야를 결합하거나 상호 관련시킨다.
② 적용
　　㉠ 같은 개념이나 방법 혹은 절차를 둘 이상의 학문에 적용한다.
　　㉡ 한 학문으로부터 온 개념 또는 방법이나 절차를 다른 학문의 문제해결에 활용한다.
　　㉢ 한 학문을 축으로 하고 주위에 다른 학문들을 배치한다.

(3) 다학문형 교육과정(multidisciplinary curriculum)

① 사회나 자연현상 그리고 인간 생활에서 나타나는 문제 또는 주제(인구, 공해, 범죄, 환경 등)와 관련하여 그 해결책을 탐색하는 과정에서 여러 가지 학문이 다양하게 동원됨으로써 이루어지는 교육과정이다.

② 적용

ⓐ 같은 문제 또는 주제가 축의 구실을 하여 둘 이상의 학문 또는 교과의 개념, 방법, 절차에 적용되지만 교육내용의 선정·조직 및 교수·학습은 각 학문 또는 교과별로 따로 이루어진다.

ⓑ 같은 주제나 문제에 몇 개 학문의 개념, 방법, 절차를 동시에 적용함으로써 통합이 이루어진다.

📁 **참고**

통합교육과정의 발전과정

1. 1940년대

중핵 교육과정 운동과 더불어 통합에 대한 논의가 활발하게 전개되었다.

2. 1960년대

브루너의 등장으로 지식의 구조를 강조하는 학문중심 교육이 팽배하면서 통합에 대한 논의가 점차 사라졌다.

3. 1970년대

인간중심 교육, 사회비판이론 그리고 재개념주의 등의 영향으로 교육과정의 통합화 운동이 다시 강하게 대두되었다.

4. 오늘날

여러 인본주의적 교육사조(인본주의 교육심리학, 실존주의·현상학적 교육철학, 재개념주의 교육과정이론 등)에 의해서 심리학적·철학적 토대가 구축되어, 오늘날에는 통합교육과정이라는 하나의 교육과정 유형이 정립되었다.

5. 우리나라에서의 통합교육과정 발달

해방 이후	미국의 경험중심 교육과정의 영향하에서 통합교육과정의 사상을 수용하였다.
1980년대	몇몇 교육학자들이 통합교육과정에 관한 제반 이론을 상세히 소개함으로써 현장 적용의 가능성을 높였다.
제4차 교육과정 개정 (1981)	우리나라 역사상 처음으로 초등학교 1, 2학년을 대상으로 한 교과의 통합지도가 실시되었다.
제5차, 6차, 7차 교육과정	통합교과에 대한 관심이 계속 확대되고 있다.

06 | 잠재적 교육과정

핵심체크 POINT

1. 표면적 교육과정(형식적 교육과정)과 잠재적 교육과정(비형식적 교육과정)의 비교
2. 잠재적 교육과정의 장
   잭슨(Jackson)이 제시(군집, 상찬, 권력), 학교의 물리적 조건, 사회 및 심리적 상황, 제도 및 행정
3. 잠재적 교육과정의 관점

기능론적 관점 [잭슨(Jackson), 드리븐(Dreeben)]	협동심, 질서 의식, 준법성 등 사회 통합에 필요한 가치 내면화
갈등론적 관점 [애플(Apple), 지루(Giroux)]	특정 집단의 가치를 주입, 불평등한 사회관계의 재생산
자유주의적 관점 [케디(Keddie), 밸런스(Vallance)]	성 불평등 문제를 다룸

1 잠재적 교육과정(hidden curriculum)

1. 개념

학교에서 사전에 의도되었거나 계획되지는 않았지만 학교생활을 통해 학습되는 모든 경험을 말하며, 잭슨(Jackson)에 의해 개념화되었다.

2. 잠재적 교육과정의 장(場)

(1) 잭슨(Jackson)

학교에서 많은 아동이 어울려서 배우게 되는 것을 ① 군집성(crowds), 여러 가지 형태의 평가를 통해 배우게 되는 ② 상찬(praise), 조직의 권위 관계를 통해 배우게 되는 ③ 권력(power)이라는 관점에서 잠재적 교육과정을 구분하였다(『Life in Classrooms, 1968』).

(2) 실버만(Silberman)

순종(docility)이 나타나는 상황에서 잠재적 교육과정을 분석하였다(『Crisis in the Classroom』).

(3) 라이머(Reimer)

학교의 비공식적 교육과정을 통하여 아동들이 비인간적인 심성을 배우고 있다고 하였다.

(4) 일리치(Illich)

학교의 잠재적 구조는 교사와 학교행정가가 통제할 수 없으며 하나의 학습과정을 구성한다고 보았다.

(5) 김종서

① 학교의 물리적 조건(교실의 공간, 좌석배치, 기타 시설), ② 사회 및 심리적 상황, ③ 제도 및 행정조직(학급조직, 학년조직 등) 등이다.

3. 표면적 교육과정과 잠재적 교육과정의 비교

표면적 교육과정	잠재적 교육과정
① 학교에서 의도적으로 조직되고 가르친다.	① 학교에서 의도되지는 않았지만 학교생활을 통해 배운다.
② 주로 지적(知的)인 것과 관련있다.	② 주로 정의적인 것과 관련있다.
③ 교과와 관련된다.	③ 학교의 풍토와 관련있다.
④ 단기적·일시적 영향	④ 장기적·반복적 영향
⑤ 교사의 지적·기능적 영향	⑤ 교사의 인격적 감화
⑥ 바람직한 것	⑥ 바람직한 것과 바람직하지 못한 것 모두 포함한다.

4. 잠재적 교육과정이 교사에게 주는 시사점

(1) 교육의 과정과 결과에 대한 인식의 지평을 확장시켜주었다.

(2) 교사가 마땅히 주목하고 집중해야 할 또 하나의 커다란 미지의 세계가 있음을 알려주었다.

(3) 교사가 깊이 있게 이해해야 할 중요한 영역들로 학교의 구조와 특징, 학교의 전반적 문화풍토와 분위기, 학생들 내에 존재하는 하위 문화집단의 종류와 특징 등이다.

2 잠재적 교육과정에 대한 관점[지루(Giroux)]

1. 전통적 견해

(1) 특징

① 학교교육 및 잠재적 교육과정에 대한 전통적 관점의 핵심적 전제는 교육이란 기존 사회를 유지함에 있어서 중요한 역할을 한다는 것이다. 즉 문화전달, 역할 사회화, 그리고 합의·결속·안정의 원리들로 이루어진 가치 획득과 같은 주제들을 가짐으로써 전통적 접근은 일차적으로 학교와 사회의 기존관계를 무비판적으로 수용한다.

② 잠재적 교육과정은 일차적으로 교실 사회관계를 구성하는 사회화 과정을 통해 암묵적으로 전달되는 사회규범과 도덕적 신념을 통해 탐구된다.

(2) 대표자

파슨스(Parsons), 드리븐(Dreeben), 잭슨(Jackson) 등이 있다.

2. 자유주의적 접근

(1) 특징

① 대부분의 하향식 교육모델을 거부한다.

② 자유주의적 문제틀의 핵심은 교실에서 의미가 어떻게 생성되고 있는가에 관한 문제이다. 이들은 지식을 사회적 구성물로 고려함으로써 자유주의적 비평들은 교실 내에서 지식이 자의적으로 매개되고 협상되는 다양한 방식에 집중한다.

(2) 공헌점

① 학교체제 내에서 숨겨진 성(gender) 역할의 문제가 드러나게 하였다.

② 교육 실천상에 붙박혀 있는 성에 기초한 획일성을 폭로함으로써 성차별의 문제가 해결될 수 있음을 가정한다. 그 결과 지배사회의 '여성다움' 개념에 붙박혀 있는 가치들이 학교에서 어떻게 재생산되는가에 초점을 맞춘다.

(3) 대표자

케디(Keddie), 밸런스(Vallance) 등이 있다.

3. 급진적 접근

(1) 특징

① 급진적 관점의 초점은 모두 학교교육의 정치 경제학에 집중된다. 이들의 핵심적 주제는 생산과정을 특성화하는 사회관계가 학교환경을 형성함에 있어서 결정적인 힘을 표출한다는 것이다.

② 잠재적 교육과정에 대한 신마르크스주의(Neo-Marxism)의 입장은 특히 학교에서의 다양한 기제들이 자본주의 사회의 분위기와 구조를 재생산하기 위하여 어떻게 암묵적으로 작용하는가에 초점을 맞춘다.

(2) 대표자

보올스와 진티스(Bowles & Gintis), 애플(Apple), 지루(Giroux) 등이 있다.

기출문제

교실생활의 군집성, 상찬, 권력구조 등이 학생들의 행동과 학습결과에 미치는 영향을 설명하면서, 잠재적 교육과정의 개념을 제시한 인물은?   2017년 국가직 9급

① 잭슨(P. Jackson)
② 보비트(F. Bobbitt)
③ 프레이리(P. Freire)
④ 위긴스(G. Wiggins)

해설

잠재적 교육과정은 잭슨(P. Jackson)이 『Life in Classrooms, 1968』에서 처음 제시하였다.

답 ①

07 | 영(null) 교육과정

1. **의미**
   아이즈너(Eisner)가 제시, 기회학습 내용, 수업의 예술적 측면 강조
2. **영 교육과정의 예**
3. **질적 평가모형 제시**
   교육적 감식안과 교육비평

1 영 교육과정의 의미

1. 개념

(1) 학교에서 소홀히 하여 공식적으로 가르치지 않는 교과, 지식, 사고 양식을 말한다.

(2) 학생들이 공식적인 교육과정을 배우는 동안 놓치게 되는 기회학습 내용이다.

2. 특징

(1) 교육과정은 가르칠 내용을 선택, 포함시켜 학생들에게 배울 기회를 마련해주기도 하지만, 일부러 특정 내용을 배제시켜 학생들이 배울 기회를 놓치게 만드는 기능도 수행한다.

(2) 사회적으로 금기되는 영역이 영 교육과정이 되기도 한다.

(3) 아이즈너(Eisner)가 『교육적 상상력(The Educational Imagination), 1979』에서 제시하였다.

3. 예시

(1) 공식적 교육과정에서는 논리적 사고를 강조하는 반면, 직관적 사고, 상상력은 소홀히 취급한다.

(2) 산업혁명 직후 학교에서 읽기·쓰기는 가르쳤으나, 셈하기는 가르치지 않았다.

(3) 과학교과에서 진화론은 가르쳤으나, 창조론은 제외시켰다.

(4) 1960년대 북한이 남한보다 경제력이 앞섰던 시기에 북한의 실정을 가르치지 않았다.

(5) 옛 소련에서는 상대적으로 나은 제도나 이론이어도 자본주의 경제론을 가르치지 않았다.

(6) 비록 뛰어난 시라고 해도 '악마의 시'는 이슬람 문화권에서는 금기시되어 학교에서 가르치지 않았다.

2 아이즈너(Eisner)의 영 교육과정론

1. 기본입장

(1) 수업의 예술적 측면을 강조하여 수업을 위한 행동적 목표의 설정을 반대한다.

(2) 수업은 예기치 않은 상황과 우연에 의해 영향을 받으며, 수업의 과정 중에 그것이 성취할 목표가 생성되기 때문에 수업은 하나의 예술이다.

(3) 수업 중 교사는 미술가, 작곡가, 배우, 무용가처럼 행위의 과정 중에 전개되는 상황에 따른 판단을 해야 하기 때문에, 수업 중 교사의 활동은 사전 처방이나 관례에 의해 지배되는 것이 아니라 예기치 않은 상황과 우연의 영향을 받는다.

2. 평가모형

(1) 특징

① 아이즈너는 교육목표를 행동목표로 진술하는 접근을 비판하고 새로운 대안적 평가 방법으로 교육적 감식안(教育的 鑑識眼)과 교육비평 모형을 제안한다(질적 모형).

② 감식안이 비평의 대상을 제공해준다는 점에서 감식안과 비평 간에는 상호 관련성이 있다.

(2) 교육적 감식안과 교육비평

① 교육적 감식안(educational connoisseurship)

   ③ 개념: 교육적 상황의 복잡성을 파악하는 능력과 복잡성을 세련되게 개념화하는 능력을 말한다.

   ④ 대상의 가치를 개인적으로 인정하는 사적(私的)인 일이다.

   ⑤ 예를 들어 경험이 많은 교사는 수업상황에서 학습자들의 미묘한 변화의 차이를 알아차릴 수 있는 눈이 있다.

      [참고] 행동적 평가는 눈에 드러나는 행동을 양적으로 판단한다.

② 교육비평(educational criticism)

   ③ 개념: 일종의 폭로 기법으로 비판적으로 파헤치고 표현함으로써 대상의 질적 속성을 생생하게 표현해내기 위해 활용한다. 감식안이 포착한 사상이나 사물의 질을 드러내는 예술 활동이다.

   ④ 비평은 부정적인 면을 평가하는 것이 아니라 평가 대상이 지닌 질과 특성을 감지하게 하는 교육적 과정이며, 대상의 속성을 대중에게 비평적 폭로 방법으로 표현하는 공적인 일이다.

   ⑤ 수업상황의 미묘한 변화를 감식한 내용을 다른 사람(학생이나 학부모)에게 표현하는 일이다. 미묘한 차이를 비전문인들이 알아듣기 쉽게 표현하는 것이 쉽지 않기 때문에 비평가들은 직유, 은유, 유추, 시적(詩的) 표현들을 자주 사용한다.

08 | 교육과정 재개념주의

1. **전통주의[타일러(Tyler), 타바(Taba)]**
   지식의 객관성, 중립성 강조, 행동적 수업목표 설정 중시, 양적 연구방법 적용
2. **개념적 - 경험주의[슈왑(Schwab)]**
   교육과정 전개 과정에서 이론적 논쟁보다는 실제적 문제 강조
3. **재개념주의[파이너(Pinar) 등]**
   교육과정에서 이해, 해석 중시, 질적 연구방법 적용

1 재개념주의(Reconceptualism)

1. 역사

(1) 1970년대 들어와 기존 교육과정에 대한 패러다임(paradigm)의 전환을 의미한다.

(2) 교육과정 재개념화에 대한 필요성은 먼저 맥도날드(McDonald)에 의해 강조되었고, 공식적인 용어는 파이너(Pinar)에 의해서였다. 1974년에 파이너가 발표한 『Self and Others』에서 처음 사용되었고, 1975년 『Curriculum Theorizing: The Reconceptualists』에서 공식화되었다.

2. 경향

(1) 교육과정의 이론과 실제에 대한 접근 내지 교육과정 연구의 '방법론'에 관심을 둔다. 이들은 질적 방법을 통해 교육과정을 이해, 해석하고자 한다.

(2) 탐구과정으로서의 교육과정의 학문적 성격을 규정하고 방법론적·개념적 대안을 처방하거나 다양한 연구접근들의 차이를 교육과정의 이론과 실제 문제를 중심으로 부각시키는 데 관심을 갖는다.

2 교육과정의 분류[파이너(Pinar)] - 방법론적 분류

1. 전통주의(Traditionalists)

(1) 특징

① 과학적 경영 관리론에 기초를 두고, 교육과정은 교육실천에 직접적인 도움을 주는 것으로 간주한다.

② 자연과학은 교육과정이론, 설계, 평가의 개념과 기법에 적절한 설명모형을 제공한다.

③ 교육과정은 탈역사적이고 합의 지향적이고 정치적으로 보수적인 합리성의 관점을 반영하는 것이다.
④ 지식은 객관적이어야 하며 중립적인 관점에서 탐구되고 기술될 수 있어야 한다.
⑤ 교육의 목적은 표준화된 행동변화에 초점을 둔다.
⑥ 구체적이고 관찰 가능한 교육목표를 진술하는 일이 중요하다고 본다.
⑦ 파이너(Pinar)에 의하면 전통주의자들은 행정적 편의, 전문적 책무성, 과학적 관리, 관료주의와 밀접한 관련을 맺으면서 교육과정의 실제를 예언하고 통제하려는 목적을 갖는다고 본다.

(2) 대표자

타일러(Tyler), 타바(Taba), 알렉산더(Alexander) 등이 있다.

2. 개념적 - 경험주의(Conceptual-Empiricists)

(1) 특징

① 스프투니크 사건 이후 미국의 교육개혁에 영향을 준 교육과정론자들로서 교육은 죽은 지식과 잡다한 정보를 전달하는 것이 아니라 과정 자체로 보아야 한다고 주장한다.
② 모든 학문에 내재된 고유한 구조가 무엇인가를 찾아내는 지식의 역동적 접근을 강조한다.
③ 실증주의적 합리성에 기초한 양적 연구를 지향한다. 즉 현대의 사회과학과 행동과학적 방법론을 적용하여 교육과정 현상을 경험과학적으로 탐구한다.
④ 행정적인 편의와 효율성, 또는 실제적인 유용성보다는 교육과정 현상을 관찰과 실험이 가능한 '전통 사회과학'의 탐구 대상으로 환원하여 과학적으로 설명하고 기술하는 데 관심을 기울인다.

(2) 대표자

슈왑(Schwab), 슈버트(Schubert), 뷰챔프(Beauchamp), 존슨(Johnson), 워커(Walker) 등이 있다.

3. 재개념주의

(1) 특징

① 방법론적으로 볼 때 해석학·현상학적 접근과 비판적 접근으로 나누어진다. 전자는 개인의 교육적 체험의 주관적 의미를 재구성하는 일에 관심을 두고, 후자는 학교교육과정과 정치·경제·사회적 맥락의 관련성을 비판적으로 검토하는 데 초점을 둔다.
② 분석목표와 대상
  ㉠ 교육과정을 보다 넓은 사회구조와 질서 속에서 거시적으로 파악하고자 한다.
  ㉡ 교실 행동의 사회·경제·정치적 기능까지도 이해하고자 한다.
  ㉢ 학교지식, 문화, 권력, 사회적 통제와 관계를 파악하고자 한다.
  ㉣ 형식적 교육과정뿐만 아니라 교수방법, 평가형태, 교실생활 속에 내재된 잠재적 교육과정까지도 다룬다.

③ 현상학, 실존주의, 신마르크스주의, 상징적 상호작용론 등의 근거를 바탕으로 질적 연구방법을 사용한다.

(2) 대표자

지루(Giroux), 애플(Apple), 그린(Green), 휴브너(Huebner), 애니언(Anyon), 몰나르(Molnar) 등이 있다.

(3) 공헌점

① 교육과정 탐구의 방법론과 탐구의 대상과 목적에 대한 지평을 확대하였다.
② 이론 - 실제의 관련성을 새롭게 규정하였다.
③ 교사의 전문성과 자율성을 강조하였다.
④ 실증주의 인식론에 기초한 기술 공학적 접근의 문제점을 지적하였다.

(4) 한계

① 교육과정이라는 학문을 다른 모(母) 학문으로 환원하여 그 정체성을 상실할 위험성이 내포되어 있다.
② 교육과정의 실제에 대해 그것이 의도한 바와 같은 구체적인 시사를 주지 못하였다.
③ 다양한 접근 방법들을 통합할 수 있는 구심점 혹은 조직을 중심으로 형성하지 못하기 때문에 분산된 단편으로 남아 있을 가능성이 높다.

기출문제

다음 내용과 가장 관련이 깊은 학자는? 2018년 지방직 9급

- 교육과정이란 교육 속에서 개인들이 갖는 경험의 의미와 성질을 탐구하는 것이다.
- 교수(teaching)는 학생들이 자신의 경험을 이해하고 해석하는 학습활동에 적극적으로 임할 수 있도록 안내하고 조력해 가는 과정이다.
- 인간의 내면세계에 보다 가까이 다가가기 위해 학생 자신의 전기적(biographical) 상황에 주목하는 쿠레레(currere) 방법을 제시하였다.

① 보비트(F. Bobbit)
② 파이너(W. Pinar)
③ 타일러(R. W. Tyler)
④ 브루너(J. S. Bruner)

해설

교육과정 재개념주의자인 파이너는 교육과정 설계와 행동적 목표에 집중되었던 과거의 연구에서 벗어나 'currere'가 갖는 의미를 인식론적으로 설명함으로써 순수이론으로서의 교육과정학을 새롭게 정립하고자 하였다. **답 ②**

09 | 우리나라 교육과정 개발과 정책

1 우리나라 교육과정 개발 절차

1. 국가적 수준의 교육과정 제정

(1) 법적 근거 - 「초·중등교육법」 제23조(교육과정 등)

① 학교는 교육과정을 운영하여야 한다.

② 교육부장관은 ①에 따른 교육과정의 기준과 내용에 관한 기본적인 사항을 정하며, 교육감은 교육부장관이 정한 교육과정의 범위에서 지역의 실정에 맞는 기준과 내용을 정할 수 있다.

③ 학교의 교과(敎科)는 대통령령으로 정한다.

(2) 교과용 도서 편찬

① 법적 근거 - 「초·중등교육법」 제29조(교과용 도서의 사용)

　㉠ 학교에서는 국가가 저작권을 가지고 있거나 교육부장관이 검정하거나 인정한 교과용 도서를 사용하여야 한다.

　㉡ 교과용 도서의 범위·저작·검정·인정·발행·공급·선정 및 가격 사정(査定) 등에 필요한 사항은 대통령령으로 정한다.

② 교과용 도서: 교과서, 지도서 및 인정도서를 말한다.

③ 교과서: 학교에서 교육을 위하여 사용되는 학생용의 주된 교재와 그 교재를 보완하는 음반, 영상 저작물 및 전자도서를 포함한다.

④ 지도서: 학교에서 교육을 위해 사용되는 교사용의 주된 교재와 그 보완교재를 말한다.

秀 POINT 교과용 도서

구분	국정도서	검정도서	인정도서
정의	교육부 장관이 저작권을 가진 도서	민간에서 저작하여 교육부 장관의 검정을 받은 도서	국·검정도서가 없거나 보충할 필요가 있는 경우에 사용하기 위하여 교육부 장관의 인정을 받은 도서
심의권자	장관(심의위원 위촉)	장관(한국교육과정평가원장에게 위탁)	장관(시·도 교육감에게 위탁)
절차	편찬 심의	편찬 심의 선정	편찬 선정 심의
저작권자	교육부 장관	저작자	저작자
과목	유치원, 초등, 특수학교	중등, 고등, 보통 교과 대부분	신설 및 교양과목, 고교 전문교과
장점	소수 선택과목 교과서의 질 유지 가능	교사, 학생의 교과서 선택권 보장	현장 교원의 교과서 개발 참여 유도 용이
단점	내용의 획일성	검정 심사비용 부담	① 질 관리 체계 부족 ② 교과서 인정 업무 중복 예상

2. 지역수준 교육과정

(1) 시·도 교육청

시·도 교육청 단위에서 교육부장관이 정한 교육과정 범위 내에서 지역 실정에 적합한 내용을 제정한다.

(2) 시·군 교육청

시·군 교육청 단위에서 학교교육과정 편성·운영의 장학자료를 작성·제시한다.

(3) 의의

지역 수준의 교육과정 수준은 지나친 중앙집권적 국가 교육과정의 부적절성과 역기능에서 비롯되었다.

3. 학교 단위 교육과정 개발

(1) 법적 근거

학교는 이 교육과정과 시·도 교육청의 교육과정 편성·운영 지침, 지역 교육청의 학교 교육과정 편성·운영에 관한 장학 자료를 바탕으로, 학교 실정에 알맞은 학교 교육과정을 편성·운영한다(교육부 고시 '교육과정령'에 근거).

(2) 범위

① 개설교과의 종류 및 과목별 시간 배당
② 과목별 주요 학습내용 및 수준
③ 교과 교육과정에서 제시된 주요 학습내용을 가르치기 위해 사용되는 교과용 도서를 포함한 제반 수업자료

4. 교사수준 교육과정(교육과정 재구성 활동)

(1) 교육내용의 재구성

교과서에 제시된 순서대로 내용을 가르치기보다는 교육과정상에 있는 내용 요소를 중심으로 교사가 그 순서와 내용의 양을 재조정한다.

> 예 교과서에 제시된 내용의 순서를 필요에 따라 바꾸어 가르친다거나, 교과서에 제시된 것을 처음부터 끝까지 가르치는 것이 아니라 교육과정상의 필수 요소를 중심으로 최소한의 것만 엄선하여 가르친다.

(2) 교과목의 탄력적인 편성

학년제가 아닌 단위제가 적용되는 고등학교의 경우, 특히 주당 수업 시수가 적은 교과목들을 모든 학기에 펼쳐서 편성하는 것이 아니라, 특정 학년 혹은 학기에 집중 편성하거나 교체 편성한다.

> 예 6단위의 과목을 1학년부터 3학년까지 매 학기에 걸쳐서 편성하는 것이 아니라 1학년 1학기에 3단위, 2학기에 3단위씩 집중 편성함으로써 2, 3학년에 이수해야 할 과목 수를 줄인다.

(3) 수업 시간의 탄력적인 운영

수업 시간표를 작성할 때 특정 요일에 특정 과목의 시간을 1시간씩 고정하여 배당하기보다는 필요에 따라 교과목의 수업시간을 융통성 있게 운영한다.

> 예 필요에 따라 특정 과목에 2시간 혹은 3시간을 연속해서 배당하는 블록 타임(Block-time)제, 토요일 전일을 배당하는 전일제 등

(4) 기타

교과서 내용을 필요에 따라 순서를 바꿀 수 있으며, 다른 학년이나 다른 교과의 내용을 연결해서 통합적으로 운영할 수 있다. 그 밖에 학습자의 수준에 따라 교과서의 내용과 다른 종류나 깊이 있는 내용을 제시할 수 있다.

2 교육과정 개발정책

1. 개념

교육과정 정책에서 교육과정의 결정의 주체를 결정한다. 즉, 교육과정의 결정을 사회적 권위나 제도에 의존해야 하는지, 교사나 학교 단위에 위임되어야 하는지를 결정한다.

2. 정책결정의 유형

(1) 중앙 집권식

교육과정 결정권이 국가 권력 혹은 중앙 정부에 있다. 이는 권력의 배분과 행사뿐만 아니라 세계관, 가치관에 영향을 주기 때문에 이를 국가가 관리해야 한다는 입장이다.

(2) 분산식

교육과정 결정권한이 개방된, 즉 이를 교사, 학부모, 학생, 지역사회 등에 위임하는 형태로, 이때는 공식화된 교육과정이 존재하지 않는다. 교사의 전문성에 근거하여 각 교사에게 위임한다.

(3) 절충식

국가 수준에서 성취기준을 설정하고 구체적인 적용은 각 지역교육청, 학교, 교사에게 위임한다.

3. 교육과정이 사회적 권위나 제도화된 사회적 관행으로부터 인정받아야 하는 이유

(1) 교육과정은 한 사회가 그 영속적 생존을 위해서 교육적으로 가치 있는 문화적 자산을 선정하는 일이 필요하다.

(2) 교육과정의 영향력은 학생 개개인뿐만 아니라 사회 구성원의 전반적인 의식 수준 결정에 영향을 준다.

4. 교육과정의 결정을 교사에게 위임해야 한다는 입장

지방분권화 되어있는 국가에서는 교육과정 개발과 적용을 학교에서 결정해야 한다는 입장이다. 즉, 교육과정 결정은 정치, 사회적 문제가 아니라 학교 내부의 문제이고 학교 담당자들이 가치중립적인 방법, 기술적 절차로 해결해야 한다.

예 타일러(Tyler), 타바(Taba) 등

5. 교육과정을 정책결정의 대상으로 보기 시작한 이유

1980년대 이후 지식 사회학적 관점(영국)에서 교육과정 정책결정의 대상에 관심을 갖는다.

(1) 학교교육의 적합성에 대한 사회의 요구

학교가 사회에서 요구되는 사람을 제대로 길러내지 못했다는 관점이다.

예 시민적 자질, 직업능력, 비판적, 창의적 능력의 부족 등

(2) 학교의 사회평등 및 정의 실현 실패

지식분배의 문제점 때문에 학교가 사회평등 및 정의를 실현하지 못했다는 관점이다. 예를 들어 소수 엘리트에게는 문화적 자산 가치가 높은 지식을, 다른 많은 학생들에게는 차별적으로 열등한 지식을 전수하고, 여성들에게는 차별성이 강조되어 왔다. 이런 점들을 통해 교육과정이 불평등한 사회구조를 재생산해왔다고 본다.

(3) 사회의 특수한 요구를 교육에 반영하지 못함

경제적 요구, 산업사회의 직업인으로서의 필요한 기능, 태도, 환경, 개방성, 정보화 등의 사회의 요구를 반영하지 못했다는 관점이다.

3 교육과정 결정의 집권식과 분산식의 장점과 단점

구분	중앙 집권식	지방 분산식
장점	① 새로운 교육혁신의 아이디어나 국가 교육 목표의 실현을 쉽게 전국화할 수 있다. ② 체계적이고 국가적인 노력에 의해 질 높은 교육과정을 설계할 수 있다. ③ 교육과정과 학교교육의 질 관리를 국가 수준에서 용이하게 할 수 있다. ④ 통일된 학교교육 평가기준으로 전국의 학교 수준을 균등하게 높일 수 있다. ⑤ 지방 교육청·학교·교사의 교육과정 개발노력을 절감할 수 있다. ⑥ 새 교육과정 적용 단계에서 효과적인 교사교육을 시행할 수 있다.	① 지역·학교·학생의 특수성을 고려한 다양하고 탄력적인 교육과정이 개발될 수 있다. ② 지역 단위의 교육청·학교·교사들에게 교육문제해결의 자율능력을 키울 수 있다. ③ 지역 단위 교육청·학교·교사들이 교육과정 개발참여로 교육의 전문성을 높일 수 있다. ④ 교육과정 개발의 다양한 접근방법들이 수용될 수 있다. ⑤ 학생에게 그들의 필요에 따라 선택적인 교육과정을 제공할 수 있다.
단점	① 학교와 교사는 수업에 있어서 수동적이 되기 쉽고, 지식 정보의 전달 매개체로 전락할 수 있다. ② 정부-지방 단위의 교육청-학교-교사의 관계에서 권위주의적인 맥락이 형성될 가능성이 높다. ③ 한번 제정된 교육과정은 법규적인 권위와 개정에 대한 신중성 때문에 교육과정 시행이 획일화 내지 경직화되기 쉽다. ④ 교사가 교육과정 문제로부터 소외되어 자신의 전문성 향상을 위한 노력을 하지 않을 가능성이 있다. ⑤ 지역·학교·학생의 특수성에 부합할 수 있는 다양한 교육과정의 시행이 어렵다.	① 전국적으로 합의할 수 있는 교육의 목표와 내용을 가지기 어렵다. ② 제작의 용이성 때문에 질적으로 수준이 낮은 교육과정이 되기 쉽다. ③ 지역중심·학교중심·교사중심이 지나쳐 새로운 교육혁신이 전파되지 못할 염려가 있다. ④ 지역·학교 간의 차이가 심화될 가능성이 있다. ⑤ 국가 수준에서 학교교육을 주도하고자 할 경우 정책시행에 한계가 있다.

4 교육과정 실행의 관점[스나이더(Snyder), 볼린(Bolin), 줌왈트(Zumwalt) 등]

1. 교육과정 실행(implementation)의 의의

(1) 교육과정 혹은 실라버스의 실제적 사용 혹은 교육과정이 실제로 이루어지는 것으로 교육과정 계획과 교수활동의 순환과정에서 중요한 단계이다.

(2) 교육과정 실행은 교육과정 구성 및 개발 과정에서 만들어진 교육과정을 효과적으로 전개하는 것을 의미하며, 교육과정 개발자와 사용자가 일치할 수도 있고 일치하지 않을 수도 있다.

(3) 학교 외부에서 개발된 것을 학교 현장에서 실천에 옮기는 것과 학교 안에서 자체적으로 개발하여 실천하는 것으로 구분된다.

2. 교육과정 실행의 관점

(1) 충실도(fidelity) 관점[풀란(Fullan), 폼프렛(Pomfret)]

① 충실도란 원래의 상태와 일치한다는 것으로, 교육과정을 제대로 실행하였을 경우, 원래 계획된 교육과정에 얼마나 가깝게 실행했는가를 말한다.

② 교실에서의 교육과정 혁신 노력도 반드시 당초의 계획된 교육과정과 일치해야 한다는 것이다.

③ 교사들의 교육과정 소양 수준이 낮은 만큼 교육과정을 아주 구조적이고 체계적으로 잘 계획하는 것이 중요하다.

(2) 상호 적응(mutual adaptation)적 관점[달린(Dalin), 맥롤린(McLaughlin)]

① 충실도 관점의 대안으로 등장한 것으로 교육과정 실행의 적응(재구성) 관점이라고도 한다.

② 교육현장의 특수성, 다양성 및 고유성에 초점을 두고 있다.

③ 미리 구체화된 교육과정의 보급보다는 실행자와 개발자 간의 상호작용에 기초한 역동적 변화의 과정을 강조하며, 학교 및 교실 상황에서 실제로 교육과정을 활용하고 조정하는 과정을 중시한다.

(3) 생성적(enactment, 혹은 형성적) 관점

① 만들어진 교육과정의 실행이 아닌 교사와 학습자들이 점진적으로 만들어가는 과정을 강조한다.

② 교실 상황에서 실천되는 교육과정 운영에 영향을 미치는 학생들의 주관적인 지각과 느낌, 그리고 교사와 학생들 간의 상호작용 과정 등을 구체적으로 분석하고 해석함으로써 교육과정 운영에 대한 교사와 학생들의 적극적인 이해를 강조한다.

③ 생성적 관점에 기초한 교육과정 변화는 교사와 학습자의 개인적 성장 과정을 의미하므로 성공적인 교육과정 실행을 위해서는 교사의 주관적인 생각과 느낌, 교육적 가정 등을 이해하고 수용하는 것이 필요하다.

구분	교육과정 운영의 개념	교육과정 구성 방식	평가영역
충실도 관점	계획된 교육과정	학교 외부 전문가	계획과 결과 간 일치
상호 적응적 관점	조정된 교육과정	외부 전문가와 학교 내부의 교육과정 운용 담당자 간의 상호작용	상호작용의 변화과정
생성적 관점	창조된 교육과정	학교 내의 교사와 학생	교사의 이해와 해석 수준

◐ 교육과정 실행에 대한 3가지 접근의 비교

교육과정 압축[curriculum compacting, 렌쥴리와 스미스(Renzulli & Smith)]

1. 개념
미리 학습한 자료가 반복되는 일을 막고, 정규 교육과정의 도전 의욕 수준을 높이며, 기초 기능은 숙달하면서도 심화·속진의 학습활동을 경험할 수 있는 시간을 마련해주기 위해서 정규 교육과정을 재구성하거나 효율화하는 과정으로, 영재 교육과정의 일종이다.

2. 표적 집단
① 개인마다의 강점 영역에 따라 재능 학생 집단에 포함될 수 있는 모든 학습자이다(주로 독자적인 자율 탐구활동이 가능한 학습자).
② 재능 학생집단에 포함되지는 않는다 하더라도 정규 교육과정의 일부분을 미리 학습 하여 다른 학생들보다 속진으로 그 자료를 완전 학습할 수 있는 학생이면 누구나 해 당한다.

3. 교육과정 압축의 목표
① 정규 교육과정을 운영하는 가운데서도 도전적인 학습 환경을 마련한다.
② 기본 교육과정에 대한 숙련·완숙·능숙성을 보장한다.
③ 심화와 속진 경험을 위해 시간을 번다.

4. 핵심적 관점
① 교육과정 압축은 상위 학습자들에게 불필요한 학습의 반복을 막고 보다 도전적인 학 습 기회를 마련해주기 위한 정규 교육과정의 재구성 전략을 말한다.
② 정규 교육과정 전체 혹은 일부분에 대해서 미리 학습하였거나 다른 정규 학생들에 비 해 탁월한 성취 능력을 드러내는 학생들이라면 누구에게나 적용될 수 있는 방법이다.
③ 학생의 장점을 객관적으로 평가하여 정규 교육과정의 반복학습을 제거함으로써 속진 학습 기회를 제공하고자 하는 것으로 제7차 교육과정과 같은 수준별 교육과정의 상위 성취 학습 집단에 적절한 수업전략이다.

던킨(Dunkin)과 비들(Biddle)이 제시한 교실 내 수업과정 연구모형

교수자에 관련된 전조변인과 학습자와 그가 처한 물리적 환경을 묶은 맥락적 변인(상황변인)을 교수 - 학습과정에 영향을 미치는 독립변인으로 하고, 결과를 종속변인으로 설정함으로써 수업에 관한 연구의 패러다임을 이루게 하였다.

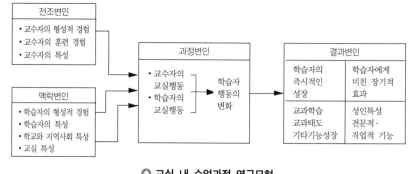

⊕ **교실 내 수업과정 연구모형**

10 │ 우리나라 교육과정의 변천과정

1. **미군정 시대(교수요목 시대)**
   국민학교와 중학교 교과목 편제와 시간 배당표 작성

2. **제1차 개정(1954)**
   교과중심, 진보주의의 영향(특별활동 도입)

3. **제2차 개정(1963)**
   경험중심, 편제(교과, 반공도덕, 특별활동), 총론과 각론으로 구성, 고등학교에서 단위제 도입, 유치원 교육과정 도입

4. **제3차 개정(1973)**
   학문중심, 편제(교과, 특별활동), 도덕교과, 국사교과 독립, 실과 필수, 1, 2종 도서 구분

5. **제4차 개정(1981)**
   인간중심, 편제(교과, 특별활동), 국민학교 통합교과, 중등에서 자유선택 도입

6. **제5차 개정(1988)**
   국민학교 통합교과 재조정, '우리들은 1학년' 도입, 중학교의 수학 및 과학 강화

7. **제6차 개정(1995)**
   교육과정의 분산식, 초등(학교 재량시간 신설, 산수 → 수학, 영어 도입), 중(필수, 선택교과)

8. **제7차 개정(2000)**
   학생중심 교육과정, 국민공통 및 선택중심 도입, 수준별 교육과정, 재량활동 확대, 제2외국어(중)

9. **제7차 재개정(2007)**
   ① 단위학교 교육과정 편성·운영의 자율성 확대(재량활동 자율권, '교과집중이수제' 도입)
   ② 국가·사회적 요구의 반영(과학교육 강화, 역사교육 강화 - 역사 독립)
   ③ 고등학교 선택중심 개선(선택과목 일원화, 과목군을 5 → 6개로)
   ④ 수업시수 조정(수업시수 축소 - 1, 2학년 제외)
   ⑤ 기타(진로교육 강화, 논술교육 강화, 예·체능 평가방법 개선)

1 미군정 시대(교수요목 시대)

1. 기본방향 및 특징

(1) 미군정 학무국에서 국민학교와 중학교 교목 편제와 시간 배당표를 제정하였다.

(2) 교수요목이라고 한 것은 교과내용 자체를 학생들이 학습해나갈 코스로 보고, 교사가 학생들에게 가르칠 교수내용의 주제나 제목을 열거한 것이기 때문이었다.

(3) 교육과정의 개념상 교수요목과 교육과정을 엄밀히 구분 짓지 않았다.

2. 교수요목의 성격

(1) 교과서 지도내용을 상세히 표시하고 기초능력의 배양에 주력한다.

(2) 분과주의를 채택하고 체계적인 지도와 지력의 배양에 중점을 둔다.

(3) 홍익인간의 정신에 입각하여 애국애족의 교육을 강조하고, 일제 강점기의 잔재를 정신적, 생활면에서 시급히 제거하기 위해 노력한다.

2 제1차 교육과정 개정 시기(1954 ~ 1962)

1. 기본방향 및 특징

(1) 교육과정의 개념을 '각급 학교의 교과목 및 교육활동의 편제'(교육과정 시간 배당 기준령, 1954.4.20.)라고 정의하였다.

(2) 진보주의 교육의 영향으로 특별활동이 시간배당표에 처음 기재되었다.

(3) 교과중심 교육과정을 반영하였다. 내용은 최소필요량으로 선정하였고, 반공, 도의, 실업교육을 강조하였다.

2. 편제 및 운영

(1) 교과과정은 지식체계가 중심이고 학생들의 경험과 생활을 존중하기 위해 생활중심의 대단원을 지향하였다.

(2) 교과내용은 최소 필수 양으로 하였고, 반공, 도의, 실업 교육을 강조하여 이들 교과목에 총 이수시간이 30%가 배정되었다.

(3) 시간 배당의 기준을 총 이수 시간 수에 대한 백분율(%)로 제시하였다.

(4) 특별활동이 시간배당표에 처음 기재되었다(교과활동으로 포함).

3 제2차 교육과정 개정(1963 ~ 1973)

1. 기본방향 및 특징

(1) 교육과정의 개념을 "학생들이 학교의 지도하에 경험하는 모든 학습활동의 총화"라고 정의하였다.

(2) 교육과정의 개정 취지
   ① 교육과정의 내용에서 자주성, 생산성, 유용성을 강조하였다.
   ② 교육과정의 조직에서는 합리성을 강조하면서 학생의 성장 발달에 적용될 수 있고 계통성과 발전성 있는 교육과정의 조직을 제시하였다.
   ③ 교육과정의 운영면에서는 지역성을 강조하였다.

(3) 생활중심 교육과정을 반영하였다.

2. 편제 및 운영

(1) 교육과정 문서는 총론과 각론으로 구성되었다.

(2) 교육과정의 구조를 교과활동, 반공도덕생활, 특별활동으로 구분하였다.

(3) 교육과정의 내용은 자주성, 생산성, 유용성을, 조직은 합리성, 운영은 지역성을 강조하였다.

(4) 한글 전용과 국사 교육이 역사과에서 분리되어 강조되었고 교련교과가 신설되었다.

(5) 고등학교에서 단위제가 도입되었고, 외국어로는 스페인어와 일본어가 추가되었다.

(6) 1969년 2월 19일 문교부령 제207호에 근거하여 '유치원 교육과정'이 도입되었다.

4 제3차 교육과정 개정(1973 ~ 1981)

1. 기본방향 및 특징

(1) 정치적으로는 유신과업의 추진, 사회 경제적으로는 기술 인력의 양성, 이론적으로는 학문중심 교육과정을 강조하였다.

(2) 1968년 선포된 국민교육헌장의 이념과 국적 있는 교육을 슬로건으로 내세움으로써 한국적인 교육과정의 성격을 지닌다.

(3) 학문중심 교육과정의 영향으로 기본개념, 탐구방법을 중시하였다.

2. 편제 및 운영

(1) 교육과정의 편제는 교과활동과 특별활동으로 구분되었다(제3, 4, 5차 교육과정 시기까지 동일). 특별활동의 영역은 학급활동, 학생회활동, 클럽활동, 학교행사의 4영역으로 구분하였다.

(2) 반공도덕 생활이 도덕교과로 독립되었고, 국사도 독립교과로, 한자교육 폐지, 실과를 중·고에서 필수화하였다.

(3) 교과서를 1종 도서와 2종 도서로 구분하여 1종 도서는 국민학교와 중학교의 교과서와 교사용 지도서 전부, 고등학교의 국어(독본), 국민윤리, 국사의 교과서와 지도서로 하였다.

(4) 국가 수준의 교육과정 기준이 '부령'으로 제정되었던 것을 1979년 3월 1일자로 '문교부 고시'로 하여 학문의 발전과 사회의 변화에 따라 교육과정의 개정이 용이하도록 하였다.

5 제4차 교육과정 개정(1981 ~ 1988)

1. 기본방향 및 특징

(1) 교육과정의 개념을 '학교교육에서 학생에게 무엇을 어떻게 교육시킬 것인가를 국가적인 수준에서 확정, 고시한 문서화된 계획'으로 정의하였다.

(2) 인간중심 교육과정을 반영하여 전인교육을 강조하였다.

(3) 교육과정 개발을 문교부에서 한국교육개발원에 위탁하여 기초연구와 총론, 각론 시안을 개발하는 '연구·개발'의 형태를 도입하였다.

(4) 민주주의의 토착화, 복지사회의 건설, 정의사회의 구현, 교육혁신과 문화 창달이라는 4대 국정지표를 실현하는 자주적이고 창의적인 국민 양성을 목적으로 하였다.

(5) 유아교육과 대학교육의 기회 확대, 중학교 의무교육의 단계적 추진, 일반고의 확대, 과학·외국어·예체능 분야의 조기 영재교육을 위해 특수 목적고의 신설 등이 추진되었다.

(6) 유치원 교육과정이 1982년 3월 1일부터 전면 시행되었다. 1982년 4월 1일에 '유아교육진흥책 5개년 계획'을 발표하였고, 1985년 12월 15일에 '유아교육진흥법'을 제정하여 유아교육의 진흥에 박차를 가하였다.

2. 편제 및 운영

(1) 교육과정의 편제는 교과활동과 특별활동으로 구분되었다.

(2) 국민학교 1, 2학년에서 통합교과를 도입하였다. 즉, 1~2학년에 바른 생활(도덕 + 국어 + 사회), 즐거운 생활(체육 + 음악 + 미술), 1학년에 슬기로운 생활(산수 + 자연) 교과서(1교과 1교과서)를 간행하여 통합 교육과정을 시도하였다.

(3) 전인교육을 강화하여 수업시간, 교과내용의 축소, 중·고에서 자유선택과목을 도입하였다. 자유선택 과목은 학교와 지역사회의 실정 및 학생들의 희망에 따라 학교장의 재량으로 학생들에게 도움이 되는 교육내용을 선정하여 지도하도록 한 것이다.

秀 POINT 1980년 7·30 교육개혁 조치의 내용

1. 대학입학 본고사를 폐지하고 고교내신 성적을 확대 반영했다.
2. 교과목수를 축소하고 과외를 금지했다.
3. 대학졸업정원제를 실시하고 입학정원을 확대했다.
4. 대학의 전일제 수업을 실시하고 지방대학을 육성했다.
5. 교육전용방송을 실시하고 개방대학을 설치했다.
6. 방송통신대학의 학사과정을 설치했다.
7. 교육대학의 이수연한을 연장했다.

---

6 제5차 교육과정 개정(1988 ~ 1995)

1. 기본방향 및 특징

(1) 개정의 특별한 명분이 없이 다만 교과용 도서 사용 유효기간이 최대 6년을 넘을 수 없다는 규정에 의해 개정되었다.

(2) 개정방향

교육과정의 적정화	이수 과목의 축소, 학습량의 적정화, 교과목 조정, 개발과정의 효율화
내실화	교육목표의 상세화, 교육내용의 정선, 지도서의 실용화, 평가의 다양화
지역화	교과용 도서의 2종화, 교과 단원의 지역화, 교재 활용의 다양화, 교육과정 운영의 탄력화

(3) 단일 교육 사조나 이론의 지배를 받기보다는 개인적·사회적 적합성을 고루 갖춘 종합적인 접근방식을 채택하였다.

2. 편제 및 운영

(1) 교육과정의 편제는 교과활동과 특별활동으로 구분되었다. 특별활동의 영역은 학급활동, 전교 학생회 활동, 클럽활동, 학교행사의 4영역으로 편성하였다.

(2) 국민학교

① 국민학교의 통합교과를 재조정하여 국어와 산수를 독립시켰다.

② 1학년에서 3월 한달간 적응을 위해 '우리들은 1학년'을 도입하였다(독립교과가 됨). 교과서는 1교과 다(多)교과서 체제를 도입하였다.

③ 4학년 사회과 일부는 시·도 발행을 통해 교육과정의 지역화를 시도하였다.

(3) 중등학교

① 중학교에서는 수학과 과학과의 강화, 고등학교의 공통 필수과목의 합리적 조정 등 기초교육을 강화하였다.

② 중학교에서 기술(남), 가정(여)을 기술가정, 생활기술, 가정 가운데 하나를 택하도록 하였다.

7 제6차 교육과정 개정(1992 ~ 1997)

1. 개정 필요성

(1) 교육과정이 중앙집권화, 획일화되었다.

(2) 교육경험이 질적으로 부적합하였고, 수업 부담이 과중되었다.

(3) 교육과정이 시대적, 사회적 요구에 대해 부적합하였다.

2. 개정방향

(1) 민주주의 공동체 의식의 함양

① 모든 교과를 통한 민주시민교육을 실시한다.

② 특별활동과 생활지도를 통해 자치능력을 기르고, 민주적 사고훈련을 한다.

(2) 변화에 대한 창조적 대응력 배양

① 정보처리 능력과 창조적 사고력을 강화한다.

② 과학기술 교육과 진로지도 교육을 강화한다.

③ 산업사회의 비인간화에 대비하는 정서교육을 한다.

(3) 교육과정 결정의 분권화, 자율화(최초로 중앙 집권형에서 지방 분권형으로 전환)

① 학생의 필요, 적성, 능력에 따른 교육과정의 다양성, 적합성을 제고한다.

② 지역의 특수성에 따라 교육과정 결정을 분권화, 자율화한다.

③ 교육과정 결정에의 학교선택과 재량권을 부여한다.

(4) 학습자 경험의 질 중시

① 학습부담을 경감시킨다.

② 교과구성의 시대적 타당성을 강화하고 분류체계를 합리적으로 조정한다.

3. 특징

초등학교	① 학교재량시간을 신설하였다. ② 시간 수를 축소하였다. ③ 산수를 수학으로, 기본생활습관과 예절교육을 강화하였다. ④ 연간 기본시수와 주당 시수를 연간 최소 시간 수만 제시하였다. ⑤ 교과배열 순서를 도덕, 국어, 사회, 산수에서 도덕, 국어, 수학, 사회, 자연으로 하였다. ⑥ 교과목 편제를 교과활동, 특별활동, 학교 재량시간으로 구분하였다. ⑦ 특별활동 영역은 학급활동, 학교활동, 클럽활동의 3영역으로 편성하였다. ⑧ 1997년도부터 영어 수업이 신설 도입되었다.
중학교	① 필수교과와 선택교과(한문, 컴퓨터, 환경)로 구분하였다. ② 국사를 사회과에 포함시켰다. ③ 기술·산업, 가정을 남녀 필수화하였다. ④ 필수과목을 축소하였다(13개 → 11개). ⑤ 시간배당 기준표를 연간 최소 시수만 표시, 주당 시수는 제시하지 않았다. ⑥ 교과목 순서를 도덕, 영어, 국어, 수학, 사회를 도덕, 국어, 수학, 사회, 영어로 하였다. ⑦ 교육과정을 교과활동, 특별활동으로 구분하였다.
고등학교	① 교육과정의 편제를 교과활동(보통교과와 전문교과), 특별활동으로 구분하였다. 보통교과 가운데 공통필수는 교육부, 과정별 필수는 시·도교육청, 과정별 선택은 각급 학교가 결정하도록 하였다. ② 공통필수과목을 축소하였고 선택과목을 확대하였다. ③ 학기 당 이수과목을 축소하였다. ④ 국사를 사회과에 귀속, 국민윤리를 윤리로, 교련을 12단위에서 6단위로 축소하였다. ⑤ 특별활동에서 단체 활동을 신설하였다.

8 제7차 교육과정 개정(1997)

1. 기본방향

21세기 세계화·정보화 시대를 주도할 자율적이고 창의적인 한국인을 육성한다.

(1) 목표

건전한 인성과 창의성을 함양하는 기초·기본 교육에 충실한다.

(2) 내용

세계화·정보화에 적응할 수 있는 자기주도적 능력을 신장시킨다.

(3) 운영

학생의 능력, 적성, 진로에 적합한 학습자 중심교육을 실천한다.

(4) 제도

지역 및 학교교육과정 편성·운영의 자율성을 확대한다.

2. 교육과정 구성방침

(1) 사회적 변화의 흐름을 주도할 수 있는 기본 능력을 길러 줄 수 있도록 교육과정을 구성한다.

(2) 국민 공통 기본 교육과정과 선택 중심 교육과정 체제를 도입한다.

(3) 교육내용의 양과 수준을 적정화하고, 심도 있는 학습이 이루어지도록 한다.

(4) 학생의 능력, 적성, 진로를 고려하여 교육내용과 방법을 다양화한다.

(5) 교육과정 편성과 운영에 있어서 현장의 자율성을 확대한다.

(6) 교육과정 평가 체제를 확립하여 교육에 대한 질 관리를 강화한다.

3. 제7차 교육과정의 개정성격

(1) 21세기 정보화 사회에 필요한 자기주도적 학습능력의 신장, 창의력과 정보처리 능력의 배양을 목적으로 한다.

(2) 시장 경제의 논리를 수용하여 교육 수요자 중심, 고객만족 학교 경영에 걸맞는 교육과정 편성 운영 체계를 실시한다.

(3) 교육과정 편성 운영의 분권화를 진전시키기 위한 방안으로 시·도교육청, 시·군교육청, 학교, 학생의 교육과정 역할 및 결정 권한을 강화한다.

(4) 교육과정 고시 문서에 각급 학교의 교육목표를 상술하였다.

(5) 교육과정의 편제를 교과활동, 특별활동, 재량활동으로 구성하고, 초·중등학교에 재량활동을 신설 확대하여 학교, 학년, 교사, 학생이 창의적으로 교육 프로그램을 꾸려가게 하였다.

4. 제7차 교육과정 개정방향 및 특징

학습자의 건전한 인성발달 도모	① 실천중심, 체험중심, 토론식 교육방법 ② 전 교과를 통한 도덕교육 ③ 청소년 단체 활동, 봉사활동 시간 편제
학습자의 개성 신장과 창의적 성장의 극대화	① 필수과목의 축소 및 선택과목 신설 ② 자기주도적 학습능력 신장 ③ 자율적으로 학습할 수 있도록 교과서의 질 제고
학습자의 능력수준에 맞는 교수 - 학습	① 수준별 교육과정 도입 ② 교과수준별 분단편성, 학급편성을 통한 이동식 수업 실시 ③ 컴퓨터를 통한 개별화 학습
단위학교의 교육과정 결정 및 운영의 자율성 확대	① 학교재량시간의 신설 및 확대 ② 검인정도서 확대 및 단위학교의 교과서 선정권 부여 ③ 단위학교의 시간표 자율적 운영권 및 과목 신설권 ④ 단위학교에서 특정 교과에 추가로 시간 배당 가능
정보화·세계화에 적응할 수 있는 능력 함양	① 국민공통과정을 통한 기초학력의 강화 ② 컴퓨터를 포함한 정보화 교육 ③ 교육정보망을 통한 교과교육 및 과제부여 ④ 전자 교과서 발간 추진 ⑤ 초등 3학년부터 영어교육 실시 및 중학교 제2외국어 선택

5. 제7차 교육과정의 기본성격

(1) 다양성을 추구하는 교육과정이다.

(2) 학습자중심 교육과정이다.

(3) 교원, 학생, 학부모가 함께 실현해가는 교육과정이다.

(4) 교육과정 중심으로 개선하기 위한 교육과정이다.

(5) 교육의 질적 수준을 유지, 관리하기 위한 교육과정이다.

6. 교육과정의 수준

(1) 교육부가 법률에 의해 결정, 고시하는 국가 수준의 교육과정 '기준'이다.

(2) 시·도 교육청에서 지역의 특수성과 교육 중점을 반영한 지역 수준의 각급 학교 교육과정 편성·운영의 '지침'이다.

(3) 각 단위 학교에서 학교의 실정과 학생의 실태에 알맞게 조정한 학교 수준의 '학교 교육과정'이다.

📁 **참고**

교육과정 결정

국가 수준에서 교육과정 기준을 설정하는 이유	① 교육의 질적 기회균등을 보장한다. ② 단계별 교육내용의 일관성과 체계성을 유지한다. ③ 공교육의 일정 수준을 확보한다. ④ 교육의 중립성을 확보한다. ⑤ 교육목표 달성의 국가 책임
단위 학교 수준에서 학교교육과정을 편성하고 운용하는 필요성	① 교육의 효율성을 신장한다. ② 교육의 적합성을 제고한다. ③ 교원의 자율성과 전문성을 신장한다. ④ 교육의 다양성을 추구한다. ⑤ 학습자중심 교육을 구현한다.

---

7. 초등학교 개정 특징

(1) 특징

① 이수과목을 학년별로 구분하였다.

② '실과' 과목은 5, 6학년에서 집중 이수하도록 하였다.

③ 재량활동은 학생의 자기주도적 학습능력의 촉진을 위해 창의적 재량활동에 중점을 두었다.

④ 교과명칭을 변경해서 '자연'을 '과학'으로, '영어'를 '외국어'로, '학교 재량시간'을 '재량활동'으로 하였다.

⑤ 통합적인 활동 주제 중심의 열린교육을 지향하였다.

(2) 시간 배당

① 학년별, 교과 및 영역별로 배당된 시간은 '최소' 기준 개념으로 제시하였다.
② 학교 교육과정 운영의 자율화를 보장하기 위해 '연간' 총 수업시수를 제시(주당 시수는 제시하지 않음)하였다.
③ 교사와 학생의 교수 - 학습 부담을 경감하기 위해 '학년별 수업시간 수'와 '교과별 최소 수업 시간 수'를 감축 혹은 조정하였다.
④ '우리들은 1학년' 교과의 시간 배당은 담임교사의 재량에 의한 탄력적 가산 운영 고려해서 증배(增倍)하였다.
⑤ 모든 학습 활동에서 학생의 직접적인 체험활동을 강화하기 위해 교과·수업 시간수의 조정, 운영이 가능하도록 하였다(주당 3시간 이상의 수업·시간 수가 배당된 교과는 그 배당된 시간 중 주당 평균 1시간 이내에서 수업 시간 수를 감축하여 학생의 요구와 학교의 필요에 따라 창의적인 교육활동에 증배, 활용할 수 있도록 규정).
⑥ 특별 활동의 영역별 시간 배정은 학교의 실정에 따라 운영하도록 하기 위해 시간 배정의 결정권을 단위 학교에 부여하였다.

8. 중학교 개정 특징

(1) 특징

① 재량활동을 신설하였다.
② 정보화 사회에 적응할 수 있는 창의성을 함양하였다.
③ 세계화·개방화에 대응하는 외국어 교육을 강화(선택과목에 제2외국어 추가)하였다.
④ 학생의 학습 부담을 경감하였다.
⑤ 특별활동을 내실 있게 운영한다.
⑥ 교과 명칭을 변경, 통합하였다.
　예 '영어'를 '외국어'로, '가정'과 '기술·산업'을 '기술·가정'으로 통합하였다.

(2) 시간 배당의 특징

① 학년별, 교과 및 영역별로 배당된 시간은 '최소' 기준이다.
② 학교교육과정 운영의 자율화를 보장하기 위해 '연간' 총 수업시수를 제시(주당 시수는 제시하지 않음)하였다.
③ 지역, 학교의 특수성과 학생의 교육적 필요를 수용하고, 학생과 학교의 교육과정편성, 운영의 자율성을 확대하기 위하여 '재량활동'의 영역을 확대·신설하였다.
④ 교사와 학생의 교수 - 학습 부담을 경감하기 위해 '교과별 최소 수업시간 수'를 감축 혹은 조정하였다.
⑤ 특별 활동의 영역별 시간 배정은 학교의 실정에 따라 운영하도록 하기 위해 시간 배정의 결정권을 단위 학교에 부여하였다.

9 2009 개정 교육과정

1. 교육과정 구성의 방향

(1) 추구하는 인간상

우리나라의 교육은 홍익인간의 이념 아래 모든 국민으로 하여금 인격을 도야하고, 자주적 생활 능력과 민주 시민으로서 필요한 자질을 갖추게 하여 인간다운 삶을 영위하게 하고, 민주 국가의 발전과 인류 공영의 이상을 실현하는 데 이바지하게 함을 목적으로 하고 있다.

(2) 교육과정 구성의 방침

추구하는 인간상을 구현하기 위한 이 교육과정 구성의 방침은 다음과 같다.

① 배려와 나눔을 실천하는 창의적인 인재를 기를 수 있도록 교육과정을 구성한다.

② 이 교육과정은 초등학교 1학년부터 중학교 3학년까지의 공통 교육과정과 고등학교 1학년부터 3학년까지의 선택 교육과정으로 편성한다.

③ 교육과정 편성·운영의 경직성을 탈피하고, 학년 간 상호 연계와 협력을 통한 학교교육과정 편성·운영의 유연성을 부여하기 위하여 학년군을 설정한다.

④ 공통 교육과정의 교과는 교육 목적상의 근접성, 학문 탐구 대상 또는 방법상의 인접성, 생활양식에서의 연관성 등을 고려하여 교과군으로 재분류한다.

⑤ 선택 교육과정에서는 학생들의 기초영역 학습 강화와 진로 및 적성 등을 감안한 적정 학습이 가능하도록 4개의 교과 영역으로 구분하고, 필수이수단위를 제시한다.

⑥ 학기당 이수 교과목 수 축소를 통한 학습부담의 적정화와 의미 있는 학습활동이 전개될 수 있도록 집중이수를 확대한다.

⑦ 기존의 재량활동과 특별활동을 통합하여 배려와 나눔의 실천을 위한 '창의적 체험활동'을 신설한다.

⑧ 학교교육과정 평가, 교과 평가의 개선, 국가 수준의 학업성취도 평가 실시 등을 통해 교육과정 질 관리 체제를 강화한다.

2. 학교급별 교육과정 편성과 운영

(1) 초등학교

① 교육목표: 초등학교의 교육은 학생의 학습과 일상생활에 필요한 기초 능력 배양과 기본 생활 습관을 형성하는 데 중점을 둔다.

② 편제: 초등학교 교육과정은 교과(군)와 창의적 체험활동으로 편성한다.

    ㉠ 교과(군)는 국어, 사회 / 도덕, 수학, 과학 / 실과, 체육, 예술(음악 / 미술), 영어로 한다. 다만, 초등학교 1, 2학년의 교과는 국어, 수학, 바른 생활, 슬기로운 생활, 즐거운 생활로 한다.

    ㉡ 창의적 체험활동은 자율 활동, 동아리 활동, 봉사 활동, 진로 활동으로 한다.

③ 시간 배당 기준

구분		1 ~ 2학년	3 ~ 4학년	5 ~ 6학년
교과(군)	국어	국어 448	408	408
	사회 / 도덕		272	272
	수학	수학 256	272	272
	과학 / 실과	바른 생활 128	204	340
	체육	슬기로운 생활 192	204	204
	예술(음악 / 미술)		272	272
	영어	즐거운 생활 384	136	204
창의적 체험활동		272	204	204
학년군별 총 수업시간 수		1,680	1,972	2,176

(2) 중학교

① **교육목표**: 중학교의 교육은 초등학교 교육의 성과를 바탕으로, 학생의 학습과 일상 생활에 필요한 기본 능력을 배양하며, 다원적인 가치를 수용하고 존중하는 민주시민의 자질 함양에 중점을 둔다.

② **편제**: 중학교 교육과정은 교과(군)와 창의적 체험활동으로 편성한다.

  ㉠ 교과(군)는 국어, 사회(역사 포함) / 도덕, 수학, 과학 / 기술·가정, 체육, 예술(음악 / 미술), 영어, 선택으로 한다. 선택은 한문, 정보, 환경, 생활 외국어(독일어, 프랑스어, 스페인어, 중국어, 일본어, 러시아어, 아랍어), 보건, 진로와 직업 등 선택 과목으로 한다.

  ㉡ 창의적 체험활동은 자율 활동, 동아리 활동, 봉사 활동, 진로 활동으로 한다.

③ 시간 배당 기준

구분		1 ~ 3학년
교과(군)	국어	442
	사회(역사 포함) / 도덕	510
	수학	374
	과학 / 기술·가정	646
	체육	272
	예술(음악 / 미술)	272
	영어	340
	선택	204
창의적 체험활동		306
총 수업 시간 수		3,366

(3) 고등학교

① **교육목표**: 고등학교 교육은 중학교 교육의 성과를 바탕으로, 학생의 적성과 소질에 맞는 진로 개척 능력과 세계 시민으로서의 자질을 함양하는 데 중점을 둔다.

② **편제**: 고등학교 교육과정은 교과(군)와 창의적 체험활동으로 편성한다.

　㉠ 교과는 보통 교과와 전문 교과로 한다.

　　ⓐ 보통 교과 영역은 기초, 탐구, 체육·예술, 생활·교양으로 구성하며, 교과(군)는 국어, 수학, 영어, 사회(역사 / 도덕 포함), 과학, 체육, 예술(음악 / 미술), 기술·가정 / 제2외국어 / 한문 / 교양으로 한다.

　　ⓑ 전문 교과는 농생명 산업, 공업, 상업 정보, 수산·해운, 가사·실업, 과학, 체육, 예술, 외국어, 국제에 관한 교과로 한다.

　㉡ 창의적 체험활동은 자율 활동, 동아리 활동, 봉사 활동, 진로 활동으로 한다.

③ **단위 배당 기준**

구분	교과 영역	교과(군)	필수 이수 단위		학교자율과정
			교과(군)	교과 영역	
교과 (군)	기초	국어	15 (10)	45 (30)	학생의 적성과 진로를 고려하여 편성
		수학	15 (10)		
		영어	15 (10)		
	탐구	사회 (역사 / 도덕 포함)	15 (10)	35 (20)	
		과학	15 (10)		
	체육·예술	체육	10 (5)	20 (10)	
		예술 (음악 / 미술)	10 (5)		
	생활·교양	기술·가정 / 제2외국어 / 한문 / 교양	16 (12)	16 (12)	
	소계		116(72)		64
창의적 체험활동			24		
총 이수 단위			204		

10 2015 개정 교육과정

교육과정의 성격

이 교육과정은 초·중등교육법 제23조 제2항에 의거하여 고시한 것으로, 초·중등학교의 교육목적과 교육목표를 달성하기 위한 국가 수준의 교육과정이며, 초·중등학교에서 편성·운영하여야 할 학교교육과정의 공통적이고 일반적인 기준을 제시한 것이다.

이 교육과정의 성격은 다음과 같다.

가. 국가 수준의 공통성과 지역, 학교, 개인 수준의 다양성을 동시에 추구하는 교육과정이다.
나. 학습자의 자율성과 창의성을 신장하기 위한 학생 중심의 교육과정이다.
다. 학교와 교육청, 지역사회, 교원·학생·학부모가 함께 실현해 가는 교육과정이다.
라. 학교교육체제를 교육과정 중심으로 구현하기 위한 교육과정이다.
마. 학교교육의 질적 수준을 관리하고 개선하기 위한 교육과정이다.

Ⅰ. 교육과정 구성의 방향

1. 추구하는 인간상

우리나라의 교육은 홍익인간의 이념 아래 모든 국민으로 하여금 인격을 도야하고, 자주적 생활 능력과 민주 시민으로서 필요한 자질을 갖추게 함으로써 인간다운 삶을 영위하게 하고, 민주 국가의 발전과 인류 공영의 이상을 실현하는 데에 이바지하게 함을 목적으로 하고 있다.

이러한 교육 이념과 교육 목적을 바탕으로, 이 교육과정이 추구하는 인간상은 다음과 같다.

가. 전인적 성장을 바탕으로 자아정체성을 확립하고 자신의 진로와 삶을 개척하는 자주적인 사람
나. 기초 능력의 바탕 위에 다양한 발상과 도전으로 새로운 것을 창출하는 창의적인 사람
다. 문화적 소양과 다원적 가치에 대한 이해를 바탕으로 인류 문화를 향유하고 발전시키는 교양 있는 사람
라. 공동체 의식을 가지고 세계와 소통하는 민주 시민으로서 배려와 나눔을 실천하는 더불어 사는 사람

이 교육과정이 추구하는 인간상을 구현하기 위해 교과교육을 포함한 학교교육 전 과정을 통해 중점적으로 기르고자 하는 핵심역량은 다음과 같다.

가. 자아정체성과 자신감을 가지고 자신의 삶과 진로에 필요한 기초 능력과 자질을 갖추어 자기주도적으로 살아갈 수 있는 자기관리 역량
나. 문제를 합리적으로 해결하기 위하여 다양한 영역의 지식과 정보를 처리하고 활용할 수 있는 지식정보처리 역량
다. 폭넓은 기초 지식을 바탕으로 다양한 전문 분야의 지식, 기술, 경험을 융합적으로 활용하여 새로운 것을 창출하는 창의적 사고 역량
라. 인간에 대한 공감적 이해와 문화적 감수성을 바탕으로 삶의 의미와 가치를 발견하고 향유하는 심미적 감성 역량
마. 다양한 상황에서 자신의 생각과 감정을 효과적으로 표현하고 다른 사람의 의견을 경청하며 존중하는 의사소통 역량
바. 지역·국가·세계 공동체의 구성원에게 요구되는 가치와 태도를 가지고 공동체 발전에 적극적으로 참여하는 공동체 역량

2. 교육과정 구성의 중점

이 교육과정은 우리나라 교육과정이 추구해 온 교육 이념과 인간상을 바탕으로, 미래 사회가 요구하는 핵심역량을 함양하여 바른 인성을 갖춘 창의융합형 인재를 양성하는 데에 중점을 둔다. 이를 위한 교육과정 구성의 중점은 다음과 같다.

가. 인문·사회·과학기술 기초 소양을 균형 있게 함양하고, 학생의 적성과 진로에 따른 선택 학습을 강화한다.

나. 교과의 핵심 개념을 중심으로 학습 내용을 구조화하고 학습량을 적정화하여 학습의 질을 개선한다.

다. 교과 특성에 맞는 다양한 학생 참여형 수업을 활성화하여 자기주도적 학습 능력을 기르고 학습의 즐거움을 경험하도록 한다.

라. 학습의 과정을 중시하는 평가를 강화하여 학생이 자신의 학습을 성찰하도록 하고, 평가 결과를 활용하여 교수·학습의 질을 개선한다.

마. 교과의 교육 목표, 교육 내용, 교수·학습 및 평가의 일관성을 강화한다.

바. 특성화 고등학교와 산업수요 맞춤형 고등학교에서는 국가직무능력표준을 활용하여 산업 사회가 필요로 하는 기초 역량과 직무 능력을 함양한다.

II. 학교 급별 교육과정 편성·운영의 기준

1. 기본 사항

가. 초등학교 1학년부터 중학교 3학년까지의 공통 교육과정과 고등학교 1학년부터 3학년까지의 선택 중심 교육과정으로 편성·운영한다.

나. 학년 간 상호 연계와 협력을 통해 학교교육과정을 유연하게 편성·운영할 수 있도록 학년군을 설정한다.

다. 공통 교육과정의 교과는 교육 목적상의 근접성, 학문 탐구 대상 또는 방법상의 인접성, 생활양식에서의 연관성 등을 고려하여 교과군으로 재분류한다.

라. 선택 중심 교육과정에서는 학생들의 기초 영역 학습을 강화하고 진로 및 적성에 맞는 학습이 가능하도록 4개의 교과 영역으로 구분하고 교과(군)별 필수 이수 학점을 제시한다. 특성화 고등학교와 산업수요 맞춤형 고등학교는 보통 교과의 4개 교과 영역과 전문 교과로 구분하고 필수 이수 학점을 제시한다. <개정 2022.01.17.>

마. 고등학교 교과는 보통 교과와 전문 교과로 구분하며, 학생들의 기초 소양 함양과 기본 학력을 보장하기 위하여 보통 교과에 공통 과목을 개설하여 모든 학생이 이수하도록 한다.

바. 학습 부담을 적정화하고 의미 있는 학습 활동이 이루어질 수 있도록 학기당 이수 교과목 수를 조정하여 집중이수를 실시할 수 있다.

사. 창의적 체험활동은 학생의 소질과 잠재력을 계발하고 공동체 의식을 기르는 데에 중점을 둔다.

아. 범교과 학습 주제는 교과와 창의적 체험활동 등 교육 활동 전반에 걸쳐 통합적으로 다루도록 하고, 지역사회 및 가정과 연계하여 지도한다.

> 안전·건강 교육, 인성 교육, 진로 교육, 민주 시민 교육, 인권 교육, 다문화 교육, 통일 교육, 독도 교육, 경제·금융 교육, 환경·지속가능발전 교육

자. 학교는 필요에 따라 계기 교육을 실시할 수 있으며, 이 경우 계기 교육 지침에 따른다.

차. 학교는 필요에 따라 원격수업을 할 수 있으며, 이 경우 수업 운영에 관한 사항은 교육부 장관이 정하는 지침에 따른다. <신설 2020.12.31.>

2. 초등학교

가. 편제와 시간 배당 기준

　1) 편제

　　가) 초등학교 교육과정은 교과(군)와 창의적 체험활동으로 편성한다.

　　나) 교과(군)는 국어, 사회/도덕, 수학, 과학/실과, 체육, 예술(음악/미술), 영어로 한다. 다만, 1, 2학년의 교과는 국어, 수학, 바른 생활, 슬기로운 생활, 즐거운 생활로 한다.

다) 창의적 체험활동은 자율 활동, 동아리 활동, 봉사 활동, 진로 활동으로 한다. 다만, 1, 2학년은 체험 활동 중심의 '안전한 생활'을 포함하여 편성·운영한다.

2) 시간 배당 기준

<표 1>

구분		1 ~ 2학년	3 ~ 4학년	5 ~ 6학년
교과(군)	국어	국어 448	408	408
	사회 / 도덕		272	272
	수학	수학 256	272	272
	과학 / 실과	바른 생활 128	204	340
	체육		204	204
	예술(음악 / 미술)	슬기로운 생활 192	272	272
	영어	즐거운 생활 384	136	204
	소계	1,408	1,768	1,972
창의적 체험활동		336 / 안전한 생활 (64)	204	204
학년군별 총 수업 시간 수		1,744	1,972	2,176

3. 중학교

가. 편제와 시간 배당 기준

1) 편제

가) 중학교 교육과정은 교과(군)와 창의적 체험활동으로 편성한다.

나) 교과(군)는 국어, 사회(역사 포함)/도덕, 수학, 과학/기술·가정/정보, 체육, 예술(음악/미술), 영어, 선택으로 한다.

다) 선택 교과는 한문, 환경, 생활 외국어(독일어, 프랑스어, 스페인어, 중국어, 일본어, 러시아어, 아랍어, 베트남어), 보건, 진로와 직업 등의 과목으로 한다.

라) 창의적 체험활동은 자율 활동, 동아리 활동, 봉사 활동, 진로 활동으로 한다.

2) 시간 배당 기준

<표 2>

구분		1 ~ 3학년
교과(군)	국어	442
	사회(역사 포함) / 도덕	510
	수학	374
	과학/기술·가정 / 정보	680
	체육	272
	예술(음악 / 미술)	272
	영어	340
	선택	170
	소계	3,060
창의적 체험활동		306
총 수업 시간 수		3,366

① 이 표에서 1시간 수업은 45분을 원칙으로 하되, 기후 및 계절, 학생의 발달 정도, 학습 내용의 성격, 학교 실정 등을 고려하여 탄력적으로 편성·운영할 수 있다.

② 학년군 및 교과(군)별 시간 배당은 연간 34주를 기준으로 한 3년간의 기준 수업 시수를 나타낸 것이다.

③ 총 수업 시간 수는 3년간의 최소 수업 시수를 나타낸 것이다.

④ 정보 과목은 34시간을 기준으로 편성·운영한다.

9) 학교는 학생들이 자신의 적성과 미래에 대해 탐색하고, 학습의 즐거움을 경험하여 스스로 공부하는 자기주도적 학습 능력과 태도를 기를 수 있도록 자유학기를 운영한다.

가) 중학교 과정 중 한 학기는 자유학기로 운영한다.

나) 자유학기에는 해당 학기의 교과 및 창의적 체험활동을 자유학기의 취지에 부합하도록 편성·운영한다.

다) 자유학기에는 지역사회와 연계하여 진로 탐색 활동, 주제 선택 활동, 동아리 활동, 예술·체육 활동 등 다양한 체험 중심의 자유학기 활동을 운영한다.

라) 자유학기에는 협동 학습, 토의·토론 학습, 프로젝트 학습 등 학생 참여형 수업을 강화한다.

마) 자유학기에는 중간·기말고사 등 일제식 지필평가는 실시하지 않으며, 학생의 학습과 성장을 지원하는 과정 중심의 평가를 실시한다.

바) 자유학기에는 학교 내외의 다양한 자원을 활용하여 진로 탐색 및 설계를 지원한다.

사) 학교는 자유학기의 운영 취지가 타 학기·학년에도 연계될 수 있도록 노력한다.

4. 고등학교

가. 편제와 학점 배당 기준 <개정 2022.01.17>

1) 편제

가) 고등학교 교육과정은 교과(군)와 창의적 체험활동으로 편성한다.

나) 교과는 보통 교과와 전문 교과로 한다.

(1) **보통 교과**

㉮ 보통 교과의 영역은 기초, 탐구, 체육·예술, 생활·교양으로 구성하며, 교과(군)는 국어, 수학, 영어, 한국사, 사회(역사/도덕 포함), 과학, 체육, 예술, 기술·가정/제2외국어/한문/교양으로 한다.

㉯ 보통 교과는 공통 과목과 선택 과목으로 구분한다. 공통 과목은 국어, 수학, 영어, 한국사, 통합사회, 통합과학(과학탐구실험 포함)으로 하며, 선택 과목은 일반 선택 과목과 진로 선택 과목으로 구분한다.

(2) **전문 교과**

㉮ 전문 교과는 전문 교과 I과 전문 교과 II로 구분한다.

㉯ 전문 교과 I은 과학, 체육, 예술, 외국어, 국제 계열에 관한 과목으로 한다.

㉰ 전문 교과 II는 국가직무능력표준에 따라 경영·금융, 보건·복지, 디자인·문화콘텐츠, 미용·관광·레저, 음식 조리, 건설, 기계, 재료, 화학 공업, 섬유·의류, 전기·전자, 정보·통신, 식품 가공, 인쇄·출판·공예, 환경·안전, 농림·수산해양, 선박 운항 등에 관한 과목으로 한다. 전문 교과 II의 과목은 전문 공통 과목, 기초 과목, 실무 과목으로 구분한다.

다) 창의적 체험활동은 자율 활동, 동아리 활동, 봉사 활동, 진로 활동으로 한다.

2) 학점 배당 기준
  가) 일반 고등학교(자율 고등학교 포함)와 특수 목적 고등학교(산업수요 맞춤형 고등학교 제외)

<표 3(개정 2022.01.17.)>

구분	교과 영역	교과(군)	공통 과목(학점)	필수 이수 학점	자율 편성 학점
교과(군)	기초	국어	국어(8)	10	학생의 적성과 진로를 고려하여 편성
		수학	수학(8)	10	
		영어	영어(8)	10	
		한국사	한국사(6)	6	
	탐구	사회 (역사 / 도덕 포함)	통합사회(8)	10	
		과학	통합과학(8) 과학탐구실험(2)	12	
	체육·예술	체육	-	10	
		예술	-	10	
	생활·교양	기술·가정 / 제2외국어 / 한문 / 교양	-	16	
		소계		94	80
		창의적 체험활동		18(306시간)	
		총 이수 학점		192	

11 2022 개정 교육과정

교육과정의 성격

이 교육과정은 초·중등교육법 제23조제2항에 의거하여 고시한 것으로, 초·중등학교의 교육 목적을 달성하기 위해 초·중등학교에서 운영하여야 할 학교 교육과정의 공통적이고 일반적인 기준을 국가 수준에서 제시한 것이다.

이 교육과정 기준의 성격은 다음과 같다.

가. 국가 수준의 공통성을 바탕으로 지역, 학교, 개인 수준의 다양성을 추구할 수 있도록 학교 교육과정의 기준과 내용에 관한 기본사항을 제시한다.
나. 학교 교육과정이 학생을 중심에 두고 주도성과 자율성, 창의성의 신장 등 학습자 성장을 지원할 수 있도록 교육과정의 기준과 내용을 제시한다.
다. 학교의 전반적인 교육 체제를 교육과정 중심으로 운영할 수 있도록 교육과정의 기준과 내용을 제시한다.
라. 학교 교육과정이 추구하는 교육 목적의 실현을 위해 학교와 시·도 교육청, 지역사회, 학생·학부모·교원이 함께 협력적으로 참여하는 데 필요한 사항을 제시한다.
마. 학교 교육의 질적 수준을 국가와 시·도 교육청, 학교 수준에서 관리하고 개선하기 위해 기반으로 삼아야 할 교육과정의 기준과 내용을 제시한다.

Ⅰ. 교육과정 구성의 방향

> 이 장에서는 국가 교육과정의 개정 배경과 중점을 설명하고, 이 교육과정으로 교육을 받는 사람이 갖출 것으로 기대하는 모습과 중점적으로 기르고자 하는 핵심역량 및 교육 목표를 제시한다.
> • '교육과정 구성의 중점'에서는 교육과정 개정의 주요 배경과 이에 따른 개정 중점을 제시한다.
> • '추구하는 인간상'은 초·중등 교육을 통해 학생들이 갖출 것으로 기대하는 특성을 나타낸 것으로, 교육의 본질과 방향을 제시하는 기능을 한다.
> • '핵심역량'은 추구하는 인간상을 구현하기 위해 학교 교육의 전 과정을 통해 중점적으로 기르고자 하는 능력이다.
> • '학교급별 교육 목표'는 추구하는 인간상과 핵심역량을 바탕으로 초·중·고등학교별로 달성하기를 기대하는 교육 목표이다.

1. 교육과정 구성의 중점

우리나라 초·중등학교 교육과정은 사회 변화와 시대적 요구를 반영하여 지속적으로 개정되고 발전해 왔다. 우리 사회는 새로운 변화와 도전에 직면해 있으며, 이에 대응하기 위해 교육과정을 개정할 필요성이 제기되었다. 교육과정의 변화를 요청하는 주요 배경은 다음과 같다.

첫째, 인공지능 기술 발전에 따른 디지털 전환, 감염병 대유행 및 기후·생태환경 변화, 인구 구조 변화 등에 의해 사회의 불확실성이 증가하고 있다.

둘째, 사회의 복잡성과 다양성이 확대되고 사회적 문제를 해결하기 위한 협력의 필요성이 증가함에 따라 상호 존중과 공동체 의식을 함양하는 것이 더욱 중요해지고 있다.

셋째, 학생 개개인의 특성과 진로에 맞는 학습을 지원해 주는 맞춤형 교육에 대한 요구가 증가하고 있다.

넷째, 교육과정 의사 결정 과정에 다양한 교육 주체들의 참여를 확대하고 교육과정 자율화 및 분권화를 활성화해야 한다는 요구가 높아지고 있다.

이에 그동안의 교육과정 발전 방향을 계승하면서 미래 사회를 살아갈 학생들이 주도적으로 삶을 이끌어가는 능력을 함양할 수 있도록 교육과정을 구성한다.

이 교육과정은 우리나라 교육과정이 추구해 온 교육 이념과 인간상을 바탕으로, 미래 사회가 요구하는 핵심역량을 함양하여 포용성과 창의성을 갖춘 주도적인 사람으로 성장하게 하는 데 중점을 둔다.

이를 위한 교육과정 구성의 중점은 다음과 같다.

가. 디지털 전환, 기후·생태환경 변화 등에 따른 미래 사회의 불확실성에 능동적으로 대응할 수 있는 능력과 자신의 삶과 학습을 스스로 이끌어가는 주도성을 함양한다.

나. 학생 개개인의 인격적 성장을 지원하고, 사회 구성원 모두의 행복을 위해 서로 존중하고 배려하며 협력하는 공동체 의식을 함양한다.

다. 모든 학생이 학습의 기초인 언어·수리·디지털 기초소양을 갖출 수 있도록 하여 학교 교육과 평생 학습에서 학습을 지속할 수 있게 한다.

라. 학생들이 자신의 진로와 학습을 주도적으로 설계하고, 적절한 시기에 학습할 수 있도록 학습자 맞춤형 교육과정 체제를 구축한다.

마. 교과 교육에서 깊이 있는 학습을 통해 역량을 함양할 수 있도록 교과 간 연계와 통합, 학생의 삶과 연계된 학습, 학습에 대한 성찰 등을 강화한다.

바. 다양한 학생 참여형 수업을 활성화하고, 문제 해결 및 사고의 과정을 중시하는 평가를 통해 학습의 질을 개선한다.

사. 교육과정 자율화·분권화를 기반으로 학교, 교사, 학부모, 시·도 교육청, 교육부 등 교육 주체들 간의 협조 체제를 구축하여 학습자의 특성과 학교 여건에 적합한 학습이 이루어질 수 있도록 한다.

2. 추구하는 인간상과 핵심역량

우리나라의 교육은 홍익인간의 이념 아래 모든 국민으로 하여금 인격을 도야하고, 자주적 생활 능력과 민주시민으로서 필요한 자질을 갖추어 인간다운 삶을 영위하고, 민주 국가의 발전과 인류 공영의 이상을 실현할 수 있도록 함을 목적으로 한다.

이러한 교육 이념과 교육 목적을 바탕으로, 이 교육과정이 추구하는 인간상은 다음과 같다.

가. 전인적 성장을 바탕으로 자아정체성을 확립하고 자신의 진로와 삶을 스스로 개척하는 자기주도적인 사람

나. 폭넓은 기초 능력을 바탕으로 진취적 발상과 도전을 통해 새로운 가치를 창출하는 창의적인 사람

다. 문화적 소양과 다원적 가치에 대한 이해를 바탕으로 인류 문화를 향유하고 발전시키는 교양 있는 사람

라. 공동체 의식을 바탕으로 다양성을 이해하고 서로 존중하며 세계와 소통하는 민주시민으로서 배려와 나눔, 협력을 실천하는 더불어 사는 사람

이 교육과정이 추구하는 인간상을 구현하기 위해 교과 교육과 창의적 체험활동을 포함한 학교 교육 전 과정을 통해 중점적으로 기르고자 하는 핵심역량은 다음과 같다.

가. 자아정체성과 자신감을 가지고 자신의 삶과 진로를 스스로 설계하며 이에 필요한 기초 능력과 자질을 갖추어 자기주도적으로 살아갈 수 있는 자기관리 역량

나. 문제를 합리적으로 해결하기 위하여 다양한 영역의 지식과 정보를 깊이 있게 이해하고 비판적으로 탐구하며 활용할 수 있는 지식정보처리 역량

다. 폭넓은 기초 지식을 바탕으로 다양한 전문 분야의 지식, 기술, 경험을 융합적으로 활용하여 새로운 것을 창출하는 창의적 사고 역량

라. 인간에 대한 공감적 이해와 문화적 감수성을 바탕으로 삶의 의미와 가치를 성찰하고 향유하는 심미적 감성 역량

마. 다른 사람의 관점을 존중하고 경청하는 가운데 자신의 생각과 감정을 효과적으로 표현하며 상호협력적인 관계에서 공동의 목적을 구현하는 협력적 소통 역량

바. 지역 · 국가 · 세계 공동체의 구성원에게 요구되는 개방적 · 포용적 가치와 태도로 지속 가능한 인류 공동체 발전에 적극적이고 책임감 있게 참여하는 공동체 역량

3. 학교급별 교육 목표

가. 초등학교 교육 목표

초등학교 교육은 학생의 일상생활과 학습에 필요한 기본 습관 및 기초 능력을 기르고 바른 인성을 함양하는 데 중점을 둔다.

1) 자신의 소중함을 알고 건강한 생활 습관을 기르며, 풍부한 학습 경험을 통해 자신의 꿈을 키운다.

2) 학습과 생활에서 문제를 발견하고 해결하는 기초 능력을 기르고, 이를 새롭게 경험할 수 있는 상상력을 키운다.

3) 다양한 문화 활동을 즐기며 자연과 생활 속에서 아름다움과 행복을 느낄 수 있는 심성을 기른다.

4) 일상생활과 학습에 필요한 규칙과 질서를 지키고 서로 돕고 배려하는 태도를 기른다.

나. 중학교 교육 목표

중학교 교육은 초등학교 교육의 성과를 바탕으로, 학생의 일상생활과 학습에 필요한 기본 능력을 기르고, 바른 인성 및 민주시민의 자질을 함양하는 데 중점을 둔다.

1) 심신의 조화로운 발달을 바탕으로 자아존중감을 기르고, 다양한 지식과 경험을 통해 책임감을 가지고 적극적으로 삶의 방향과 진로를 탐색한다.

2) 학습과 생활에 필요한 기본 능력 및 문제 해결력을 바탕으로, 도전정신과 창의적 사고력을 기른다.

3) 자신을 둘러싼 세계에서 경험한 내용을 토대로 우리나라와 세계의 다양한 문화를 이해하고 공감하는 태도를 기른다.

4) 공동체 의식을 바탕으로 타인을 존중하고 서로 소통하는 민주시민의 자질과 태도를 기른다.

다. 고등학교 교육 목표

고등학교 교육은 중학교 교육의 성과를 바탕으로, 학생의 적성과 소질에 맞게 진로를 개척하며 세계와 소통하는 민주시민으로서의 자질을 함양하는 데 중점을 둔다.

1) 성숙한 자아의식과 인간의 존엄성에 대한 존중을 바탕으로 일의 가치를 이해하고, 자신의 진로에 맞는 지식과 기능을 익히며 평생 학습의 기본 능력을 기른다.
2) 다양한 분야의 지식과 경험을 융합하여 창의적으로 문제를 해결하고, 새로운 상황에 능동적으로 대처하는 능력을 기른다.
3) 다양한 문화에 대한 이해를 바탕으로 자신의 삶을 성찰하고 새로운 문화 창출에 기여할 수 있는 자질과 태도를 기른다.
4) 국가 공동체에 대한 책임감을 바탕으로 배려와 나눔을 실천하며 세계와 소통하는 민주시민으로서의 자질과 태도를 기른다.

II. 학교 교육과정 설계와 운영

이 장에서는 초·중등교육법에 근거한 국가 교육과정에 따라 학교 교육과정을 설계하고 운영할 때 지향해야 할 방향과 고려해야 할 일반적인 원칙을 제시한다.
- '설계의 원칙'에서는 학교 교육과정을 설계하고 운영할 때 반영해야 할 주요 원칙들과 유의사항 및 절차 등을 안내한다.
- '교수·학습'에서는 학습의 일반적 원리에 근거하여 수업을 설계하고 운영할 때 고려해야 할 주요 원칙들을 제시한다.
- '평가'에서는 학교 교육과정 설계·운영의 맥락에서 평가가 학습자의 성장을 지원하는 데 고려해야 할 원칙과 유의사항을 제시한다.
- '모든 학생을 위한 교육기회의 제공'에서는 다양한 특성을 가진 학습자들이 차별을 받지 않고 적합한 교육기회를 갖게 하는 데 필요한 지원 과제를 안내한다.

1. 설계의 원칙

가. 학교는 이 교육과정을 바탕으로 학교 교육과정을 자율적으로 설계·운영하며, 학생의 특성과 학교 여건에 적합한 학습 경험을 제공한다.
1) 학습자의 발달 수준에 적합한 폭넓고 균형 있는 교육과정을 통해 다양한 영역의 세계를 탐색해보는 기회를 제공하고, 학습자의 전인적인 성장·발달이 가능하도록 학교 교육과정을 설계하여 운영한다.
2) 학생 실태와 요구, 교원 조직과 교육 시설·설비 등 학교 실태, 학부모 의견 및 지역사회 실정 등 학교의 교육 여건과 환경을 종합적으로 고려하여 학습자에게 적합한 학습 경험을 제공한다.
3) 학교는 학생의 필요와 요구에 따라 학교의 특성을 고려하여 다양한 교육 활동을 설계하여 운영할 수 있다.
4) 학교 교육 기간을 포함한 평생 학습에 필요한 기초소양과 자기주도 학습 능력을 갖출 수 있도록 지원하며 학습 격차를 줄이도록 노력한다.
5) 학생들의 자발적인 참여를 원칙으로 하여 학교와 시·도 교육청은 학생과 학부모의 요구에 따라 방과 후 활동 또는 방학 중 활동을 운영·지원할 수 있다.
6) 학교는 학교 교육과정의 효율적인 설계와 운영을 위하여 지역사회의 인적, 물적 자원을 계획적으로 활용한다.
7) 학교는 가정 및 지역과 연계하여 학생이 건전한 생활 태도와 행동 양식을 가지고 학습할 수 있도록 지도한다.
나. 학교 교육과정은 모든 교원이 전문성을 발휘하여 참여하는 민주적인 절차와 과정을 거쳐 설계·운영하며, 지속적인 개선을 위해 노력한다.
1) 교육과정의 합리적 설계와 효율적 운영을 위해 교원, 교육 전문가, 학부모 등이 참여하는 학교 교육과정 위원회를 구성·운영하며, 이 위원회는 학교장의 교육과정 운영 및 의사 결정에 관한 자문 역할을 담당한다. 단, 특성화 고등학교와 산업수요 맞춤형 고등학교의 경우에는 산업계 전문가가 참여할 수 있고, 통합교육이 이루어지는 학교의 경우에는 특수교사가 참여할 것을 권장한다.

2) 학교는 학습 공동체 문화를 조성하고 동학년 모임, 교과별 모임, 현장 연구, 자체 연수 등을 통해서 교사들의 교육 활동 개선이 이루어지도록 한다.
3) 학교는 학교 교육과정 설계·운영의 적절성과 효과성 등을 자체 평가하여 문제점과 개선점을 추출하고, 다음 학년도의 교육과정 설계·운영에 그 결과를 반영한다.

2. 교수·학습

가. 학교는 학생들이 깊이 있는 학습을 통해 핵심역량을 함양할 수 있도록 교수·학습을 설계하여 운영한다.
  1) 단편적 지식의 암기를 지양하고 각 교과목의 핵심 아이디어를 중심으로 지식·이해, 과정·기능, 가치·태도의 내용 요소를 유기적으로 연계하며 학생의 발달 단계에 따라 학습 경험의 폭과 깊이를 확장할 수 있도록 수업을 설계한다.
  2) 교과 내 영역 간, 교과 간 내용 연계성을 고려하여 수업을 설계하고 지도함으로써 학생들이 융합적으로 사고하고 창의적으로 문제를 해결하는 능력을 함양할 수 있도록 한다.
  3) 학습 내용을 실생활 맥락 속에서 이해하고 적용하는 기회를 제공함으로써 학교에서의 학습이 학생의 삶에 의미 있는 학습 경험이 되도록 한다.
  4) 학생이 여러 교과의 고유한 탐구 방법을 익히고 자신의 학습 과정과 학습 전략을 점검하며 개선하는 기회를 제공하여 스스로 탐구하고 학습할 수 있는 자기주도 학습 능력을 함양할 수 있도록 한다.
  5) 교과의 깊이 있는 학습에 기반이 되는 언어·수리·디지털 기초소양을 모든 교과를 통해 함양할 수 있도록 수업을 설계한다.
나. 학교는 학생들이 수업에 능동적으로 참여하고 학습의 즐거움을 경험할 수 있도록 교수·학습을 설계하여 운영한다.
  1) 학습 주제에서 다루는 탐구 질문에 관심과 호기심을 가지고 스스로 문제를 해결하는 학생 참여형 수업을 활성화하며, 토의·토론 학습을 통해 자신의 생각을 표현하는 기회를 가질 수 있도록 한다.
  2) 실험, 실습, 관찰, 조사, 견학 등의 체험 및 탐구 활동 경험이 충분히 이루어질 수 있도록 한다.
  3) 개별 학습 활동과 함께 소집단 협동 학습 활동을 통하여 협력적으로 문제를 해결하는 경험을 충분히 갖도록 한다.
다. 교과의 특성과 학생의 능력, 적성, 진로를 고려하여 학습 활동과 방법을 다양화하고, 학교의 여건과 학생의 특성에 따라 다양한 학습 집단을 구성하여 학생 맞춤형 수업을 활성화한다.
  1) 학생의 선행 경험, 선행 지식, 오개념 등 학습의 출발점을 파악하고 학생의 특성을 고려하여 학습 소재, 자료, 활동을 다양화한다.
  2) 정보통신기술 매체를 활용하여 교수·학습 방법을 다양화하고, 학생 맞춤형 학습을 위해 지능정보기술을 활용할 수 있다.
  3) 다문화 가정 배경, 가족 구성, 장애 유무 등 학습자의 개인적·사회문화적 배경의 다양성을 이해하고 존중하며, 이를 수업에 반영할 때 편견과 고정 관념, 차별을 야기하지 않도록 유의한다.
  4) 학교는 학생 개개인의 학습 상황을 확인하여 학생의 학습 결손을 예방하도록 노력하며, 학습 결손이 발생한 경우 보충 학습 기회를 제공한다.
라. 교사와 학생 간, 학생과 학생 간 상호 신뢰와 협력이 가능한 유연하고 안전한 교수·학습 환경을 지원하고, 디지털 기반 학습이 가능하도록 교육공간과 환경을 조성한다.
  1) 각 교과의 특성에 맞는 다양한 학습이 이루어질 수 있도록 교과 교실 운영을 활성화하며, 고등학교는 학점 기반 교육과정 운영을 위해 유연한 학습공간을 활용한다.
  2) 학교는 교과용 도서 이외에 시·도 교육청이나 학교 등에서 개발한 다양한 교수·학습 자료를 활용할 수 있다.
  3) 다양한 지능정보기술 및 도구를 활용하여 효율적인 학습을 지원할 수 있도록 디지털 학습 환경을 구축한다.
  4) 학교는 실험·실습 및 실기 지도 과정에서 학생의 안전사고를 예방하기 위해 시설·기구, 기계, 약품, 용구 사용의 안전에 유의한다.

5) 특수교육 대상 학생 등 교육적 요구가 다양한 학생들을 위해 필요할 경우 의사소통 지원, 행동 지원, 보조공학 지원 등을 제공한다.

3. 평가

가. 평가는 학생 개개인의 교육 목표 도달 정도를 확인하고, 학습의 부족한 부분을 보충하며, 교수·학습의 질을 개선하는 데 주안점을 둔다.
  1) 학교는 학생에게 평가 결과에 대한 적절한 정보를 제공하고 추수 지도를 실시하여 학생이 자신의 학습을 지속적으로 성찰하고 개선할 수 있도록 한다.
  2) 학교와 교사는 학생 평가 결과를 활용하여 수업의 질을 지속적으로 개선한다.
나. 학교와 교사는 성취기준에 근거하여 교수·학습과 평가 활동이 일관성 있게 이루어지도록 한다.
  1) 학습의 결과만이 아니라 결과에 이르기까지의 학습 과정을 확인하고 환류하여, 학습자의 성공적인 학습과 사고 능력 함양을 지원한다.
  2) 학교는 학생의 인지적·정의적 측면에 대한 평가가 균형 있게 이루어질 수 있도록 하며, 학생이 자신의 학습 과정과 결과를 스스로 평가할 수 있는 기회를 제공한다.
  3) 학교는 교과목별 성취기준과 평가기준에 따라 성취수준을 설정하여 교수·학습 및 평가 계획에 반영한다.
  4) 학생에게 배울 기회를 주지 않은 내용과 기능은 평가하지 않는다.
다. 학교는 교과목의 성격과 학습자 특성을 고려하여 적합한 평가 방법을 활용한다.
  1) 수행평가를 내실화하고 서술형과 논술형 평가의 비중을 확대한다.
  2) 정의적, 기능적 측면이나 실험·실습이 중시되는 평가에서는 교과목의 성격을 고려하여 타당하고 합리적인 기준과 척도를 마련하여 평가를 실시한다.
  3) 학교의 여건과 교육활동의 특성을 고려하여 다양한 지능정보기술을 활용함으로써 학생 맞춤형 평가를 활성화한다.
  4) 개별 학생의 발달 수준 및 특성을 고려하여 평가 계획을 조정할 수 있으며, 특수학급 및 일반학급에 재학하고 있는 특수교육 대상 학생을 위해 필요한 경우 평가 방법을 조정할 수 있다.
  5) 창의적 체험활동은 내용과 특성을 고려하여 평가의 주안점을 학교에서 결정하여 평가한다.

4. 모든 학생을 위한 교육기회의 제공

가. 교육 활동 전반을 통하여 남녀의 역할, 학력과 직업, 장애, 종교, 이전 거주지, 인종, 민족, 언어 등에 관한 고정 관념이나 편견을 가지지 않도록 지도한다.
나. 학습자의 개인적 특성이나 사회·문화적 배경에 의해 교육의 기회와 학습 경험에서 부당한 차별을 받거나 소외되지 않도록 한다.
다. 학습 부진 학생, 특정 분야에서 탁월한 재능을 보이는 학생, 특수교육 대상 학생, 귀국 학생, 다문화 가정 학생 등이 학교에서 충실한 학습 경험을 누릴 수 있도록 필요한 지원을 한다.
라. 특수교육 대상 학생을 위해 특수학급을 설치·운영하는 경우, 학생의 장애 특성 및 정도를 고려하여, 이 교육과정을 조정하여 운영하거나 특수교육 교과용 도서 및 통합교육용 교수·학습 자료를 활용할 수 있다.
마. 다문화 가정 학생을 위한 특별 학급을 설치·운영하는 경우, 다문화 가정 학생의 한국어 능력을 고려하여 이 교육과정을 조정하여 운영하거나, 한국어 교육과정 및 교수·학습 자료를 활용할 수 있다. 한국어 교육과정은 학교의 특성, 학생·교사·학부모의 요구와 필요에 따라 주당 10시간 내외에서 운영할 수 있다.
바. 학교가 종교 과목을 개설할 때는 종교 이외의 과목과 함께 복수로 과목을 편성하여 학생에게 선택의 기회를 주어야 한다. 다만, 학생의 학교 선택권이 허용되는 종립 학교의 경우 학생·학부모의 동의를 얻어 단수로 개설할 수 있다.

III. 학교급별 교육과정 편성·운영의 기준

이 장에서는 학교 교육과정을 편성하고 운영할 때 고려해야 할 주요 기준들을 학교급별로 제시한다.
- '기본 사항'에서는 모든 학교급에 해당하는 학교 교육과정 편성·운영의 일반적인 기준을 제시한다.
- 초·중·고 학교급별 기준에서는 '편제와 시간(학점) 배당 기준'과 '교육과정 편성·운영 기준'을 제시한다.
- 특수한 학교에 대한 기준에서는 초·중등학교에 준하는 학교, 기타 특수한 학교와 초·중등교육법 별도 규정에 의하여 설립된 학교, 초·중등교육법 시행령에 따라 교육과정 운영의 특례를 받는 학교 등에 대한 교육과정 편성·운영 기준을 제시한다.

1. 기본 사항

가. 초등학교 1학년부터 중학교 3학년까지의 공통 교육과정과 고등학교 1학년부터 3학년까지의 학점 기반 선택 중심 교육과정으로 편성·운영한다.

나. 학교는 학교 교육과정 편성·운영 계획을 바탕으로 학년(군)별 교육과정 및 교과(군)별 교육과정을 편성할 수 있다.

다. 학년 간 상호 연계와 협력을 통해 학교 교육과정을 유연하게 편성·운영할 수 있도록 학년군을 설정한다.

라. 공통 교육과정의 교과는 교육 목적상의 근접성, 학문 탐구 대상 또는 방법상의 인접성, 생활양식에서의 연관성 등을 고려하여 교과(군)로 재분류한다.

마. 고등학교 교과는 보통 교과와 전문 교과로 구분하며, 학생들의 기초소양 함양과 기본 학력을 보장하기 위하여 보통 교과에 공통 과목을 개설하여 모든 학생이 이수하도록 한다.

바. 교과와 창의적 체험활동의 내용 배열은 반드시 따라야 할 학습 순서를 의미하는 것은 아니며, 학생의 관심과 요구, 학교의 실정과 교사의 필요, 계절 및 지역의 특성 등에 따라 각 교과목의 학년군별 목표 달성을 위해 지도 내용의 순서와 비중, 교과 내 또는 교과 간 연계 지도 방법 등을 조정하여 운영할 수 있다.

사. 학업 부담을 적정화하고 의미 있는 학습 활동이 이루어질 수 있도록 학기당 이수 교과목 수를 조정하여 집중이수를 실시할 수 있다.

아. 학교는 학교급 간 전환기의 학생들이 상급 학교의 생활 및 학습을 준비하는 데 필요한 교육을 지원하기 위해 진로연계교육을 운영할 수 있다.

자. 범교과 학습 주제는 교과와 창의적 체험활동 등 교육 활동 전반에 걸쳐 통합적으로 다루도록 하고, 지역사회 및 가정과 연계하여 지도한다.

안전·건강 교육, 인성 교육, 진로 교육, 민주시민 교육, 인권 교육, 다문화 교육, 통일 교육, 독도 교육, 경제·금융 교육, 환경·지속가능발전 교육

차. 학교는 가정과 학교, 사회에서의 위험 상황을 알고 대처할 수 있도록 체험 중심의 안전교육을 관련 교과와 창의적 체험활동과 연계하여 운영한다.

카. 학교는 필요에 따라 계기 교육을 실시할 수 있으며, 이 경우 계기 교육 지침에 따른다.

타. 학교는 필요에 따라 원격수업을 실시할 수 있으며, 이 경우 원격수업 운영 기준은 관련 법령과 지침에 따른다.

파. 시·도 교육청과 학교는 필요에 따라 이 교육과정에 제시되어 있는 과목 외에 새로운 과목을 개설할 수 있다. 이 경우 시·도 교육감이 정하는 지침에 따라 사전에 필요한 절차를 거쳐야 한다.

하. 특수교육 대상 학생에 대해서는 이 교육과정 해당 학년군의 편제와 시간(학점 배당)을 따르되, 학생의 교육적 요구를 고려하여 특수교육 교육과정의 교과(군) 내용과 연계하거나 대체하여 수업을 설계·운영할 수 있다.

2. 초등학교

가. 편제와 시간 배당 기준

　1) 편제

　　가) 초등학교 교육과정은 교과(군)와 창의적 체험활동으로 편성한다.

　　나) 교과(군)는 국어, 사회/도덕, 수학, 과학/실과, 체육, 예술(음악/미술), 영어로 한다. 다만, 1, 2학년의 교과는 국어, 수학, 바른 생활, 슬기로운 생활, 즐거운 생활로 한다.

다) 창의적 체험활동은 자율·자치 활동, 동아리 활동, 진로 활동으로 한다.

2) 시간 배당 기준

<표 1>

구분		1 ~ 2학년	3 ~ 4학년	5 ~ 6학년
교과 (군)	국어	국어 482	408	408
	사회/도덕		272	272
	수학	수학 256	272	272
	과학/실과	바른 생활 144	204	340
	체육		204	204
	예술(음악/미술)	슬기로운 생활 224	272	272
	영어	즐거운 생활 400	136	204
	소계	1,506	1,768	1,972
창의적 체험활동		238	204	204
학년군별 총 수업 시간 수		1,744	1,972	2,176

① 1시간의 수업은 40분을 원칙으로 하되, 기후 및 계절, 학생의 발달 정도, 학습 내용의 성격, 학교 실정 등을 고려하여 탄력적으로 편성·운영할 수 있다.

② 학년군의 교과(군)별 및 창의적 체험활동 시간 배당은 연간 34주를 기준으로 2년 간의 기준 수업 시수를 나타낸 것이다.

③ 학년군별 총 수업 시간 수는 최소 수업 시수를 나타낸 것이다.

④ 실과의 수업 시간은 5 ~ 6학년 과학/실과의 수업 시수에만 포함된다.

⑤ 정보교육은 실과의 정보영역 시수와 학교자율시간 등을 활용하여 34시간 이상 편성·운영한다.

나. 교육과정 편성·운영 기준

1) 학교는 학년(군)별 교과(군)와 창의적 체험활동의 수업 시수를 학년별, 학기별로 자율적으로 편성할 수 있다.

가) 학교는 학생이 학년(군)별로 이수해야 할 교과를 학년별, 학기별로 편성하여 학생과 학부모에게 안내한다.

나) 학교는 모든 교육 활동을 통해 학생이 기본 생활 습관, 기초 학습 능력, 바른 인성을 함양할 수 있도록 교육과정을 편성·운영한다.

다) 학교는 학교의 특성, 학생·교사·학부모의 요구 및 필요에 따라 자율적으로 교과(군)별 및 창의적 체험활동의 20% 범위 내에서 시수를 증감하여 편성·운영할 수 있다. 단, 체육, 예술(음악/미술) 교과는 기준 수업 시수를 감축하여 편성·운영할 수 없다.

라) 학교는 교육의 효과를 높이기 위하여 필요한 경우 학년별, 학기별로 교과 집중이수를 실시할 수 있다.

마) 학교는 창의적 체험활동의 영역을 학생들의 발달 수준, 학교의 여건 등을 고려하여 학년(군)별로 자율적으로 편성·운영한다.

2) 학교는 모든 학생의 학습 기회를 보장할 수 있도록 학교 교육과정을 편성·운영한다.

가) 학교는 각 교과의 기초적, 기본적 요소들이 체계적으로 학습되도록 교육과정을 편성·운영한다. 특히 국어사용 능력과 수리 능력의 기초가 부족한 학생들을 대상으로 기초 학습 능력 향상을 위한 별도의 프로그램을 편성·운영할 수 있다.

나) 전입 학생이 특정 교과를 이수하지 못할 경우, 시·도 교육청과 학교에서는 보충 학습 과정 등을 통해 학습 결손이 발생하지 않도록 한다.

다) 학년을 달리하는 학생을 대상으로 복식 학급을 편성·운영하는 경우에는 교육 내용의 학년별 순서를 조정하거나 공통 주제를 중심으로 교재를 재구성하여 활용할 수 있다.

3) 학교는 3 ~ 6학년별로 지역과 연계하거나 다양하고 특색 있는 교육과정 운영을 위해 학교자율시간을 편성·운영한다.

가) 학교자율시간을 활용하여 이 교육과정에 제시되어 있는 교과 외에 새로운 과목이나 활동을 개설할 수 있으며, 이 경우 시·도 교육감이 정하는 지침에 따라 사전에 필요한 절차를 거쳐야 한다.

나) 학교자율시간에 운영하는 과목과 활동의 내용은 지역과 학교의 여건 및 학생의 필요에 따라 학교가 결정하되, 다양한 과목과 활동으로 개설하여 운영한다.

다) 학교자율시간은 학교 여건에 따라 연간 34주를 기준으로 한 교과별 및 창의적 체험활동 수업 시간의 학기별 1주의 수업 시간을 확보하여 운영한다.

4) 학교는 입학 초기 및 상급 학교(학년)으로 진학하기 전 학기의 일부 시간을 활용하여 학교급 간 연계 및 진로 교육을 강화하는 진로연계교육을 편성·운영한다.

가) 학교는 1학년 학생의 학교생활 적응 및 한글 해득 교육 등의 입학 초기 적응 프로그램을 교과와 창의적 체험활동 시간을 활용하여 진로연계교육으로 운영한다.

나) 학교는 중학교의 생활 및 학습 준비, 진로 탐색 등의 프로그램을 교과와 창의적 체험활동 시간을 활용하여 진로연계교육을 자율적으로 운영한다.

다) 학교는 진로연계교육의 중점을 학생의 역량 함양 및 자기주도적 학습 능력 향상에 두고, 교과별 학습 내용 및 학습 방법의 학교급 간 연계, 교과와 연계한 진로 활동 등을 통해 학생의 학습과 성장을 지원한다.

5) 학교는 학생의 발달 특성을 고려하여 학교 교육과정을 편성·운영한다.

가) 학교는 1~2학년 학생에게 실내·외 놀이 및 신체 활동의 기회를 충분히 제공한다.

나) 1~2학년의 안전교육은 바른 생활·슬기로운 생활·즐거운 생활 교과의 64시간을 포함하여 교과 및 창의적 체험활동을 활용하여 편성·운영한다.

다) 정보통신 활용 교육, 보건 교육, 한자 교육 등은 관련 교과와 창의적 체험활동 시간을 활용하여 체계적인 지도가 이루어질 수 있도록 한다.

3. 중학교

가. 편제와 시간 배당 기준

1) 편제

가) 중학교 교육과정은 교과(군)와 창의적 체험활동으로 편성한다.

나) 교과(군)는 국어, 사회(역사 포함)/도덕, 수학, 과학/기술·가정/정보, 체육, 예술(음악/미술), 영어, 선택으로 한다.

다) 선택 교과는 한문, 환경, 생활 외국어(생활 독일어, 생활 프랑스어, 생활 스페인어, 생활 중국어, 생활 일본어, 생활 러시아어, 생활 아랍어, 생활 베트남어), 보건, 진로와 직업 등의 과목으로 한다.

라) 창의적 체험활동은 자율·자치 활동, 동아리 활동, 진로 활동으로 한다.

2) 시간 배당 기준

<표 2>

구분		1~3학년
교과(군)	국어	442
	사회(역사 포함) / 도덕	510
	수학	374
	과학/기술·가정 / 정보	680
	체육	272
	예술(음악 / 미술)	272
	영어	340
	선택	170
	소계	3,060
창의적 체험활동		306
총 수업 시간 수		3,366

① 1시간 수업은 45분을 원칙으로 하되, 기후 및 계절, 학생의 발달 정도, 학습 내용의 성격, 학교 실정 등을 고려하여 탄력적으로 편성·운영할 수 있다.

② 교과(군)별 및 창의적 체험활동 시간 배당은 연간 34주를 기준으로 3년간의 기준 수업 시수를 나타낸 것이다.

③ 총 수업 시간 수는 3년간의 최소 수업 시수를 나타낸 것이다.

④ 정보는 정보 수업 시수와 학교자율시간 등을 활용하여 68시간 이상 편성·운영한다.

나. **교육과정 편성·운영 기준**

1) 학교는 교과(군)와 창의적 체험활동의 수업 시수를 학년별, 학기별로 자율적으로 편성할 수 있다.

　가) 학교는 학생이 3년간 이수해야 할 교과목을 학년별, 학기별로 편성하여 학생과 학부모에게 안내한다.

　나) 학교는 학교의 특성, 학생·교사·학부모의 요구 및 필요에 따라 자율적으로 교과(군)별 및 창의적 체험활동의 20% 범위 내에서 시수를 증감하여 편성·운영할 수 있다. 단, 체육, 예술(음악/미술) 교과는 기준 수업 시수를 감축하여 편성·운영할 수 없다.

　다) 학교는 학생의 학업 부담을 적정화하고 의미 있는 학습 활동이 이루어질 수 있도록 학기당 이수 교과목 수를 8개 이내로 편성한다. 단, 체육, 예술(음악/미술) 교과 및 선택 과목과 학교자율시간에 편성한 과목은 이수 교과목 수 제한에서 제외하여 편성할 수 있다.

　라) 학교는 선택 과목을 개설할 경우, 2개 이상의 과목을 동시에 개설하여 학생의 선택권을 보장한다. 학교는 필요한 경우 새로운 선택 과목을 개설할 수 있으며, 이 경우 시·도 교육감이 정하는 지침에 따라 사전에 필요한 절차를 거쳐야 한다.

　마) 학교는 창의적 체험활동의 영역을 학생들의 발달 수준, 학교의 여건 등을 고려하여 자율적으로 편성·운영한다.

2) 학교는 모든 학생의 학습 기회를 보장할 수 있도록 학교 교육과정을 편성·운영한다.

　가) 전입 학생이 특정 교과목을 이수하지 못할 경우, 시·도 교육청과 학교에서는 학습 결손이 발생하지 않도록 보충 학습 과정 등을 제공한다.

　나) 교과목 개설이 어려운 소규모 학교, 농산어촌학교 등에서는 학습 결손이 발생하지 않도록 온라인 활용 및 지역 내 교육자원 공유·협력을 활성화한다. 이 경우 시·도 교육감이 정하는 지침에 따른다.

3) 학교는 지역과 연계하거나 다양하고 특색 있는 교육과정 운영을 위해 학교자율시간을 편성·운영한다.

　가) 학교자율시간을 활용하여 이 교육과정에 제시되어 있는 교과목 외에 새로운 선택 과목을 개설할 수 있다.

　나) 학교자율시간에 개설되는 과목의 내용은 지역과 학교의 여건 및 학생의 필요에 따라 학교가 결정하되, 학생의 선택권을 고려하여 다양한 과목을 개설·운영한다.

　다) 학교자율시간은 학교 여건에 따라 연간 34주를 기준으로 한 교과별 및 창의적 체험활동 수업 시간의 학기별 1주의 수업 시간을 확보하여 운영한다.

4) 학교는 학생들이 자신의 적성과 미래에 대해 탐색하고 학습의 즐거움을 경험할 수 있도록 자유학기와 진로연계교육을 편성·운영한다.

　가) 중학교 과정 중 한 학기는 자유학기로 운영하되, 해당 학기의 교과 및 창의적 체험활동을 자유학기 취지에 부합하도록 편성·운영한다.

　　(1) 자유학기에는 지역 및 학교 여건을 고려하여 자율적으로 학생 참여 중심의 주제선택 활동과 진로 탐색 활동을 운영한다.

　　(2) 자유학기에는 토의·토론 학습, 프로젝트 학습 등 학생 참여형 수업을 강화하고, 학습의 과정을 중시하는 다양한 평가 방법을 활용하되, 일제식 지필 평가는 지양한다.

　나) 학교는 상급 학교(학년)로 진학하기 전 학기나 학년의 일부 시간을 활용하여 학교급 간 연계 및 진로 교육을 강화하는 진로연계교육을 편성·운영한다.

　　(1) 학교는 고등학교 생활 및 학습 준비, 진로 탐색, 진학 준비 등을 위해 교과와 창의적 체험활동 시간을 활용하여 진로연계교육을 자율적으로 운영한다.

　　(2) 학교는 진로연계교육의 중점을 학생의 역량 함양 및 자기주도적 학습 능력 향상에 중점을 두고 교과별 내용 및 학습 방법 등의 학교급 간 연계를 통해 학생의 학습과 성장을 지원한다.

　　(3) 학교는 진로연계교육을 창의적 체험활동의 진로 활동 및 자유학기의 활동과 연계하여 운영한다.

5) 학교는 학생들이 삶 속에서 스포츠 문화를 지속적으로 향유하여 건전한 심신 발달과 정서 함양이 이루어질 수 있도록 학교스포츠클럽 활동을 편성·운영한다.

　　가) 학교스포츠클럽 활동은 창의적 체험활동의 동아리 활동으로 편성하고 학년별 연간 34시간 운영하며, 매 학기 편성하도록 한다.

　　나) 학교스포츠클럽 활동의 종목과 내용은 학생들의 희망을 반영하여 학교가 결정하되, 다양한 종목을 개설하여 학생들의 선택권이 보장되도록 한다.

4. 고등학교
가. 편제와 학점 배당 기준
1) 편제

　가) 고등학교 교육과정은 교과(군)와 창의적 체험활동으로 편성한다.

　나) 교과는 보통 교과와 전문 교과로 한다.

　　(1) 보통 교과

　　　(가) 보통 교과의 교과(군)는 국어, 수학, 영어, 사회(역사/도덕 포함), 과학, 체육, 예술, 기술·가정/정보/제2외국어/한문/교양으로 한다.

　　　(나) 보통 교과는 공통 과목과 선택 과목으로 구분한다. 선택 과목은 일반 선택 과목, 진로 선택 과목, 융합 선택 과목으로 구분한다.

　　(2) 전문 교과

　　　(가) 전문 교과의 교과(군)는 국가직무능력표준 등을 고려하여 경영·금융, 보건·복지, 문화·예술·디자인·방송, 미용, 관광·레저, 식품·조리, 건축·토목, 기계, 재료, 화학 공업, 섬유·의류, 전기·전자, 정보·통신, 환경·안전·소방, 농림·축산, 수산·해운, 융복합·지식 재산 과목으로 한다.

　　　(나) 전문 교과의 과목은 전문 공통 과목, 전공 일반 과목, 전공 실무 과목으로 구분한다.

　다) 창의적 체험활동은 자율·자치 활동, 동아리 활동, 진로 활동으로 한다.

2) 학점 배당 기준

　가) 일반 고등학교와 특수 목적 고등학교(산업수요 맞춤형 고등학교 제외)

<표 3>

교과(군)	공통 과목	필수 이수 학점	자율 이수 학점
국어	공통국어1, 공통국어2	8	학생의 적성과 진로를 고려하여 편성
수학	공통수학1, 공통수학2	8	
영어	공통영어1, 공통영어2	8	
사회(역사/도덕 포함)	한국사1, 한국사2	6	
	통합사회1, 통합사회2	8	
과학	통합과학1, 통합과학2 과학탐구실험1, 과학탐구실험2	10	
체육		10	
예술		10	
기술·가정/정보/제2외국어/한문/교양		16	
소계		84	90
창의적 체험활동	18(288시간)		
총 이수 학점	192		

① 1학점은 50분을 기준으로 하여 16회를 이수하는 수업량이다.

② 1시간의 수업은 50분을 원칙으로 하되, 기후 및 계절, 학생의 발달 정도, 학습 내용의 성격, 학교 실정 등을 고려하여 탄력적으로 편성·운영할 수 있다.

③ 공통 과목의 기본 학점은 4학점이며, 1학점 범위 내에서 감하여 편성·운영할 수 있다. 단, 한국사1, 2의 기본 학점은 3학점이며 감하여 편성·운영할 수 없다.

④ 과학탐구실험1, 2의 기본 학점은 1학점이며 증감 없이 편성·운영하는 것을 원칙으로 한다. 단, 과학, 체육, 예술 계열 고등학교의 경우 학교 실정에 따라 탄력적으로 운영할 수 있다.

⑤ 필수 이수 학점 수는 해당 교과(군)의 최소 이수 학점이다. 특수 목적 고등학교의 경우 예술 교과(군)는 5학점 이상, 기술·가정/정보/제2외국어/한문/교양 교과(군)는 12학점 이상 이수하도록 한다.

⑥ 국어, 수학, 영어 교과의 이수 학점 총합은 81학점을 초과하지 않도록 하며, 교과 이수 학점이 174학점을 초과하는 경우에는 초과 이수 학점의 50%를 넘지 않도록 한다.

⑦ 창의적 체험활동의 학점 수는 최소 이수 학점이며 ( )안의 숫자는 이수 학점을 시간 수로 환산한 것이다.

⑧ 총 이수 학점 수는 고등학교 졸업을 위해 3년간 이수해야 할 최소 이수 학점을 의미한다.

나) 특성화 고등학교와 산업수요 맞춤형 고등학교

<표 4>

교과(군)		공통 과목	필수 이수 학점	자율 이수 학점
보통 교과	국어	공통국어1, 공통국어2	24	학생의 적성과 진로를 고려하여 편성
	수학	공통수학1, 공통수학2		
	영어	공통영어1, 공통영어2		
	사회 (역사/도덕 포함)	한국사1, 한국사2	6	
		통합사회1, 통합사회2	12	
	과학	통합과학1, 통합과학2		
	체육		8	
	예술		6	
	기술·가정/정보/제2외국어/한문/교양		8	
	소계		64	
전문 교과	17개 교과(군)		80	30
창의적 체험활동			18(288시간)	
총 이수 학점			192	

① 1학점은 50분을 기준으로 하여 16회를 이수하는 수업량이다.

② 1시간의 수업은 50분을 원칙으로 하되, 기후 및 계절, 학생의 발달 정도, 학습 내용의 성격 등과 학교 실정 등을 고려하여 탄력적으로 편성·운영할 수 있다.

③ 공통 과목의 기본 학점은 4학점이며, 1학점 범위 내에서 감하여 편성·운영할 수 있다. 단, 한국사1, 2의 기본 학점은 3학점이며 감하여 편성·운영할 수 없다.

④ 필수 이수 학점 수는 해당 교과(군)의 최소 이수 학점이다.

⑤ 자연현장 실습 등 체험 위주의 교육을 전문적으로 실시하는 특성화 고등학교의 전문 교과 필수 이수 학점은 시·도 교육감이 정한다.

⑥ 창의적 체험활동의 학점 수는 최소 이수 학점이며 ( )안의 숫자는 이수 학점을 시간 수로 환산한 것이다.

⑦ 총 이수 학점 수는 고등학교 졸업을 위해 3년간 이수해야 할 최소 이수 학점을 의미한다.

3) 보통 교과
4) 전문 교과
• 전문 교과의 과목 기본 학점 및 증감 범위는 시·도 교육감이 정한다.

나. 교육과정 편성·운영 기준

1) 공통 사항

가) 고등학교 교육과정의 총 이수 학점은 192학점이며 교과(군) 174학점, 창의적 체험활동 18학점(288시간)으로 편성한다.

나) 학교는 학생이 3년간 이수할 수 있는 과목을 학기별로 편성하여 학생과 학부모에게 안내한다.

다) 학교는 학생이 자신의 진로에 적합한 과목을 이수할 수 있도록 진로·학업 설계 지도와 연계하여 선택 과목에 대한 정보를 적극적으로 안내한다.

라) 과목의 이수 시기와 학점은 학교에서 자율적으로 편성·운영하되, 다음의 각호를 따른다.

(1) 학생이 학기 단위로 과목을 이수할 수 있도록 편성·운영한다.

(2) 공통 과목은 해당 교과(군)의 선택 과목 이수 전에 편성·운영하는 것을 원칙으로 한다.

(3) 학생의 발달 수준 등을 고려하여 공통수학1, 2와 공통영어1, 2를 기본수학1, 2와 기본영어1, 2로 대체하여 이수하도록 편성·운영할 수 있다. 이와 관련된 구체적인 사항은 시·도 교육감이 정하는 지침에 따른다.

(4) 선택 과목 중에서 위계성을 갖는 과목의 경우, 계열적 학습이 가능하도록 편성한다. 단, 학교의 실정 및 학생의 요구, 과목의 성격에 따라 탄력적으로 편성·운영할 수 있다.

마) 학교는 학생의 학업 부담을 완화하고 깊이 있는 학습이 이루어질 수 있도록 학기당 이수하는 학점을 적정하게 편성한다.

바) 학교는 학생의 필요와 학업 부담을 고려하여 교과(군) 총 이수 학점을 초과 이수하는 학점이 적정화되도록 하며, 특수 목적 고등학교는 특수 목적 고등학교 선택 과목에 한하여, 특성화 고등학교 및 산업수요 맞춤형 고등학교는 전문 교과의 과목에 한하여 초과 이수할 수 있다.

사) 학교는 일정 규모 이상의 학생이 이 교육과정에 제시된 선택 과목의 개설을 요청할 경우 해당 과목을 개설해야 한다. 이와 관련된 구체적인 사항은 시·도 교육감이 정하는 지침에 따른다.

아) 학교는 다양한 방식으로 학생의 선택 과목 이수 기회를 확대하기 위해 노력하되, 다음의 각호를 따른다.

(1) 학교에서 개설하지 않은 선택 과목 이수를 희망하는 학생이 있을 경우 그 과목을 개설한 다른 학교에서의 이수를 인정한다. 이와 관련된 구체적인 사항은 시·도 교육감이 정하는 지침에 따른다.

(2) 학교는 필요에 따라 이 교육과정에 제시되어 있는 과목 외에 새로운 과목을 개설할 수 있다. 이 경우 시·도 교육감이 정하는 지침에 따라 사전에 필요한 절차를 거쳐야 한다.

(3) 학교는 학생의 필요에 따라 지역사회 기관에서 이루어진 학교 밖 교육을 과목 또는 창의적 체험활동으로 이수를 인정한다. 이와 관련된 구체적인 사항은 시·도 교육감이 정하는 지침에 따른다.

(4) 학교는 필요에 따라 대학 과목 선이수제의 과목을 개설할 수 있고, 국제적으로 공인된 교육과정이나 과목을 개설할 수 있다. 이와 관련된 구체적인 사항은 시·도 교육감이 정하는 지침에 따른다.

자) 학교는 창의적 체험활동의 영역을 학생의 발달 수준, 학교의 여건 등을 고려하여 자율적으로 편성·운영하고, 학생의 진로 및 적성과 연계하여 다양한 활동이 이루어질 수 있도록 한다.

차) 학교는 학생이 교과 및 창의적 체험활동의 이수 기준을 충족한 경우 학점 취득을 인정한다. 이수 기준은 출석률과 학업성취율을 반영하여 설정하며, 이와 관련된 구체적인 사항은 교육부 장관이 정하는 지침에 따른다.

카) 학교는 과목별 최소 성취수준을 보장하기 위해 학교의 여건 등을 고려하여 다양한 방식으로 예방·보충 지도를 실시한다.

타) 학교는 학교급 전환 시기에 학교급 간 연계 및 진로 교육을 강화하는 진로연계교육을 편성·운영한다.

(1) 학교는 학생의 진로·학업 설계 지도를 위해 교과와 창의적 체험활동 시간을 활용하여 진로연계교육을 자율적으로 운영한다.

(2) 졸업을 앞둔 시기에 교과와 창의적 체험활동 시간을 활용하여 대학 생활에 대한 이해, 대학 선이수 과목, 사회생활 안내와 적응 활동 등을 운영한다.

파) 학교는 특수교육 대상 학생을 위해 필요시 특수교육 전문 교과의 과목을 개설할 수 있다. 이 경우 진로 선택 과목 또는 융합 선택 과목으로 편성한다.

2) 일반 고등학교

가) 교과(군) 174학점 중 필수 이수 학점은 84학점으로 한다. 단, 필요한 경우 학교는 학생의 진로 및 발달 수준 등을 고려하여 필수 이수 학점 수를 학생별로 다르게 정할 수 있으며, 이와 관련된 구체적인 사항은 시·도 교육감이 정하는 지침에 따른다.

나) 학교는 교육과정을 보통 교과 중심으로 편성하되, 필요에 따라 전문 교과의 과목을 개설할 수 있다. 이 경우 진로 선택 과목으로 편성한다.

다) 학교가 제2외국어 과목을 개설할 경우, 2개 이상의 과목을 동시에 개설하도록 노력해야 한다.

라) 학교가 필요에 따라 이 교육과정에 제시되어 있는 과목 외에 새로운 과목을 개설할 경우 진로 선택 과목 또는 융합 선택 과목으로 편성한다.

마) 학교는 교육과정을 특성화하기 위해 특정 교과를 중심으로 중점학교를 운영할 수 있다. 이 경우 자율 이수 학점의 30% 이상을 해당 교과(군)의 과목으로 편성하도록 권장하며, 이와 관련된 구체적인 사항은 시·도 교육감이 정하는 지침에 따른다.

바) 학교는 직업교육 관련 학과를 설치·운영하거나 직업 위탁 과정을 운영할 수 있다. 이 경우 특성화 고등학교와 산업수요 맞춤형 고등학교의 학점 배당 기준을 적용할 수 있으며, 이와 관련된 구체적인 사항은 시·도 교육감이 정하는 지침에 따른다.

3) 특수 목적 고등학교(산업수요 맞춤형 고등학교 제외)

가) 교과(군) 174학점 중 필수 이수 학점은 75학점으로 하고, 자율 이수 학점 중 68학점 이상을 특수 목적 고등학교 전공 관련 선택 과목으로 편성한다.

나) 이 교육과정에 제시되지 않은 계열의 교육과정은 유사 계열의 교육과정에 준한다. 부득이 새로운 계열을 설치하고 그에 따른 교육과정을 편성할 경우에는 시·도 교육감이 정하는 지침에 따라 사전에 필요한 절차를 거쳐야 한다.

다) 학교는 필요에 따라 전문 교과의 과목을 개설할 수 있다. 이 경우 진로 선택 과목으로 편성한다.

라) 학교가 필요에 따라 이 교육과정에 제시되어 있는 과목 외에 새로운 과목을 개설할 경우 진로 선택 과목 또는 융합 선택 과목으로 편성한다.

4) 특성화 고등학교와 산업수요 맞춤형 고등학교

가) 학교는 산업수요와 직업의 변화를 고려하여 학과를 개설하고, 학과별 인력 양성 유형, 학생의 취업 역량과 경력 개발 등을 고려하여 학생이 직업기초능력 및 직무능력을 함양할 수 있도록 교육과정을 편성·운영한다.

(1) 교과(군)의 총 이수 학점 174학점 중 보통 교과의 필수 이수 학점은 64학점, 전문 교과의 필수 이수 학점은 80학점으로 한다. 단, 필요한 경우 학교는 학생의 진로 및 발달 수준 등을 고려하여 필수 이수 학점을 학생별로 다르게 정할 수 있으며, 이와 관련된 구체적인 사항은 시·도 교육감이 정하는 지침에 따른다.

(2) 학교는 두 개 이상의 교과(군)의 과목을 선택하여 전문 교과를 편성·운영할 수 있다.

(3) 학교는 모든 교과(군)에서 요구되는 전문 공통 과목을 학교 여건과 학생 요구를 반영하여 편성·운영할 수 있다.

(4) 전공 실무 과목은 국가직무능력표준의 성취기준에 적합하게 교수·학습이 이루어지도록 하며, 내용 영역인 능력단위 기준으로 평가한다.

나) 학교는 학과를 운영할 때 필요한 경우 세부 전공, 부전공 또는 자격 취득 과정을 개설할 수 있다. 이와 관련된 구체적인 사항은 시·도 교육감이 정하는 지침에 따른다.

다) 전문 교과의 기초가 되는 과목을 선택하여 이수할 경우, 이와 관련되는 보통 교과의 선택 과목 이수로 간주할 수 있다.

라) 내용이 유사하거나 관련되는 보통 교과의 선택 과목과 전문 교과의 과목을 교체하여 편성·운영할 수 있다. 이 경우 시·도 교육감이 정하는 지침에 따라 사전에 필요한 절차를 거쳐야 한다.

마) 학교는 산업계의 수요 등을 고려하여 전문 교과의 교과 내용에 주제나 내용 요소를 추가하여 구성할 수 있다. 단, 전공 실무 과목의 경우에는 국가직무능력표준에 기반을 두어야 하며, 학교 및 학생의 필요에 따라 내용 영역(능력단위) 중 일부를 선택하여 운영할 수 있다.

바) 다양한 직업적 체험과 현장 적응력 제고 등을 위해 학교에서 배운 지식과 기술을 경험하고 적용하는 현장 실습을 교육과정에 포함하여 운영한다.

(1) 현장 실습은 교육과정과 관련된 직무를 경험할 수 있도록 운영한다. 특히, 산업체를 기반으로 실시하는 현장 실습은 학생이 참여 여부를 선택하도록 하되, 학교와 산업계가 현장 실습 프로그램을 공동으로 개발하고 현장 실습의 과정과 결과를 평가하도록 한다.

(2) 현장 실습은 지역사회 기관들과 연계하여 다양한 형태로 운영할 수 있으며, 이와 관련된 구체적인 사항은 시·도 교육감이 정하는 지침에 따른다.

사) 학교는 실습 관련 과목을 지도할 경우 사전에 수업 내용과 관련된 산업안전보건 등에 대한 교육을 실시해야 하고, 안전 장구 착용 등 안전 조치를 취한다.

아) 창의적 체험활동은 학생의 진로 및 경력 개발, 인성 계발, 취업 역량 제고 등을 목적으로 프로그램을 운영할 수 있다.

자) 이 교육과정에 제시되지 않은 교과(군)의 교육과정은 유사한 교과(군)의 교육과정에 준한다. 부득이 새로운 교과(군)의 설치 및 그에 따른 교육과정을 편성·운영하고자 할 경우에는 시·도 교육감이 정하는 지침에 따라 사전에 필요한 절차를 거쳐야 한다.

차) 학교가 필요에 따라 이 교육과정에 제시되어 있는 과목 외에 새로운 전공 실무 과목을 개설하여 운영할 경우 국가직무능력표준에 기반을 두어야 하며, 이 경우 시·도 교육감이 정하는 지침에 따라 사전에 필요한 절차를 거쳐야 한다.

카) 산업수요 맞춤형 고등학교는 산업계의 수요와 직접 연계된 맞춤형 교육과정 운영이 가능하도록 교육과정 편성·운영의 자율권을 부여하고, 이와 관련된 구체적인 사항은 시·도 교육감이 정하는 지침에 따른다.

5. 특수한 학교

가. 초·중·고등학교에 준하는 학교의 교육과정은 이 교육과정에 따라서 편성·운영한다.

나. 국가가 설립 운영하는 학교의 교육과정은 해당 시·도 교육청의 편성·운영 지침을 참고하여 학교장이 편성한다.

다. 고등공민학교, 고등기술학교, 근로 청소년을 위한 특별 학급 및 산업체 부설 중·고등학교, 기타 특수한 학교는 이 교육과정을 바탕으로 학교의 실정과 학생의 특성에 알맞은 학교 교육과정을 편성하고, 시·도 교육감의 승인을 얻어 운영한다.

라. 야간 수업을 하는 학교의 교육과정은 이 교육과정을 따르되, 다만 1시간의 수업을 40분으로 단축하여 운영할 수 있다.

마. 방송통신중학교 및 방송통신고등학교는 이 교육과정에 제시된 중학교 및 고등학교 교육과정을 따르되, 시·도 교육감의 승인을 얻어 이 교육과정의 편제와 시간·학점 배당 기준을 다음과 같이 조정하여 운영할 수 있다.

1) 편제와 시간·학점 배당 기준은 중학교 및 고등학교 교육과정에 준하되, 중학교는 2,652시간 이상, 고등학교는 152학점 이상 이수하도록 한다.

2) 학교 출석 수업 일수는 연간 20일 이상으로 한다.

바. 자율학교, 재외한국학교 등 법령에 따라 교육과정 편성·운영의 자율성이 부여되는 학교와 특성화 중학교의 경우에는 학교의 설립 목적 및 특성에 따른 교육이 가능하도록 교육과정 편성·운영의 자율권을 부여하고, 이와 관련한 구체적인 사항은 시·도 교육감(재외한국학교의 경우 교육부 장관)이 정하는 지침에 따른다.

사. 효율적인 학교 운영을 위해 통합하여 운영하는 학교의 경우에는 이 교육과정을 따르되, 학교의 실정과 학생의 특성에 맞는 학교 교육과정을 운영할 수 있도록 교육과정 편성·운영의 자율권을 부여하고 이와 관련된 구체적인 사항은 시·도 교육감이 정하는 지침에 따른다.

아. 교육과정의 연구 등을 위해 새로운 방식으로 교육과정을 편성·운영하고자 하는 학교는 교육부 장관의 승인을 받아 이 교육과정의 기준과는 다르게 학교 교육과정을 편성·운영할 수 있다.

Ⅳ. 학교 교육과정 지원

이 장에서는 학교 교육과정의 충실한 설계와 운영을 위해 국가와 시·도 교육청 수준에서 이루어져야 하는 행·재정적 지원 사항들을 유형별로 제시한다.
- '교육과정의 질 관리'에서는 학교 교육과정의 질 관리와 개선을 위한 지원 사항을 제시한다.
- '학습자 맞춤교육 강화'에서는 다양한 특성을 가진 학습자들의 학습을 지원하는 데 필요한 사항을 제시한다.
- '학교의 교육 환경 조성'에서는 변화하는 교육 환경에 대응하여 학생들의 역량과 소양을 함양하는 데 필요한 지원 사항을 제시한다.

1. 교육과정 질 관리

가. 국가 수준의 지원
1) 이 교육과정의 질 관리를 위하여 주기적으로 학업 성취도 평가, 교육과정 편성·운영에 관한 평가, 학교와 교육 기관 평가를 실시하고 그 결과를 교육과정 개선에 활용한다.
   가) 교과별, 학년(군)별 학업 성취도 평가를 실시하고, 평가 결과는 학생의 학습 지원, 학력의 질 관리, 교육과정의 적절성 확보 및 개선 등에 활용한다.
   나) 학교의 교육과정 편성·운영과 교육청의 교육과정 지원 상황을 파악하기 위하여 학교와 교육청에 대한 평가를 주기적으로 실시한다.
   다) 교육과정에 대하여 조사, 분석 및 점검을 실시하고 그 결과를 교육과정 개선에 반영한다.
2) 교육과정 편성·운영과 지원 체제의 적절성 및 실효성을 평가하기 위한 연구를 수행한다.

나. 교육청 수준의 지원
1) 지역의 특수성, 교육의 실태, 학생·교원·주민의 요구와 필요 등을 반영하여 교육청 단위의 교육 중점을 설정하고, 학교 교육과정 개발을 위한 시·도 교육청 수준 교육과정 편성·운영 지침을 마련하여 안내한다.
2) 시·도의 특성과 교육적 요구를 구현하기 위하여 시·도 교육청 교육과정 위원회를 조직하여 운영한다.
   가) 이 위원회는 교육과정 편성·운영에 관한 조사 연구와 자문 기능을 담당한다.
   나) 이 위원회에는 교원, 교육 행정가, 교육학 전문가, 교과 교육 전문가, 학부모, 지역사회 인사, 산업체 전문가 등이 참여할 수 있다.
3) 학교 교육과정의 질 관리를 위해 각급 학교의 교육과정 편성·운영 실태를 정기적으로 파악하고, 교육과정 운영 지원 실태를 점검하여 효과적인 교육과정 운영과 개선에 필요한 지원을 한다.
   가) 학교 교육과정 편성·운영 체제의 적절성 및 실효성을 높이기 위하여 학업 성취도 평가, 학교 교육과정 평가 등을 실시하고 그 결과를 교육과정 개선에 활용한다.
   나) 교육청 수준의 학교 교육과정 지원에 대한 자체 평가와 교육과정 운영 지원 실태에 대한 점검을 실시하고 개선 방안을 마련한다.

2. 학습자 맞춤교육 강화

가. 국가 수준의 지원
1) 학교에서 학생의 성장과 성공적인 학습을 지원하는 평가가 원활히 이루어질 수 있도록 다양한 방안을 개발하여 학교에 제공한다.

가) 학교가 교과 교육과정의 목표에 부합되는 평가를 실시할 수 있도록 교과별로 성취기준에 따른 평가기준을 개발·보급한다.

나) 교과목별 평가 활동에 활용할 수 있는 다양한 평가 방법, 절차, 도구 등을 개발하여 학교에 제공한다.

2) 특성화 고등학교와 산업수요 맞춤형 고등학교가 기준 학과별 국가직무능력표준이나 직무분석 결과에 기초하여 학교의 특성 및 학과별 인력 양성 유형을 고려하여 교육과정을 편성·운영할 수 있도록 지원한다.

3) 학습 부진 학생, 느린 학습자, 다문화 가정 학생 등 다양한 특성을 가진 학생을 위해 필요한 지원 방안을 마련한다.

4) 특수교육 대상 학생에 대한 정당한 편의 제공을 위해 필요한 교수·학습 자료, 교육 평가 방법 및 도구 등의 제반 사항을 지원한다.

나. 교육청 수준의 지원

1) 지역 및 학교, 학생의 다양한 특성을 반영하여 학교 교육과정이 운영될 수 있도록 지원한다.

가) 학교가 이 교육과정에 제시되어 있는 과목 외에 새로운 교과목을 개설·운영할 수 있도록 관련 지침을 마련한다.

나) 통합운영학교 관련 규정 및 지침을 정비하고, 통합운영학교에 맞는 교육과정 운영이 이루어질 수 있도록 지원한다.

다) 학교 밖 교육이 지역 및 학교의 여건, 학생의 희망을 고려하여 운영될 수 있도록 우수한 학교 밖 교육 자원을 발굴·공유하고, 질 관리에 힘쓴다.

라) 개별 학교의 희망과 여건을 반영하여 필요한 경우 공동으로 교육과정을 운영할 수 있도록 지원한다.

마) 지역사회와 학교의 여건에 따라 초등학교 저학년 학생을 학교에서 돌볼 수 있는 기능을 강화하고, 이에 대해 행·재정적 지원을 한다.

바) 학교가 학생과 학부모의 요구에 따라 방과 후 또는 방학 중 활동을 운영할 수 있도록 행·재정적 지원을 한다.

2) 학생의 진로 및 발달적 특성을 고려하여 자신의 진로를 스스로 설계해 갈 수 있도록 다양한 방안을 마련하여 지원한다.

가) 학교급과 학생의 발달적 특성에 맞는 진로 활동 및 학교급 간 연계 교육을 강화하는 데 필요한 지원을 한다.

나) 학교급 전환 시기 진로연계교육을 위한 자료를 개발·보급하고, 각 학교급 교육과정에 대한 교사의 이해 증진 및 학교급 간 협력 관계 구축을 위한 지원을 확대한다.

다) 중학교 자유학기 운영을 지원하기 위해 각종 자료의 개발·보급, 교원의 연수, 지역사회와의 연계가 포함된 자유학기 지원 계획을 수립하여 추진한다.

라) 고등학교 교육과정이 학점을 기반으로 내실 있게 운영될 수 있도록 각종 자료의 개발·보급, 교원의 연수, 학교 컨설팅, 최소 성취수준 보장, 지역사회와의 연계 등 지원 계획을 수립하여 추진한다.

마) 인문학적 소양 및 통합적 읽기 능력 함양을 위해 독서 활동을 활성화하도록 다양한 지원을 한다.

3) 학습자의 다양성을 존중하고 학습 소외 및 교육 격차를 방지할 수 있도록 맞춤형 교육을 지원한다.

가) 지역 간, 학교 간 교육 격차를 완화할 수 있도록 농산어촌학교, 소규모학교에 대한 지원 체제를 마련한다.

나) 모든 학생이 학습에서 소외되지 않도록 교육공동체가 함께 협력하여 학생 개개인의 필요와 요구에 맞는 맞춤형 교육 활동을 계획하고 실행할 수 있도록 지원한다.

다) 전·입학, 귀국 등에 따라 공통 교육과정의 교과와 고등학교 공통 과목을 이수하지 못한 학생들이 해당 과목을 이수할 수 있도록 다양한 기회를 마련해 주고, 학생들이 공공성을 갖춘 지역사회 기관을 통해 이수한 과정을 인정해 주는 방안을 마련한다.

라) 귀국자 및 다문화 가정 학생을 포함하는 다양한 배경의 학생들이 그들의 교육 경험의 특성과 배경에 의해 이 교육과정을 이수하는 데 어려움이 없도록 지원한다.

마) 특정 분야에서 탁월한 재능을 보이는 학생, 학습 부진 학생, 특수교육 대상 학생들을 위한 교육 기회를 마련하고 지원한다.

바) 통합교육 실행 및 개선을 위해 교사 간 협력 지원, 초·중등학교 교육과정과 특수교육 교육과정을 연계할 수 있는 자료 개발 및 보급, 관련 연수나 컨설팅 등을 제공한다.

3. 학교의 교육 환경 조성

가. 국가 수준의 지원

1) 교육과정 자율화·분권화를 바탕으로 교육 주체들이 각각의 역할과 책임을 충실하게 수행할 수 있는 협조 체제를 구축하고 지원한다.

2) 시·도 교육청의 교육과정 지원 활동과 단위 학교의 교육과정 편성·운영 활동이 상호 유기적으로 이루어질 수 있도록 행·재정적 지원을 한다.

3) 이 교육과정이 교육 현장에 정착될 수 있도록 교육청 수준의 교원 연수와 전국 단위의 교과 연구회 활동을 적극적으로 지원한다.

4) 디지털 교육 환경 변화에 부합하는 미래형 교수·학습 방법과 평가체제 구축을 위해 교원의 에듀테크 활용 역량 함양을 지원한다.

5) 학교 교육과정이 원활히 운영될 수 있도록 학교 시설 및 교원 수급 계획을 마련하여 제시한다.

나. 교육청 수준의 지원

1) 학교가 이 교육과정에 근거하여 학교 교육과정을 편성·운영할 수 있도록 다음의 사항을 지원한다.

가) 학교 교육과정 편성·운영을 위해서 교육 시설, 설비, 자료 등을 정비하고 확충하는 데 필요한 행·재정적 지원을 한다.

나) 복식 학급 운영 등 소규모 학교의 정상적인 교육과정 운영을 지원하기 위해 교원의 배치, 학생의 교육받을 기회 확충 등에 필요한 행·재정적 지원을 한다.

다) 수준별 수업을 효율적으로 운영하도록 지원하며, 기초학력 향상과 학습 결손 보충이 가능하도록 보충 수업을 운영하는 데 필요한 행·재정적 지원을 한다.

라) 학교 교육활동 전반에 걸쳐 종합적인 안전교육 계획을 수립하고 사고 예방을 위한 행·재정적 지원을 한다.

마) 고등학교에서 학생의 과목 선택권을 보장할 수 있도록 교원 수급, 시설 확보, 유연한 학습 공간 조성, 프로그램 개발 등 필요한 행·재정적 지원을 한다.

바) 특성화 고등학교와 산업수요 맞춤형 고등학교가 산업체와 협력하여 특성화된 교육과정과 실습 과목을 편성·운영하는 경우, 학생의 현장 실습과 전문교과 실습이 안전하고 내실 있게 운영될 수 있도록 행·재정적 지원을 한다.

2) 학교가 새 학년도 시작에 앞서 교육과정 편성·운영에 관한 계획을 수립할 수 있도록 교육과정 편성·운영 자료를 개발·보급하고, 교원의 전보를 적기에 시행한다.

3) 교과와 창의적 체험활동 등에 필요한 교과용 도서의 개발, 인정, 보급을 위해 노력한다.

4) 학교가 지역사회의 관계 기관과 적극적으로 연계·협력해서 교과, 창의적 체험활동, 학교스포츠클럽활동, 자유학기 등을 내실 있게 운영할 수 있도록 지원하며, 관내 학교가 활용할 수 있는 우수한 지역 자원을 발굴하여 안내한다.

5) 학교 교육과정의 효과적 운영을 위하여 학생의 배정, 교원의 수급 및 순회, 학교 간 시설과 설비의 공동 활용, 자료의 공동 개발과 활용에 관하여 학교 간 및 시·도 교육(지원)청 간의 협조 체제를 구축한다.

6) 단위 학교의 교육과정 편성·운영 및 교수·학습, 평가를 지원할 수 있도록 교원 연수, 교육과정 컨설팅, 연구학교 운영 및 연구회 활동 지원 등에 대한 계획을 수립하여 시행한다.

가) 교원의 학교 교육과정 편성·운영 능력과 교과 및 창의적 체험활동에 대한 교수·학습, 평가 역량을 제고하기 위하여 교원에 대한 연수 계획을 수립하여 시행한다.

나) 학교 교육과정의 효율적인 편성·운영을 지원하기 위해 교육과정 컨설팅 지원단 등 지원 기구를 운영하며 교육과정 편성·운영을 위한 각종 자료를 개발하여 보급한다.

다) 학교 교육과정 편성·운영의 개선과 수업 개선을 위해 연구학교를 운영하고 연구교사제 및 교과별 연구회 활동 등을 적극적으로 지원한다.

7) 온오프라인 연계를 통한 효과적인 교수·학습과 평가가 이루어질 수 있도록 하며, 지능정보기술을 활용한 맞춤형 수업과 평가가 가능하도록 지원한다.

가) 원격수업을 효과적으로 지원하기 위해 학교의 원격수업 기반 구축, 교원의 원격수업 역량 강화 등에 필요한 행·재정적 지원을 한다.

나) 수업 설계·운영과 평가에서 다양한 디지털 플랫폼과 기술 및 도구를 효율적으로 활용할 수 있도록 시설·설비와 기자재 확충을 지원한다.

기출문제

다음은 2022 개정교육과정에서 교육과정 구성의 중점 중 일부이다. (가), (나), (다)에 들어갈 말을 바르게 연결한 것은?   2024년 국가직 9급

- 학생 개개인의 | (가) | 성장을 지원하고, 사회 구성원 모두의 행복을 위해 서로 존중하고 배려하며 협력하는 공동체 의식을 함양한다.
- 모든 학생이 학습의 기초인 언어·수리· | (나) | 기초소양을 갖출 수 있도록 하여 학교 교육과 평생 학습에서 학습을 지속할 수 있게 한다.
- 다양한 | (다) | 수업을 활성화하고, 문제 해결 및 사고의 과정을 중시하는 평가를 통해 학습의 질을 개선한다.

	(가)	(나)	(다)
①	인격적	디지털	학생 참여형
②	인격적	외국어	학생 주도형
③	통합적	디지털	학생 주도형
④	통합적	외국어	학생 참여형

해설

답 ①

秀 POINT 중요 개념

- □ 교육과정
- □ 성취기준
- □ 지식의 구조
- □ 형식도야설
- □ 숙의 모형
- □ 표출목표
- □ 교육적 감식안과 비평
- □ 영속적 이해
- □ 학습경험
- □ 범위(scope)
- □ 나선형 교육과정
- □ 영 교육과정
- □ 교육과정 압축
- □ 교육과정의 구성 요소
- □ 교과
- □ 기본언어
- □ 합리적 모형
- □ 예술적 모형
- □ 문제해결목표
- □ 백워드 모형
- □ 수업목표
- □ 계열성
- □ 중핵 교육과정
- □ 잠재적 교육과정
- □ 교육과정 개발정책
- □ 창의적 체험활동

참고

교육과정 변천

기별	공고(고시)	근거	교육과정	특징
제1차	1954. 4. 20 1955. 8. 1 〃 〃	문교부령 제35호 문교부령 제44호 문교부령 제45호 문교부령 제46호	시간배당기준령 국민학교 교과과정 중학교 교과과정 고등학교 교과과장	교과중심 교육과정
제2차	1963. 2. 15 〃 〃 1969. 2. 19	문교부령 제119호 문교부령 제120호 문교부령 제121호 문교부령 제207호	국민학교 교육과정 중학교 교육과정 고등학교 교육과정 유치원 교육과정	① 경험중심 교육과정 ② 교련 신설(1969) ③ 한문 신설(1971)
제3차	1973. 2. 14 1973. 8. 31 1974. 12. 31 1979. 3. 1	문교부령 제310호 문교부령 제325호 문교부령 제350호 문교부고시 제424호	국민학교 교육과정 중학교 교육과정 고등학교 교육과정 유치원 교육과정	① 학문중심 교육과정 ② 도덕 신설(1973) ③ 국사 신설(1973) ④ 일어 신설(1973)
제4차	1981. 12. 31 〃 〃 〃	문교부고시 제442호 〃 〃 〃	유치원 교육과정 국민학교 교육과정 중학교 교육과정 고등학교 교육과정	① 인간중심 교육과정 ② 국민정신 강조 ③ 학습량 및 수준 축소 ④ 국민학교 1, 2학년 교과 통합운영
제5차	1987. 3. 31 1987. 6. 30 〃 1988. 3. 31	문교부고시 제87 - 7호 문교부고시 제87 - 9호 〃 문교부고시 제88 - 7호	중학교 교육과정 유치원 교육과정 국민학교 교육과정 고등학교 교육과장	① 과학고, 예술고 제정 ② 국민학교 통합교육 과정 ③ 정보산업 신설 ④ 경제교육 강조 ⑤ 지역성 강조
제6차	1992. 6. 30 1992. 9. 30 〃 1992. 10. 30	교육부고시 제1992 - 11호 교육부고시 제1992 - 15호 교육부고시 제1992 - 16호 교육부고시 제1992 - 19호	중학교 교육과정 유치원 교육과정 국민학교 교육과정 고등학교 교육과정	① 21세기 대비 교육 개혁 ② 도덕성, 창의성 강조 ③ 컴퓨터, 환경, 러시아 어, 진로·직업 신설 ④ 외국어에 관한 전문 교과신설 ⑤ 편성·운영체제 개선
제7차	-	-	-	-

교수방법 및 교육공학

01 | 교수이론과 교수모형

 핵심체크 POINT

1. 교수이론의 분류
① 브루너(Bruner)는 설명적 교수(예 Ausubel)와 처방적 교수[(예 가네(Gagné)]로 구분
② 수업절차 모형[글래서(Glasser), 가네(Gagné), 켈러(Keller)], 교수변인 모형[캐롤(Carroll), 브루너(Bruner)], 교수방법 모형(강의법, 토의법 등)
③ 경험적 방법(현장실습, 실험실습, 모의실험 등), 개인적 방법(프로그램 수업, CAI), 상호 작용 방법(토론, 그룹 프로젝트, 동료교수), 교수자 중심 방법(강의, 발문법, 시범 등)

2. 교수모형
① 개별화 교수모형
　㉠ 글레이저(Glaser)의 수업모형
　㉡ 블룸(Bloom)의 완전학습 모형
　㉢ 스키너(Skinner)의 프로그램 수업모형
② 설명적 교수모형: 오수벨(Ausubel)의 설명식 교수모형
③ 발견 및 탐구적 교수모형

브루너(Bruner)의 발견적 교수모형	요소: 학습준비성, 지식의 구조, 계열, 내적 보상
마시알라스(Massialas)의 탐구교수 모형	① 특징: 공개된 분위기, 가설, 증거 ② 탐구과정: 안내 → 가설 → 정의 → 탐색 → 증거 제시, 일반화
듀이(Dewey)의 탐구모형(문제해결 모형)	암시 → 지성적 정리 → 가설 → 추리 → 행동에 의한 검증

④ 처방적 교수모형
　㉠ 가네(Gagné)의 처방적 교수

학습된 능력	언어정보, 지적기능, 인지전략, 태도, 운동기능
학습의 조건	9가지 교수사태

　㉡ 메릴(Merrill)의 CDT
　㉢ 라이겔루스(Reigeluth)의 정교화 이론
　㉣ 켈러(Keller)의 ARCS 모형

주의집중(Attention)	호기심 자극
관련성(Relevence)	가치
자신감(Confidence)	성공에 대한 기대
만족감(Satisfaction)	적용기회

제1절 | 교수와 교수이론의 의미

1 교수(Teaching)의 정의

1. 코레이(Coray)

교수란 개인으로 하여금 특정한 조건하에서 또는 특정한 상황에 대한 반응으로서 특정한 행동을 나타내도록 학습하게 하거나 또는 특정 행동에 참여할 수 있도록 개인을 둘러싼 환경을 계획적으로 조작하는 과정이라고 정의했다.

2. 가네(Gagné)

학습자의 내적 능력과 적절히 상호작용하는 학습장면에 대한 외적 통제의 조건이라고 정의했다. 즉 교수란 특정 학습을 성취할 목적으로 외적 환경을 계획적으로 조작하는 일을 말한다.

2 교수와 학습의 관계

효율적인 교수과정은 반드시 효율적인 학습을 그 결과로서 가져온다고 할 수 없다. 마찬가지로 비효율적인 교수과정이 반드시 비효율적인 학습성과만을 가져오지도 않는다.

교수와 수업의 관계[그린(Green)]
수업은 교수의 하위개념으로 교수가 수업에 비해 더 포괄적인 것이며, 수업은 주로 교사의 적용과 실행에 중점을 둔다. 수업은 반드시 교수를 동반하지만 교수는 반드시 수업을 동반하지 않는다.

3 수업(Instruction)과 학습(Learning)의 관계

1. 개념

(1) 수업

교육과정에 내포된 내용을 가르치는 일이다.

(2) 학습

학습자의 지식과 행동의 변화이다.

2. 코레이(Coray)

코레이는 수업은 "개인으로 하여금 명시된 조건하에서 명시된 행동을 나타내게 하거나, 일정한 상황·장면에 대한 반응으로서 그와 같은 행동을 할 줄 알게 하기 위하여 환경을 의도적으로 조작하는 과정이다."라고 하였다.

4 교수 효과성, 교수 효율성 및 교수 매력성

1. 교수 효과성(teaching effectiveness)

(1) 개념

교수 결과로 얻어진 실제 학습산출을 교수목표 수준에 비추어 나타낸 것을 말한다.

(2) 교수 효과성 변인

교수 효과성 변인에는 교사특성변인, 상황변인, 과정변인, 산출변인이 있다.

교사특성변인	교수능력, 정의적 특성
상황변인	학생특성, 수업특성
과정변인	교사의 수업행동, 학생의 학습행동
산출변인	교사특성변인, 상황변인, 과정변인이 상호작용해서 나타난 수업결과로 인한 학습자의 변화

2. 교수 효율성(teaching efficiency)

투입되는 비용을 최소화하면서 수업활동이나 절차 혹은 동원되는 자원이 수업의 목표와 학습자의 수준에 가장 적합하여 최대한의 학업성과를 거두는 것을 말한다.

3. 교수 매력성(teaching appeal)

학습자가 교수·학습 활동과 학습자료 등에 매력을 느껴 학습을 더 자주 하려하고, 습득한 지식이나 기능을 사용하려는 성향을 의미한다.

5 교수이론의 분류

1. 설명적 이론

(1) 명제가 "만약 ~이면 ~이다."로 표현되는 것, 즉 "만약에 어떤 학생이 어떤 진술을 여러 번 반복하면 그것을 더 잘 기억하게 된다."와 같이 표현되는 것을 말한다.

(2) 따라서 주어진 특정 교수조건에서 특정 교수 전략·방법을 적용하면 그 결과로서 어떤 교수결과를 얻을 수 있는가를 기술하는 이론이다.

2. 처방적 이론

(1) 명제가 "~을 하기 위해서는, ~한 것을 수행하라."라는 구조를 가지는 것을 의미한다. 즉 특정의 교수조건과 기대한 교수결과가 주어졌을 때 가장 적합한 교수방법이 어떠한 것인가를 다루는 것을 말한다.

(2) 가르치는 교사들에게 "무엇을 어떻게 해야 한다."라는 구체적인 조건과 방법을 제시해 준다.

3. 브루너(J. S. Bruner)의 견해

교수이론은 처방적(prescriptive)이고 규범적(normative)이어야 하지만, 학습이론은 교수이론에 비해 기술적(descriptive)이고 간접적(indirective)이라고 하였다.

제2절 | 교수모형 - 개별화 교수 모형

1 글레이저(Glaser)의 수업 모형

1. 특징

(1) 체제이론(system theory)에 근거하여 수업의 과정을 일련의 단계와 절차의 순환적이고 상호작용적인 흐름으로 파악하였다.

목표설정	성취되어야 할 능력, 지식, 기술의 분석
출발점 행동의 진단	학습이 시작되는 초기 상태의 기술
학습지도	학습자의 초기 상태로부터 능력을 성취하는 단계로 변화하기 위해 실행되어야 할 조건들
결과의 평가	의도한 목표를 성취하는 데 효과적인 조건들의 장·단기적 성과를 결정하기 위한 평가

(2) 학습자들의 능력 수준의 개인차를 고려하여 변별적인 학습 프로그램을 제공하는 수업의 개별화를 위한 이론적 근거를 마련하였다.

(3) 피드백과 교정이라는 자기 교정 장치를 도입하였고, 수업의 과정을 가장 일반적인 수준에서 기술하였으며, 모든 교과 영역에서 적용될 수 있는 원리들을 처방하고 있다.

2. 수업의 단계

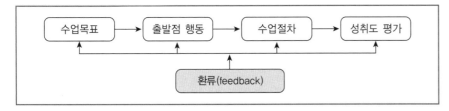

(1) 수업목표 설정

수업이 끝난 뒤 학생들이 보여주어야 할 행동을 구체적인 행동 용어로 진술한다. 수업의 초점을 목표에 두고 다른 활동들은 목표달성을 위한 수단으로 간주하는 목표중심의 관점, 즉 '수단 - 목적'의 사고를 기초로 하는 기능주의적 수업관이 반영되어 있다.

(2) 출발점 행동의 진단

출발점 행동이란 특정한 학습과제의 학습을 위하여 필요한 선수학습 정도를 알아보는 것을 말한다. 출발점 행동은 목표 산출을 위한 투입행동이며 수업의 효과를 결정하는 가장 중요한 내적 조건이다(가네의 이론에 기초).

(3) 수업 실시(학습지도)

일련의 수업과정의 중심 단계로 학습내용을 매개로 교사와 학생들이 상호작용하는 과정이다. 교수 - 학습의 과정은 도입, 전개, 정리, 평가로 이루어지는데 평가는 형성평가를 실시한다.

(4) 학습 성과의 평가

총괄평가를 말하는 것으로 수업의 효율성 및 학생의 학업 성취도를 최종 확인하는 단계이다. 평가는 투입에 대한 산출의 정도를 분석함으로써 수업체제의 효율성을 판단하는 중요한 활동이다.

3. 의의

(1) 수업목표를 세분화된 행동적 용어로 진술하였다.

(2) 출발점 행동의 개념을 도입하였다.

(3) 각 단계가 후속 단계를 계속적으로 결정하고 수정한다.

(4) 각 단계가 피드백(feedback)에 의해 유기적으로 관련된다.

(5) 수업 과정과 평가가 밀접한 관련을 맺는다.

(6) 개인차에 대한 고려를 하였다.

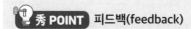 **POINT** 피드백(feedback)

1. 종류
피드백의 종류에는 확정 피드백, 정반응 피드백, 설명형 피드백, 오류 관련 피드백이 있다.

확정 피드백	학습자의 반응이 정답인지 오답인지만 제시한다.
정반응 피드백	맞았는지 틀렸는지에 관한 정보와 함께 정답이 무엇인지 제시한다.
설명적 피드백	학습자가 오답을 한 학습내용을 요약하여 다시 제시한다.
오류 관련 피드백 (교정적 피드백)	학습자의 정보처리 과정을 분석하여 그 과정을 바르게 교정해준다.

2. 피드백을 효과적으로 제시하는 데 있어 컴퓨터의 이점
① 문제를 제시하고 학습자가 반응을 하는 사이에 효과적으로 개입할 수 있다.
② 즉각적으로 피드백하여 학습자의 반응을 강화하고, 오(誤)반응을 즉각적으로 교정할 수 있다.
③ 다양한 형태의 피드백을 제공하는 것이 가능하다.
④ 학습자의 반응을 저장한 후 보여줄 수 있다.

3. 효과적인 피드백을 제공하기 위한 지침
① 언어정보 학습과제에서는 정반응을 제시하는 피드백을 제공한다.
② 지적 기능의 학습과제이고, 학습자의 지적 수준이 높을 경우에는 피드백의 유형을 다양하게 제공한다.
③ 지적 기능의 학습과제에서 오류 관련 피드백을 제공할 때, 오류교정에 대한 안내를 제공하고, 과제수행이 잘되었을 때는 보상을 제공한다.
④ 운동기능이나 인지전략과 같은 절차적 기능의 학습과제에서 학습자의 오류 발생 원인 진단이 가능하고, 피드백을 통해 교정할 수 있다고 판단되면, 오류 관련 피드백을 제공한다.

2 완전학습(Mastery Learning) 모형

1. 개념

한 학급의 약 95%의 학생들이 주어진 학습과제의 약 90% 이상을 완전히 학습해내는 학습이다.

2. 이론적 근거

(1) 캐롤(Carroll)의 학교학습 모형과 블룸(Bloom)의 수업전략에 기초를 둔다.

(2) 캐롤에 의하면 한 학습자가 어느 정도의 학습을 할 수 있는가는 자기가 필요로 하는 학습 시간량에 비해서 실제로 얼마만큼의 시간을 학습을 위해 투입했느냐에 의해 결정된다고 본다.

(3) 여기서 '학습의 정도'란 도달되어야 할 것으로 규정된 수업목표의 기준선에 비춘 실제의 학습 성취의 정도를 말한다.

3. 캐롤의 학교학습 모형

$$학습의 \ 정도 = \frac{학습에 \ 사용한 \ 시간}{학습에 \ 필요한 \ 시간} \times 100$$

(1) 학습에 사용한 시간의 요인

① 학습 지속력(perseverance): 한 학습자가 학습을 위해서 사용하려고 하는 총 시간량(개인차 변인)으로 동기와 관련된 개념이다. 학습 지속력이 강할수록 학습기회가 증대되어 실제로 학습에 사용한 시간량이 늘어난다.

② 학습기회(opportunity): 주어진 학습과제의 학습을 위해서 허용되는 총 시간량(수업변인)으로 교사가 수업을 계획할 때 결정해야 할 중요한 사항은 학습과제별 수업시간의 배정이다.

(2) 학습에 필요한 시간의 요인

① 적성(aptitude): 주어진 특정한 학습과제를 학습하는 데 요구되는 학습자의 적성(개인차 변인)으로, 이는 한 학습자가 최상의 수업조건에서 주어진 학급과제를 기준선까지 학습하는 데 필요로 하는 총 시간량으로 측정된다. 학습속도에 영향을 주는 요인으로는 과제와 관련된 사전 경험, 학습자의 유전적 및 환경적 특성, 선행 경향성 등이 있다.

② 수업 이해력(ability to understand instruction): 수업에서 사용되는 여러 수업자료를 이해하는 데 요구되는 일반적 능력(개인차 변인)으로 일반지능(추론, 결론 도출, 연역적 사고를 요하는 학습과제인 경우)과 언어능력(수업 언어가 복잡하고 친숙하지 않은 상황인 경우)이 복합된 것이다.

③ 수업의 질(quality of instruction): 한 학습과제의 제시방법의 적절성을 말하는 것으로, 학습의 정도를 결정하는 중요한 요인이다. 수업의 질이 높을수록 학생들이 과제를 수행하는 데 필요한 시간량이 줄어든다. 예를 들면 학습목표의 명료화, 학습목표와 절차의 분명한 전달, 학습활동의 적절한 계열화, 교사 언어의 명확성, 학습자의 필요와 특성에 따른 수업 과정의 시의적절한 조절 등을 포함한다.

4. 완전학습의 수업전략

(1) 캐롤의 모형에 기초해서 블룸이 구상한 것으로 제1전략은 학습 사용시간의 연장, 제2전략은 학습 필요시간의 축소이다.

(2) 완전학습을 위한 학습 집단은 보통의 무선적(無選的)이고 이질적인 혼성 학습집단 속에서 진행되며, 수업의 개별화를 도모한다(개별화 학습 유형).

(3) 블룸은 학교교과 학습의 학업성적 변량 가운데 지적 투입행동이 약 50%, 정의적 투입 행동이 약 25%를 결정한다고 보았다.

> **📁 참고**
>
> **완전학습의 수업전개 절차**
>
> | 수업 전 단계 | 1단계 | 진단평가에 의해 기초학습의 결함을 진단한다. |
> |---|---|---|
> | | 2단계 | 발견된 선행학습의 학습결손에 대한 기초학력 보충과정이다. |
> | 본 수업단계 | 3단계 | 수업목표를 명시한다. |
> | | 4단계 | 수업활동은 활발하게 진행한다. |
> | | 5단계 | 여러 가지 자료를 제시한다(수업활동을 위한 보조 활동). |
> | | 6단계 | 형성평가를 실시한다. |
> | | 7단계 | 형성평가의 결과에 따라 피드백한다(보충학습). |
> | | 8단계 | 심화학습(대상: 일정한 기준까지 학습이 이루어진 학습자) |
> | | 9단계 | 보충학습과 심화학습을 거친 학생들이 모여 정리활동을 위한 2차 학습기회를 가진다. |
> | 수업 후 단계 | 10단계 | 총괄평가를 실시한다. |

3 프로그램 수업(Programmed Instruction)

1. 특징

(1) 학교수업에 대한 체계적이며 경험적인 접근을 시도하는 것이다. 프로그램 수업은 프레시(S. Pressey)의 교수기계에 중다(重多)선택형으로 된 문제를 제공하는 것으로 시작하여 스키너(Skinner)가 발전시킨 것이다.

(2) 명확한 수업 목표의 제시, 상세한 행동분석, 그리고 자극의 제시와 학습자의 반응을 통제하며 특정 행위를 점진적으로 이끌어 내도록 조직된 교수의 한 형태이다.

2. 수업에의 적용단계

(1) 제1단계

과제 분석을 통해 도착점 행동이 무엇인지 분명히 한다.

(2) 제2단계

프레임 계열과 예상되는 반응을 개발한다.

> **참고** 프레임: 수업 목표에 성공적으로 도달하기 위한 작은 하나의 단계이다.

(3) 제3단계

프레임들을 다시 검토하고 필요하면 정리해 둔다. 즉 '프레임이 단순한 곳에서 복잡한 곳의 순서로 구성되었는가?', '프롬프트가 점차로 제거되었는가?' 등을 검토한다.

(4) 제4단계

몇 명의 학생에게 교수를 수행해보고, 필요에 따라 전체 프레임을 수행한다.

3. 프로그램 수업의 성격

(1) 가정(假定)이 분명하게 진술되어 있다.

(2) 목표가 명확하게 진술되어 있다.

(3) 작은 단계(small step)의 논리적인 배열이 되어 있다.

(4) 학습자의 적극적 반응을 유발한다.

(5) 학습자의 반응에 따라 즉각적인 피드백(feedback)을 제공한다.

(6) 오답인 경우 원인을 알고 정정할 수 있는 분리된 처방을 제공한다.

(7) 개별 학습자의 속도에 따라 진행된다.

(8) 계속적 평가가 가능하다.

4. 유형

(1) 직선형 프로그램(linear program)

① 스키너(Skinner)에 의해 개발된 것으로 학습자로 하여금 작은 단계를 하나씩 순서대로 진행하면서 목표에 점진적으로 도달하도록 고안된 형태이다.

② 학습 자료가 단일한 구조로 되어 있어 정답을 한 경우는 그 다음 단계로 순차적으로 진행되며, 틀린 경우는 그 앞의 정답을 한 곳으로 돌아가 다시 직선적으로 진행한다.

↑ 직선형 프로그램

(2) 분지형 프로그램(branching program)

① 클라우더(Clauder)가 스키너의 직선형 프로그램의 단점을 보완하여 개발한 것이다.

② 정답을 계속 맞추는 경우는 직선형을 따르지만, 오답을 할 경우는 적절한 교정 학습을 할 수 있는 보충적 프레임으로 보내도록 되어 있다.

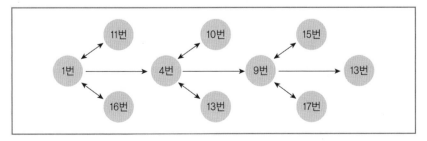

↑ 분지형 프로그램

(3) 부첨형(adjunct program)

① 이는 기존의 교과서나 실험실습 교본에 프로그램화된 학습을 삽입하여 사용하는 형태이다. 즉 교과서 내용에 그 내용에 대해 묻는 문제들을 첨가하는 것이다.

② 교과내용에 따라 학습자들의 이해를 돕기 위한 설명적 자료를 충분히 제공한 후 그 내용과 관련된 문제를 주게 되는데, 이때 학습자는 그 문제와 관련된 구절을 찾아 검토함으로써 그 내용에 대한 확실한 이해 과정을 통해 학습에 이르게 된다.

5. 원리

학습자 검증의 원리, 개인 페이스, 적극적 반응의 원리, 즉시 확인의 원리, 스몰 스텝의 원리 등이 내포되어 있다.

4 프로그램 학습에 영향을 받은 개별화 학습의 형태

1. 개별처방 수업(Individually Prescribed Instruction; IPI)

(1) 개념

① 개별수업을 위한 하나의 수업체제로서 근본적으로 교수를 학습자 개인의 특성에 적응시키기 위한 하나의 수단이다. 글레이저 - 볼빈 - 린드발(Glaser-Bolvin-Lindvall)이 창안하였다.

② 팀 티칭(Team Teaching): 무학년제, 융통성 있는 학급조직, 프로그램 수업, 계속적인 학생 성적 향상을 확인하는 평가체제, 교직원 조직의 변화를 종합적으로 고려하는 방법이다. 이는 학습에 있어 개인차 변인(학습속도, 연습의 양, 교수매체에 대한 학생의 기호, 학습능력, 학습준비도 등)을 고려한 학습조건을 제공하기 위한 것이다.

(2) 특성

① 교과과정의 연속성 - 교육과정이 교과별, 수준별로 명세화되어 있다.

② 처방된 교수 - 학습 프로그램을 사용한다.

③ 학습자의 진보 또는 성공 여부와 계속적으로 점검, 평가되는 엄격한 평가체제를 사용한다.

④ 학습 진도가 개별적이며 학습도 독립적으로 이루어진다.

⑤ 인쇄 매체, 녹음자료, 학습 키트, 컴퓨터, 교사보조 등을 활용한다.

⑥ CAI, CMI 체제에서 활용된다.

(3) 목적

① 모든 학생이 학습과정에 적극적으로 참여한다.

② 모든 학생이 교수내용에 대한 완전학습을 향해 규칙적인 학습 진전을 보인다.

③ 모든 학생이 교수내용에 대한 완전학습을 향해 최적 속도로 진전한다.

④ 모든 학생은 전적으로 혹은 부분적으로 자기 학습을 선택하고 관리하는 학습활동을 한다.

⑤ 모든 학생은 교과목표의 연속을 완전학습 해나가는 데 있어 자기진도의 질과 범위와 속도를 평가하는 데 중요한 역할을 한다.

⑥ 상이한 학생은 학습자 개인의 필요와 학습양식에 맞춘 상이한 학습자료와 교수 방법으로 공부한다.

2. 개인별 안내 교육(Individually Guided Education; IGE)

(1) 특징

① 위스콘신 대학의 클라우스마이어(Klausmeir)가 개발하였다.
② 전통적 학년제를 철폐하고 각 교과영역별로 무학년제를 실시하는 개별화 수업 체제이다.
③ 진단 - 처방 - 평가의 단계로 수업을 전개하는 점에서는 IPI와 같으나, 각 학생의 사전성취수준, 진도의 속도, 학습유형 및 동기 수준에 초점을 두고 진단하고 처방하는 점이 다르다.
④ 학습은 개별, 소집단, 또는 대집단 활동으로 이루어지며 교사, 조교 또는 동료로부터 일대일 지도를 받는다.

(2) 절차

① 교과별로 학습자의 출발점 행동을 사정한다.
② 학습자별로 구체적인 행동목표를 진술한다.
③ 교과별로 구체적인 행동목표를 진술한다.
④ 다양한 수업 자료와 매체를 비치한다.
⑤ 각기 다른 역할과 임무를 수행하는 교사 팀을 구성한다.
⑥ 무학제의 체제로 수업을 실시한다.
⑦ 학습자의 출발점 수준, 학습 진척 상황, 목표도달을 지속적으로 사정한다.
⑧ 다양한 학습을 수행할 수 있는 활동 공간과 자원 센터를 준비한다.

3. 개별화 수업체제(Personalized Systems of Instruction; PSI)

(1) 특징

① 켈러(Keller)가 체계화하였다.
② 행동주의 심리학의 원리를 적용, 발전시켰다.
③ 수업진행은 교과목을 주제별로 세분하고, 명세화된 목표, 학습절차, 학습 질문 목록 등으로 구성된 학습 자료를 제시한다.
④ 학습자는 누구나 특정한 학습 목표에 도달할 수 있다는 완전학습의 가정에 근거를 둔다.

(2) 체제 개발 원리

① 학습자 자신의 능력과 요구에 맞는 속도로 학습이 수행된다.
② 다음 학습 단원으로 넘어가기 위해서는 현재 학습 단원의 완전한 성취를 보일 수 있어야 한다.
③ 학습자의 학습 흥미를 촉진하기 위한 수단으로서 강의와 시범을 활용한다.
④ 교사와 학생 간의 의사소통에는 가급적 인쇄매체를 활용한다.
⑤ 개별 학습자의 학습지도를 위해 책임 교사제(proctors)를 활용한다. 책임교사는 학습자의 시험과 채점, 필요한 경우 개별 지도를 수행할 뿐만 아니라 교육과정에서 중요하게 고려되어야 할 대인관계의 성장에 도움을 준다.

5 적성 처치 상호작용 모형(Aptitude Treatment Interaction: ATI)

1. 개념

(1) 크론백(l. J. Cronback)과 스노우(R. E. Snow)에 의해 제시된 것으로 학습자의 학습능력에 따라 주어지는 처치에 대한 학생의 반응양식이 다르게 나타나는 현상을 고려하여 학습지도의 최적화를 기하려는 방법이다.

(2) 적성

'한 학습자가 가지고 있는 미래 학습의 잠재력'으로 교수방법에 영향을 주기도 하고 교수방법으로부터 영향을 받기도 한다.

2. 기본입장

(1) 학습자의 능력은 개인차를 지녔으므로 그에 알맞은 방법이 적용되면 효과가 커진다.

(2) 학습자가 지닌 개인차의 특성에 따라 능력별로 프로그램을 적용한다면 학습을 보다 극대화할 수 있다.

(3) 모든 학습자의 성적이 극대화되도록 학습자의 특성과 교수방법을 배합시킬 수 있으며, 학습자의 특성과 투입되는 교수방법 사이에 상호작용이 성립할 수 있다.

3. 이론적 특징

(1) 두 개의 집단을 대상으로 적성을 측정한 후 그들 두 집단에게 각각 다른 처치를 가하고, 집단 또는 처치별로 적성 득점과 처치효과를 측정한 준거변인의 득점 간의 관계를 회귀선을 그려보면 정순(正順) 상호작용 혹은 역순(逆順) 상호작용이 나타난다.

(2) 정순 상호작용의 경우

적성의 질적·양적 차이와는 관계없는 두 가지 처치 중 어느 하나의 처방 방식이 다른 하나의 처치 방식에 비해 효과적이 된다.

(3) 역순 상호작용의 경우

두 가지 처치 가운데 하나의 처치 방식이 다른 하나의 처치 방식에 비하여 일률적으로 효과적이라고 할 수 없고, 적성의 질적·양적 차이에 따라 두 가지 처치 방식의 효과가 상당히 다르게 나타난다고 할 수 있다.

4. 형태

(1) 상호작용이 없는 경우

학생의 학습에 관련되는 적성을 충분히 이용한 다양한 교수변인을 투입하는 교수전략이 활용되면 모든 학생의 성적이 증가되고 개인차는 줄어들게 된다.

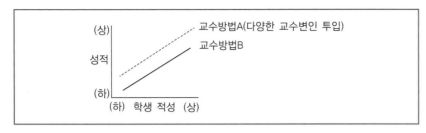

(2) 상호작용이 있는 경우

학습자의 특성에 따라 서로 다른 수업 방법이 있을 수 있으며, A방법은 적성 수준이 높은 학습자에게 유리하고, B방법은 적성 수준이 낮은 학습자에게 유리하다.

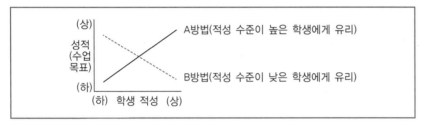

5. 적성 - 처치 상호작용 이론의 적용[스노우(Snow)]

(1) 높은 일반 능력을 가진 학습자가 학습을 잘 수행할 수 있는 교수조건

① 정보처리 부담이 크다.
② 정교하고 특별한 설명이 있다.
③ 새로운 내용이 포함되어 있다.
④ 발견적 혹은 탐구적이다.
⑤ 학습자의 자기 주도적 학습을 유도한다.
⑥ 상대적으로 구조화되어 있지 않고 허용적이다.
⑦ 그림이나 매체보다는 언어에 의존한다.
⑧ 학습속도가 빠르다.
⑨ 선행조직자를 제공한다.

(2) 낮은 능력을 가진 학습자가 학습을 잘 수행할 수 있는 교수조건

① 정보처리 부담이 강력하지 않다.
② 수행해야 할 과제가 단순하거나 작게 나누어져 있다.
③ 정보를 반복적으로 제공한다.
④ 언어보다는 그림이나 기타의 매체를 많이 사용한다.
⑤ 단순화된 시범, 모형, 시뮬레이션 등을 사용한다.

6. 이론의 예

학습자의 적성이나 능력을 고려하여 그에 맞는 수업방법을 사용하는 모형으로는 ATI 모형[토비사(Tobisa)], TTI 모형[살로몬(Salomon)], TTTI(Trait Task Tretment Interaction) 모형[베를리너와 카헨(Berliner & Cahen)] 등이 있다.

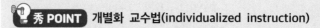

秀 POINT 개별화 교수법(individualized instruction)

1. 개념
학생들의 개인적 요구와 특성에 맞추어 수업적 절차를 적응시키는 교수법으로 교수 - 학습 환경의 개별화, 교육목표의 개별화, 교육내용의 개별화, 교육방법의 개별화, 학업성취의 개별화 그리고 교육평가의 개별화 등으로 구성된다.

2. 이념적 전제

개별성	학습자마다 각기 다른 요구와 학습 방법적 특성이 다르다.
공평성(equity)	학습자의 요구, 개인적 특성에 맞추어 합당한 처치를 해야 한다.

3. 수업적 차원의 원리

완전학습의 원리	각각의 학습자가 다른 학습자와 어떻게 다르든 학습목표를 성취할 수 있도록 공정한 기회를 누려야 한다.
계속적 진전의 원리	주어진 시간 내에서 개개의 학습자가 성취 가능한 모든 것들을 이룰 수 있도록 새로운 학습과제를 향하여 계속적으로 나갈 수 있도록 한다.

4. 역사
① 1913년 파커스트(Parkhurst)가 달튼 플랜(Dalton plan)을 시도하였다.
② 1919년 와쉬번(Washburne)이 위넷카 플랜(Winnetka plan)을 시도하였다.
③ 1920년대 중반 벨기에의 데크롤리(Decroly)가 데크롤리 메소드(Decroly method)를 실시하였다.
④ 1960 ~ 1970년대 새롭게 관심이 고조되었다.
　㉠ 개별적 안내교육(Individually Guided Education: IGE)
　㉡ 개별 처방식 수업(Individually Prescribed Instruction: IPI)
　㉢ 완전학습(Mastery Learning)
　㉣ 개인적 수업체제(a Personalized System of Instruction: PSI)
　㉤ 학습자 요구에 따른 수업프로그램(Program for Learning inAccordance with Needs: PLAN)
⑤ 1970년대 말에는 CAI, Hypermedia, Interactive Multimedia 등에서 시도하였다.

5. 개별화 수업의 특징
① 학습자 개인을 각기 독립된 주체로 본다.
② 각 학습자에게 적합하고 실제적인 학습목표가 설정되며, 개인의 능력과 배경에 맞도록 여러 종류의 학습자를 제공한다.
③ 학생 개개인이 학습 진도, 학습동기 그리고 학습 준비도 등이 다르다는 것을 전제한다.
④ 수업체제에 영향을 미칠 수 있는 수업목표 요인, 출발점 행동 요인, 지도순서 요인, 숙달의 정도요인, 자료요인 등이 개별 학습자에 따라 다양하게 설정되고 진행된다.
⑤ 컴퓨터 혹은 인터넷을 활용한 온라인 교육체제에서는 개별화 교수가 보다 쉽고 안정적으로 적용될 수 있다.
⑥ 학습자는 스스로 학습 속도를 조절할 수 있고, 즉각적인 피드백을 제공받을 수 있으며 보다 깊이 있는 학습이 가능하다.
⑦ 교사는 일상적인 수업에서 벗어나 개개 학습자에게 다양한 수업 방법을 적용할 수 있고 보다 많은 시간을 학습자에게 투입할 수 있다.

제3절 | 설명식 교수모형(유의미 수용학습 모형) - 오수벨(Ausubel)

1 특징과 이론적 전제

1. 특징

(1) 유의미한 학습은 새로운 학습과제가 학습자의 기존 인지구조와 상호작용하여 인지구조 안으로 포섭(피아제의 동화와 유사)되는 것을 말한다. 따라서 인지구조를 잘 정돈하고 강화하는 것이 유의미한 학습의 전제조건이다.

(2) 지식은 위계적인 구조로 조직되며, 유의미한 학습은 잠재적 유의미성을 지닌 자료가 인지구조 안으로 들어가 그보다 상위의 개념 체계와 상호작용하고 적절히 포섭될 때 일어나게 된다.

(3) 설명식 교수에서는 학습자에게 완성된 최종 형태의 과제를 제공하고 학습하고 난 후에 학습자에게 내면화를 요구한다. 따라서 발견학습이나 기계적 암기를 시도하는 암기 학습과 차이가 있다.

2. 이론적 전제

학습자의 기존 인지구조는 유의미한 새로운 자료의 학습과 파지에 영향을 미치는 주요 요인이다.

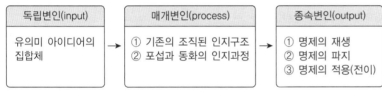

⬆ 유의미 학습의 모형

2 포섭(subsumption)

1. 종속적 포섭(subordinate subsumption)

인지구조 내에 있는 정착의미가 주어진 명제보다 더 포괄적이며 일반적인 유형으로 인지구조에 있는 상위 개념을 통해 하위 개념을 포섭하게 되며, 가장 효과적인 포섭이다. 이때는 관련 정착의미의 수정 및 부연이 일어난다.

예 • 평행사변형의 정의를 알고 있을 때 마름모의 정의에 대한 과제가 주어지는 경우
   • 포유류를 알고 있는 상태에서 돌고래, 사람, 물소, 고양이를 학습하는 경우

2. 상위적 포섭(superordinate subsumption)

주어진 명제보다 정착의미가 덜 포괄적이고 덜 추상적인 유형으로, 하위의 개념이 상위의 개념에 역(域)으로 포섭되는 현상이다.

예 • "직사각형, 정사각형의 내각의 합"에 관해 알고 있는 학습자에게 '모든 사변형의 내각의 합은 360°이다."라는 과제를 제시할 경우
• 돌고래, 사람, 물소, 고양이의 개념을 이미 알고 있는 상태에서 포유류를 학습하는 경우

3. 병렬적 포섭

두 변인의 포괄성과 일반성이 동등한 관계일 때 포섭하는 현상이다.

예 공상적 사회주의, 과학적 사회주의, 공산주의 등을 알고 있는 상태에서 민주 사회주의를 학습하는 경우

3 선행 조직자(advance organizer)

1. 개념

(1) 학습자의 인지구조의 조정을 위해 학습 이전에 미리 제공되는 일반적, 추상적인 도입자료로서 새로운 자료와 이전 학습의 연결을 돕는 장치이다. 이것은 인간의 인지구조가 위계화되어 있다는 것을 활용한 것이다.

(2) 학생에게 가르칠 학습과제보다 더 일반적이고 추상적인 개념이나 원리, 법칙, 일반화를 뜻한다.

(3) 오수벨(Ausubel) 교수이론의 핵심적 용어로, 흔히 오수벨 이론을 선행 조직자 수업모형이라고도 한다.

2. 사용 목적

(1) 앞으로 제시되는 자료에서 중요한 부분에 주의를 기울이게 한다.

(2) 앞으로 제시될 개념들 간의 관계를 부각시킨다.

(3) 이미 가지고 있는 정보 중에서 적절한 정보를 일깨워 준다.

3. 기능

(1) 새로운 정보를 위한 발판을 제공해준다.

(2) 새로운 정보와 학생들이 현재 가지고 있는 지식을 일깨워주는 일종의 개념상의 가교(架橋) 역할을 한다.

4. 종류

(1) 비교 조직자(comparative organizer)

① 이미 존재하고 있는 도식들을 활성화시키는 역할을 하며, 작업 기억으로 불러 들인다.

② 학습과제와 학습자의 인지구조 간에 유사성이 있는 경우에 사용한다.

(2) 설명 조직자(expository organizer)

① 앞으로 주어질 정보를 이해하는 데 필요한 새로운 지식을 제공한다.

② 학습과제와 학습자의 인지구조 사이에 전혀 관련이 없을 때 사용한다.

③ 교사가 학습과제보다 상위에 있는 지식을 설명해주는 것이다.

> **예** • 한 도시의 경제적 조건에 관한 학습을 시작하기 전에 경제의 개념을 먼저 제시하는 경우
> • 생물과의 식물 분류 시간에 과(科)나 목(目)과 같은 하위 단위를 설명하기 전에 종(種) -
> 속(屬) - 과(科) - 목(目) - 문(門) - 계(系)의 관계를 먼저 설명하는 경우

5. 특징

(1) 선행 조직자를 제시함으로써 인지구조가 강화되어 새로운 학습과제가 인지구조에 관련될 때 유의미 학습이 일어난다.

(2) 교육과정의 계열을 구조화하거나 교과목을 구조화하고 한 영역의 중심내용을 체계적으로 가르치는 데 유용하다.

(3) 선행 조직자 수업 모형의 수업단계

① **선행 조직자 제시 단계**: 수업목표의 명료화, 선행 조직자의 제시, 관련 지식과 경험을 상기하는 활동이 이루어진다.

② **학습자료 제시 단계**: 학습내용들 간의 논리적 위계관계를 고려하여 점진적 분화와 통합적 조정이 이루어질 수 있도록 한다. 즉 상위 개념으로부터 하위 개념으로의 제시 계열을 따르고 내용들 간의 상호 관련성이 드러나도록 한다.

③ **인지구조의 강화 단계**: 통합적 조정의 원칙에 따라 새로운 학습내용을 학습자의 인지구조에 통합하고 정착시키는 활동이 이루어지는 것으로 학습한 지식이 의미 있고 활성화된 지식이 되기 위해서는 지속적인 통합과 정교화를 통해 다른 지식들과 논리적으로 의미 있는 연관을 확보하도록 한다.

제1단계 - 선행 조직자 제시	① 수업목표를 명료화한다. ② 선행 조직자를 제시한다. 　㉠ 조직자 속성을 정의한다. 　㉡ 예를 제시한다. 　㉢ 조직자의 전후관계를 제시한다. 　㉣ 반복적으로 제시한다. ③ 학습자가 가지고 있는 지식과 경험을 상기시킨다.
제2단계 - 학습과제와 자료 제시	① 학습자료를 제시한다. ② 주의집중 ③ 학습자료를 계통 있게 조직한다. ④ 학습자료를 논리적으로 제시한다.
제3단계 - 인지구조 강화	① 새로 배운 내용을 종합할 수 있는 원리를 제시한다. ② 새로운 내용을 능동적으로 수용할 수 있는 분위기를 조성한다.

⬆ 선행 조직자 수업 모형

4 유의미 학습의 조건(학습과제 변인과 학습자 변인)

학습과제는 정착의미와 실사적이고도 구속적인 형태로 관계될 수 있어야 하고, 학습자는 관련 정착의미와 학습의욕을 지녀야 한다.

1. 과제변인(논리적 유의미성)

(1) 실사성(實事性, substativeness)

한 과제를 어떻게 표현하더라도 그 과제의 의미가 변하지 않는 것을 말한다.

> 예 • "정삼각형은 세 변이 같은 삼각형이다."를 "세 변이 같은 삼각형은 정삼각형이다."로 표현해도 본래의 뜻은 변하지 않는다.
> • 반면 무의미한 철자는 실사성이 없다. 즉 '캐비'를 '비캐'로 표현하면 완전히 새로운 과제가 생긴다.

(2) 구속성

자의적으로 맺어진 관계가 하나의 관습으로 굳어진 후에는 그 관계가 다시 자의적으로 변경될 수 없는 성질, 즉 과제가 갖는 의미상의 관습적 관계를 의미한다.

> 예 개·돼지·책상·시계와 같은 사물의 이름은 처음에는 임의적으로 개·돼지·책상·시계의 실물과 맺어진 것이지만 일단 연결이 된 후에는 임의적으로 바꾸기 힘들다. 즉 '개'라는 부호가 '실제의 개'와 연결되면 이는 변경되지 않는다.

2. 학습자 조건

(1) 관련 정착의미(relevant anchoring idea, 잠재적 유의미성)

학습자는 그 과제에 관련될 수 있는 정착의미를 가지고 있어야 한다. 관련 정착의미란 학습자의 인지구조에 이미 형성된 것으로 유의미 학습 과정에서는 새로운 개념이 인지구조와 관계를 맺을 수 있는 근거를 제공해주며 파지 과정에서는 그 개념의 의미가 저장될 수 있도록 해주는 의미를 말한다.

(2) 학습의욕(유의미 학습태세, 심리적 유의미성)

학습자는 그 과제를 실사적이고도 구속적인 형태로 정착의미에 관련시키고자 하는 의향이 있어야 한다.

(3) 유의미 학습, 잠재적 유의미성, 논리적 유의미성, 심리적 유의미성의 관계

① 유의미 학습 혹은 의미획득은 잠재적 유의성을 지닌 과제와 유의미 학습태세(학습의욕)를 필요로 한다.
② 잠재적 유의미성은 논리적 유의미성과 관련 정착의미의 유무에 의존된다.
③ 심리적 유의미성은 유의미 학습 혹은 잠재적 유의미성과 유의미 학습태세의 산물이다.

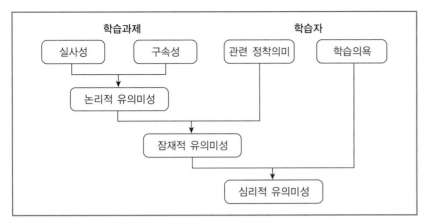

⊙ 유의미 학습의 조건

5 유의미 학습의 수준

1. 표상학습(representational learning)

(1) 아동이 하나 하나의 부호를 학습하는 것과 같이 대상을 지칭하는 단어를 배우는 학습이다.

(2) 기계적 학습에 가깝지만, 완전한 자의성을 띠지는 않는다.

(3) 제시된 대상물을 보면서 학습하는 것으로, 학습을 하는데 감각적인 능력이 영향을 미친다.

(4) 예를 들어 유아가 사과라는 실물을 보면서 언어를 습득하는 실물 교수법과 같다.

2. 개념학습(conceptual learning)

(1) 어떤 사건과 현상에 공통적으로 가지고 있으면서 다른 분류의 요소들과는 구분이 되는 것을 학습하는 것이다.

(2) 사건과 현상의 유사성과 차이점을 구분하는 학습으로 사건과 현상의 준거 속성을 파악하는 것이다. 개념학습을 통해 학습자는 일반화 가능성의 특성을 지닌다.

(3) 개념을 학습한다는 것은 개념의 명칭(예 평행사변형)과 규칙(예 맞변이 평행이고 길이가 같은 사각형), 속성(예 4변이 있고, 맞변은 평행이고, 맞변은 길이가 같다.) 그리고 본보기(예 평행사변형인 것과 아닌 것의 예를 든다.)를 학습하는 것이다.

(4) 예를 들어 생물은 살아 움직이는 생명체를 의미하고, 무생물은 살아 움직이지 않으며 생명이 없는 물체를 의미하는 것으로 이런 개념을 통해 주변의 사물을 구별하게 된다.

3. 명제학습(propositional learning)

(1) 우리 주변의 사건과 현상은 합의된 부호인 문자에 의해 명제로 진술되며, 우리는 사건과 현상에 관한 명제학습을 통해 구성원 간 의사소통을 하게 된다.

(2) 명제란 사건과 현상의 진(眞)과 위(僞) 및 사실 등을 진술한 것으로, 우리는 주변의 사건과 현상에 관한 명제를 학습하여 복합 개념의 의미를 획득하며, 세상을 이해하게 된다.

6 설명적 교수의 수업원리

1. 선행 조직자의 원리

(1) 새로운 학습과제보다 일반성, 포괄성의 정도가 높은 자료를 새 학습과제를 제시하기 전에 제공하여 이미 배운 내용과 연결, 통합되도록 하는 원리이다.

(2) 선행 조직자는 수업의 도입단계에서 교사가 해주는 언어적 설명으로 학습과제와 인지구조 사이에 가교의 구실을 한다.

2. 점진적 분화의 원리

(1) 일반적이고 포괄적인 의미를 먼저 제시하고 점차 세분화되고 특수한 의미로 분화하여 제시하는 원리, 즉 연역적 계열에 따르는 설명적 수업을 의미한다.

(2) 학습자가 가장 포괄적인 개념을 구조의 최상단을 점유하면서 점차 갈수록 덜 포괄적이고 분화된 개념이나 사실적 자료를 포섭하는 식의 위계적 구조로 이루어져 있다는 가정에 기초한다.

(3) 덜 포괄적인 의미가 더 포괄적인 의미 속으로 동화되는 것을 '점진적 소멸의 원리'라고 한다.

3. 통합적 조정의 원리

(1) 새로운 개념이나 의미는 이미 학습된 내용과 일치되고 통합되어야 한다는 원리로, 비교 조직자를 활용한다.

(2) 교육과정의 계열은 계속되는 학습이 이전에 학습된 것과 관계를 맺도록 조직되어야 한다는 것이다.

(3) 교사가 앞서 제시한 학습내용과 이후에 제시하는 학습내용 간에 유사점과 차이점을 제시하여 관련성을 갖도록 하는 것을 말한다.

4. 선행학습의 요약 및 정리의 원리

(1) 새로운 학습과제를 학습할 때 현재까지 학습한 내용을 요약·정리해주면 학습을 촉진할 수 있다는 원리이다.

(2) 요약·정리의 방법으로는 해당 학습과제를 반복하면서 확인·교정·명료화·차등연습 및 복습 등이 있다.

5. 내용의 체계적 조직의 원리

(1) 수업을 진행할 때 학습내용을 계열적, 체계적으로 조직하여 가르치면 학습효과를 극대화시킬 수 있다는 원리이다.

(2) 학습과제의 계열적 배열은 인지구조 내의 적절한 관련 정착의미의 가용도(可用度)가 유의미 학습과 파지를 증진한다는 일반적 효과에 기초한다.

(3) 프로그램 학습이 가지는 장점을 이 원리에서 찾을 수 있다.

6. 학습 준비도의 원리

(1) 학습자의 인지구조를 포함하여 발달 수준에 맞게 학습경험을 제공해야 한다는 원리이다.

(2) **학습 준비도**

단순한 유전적 영향만이 아니라 모든 선행했던 경험, 선행학습을 망라해서 개인의 인지구조와 인지능력의 형성에 영향을 주는 것을 총칭하는 것으로 누가적이며 발달적 성격을 지닌다.

7 설명식 교수의 가치

1. 여러 개념들 간의 관계를 가르치고자 할 때 적용가치가 높다.

2. 학생의 연령면에서 볼 때 가르칠 개념들을 정신적으로 조작할 수 있는 정도의 연령이 요구된다. 발달상으로는 초등학교 고학년이나 그 이상의 학생들에게 더 적합하다.

3. 학습의 효과를 높이기 위해서는 교수과정에서 학습자의 인지구조에 적합한 학습과제를 조직·구성하여 제시하는 일이 중요하며, 또한 선행학습의 중요성에 대한 이론적 근거를 제공해주었다.

4. 반드시 학습자가 수동적이 되는 것은 아니다. 오수벨은 신체적 수동성이 반드시 지적 수동성을 초래하는 것은 아니라고 하였다. 학습자는 새로운 정보를 인지구조 속의 어떤 개념이나 명제 밑에 포함시킬 것인가를 판단하고, 학습자료를 여러 가지 관점에서 바라보고, 비슷하거나 반대되는 내용과 조화시켜 보려고 하고, 자신의 사고의 틀과 개념을 이용하여 표현해보는 등 격렬한 지적 파도가 머릿속에서 일어난다고 하였다.

기출문제

다음 설명에 해당하는 것은? 2018년 국가직 7급

- 선행조직자는 학습자의 인지구조의 조정을 위해 학습 이전에 미리 제공되는 일반적, 포괄적, 추상적인 도입자료이다.
- 새로운 학습과제가 선행조직자와 연결이 잘 될 때, 새로운 학습과제는 잘 획득되고 오래 지속된다.

① 직소(Jigsaw) 모형
② 글레이저(R. Glaser)의 수업모형
③ 오수벨(D. P. Ausubel)의 유의미학습이론
④ 스미스(P. L. Smith)와 라간(T. J. Ragan)의 교수설계모형

해설
선행조직자, 인지구조의 조정, 포섭 등을 강조하는 교수학습 모형은 오수벨(D. P. Ausubel)의 유의미학습이론이다. **답 ③**

플랜더스(Flanders)의 수업분석 모형(언어 상호작용 분석)

1. 개념
① 수업과정에서 교사와 학생의 언어적 상호작용을 분석하여 '수업의 형태 및 질'을 분석하는 방법이다.
② 교사와 학생의 대화나 기타 활동의 내용을 분류항목에 따라 분류하여 그 결과를 수량화한다.
③ 학급 분위기와 관련된 정의적 영역의 분석방법이다.

2. 특징
① 학생들의 교과 성적 향상과 올바른 태도 변화, 교사의 행동수정에 도움이 된다.
② 교사중심의 일제수업(강의법, 문답법 대상)에 한해 적용시킬 수 있다.
③ 언어 상호작용에 한해서만 분석할 수 있다.
④ 수업방법은 간단하고 실용적이며, 수업분석의 결과는 과학적 방법으로 정리되고 해석된다.
⑤ 수업형태를 분석한 결과가 바람직하게 나왔다고 해서 그 수업이 잘된 수업이라고 결론 내릴 수는 없다.

3. 수업 형태의 분류

교사의 발언	비지시적 발언	① 학생의 느낌을 받아들인다. ② 학생을 칭찬하고 용기를 북돋아 준다. ③ 학생의 아이디어를 받아들인다. ④ 학생에게 질문한다.
	지시적 발언	① 강의한다. ② 학생에게 지시하고 명령한다. ③ 학생을 비난하거나 교사가 권위를 부린다.
학생의 발언		① 교사의 질문에 대해 단순하게 답변을 한다. ② 학생의 질문 및 교사 질문에 대해 넓은 답변을 한다.(자진반응)
기타		작업, 침묵이나 혼동

4. 유의점
① 수업시간 5분 전에 입실하여 학습 분위기를 파악하고 관찰자 자신의 심적 준비를 해야 한다.
② 10개의 영역에 매 3초마다 기록해야 한다.
③ 40분 수업에서 900개 정도의 분류 숫자가 기록되어야 정확하다고 볼 수 있다.
④ 언어 상호작용을 관찰, 기록하면서 수업의 전체적인 흐름도 파악해야 한다.

제4절 | 교수모형 - 발견 및 탐구적 교수모형

1 브루너(Bruner)의 발견적 교수모형

1. 특징

(1) 발견적 교수는 브루너가 학습자 스스로 지적 능력을 개발하도록 하기 위한 방법으로 개발되었다.

(2) 발견적 교수의 목표는 탐구적인 사고방법을 형성하는 데 있다.

(3) 학습의 결과보다는 과정과 방법을 중시하며, 교재의 기본구조에 대한 철저한 학습을 강조한다.

(4) 학습자의 능동적인 학습을 강조하며, 학습효과의 전이를 중시한다.

(5) 발견적 교수의 가장 기본적인 요건은 학습해야 할 학습내용이 '완성된' 형태로 학습자에게 제시되지 않고, 자신의 인지구조 속에서 그것을 동화하기 이전에 어떤 모양의 인지 또는 변환을 학습자 자신이 해야 한다(이런 면에서 암기학습이나 유의미 학습과 차이).

(6) 교수이론이 지녀야 할 특징(브루너)

학습 준비성 혹은 선행 경향성	학습자에게 학습에 대한 선행 경향성을 효과적으로 증진시킬 수 있는 경험을 조직하는 원리를 구체화한다.
지식의 구조	일련의 지식들이 학습자에게 가장 쉽게 이해될 수 있도록 구조화되는 방법에 관한 원리를 구체화한다.
학습계열	자료를 학생들에게 가장 효과적으로 제시할 수 있는 학습내용과 경험을 계열화하는 방안이다.
내적 강화	교수 - 학습과정에서 보상과 벌의 성격이며 효과적인 제시 방안이다.

2. 교수이론의 요소

(1) 학습 준비성

① 교수이론은 개인에게 학습하고자 하는 의욕(predisposition)을 효과적으로 심어주기 위해서 어떤 경험이 필요한가를 밝혀주는 일이며, 교수활동은 이 경향성을 극대화하도록 하는 조건을 마련해주어야 한다.

② 학습의욕을 자극하기 위해서는 학습과제가 지적 호기심을 자극할 수 있도록 적절한 수준의 애매성을 가져야 한다.

③ 가능성을 탐색한 결과에서 얻는 이득이 그 실패에서 오는 위험부담보다 커야 한다(브루너).

(2) 지식의 구조

① 학생들이 지식을 가장 쉽게 파악하도록 지식을 어떻게 구조화해야 하는가를 밝혀주는 일이다. 즉 학습자가 가장 쉽게 파악할 수 있도록 지식체계를 구조화하는 방법을 분명히 해주어야 한다.

② 표현방식, 생성력 및 경제성을 지녀야 한다.

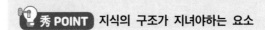
秀 POINT 지식의 구조가 지녀야하는 요소

1. 표현방식

작동적 표현	동작으로 표현한다. 피아제의 인지발달 단계에서는 전조작기에 해당하며, 이 단계에서 아동의 지적활동은 주로 경험과 동작에 의존한다.
영상적 표현	구체적 조작기에 해당하며, 이때 아동은 조작(操作)의 기초가 되는 내면화된 정신구조(아동이 세계를 지각하고 표현하는 내면화된 상징체계)가 발달하게 됨으로써 직접 눈앞에 보이는 것, 직접 경험한 것에 얽매이게 되며, 그림이나 도형으로 표현해주면 쉽게 이해한다.
상징적 표현	아동의 지적 활동은 가설적 명제를 조작하는 능력을 지니게 되며, 가능한 변인들을 생각할 수 있고 나아가 가능한 관계를 추리해내어 그것을 실험이나 관찰로 검증하는 것이 가능하다. 그러므로 이 단계의 아동에게는 원리나 개념으로 표현해도 이해가 가능하다.

2. 생성력(power)
지식 간에 비교가 쉬운 것 그리고 한 가지 현상을 알면 그것과 관련되는 여러 가지 현상과의 관계를 파악하는 힘을 말한다.

3. 경제성(economy)
머릿 속에 기억해야 할 정보의 양이 최소화된 것을 의미한다. 즉, 공식이나 원리 등이다.

예 표현의 경제성과 생성력의 예
- 연방정부의 경제정책에 대한 신흥 산업 지역과 계급제도에 기초한 지역 간의 갈등
  → 노예전쟁
- 상이한 중력장에서 서로 다른 거리를 낙하하는 여러 물체들의 관찰 기록을 수치로 기록한 도표자료 → $S = \frac{1}{2}gt^2$

(3) 학습계열

① 계열(系列): 학생들이 학습내용을 이해·변형·전이하는 데 도움이 될 수 있도록 학습과제를 순서대로 조직·제시하는 원칙을 말한다.

② 학습될 자료를 제시할 때에는 학습자료를 어떤 순서로 제시하는 것이 가장 효과적인지 계열을 명백히 해주어야 한다.

③ 학습과제를 조직할 때는 선행학습, 발달단계, 자료의 성격, 개인차 등을 고려해야 하나 무엇보다 작동적, 영상적, 상징적 표현의 순서를 따라야 한다.

(4) 내적 보상(내적 강화)

① 학생 스스로가 학습의 결과를 확인하고 거기서 만족감을 느끼는 '내적 정보'를 제공해주는 보상이다.

② 유예된 보상, 학생들 스스로 자기 학습의 결과를 확인하고 거기서 만족감을 느끼는 것으로, 교수 - 학습과정에서 상벌의 성격과 그 적용방법을 명백히 해줄 수 있어야 한다.

③ 결과에 대한 지식이 주어지는 시기와 형태(브루너)
  ㉠ 결과에 대한 지식은 문제해결 단위의 마지막 단계, 즉 학생이 자기의 가설 내지 시행의 결과를 확인할 단계에 주어질 때 유용하다.
  ㉡ 결과에 대한 지식은 그것에 대하여 학생들이 지나친 정서적 불안을 가지고 있을 때에는 유용하게 활용될 수 없다.

© 결과에 대한 지식은 장차 그것이 학생의 학습에 유용하게(논리적인 의미에서가 아니라, 심리적인 의미) 활용될 수 있는 형태로 주어져야 한다.

3. 의의

(1) 브루너 이론의 핵심은 학습이란 능동적 과정이며, 학습자가 그들의 과거와 최근의 지식을 바탕으로 새로운 아이디어나 개념을 구성한다는 것이므로 구성주의 이론이라고 할 수 있다.

(2) 학습자는 자신의 인지구조가 요구하는 대로 스스로 정보를 선택하고 변형하며 가설을 설정하고 행동에 대한 결정을 한다.

(3) 인지적 구조가 경험에 대해 의미와 구조를 제공하고 이것들이 개인으로 하여금 주어진 정보 이상으로 변화할 수 있도록 한다.

(4) 수업과 관련하여 교사는 학생들이 스스로 원리를 발견할 수 있도록 유도하거나 격려해주어야 한다.

(5) 최근 들어(1990, 1996) 브루너는 자신의 이론적 틀을 사회적 그리고 문화적 측면까지 확장하여 사회적 구성주의를 옹호하고 있다.

(6) 인간은 그가 속한 문화 속에서 다른 사람들이 활동하고 상상하고 상징하는 방법들을 보고 그것들을 자신의 것으로 내면화시키고 더욱 강화시켜 나가면서 성장해나간다.

4. 장단점

(1) 장점

① 아동 각자가 구체적인 자료를 통한 활동에 참여할 경우에 지적인 잠재능력을 길러줄 수 있다.

② 성공적인 학습이 끝났을 때 아동은 지적인 희열감을 맛보고 새로운 문제에 도전하려는 강한 의욕을 갖게 된다(내적 동기유발).

③ 자신들의 의문을 스스로 추구함으로써 흥미 있고 중요한 문제의 특징을 파악할 수 있다.

④ 아동들은 발견적인 활동을 통해 발견하는 방법 그 자체를 학습하게 된다.

⑤ 발견적 활동을 통해 알게 된 내용은 머릿속에 오래 기억된다.

(2) 단점

① 지식의 많은 부분은 타인에 의해 발견되어 전달되는 경우가 많다. 진정한 지식의 여부는 스스로 발견했는가의 여부가 아니라 지식의 실제적 활용에 달려 있다.

② 교사에 의한 언어전달 학습을 소홀히 하지만 어떤 법칙이나 명제의 경우는 교사가 언어의 형식으로 설명하는 것이 효과적인 경우도 있다.

③ 학습자의 발달 수준에 따라서는 언어나 개념을 통한 전달도 가능하다. 발견학습에서는 법칙이나 개념을 주기 전에 사례나 문제를 먼저 제시하지만 이때 학습자들은 문제사태의 일부분에 한정된 경험을 통해 지나치게 일반적인 결론만을 내리는 경우도 있다.

④ 전통적인 강의법이나 다른 수업에 비해 학습에 소요되는 시간이 너무 많으므로 단시간에 많은 내용을 다루어야 하는 과목은 피해야 한다.

기출문제

브루너(Bruner)의 교수이론에 대한 설명으로 옳지 않은 것은?   2020년 지방직 9급

① 어떤 교과든지 지적으로 올바른 형식으로 표현하면 어떤 발달 단계에 있는 아동에게도 효과적으로 가르칠 수 있다.

② 학습자의 발달 단계에 맞게 학습내용을 구조화하고 조직함으로써 학습자가 교과내용을 잘 이해할 수 있다.

③ 지식의 표상 형식은 영상적 표상으로부터 작동(행동)적 표상을 거쳐 상징적 표상의 순서로 발달해 나간다.

④ 지식의 구조를 이해하게 되면 학습자 스스로가 사고를 진행할 수 있으며, 최소한의 지식으로 많은 것을 알 수 있다.

해설
브루너의 발견적 교수이론에서 지식의 표상 형식은 '작동적 표상 - 영상적 표상 - 상징적 표상'의 순서로 발달해나간다.   **답 ③**

2 탐구적 교수 모형

1. 특징

(1) 개념

① 탐구교수: 학생들이 지식의 획득과정에 주체적으로 참여함으로써 학생들로 하여금 자연이나 사회를 조사하는 데 필요한 탐구능력을 기르고, 인식의 기초가 되는 개념의 형성, 새로운 것을 발견, 탐구하려는 적극적인 태도를 기르려는 학습활동이다.

② 탐구적 과정: 객관적 근거를 바탕으로 논리적으로 문제를 해결한다는 의미를 포함한다. 따라서 증거를 제시할 수 없거나 문제를 해결하는 과정에 논리성이 결여된 경우에는 탐구라는 용어를 쓰기가 부적절하다.

(2) 기원

소크라테스(Socrates)의 대화법, 루소(Rousseau)의 아동중심주의, 현대의 듀이(Dewey)의 반성적 사고, 브루너(Bruner)의 발견학습, 마시알라스(Massialas)의 사회 탐구모형, 슈왑(Schwab)의 과학 탐구모형 등에서 찾아볼 수 있다.

(3) 탐구 과정

① 학생들이 가지고 있는 모든 지식을 문제해결을 위해 총동원한다.

② 그 중에서 문제해결과 관련 있다고 판단되는 방법을 고른다.

③ 선택된 방법들을 적절히 조직하여 학생 나름의 해결방안을 고안한다.

④ 이 방안을 적용하여 실제로 문제를 해결해본다.

⑤ 문제해결에 이 방안이 적절하지 못하다면 다시 ①로 되돌아가 수정된 새로운 방안을 짜서 문제를 해결해본다.

2. 마시알라스(Massialas)의 탐구교수 모형

(1) 개념

① 탐구란 중요한 아이디어를 발견, 명세화, 시험하고 인간과 그의 환경을 판단하는 과정이다.

② 탐구의 심리학적 근거는 게슈탈트(Gestalt) 심리학에서 연유한 장(場)의 이론(Field Theory)이다.

(2) 탐구교실의 특징

① **공개된 분위기**: 탐구교실의 분위기는 공개적이고 다른 사람의 의견을 받아들일 수 있어야 하며, 모든 교실에서 발표되는 견해와 진술이 조사해 볼 가치가 있는 명제로서 받아들여져야 한다. 또한 탐구교실에서 고려되는 모든 문제들은 미결정의 특수성을 가져야 한다. 교사는 동기유발의 도구로서 학생의 당혹감을 최대한 사용할 수 있어야 한다.

② **가설의 중시**: 탐구교실은 계속적으로 문제와 가설이 강조된다. 문제는 나아가야 할 일반적인 방향을 정하는 반면, 가설은 탐구의 도구이며 초점과 방향을 정한다. 가설이 토론의 초점을 이룬다는 점에서 탐구교실과 전통적 설명식 교실이 구분된다.

③ **증거를 위한 사실의 사용**: 탐구교실에서 사실은 신뢰도와 중요성에 따라 끊임없이 판단될 뿐만 아니라 중요한 인간문제에 대한 가설에 관계를 지어 판단한다. 사실의 가치는 주요 가설을 입증하는 데 얼마나 도움을 주느냐에 따라 결정된다. 반면 전통적 교실에서는 서로 관련되지 않은 사실을 축적하는 데 강조점을 둔다.

(3) 탐구교수 모형

안내(orientation) → 가설(hypothesis) → 정의(definition) → 탐색(exploration) → 증거 제시(evidencing) → 일반화(generalization)로 진행된다.

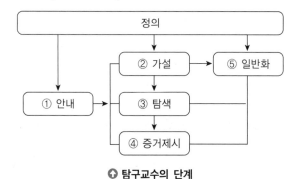

✚ 탐구교수의 단계

(4) 장점

① 합리적, 비판적인 사고를 할 기회를 더 많이 가지게 된다.

② 학습내용을 확실히 이해하는 데 효과적으로 이용될 수 있다.

③ 학생들이 학습에 능동적으로 참여하게 되므로 긍정적인 자아개념을 형성한다.

④ 기억과 회상에만 의존하는 것을 피하고 평생 학습하는 방법과 태도를 익힌다.

⑤ 학생들은 자기 능력으로 문제를 해결할 수 있음을 믿게 되고, 이를 성취할 수 있음을 깨닫게 된다.

⑥ 창의성과 더불어 계획하고 조직하며 판단하는 것과 같은 상위 수준의 지적 능력을 개발할 수 있다.

⑦ 학생들이 스스로 자신들의 학습방향을 찾고, 학습성과에 대해 보다 책임감을 느끼며, 사회적 의사소통 능력이 향상된다.

(5) 단점

① 학습지도를 하는 데 시간이 많이 소요된다.

② 단순한 개념을 많이 전달하는 데는 비효율적이다.

③ 교사에게 자료준비, 학습지도, 평가 등 많은 역할이 요구되어 부담을 준다.

④ 타당도와 신뢰도가 높은 탐구능력 평가방법의 개발이 어렵다.

3. 듀이(Dewey)의 탐구이론(문제해결법)

(1) 개념

탐구교수에서 교사의 역할
자료준비, 탐구의 반려자, 학생 질문의 방향전환, 탐구의 새 방향 제시, 탐구참가자에게 보상 실시, 가치토론에서의 중립유지 등이 있다.

듀이가 주장한 '반성적 사고'는 탐구의 기초가 되는 사고를 말하며, 그의 사고 이론은 결국 탐구로 이어진다. 사고는 우리가 어떤 문제에 부딪쳤을 때 전개되기 시작하여 그 문제를 해결할 수 있는 해답을 발견함으로써 종결되며, 일정한 단계에 따라 진행된다.

(2) 반성적 사고(문제해결의 단계)

① 개념

㉠ 문제 상황에 빠졌을 때 이를 가장 지성적으로 해결하는 방법이다.

㉡ 듀이의 『사고하는 방법(How We Think)』에서 반성적 사고(reflective thinking)란 마음 속에서 사고의 문제를 발견하고 그 문제를 중시하고 그 문제를 연속적으로 사고하는 것을 말한다.

② 반성적 사고에 내포된 가치

㉠ 의식적 목적을 가지고 행동을 가능하게 한다.

㉡ 조직적 준비와 창의성을 가능하게 한다.

㉢ 의미를 가지고 사물을 풍부하게 한다.

③ 반성적 사고의 5가지 국면

㉠ 암시(suggestion): 심의(心意)가 가능한 해결 체계를 향하여 비약한다. 문제해결의 출발점이다.

㉡ 지성적 정리(지성화, intellectualization): 곤란과 혼란한 문제에 대해 해결해야 할 하나의 문제가 감지되어 직접적으로 경험하는 일이다. 즉 '느껴진 곤란'을 '해결해야 할 문제' 혹은 '해답이 발견되어야 할 문제'로 전환하는 활동이다.

㉢ 가설(hypothesis): 지성적 정리의 과정을 통해 나온 감정적인 문제의 답으로 가설은 암시에 비해 지적인 답변이며 잠정적인 것으로, 검증의 위한 관찰이나 자료수집 활동의 지침이 된다.

㉣ 추리(reasoning): 가설을 설정한 다음 그 가설을 검증하기에 앞서 검증결과를 예견하는 일이다.

ⓔ **행동에 의한 검증(testing through the action):** 가설을 구체적인 혹은 상징적인 행동으로 수행하는 것이다. 이는 실제 실행이나 관찰 또는 가설이 요구하는 조건을 갖춘 실험에 의해서만 가능하다.

(3) 의의

① 듀이는 사고를 '탐구'라는 동적 표현으로 사용했으며, 탐구란 하나의 불명료한 상황을 명료하게 통일된 상황으로 지도 통제하는 변형작용이라고 보았다. 탐구는 사고, 반성적 사고, 과학적 방법, 반성적 방법, 창조적 지성 등과 동의어이다.

② 탐구의 궁극적 목적은 진리에 도달하는 것으로, 탐구가 비록 문제해결의 과정이지만 그 해결은 해결로 끝나는 것이 아니라 다시 다음 단계 탐구과정의 수단이 된다.

③ 듀이의 주장은 그 후 '문제 제기 - 가설 형성 - 가설 검증 - 결론'의 과정으로 일반화되었고, 킬패트릭(Kilpatrick)이 프로젝트법으로 활용하였다. 프로젝트법은 '문제 제기 - 계획하기 - 실행하기 - 평가하기'의 4단계로 구성된다.

제5절 │ 처방적 교수모형

1 가네와 브릭스(Gagné-Briggs)의 교수모형

1. 특징

(1) 학습된 결과를 학습의 세 영역인 인지, 태도, 운동기능 영역으로 구분하여 포괄적으로 다루고 있다.

(2) 가네(Gagné)는 학습을 외계(外界)의 사상들을 파지할 수 있는 경향 또는 학습력의 변화로 보았다(정보처리이론에 기초한 교수 - 학습이론 전개).

2. 핵심 개념

(1) 학습된 능력(learning outcomes)

학습의 결과 얻어진 것 또는 학습목표를 말한다.

(2) 학습사태(events of learning)

학습자 내부에서 정보가 처리되는 과정, 학습의 내적 조건을 말한다.

(3) 학습의 조건(conditions of learning)

학습의 내적 과정에 맞게 외부에서 부여되는 수업활동, 즉 교수사태를 말한다.

3. 학습의 전제조건

(1) 인간의 학습력은 낮은 차원에서 높은 차원으로 축적되어야 한다.

(2) 지식은 위계적으로 축적되기 때문에 높은 수준의 지식을 학습하기 위해서는 반드시 낮은 수준의 지식을 습득해야 한다.

(3) 상이한 수준의 학습내용은 상이한 수준의 학습력을 필요로 한다.

4. 학습된 능력의 영역

(1) 언어정보

구두 언어, 문장, 그림 등을 사용해서 일련의 사실이나 사태를 진술하거나 말하는 것으로, 정보의 진술, 학습된 능력으로서 언어정보를 배웠다는 것은 이미 배운 것을 명제의 형태로 진술할 수 있는 능력을 가졌다는 것을 의미한다(know that, 사실적 지식 혹은 선언적 지식).

예 헌법의 제1차 개정 조항을 진술하기(진술하다, 말하다)

(2) 지적 기능

① 여러 가지 기호나 상징(숫자, 문자, 단어, 그림, 도표 등)을 사용하여 환경과 상호작용할 수 있는 능력을 말한다. 이것은 정보를 아는 것과는 대조되는 '무엇을 하는 방법을 아는 것(know how)'을 의미한다. 지적 기능 영역은 지적 조작의 복잡성에 따라 5개의 영역으로 구분된다.

② 지적 기능의 영역

변별	하나의 기호를 다른 기호와 구별하는 능력이다(변별학습). 예 인쇄된 b와 d를 구별하기(식별하다, 구별하다)
구체적 개념	사물의 성질, 대상이나 사건 등을 분류하는 능력(개념학습), 즉 구체적 개념이란 대상의 물리적 속성에 따라 구별하는 개념을 말한다. 예 '아래'라는 공간적 관계 찾기(파악하다)
정의된 개념	사물의 유목(類目)을 변별하기 위해 하나의 명제를 사용하는 것이다. 예 정의를 사용하여 '도시'를 분류하기(분류하다)
원리 (규칙)	언어나 수학의 기호를 사용하여 개인이 무엇을 할 수 있도록 해주는 학습된 능력이다. 예 붙이 섭씨 100℃에서 변하는 상태를 증명하기(증명하다)
문제해결 (고차적 규칙)	단순한 규칙이 문제사태에 적용될 수 있는 다른 규칙과 통합되어 사용되는 것이다. 예 지형과 위치가 주어졌을 때 그 지역의 강우량을 예언하는 규칙을 산출하기(생성하다)

(3) 인지전략

① 문제에 관한 새로운 해결방안을 모색하는 것을 말한다(인지주의에 의해 후에 추가됨). 즉 학습자들이 그 자신의 학습, 기억 및 사고를 관리하는 것을 학습하는 것이다.

② 학습자가 몸소 참여하여 학습하고, 기억하고, 생각하는 일을 할 수 있게 하는 내적으로 조직화된 학습으로 획득되는 능력이다(창의성과 관련).

③ 지적 기능의 학습이 많이 이루어지고 생산적 사고 계발을 위한 연습의 기회가 많이 제공될수록 향상되는 능력이다.

예 낙엽을 처리하기 위한 새롭고 기발한 계획을 짜기(창조하다)

(4) 태도

① 특정한 방식으로 행동할 것을 선택하게 하는 정의적 영역이다.

② 태도란 어떤 유목(類目)의 사물·사람·사건에 대한 개인적 행동 선택에 영향을 주는 하나의 학습된 내적 상태를 말한다.

예 좋아하는 운동으로 수영을 선택하기(선택한다)

(5) 운동 기능(심리운동 기능, 심동적 기능)

① 신체적 운동을 유연하고 적절하게 계열에 따라 실행하는 것을 말한다.

② 운동기능은 단지 근육 운동만을 의미하는 것이 아니며 이에 동반하는 정신적 인지적 활동을 포함한다.

예 널판의 모서리를 평평하게 깎기(실행하다)

학습영역	학습된 능력	성취행동	예
언어정보	저장된 정보의 재생	어떤 방식으로 정보를 진술하거나 전달하기	애국심의 정의를 진술하기
지적 기능	개인이 환경을 개념화하는 데 반응하도록 하는 정신적 조작	상징을 사용하여 환경과 상호작용하기	① 빨간색과 파란색을 구별하기 ② 삼각형의 면적을 계산하기
인지전략	학습자의 사고와 학습을 지배하는 통제 과정	기억, 사고, 학습을 효율적으로 관리하는 것	기말과제를 작성하기 위해 새로운 방식의 목록 카드 작성하기
운동 기능	일련의 신체적 움직임을 수행하기 위한 능력 및 실행계획	신체적 계열이나 행위를 시범 보이기	구두끈을 묶거나 배영을 시범 보이기
태도	어떤 사람, 대상, 사건에 관해 긍정적이거나 부정적인 행위를 하려는 경향	어떤 대상, 사건, 사람에 대하여 가까이 하거나 멀리 하려는 개인적 행위를 선택하기	록 콘서트에 가지 않고 대신 미술관을 방문할 것을 선택하기

↑ 5가지 학습영역

5. 교수사태(events of instruction, 학습의 조건)

(1) 개념

① 다양한 학습상황에서 학습의 외적 조건을 제공하는 일련의 절차를 말한다. 교수사태는 수업을 계획하거나 교육·훈련 프로그램을 개발하는 교수설계자에게 설계를 위한 처방을 제공해 줄 수 있다.

② 가네는 학습의 외적 조건을 제공하는 일련의 절차로서 9가지의 교수사태를 제시하였다.

(2) 9가지 교수사태

① 학습자의 주의 획득: 모든 교수활동에서 실시할 첫번째 일은 학습자의 주의를 획득하여 후속 학습 활동, 즉 교수사태가 원만하게 이루어지도록 하는 일이다.

② 학습자에게 목표 제시: 수업목표 제시는 학습자가 수업이 끝난 후 자신이 학습한 것을 확인할 수 있고, 학습자가 지니고 있는 수업에 대한 기대에 부응하기 위한 목적이다. 학생들에게 "이 단원이 끝나면 여러분은 다음과 같은 것을 할 수 있을 것입니다."와 같은 목표를 알려주는 것은 기대감을 형성하는 데 도움을 준다.

③ 선수학습 요소의 회상 자극: 선수학습은 본 학습에 필수적인 요소로서 새로운 학습을 실시하기 전에 회상된다. 이 단계는 학습자가 새로운 정보를 학습하는 데 필요한 기능을 숙달하는 것으로 새로운 학습은 선수학습에 기초한다.

④ **자극자료 제시:** 학습자에게 학습할 내용을 제시하는 것이다. 학습은 새로운 정보의 제시를 요구하며 새로운 정보의 제시는 학생들에게 새로운 자극의 독특한 특징이 무엇인지를 지적해 줄 수도 있고, 하나의 정의나 규칙의 형태일 수도 있으며 무엇을 하는 방법에 대한 지식일 수도 있다.

⑤ **학습안내의 제공:** 학습할 과제의 모든 요소들을 통합시키는 데 필요한 방법을 제시하는 것으로 이전 정보와 새로운 정보를 적절히 통합시키고, 그 결과를 장기 기억에 저장할 수 있도록 학생들은 도움이나 지도를 받아야 한다. 학습안내를 제공하는 것은 학습자가 수업목표에 명세화된 특정 능력을 보다 용이하게 습득할 수 있도록 돕기 위해서이다. 학습안내 제공은 예나 시연, 도표, 순차적 교수 등 모두 학습자들이 모든 정보를 목표를 수행하는 데 적합하도록 통합하고, 저장하고, 회상하는 것을 돕는 기능을 한다.

⑥ **수행의 유도:** 학습자가 특정의 능력을 습득했는가를 확인하기 위해서는 학습자에게 해당되는 행동을 수행하도록 요구하는 것이 필요하다. 교수자는 학습자의 반응을 유도하기 위한 질문을 하거나 행동을 하도록 지시할 수 있다.

⑦ **수행의 정확성에 관한 피드백(feedback) 제공:** 수행이 얼마나 성공적이었고 정확했는지에 대한 결과를 알려준다. 학습결과에 대한 정보로서의 피드백(feedback)의 제공은 교수사태로서 꼭 필요하다. 가장 효과적인 피드백은 정보적이어야 한다. 즉 반응에 대한 정오(正誤) 판단에 그치는 것이 아니라 오답인 경우 이를 수정할 수 있는 보충 설명을 해주는 피드백이 학습 성취에 효과적이다(교정적 피드백).

⑧ **수행의 평가:** 학습자가 설정한 학습목표를 달성했는지의 여부를 확인하는 것과 의도한 기술을 일관성 있게 수행하는지의 여부를 확인하는 것이 수행평가 사태에서 해야 할 일이다.

⑨ **파지 및 전이의 향상:** 교수활동은 수행의 평가로 끝나서는 안 되고 학습한 것의 파지와 전이를 일부분으로 포함하여야 한다. 이 단계에서는 새로운 학습이 다른 상황으로 일반화되거나 적용할 수 있는 경험을 제공해야 한다. 지적 기능 학습의 파지와 전이를 위해서는 일정한 간격으로 복습이나 연습을 하게 하는 것이 효과적이다.

6. 목표별 수업의 원리

(1) 언어적 정보의 수업

① **선행 조직자의 제공:** 선행 조직자는 오수벨(Ausubel)의 개념으로 학습할 내용을 모두 포괄하는 의미의 조직체이다.

② **이름과 명칭의 기호화를 의미 있게 하기:** 이름이나 명칭을 따로 두기 보다는 문장에 포함시켜 학습하게 함으로써 이름, 명칭, 단어가 보다 의미 있는 형태로 바뀌게 된다.

③ **영상화의 원리:** 대상의 실물이나 그것의 시각적, 청각적 영상을 함께 제시하면 의미 있게 조직된다.

수행의 유도
수행은 학습자들이 연습문제를 작성하거나, 숙제를 하거나, 수업시간의 질문에 대답하거나, 실험을 완료하거나, 그들이 배운 것을 실습할 수 있는 기회를 제공함으로써 유발될 수 있다.

(2) 지적 기능의 수업

① **신호학습(signal learning):** 학습 위계상 가장 단순한 형태로, 고전적 조건 형성을 통해 무의식적으로 행동이 획득된다. 인간의 감정적 반응은 이 유형의 학습을 통해 이루어진다.

② **자극 - 반응 학습(stimulus-response learning):** 도구적 조건형성과 같은 것으로 자극과 반응의 단순한 결합을 의미한다. 학습할 때 즉각적인 강화가 학습을 촉진하게 된다. 이때의 반응은 의지적이고 능동적이라는 점에서 신호학습과 구별된다.

> 예 어린 학생일수록 시험을 치르면 즉각적으로 채점하여 결과를 알려주면 학습이 촉진된다.

③ **연쇄학습(chaining learning, 운동연쇄 학습):** 자극과 반응의 연결로 관념과 관념 사이의 연합에 의해 이루어지며 기억작용이 중심이 된다.

④ **언어연합(verbal association):** 언어를 사용하는 능력에 연결되어 있으며, 언어로 기명된 내용이 이미 얻은 경험체계에 연결되어 필요한 경우에 재생되는 학습이다.

⑤ **변별학습(discrimination learning):** 비슷한 여러 대상을 구별할 수 있는 능력의 학습으로 변별 능력의 학습을 위해서는 각 대상이 두 개 이상의 특징을 소유하고 있어야 한다.

> 예 여러 모양의 삼각형, 사각형, 오각형을 제시했을 때 삼각형을 다른 것과 구별할 수 있는 능력을 말한다.

⑥ **개념학습(concept learning):** 자극 간의 공통성과 유사성에 대하여 반응하는 것으로 다음의 원리학습, 문제해결학습을 위해 학교교육에서 가장 중요한 유형의 학습이다. 어떤 주어진 자극의 내적 성질을 표현하는 방법이 개념화를 통한 방법이다. 이전에 학습한 언어적 연결이 잘 기억되면 개념학습이 촉진된다.

⑦ **원리학습(rule learning):** 두 개 이상의 개념의 연결을 의미하는 것으로 원리나 규칙대로 주위의 장면에 구별해서 반응하도록 하는 학습이다.

⑧ **문제해결학습(problem solving learning):** 새로운 원리를 형성하기 위해 기존의 원리를 조합하여 문제해결의 새로운 아이디어를 생각해내는 것이다.

(3) 인지전략의 수업

인지전략은 내적으로 조직된 통제과정이다. 이를 위한 수업은 많은 지적 기능의 학습을 통해 가능하다. 또 다른 방법은 생산적 사고 개발을 위한 연습 기회를 많이 제공하는 것이다.

 참고

인지전략을 개발하기 위한 방법

1. 가능한 많은 아이디어를 인출하도록 자극한다.
2. 아이디어의 적절성을 평가하는 기법을 알려준다.
3. 문제를 새로운 각도에서 보는 연습을 하게 한다.
4. 적절한 질문을 던지는 연습을 시킨다.
5. 유용한 단서에 민감하게 반응하는 연습을 시킨다.
6. 문제의 본질을 명료하게 하는 방법을 익히게 한다.

---

(4) 태도의 수업

태도를 직접적으로 가르치는 방법은 강화이고, 간접적인 방법은 대리적 강화를 이용하는 것이다. 시범보이기[반두라의 모델링(modeling)]도 태도를 가르치기 위한 방법으로 활용할 수 있다.

(5) 운동기능의 수업

운동기능은 하위 기능으로 구성되어 있기 때문에 이들 기능에 숙달되도록 한다. 다음으로 운동기능의 모범적인 시범을 관찰할 기회를 제공한다.

7. 학습의 내적 조건과 외적 조건

(1) 내적 조건

다음 학습에 필수적이거나 보조적인 것으로 학습자가 이미 습득한 능력의 획득 및 저장(선수학습 능력의 존재 여부)과 학습자 내부의 인지과정의 측면을 지칭한다.

(2) 외적 조건

학습자 외부의 교수사태를 통하여 학습자의 내적 인지과정을 활성화시켜주는 다양한 방법들을 지칭한다.

인지과정
1. 학습준비
2. 정보·기술 획득과 학업수행
3. 학습의 전이

8. 독립변인과 종속변인

(1) 독립변인

① 학습의 외적 조건: 학습자의 외부에서 주어지는 것으로 교사가 학습자에게 제공해주는 것을 말한다.
  ㉠ 강화의 원리: 새로운 행동이 일어났을 때 만족한 결과(강화)가 있으면 학습이 잘 이루어진다.
  ㉡ 접근의 원리: 자극과 반응이 시간적으로 근접할 때 학습이 잘 이루어진다.
  ㉢ 연습의 원리: 새로운 학습내용에 대한 충분한 연습이 있을 때 학습이 잘 이루어진다.

② 학습의 내적 조건: 학습자의 내부에서 갖추어야 할 것을 말한다.
  ㉠ 선행학습은 새로운 학습과제에 대한 선행학습의 정도가 영향을 미친다.
  ㉡ 학습에 대한 학습자의 동기가 학습의 정도에 미친다.
  ㉢ 자아개념은 학습자 스스로가 '성공할 수 있다.'는 긍정적 자아개념이 학습의 정도에 영향을 준다.
  ㉣ 주의력은 학습과제에 집중하는 주의력의 정도가 학습에 영향을 미치는 것을 말한다.

(2) 종속변인

① 학습의 내적 및 외적 조건의 작용을 통해 나타나는 학습의 결과이다.
② 학습력의 획득: 학습의 성과로서 갖게 되는 지식, 기능, 태도 등이다.
③ 학습력의 파지: 학습한 지식이나 기능을 기억하는 것이다.
④ 학습력의 전이: 기억한 지식이나 기능을 다른 장면에 적용하는 것이다.

9. 의의

(1) 가네의 이론은 과제분석을 통해 학습과제를 계열화 혹은 위계화시킨다.

(2) 각 수업목표를 행동목표로 진술하고 도착점 행동의 달성에 앞서 먼저 달성해야 할 선행 학습과제가 무엇인지 확인한다.

(3) 학습과제는 위계화되어 있기 때문에 어떤 학습과제를 학습시키기 위해서는 그에 선행한 학습과제를 먼저 학습해야 한다.

(4) 가네의 이론은 수업상황에 필요한 의사소통 특징과 매체의 속성을 고려하여 매체를 선택해야 한다고 보았다. 수업상황은 매체 선택에서 매우 중요한 요인이 된다.

기출문제

가네(Gagné)가 제시한 학습의 결과에 해당하지 않는 것은?　　2020년 국가직 9급

① 태도
② 언어정보
③ 탐구기능
④ 운동기능

해설

가네(Gagné)의 교수모형에서는 학습의 결과를 인지적 영역(언어정보, 지적기능, 인지전략), 정의적 영역(태도), 운동적 영역(운동기능)으로 구분하였다.　　**답 ③**

참고

미시적 교수전략과 거시적 교수전략[라이겔루스(Reigeluth)]

1. 미시적 교수전략

① 하나의 개념이나 원리 등을 조직적으로 가르치는 기본적인 방법이다. 그러한 방법에는 정의, 예, 연습 그리고 변형된 제시와 같은 전략 관련 요소들이 포함된다. 메릴(Merrill)의 CDT가 대표적이다.

② 거시적 수준에서 교육내용이 선정된 후 하나 하나의 단위수업에서 가르치는 데 필요한 아이디어들을 모아 놓은 것으로 '어떻게 가르칠 것인가'에 해당한다. 미시적 수준의 전략은 학습자의 동기를 높이기 위한 전략, 각종 수업내용의 제시전략, 강화전략 등 다양한 수업설계와 실행에 대한 전략들로 구성된다.

2. 거시적 교수전략

① 하나 이상의 개념들을 묶어주는 계열화, 통합, 배운 개념들의 요약(예습과 복습)과 같은 교수의 측면들을 구조화하는 기본적인 방법이다. 라이겔루스(Reigeluth)의 정교화 이론이 대표적이다.

② 교육과정이 결정된 후 가르쳐야 할 여러 개의 주제들에 대해 내리는 결정으로 이는 '무엇을 가르칠 것인가'에 해당하는 것으로 가르칠 내용의 선정에 해당하는 것을 말한다.

2 메릴(M. D. Merrill)의 내용요소제시이론(CDT) 모형

1. 의의

(1) 메릴은 행동주의적, 인지적, 인간주의적 관점에서 학습과 교수에 관한 모든 지식을 통합하여 처방적 교수이론인 내용요소제시이론(Component Display Theory, CDT)을 제시하였다. 가네의 이론을 기초로 인지적 영역에 대한 보다 구체적인 처방을 제시한 것이다.

(2) 인지적 영역을 중심으로 하고, 인지적 영역 내에서도 주로 하나의 개념이나 원리와 같은 단일 아이디어들을 가르치는 것과 같은 미시적 수준을 다루고 있다. 즉 교수설계에서 방법변인을 다루는 조직전략 가운데 미시적 전략을 다룬다.

2. 내용 - 수행 행렬표

(1) 학습과제의 분류 수준을 수행수준과 내용 유형으로 분류한 이차원적 분류 체계를 제시하였다. 이는 타일러(Tyler)와 블룸(Bloom)의 이원목표 분류표와 유사하다.

(2) 수행수준은 기억하기, 활용하기, 발견하기의 세 차원으로, 내용 유형은 사실, 개념, 절차, 원리로 구성된다. 기억하기는 가네(Gagné)의 언어정보, 활용하기는 지적 기능, 발견하기는 인지전략에 해당한다.

(3) 사실의 활용과 발견은 존재하지 않는다. 이는 사실이 일반성과 추상을 지니고 있지 않기 때문이다. 즉 내용 - 수행 메트릭스는 10개의 범주로 구분된다.

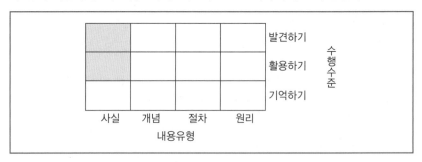

(4) 표에서 수행수준과 내용 유형이 교차되는 칸들은 학습결과의 범주를 나타내며, 메릴에 의하면 모든 교수목표나 평가문항은 수행 - 내용의 행렬표의 10개 범주로 분류될 수 있다고 하였다. 이 행렬표는 교사의 수업목표 설정, 평가문항의 작성, 교과내용 및 수행의 분류에 활용될 수 있다.

3. 학습과제 분류

(1) 수행수준과 학습내용

수행수준	기억하기(remember)	저장되어 있는 정보를 재생하거나 재인하기 위해 학습자가 기억된 정보를 탐색하는 수행이다.
	활용하기(use)	학생들이 학습한 개념, 절차, 원리 등을 구체적인 실제 상황에 적용해보는 수행이다.
	발견하기(find)	학생들이 새로운 추상성, 즉 개념, 절차, 원리 등을 도출해내는 창조적인 수행이다.
학습내용	사실(fact)	이름, 날짜나 사건, 혹은 특정한 사물과 사건을 지칭하기 위해 사용한 기호들처럼 임의적으로 사물과 사건을 연관지어 명명한 정보이다.
	개념(concept)	공통적인 속성을 지니고 있고 동일한 명칭으로 불리는 사물, 사건, 기호들의 집합이다.
	절차(procedure)	특정한 목적을 달성하거나, 특정한 문제를 해결하거나, 산출물을 만드는 데 필요한 단계들을 순서화한 계열이다.
	원리(principle)	현상이나 사건을 설명하기 위하여 사용한 인과관계나 상호 관련성이다.

(2) 내용 - 수행 분류의 예

사실 - 기억하기	지도에서 온천을 나타내는 기호는 무엇인가?
개념 - 기억하기	침엽수의 특성은 무엇인가?
개념 - 활용하기	이 사진에 나타난 산은 단층으로 된 산의 예인가?
개념 - 발견하기	상 위에 놓인 구슬을 몇 개의 그룹으로 분류해보아라. 그리고 누구든지 네가 한 것과 같게 분류할 수 있도록 각 그룹의 특성을 밝혀라.
절차 - 기억하기	주민 센터에 가서 주민등록 등본을 떼려면 어떻게 해야 하는가?
절차 - 활용하기	양파의 껍질 세포를 관찰하기 위해 현미경을 사용하는 방법을 시범을 해보아라.
절차 - 발견하기	카드를 활용해서 주소록 데이터 베이스를 만들고, 이를 컴퓨터 프로그램으로 작성해보아라.
원리 - 기억하기	지도를 만들 때 사용하는 세 가지 투사기법에 대해 설명해보아라.
원리 - 활용하기	생태계를 중심으로 종(種) 상호 간의 의존성과 세대의 순환 등에 대하여 알고 있는 지식을 토대로 몇 가지 가능한 가설을 설정해보아라.
원리 - 발견하기	담배 연기가 인체에 미치는 효과를 분석하기 위한 실험 장치를 만들어 보고, 이를 이용하여 실험 후 그 결과를 보고하라.

4. CDT의 교수처방(자료제시 형태)

(1) 1차 제시형과 2차 제시형

① 1차 제시형: 목표의 성취를 위한 가장 기본적인 자료 제시방법으로 수업의 뼈대 역할을 수행한다. 즉 1차 제시형은 목표로 설정한 학습이 일어날 수 있기 위해 필요한 가장 최소한의 기본적인 자료를 제시하는 방식을 말한다. 이는 수업의 주요 수단으로 볼 수 있다.

② 2차 제시형: 1차 제시형에 추가하여 학습을 보다 더 용이하게 할 수 있도록 지원해 줄 수 있는 부가적인 자료를 제시하는 방식으로 주요 교수전략에 추가하여 학생들의 정보처리 과정을 촉진시켜 주거나, 혹은 맥락, 배경과 같이 흥미 있는 요소를 제공해주는 정교화의 기능을 지닌 자료 형태를 말한다.

(2) 자료제시에 따른 교수방법

메릴은 1차 제시형에서 자료제시 형태를 일반성 G(Generalities)과 사례 eg(exampli gratia)라는 개념을 한 차원으로, 설명적 E(Expository) 제시형과 질문적 I(Inquisitory) 제시형이라는 개념을 또 다른 차원으로 2차원화한 4개의 범주를 사용하여 제안한다.

구분	설명식, 말로 알려주기 (E)	탐구식, 질문하기 (I)
일반화, 규칙 (G)	(EG) 설명식 - 일반화	(IG) 탐구식 - 일반화
사례, 예 (eg)	규칙, 원리를 설명하기(Eeg) 설명식, 사례, 예 사례, 예제를 설명하기	규칙, 원리를 탐구하기(Ieg) 탐구식, 사례, 예 사례, 예제를 질문하기

⬆ 자료제시 형태에 따른 교수방법

EG(일반 - 설명식)	교사가 개념이나 원리를 설명해 주는 수업방식이다. 예 삼각형의 개념을 설명해 주거나 삼각형의 넓이를 구하는 법칙을 말로 진술해 주는 등의 수업형태이다.
Eeg(예제 - 설명식)	교사가 개념이나 원리 대신에 이들이 적용되는 실제의 사례를 들어 설명해 주는 형태이다. 예 삼각형의 여러 예를 들거나 넓이를 구하는 문제를 예를 들어 설명해 주는 수업형태이다.
IG(일반 - 질문식)	교사가 학생들로 하여금 이미 배운 삼각형의 정의나 넓이를 구하는 공식을 질문을 통해 재생시키거나, 학습하지 않은 경우에도 질문을 통해 이들을 학습시키는 경우이다. 예 "삼각형의 넓이는 어떻게 하면 구할 수 있을까요?"와 같은 질문을 통해 수업을 전개하는 경우이다.
Ieg(예제 - 질문식)	교사가 질문을 통해 개념이나 원리가 적용되는 사례에 대해 답을 하도록 하는 경우로 학생이 이미 학습한 것일 수도 있고, 아닐 수도 있다. 예 삼각형의 밑변이 10cm, 높이가 15cm일 때, 넓이를 구해보라는 식의 수업형태이다.

(3) 적용

이와 같은 4가지 제시 형태는 어떤 종류의 수업에서도 발견할 수 있는 기본 유형이며, 실제의 수업은 이 네 가지 기본 형태가 다양하게 혼합되어 이루어진다.

참고 실제 수업에서 적용의 예
- EG1, EG2, EG3 ⋯ (규칙을 차례대로 설명하는 설명식 수업)
- EG1, Eeg1, EG2, Eeg2 ⋯ (규칙 다음에 예가 제시되는 설명식 수업)
- Eeg1, Eeg2, Eeg3, IG ⋯ (일련의 사례 제시 후에 규칙을 발견하게 하는 발견식 수업)

3 라이겔루스(C. M. Reigeluth)의 수업 정교화 이론

1. 특징

(1) 개념

교수설계에 관한 거시적 수준의 이론으로서 여러 개의 아이디어를 어떻게 연결, 계열화하는가에 대한 처방적 교수전략이다. 정교화 이론의 문제영역은 교과내용의 선정, 계열화, 종합, 요약으로 구성된다.

(2) 처방적이란 목표로 하는 결과와 조건에 따라서 상이한 교수전략과 방법이 처방적이어야 한다는 것으로 라이겔루스의 교수이론에서의 처방성은 학습과제의 유형에 따라 교수전략과 방법이 다르게 나타난다.

(3) 정교화 이론은 대요(epitome)라는 교수의 전체적인 윤곽을 시작으로 점차 세분화하고 구체적인 내용으로 정교화하는 전략을 택한다.

(4) 라이겔루스는 교수전략과 방법의 구성 요소를 고려하고 있는데, 교수전략의 체계성을 보여주기 위해 교수전략을 크게 조직전략, 전달전략, 관리전략으로 구분하였고, 조직전략은 미시적 전략과 거시적 전략으로 구분하였다.

조직전략	수업 내용을 조직하기 위한 기본 방법을 다룬다. 조직전략 중 미시적 전략은 단일한 아이디어(개념, 원리, 절차 등)에 관한 수업을 조직하는 기본 전략이고 거시적 전략은 여러 아이디어 간의 순서와 계열성에 관한 방법이다.
전달전략	학생에게 수업내용을 전달하고, 전달된 내용에 대해 반응하게 하는 방법이다. 매체, 교사, 교과서의 활용 방식을 다룬다.
관리전략	어떠한 조직전략과 전달전략을 언제 사용할 것인가에 관한 기본 방법으로 예를 들어 수업을 개별화하는 방법 혹은 교수 자원을 활용하는 시기에 관해 관심을 둔다.

2. 정교화 이론의 교수전략

(1) 한 코스 내의 레슨들의 내용 조직을 위한 정교화 계열

정교화 이론에서 가장 중요한 교수설계 처방지침의 하나는 교수 - 학습과제 조직에 있어서 단순 - 복잡에 의한 학습내용의 계열화이다. 이는 카메라의 줌 렌즈를 사용하여 피사체를 보는 접근방법과 유사하다.

(2) 한 레슨 내의 선수학습 요소 및 내용 조직을 위한 정교화 계열

단순 - 복잡의 차원에서 먼저 하나의 코스가 일련의 레슨으로 분류되고, 뒤따라 해당 코스를 구성하는 모든 레슨에 적절하게 교수내용이 할당되어진다. 이어서 이들 레슨들은 단순 - 복잡 계열의 정교화 측면에서 순서적으로 연결, 조직되어진다. 정교화는 교과내용의 특성에 따라 개념적 정교화, 절차적 정교화, 이론적 정교화로 구분된다.

① 개념적 정교화: 가르쳐야 할 개념을 어떻게 유의미하게 인지구조에 동화시키는가 하는 과정과 관련된다. 가르칠 개념을 상위개념, 동위개념, 하위개념으로 분류하여 개념 조직도를 고안하고, 이 가운데 가장 중요하고 포괄적이고 근원적인 것을 선정한다. 이를 토대로 가장 일반적이고 포괄적인 것부터 점진적으로 보다 상세하고 포괄성이 적은 개념의 순서로 top-down접근에 의해 계열화한다.

② **절차적 정교화**: 목표로 하고 있는 절차적 기술, 즉 '어떻게'라고 하는 기술을 획득하는 최적의 과정을 계열화하는 것이다. 절차적 정교화에서는 해당 과제의 가장 단순한 형태 혹은 최단 코스를 모색하고 이를 단순화된 절차에 의해 명세화한다.

③ **이론적 정교화**: 교수내용이 사회, 경제 교과와 같이 '왜'라고 하는 이론적인 것에 기초하고 있는 경우에 사용되는 것을 말한다. 가르쳐야 할 원리들의 폭과 깊이를 명세화하고 이들 원리 중에서 가장 먼저 가르쳐야 할 원리를 확인하고 이들 원리들을 순차적으로 연결하는 교수계열을 고안한다. 이론적 정교화는 원리들을 가장 기초적이고 구체적이며 명백한 원리로부터 가장 세부적이고 복잡하고 포괄성이 적은 원리의 순서로 연결되어 정교화되도록 한다.

(3) 요약자(summerizers)

① 학습한 내용을 체계적으로 복습하는 데 사용되는 전략요소이다.

② 학습한 개개의 사상이나 현상에 대한 요점적 진술을 제공하고, 전형적이고 쉽게 기억될 수 있는 예를 제공한다.

③ 개개의 사상에 대한 진단적인 자기평가 문항을 제공한다.

④ 첫째, 가르친 개개의 아이디어나 사실에 대한 간결한 진술, 둘째, 전형적이면서 외우기 쉬운 예, 셋째, 각 아이디어에 대한 진단적·자기 평가적 연습문제들로 구성된다.

(4) 종합자(synthesizers)

① 사상들을 연관시키고 통합시키기 위해 사용된다.

② 종합자의 역할은 학습자에게 필수적이며 가치 있는 지식을 제공하고, 개개 사상의 심도 있는 이해를 촉진시키며, 교수 전반에 대한 의미성, 흥미를 향상시키며 학습한 내용에 대한 기억을 증진시킨다.

③ 개념들 간의 관계를 보여주는 개념도(concept map), 순서나 단계를 보여주는 플로우차트(flowchart), 의사결정 과정을 보여주는 표, 노드(nodes)와 화살표로 구성된 인과 모델(cause-effect model) 등을 활용하여 학습 내용의 구조를 명확하게 이해하도록 돕는다.

④ 오수벨의 선행 조직자와 같은 역할이나, 켈러의 ARCS모형에서의 '자신감'을 부여하는 기능을 한다.

⑤ 종합자의 활용의 목적

　㉠ 학생들에게 가치 있는 지식의 유형을 제공하기 위해 활용한다.

　㉡ 비교와 대조를 통하여 각각의 아이디어들에 대한 보다 깊은 이해를 촉진시키기 위해 활용한다.

　㉢ 새로운 지식의 유의미성과 동기유발 효과를 증진시키기 위해 활용한다.

　㉣ 새로운 지식들 간의 부가적인 관련을 이루도록 하고 또한 새로운 지식과 학습자의 선행 지식 중에서 관련 있는 것끼리 연결을 이루도록 함으로써 파지를 증진시키기 위해 활용한다.

(5) 비유(analogies)

① 새로운 정보를 학습자가 이미 습득한 친숙하고 의미 있는 조직된 지식과 연관시키는 기능을 한다.

② 학습자에게 학습자가 사전에 경험한 구체적인 지식을 회상시킴으로써 학습자가 추상적이고 복합적인 사상을 받아들일 수 있도록 준비시키는 역할을 한다.

(6) 인지전략 활성자(cognitive strategy activators)

학습자가 포괄적이고 일반적인 지식을 사용하도록 학습자의 인지과정을 활성화시키기 위해 어떤 교과에서나 사용된다.

(7) 학습자 통제 형태

학습자가 이미 선수학습을 수료한 레슨들에 대한 선택권을 제공하는 것을 말한다. 학습자에게 수업의 내용이나 전략 등을 선택할 수 있는 대안들을 제공해줌으로써 학습자 스스로가 어떻게 학습할 것인가를 통제할 수 있도록 하는 전략이다.

3. 의의

(1) 정교화 이론에 따르면 교수는 간단하고 기초적인 것에서부터 시작하여 보다 구체적이고 복잡한 수준으로 옮겨가야 한다.

(2) 학습자가 학습내용의 부분들의 관계와 중요성을 전체적인 맥락(교수내용의 정수, epitome)에서 파악하도록 도와주며, 주어진 기간 동안 학습자에게 적절하고 의미 있는 복잡성의 수준까지 학습할 수 있도록 한다.

4 켈러(Keller)의 학습동기 유발 수업설계모형(ARCS)

1. 특징

(1) 의의

수업설계에 적용하고자 고안된 것으로 이를 활용한 수업은 전통적 수업에 비해 학습의 효과가 높은 것으로 입증되고 있다(흔히 '악스'로 발음).

(2) 이론적 성격

① 인간의 동기를 결정 지을 수 있는 여러 가지 다양한 변인들과 그와 관련된 구체적 개념들을 통합하였다. 기존 교수에서는 동기의 필요성만을 강조하였지만 켈러는 동기를 일으키는 구체적 방법을 제시하였다.

② 교수 - 학습 상황에서 동기를 유발하고 유지하기 위한 구체적이고 처방적인 전략을 제시하고 있다.

③ 행동주의와 가네의 수업설계 이론에 기초하여 교수설계 모델과 병행하고 활용될 수 있는 동기 설계의 체계적 과정을 포함하고 있다.

④ 학습동기, 학업수행 및 교수영향에 관한 이론을 기초로 한 개인이 어떤 과제를 해결하려는 '노력'과 실제로 행하는 '수행', 그 수행의 '결과'에 영향을 미치는 개인특성 변인과 환경 변인을 통합한 거시적 이론이다.

2. 동기의 구성요소

(1) 주의집중(attention)

학습자의 주의집중을 어떻게 유발하고 유지시킬 수 있는가?
① 학습의 선수조건으로 호기심과 관심을 유발·유지시킨다.

② 학습자가 학습자극을 갖도록 하여 동기를 유발하고 유지시킨다.

③ 학습할 내용에 대한 정보는 일상적인 상식에서 벗어나 주의를 끄는 효과적인 방법을 제시해야 한다.

④ 주의집중의 동기화 전략

    ⑦ 예상하지 못한 단순한 이벤트(예 큰 호각소리, 위아래가 바뀐 단어의 제시 등)에서부터 정신적인 자극을 일으키는 문제를 제공한다.

    ⓒ 변화성(variation)을 제공한다. 학생들은 어느 정도의 변화를 좋아하며, 아무리 좋은 전략도 계속 사용하면 지루한 느낌을 주게 된다.

(2) 관련성(relevance)

이 수업이 어떠한 측면에서 학습자에게 가치있는가?

① '이 과제가 나의 개인적 흥미나 목적과 어떻게 관련되는가'에 대한 정적인 해답을 찾아보고자 하는 노력을 말하며, 교수를 위한 필요와 가치에 관련시킨다.

② 학습의 목적을 명확하게 인식시켜주기 위해 학습자 개개인의 요구나 특성에 맞게 관련된 예시나 구체적 개념을 제공해 주거나 학습자의 사전 경험과 가치에 연관되는 예문 등을 사용한다.

③ 학생들은 무엇을 왜 배워야 하는지에 대한 뚜렷한 인식이 정립되면 학습 그 자체에서 즐거움을 찾을 수 있고 학습의 과정에 초점을 맞출 수 있다.

④ 관련성을 높이기 위한 전략

    ⑦ 수업 내용을 취업이나 미래의 학업성취 같은 것과 연계시킨다.

    ⓒ 학습자의 관심사나 경험과 관련 있는 모의상황, 비유, 사례연구, 실례 등에 사용한다.

(3) 자신감(confidence)

학습자들이 자신의 통제하에서 성공하도록 하기 위해 어떻게 도와줄 수 있는가?

① 성공에 대한 자신감과 긍정적 기대를 갖도록 한다. 학습자의 요구가 무엇인지 분명하고, 학습자가 무엇을 해야 할지를 분명히 알 때 자신감이 높아진다.

② 자신감을 높이기 위해서 상세한 목표 설정, 평가기준의 제시, 선행지식이나 정보를 알려준다.

③ 자신에게 어떤 일을 성공시킬 수 있는 능력이 있다는 것을 느끼는 '지각된 능력'과 '성공에의 기대감'이 있을 때 발생된다.

④ 자신감 증진을 위한 전략

    ⑦ 기대되는 목표를 분명히 하고, 가능한 성취의 사례를 제공한다.

    ⓒ 귀인, 즉 어떤 한 상황에서의 성공 경험은 학습자가 그것을 자신의 노력이나 능력의 결과라고 여기도록 한다.

(4) 만족감(satisfaction)

학습자들이 그들의 학습경험에 대해 만족하고, 계속적으로 학습하려는 욕구를 가지도록 하기 위해 어떻게 도와줄 수 있는가?

① 학습 초기에 동기를 유발시키는 요소라기보다는 일단 유발된 동기를 계속 유지시키는 역할을 한다. 즉 강화를 관리하고 자기통제가 가능하도록 한다.

② 학습동기를 유지하기 위해 학습자 스스로 만족할 수 있는 환경을 제공한다. 학습자가 새로 습득한 지식이나 기술을 실제 또는 모의 상황에 적용해보는 기회를 제공하거나, 성공적인 학습결과에 대해 긍정적 피드백이나 보상을 제공하고, 학습자의 학업수행에 대한 판단을 공정하게 함과 동시에 성공에 대한 보상이나 강화가 기대한 대로 주어지도록 한다.

③ 긍정적 결과 제시나 구체적인 적용 기회를 제공하고, 학습자 스스로 조절하고 능동적으로 참여할 수 있는 기회를 준다.

④ 만족감 증진을 위한 전략
 ㉠ 내적 혹은 외적 보상(성적, 영예, 승진, 자격증, 성취에 대한 토론 등)을 제공한다.
 ㉡ 공정성, 즉 수업에서 부여된 경험의 양이 적절하고, 수업목표, 내용, 시험 간에 일관성이 있고, 편애 등이 개입되지 않았다고 학습자가 느끼도록 한다.

3. 각 요소의 구성 범주

주의집중	① 이벤트 제공: 예상하지 못한 단순한 이벤트(예) 큰 호각소리, 위 아래가 바뀐 단어의 제시 등)에서부터 정신적인 자극을 일으키는 문제를 제공한다. ② 변화성(variation) 제공: 즉 학생들은 어느 정도의 변화를 좋아하며, 아무리 좋은 전략도 계속 사용하면 지루한 느낌을 주게 된다.
관련성	① 수업 내용을 취업이나 미래의 학업성취 같은 것과 연계시킨다. ② 학습자의 관심사나 경험과 관련 있는 모의상황, 비유, 사례연구, 실례 등을 사용한다.
자신감	① 기대되는 목표를 분명히 하고, 가능한 성취의 사례를 제공한다. ② 귀인, 즉 어떤 한 상황에서의 성공경험은 학습자가 그것을 자신의 노력이나 능력의 결과라고 여기도록 한다.
만족감	① 내적 혹은 외적 보상(성적, 영예, 승진, 자격증, 성취에 대한 토론 등)을 제공한다. ② 공정성, 즉 수업에서 부여된 경험의 양이 적절하고, 수업목표, 내용, 시험 간에 일관성이 있고, 학습자가 편애 등이 개입되지 않았다고 느끼도록 한다.

4. 동기유발 및 유지 방법

(1) 주의 환기 및 집중을 위한 전략

지각적 주의환기의 전략	① 시청각 효과를 활용한다. ② 비일상적인 내용이나 사건을 제시한다. ③ 주의 분산의 자극을 지양한다.
탐구적 주의환기의 전략	① 능동적 반응을 유도한다. ② 문제해결 활동의 구상을 장려한다. ③ 신비감을 제공한다.
다양성의 전략	① 간결하고 다양한 교수형태를 사용한다. ② 일방적 교수와 상호작용 교수를 혼합한다. ③ 교수자료의 변화를 추구한다. ④ 목표 - 내용 - 방법의 기능적으로 통합한다.

(2) 관련성 수립을 위한 전략

친밀성의 전략	① 친밀한 인물 혹은 사건을 활용한다. ② 구체적이고 친숙한 그림을 활용한다. ③ 친밀한 예문 및 배경지식을 활용한다.
목적지향성의 전략	① 실용성에 중점을 둔 목표를 제시한다. ② 목적 지향적인 학습형태를 활용한다. ③ 목적의 선택 가능성을 부여한다.
필요나 동기와의 부합성 강조의 전략	① 다양한 수준의 목적을 제시한다. ② 학업성취 여부의 기록체제를 활용한다. ③ 비경쟁적 학습상황의 선택이 가능하다. ④ 협동적 상호 학습상황을 제시한다.

(3) 자신감 수립을 위한 전략

학습의 필요조건 제시의 전략	① 수업의 목표와 구조를 제시한다. ② 평가기준 및 피드백을 제시한다. ③ 선수학습 능력을 판단한다. ④ 시험의 조건을 확인한다.
성공의 기회 제시 전략	① 쉬운 것에서 어려운 것으로 과제를 제시한다. ② 적정 수준의 난이도를 유지한다. ③ 다양한 수준의 시작점을 제공한다. ④ 무작위의 다양한 사건을 제시한다. ⑤ 다양한 수준의 난이도를 제시한다.
개인적 조절감 증대의 전략	① 학습의 끝을 조절할 수 있는 기회를 제시한다. ② 학습속도의 조절이 가능하다. ③ 원하는 부분으로 재빠른 회귀가 가능하다. ④ 선택 가능하고 다양한 과제와 난이도를 제공한다. ⑤ 노력이나 능력에 성공 귀착

(4) 만족감 증대를 위한 전략

자연적 결과 강조의 전략	① 연습문제를 통한 적용의 기회를 제공한다. ② 후속학습 상황을 통한 적용의 기회를 제공한다. ③ 모의상황을 통한 적용의 기회를 제공한다.
긍정적 결과 강조의 전략	① 적절한 강화 스케줄을 활용한다. ② 의미 있는 강화를 제공한다. ③ 정답을 위한 보상을 강조한다. ④ 사려 깊은 외적 보상을 사용한다. ⑤ 선택적 보상 체제를 활용한다.
공정성 강조의 전략	① 수업목표와 내용의 일관성을 유지한다. ② 연습과 시험 내용이 일치한다.

秀 POINT　소집단 교수와 팀 티칭

1. 소집단 교수(Micro Teaching)

(1) 특징

① 소집단 수업방법의 하나로 기업체의 직원교육뿐만 아니라 사범대학의 예비교사 교육에 활용되고 있는 형태로 Stanford 대학에서 개발되었다.

② Micro라고 부른 이유는 ㉠ 예비교사가 정규적 수업에서 사용되는 교수기능 중 한두 가지만을 분리하여 연습할 수 있었고, ㉡ 정규수업 기간보다 훨씬 짧은 기간 동안 수행해 볼 수 있었기 때문이었다.

③ 복잡하지 않고 시간이 짧고 소규모로 실제 수업상황을 축소한 형태의 수업으로 이루어진다. 수업시간, 수업내용, 교수기능, 학습자 수, 교실 크기 등이 실제보다 압축된 상태이며, 준비단계, 교수단계, 평가단계, 재교수단계, 피드백단계가 체계적으로 계획된다.

④ 가르치는 대상의 유형에 따라 형태가 다양하다. 정규교사가 소그룹의 예비 교사들과 더불어 수행하기도 하지만 다른 예비교사가 가르치는 교사역할과 학습자의 역할을 동시에 맡기도 한다. 이러한 형태로 수행되는 것을 동료교수(peer teaching)라고 한다.

⑤ 적용사례: 면접자, 은행관리자, 상점 안내원, 세일즈맨을 비롯하여 상호작용하는 업무를 담당하고 있는 직업인 훈련 등에서 찾아볼 수 있다.

(2) 수업절차

① 준비단계

㉠ 수업목표를 명확히 하고 실시·운영계획을 세운다.

㉡ 교사가 직접 혹은 비디오테이프를 사용하여 시범을 보인다.

㉢ 그룹멤버들은 주제나 상황을 선택하고 5 ~ 8분의 수업시간을 준비하는데, 그 수업시간 내에서 시범할 특별한 기능을 연습한다.

② 교수단계: 그룹에서 한 명이 교사의 역할을 맡고 다른 사람들이 학생의 역할을 맡아 수업이 진행된다. 학생들이 참여한다면 다른 예비교사는 관찰자나 평가자의 역할을 맡는다.

③ 평가단계: 수업의 진행과 교사 역할 수행이 평가된다. 평가방법은 다양한데, 사전에 준비된 평가 체크리스트에 적거나 수업의 진행을 카메라에 녹화한 비디오 기록 등에 의해 평가한다. 평가는 교사의 관찰과 조언, 다른 예비교사의 관찰과 조언에 의해 이루어진다.

④ 재교수단계: 예비교사의 수행이 기대한 표준에 미치지 못한다면 두 번째 주제를 준비하여 다시 시도한다.

⑤ 피드백(Feedback)단계

㉠ 위의 절차는 교사에게 중요하게 여겨지는 다양한 기본적 기능분야에 반복적으로 수행된다. 수행절차는 모형마다 다른데, Stanford 대학 모형은 16개의 각기 다른 기능을 포함하고 있으며, 다른 모형들은 2 ~ 12개 정도로 제한하고 있다.

㉡ 각각의 기능이 개별적으로 완성되면 한 단계 높은 연습이 좀 더 복잡한 주제로 약 15분 정도의 시간 내에 계획되며 그 때에는 몇 가지 기능이 함께 결합되어 연습된다.

2. 팀 티칭(Team Teaching, 협동교수)

① 팀 티칭이란 주어진 수업환경에서 주어진 학습 집단을 위해 여러 명의 교사가 협동적으로 가르치는 것을 말한다.

② 팀 티칭의 목적은 교수 인원의 재조직을 통해 교수의 효율성을 제고하는 데 있다.

소집단 학습(Micro Learning)

짧은 단위의 콘텐츠를 이용하여 언제, 어디서나 쉽게 접촉하여 학습하는 방법으로 보통 한 가지 주제의 내용으로 15분 이내의 콘텐츠를 활용한다.

③ 교수집단과 학습 집단 편성
  ⊙ 팀 티칭하에서의 교수집단 편성은 팀의 책임자를 정하고 책임자 밑에 상급교사, 교사, 실습교사, 사무보조원 등으로 구성하고 책임자가 전 과정을 책임진다.
  ⓒ 팀 티칭의 학습 집단은 정규의 학급정원을 초과하는 대규모 학습 집단, 동일 학년에서 학습 영역별, 2 ~ 3개 학년을 대상으로 한 교과별 수업집단 등으로 편성한다.
④ 유형

책임 / 지원 교수자 모형	팀 티칭을 주도하는 한 사람의 책임 교수자가 있고 다른 교수자들이 그 책임 교수자의 지휘에 따라 특정 내용 부분이나 교수활동 영역에서 수업기획, 개발, 운영 과정에서 역할을 하게 된다.
다수 교수자 모형	여러 명의 교수자가 비슷한 정도의 책임을 갖는다. 이 모형에서는 여러 명의 교수자들이 수업을 총체적으로 기획하는 데 함께 참여하고 실제 운영과정에서는 학습자를 몇 개 반으로 나누어 한 반씩 책임지고 가르치는 형태이다.
협력 교수자 모형	같은 내용을 가르치는 두 명 이상의 교수자가 협력하여 함께 수업을 기획, 개발하면서 수업운영도 함께 해 나가는 형태이다.

⑤ 장점
  ⊙ 교사들의 전문성을 최대로 활용할 수 있다.
  ⓒ 학생들에게 보다 풍부한 경험을 제공할 수 있다.
  ⓒ 학생들의 능력에 맞추어 다양한 학습 집단을 구성할 수 있고, 다양한 교수방법을 사용할 수 있다.
  ② 교사들이 학생 개개인에게 보다 많은 시간을 할애할 수 있다.
  ⑩ 교사들이 교과과정 계획 준비에 적극적으로 참여할 수 있고, 수업자료 활용의 중복을 피할 수 있다.
  ⑭ 교사의 경력, 전문성, 능력 정도를 구분하여 서로 협력할 수 있어 인력자원의 효율적 운영이 가능하다.

秀 POINT TPACK

1. TPACK은 Technological Pedagogical Content Knowledge의 약자로 슐만(Shulman, 1986)의 교수내용지식에 테크놀로지 지식을 추가한 교수전략이다.
2. TPACK 프레임워크는 기술(technological), 교과(subject matter) 및 교육학(pedagogical) 지식의 통합을 통해 교사들이 최고의 수업 경험을 제공할 수 있는 전략이다.
3. TPACK 프레임워크는 다음과 같은 세 가지 주요 구성 요소로 이루어져 있다.
   첫째, 교과지식: 교사가 가르치는 주제에 대한 전문성과 지식으로 이는 학문적인 지식과 실제 수업 경험을 포함한다.
   둘째, 기술적 지식: 교사가 교육에 사용할 수 있는 다양한 기술 도구 및 애플리케이션을 이해하고 활용하는 능력으로 컴퓨터, 인터넷, 소프트웨어 등과 같은 기술에 대한 이해력을 필요로 한다.
   셋째, 교육기술적 지식: 교사가 교과와 기술을 결합하여 학생들에게 가장 효과적인 방법으로 이는 수업 계획, 학생 평가, 학습 자료 개발 등을 포함한다.

02 | 교수 - 학습의 방법적 원리

 핵심체크 POINT

1. 학교에서 자주 사용되는 수업유형

강의법(헤르바르트가 체계화), 문답법(질문법), 토의법(배심토의, 심포지움, 공개토의, 자유토의, 원탁토의), 시뮬레이션(모의상황에서 원리, 규칙 학습), 발견학습 및 탐구학습, 완전학습(캐롤의 학교학습과 블룸의 학습전략), 프로그램 학습(스키너의 작동적 조건화 적용), 적성처치상호작용(ATI), 버즈학습

2. 집단교수법

원탁토의	토의의 가장 일반적 유형으로 5 ~ 10명의 참석자가 자유롭게 의견 교환
심포지움(단상토의)	특정 주제에 대한 전문적 발표와 발표자 간 토의
패널(배심토의)	어떤 주제에 대한 상반된 토의, 청중에게 발언권 주어지기도 함
공개토의(Forum)	전문가 혹은 자원인사(資源人事)가 발표 후 모든 참석자가 공개적으로 질의 응답
자유토의(Colloquy)	청중대표와 자원인사가 발표 후 청중 질의
세미나	특정 연구 주제에 대해 사전 연구 보고서 작성 후 일정 장소에 모여 공개 발표 및 질의

3. 협동학습

① 능력별 팀학습(STAD): 목표제시 → 팀 내 개별학습 → 팀 내 협동학습 → 결과 도출 → 보고서작성 → 전체보고 → 개별평가 → 팀 점수 산출 → 우수팀 게시 및 보상
② 과제분담학습(Ⅰ- 개별평가, Ⅱ- 팀 평가)
③ 토너먼트식 학습(TGT): 경쟁심 유발 가능
④ 자율적 협동학습(Co-op Co-op): 자기평가 및 동료평가 활용
⑤ 팀보조개별학습: TAI, 개별학습과 협동학습 결합
⑥ 어깨동무학습: 전통적 봉 효과와 무임승객효과 발생
⑦ 각본협동: 두 명씩 짝을 지어 한사람은 요약자, 다른 학생은 요약을 논평

1 학교에서 자주 사용되는 수업형태

1. 강의법(Lecture)

(1) 특징

① 중세 대학에서 많이 사용되어 20세기 이후에도 학교에서 가장 빈번하게 사용하는 방법이다. 헤르바르트(Herbart)가 4단계 교수설에 기초하여 체계화시켰다.
② 교사가 교재를 설명하거나 정보를 제시하는 형식으로 진행되는 일방적인 수업 방법이다. 주로 해설이나 설명에 의해 수업이 이루어진다. 언어를 통한 교사와 학생의 상호작용이 주된 교수 - 학습의 형태이다.

③ 교사 중심의 수업이기 때문에 교사가 수업내용을 철저히 분석하고 학습자가 쉽게 이해할 수 있도록 제시되면 유의미 학습이 가능하나 그렇지 못하면 기계적 학습이 일어날 수 있다.

④ 수업자는 학습자에게 수업자가 지닌 지식이나 정보를 전달할 수 있다.

⑤ 코스틴(F. Costin, 1972)의 연구에 의하면, 정보가 간편하고 쉬운 내용은 토의법이 효과적이고, 내용이 복잡하고 어려우면 강의법이 더 효과적이라고 하였다.

(2) 강의식 수업모형

① 앤드루스(Andrews)의 설명적 수업모형(3단계)

단계	학습활동
1단계	개념의 도입: 후속될 학습내용의 이해를 돕기 위한 명확하고 해설적인 일반 개념구조를 도입한다.
2단계	개념 설명을 위한 다양하고 풍부한 자료를 가지고 활동: 개념 혹은 주제에 대한 새로운 정보나 내용이 투입되고 학습자들은 적응활동, 응용활동 등을 수행한다.
3단계	일반화 단계: 새로 습득한 정보의 확충과 일반화를 위한 보충과제를 제시한다.

② 제이콥슨(Jacobsen)의 설명적 수업모형(5단계)

단계	핵심 활동자	활동 내용
1단계	교사	개념, 용어를 정의한 다음 명확히 안다.
2단계	교사	상위 개념을 찾아서 연관 짓는다.
3단계	교사	긍정적이거나 부정적인 예들을 제시한다.
4단계	학생	교사가 제시한 다양한 예들을 분류하고 설명한다.
5단계	학생	그 이외의 또 다른 예를 들어본다.

③ 오수벨(Ausubel)의 선행 조직자 수업모형(3단계)

단계	활동
1단계	선행 조직자의 예시 ㉠ 수업목표를 명확히 한다. ㉡ 선행 조직자를 제시한다. ㉢ 학습자가 지니고 있는 사전 지식과 경험을 현재의 수업내용과 연결지을 수 있도록 자극한다. ㉣ 학습할 의욕을 고취시킨다.
2단계	학습과제 및 자료의 제시 ㉠ 학습과제의 구속성과 실사성을 분명히 한다. ㉡ 자료제시의 논리적 조직을 명확히 한다. ㉢ 자료를 제시한다. ㉣ 점진적 분화의 원리를 이용한다.
3단계	학습자의 인지구조 굳히기 ㉠ 적극적 수용학습의 조장하기 ㉡ 통합조정의 원리 이용하기 ㉢ 학습내용에 대한 비판적 접근 유도하기 ㉣ 학습내용 명료화하기(정리)

(3) 장점

① 다수의 학생들에게 짧은 시간에 많은 양의 학습내용을 전달하기 쉽다.

② 논쟁의 여지가 없는 정보나 개념을 논리적으로 제한된 기간에 전달하고자 할 때 유리하다.

③ 전체 내용을 개괄하거나 요약할 때 유리하고, 수업자의 의지에 따라 학습 환경을 자유롭게 바꿀 수 있다.

④ 내성적이거나 심리적으로 경직되어 있고 융통성이 없는 학습자인 경우에 효과적이다.

(4) 단점

① 학습자가 수동적이 되기 쉽다.

② 교사 위주의 주입식 수업이 되기 쉽다.

③ 집단 전체를 대상으로 수업이 진행됨으로써 개인차를 고려하기가 어렵다.

④ 교과서의 읽기에 치우칠 우려가 높고, 추상적인 개념 전달로 학습능력이 낮은 학습자는 요점 파악이 곤란하다.

2. 질문법(Question and Answer, 문답법)

(1) 개념

소크라테스가 처음 사용한 방법으로 질문과 응답을 계속 진행하면서 학습을 전개시키고 학습목표에 도달하게 하는 귀납적인 교수방법이다.

(2) 질문의 유형[아미돈(Amidon)과 헌터(Hunter)]

① 제한형 질문(폐쇄적 질문): 간단한 사실적 응답을 기대하는 질문으로 인지·기억 수준을 다루는 질문과 수렴적 수준을 다루는 질문이 있다.

  ㉠ 인지·기억 수준의 질문: 사실, 개념, 정보의 재생을 요구하는 질문이다.

  예 •6·25사변은 언제 일어났는가?
    •채소와 과일의 차이점을 말해 보아라.

  ㉡ 수렴적 수준을 다루는 질문: 어떠한 관계를 기술하거나 설명을 요구하는 것으로 정답이나 최선의 대답이 있다.

  예 •왜 이러한 관계는 함수 관계가 아닌가?
    •수요 공급의 법칙에 따라서 정부의 추곡 수매 개입 현상을 설명해 보아라.

② 확장형 질문(개방형 질문): 학습자의 다양한 반응을 기대하는 것으로 정답을 설정할 수 없다. 학습자의 사고과정을 촉진하기 위한 질문이다.

  ㉠ 발산적 사고를 다루는 질문: 어떠한 상황에 대한 이해를 위한 추론의 과정을 드러나게 하는 것이다. 문제의 원인에 대한 다양한 가설과 해결책을 탐색하게 하는 질문들이 이에 속한다.

  예 한강 유역의 환경오염을 방지하기 위해서 정부 혹은 지방자치단체에서는 어떠한 노력을 해야 하는가?

  ㉡ 평가적 사고를 다루는 질문: 가장 고차원적인 사고를 드러나게 하는 것으로 인지·기억사고, 수렴적 사고, 발산적 사고의 과정을 포함하여 자신의 판단, 가치 선택에 대한 입장을 분명히 하는 것을 요구한다.

  예 정보화 사회가 도래하면 학교교육의 목적을 어떻게 재설정해야 하는가?

(3) 질문의 원리

① 사고를 촉진하는 확장형 혹은 개방형 질문을 사용: 질문을 가장 효과적으로 사용하는 것은 학습자의 사고 과정을 촉진하고, 해당 학습 내용과 관련된 학습자의 선행 지식 혹은 경험을 활성화시키는데 있다.

② 학습자를 방어적으로 만드는 질문은 피함: 방어적 질문의 대표적인 것이 '왜'라는 질문이다. '왜'라는 질문은 학습자에게 압력을 가하고, 긴장을 초래하며, 자신을 무조건 방어하려는 태도를 형성하게 하므로 가능하면 피한다.

③ 질문에 대한 학습자의 반응을 존중: 학습자를 존중하는 방법으로, 하나는 질문 후 바로 학습자의 반응이 있기를 기대하지 않고 일정 시간을 기다리는 것이고, 다른 하나는 질문에 대하여 학습자가 대답을 할 때 교사는 수동적으로 듣기만 하지 말고 적극적으로 경청하고 있음을 보여준다.

(4) 질문의 조건

① 학습자가 이해하기 쉽도록 간결하고 명료하게 제시해야 한다.

② 학습 목표와 결부된 뚜렷한 목적을 지녀야 한다. 그렇지 않으면 학습자의 체계적인 사고 활동을 방해할 수도 있다.

③ 학습자의 지적 활동을 개발하며 사고 작용을 자극하도록 전개되어야 한다. 교과서에 나타난 사실을 반복하는 질문은 학습자의 능동적 사고를 자극하지 못한다.

④ 학습자 각 개인의 능력이나 흥미에 맞도록 제시되어야 한다.

(5) 장점

① 학습자의 흥미와 동기를 유발시킬 수 있다.

② 중요한 학습내용에 주의를 집중시키고 심층적인 사고를 유도하면서 문제해결 능력을 기를 수 있다.

(6) 질문의 유의점

① 문답법에서 사용하는 질문은 단순한 암기를 위한 유형이 아니라 학습 내용이나 교재를 비교, 판단하여 학습자가 스스로 답을 얻도록 계획되어야 한다.

② 질문의 형식은 명확하고 간결하며, 질문의 목적이 뚜렷해야 하며, 학습자의 탐구능력과 추상적 사고 작용, 비판적 태도를 기를 수 있어야 한다.

秀 POINT 벨렉(Bellack)의 문답식 수업단계

1. 구조화

① 개념: 교사가 수업에서 논의될 주제나 문제에 대해 먼저 간단히 정리해 주는 것이다.

② 구조화 정도와 학업성취와의 관계: 소어와 소어(Soar & Soar)에 의하면 구조화 정도가 적절했을 때 학업성취에 최적의 효과를 가져 온다.

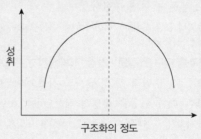

2. 질의
① 개념: 학생의 반응을 유도하기 위한 교사의 질문이다.
② 학생들의 지적 능력을 자극할 교과내용과 관련된 질문을 많이 해야 한다.
③ 학생의 지적 능력을 향상시키고, 토론을 자극하며, 호기심을 유발하고, 노력을 계속하도록 자극하는 질문이어야 한다.

3. 반응
① 개념: 교사의 질문에 대한 학생의 응답 또는 대답이다.
② 예견된 순서대로 지명하면 학습자의 불안을 덜어 효과적으로 반응을 이끌어 낼 수 있다.
③ 자원학생의 경우 소수가 기회를 독점하지 못하도록 공정하게 답변기회를 주어야 한다.
④ 반응선점을 막아야 하지만, 성적이 낮은 학생들에게는 허용하는 것이 더 긍정적인 영향을 준다.

4. 대응
① 개념: 학생의 반응에 대해서 교사가 적절히 대응해주는 것이다.
② 재지명: 교사의 질문에 대한 학생들의 답이 틀린 경우 같은 질문을 다른 학생에게 물어보는 방법으로, 학업성적이 높은 학생들에게 효과적이다.
③ 확인질문: 교사의 질문에 대한 학생들의 답이 틀린 경우 쉬운 다른 표현을 써서 같은 학생에게 다시 물어보는 방법으로, 학업성적이 낮은 학생들에게 효과적이다.

3. 토의법(Discussion)

(1) 개념

학습자 혼자 힘으로는 해결할 수 없는 문제에 부딪쳤을 때 서로 의견을 교환하고 집단 안에서 함께 생각하여 문제를 해결하도록 도와주는 방법이다. 공동학습의 한 형태로서 민주주의 원칙에 기반을 둔다.

(2) 유형

① 원탁토의(Round table discussion)
   ㉠ 토의의 가장 기본적인 형태로 참가 인원은 5~10명 정도의 소규모 집단 구성을 이룬다.
   ㉡ 참가자 전원이 상호 대등한 관계 속에서 정해진 주제에 대해 자유롭게 서로의 의견을 교환하는 좌담 형식이다.
   ㉢ 토의에 참가한 구성원들이 자신의 생각을 마음껏 발표하고 청취할 수 있는 분위기를 유도해야 하며 특히 침묵하거나 소외되는 참가자들이 없도록 전체 분위기를 조정해야 한다.
   ㉣ 참가자 모두 발언할 수 있도록 기회를 적절히 제공해야 하며, 원활한 토의를 위해서는 집단 구성원들 간에 충분한 협조와 개방적인 자세, 그리고 공동체 의식이 형성되어야 한다.

② 심포지움(Symposium)
   ㉠ 단상토의라고도 하며, 학술적인 면에서 널리 활용되는 기법이다. 보통 3~6명의 초청된 연사들이 사회자의 진행에 따라 강단에서 각기 특정한 주제에 대한 자신의 견해를 밝히게 된다. 이때 연사의 발표 시간은 10~25분 정도로 진행된다.

         ⓛ 토의 주제에 대해 권위있는 전문가 몇 명이 각기 다른 의견을 공식 발표한 후 이를 중심으로 사회자가 토의를 진행시킨다.

         ⓒ 심포지움에 참가한 전문가와 사회자 그리고 청중 모두는 특정 주제에 관한 전문적인 지식이나 정보, 경험을 지니고 있어야 한다.

         ⓔ 간결하고 논리적인 방법으로 새로운 자료를 발표하기 위해서 그리고 고찰 중에 있는 주제에 대하여 어떤 공정한 방법을 제공할 수 있는 여러 가지 객관적인 관점을 발표하기 위해서 이용된다.

   ③ 패널토의(Panel)

         ⑨ 어떤 주제에 대해 특별한 지식을 지닌 6명 내외의 전문가들이 탁상에 둘러 앉아 주제에 대해 토의하는 형식으로 배심토론이라고도 한다. 연단은 청중보다 다소 높이 위치한다.

         ⓛ 소수의 선정된 배심원과 다수의 일반 청중으로 구성되어 특정 주제에 대해 상반되는 견해를 대표하는 몇몇 사람들이 사회자의 진행에 따라 토의하며, 청중은 듣기만 하고 때로는 질문이나 발언을 하기도 한다.

         ⓒ 배심원이 반드시 관련 주제 분야의 전문가일 필요는 없다.

   ④ 공개토의(Forum)

         ⑨ 공개집회라고도 하며 모든 참석자가 자신의 의견을 발표할 기회를 갖는 공공집회를 뜻한다.

         ⓛ 원래 공개토의는 고대 로마 시민들이 광장(Porum)에서 공개적으로 토론한 데에서 오늘날 공공문제에 관한 토론회를 일컫게 되었다.

         ⓒ 보통 1~3인 정도의 전문가나 자원인사(혹은 전문가)가 10~20분간 공개적인 연설을 한 후, 이를 중심으로 청중과 질의 응답하는 방식으로 진행한다. 청중이 직접 토의에 참가하여 공식적으로 발표한 연설자에게 질의를 하거나 받을 수 있는 특징이 있다.

   ⑤ 자유토의(Colloquy)

         ⑨ 사회자의 주제에 대한 소개와 안내에 따라 6~8명 정도의 발언자로 구성, 진행되는 토의기법이다.

         ⓛ 참석자의 절반 정도는 청중을 대표하고, 나머지 반은 자원인사(resource person)나 전문가로서 참여하며, 대담토의라고도 한다.

   ⑥ 세미나(Seminar)

         ⑨ 대학에서의 연구토론 방식에서 유래된 것으로 특정 연구주제에 대해 주관기관(단체)으로부터 선정된 일단의 전문가들이 사전 연구보고를 작성하여 제출한 후 일정 장소에 모여 공개적으로 발표하고 참여자로부터 질의를 받고 토론하는 기법이다.

         ⓛ 단일집회(single session)이거나 일련의 연속적인 집회이다.

         ⓒ 참가자들에게 특정 주제에 대한 전문적인 연수나 훈련의 기회를 제공하는 데 주된 목적이 있다. 따라서 참가자 전원은 보고서 형식의 간단한 자료를 상호 교환할 수 있어야 한다.

⑦ 연찬회(Workshop)
  ㉠ 10 ~ 25명 내외의 참여자들이 공동의 관심사나 특정 문제에 대해 집중적으로 연구하고 토론하는 과정을 거침으로써 해결책이나 이에 관한 지식을 높이는 것을 목적으로 하는 기법이다.
  ㉡ 어떤 문제를 규명하고 탐구하며 해결책을 찾기 위하여 활용된다.
⑧ 버즈(Buzz)토의
  ㉠ 3 ~ 6명으로 편성된 집단이 주어진 주제에 대해 6분 가량 토의하는 6 × 6의 형태이다.
  ㉡ 토의과정이 벌집을 쑤셔놓은 것처럼 윙윙거린다는 뜻에서 버즈(buzz)라고 한다.
  ㉢ 일반적 절차는 처음에 3명씩 짝을 지어 어느 정도 토의가 진행되면 다른 3명의 집단을 만나 6명씩 토의하고, 또 어느 정도 지난 다음에는 다른 6명의 집단과 모여 12명의 집단 구성원으로 토의한다.
  ㉣ 이때 각 집단의 사회자나 기록자는 토의한 내용을 의장에게 보고하며, 전체 사회자는 그 보고를 순차적으로 정리하여 일반 토의로 유도한다. 즉 소집단으로 분과토의를 한 다음 최종적으로 전체 집단이 다 함께 모여 토의결과의 결론을 맺게 함으로써 대집단의 종합토의 효과를 얻을 수 있다.

(3) 토의법의 교육적 가치

① **인지적 측면**: 다른 사람으로부터 새로운 정보를 배우는 기회를 제공한다.
② **심리적 측면**: 집단 속에서 수용감, 소속감, 유대감 등을 느낌으로써 집단에 대해 적극적이고 긍정적인 태도를 형성한다.
③ **사회적 측면**: 사회적 태도와 기능을 배양할 수 있다. 즉 집단사고, 집단 문제해결 등을 통해 협력과 참여, 타인 존중 등의 태도를 형성한다.

(4) 단점

① 학습자의 능동적인 참여를 유도하기가 어렵다.
② 교사가 수업을 조절, 관리하기가 곤란하다.
③ 시간과 교사의 더 많은 노력이 필요하다.
④ 다양하고 많은 양의 학습내용을 다루기가 부적절하다.

4. 시뮬레이션(Simulation)

(1) 특징

① 학습자에게 실제와 유사한 상황을 제공하여 실제에서 부딪힐 수 있는 위험부담이 없는 학습 환경을 제공한다.
② 학습자를 실제에 유사한 상황에 몰입시켜 그 상황에서 개념, 규칙, 원리를 스스로 발견하고 이를 실생활에 적용할 수 있도록 하는 효과가 있다.
③ 학습을 설계할 때는 사실과의 유사성이 중요하다. 실제 상황과 지나치게 동일하거나 사실성이 결여되면 학습의 효과가 떨어진다.
예 비행조종이나 화학실험, 영업사원의 연수, 의사결정이 중요한 의과 대학생 등의 학습에서 활용된다.

(2) 장점

① 학생들을 학습의 과정에 능동적으로 참여시킴으로써 현실적인 감각을 부여하고 학습동기를 촉진시킨다.

② 실제 상황에서 필요한 여러 가지 적용기술을 습득함으로써 학습에의 전이도가 높다.

③ 실제 상황을 가속화시키거나 시간을 지연시킴으로써 오랜 시간 걸려서 배울 수 있는 특수한 상황에 대한 통찰력을 기르고, 실제 상황에서 산만하여 목적적인 학습이 불가능한 경우에 수업 외적 요소를 제외시켜 이상적 학습 환경을 설정하여 교육의 효율성을 높인다.

④ 실제 상황을 통한 학습보다 안전하고 편리하기 때문에 통제가 가능하고 언제든지 반복사용이 가능해서 비용과 시간이 절약된다.

5. 게임(Game)

(1) 개념

학습자에게 흥미로운 환경을 제공하고 그 안에서 정해진 규칙에 따라 열심히 노력하면 목적에 도달할 수 있도록 경쟁적이고 도전적인 요소를 첨가한 환경이다.

(2) 장점

수업 환경이 흥미롭고, 새로우며, 공부가 아닌 놀이라는 느낌을 주어 학습자들이 학습내용을 자연히 습득하게 된다.

(3) 단점

지나친 경쟁심을 유발할 수 있고, 흥분과 재미에만 집중하여 본래의 목적을 이루지 못할 수 있다.

6. 역할(놀이)학습

(1) 특징

① 어떠한 문제 상황에서 관찰자가 그 행동을 실제로 하게 하고 참여자들이 함께 바람직한 해결방안을 탐색하는 활동이다.

② 학습자의 사회성 개발과 사회집단 간의 대인관계 형성에 영향을 미친다.

③ 학습자들은 역할놀이를 통해 문제 상황을 실연하고 그 실연 과정을 토론함으로써 인간관계 문제들을 실제적으로 탐색한다.

④ 학습자들로 하여금 자신의 감정을 탐색하고, 그들의 태도, 가치, 지식에 대한 통찰력을 갖게 하며 그들의 문제해결 기능과 태도를 개발하고 교과내용을 여러 가지 방법으로 탐색하게 하는 도구로 활용될, 실제적인 인간행동의 사례를 제공한다.

(2) 장점

① 다른 사람의 역할을 해봄으로써 이 역할이 다른 사람에게 의미하는 바가 무엇인지 깨닫게 된다.

② 개인의 특성·감정·태도·가치·능력을 더 잘 이해하게 된다.

③ 새로운 형태의 행동을 발견할 수 있는 자발적인 기회를 허용한다.

(3) 단점

① 학습자의 준비·수행·추후 토론의 과정에서 시간이 많이 소요된다.

② 적절한 지도력이 없다면 시간 낭비가 된다.

③ 실제와 연결이 없기 때문에 학습자들이 역할에 실제적으로 책임감을 느끼지 않는다.

7. 동료교수(peer teaching)

(1) 특징

① 동료 학습자가 교수자의 역할을 하는 것으로서 내용을 먼저 숙달한 학습자가 그렇지 못한 1~3명의 학습자에게 내용을 가르치는 방법이다(강의형).

② 동료집단 사이에 능력 수준이나 경험의 차이가 클 때 효과적이다.

(2) 교육적 효과

① 고(高)성취 학생과 저(低)성취 학생 모두에게 효과가 있다.

② 고성취 학생은 저성취 학생을 가르치는 동안 특정 교과내용의 관계성과 의미를 더 심도 있게 파악하게 된다.

③ 저성취 학생은 동료학생으로부터 도움을 받게 됨으로써 동기유발이 더 잘 이루어진다.

④ 고성취 학생의 응용능력 향상과 저성취 학생의 학습동기 유발에 큰 효과가 있다.

8. OJT(On-the-Job Training)

학습자를 실제 직무에 배치시켜 경험 있는 종업원, 감독자들이 직무에 대한 전반적인 사항을 알려주고, 실제 직무 수행 시 학습자가 경험하는 것과 동일한 상황, 환경, 보상 등을 통해 현실성을 높이는 방법이다(개인 교수형).

9. 인턴십(Internship)

(1) 2년제 이상의 대학에 재학 중인 학생이 졸업 전에 관심 있는 조직에 일시적으로 근무하여 업무를 체험하는 방법이다(개인 교수형).

(2) 전문직이나 준전문직에 관한 지식을 학교에서 학습했던 학습자가 실제적인 조직에 참여하여 학교에서 배운 지식을 적용, 활용하며 전문적인 역할을 습득하는 데 중점을 두는 방법이다.

10. 서류함 기법(In-Basket Method)

(1) 가상 상황을 실제와 유사하게 만들어 가상의 요구에 따라 의사결정 기술을 평가하거나 개발하는 훈련방법으로 경영실기기법이라고도 한다(실험형).

(2) 훈련 참가자를 여러 가지 업무 관련 자료에 노출시켜 놓고 업무지시 용지를 바구니 안에 넣어 놓고 참가자가 이를 꺼내 정해진 시간 내에 스스로 문제에 대한 답을 내도록 하거나 필요한 행동을 해보게 하는 기법이다.

(3) 참가자들을 업무들이 혼합된 자료에 노출시켜 놓고 일을 처리해나가는 진행과정을 지켜보면서 참가자들의 의사결정 능력, 문제분석 능력, 관리 능력 등을 평가할 수 있다.

11. 비지시적 자율학습법

(1) 자율학습의 기본원리

① 학습자 자신의 내면적인 동기유발로부터 출발한다.
② 스스로 계획을 세우고, 선택한다.
③ 스스로 주도권을 쥐고, 계획에 따라 능동적으로 시작해나간다.
④ 스스로에게 교수자의 역할을 발휘하며, 스스로 평가한다.
⑤ 평가결과에 따라 스스로 보상하고 스스로 환류한다.

(2) 교수자의 역할은 조정자, 중개자, 자원인사 등이 있다.

(3) 종류

① 자율 계약학습: 교사와 학습자 간의 학습계약을 근간으로 하여 이루어지는 개별 연구의 교수 - 학습 방법이다.
② 자아이해의 교육: 니일(A. S. Neill)이 세운 섬머힐(Summerhill) 학교에서 자아이해 교육의 발자취를 찾아볼 수 있다.
③ 로저스(C. Rogers)의 비지시적 교육법: 로저스는 비지시적 상담 치유요법을 하나의 교수방법으로 발전시키고, 긍정적인 인간관계 형성이 곧 사람을 성장시키는 기본원리라고 생각하여 모든 수업은 근본적으로 인간관계의 개념에 기초해야 한다고 생각하였다.

(4) 로저스의 비지시적 교수법 6단계

1단계 - 상황구명	제시된 문제에 대해 학습자의 느낌을 자유롭게 표현한다.
2단계 - 문제탐색	학습자 스스로 문제를 구명한다.
3단계 - 통찰개발	문제에 대해 토의한다.
4단계 - 계획과 의사결정	문제해결을 위한 의사결정을 한다.
5단계 - 통정	더 깊이 통찰하고 문제해결을 위한 보다 긍정적인 행동을 계발한다.
6단계 - 실행	긍정적인 행동을 실천에 옮긴다.

 참고

로젠샤인(B. Rosenshine)의 수업 효과성 연구

로젠샤인은 수업 효과성을 3주기로 나누어 설명하였다.

1. **제1주기**
   ① 교사의 인성과 특성에 대해 연구한 시기이다.
   ② 교수효과를 규명하기 위하여 교사의 태도, 인성, 특수한 지식, 훈련량과 같은 예언변인을 중심으로 연구가 수행되었다.
   ③ 이 당시는 주로 평정법을 사용하였으며 이때 밝혀진 교사의 인성 변인은 자아통제, 사려성, 열성, 매력, 적응성, 외모, 협동심, 흥미, 지도력 등이었다.
   ④ 게이지(Gage)는 이러한 연구결과를 검토하면서 교사의 인성 변인과 학업성취와는 의의 있는 상관관계가 없고 일관성도 없다고 지적하였다.

2. **제2주기**
   ① 교사와 학생의 상호작용에 초점을 두고 연구한 시기이다.
   ② 주로 교사의 행동과 학생의 성취와의 관계를 규명하는 연구로 일명 과정 - 산출 연구라고 한다. 여기서 과정이란 교사의 행동이고, 산출은 학생의 학업성취이다.

③ 이 연구를 통해 내용 제시의 명확성, 수업활동의 다양성, 교사의 열성, 과제 지향성, 학생의 학습기회, 교사의 비지시성 또는 학생의 아이디어 이용, 비판, 구조적 논평의 사용, 질문의 형태, 학생의 반응검토와 같은 행동유목이 학생의 학업성취와 관계가 있음을 규명하였다.

④ 이들 변인 중 다섯 가지 변인, 즉 '내용 제시의 명확성, 수업활동의 다양성, 교사의 열성, 과제 지향성, 학생의 학습기회'가 수업의 효과성과 상관이 있으나 이들 개념이 좀더 명확히 정의되어야 할 것을 지적하였다.

3. 제3주기

① 학생의 주의, 학생이 숙달해야 할 내용, 학생의 주의를 증진하는 상황을 연구한 시기이다.

② 학생에 초점을 두고 있으며 특히 학생이 숙달해야 할 내용, 학생이 학습과제에 참여하는 시간, 학습참여를 증진시키는 상황에 집중하고 있다.

③ 메드리는 이러한 유형의 연구를 교사의 지시적 수업이라 명명하고 있다.

2 협동학습(Cooperative Learning)

1. 특징

(1) 개념

① 학생들이 공통의 과제를 함께 공부하고 서로 격려하는 일련의 수업방법이다[슬라빈(Slavin)].

② 학생들이 공통의 목표를 향하여 함께 활동함으로써 서로 돕고, 학생들의 다양한 기능이 존중되고 이용되며, 모든 사람이 집단을 위해 무엇인가 기여하고 되고, 교사는 이런 일이 일어나도록 과제를 구조화하는 학습이다[슈니더윈드와 데이비드슨(Schniedwind & Davidson)].

(2) 일반적인 특성

① 긍정적인 상호의존적 관계를 형성한다.

② 학생들 간 대면적 상호작용을 요구한다.

③ 학습과제 완성에 대한 개인적 책무성을 중요시한다.

④ 대인 간 및 소집단 기능을 적절히 활용한다.

⑤ 협동학습 팀의 크기는 보통 2 ~ 6명의 소집단으로 구성된다.

⑥ 어떤 모형에서는 향상 점수가 주로 활용된다.

⑦ 팀 조직기능과 집단 활동 기능이 중시되고 과제 및 역할 전문화 활동이 도입된다.

(3) 협동학습 체제가 필요한 경우

① 학습과제가 상위인지(meta-cognition)에 속하는 것일 때: 문제해결력과 같은 상위인지에 속하는 학습유형은 학습자들이 토의하고, 협의하고, 논의와 논쟁의 활동과정을 통해 효과적으로 성취될 수 있다.

② 과제가 고차원적이고 복잡한 문제해결을 요구할 때: 집단 활동이나 집단 사고를 통해 확산적 사고나 대안적 가설을 복합 생성하여 정확한 해결이 더욱 조장될 수 있다.

③ 집단 구성원들이 성별·인종·학습능력 등에서 이질적일 때: 협동학습의 학습 집단을 구성할 때는 이질혼성 집단으로 구성하는 것이 원칙이다. 서로 다른 능력, 취미, 성격, 성별 등이 서로 대화를 주고받는 과정에서 이질감을 극복할 수 있다고 본다.

④ 정의적 영역의 학습일 때: 협동학습은 자아 존중감을 높이고, 문화 간·인종 간 교우관계를 증진시키며, 친사회적 행동을 조장하고 긍정적인 교실 분위기를 가져오는 장점이 있다.

⑤ 학생들의 사회적 발달이 중요한 수업목표의 하나일 때: 협동학습을 통해 학생들은 교우관계가 좋아지고, 지도자 역할, 갈등 처리 능력, 토의 기능, 의사소통 능력 등과 같은 사회적 기능을 기를 수 있다.

⑥ 장애아동과 정상아동과의 통합교육이 필요할 때: 장애아동과 정상아동 간의 이질성을 극복하고 상호이해를 증진시키는 데 개별학습보다 협동학습의 방법이 효과적이다.

(4) 협동학습 모형의 기본 구조

① 협동적 과제구조(cooperative task structure): 2명 이상의 학습자가 어떤 과제에 대해 함께 학습하도록 노력하고 격려되는 상황을 말한다.

② 협동적 유인 구조(cooperative incentive structure): 학생들이 평가받는 형식으로 두 명 이상의 개인이 한 집단으로서 성공할 때에 받는 보상을 공유함으로써 보상에 대해 상호의존적이다(단, Jigsaw I은 보상 의존성이 낮음).

2. 협동학습의 모형

(1) 능력별 Team학습(Student Teams Achievement Divisions; STAD)

① 협동학습에서 가장 간편한 모형으로 기본기능의 습득이나 사실적 지식의 이해를 위한 것이다. 팀은 이질적인 4~5명으로 구성된다.

② 수업절차

    ㉠ 교사가 교재를 제시한다.

    ㉡ 학생들은 팀을 이루어 주어진 교재를 학습지를 통해 학습한다. 이때 팀 구성원 모두가 다음에 있을 형성평가(quiz)에서 100% 목표달성을 할 수 있다고 확신할 때까지 동료 간에 서로 가르치며 배운다.

    ㉢ 교재 내용에 대한 개별적 평가를 받는다.

    ㉣ 개인별 평가점수는 '동석차'라는 체제를 이용하여 팀 점수로 환산된다. 즉, 각 팀에서 지난 성적이 1위인 학생의 형성평가 점수를 비교하여 점수 순으로 1·2·3등의 학생에게 8·6·4점을 팀 점수로 주고, 나머지는 2점을 팀 점수로 환산하여 준다. 그리고 각 팀별로 지난 성적이 2위인 학생, 3위인 학생들을 같은 방식으로 비교하여 개인별 형성평가 점수를 팀 점수로 환산한다.

    ㉤ 개인별 향상점수(improvement point)가 팀 점수로 추가된다. 향상점수란 학생 개인의 퀴즈 점수와 그의 이전 퀴즈 점수를 비교하여 향상된 점수에 기초해서 부과하는 점수이다.

ⓑ 향상점수와 팀 점수를 학급 게시판에 게시하고 최고 성적을 획득한 팀에게 집단보상을 한다.

ⓐ 학기말 성적 산출은 기본적으로 개인의 점수에 의하나 학교정책에 반하지 않는 한 팀 점수와 향상점수를 포함할 수 있다.

퀴즈 점수	향상점수
기본점수에서 10점 이상 하락	0
기본점수에서 1점 ~ 10점 미만 하락	10
기본점수에서 동점 또는 10점 미만 상승	20
기본점수에서 10점 이상 상승	30
만점	30

⬆ 향상점수의 기준

③ 장점

㉠ 다른 모형에 비해 적용하기 간편하다.

㉡ 다인수 학급에서 적용하기 쉽다.

㉢ 향상점수를 부여하기 때문에 성적이 낮은 학생도 노력 여하에 따라 팀에 크게 기여할 수 있다.

㉣ 향상점수는 개인의 동기유발과 참여의식을 높여줄 수 있다.

④ 단점: 학습과제의 개별화가 어렵기 때문에 팀 리더가 모든 팀 활동을 주도하기가 용이하다.

(2) 토너먼트식 학습(Team-Games-Tournament; TGT)

① 특징

㉠ 능력별 Team 학습(STAD)과 마찬가지로 기본기능에 대한 이해력과 적용력을 기르는 데 목적이 있다.

㉡ 방법은 개인별 퀴즈를 받는 대신 학생들은 동일한 성적을 수행하고 있는 다른 팀의 2명과 함께 토너먼트에 참가하는 점에서만 STAD와 다르다.

② 수업절차

㉠ 수업절차는 STAD와 동일하다.

㉡ 토너먼트 테이블 구성은 첫째 테이블에 이전 성적에서 가장 뛰어난 세 사람을 배치하고, 다음 우수한 3명을 두 번째 테이블에 배정하는 식으로 계속 배정한다. 그 다음 번의 토너먼트에서는 '밀어내기 방식'을 사용한다. 각 테이블에서 가장 높은 득점자들이 그 다음의 1번 테이블로 격상하고, 가장 낮은 득점자가 가장 낮은 테이블로 격하된다.

㉢ 토너먼트 게임은 숫자가 쓰여진 단답형 질문으로 되어 있고 3팀에서 나온 3명의 학생이 한 테이블을 이루어 경쟁하는데, 돌아가면서 수 카드를 뽑은 뒤 카드번호와 일치하는 문제지에 답한다. 최고 득점자는 6점, 다음 득점자는 4점, 최하 득점자는 2점을 자기 팀을 위해 얻는다. 게임이 끝나면 교사는 팀 점수를 벽보나 뉴스 레터에 게시하여 팀을 표창한다. 보상방법은 STAD와 동일하다.

③ 장점
  ㉠ 토너먼트 테이블은 개인의 이전 성적에 따라 변화되므로 학습동기를 유발할 수 있다.
  ㉡ 능력별 팀 학습보다 채점 방법이 공정하다.
④ 단점
  ㉠ 다인수 학급일 경우 토너먼트 테이블의 구성원이 많아진다.
  ㉡ 학생들의 성적과 학습능력이 지나치게 공개되어 팀 구성에 이용된다.
  ㉢ 토너먼트 테이블에서 다루어야 할 문항제작에 시간이 많이 소요된다.

(3) 과제분담학습 Ⅱ(Jigsaw Ⅱ)

① 특징
  ㉠ 슬라빈(Slavin)이 과제분담학습Ⅰ(JigsawⅠ)을 개작한 것으로 개념을 가르치는 데 이용되며 특히 교재의 완전습득을 목적으로 한다.
  ㉡ 팀의 학생들이 교재를 분할하여 한 부분씩 깊이 있게 공부하여 동료들에게 가르쳐주는 것으로 과제 의존성에 기초하고 있으면서도 보상 상호 의존성을 높이는 모형이다.
  ㉢ JigsawⅠ보다 과제 의존성을 낮추고 보상 상호 의존성을 높인 것으로 집단 보상 점수를 제공하고, 과제 상호 의존성을 유지하되 그 정도를 낮추려는 목적이 있다. 이렇게 되면 학생들은 자기가 맡은 주제에 대한 전문가가 될 수 있을 뿐만 아니라 모든 교재에도 접할 수가 있게 된다.
② 수업절차
  ㉠ 4~6명의 이질적인 학생들로 팀을 구성한다.
  ㉡ 교재는 팀 구성원 수와 같게 사전에 분절로 만들어 분절된 교재를 각 팀에게 주며 학생들은 자신 있는 주제를 하나씩 맡는다.
  ㉢ 주제를 맡은 학생들은 각자 팀에서 나와 동일한 소주제를 지닌 다른 팀 구성원과 합류하여 전문가 집단을 형성한다.
  ㉣ 학습이 끝나면 자기 팀으로 돌아와 팀 동료들에게 전문가 집단에서 학습한 내용을 가르친다.
  ㉤ 학생들은 개인별 형성평가를 받게 되며 향상점수와 팀 점수가 계산되고 보상을 받게 된다(STAD와 유사).
③ 장점
  ㉠ 각 구성원의 역할과 책무성이 뚜렷하다.
  ㉡ 학생들 각자는 자기가 맡은 소주제에 대해서는 전문가가 될 수 있다는 점에서 성취나 팀 기여도에 대한 자신감과 긍지를 갖게 된다.
  ㉢ 보상 상호의존성과 과제 상호의존성이 함께 포함되어 있다.
  ㉣ 특히 성·인종·능력·계층 등에서 이질적인 학생들의 교우관계 증진에 효과적이다.
④ 단점
  ㉠ 과제가 학문의 위계성이 강한 지적인 것일 때 학습부진 학생들은 자신이 맡은 소주제의 해결과 설명에 어려움이 있을 수 있다.
  ㉡ 교사는 과제를 분석하여 팀 구성원 수에 맞는 소주제로 분할하는 데 많은 시간과 노력이 요구된다.

(4) 과제분담학습 Ⅰ(Jigsaw Ⅰ)

① 특징

㉠ 아론슨(E. Aronson)이 개발하였다.

㉡ 원래는 인종 간·문화 간의 교우 관계와 같은 정의적 측면의 증진을 일차적 목적으로 개발되었다.

㉢ 이 모형은 집단 내의 각 학생은 교과내용 중 한 요소만을 연구하도록 하고 수집된 정보를 논의하기 위해 다른 팀의 전문가를 '전문가 집단'에서 만난다. 그리고 자신의 팀으로 돌아가 자신들이 연구한 것을 전하고 주제의 여러 요소에 대한 정보를 통합한다.

㉣ 이 유형은 과제를 분담해서 학습하고 평가는 개별 평가를 실시하기 때문에 과제의 상호 의존성은 높지만, 보상 의존성은 낮다.

② 수업절차

팀 구성 → 개인별 전문과제 부과 → 과제별 모임(전문가팀) → 전문가집단 협동학습 → 원 집단 협동학습 → 개별평가 → 개별점수 산출

> 예 어느 학급에서 소풍계획을 세우는 과제인 경우, ㉠ 적당한 장소 선정(L), ㉡ 음식준비(F), ㉢ 교통편 선정(T), ㉣ 하루 동안의 활동계획(A)을 수립한다.

③ 장단점: 과제분담학습 Ⅰ의 장단점은 과제분담학습 Ⅱ와 동일하다. 다만 보상 상호 의존성은 없는 반면, 과제 상호 의존성이 높다.

(5) 자율적 협동학습(Co-op Co-op)

① 특징

㉠ 카간(Kagan) 등에 의해 고안되었다.

㉡ 학생들로 하여금 자신들이 학습과제를 선택하도록 하고 자신과 동료들의 평가에 참여하는 것을 허용하는 모형이다.

② 수업절차

학습주제 선정	교사가 학습주제를 소개한다. 학생들의 자발적인 동기를 불러일으키기 위해 학생들이 관심 있는 주제나 비디오 등 다양한 학습자료를 활용하면 좋다.
학생중심 학급토론	학습주제에 대해 브레인스토밍을 하고 교실 전체 토론을 한다. 토론을 통해 다양한 소주제를 정리한다.
모둠 구성을 위한 소주제 선택	학생들은 자신이 학습하고 싶은 주제를 선택한다.
소주제별 모둠 구성 및 모둠 세우기 활동	학생들이 선택한 주제를 중심으로 소그룹으로 구성하고 팀워크를 다지기 위한 소그룹 세우기 활동을 한다.
소주제 정교화와 역할분담	소그룹 구성원들은 선택한 주제를 세분화하여 역할을 분담한다.
개별학습 및 준비	학생들은 자신이 맡은 내용을 학습하고 발표 준비를 한다.
모둠 내 미니 주제 발표	학생들은 자신이 맡은 내용을 발표하고 토의한다. 토의할 때에는 자신의 역할에 따라 구조화된 토의를 하도록 지도한다. 토의한 후 내용을 정리하여 보고서를 작성한다.
모둠별 발표준비 및 학급 발표	소그룹에서 준비한 보고서를 학습 전체에 발표한다.
평가와 반성	개인별 내지 소그룹별 평가를 얻는다.

Co-op Co-op의 평가방법

1. 팀 조력에 대한 개인의 기여도를 팀 동료들이 평가한다.
2. 교사가 각 학생들의 소주제 보고물을 평가한다.
3. 모든 학급의 동료들이 팀 보고서를 평가한다. 교사는 개인의 성적 산출에 3가지 가운데 어디에 비중을 더 둘 것인가를 결정한다.

③ 장점

㉠ 학습활동의 준비, 활동과정, 결과 보고에 이르기까지 교사의 역할이 최소화 되는 반면 학생들의 역할과 그들의 자율성이 최대한 반영된다.

㉡ 팀 간 경쟁을 하지 않는 순수한 협동체제이므로 협동학습 이론에 충실하다.

④ 단점

㉠ 연구결과에 대한 효과를 아직 일반화하기는 어렵다.

㉡ 초등학교 저학년 단계에서는 적용하기 어렵다.

(6) 팀 보조개별학습(Team Assisted Individualization; TAI)

① 특징

㉠ 슬라빈(Slavin) 등이 개발한 모형이다. 원래 TAI는 수학 과목에서의 적용을 위한 협동 학습과 개별학습의 혼합모형에서 비롯되었다.

㉡ TAI에서는 성취과제 분담 학습이나 팀 경쟁 학습과 마찬가지로 4~6명 정도의 이질적인 구성원이 한 모둠을 구성한다.

㉢ TAI는 대대분의 협동학습 모형이 정해진 진도에 따라 이루어지는 것과는 달리 학습자 개인이 각자의 학습속도에 따라 학습을 진행해나가는 개별 학습을 이용한다는 점에서 독특하다.

㉣ 이 모형의 작업 구조는 개별 작업과 작업 분담 구조의 혼합이며, 보조 구조 또한 개별 보상 구조와 협동적 보상 구조의 혼합 구조이다.

② 수업절차

㉠ 프로그램화된 학습 자료를 이용하여 개별적인 진단 검사를 받은 후, 4~5명으로 된 이질적인 구성원을 배정한다.

㉡ 각자의 능력 수준에 맞는 학습과제를 교사의 도움 아래 개별적으로 학습한다.

㉢ 개별 학습 후 단원 평가 문제지를 풀고 팀 구성원들은 2명씩 짝을 지어 문제지를 상호 교환하여 채점한다.

㉣ 여기서 80% 이상의 점수를 받으면 그 단원의 최종적인 개별 시험을 본다.

㉤ 개별 시험 점수의 합이 각 팀의 점수가 되고 미리 설정해놓은 팀 점수를 초과하였을 때 팀이 보상을 받게 된다.

③ 장점

㉠ 개별화 학습체제가 이용되므로 학습자 개인의 특성이 고려될 수 있다.

㉡ 수학과 하위인지 및 상위인지 학업성취에 특히 유리하다.

④ 단점

㉠ 학습자들의 특성, 특히 수학과 학업성취도에 대한 분석과 분류가 선행되어야 한다.

㉡ 수학과 학습과제에 대한 세밀한 과제분석이 요구된다.

㉢ 한 교사의 개인의 노력과 시간으로는 적용하기가 어렵다.

(7) 어깨동무 학습(Learning Together, 함께하기 학습)

① 특징

    ㉠ 존슨(Johnson & Johnson)이 개발한 모형이다.

    ㉡ 팀 구성은 5 ~ 6명의 이질적인 학생들로 구성되어 주어진 학습과제를 협동적으로 수행한다.

    ㉢ 과제는 집단별로 부여하고 보상도 집단별로 하며 평가도 집단별로 실시한다. 시험은 개별적으로 시행하나 성적은 소속된 집단의 평균점수를 받게 되므로 자기 집단 내의 다른 학생들의 성취 정도가 개인의 성적에 영향을 준다.

    ㉣ 학생들의 협동적 행위에 대해서 보상을 줌으로써 협동을 격려하고 조장하기 위한 것이다.

② 수업절차

- 수업목표를 구체화한다.
- 집단의 크기를 결정한다.
- 집단에 학습자를 배정한다.
- 교실을 배정한다.
- 상호의존성을 보장하기 위한 역할 배정을 한다.
- 교재를 설명한다.
- 긍정적인 목표 상호의존성을 구조화한다.
- 개인의 책무성을 구조화한다.
- 집단 간 협동을 구조화한다.
- 성공에 대한 준거를 설명한다.
- 바람직한 행동을 구체화한다.
- 학생들의 행동을 모니터한다.
- 과제조력을 제공한다.
- 공동 활동 기능을 가르친다.
- 수업종료단계를 마련한다.
- 평가한다.
- 집단의 기능 발휘를 평가한다.

③ 장점

    ㉠ 집단 구성원들이 관련 자료를 같이 보고, 같이 이야기 하며, 생각을 서로 교환할 수 있다. 교사는 학생들의 상호작용을 관찰하여 상호작용이 이루어지도록 노력한다.

    ㉡ 이 방법은 집단 토의 및 집단적 결과를 활용하여 목적뿐만 아니라 수단으로써 협동을 강조한다. 매우 포괄적이고 일반적이기 때문에 적용하는 데에 융통성이 매우 높다.

④ 단점: 하나의 집단 보고서에 집단 보상을 함으로써 무임승객 효과, 봉 효과와 같은 사회적 빈둥거림 현상이 나타나 상대적으로 다른 협동학습 모형보다 비효과적이다.

3. 협동학습의 효과

(1) 학업성취의 측면

지금까지의 연구결과에 의하면 협동학습, 경쟁학습, 개별화 학습 가운데 협동학습의 경험이 다른 학습보다 더 높은 학업성취를 가져온다고 본다.

(2) 정의적 측면

① 자신의 능력과는 관계없이 집단 속에서 어울려 활동하고, 집단의 성공에 기여하게 됨으로써 자아존중감이 높아진다.
② 문화 및 인종 사이의 차이를 극복하고 교류를 증진시켜 준다.
③ 사랑, 조력, 공감, 증여, 헌신 등의 친사회적 행동을 조장해 준다.
④ 학교를 즐거운 곳으로 인식하게 되며, 타인의 이해와 문제에 관심을 갖는 이타심, 그리고 성공과 실패의 원인을 과제나 운, 타고난 능력에 귀인하지 않고 자신의 노력으로 돌리는 내적 통제부위(internal locus of control) 등이 높아진다.
⑤ 학생들의 사기(morale)와 과제 집중시간(time-on-task)이 증가한다.

(3) 사회적 기능의 측면

협동학습은 학생들로 하여금 사회적 기능의 학습에 가장 중요한 영향을 미친다. 협동학습을 통해 지도력, 갈등해결 능력, 의사소통 능력과 같은 사회적 기능을 배운다. 또한 협동학습은 건설적인 사회화를 촉진한다.

(4) 장애아동 및 인종 간 통합의 측면

협동학습의 경험은 개별화 학습경험에 비해 정상아와 장애아동 간, 장애아동들 상호 간의 긍정적 인간관계를 증진시키며, 인종적 통합 및 성차의 문제를 극복할 수 있는 학습유형으로 간주되고 있다.

4. 협동학습의 문제점

(1) 대부분의 협동학습 과제들이 읽기 기능과 관련된 것이 보통이므로 읽기 기능이 부족한 학생들의 경우 어려움이 있다.
(2) 교실 내에서 협동학습 집단에 참여하기를 꺼려하거나 참여는 하더라도 활동을 기피하려는 학생들이 발생한다.

> 참고 이들에게는 참여하는 데 필요한 책무성의 수준이 갖추어질 때까지 개인별 과제를 부여하는 방법이 효과적이다.

(3) 어떤 학생의 경우 특정 집단에는 참여하는 것을 싫어하기도 한다. 이는 그 집단 속에 자기가 싫어하는 동료가 있거나 좋아하는 동료가 없는 경우로, 집단을 조직할 때에는 가장 좋아하는 친구와 가장 싫어하는 친구는 같이 배정하지 않는 것이 좋다.
(4) 교사나 학생들은 처음에 계획된 상호작용을 통해 스스로 학습에 대한 책임감을 높이는 데 주저하거나 거부감을 나타낼 수도 있다.
(5) 잦은 결석은 학생들 간의 상호 의존성을 필요로 하는 학습방법을 좌절시킬 수도 있다.
(6) 교사들에게 집단 활동을 위한 적절한 수업교재를 마련하는 데 어려움을 겪기도 한다.
(7) 협동학습 교실은 전통적 학습교실에 비해 더 시끄러울 수 있다.

기출문제

다음 설명에 해당하는 협동학습기법은?

2020년 국가직 7급

> 모둠원들에게 학습과제를 세부 영역으로 할당하고, 해당 세부 영역별로 전문가 집단을 구성한 후 전문가 집단별로 학습한다. 이후, 원래 모둠에 돌아와서 동료학습자를 교육한다.

① 직소모형(Jigsaw)
② 팀토너먼트게임모형(TGT)
③ 팀보조개별학습모형(TAI)
④ 성취과제분담모형(STAD)

해설

협동학습모형 가운데 과제를 분담해서 전문가 팀을 구성하는 모형은 직소모형(Jigsaw)이다.

답 ①

부정적 현상	특징	해결책
사회적 태만	자신이 집단의 활동결과에 책임이 있다고 지각하지 않기 때문에 집단의 목표를 성취하기 위하여 노력하지 않는 현상이다.	개별 책무성을 인식시키고, 협동학습기술을 습득한다.
부익부 현상	학습능력이 높은 학습자가 다른 학습자보다 도움을 많이 주고받고, 긍정적이든 부정적이든 많은 반응을 보여 학업성취가 향상될 뿐만 아니라 소집단을 장악하는 현상이다.	각본을 통한 역할분담을 하거나, 집단보상을 강조한다.
자아존중감 손상	부익부 현상과 반대로 학습능력이 낮은 학생들의 경우 상호작용의 기회를 상실하게 되어 자아존중감에 손상을 입게 되는 현상이다.	협동학습 기술을 습득한다.
무임승객 효과	학습능력이 낮은 학습자가 적극적으로 학습에 참여하지 않아도 학습능력이 높은 학습자의 성과를 공유하는 현상이다.	집단보상만 사용해서는 안되고, 집단보상과 개별보상을 병행한다.
봉효과	학습능력이 높은 학습자는 자기의 노력이 다른 학습자에게 돌아가기 때문에 학습참여에 적극적이지 않게 되는 현상이다.	
집단 간 편파	상대집단이나 다른 집단의 구성원에게 적대감을 가지는 한편 자기가 속한 집단의 구성원에게 더 호감을 느끼는 현상이다.	주기적으로 소집단을 재편성하거나 과목별로 소집단을 다르게 편성한다.

↑ 협동학습에서 나타나는 부정적 현상과 해결책

03 | 교육공학

핵심체크 POINT

1. **교육공학의 개념**
   학습을 위한 과정과 자원의 설계, 개발, 활용, 관리 및 평가에 관한 이론과 실제
2. **교육공학의 발달**
   ① 시각교육
   ② 시청각 교육
   ③ 시청각 커뮤니케이션
   ④ 교수공학
   ⑤ 교육공학

1 교육공학의 이해

1. 교육공학의 의의

(1) 개념

① 미국 교육공학회(AECT, 1994): 교육공학(교수공학)이란 학습을 위한 과정과 자원의 설계, 개발, 활용, 관리 및 평가에 관한 이론과 실제이다.

② 영국 교육공학심의회(NECT, 1994): 교육공학은 인간의 학습과정을 향상시키기 위한 체제, 기술, 보조물의 개발, 적용, 평가와 관련된 학문이다.

(2) 학자별 개념

① 퍼시빌과 엘링톤(Percival & Ellington)

  ㉠ 교육에서의 공학: 협의의 교육공학으로서 시청각 매체의 교육적 활용을 의미한다.

  ㉡ 교육의 공학: 광의의 교육공학으로서 교육문제 해결이나 교육적 성취를 위해 관련 분야의 이론과 방법을 토대로 교육의 전 과정을 계획, 실행, 평가하는 것을 말한다.

② 새틀러(Saettler)

  ㉠ 자연과학적 개념: 물리학을 토대로 한 기계공학적 결과들을 단편적인 수업상황에 응용하는 것이다.

  ㉡ 행동과학적 개념: 행동과학에 의해 연구, 개발된 과학적 이론과 방법을 수업체제에 적용하는 것이다.

③ 실버만(Silverman)

  ㉠ 상대적 공학: 과학과 공학의 발전에 따른 이론을 교육 실천과 방법에 적용하는 소극적 의미의 교육공학이다.

       © **구조적 공학**: 학습이론을 바탕으로 학습문제 분석, 학습내용의 선정 및 조직, 학습성과의 평가에 관한 이론적 근거를 찾아내고, 그 원리를 발견하는 적극적 의미의 교육공학이다.

(3) 교수이론과 교육공학의 차이

① 교수이론은 교수과정을 지배하는 법칙을 발견하는 데 중점을 둔다.

② 교육공학은 교수이론에 입각하여 그 법칙을 교수과정에 적용하는 기술체계이다.

③ 교수과정을 설명하는 것이 교수이론이고, 교육공학은 교수과정을 기술화하고 효율화하는 일이다.

④ 교수이론은 교육공학을 통하여 그 현실화의 통로를 갖게 된다.

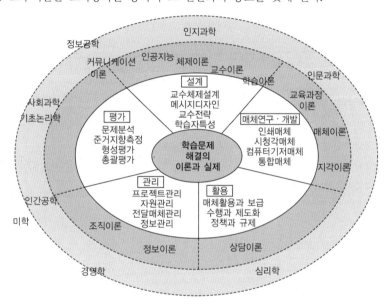

⬆ 교육공학의 연구영역

2. 교육공학의 연구영역

(1) 설계영역

① 학습목표를 달성하기 위해 학습의 조건을 분석하고 다양한 방법과 전략을 기획하는 영역이다.

② 하위영역

교수체제설계(ISD)	분석(A), 설계(D), 개발(D), 실행(I), 평가(E)의 단계를 포함하는 조직적인 과정으로 선형적·반복적인 과정이며, 일관성과 완벽성이 요구된다.
메시지 디자인	메시지의 물리적 형태를 어떻게 조작할 것인가에 대한 계획을 세우는 것으로 인지와 파지의 원리를 이용하며 송신자와 수신자의 직접적인 의사소통을 돕기 위한 메시지의 물리적 형태를 결정하는 과정이다.
교수전략	한 학습 단위 내에서 일어나는 학습활동을 선택하고 순서화하는 것으로 학습상황, 학습내용, 의도하는 학습결과 등에 따라 달라진다.
학습자 특성	학습에 영향을 미치는 학습자의 경험적 배경으로, 이 영역에서는 설계 시에 고려해야 할 학습자의 특성에 관해 다룬다.

(2) 개발영역

① 설계영역에서 기획된 것에 근거하여 구체적인 교수매체, 교수자료 등 물리적인 형태를 만들어 가는 과정이다.

② 하위영역

인쇄매체	기계를 사용하거나 사진 인화절차를 통해 책이나 정지화상 자료를 제작하고 전달하는 방법으로 학습자료 제작의 기반을 형성한다.
시청각매체	기계와 전자기기를 통해 시청각 메시지를 제작 또는 전달한다.
컴퓨터기저매체	컴퓨터를 이용하여 디지털화된 자료를 제작하고 전달하는 방법으로 컴퓨터 보조학습(CAI), 컴퓨터관리학습(CMI), 컴퓨터기반학습(CBI) 등의 형태가 있다.
통합매체	컴퓨터 제어하에 몇 가지 다른 유형의 매체들을 포함하여 자료를 개발하고 전달하는 방법으로 대용량의 하드 드라이브와 메모리를 갖춘 컴퓨터와 비디오 디스크 플레이어, 오디오 시스템 등이 네트워크로 연결되어 있는 형태를 말한다.

(3) 활용영역

① 학습을 위하여 교수매체를 선정하고 활용하는 방법에 대한 관심을 지닌 영역으로, 교육공학의 영역 중 가장 오랜 전통을 가진다.

② 하위영역

매체활용	학습을 위해서 매체를 체계적으로 활용하는 것으로, 교수설계 계획에 맞게 의사결정을 하는 과정이다.
혁신의 보급	개인이 새로운 아이디어를 채택하도록 의사소통을 하는 과정으로, 인식, 설득, 결정, 활용, 확인의 단계를 거치며 최종목표를 변화에 둔다.
실행과 제도화	① 실행: 교수자료나 전략을 실제 현장에 적용하는 것으로, 교수혁신이 조직 내에서 개인에 의해 제대로 이용될 수 있도록 주변 환경을 조성해주는 것을 말한다. ② 제도화: 교수혁신이 조직 내에서 지속적이며 일상적인 형태로 이루어지고 문화로 자리잡는 것으로 조직의 구조와 체제 내에 혁신을 통합하는 것을 말한다.
정책과 규제	교육공학의 확산과 이용에 영향을 미치는 사회의 규칙과 행위를 의미한다. 여기에는 교육방송을 위한 법 개정, 저작권법, 시설과 프로그램의 설립 기준, 행정조직의 정비 등이 포함된다.

(4) 관리영역

① 기획과 조정을 통하여 교육공학의 과정과 결과를 운영하고 조절하는 기능을 담당하는 영역이다.

② 하위영역

프로젝트 관리	교수설계와 제작 프로젝트를 계획, 모니터, 통제하는 활동이다.
자원관리	자원(인적 자원, 예산, 시간, 시설, 교수자원, 물품 등)을 지원할 수 있는 체제와 서비스를 계획, 모니터, 통제하는 활동으로, 비용효과성과 학습의 효과성을 정당화한다.

전달체제관리	교수자료를 학습자에게 보급·확산시키는 과정과 방법을 기획하고 조직하며 조정·감독하는 것으로, 흔히 전달체제관리는 자원관리 체제에 의존한다.
정보관리	학습자원을 공급하기 위하여 정보의 저장, 전송, 처리를 계획하고, 모니터 하며 통제하는 활동으로, 접근성과 사용자 친근성을 담보 하기 위한 중요한 요소이다.

(5) 평가영역

① 교육프로그램, 산물, 프로젝트, 과정, 목표, 교육과정의 질, 효과, 가치 등을 결정하고자 하는 것으로, 결국 교수와 학습 간의 관계가 적절한가를 판단하고자 하는 영역이다.

② 하위영역

문제분석	문제의 특성과 관련 변인을 분석하는 것으로, 요구분석에서부터 시작하여 목표와 우선순위를 결정하는 과정이다.
준거지향평가	정해진 목표에 대한 학습자의 지식, 태도 또는 기술의 완성 정도를 결정하고자 하는 것이다.
형성평가	교수자료나 교수를 지속적으로 개선하기 위해 정보를 수집하는 과정이다.
총괄평가	교수자료나 교수의 가치 및 적절성을 측정하기 위해 정보를 수집하는 과정이다.

3. 교육공학의 등장배경

(1) 등장 요인[핀(Finn)]

교육공학은 기술(Technology)의 비약적 발전에 따른 사회변화와 이를 교육에 적용하는 것이 불가피한 상황에서 비롯되었다.

① 지식의 팽창과 인구의 폭발적 증가
② 제2차 산업혁명과 오랜 기간의 민주적·산업적·과학적·문화적 혁명
③ 시대에 맞추어 공공철학을 재정립할 필요성
④ 사회 전반에 걸친 테크놀로지의 도입
⑤ 테크놀로지화 된 사회를 이끌어 갈 과학자들을 양성할 필요성
⑥ 모든 시민을 대상으로 한 테크놀로지에 관한 일반교육의 필요성
⑦ 자동화에 의해 대치되는 인력의 재훈련 필요성
⑧ 사회에서의 테크놀로지를 교수과정으로 확장해야 할 당위성의 대두

(2) 패러다임(paradigm)의 전환

교육에서의 문제해결을 위해 과학적이고 조직적인 지식을 체계적으로 적용하는 교육공학은 4번에 걸친 패러다임의 전환을 겪었다. 즉 자연과학 및 매체 개념, 커뮤니케이션과 체제 개념, 행동과학 개념 그리고 인지과학 개념으로서의 전환이 교육공학과 관련된다.

2 교육공학의 발달과정

1. 시각 교육(Visual Education)

(1) 언어 중심의 방법에서 탈피하여 학습경험을 그림, 모형, 사물, 고안물 등 시각자료로 활용하기 시작하였다.

(2) 추상적 개념을 명확히 하고 학습자의 흥미를 유발하는 방법으로 활용하였다.

(3) 17세기 감각적 실학주의에서 비롯되었다.

2. 시청각 교육(Audiovisual Education)

(1) 배경

① 1930년대 녹음기, 축음기, 유성영화 등의 보급에 영향을 받았다.
② 영화, 슬라이드, 녹음, 라디오, TV 등의 시청각 교재와 교구를 활용함으로써 학습이 효과적으로 이루어지도록 도모하는 교육방법을 말한다.
③ 제2차 세계대전 중 군대의 훈련에서 널리 활용되었다. 즉 단기 기간병 양성, 전문 기술자 훈련에 영화를 교수매체로 도입되었다.
④ 최근에는 모의 비행훈련, 작전지휘, 모의 전쟁훈련, 전투시범 등에 다양하게 활용하고 있다.
⑤ 이를 교육에 활용하게 되면서 새로운 시청각 교육모형 이론이 등장하였다.

(2) 필요성

① 교수의 효율성이 증진된다.
② 교재를 구조화해야 한다.
③ 인구 증가에 따른 대량 교수체제를 확립해야 한다.
④ 교사의 개인차에서 비롯되어 교수가 평준화되었다.
⑤ 사물의 정확한 이해를 통해 건전한 사고력을 유발한다.

(3) 교육적 가치

① 무의미한 언어주의적 학습이 감소된다.
② 구체적인 경험을 제시함으로써 학습동기를 유발하고 학습의 능률화를 도모한다.
③ 학습자에게 다양한 시청각 자료를 제공함으로써 경험을 풍부하게 한다.
④ 복잡한 자료를 단순하게 만들어 제공한다.
⑤ 지리적으로 먼 전경이나 사건을 형상화한다.

(4) 시청각 교육모형

① 호반(C. F. Hoban)의 시각교재 분류

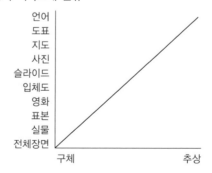

② 데일(E. Dale)의 경험의 원추모형

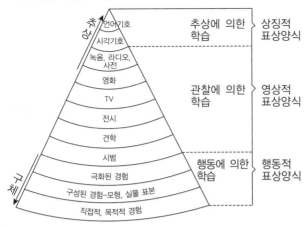

3. 시청각 커뮤니케이션(Audiovisual Communications)

(1) 배경

① 제2차 세계대전 이후 교육을 쌍방적인 커뮤니케이션 과정으로 보는 커뮤니케이션의 개념과 교수 - 학습과정을 일련의 요소로 구성된 완전한 체제로 간주하는 시청각적 커뮤니케이션으로 발전되었다.

② 커뮤니케이션은 언어적·비언어적 상징들에 의해 의미가 전달되는 과정이다.

③ 커뮤니케이션 개념은 송신자인 교수자나 교재로부터 수신자인 학습자에게로 정보가 전달되는 전체 과정에 관심을 가진다.

④ 시청각 커뮤니케이션의 목적은 학습자의 잠재력을 최대한 발휘할 수 있도록 커뮤니케이션의 모든 방법과 매체를 효과적으로 활용하는 데 있다.

(2) 벨로(D. K. Berlo, 1960)의 커뮤니케이션 모형(S-M-C-R 모형)

① 특징

    ㉠ 벨로(Berlo)의 커뮤니케이션의 요소는 송신자(Source), 메시지(Message), 채널(Channel), 수신자(Reciver)의 4가지이다. 즉, 송신자(교사)로부터 수신자(학습자)에게로 메시지가 커뮤니케이션 수단인 채널을 통해 전달되는 과정을 설명하고 있다.

    ㉡ 인간 커뮤니케이션에서 전달 수단은 주로 감각기관이 되지만, 커뮤니케이션에서는 대중매체인 신문, 잡지, 라디오, TV, 컴퓨터 등이 전달 수단인 채널이 된다.

    ㉢ 커뮤니케이션 개념은 시청각 교육이 교재를 중심으로 한 일원적 교수과정에 국한된 것과 달리 교수 - 학습의 장에 송신자와 수신자의 통신 방식이 일방적인 형태가 아니라 쌍방적인 형식을 취하고 있다.

    ㉣ 의의: 이 이론은 교수 - 학습의 장에 커뮤니케이션 개념을 도입할 수 있도록 하여 시청각통신 분야가 교수 - 학습과정의 역동적인 관계를 종합적으로 분석, 연구하는 학문으로 발전하는 데 기여하였다.

② 요소

    ㉠ 송신자(Source): 메시지를 창출해내는 사람이나 단체로 이들은 어떠한 목적이나 이유를 가지고 커뮤니케이션에 참여하게 된다. 이들은 커뮤니케이션을 하는 과정에서 메시지를 창출하게 되며, 이 메시지는 기호체계 즉, 언어나 제스처를 통해 전달된다.

    ㉡ 채널(Channel): 메시지를 전하는 통로이며 수단으로 인간의 오감(五感)이 하위 구성 요소이다. 커뮤니케이션에서 채널은 주로 인간의 감각기관을 통해 이루어지지만 매스 커뮤니케이션에서는 TV, 라디오, 신문, 책, 잡지, 컴퓨터, 인터넷 등도 채널에 속한다.

    ㉢ 수신자(Receiver): 수신자는 메시지를 전달받는 대상, 즉 사람이나 단체를 의미한다. 송신자와 수신자 모두 커뮤니케이션을 할 때에는 커뮤니케이션 기술, 태도, 지식 수준, 사회체계, 문화 양식 등을 고려해야 한다. 커뮤니케이션 기술이 높으면 높을수록 효율적인 커뮤니케이션이 이루어진다. 태도에 있어서도 열의 있게, 적극적으로 지식을 갖고 이야기할 때 커뮤니케이션이 더 효과적으로 이루어진다.

    ㉣ 메시지(Meassage): 메시지는 요소, 내용, 구조, 코드, 처리로 구성된다.

        ⓐ 요소(elements): 많은 내용 중에서 어떠한 내용을 선택하여 어떻게 처리하느냐와 관련있다.

        ⓑ 코드: 메시지의 하위요소로 언어적인 코드와 비언어적인 코드가 있다.

        ⓒ 구조: 선택된 내용을 어떤 순서로, 어떻게 조직하여 전달하느냐와 관련있다.

        ⓓ 처리: 선택된 코드와 내용을 어떤 순서로 어떻게, 어떤 방법으로 전달할 것인가와 관련있다.

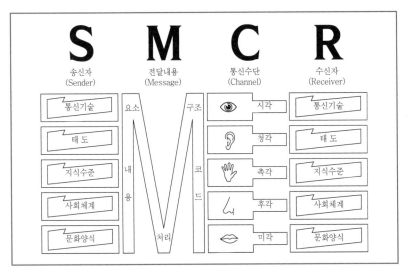

↑ 벨로의 S-M-C-R 모형

(3) 핀(Finn)의 검은 상자 모형(1964)

① 교수 - 학습과정을 다양한 교수방법으로 조직되고 체계적으로 통합된 체제로 간주하고 교수체제의 요소로 전통적인 일괄수업 방식, 개별수업 방식, 소그룹 수업 방식, 창조적 학습 등 다양한 교수방법을 포함한다.

② 각각의 교수방법을 검은 상자(black box)로 취급한다. 검은 상자란 내부 구조는 알 수 없어도 입력과 출력을 조정함으로써 어떤 반응을 얻을 수 있는 심리학적 개념이다.

③ 학교 현장에서 교수방법을 선정하여 수업을 실시하면 교사는 학습자의 학습 성취에 대한 비교적 정확한 반응을 얻게 된다. 그러나 교사는 획득한 반응이 학습자 내부의 어떤 메카니즘에 의해서 이루어지는가에 대해서는 확실하게 알지 못한다.

④ 시청각 교육이론이 시청각 커뮤니케이션으로 발전해나가는 데 도입된 체제 개념을 적용한 것이다.

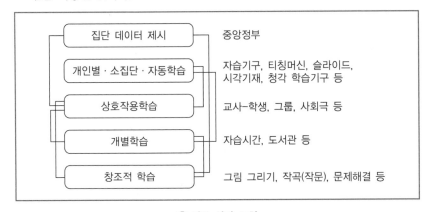

↑ 검은 상자 모형

4. 교수공학(Instructional Technology)

(1) 개념

교육공학의 하위 분야로 학습이 체계적으로 계획, 통제되는 상황에서 생기는 여러 문제들을 분석하고 이에 대한 해결책을 찾아 실행하고 평가, 처리하기 위해 요원, 절차, 아이디어, 교구 및 조직 등을 포함하는 복합적이고 통합적인 과정이다.

(2) 등장 배경

① 시청각 커뮤니케이션에서 교수 공학으로의 발전은 획기적인 과학 및 문화의 발달, 지식 및 인구의 팽창으로 인한 과학기술의 도입에서 비롯되었다.

② 특히 스키너(Skinner)의 교수이론이 커다란 영향을 주었다.

ㄱ 학습자가 학습할 정보 분량을 조금씩 단계적으로 제시하여 학습자의 이해를 돕는다.

ㄴ 피드백을 즉시 알려주어 학습자가 자신의 학습결과를 확인할 수 있도록 한다.

ㄷ 학습자를 개별적으로 지도하여 학습 진도가 학습자의 학습능력에 따라 진행되도록 한다.

③ 이에 따라 교수 공학 분야에 프로그래밍이라는 개념이 대두되었고 교수과정을 체계적으로 적용함으로써 교수개발 개념이 탄생하였다.

(3) 교수체제 개발 모형의 공통 특징

① 교수 프로그램의 계획, 개발, 전달, 평가 과정이 체제이론에 입각하여 있으며, 환경에 대한 분석을 토대로 목적이 도출된다.

② 교수목표는 관찰 가능한 행동 용어로 표현되며, 학습자 분석의 중요성을 강조한다.

③ 교수전략 계획과 매체 선정을 중요시한다.

④ 평가를 설계와 수정 과정의 한 분야로 포함하고 학습자에 대한 측정은 준거지향 평가를 실시한다.

(4) 최근 교수체제 설계의 특징

① 하이테크놀로지를 활용하는 추세이다.

② 구성주의적 관점을 반영한다.

③ 수행공학(performance technology): 인간의 수행을 증진시키기 위해 인간 및 조직의 행동에 과학적 연구와 실제적 경험을 포함한 지식을 적용하는 일이 대두되었다.

5. 교육공학(Educational Technology)

(1) 개념

인간 학습에 포함된 모든 문제점을 분석하여 이에 대한 해결책을 고안하고 실행하며 평가, 관리하기 위하여 사람, 절차, 이념, 장치 및 조직을 포함한 복합적이고 통합된 과정을 말한다.

(2) 교육공학의 영역

효과적인 교수 - 학습을 위한 과정과 이를 지원하는 학습자원의 이론과 실제를 다루는 교육공학은 개발, 활용, 설계, 평가, 관리의 영역으로 구성된다.

3 교육공학 패러다임(Paradigm)의 변천

1. 자연과학·매체개념의 등장

(1) 영사기, 녹음기, TV, 컴퓨터 등 기계장치와 이공학(理工學)의 기술을 교수, 학습 과정에 사용하는 자료와 프로그램 제시에 활용된다.

(2) 매체 개념에서는 다양한 매체를 교수 보조물로 간주한다.

(3) 교육기기와 절차를 중시한다.

(4) 매체 개념에서는 개별 학습자의 차이나 교수내용의 선정, 설계를 간과한다.

2. 커뮤니케이션(Communication)과 체제개념의 등장

(1) 커뮤니케이션은 교수 - 학습의 장에서 송신자와 수신자의 쌍방적 형식을 특징으로 하므로 시청각적 관점에 비해 포괄적이다.

(2) 체제개념은 구성 요소들 간의 상호 관련성과 요소 간의 통합이 체제의 효율성을 증가시킬 수 있다고 본다.

(3) 커뮤니케이션과 체제의 통합이 시청각적 커뮤니케이션이다.

(4) 시청각 교재를 커뮤니케이션 체제과정에 통합적으로 적용하는 교수체제 추구 → 과정을 중시 → 체제접근(System Approach)

(5) 체제접근(System Approach)

체제를 구성하고 있는 각 요소들이 동일 목적을 성취하기 위해 그들의 기능을 독립적으로 충분히 발휘하면서 동시에 각 요소들의 기능이 상호 보완적 관계를 가지고 합리적 전체를 이루어 체제 전체의 기능을 최대한 발휘하도록 하는 것을 말한다.

秀 POINT 체제(System)

1. 유기적으로 상호 관련되어 공동의 목표를 달성하기 위해 상호작용하는 구성 요소들의 집합체이다[투입, 산출, 피드백(feedback)의 관계].

2. 체제 접근은 제2차 세계대전 중 군사훈련을 위해 도입되었고, 이후 기업 훈련과 교육 분야에 적용되었다.

3. **체제의 특징**
   ① 체제의 구성 요소는 요소나 부분이다.
   ② 각 부분이나 요소들 사이의 관계성과 경계 영역
   ③ 전체성을 강조한다.
   ④ 구조를 가진다.

3. 행동공학 개념의 등장

(1) 제2차 세계대전 중 발전하였다.

(2) 심리학, 사회학, 인류학, 경제학 등을 위시해서 학습, 언어학, 커뮤니케이션 (Communication), 사이버네틱스, 지각 등의 분야에서 행동과학자에 의해 개발된 과학적 방법에 기초한다.

(3) 문제점

① 관찰 가능한 행동에만 관심을 두었다.
② 학습자를 수동적 존재로 간주하였다.
③ 학습자의 내적 인지 과정을 다루지 않았다.

4. 인지과학의 등장

(1) 학습자의 내적 과정을 중시한다.

(2) 학습자는 능동적이고 구성적인 존재로서 지식을 습득하고 사용하는 과정에 능동적으로 참여하는 존재로 본다.

(3) 인지적 관점은 교수설계 모형에 있어 학습자에 의해 정보가 조직되고 처리되고 저장되는 것을 교수설계의 결정적 요소로 간주한다.

기출문제

교육공학의 기본영역별 하위 영역에 대한 설명으로 옳지 않은 것은? 2015년 국가직 9급

① 평가영역에는 문제분석, 준거지향 측정, 형성평가, 총괄평가가 있다.
② 활용영역에는 프로젝트 관리, 자원관리, 전달체제 관리, 정보 관리가 있다.
③ 설계영역에는 교수체제 설계, 메시지 디자인, 교수전략, 학습자 특성이 있다.
④ 개발영역에는 인쇄 테크놀로지, 시청각 테크놀로지, 컴퓨터 기반 테크놀로지, 통합 테크놀로지가 있다.

> 해설
> 교육공학의 영역 가운데 활용영역은 매체활용과 보급, 수행과 제도화, 정책과 규제 등이다.
>
> 답 ②

04 | 교수설계

1. 교수설계 이론

체계적 및 체제적 접근	ADDIE모형, 딕과 캐리(Dick & Carey) 모형
구성주의, 해석적 접근	윌리스(Willis)의 R2D2 모형, 개그넌과 콜레이(Gagnon & Collay) 모형, 조나센(Jonassen)의 모형, 켐프(Kemp)의 모형 등

2. 교수설계(ISD)의 기본 모형

분석	요구분석, 학습자분석, 환경분석, 직무분석, 과제분석
설계	수행목표 명세화, 평가도구 개발, 계열화, 교수전략 및 매체선정
개발	교수자료 개발, 형성평가 설계 및 실행(일대일 평가, 소집단 평가, 현장 평가 등)
실행	프로그램의 사용 및 설치, 유지 및 관리
평가	총괄평가, 외부자 평가

1 교수설계

1. 교수설계의 개념

(1) 광의

① 교육 프로그램 혹은 교수체제를 개발하기 위해 조직적이고 체계적으로 수행하는 분석, 설계, 개발, 활용, 관리, 평가 활동을 의미한다.

② 교수 - 학습 활동이 보다 효과적이고 효율적으로 이루어질 수 있도록 교육 프로그램 혹은 교수체제를 분석, 설계, 개발, 활용, 관리 및 평가하는 것을 말한다.

③ 교수체제개발 혹은 교수개발과 동일한 개념으로 사용되기도 한다.

(2) 협의

① 광의의 교수개발 가운데 특히 개발활동에 초점을 둔다.

② 교수자료, 강의노트, 교수 계획들이 교수 - 학습을 위해 활용될 수 있을 만큼 실물화의 형태로 구현되는 것을 말한다.

③ 건물의 설계도면을 바탕으로 건물을 직접 짓는 것에 비유할 수 있다.

2. 교수설계의 특징

(1) 장기적인 차원에서는 교과 전체의 교육과정 설계를, 단기적인 차원에서 수업계획안을 포함한다.

(2) 교수 - 학습 체제 내의 특정 구성 요소를 분리시켜 파악하기보다는 관련된 구성 요소들을 포괄적으로 고려하는 '총체적' 접근 방식을 취한다.

(3) 교수 - 학습 체제가 속해 있는 맥락 혹은 그 체제를 둘러싼 외부 환경과의 지속적인 상호작용 속에서 역동적으로 변화하는 것으로 본다.

(4) 개인 혹은 집단의 가치 판단에 크게 영향을 받는다는 것을 고려한다.

(5) 반드시 체계접근에 의해 이루어져야 한다.

(6) 반드시 학습이 어떻게 일어나는가에 대한 지식을 기초로 해야 한다.

(7) 1930 ~ 1940년대 타일러(Tyler)와 메이거(Mager)에 의해 비롯되었고, 1950년대 스키너(Skinner)의 프로그램 수업을 고안함으로써 교수설계와 개발이 활발히 전개되었고, 군대 훈련을 통해 과제분석이라는 개념이 대두되면서 교수설계 분석의 개념이 발전되었다.

(8) 1970 ~ 1980년대 들어 교수설계 이론은 브루너(J. Bruner), 스키너(Skinner), 오수벨(Ausubel)을 비롯해서 가네와 브릭스(Gagné & Briggs), 메릴(Merrill)의 CDT, 라이겔루스(Reigeluth)의 정교화 이론 등에 기초해서 발전하였다.

2 교수설계 모형

1. ADDIE 모형[몰렌다(Molenda), 퍼싱과 라이겔루스(Pershing & Reigeluth), 1996]

(1) 의의

교수설계의 가장 기본 모형에 해당한다.

(2) 구성요소

① 분석(Analysis)

　㉠ 요구분석

　　ⓐ 요구(need): 어떤 상황의 '바람직한 상태'와 '현재의 상태'의 차이로, 요구란 현재의 문제 상황에서 오는 반응적 요구와 더 좋은 미래를 준비하기 위한 미래지향적 요구가 포함된다.

　　ⓑ 단계

　　　• 관심의 대상이 되는 체제를 정의한다.

　　　• 수행상의 결함을 결정한다.

　　　• 수행문제의 근본 원인이 동기 문제인지, 관리 문제인지, 지식과 기능의 부족에서 비롯된 문제인지를 판단한다.

　　　• 해결해야 할 문제를 진술한다.

　　　• 비용·편익을 결정한다.

　㉡ 학습자 분석: 학습자의 배경, 선수학습 정도, 직무경험, 적성, 동기, 학습양식 등을 분석한다.

　㉢ 환경분석: 새로운 지식, 기능, 태도 등을 습득하는 학습자의 환경과 습득한 지식, 기능, 태도를 활용하는 수행환경을 분석한다.

@ 직무분석

ⓐ 어떤 직무에 무엇이 포함되어 있는지를 알아내는 일이다.

ⓑ 전단분석(front-end analysis)의 결과로 나타난 문제의 해결방안으로 교육훈련이 효과적이라고 결정된 영역에 한하여 그 영역을 분석하여 여러 과제들을 파악한다.

@ 과제분석

ⓐ 특정 과제가 어떻게 수행되는지에 관한 정보를 수집하는 일로 직무분석을 통하여 과제목록이 추출되고 타당성이 입증되었을 때 실시된다.

ⓑ 직무분석의 최종 결과인 과제들을 성공적으로 수행하는 데 필요한 과제의 구성요소(지식, 기능 및 태도)들이 무엇인지를 파악하고 이들 간의 논리적 관련성, 즉 과제 구성요소들 간의 연결고리를 확인하는 과정이다.

ⓒ 직무분석과 과제분석을 통하여 교육훈련의 내용이 무엇이며, 해당 과제를 성공적으로 수행하기 위하여 필요한 지식, 기능, 태도의 구성 요소를 분석하여 진정한 학습과제를 찾아내어 수행목표와 수업계열과 같은 효과적인 교수체제개발을 위한 기초를 마련한다.

② 설계(Design)

㉠ **수행목표 명세화**: 수행목표는 교수설계의 전 과정을 통해 중요한 역할을 한다. 교수설계의 설계과정 이전 활동, 즉 분석과정은 결국 수행목표를 찾아내기 위한 활동이고, 설계과정과 그 이후는 수행목표를 보다 효과적으로 달성하기 위해 전개되는 활동이다.

㉡ **평가도구 개발**: 수행목표 속에 명시된 지식, 기능, 태도 등을 달성했는가를 평가하기 위한 수단을 구체화하는 일, 즉 목표에서 가르치고자 했던 기능을 학습자가 성취했는가를 알아 볼 수 있는 검사문항을 개발하는 것이다.

㉢ **계열화**: 수행목표를 달성하기 위해 학습내용과 학습활동이 제시되고 경험되는 순서를 계열화한다.

㉣ **교수전략 및 매체선정**: 수행목표를 효과적으로 달성하기 위해 어떤 교수 - 학습의 내용과 과정을 어떻게 사용할 것인가에 대한 계획을 수립한다.

③ 개발(Development)

㉠ **교수자료 개발**: 학습자용 활용 지침서, 교수자료, 검사, 교사용 지침서와 같은 교수 프로그램을 만드는 일이다. 새로 개발하는 대신 기존 자료를 선택해서 수정하여 사용할 수도 있다.

㉡ **형성평가 설계 및 실행**: 교수 프로그램의 초안이 완성되면 프로그램의 질을 개선하는 데 필요한 자료를 수집하는 평가를 말한다. 여기에는 일대일 평가, 소집단 평가, 현장 평가 등이 있다.

참고

> **일대일 평가(one to one evaluation)**
> 1. 대상 학습자 집단을 대표할 수 있는 3명 이상의 학습자와 개별적으로 실시한다.
> 2. 학습자는 대상 학습자 집단에서 평균 능력을 지닌 자, 평균 이하의 능력을 지닌 자, 평균 이상의 능력을 지닌 자를 최소한 한 명씩 선정한다.
> 3. 평가 시 고려해야 할 준거
>   ① 명확성: 수업 프로그램에서 전달하고자 하는 내용이 대상 학습자에게 분명하게 제시되고 있는가?
>   ② 영향: 수업 프로그램은 개별 학습자들의 태도와 목표·목적을 성취하는데 어떤 영향을 주는가?
>   ③ 실행 가능성: 주어진 자원·시간·상황에서 수업이 실행 가능한가?

ⓒ 제작: 개발된 교수자료는 형성평가 후에 수정이 이루어지며, 수정된 교수 자료들은 모든 의도된 학습자가 쓸 수 있도록 충분히 제작되어야 한다.

④ **실행(Implementation)**: 실행 과정은 설계되고 개발된 교육훈련 프로그램을 실제의 현장에 사용하고, 이를 교육과정에 설치하며, 계속적으로 유지하고 변화를 관리하는 활동을 말한다.

ⓐ 프로그램의 사용 및 설치: 개발된 교육훈련 프로그램을 실제 환경에서 사용하고 교육과정에 설치하는 일로 프로그램의 설치에는 다음의 단계가 필요하다.

ⓐ 후원자로부터 공식적인 지원을 확보한다.
ⓑ 여론 선도층(opinion leader)을 파악하고 그들의 지원을 얻는다.
ⓒ 강사를 훈련시킨다.

ⓑ 유지 및 관리: 교수 설계자는 프로그램을 유지하고 지속적으로 관리하는 일을 해야 한다.

⑤ **평가(Evaluation)**

ⓐ 총괄평가: 교수 프로그램의 절대적 혹은 상대적 가치를 평가하기 위한 것으로 충분한 수정이 이루어진 뒤에 실시된다.

ⓑ 방법: 보통 외부의 평가자에게 의뢰한다.

기출문제

교수설계를 위한 ADDIE 모형 중 다음에 해당하는 단계는?　　　2021년 국가직 9급

> • 학습목표 명세화
> • 평가도구 개발
> • 교수매체 선정

① 분석　　　　　　　　　② 설계
③ 개발　　　　　　　　　④ 실행

해설
교수설계를 위한 ADDIE 모형에서 학습목표의 명세화, 평가도구의 개발, 교수매체의 선정 등을 하는 단계는 설계이다.　　　　　　　　　　　　　　　　　　**답** ②

2. 딕과 캐리(Dick & Carey) 모형

(1) 특징

① 체제접근에 입각하여 교수설계, 개발, 실행, 평가의 과정을 제시하는 대표적인 모형이다.

② 하나의 절차적 모형으로, 효과적인 교수 프로그램을 만들어 내기 위해서 필요한 일련의 단계들과 단계들 간의 역동적인 관련성에 초점을 맞추고 있다.

(2) 구성 요소

① **교수목적 확인:** 목표 리스트나 요구분석의 결과 등으로부터 추출해서 학습자가 학습을 마친 후에 할 수 있게 되기를 원하는 것을 결정하는 일이다.

② **교수분석:** 교수목표 설정 후 그 목표가 어떤 학습 유형에 속하는가를 결정하는 일이다. 이 유형이 확인되면 그 목표를 성공적으로 달성하기 위해 학습자가 하는 하위 기능을 분석하고 그 기능들이 어떤 절차로 학습되어야 하는가를 밝힌다.

③ **학습자 및 맥락 분석:** 본 학습을 진행하기 위해 학습자의 선행 기능 및 학습자의 구체적인 특성을 분석한다.

④ **수행목표 진술:** 학습이 종결되었을 때 학습자가 수행할 수 있으리라고 기대되는 것을 구체적으로 진술하는 것으로 학습될 성취행동, 그 성취행동이 실행될 조건, 학습이 성공적인지 아닌지를 판단할 수 있는 준거로 구성된다.

⑤ **평가도구 개발:** 목표에서 가르치려고 했던 기능을 학습자가 성취했는가를 알아볼 수 있는 검사문항을 개발하는 것이다.

⑥ **교수전략 개발:** 교수 프로그램의 최종 목표를 성취하기 위해 이용하고자 하는 전략을 설정하는 일로서, 교수 전 활동, 정보 제시, 연습 및 피드백, 추후활동 등이 제시되어야 한다.

⑦ **교수자료 개발 및 선정:** 교수전략에 근거하여 학습자용 활용 지침서, 교수자료, 검사, 교사용 지침서와 같은 교수 프로그램을 만드는 일이다.

⑧ **형성평가 설계 및 실시:** 교수 프로그램의 질을 개선하기 위해 필요한 자료를 수집하는 평가로, 일대일 평가, 소집단 평가, 현장 평가 등이 있다.

⑨ **교수 프로그램의 수정:** 형성평가 결과를 바탕으로 교수 프로그램이 가지고 있는 결정을 수정·보완한다. 또한 교수분석의 타당성, 학습자의 출발점 행동 및 특성분석의 정확성, 성취목표 진술의 적절성, 검사 문항의 타당성, 절약의 효과 등을 검토하여 수정한다.

⑩ **총괄평가 설계 및 실행:** 교수 프로그램의 절대적 가치 혹은 상대적 가치를 평가하는 일이다.

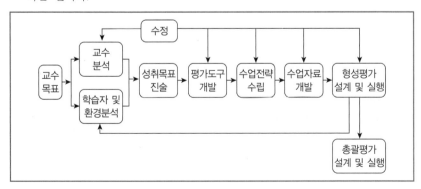

⊙ 딕과 캐리의 교수개발 모형(2005)

3. 조나센(Jonassen)의 구성주의 수업설계 모형

(1) 의의

조나센의 모형은 구성주의 학습 환경(Constructivist Learning Environments, CLEs) 설계를 위한 원리, 즉 모형 제시하기(modeling), 안내하기(coaching), 발판 제공하기(scaffolding)를 제공하기 전에 학습 환경을 구성하고 있는 요소들을 중심으로 한 모형이다.

(2) CLEs 설계 모형

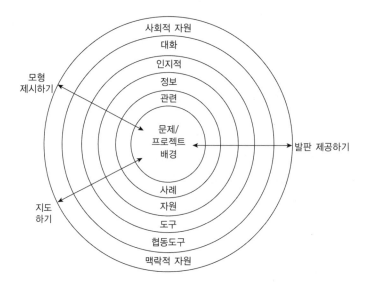

↑ CLEs 설계 모형

① 학습자가 해결해야 하는 '질문, 사례, 문제, 프로젝트'가 가장 중심부에 있다.
② 관련 사례: 구성주의 학습 환경에 포함된다. 학습자의 지적 모형 부재 및 경험 부족을 도와주기 위해 준비되는 것으로 사례들을 통하여 학습자는 문제에 내재되어 있는 논점들을 이해하게 된다.
③ 정보: 학습자가 문제를 규정하고 가설을 설정하는 데 필요하다.
④ 인지도구: 학습자가 실제적인 문제를 해결해가는 인지 과정을 지원하고 촉진하는 컴퓨터 소프트웨어로 사고를 시각화하거나, 조직하거나, 자동화하는 기능을 수행한다.
⑤ 대화와 협동을 위한 도구: 학습자 상호 간에 이루어지는 학습활동, 즉 지식구성 과정을 촉진하는 컴퓨터 매개 통신을 의미한다.
⑥ 사회적·맥락적 지원: CLEs를 성공적으로 실행하려고 노력할 때 고려해야 하는 요소이다.

(3) 구성주의 학습 환경의 교수활동

학습활동	교수활동
탐색(exploration)	모형 제시하기(modeling)
명료화(articulation)	지도하기(coaching)
반추(reflection)	발판 제공하기(scaffolding)

① 탐색활동: 학습자는 학습 대상의 목적을 분명히 하기 위해 탐색활동을 한다. 탐색활동을 지원하는 교수전략인 모델링 제시는 학습자에게 기대되는 수행행위의 사례를 보여주는 것으로, 각 문제해결 활동에서 학습자가 보여주는 내면의 인지적 추론과정을 분명히 하는 것이다.

② 명료화: 학습자의 명료화 활동은 자신들이 이미 알고 있는 것이나 알게 된 것을 분명히 하는 것이다. 즉 학습자가 스스로 설정한 이론이나 모형을 검토하기 위해 실제로 적용하는 활동을 포함한다. 명료화를 지원하기 위해서는 ㉠ 학습자의 동기를 유발하고, ㉡ 학습자의 수행수준을 분석하며, ㉢ 그에 대한 피드백을 제공하고, ㉣ 학습한 내용에 대하여 반추할 것을 요청한다.

③ 발판 제공하기: 성인과 아동이 인지적 과제를 같이 수행할 때 성인에 의해 제공되는 인지적 지원활동을 의미한다. 이는 학습자의 흥미를 유지할 수 있으며, 과제를 단순하게 하며, 동기를 유발하고, 적절한 수행행위를 나타내게 된다. 발판 제공하기는 ㉠ 학습자의 수준에 맞는 과제를 제시하고, ㉡ 학습자의 부족한 부분을 고려하여 과제를 조정하고, ㉢ 대체적인 평가를 실시하는 것이다.

4. 상보적 교수(reciprocal teaching)

(1) 특징

① 단기간에 독해교육의 성과를 얻는 데 유용한 구성주의 교수모형이다.

② 교수전략은 질문 생성하기(generating questions), 요약하기(summarizing), 명료화하기(clarifing), 예언하기(predicting)를 포함한다.

(2) 교수의 전제

① 학생들의 독해 능력 증진에 효과적이다.

② 독해 전략들을 가르치고 강화하기 위한 여러 가지 대안들을 제공한다.

③ 교사와 학생들 모두 쉽게 숙달할 수 있다.

④ 독해에 관한 새로운 개념을 포함한다.

(3) 교수의 원리

① 상보적 교수의 목표는 교재의 의미를 구성하고 이해를 점검하는 데 있다.

② 교재 이해에 관건이 되는 학습전략의 습득은 교사와 학생의 공동 책임이다.

③ 모든 학생들이 대화와 토의에 참여해야 하며 교사는 학생들의 참여를 도와야 한다.

④ 교사는 매일같이 대화의 통제권을 학생들에게 부여하도록 노력해야 한다.

(4) 교사의 역할

① 교사는 전문적이고 능숙한 행동의 모형이 되어야 한다.

② 교사는 명확한 수업목표를 설정해야 한다.

③ 교사는 토의 지도자 역할을 하는 학생들을 면밀히 관찰하여 그들이 토의를 이끌 수 있는 기회를 제공한다.

(5) 교수의 진행 단계

① **예언하기:** 토의활동은 텍스트로부터 학습할 내용에 관하여 예언을 하는 것으로부터 시작한다. 이러한 예언은 다음과 같은 사항들에 기초해야 한다.
  ㉠ 글의 제목이나 부제목
  ㉡ 주제와 관련된 학생들의 사전 지식과 정보
  ㉢ 유사한 종류의 정보에 대한 경험

② **질문하기**
  ㉠ 교사는 글의 각 부분별로 토의를 주도할 학생들을 지정한다.
  ㉡ 토의 주도 학생은 읽은 내용에 관해 질문하고 다른 학생들은 대답한다.

③ **요약하기:** 토의 주도 학생이 토의 내용을 요약한다. 그러면 교사는 다른 학생들에게 요약에 대해 논평하고 정교화하도록 한다.

④ **명료화하기:** 글의 내용 중에 불분명한 부분들(개념, 어휘 등)이 있으면 의미가 명확해질 때까지 토의한다. 이 때 학생들은 더 많은 예언을 하거나 교재의 관련부분을 그 의미가 명확해지도록 다시 읽는다.

차원 \ 모형	객관주의 - 합리적 모형	구성주의 - 해석적 모형
설계과정	순차적, 선형적	순환적, 비선형적, 때로는 무질서
계획	하향식, 체계적	유기적, 개발적, 반적적, 상보적
목표	개발과정을 안내	설계와 개발과정에서 도출
전문가	수업설계 활동에 중요한 역할	일반적인 의미의 수업설계 전문가가 존재하지 않음
강조점	하위기능들을 신중하게 계열화하여 교수하는 것이 중요	유의미한 맥락에서의 학습 강조
설계 목적	사전에 선정된 지식의 전달	유의미한 맥락에서의 개인적 이해
평가	총괄평가 중요	형성평가 중요
자료	객관적 자료 중요	주관적 자료가 가장 가치 있음

 교수설계에 대한 객관주의와 구성주의 모형의 특성 비교

📁 **참고**

교수설계에 영향을 준 행동주의, 인지주의, 구성주의의 비교

이론	교수설계의 시사점
행동주의	① 행동적 목표를 제시하였다. ② 외재적 동기를 강조하였다. ③ 수업을 계열화하였다. ④ 행동적 목표를 평가하였다.
인지주의	① 사고의 과정과 탐구 기능을 강조하였다. ② 정보처리 전략을 활용하였다. ③ 내재적 학습동기를 강조하였다. ④ 평가에서 문제탐구 및 발견능력을 중시하였다.
구성주의	① 학습자 중심의 학습환경을 강조하였다. ② 실제적 과제와 맥락을 중시하였다. ③ 문제해결 중심의 학습을 제시하였다. ④ 교사의 역할은 촉진자, 공동협력자이다.

05 | 교수매체의 이론과 실제

1. 교수매체 활용 교수설계 모형 - ASSURE 모형

학습자 특성 분석 - 목표 진술 - 매체의 선정 및 제작 - 매체와 자료의 활용 - 학습자 반응
유도 - 평가와 수정

2. 교수매체 유형

인쇄자료, 실물자료, 그래픽 자료, 정사진, 청각자료, 동사진 자료, 컴퓨터 자료, 멀티미디
어자료

3. 영상매체의 원리

4. 교수매체의 최근 동향
   ① 구성주의적 접근
   ② 질적 연구와 메타(meta) 분석
   ③ 교수설계과정의 일부로 다룸
   ④ 사회매체로서의 교수매체 연구

1 교수매체의 이해

1. 교수매체의 개념

(1) 교수 - 학습 과정에서 교사와 학생 또는 학생 상호 간에 정보를 전달하는 모든 수
단과 방법을 말한다.

(2) 교수매체의 차원

   ① **협의의 교수매체:** 내용을 구체화하거나 보충하여 학습자가 명확히 이해할 수 있
   도록 도와주기 위해 사용되는 모든 기계나 자료 또는 한 시청각적 혹은 언어적
   정보를 전달하는 데 사용되는 시청각 기자재를 말한다.

   ② **광의의 교수매체:** 교수 - 학습자원의 의미로 교사와 학습자 사이에 교수목표 달
   성을 위해 사용되는 모든 수단으로 인적 자원, 학습내용, 학습 환경, 시설,
   기·자재(software & hardware) 나아가 교수설계 전략까지를 포함하는 넓은
   의미로 확대된다.

2. 교수매체 연구 동향

(1) 교수매체 비교 연구

   ① 행동주의 패러다임의 영향을 받아서 시작된 연구이다.

   ② 새로운 매체의 사용으로 인한 흥미유발 등의 신기성 효과가 비교 결과에 섞여
   들어갈 수 있다는 비판을 받는다.

③ 대개 특정 교수매체를 독립변인으로, 학습의 결과인 지식이나 기술의 습득을 종속변인으로 삼는 연구의 형태를 취한다.

(2) 교수매체 선호연구

① 매체 활용에 대한 태도에 관한 연구이다.
② 학습자들의 정의적 특성 변인들, 예를 들면 태도, 가치, 신념 등의 정의적 특성 변인들이 학습에 미치는 효과를 탐색한다.

(3) 교수매체 속성연구

① 인지주의 패러다임에 근거한 연구이다.
② 인지심리학의 영향을 받아 각 매체가 특정 상징(symbol)을 통하여 메시지를 표현하고, 매체가 전달하는 상징체제가 학습자의 인지적 표상과 처리과정에 영향을 줄 것이라고 가정한다.
  예 줌(zoom)이나 동영상을 통한 내용 제시는 정적인 그림이나 소리를 사용했을 경우와 다르게 학습자의 인지과정에 영향을 미칠 것이라고 주장한다.

3. 교수매체의 속성과 이론

(1) 교수매체의 속성

① 기술적 속성: 매체를 구성하는 재료 및 기기의 속성으로 정보의 전달 방법에 영향을 준다. 기술의 발달과 함께 새로운 매체가 등장하게 되는 원인이 되며, 상황과 장소에 따른 매체의 선택과 효과에 영향을 미친다.
② 내용적 속성: 모든 매체는 특정한 내용을 포함하고 전달하는 것을 나타낸다. 매체의 효과는 단순히 매체 자체의 기술적인 속성보다도 그 매체가 어떤 내용을 전달하느냐에 따라 달라질 수 있다.
③ 상황적 속성: 메시지가 전달되는 사회적 환경이 매체의 효과에 영향을 미친다는 것이다. 동일한 매체가 전달하는 동일한 내용일지라도 그 매체를 활용하는 상황에 따라 의사소통의 효과가 달라진다.
④ 상징적 속성: 매체에 따라 내용을 전달하기 위해 문자, 음성, 기호 및 언어 등의 특정한 상징체계를 사용한다는 것이다.

(2) 매체 속성에 관한 이론

① 굿맨(Goodman)의 상징체제 이론
  ㉠ 상징: 구체적 대상물에 대해 참조적으로 사용될 수 있는 것을 의미한다.
  ㉡ 상징체계: 여러 개의 상징들이 어떤 숨겨진 법칙에 따라 일정한 형식으로 활용되는 것이다.
  ㉢ 표기성(notationality): 상징체계의 구조적 특성을 결정짓는 요소이다. 하나의 상징체계가 그것을 나타내는 참조적 공간 또는 틀에 '애매하지 않게 지도화되는 정도'를 말한다. 표기성이 높은 상징체제는 그 체제가 분명하고 표기체제 내에 존재하는 대상물들 사이에 '의미론적 단절'이 있으며 유한개의 의미론적 구분이 가능하다.

② 올손(Olson)의 교수 수단 이론

　ⓐ 새로운 매체가 도입되면 그 매체의 새로운 상징체계를 이해하기 위해 새로운 인지기능이 개발된다.

　ⓑ 올손은 매체를 통해 전달되는 내용은 학습자의 기본지식에 전이를 초래하고 이러한 과정에서 매체의 상징체계로 인해 학습자의 인지적 기능이 개발된다고 보았다.

　　예 학습자는 TV 앞에 앉아서 TV가 내보내는 내용만을 습득하는 것이 아니라 TV만이 갖고 있는 독특한 부호의 상징체계에 의해 새로운 의사소통 능력을 습득한다.

③ 살로몬(Salomon)의 매체속성 이론

　ⓐ 매체와 인간의 인지과정은 상징기호를 통해 정보를 표현하고, 저장하고, 처리한다는 것과 인간의 인지과정에 동원되는 상징체계의 일부는 매체에 의한 상징체계로부터 획득된 것이라는 가정이다.

　ⓑ 상징체계가 독특한 것일수록 거기에 소요되는 정신적 기술도 독특한 것이어야 하며, 특정 매체가 특정한 상징체계를 개발할 수 있게 하고 그에 따른 독특한 정신적 기술을 개발할 수 있기 위해서는 그 매체에 고유한 속성을 발휘할 수 있어야 한다.

秀 POINT 신기성(novelty)

1. 베이츠(Bates)가 소개한 ACTIONS 모델의 한 요소이다.

2. 매체 활용여부를 결정할 때 고려해야 할 요소들을 접속, 비용, 교수 - 학습, 상호작용성과 사용자 친근성, 조직에서의 문제, 신기성 그리고 속도라고 하였다. 신기성은 사용자 측면, 운영자 측면 그리고 연구와 연구자 측면이 있다.

3. 새로운 매체가 처음 소개되면 학습자들로부터 관심을 끌 수 있고 그 결과 학습에 효과가 있는 것으로 나타나지만 이런 매체가 일반화되면 신기성은 사라지고 따라서 매체의 효과가 저하된다. 따라서 신기성이 퇴색했을 때 어떻게 학습자들의 흥미를 잃지 않느냐가 중요한 과제이다.

4. 교수매체의 선정 시 주의할 점

(1) 적절성

① 매체가 수업목표 달성에 적합한가?
② 어휘수준, 개념 난이도, 전개방식, 흥미 유도가 적절한가?

(2) 신빙성

① 내용이 정확하고 최신성을 지니고 있는가?
② 자격을 갖춘 사람에 의해 제작되었는가?

(3) 흥미

① 학습자의 흥미를 유발시키는가?
② 창의성과 상상력을 유발시키는가?

(4) 조직과 균형

① 논리적으로 내용이 전개되고 있는가?

② 내용 전개에 편견이 없는가?

(5) 기술적인 질(質)

화질, 녹음상태, 색상 등이 적절한가?

(6) 가격

5. 교수매체의 효과

(1) 토픽의 내용이 신중히 선택되고 조직된다.

(2) 동일한 경험을 제공함으로써 수업을 표준화시킨다.

(3) 가르치는 것을 즐겁게 해준다.

(4) 학습이론을 적용하여 학습이 보다 상호작용적으로 이루어지게 한다.

(5) 학습에 요구되는 시간을 단축시킨다.

(6) 학습의 질을 향상시킬 수 있다.

(7) 원하는 때에 원하는 곳에서 학습이 일어나게 해준다.

(8) 교사의 역할이 긍정적인 방향으로 바뀌게 된다.

(9) 학습에 대해 긍정적인 태도를 갖게 하여 학습과정이 증진된다.

6. 교수매체의 유형

(1) 인쇄자료

① 특징

㉠ 문자를 중심으로 구성되며 지식 전달에 효과적이다.

㉡ 경비가 저렴하여 다량으로 복사하여 학습자에게 제공할 수 있다.

② 종류: 유인물, 리플릿, 팜플렛, 학습지. 교과서, 참고서, 프로그램 학습지 등이 있다.

(2) 실물자료

① 특징

㉠ 구체적인 경험을 제공할 수 있는 입체형태의 시각자료를 말한다.

㉡ 실제의 자료를 그대로, 크게 혹은 작게 단순화시켜 공간적인 제약을 해결한 것이다.

② 종류: 모형, 모델, 실물, 표본, 디오라마 등이 있다.

(3) 그래픽 자료

① 특징

㉠ 복잡한 내용이나 개념을 정리, 요약하여 시각화한 자료이다.

㉡ 시각적인 메시지를 통하여 구체적인 정보를 제시할 수 있다.

② 종류: 괘도, 차트, 포스터, 그래프, 지도, 다이어그램 등이 있다.

(4) 정사진(still picture) 자료

① 특징

    ㉠ 가장 사실성이 높은 자료로서 실제의 장면이나 내용을 선명하게 제시한다.

    ㉡ 확대, 투사가 가능하므로 많은 학습자가 동시에 크고 선명한 상을 볼 수 있다.

    ㉢ 움직임이 없기 때문에 기술이나 운동 등 행위 중심의 학습에는 효과가 떨어지는 약점을 지닌다.

② 종류: 사진, 슬라이드, 필름 스트립, 투시물 자료 등이 있다.

(5) 청각자료

① 특징

    ㉠ 언어학습이나 음악 감상 등과 같이 청각을 위주로 정보를 전달하고자 할 때 사용한다.

    ㉡ 기계의 가격이 저렴하고 이동성이 뛰어나지만, 단조롭고 지루한 느낌을 준다.

② 종류: 오디오 테이프, 디스크, CD, 라디오 방송 프로그램 등이 있다.

(6) 동사진(move) 자료

① 특징

    ㉠ 청각정보를 동반하여 움직임을 제공할 수 있기 때문에 가장 현실에 가까운 상황의 재현이 가능한 자료이다.

    ㉡ 구체적인 경험 제공이 가능하여 지식이나 운동, 기술적인 측면의 학습에는 물론이고 정서적인 측면의 학습에도 효과적이다.

② 종류: 영화, 비디오테이프, 비디오디스크, TV 방송 프로그램 등이 있다.

(7) 컴퓨터 자료

① 특징

    ㉠ 방대하고 다양한 정보를 제공하여 일제식 수업이나 집합수업에서 벗어나 개별화 학습을 가능하게 해준다.

    ㉡ 학습자의 반응에 개별적으로 즉각적인 반응을 제공함으로써 학습효과를 높일 수 있다.

    ㉢ 반복연습 및 오답의 특성을 파악하여 정정해주는 것이 가능하다.

② 종류: 교육용 컴퓨터 코스 웨어, 시뮬레이션 및 게임 자료 등이 있다.

(8) 멀티미디어 자료

① 특징

    ㉠ 문자정보, 그림, 정사진, 소리정보, 애니메이션, 비디오 영상 등을 디지털 방식으로 통합시킨 컴퓨터 중심의 복합다중매체를 말한다.

    ㉡ 쌍방향의 커뮤니케이션과 상호작용 학습을 가능하게 해준다.

② 종류: 상호작용 비디오 시스템, CD - ROM, 인터넷 등이 있다.

2 교수매체 활용의 교수설계 모형[ASSURE 모형, 하이니히(Heinich), 1996]

1. 개념

교실상황에서 매체를 효과적으로 활용하기 위한 계획에 초점을 두고 개발된 절차모형이다.

2. 절차

(1) A - 학습자 특성분석(Analyze learner characteristic)

① 학습자 특성 요인
  ⊙ 일반적 특성: 연령, 학령, 지적인 수준, 문화, 사회 경제적 요인 등과 같은 특성으로, 학습내용과 직접 관련되지는 않으나 수업의 수준을 결정하거나 적절한 예를 찾는 데 도움을 준다.

  예 읽는 속도가 느린 학습자에게는 인쇄자료보다는 청각적 자료가 유리하다.

  ⊙ 출발점 행동: 교수 매체의 선정이나 사용방법의 결정과 밀접한 관련을 지닌다. 출발점 행동과 관련된 요인들은 표준화 검사지, 교사 작성 시험지 등을 통한 사전검사나 학습 집단 대표와의 대화, 학습자에게 직접 혹은 간접적 질문 등을 통해 파악한다.

  ⊙ 학습 양식: 학습자가 학습 환경을 인지, 적용, 반응하는 경향으로 이를 확인하기 위해 MBTI 등을 활용할 수 있다.

② 활용: 교수매체와 교수방법의 선택에 도움을 준다. 분석결과 적성과 능력에 차이를 보이면 개별적 보충수업이나 심화수업을 통해 학습자의 능력에 따른 진도를 선택할 수 있도록 한다.

(2) S - 목표 진술(State objectives)

① 학습목표는 교사가 무엇을 할 수 있느냐가 아니라 학생의 능력을 중심으로 진술되어야 한다.

② 목표는 교과과정 지침서나 교과서에 나와 있는 요구분석이나 학과목 요목 등에서 뽑을 수 있다.

③ 학습목표는 성취하고자 하는 최종목표, 학습성취에 필요한 조건, 학습성취의 판단기준이 포함된 행동적 목표로 진술되어야 한다.

④ 학습목표가 행동적 목표로 진술되어야 목표성취에 필요한 교수매체를 선정할 수 있고 목표도달을 위한 적합한 학습 환경을 제공할 수 있으며, 목표의 달성 여부를 판단, 평가할 수 있는 기준을 제공해 줄 수 있다.

(3) S - 매체의 선정 및 제작(Select, modify or design materials)

적절한 교수매체를 찾아내는 방법으로는 다음과 같다.

① 이미 만들어진 기존의 자료 중에 적합한 것을 골라서 사용한다. 기존의 자료 중에서 선택할 때 학습자의 특성, 학습목표의 성격, 교수 접근방법 및 학습상황에서의 시설, 환경 등 장애가 되는 요소를 고려하여야 한다.

② 기존의 자료가 적합하지 않을 때에는 이들의 녹음내용이나 캡션 등을 수정하거나 재편집해서 사용할 수 있고, 시간과 비용 면에서 효율적이다.

③ 적절한 교재가 없는 경우는 학습목표 성취에 적합한 것을 만든다. 이때에는 학습자가 성취해야 할 목표와 학습자의 특성은 무엇인지, 제작에 충분한 비용을 확보할 수 있는지, 원하는 수준의 자료를 만들기에 충분한 기술, 장비, 시설 등이 구비되어 있는지를 고려해 보아야 한다.

(4) U - 매체와 자료의 활용(Utilize media and materials)

효과적인 교수매체의 제시방법으로는 다음과 같다.

① 수업 전에 교사는 자료를 사전에 면밀히 검토하여 친숙해져 있어야 한다.

② 자료의 제시를 적어도 한번 이상 연습해 보아야 한다. 이를 통해 교사는 보다 여유 있고 익숙한 태도로 수업을 진행해 나갈 수 있다. 이 때 주변 환경(안락한 의자, 환기, 온도, 조명 등)도 고려해야 한다.

③ 학습자를 준비시킨 후 자료를 제시한다. 즉 앞으로 사용할 교수매체에 대한 정보나 특별한 용어에 대한 설명을 미리 제공함으로써 동기유발과 주의집중을 유도할 수 있다. 즉 매체와 자료 활용 단계에서는 자료에 대한 사전 검토, 자료 준비하기, 환경 준비하기, 학습자 준비시키기, 학습경험 제공하기의 5단계로 정리될 수 있다.

(5) R - 학습자의 반응 유도(Require learner response)

① 효과적인 매체 활용 수업을 위해서 학습자의 능동적인 참여를 요구해야 한다.

② 반응에 대한 즉각적인 강화가 제공될 때 학습이 증진된다. 교사는 반응을 유도하기 위해 교재와 관련된 토의, 퀴즈, 연습문제 등을 준비하거나 교수매체 활용 후에 과제를 주어 학습자의 학습행동을 유발시켜야 한다.

(6) E - 평가와 수정(evaluation and revise materials)

수업목표 달성과 교수방법은 물론 활용된 교수매체의 효과, 비용, 소요시간 등에 대한 평가가 이루어진다.

⊙ ASSURE모형의 절차

기출문제

교수매체의 효과적인 선정과 활용을 위한 ASSURE 모형에 대한 설명으로 옳지 않은 것은?   2020년 국가직 7급

① 수업계획의 첫 단계는 학습자를 분석하는 것이다.

② 수업목표는 학습자가 수업 중 경험할 학습활동으로 제시한다.

③ 학습 내용에 대한 연습과 피드백 기회를 통해 학습자의 능동적인 참여를 유도한다.

④ 마지막 단계에서는 수업의 효과 및 영향에 대한 평가와 그에 따른 수정이 이루어진다.

해설 ----------
수업목표는 학습자가 수업 중에 경험할 학습활동을 제시하는 것이 아니라 수업이 끝난 후 학습자가 보여주어야 할 행동을 진술하는 것이다.   **답 ②**

3. 교수매체 선정 시 고려 사항

학습자 특성	학습자의 연령, 지적 수준, 태도 등의 특성은 매체 선택에 영향을 미친다.
수업상황	수업집단 형태와 수업 전략은 매체 선택에 영향을 미친다.
학습목표와 내용	학습목표는 인지적 영역, 정의적 영역, 심체 운동적 영역으로 구분되며, 학습목표가 어느 영역에 해당하는가에 따라 매체 선정에 영향을 미친다.
수업 장소의 시설여부	수업 장소에 매체를 효율적으로 활용할 수 있는 시설 여부가 매체 선택에 영향을 미친다.
실용적 요인	그 매체를 사용하기 편리하거나 여건이 갖추어져 있는가에 따라 매체의 이용 여부가 결정된다.

3 교수매체의 종류와 특징

1. 칠판

(1) 기본적 활용방법

① 칠판을 깨끗하게 정리해두어 수업이 산만해지는 것을 방지한다.
② 색상 조절의 효과를 높이기 위해 다양한 색의 분필을 사용한다.
③ 글자와 그림은 충분히 크게 한다.
④ 칠판을 향해서 설명을 하지 않도록 한다.
⑤ 학생들의 시야를 가리지 않도록 한다.
⑥ 긴 설명문이나 복잡한 그림은 미리 준비한다.

(2) 장점

① 교사와 학생이 손쉽게 사용할 수 있다.
② 학습내용의 기억을 용이하게 한다.
③ 내용을 정리하여 제시할 수 있다.
④ 학습자의 흥미를 집중시킬 수 있다(다양한 색상, 밑줄 등 활용).
⑤ 학생들에게 공통의 경험과 집단적 사고의 장을 마련해준다.
⑥ 학생이 능동적으로 참여할 수 있다.
⑦ 반복연습이 가능하다.

(3) 단점

① 한 번에 다룰 수 있는 양이 제한된다.
② 건강상의 문제가 발생할 수 있다.
③ 영구적 보존이 불가능하다.

2. 괘도

(1) 개념

학습내용을 요약, 정리하여 복잡한 요인들 간의 관계 및 발전과정, 요인 간 상호작용의 비교·분석이 가능하도록 단순화시킨 시각매체이다.

(2) 장점

① 교사와 학생이 직접 제작이 가능하다.

② 비용이 적게 들고 경제적이다.

③ 언제, 어디서든 사용이 가능하다.

④ 학생의 주의를 집중시킬 수 있다.

⑤ 학습효과를 증진시킬 수 있다.

3. 융판 및 자석판

학습내용 및 자료를 자유롭게 붙이기도 하고 떼기도 할 수 있도록 만든 매체이다.

4. 슬라이드

(1) 개념

① 사진기로 촬영한 필름이나 투명필름에 그림을 그려 넣은 것을 한 번에 한 장면
씩 개별적으로 볼 수 있도록 만든 투사매체이다.

② 슬라이드는 주로 대집단 수업에 사용하기 위해 만들어졌지만 최근에는 소집단
혹은 개별화 수업에 활용하는 것이 가능하게 되었다.

(2) 특징

① 학습내용에 따라 순서를 조정할 수 있다.

② 슬라이드 프로젝터의 조작이 간편하다.

③ 학습내용을 연속적인 과정으로 제시할 수 있다.

④ 학습내용의 제시 속도를 조절할 수 있다.

⑤ 화면의 축소, 확대가 가능하다.

5. OHP(Over Head Projector; 투시물 환등기)

(1) 개념

교사가 학생을 등지고 칠판에서 판서를 하는 수고 대신에 학생과 정면으로 마주
앉은 상태에서 마련된 투시물 자료(TP)를 사용하여 교사 뒤쪽 머리 위에 설치된
스크린 위에 학습내용을 투사시켜 전달하는 기기를 말한다.

(2) 특징

① 교사가 학생과 마주보는 상태에서 수업을 계속할 수 있다.

② 사용을 위한 조작이 간단하다.

③ 교실과 같은 밝은 장소에서도 사용이 가능하다.

④ 학습 자료를 다양하게 제시할 수 있다.

⑤ 반복적 사용이 가능하다.

⑥ 컴퓨터 모니터에 나타난 영상을 화면에 크게 투사할 수 있는 LCD 시스템도
사용되고 있다.

⑦ 비디오카메라나 VCR을 연결하면 움직이는 생생한 화면을 볼 수도 있다.

(3) 유의점

① 스크린은 OHP에서 투영되는 광축에 수직이 되도록 경사지게 설치한다.

② 불필요한 것이 투시되지 않도록 한다.

③ TP의 내용은 몸을 돌려 화면을 보지 않고 학습자를 보며 설명한다.

④ TP에 써 있는 내용을 그대로 읽는 것은 피한다.

⑤ TP를 제시하거나 내릴 때는 전원을 끈 상태에서 제시한다.

⑥ 제시하는 화면과 관계없는 내용을 설명할 때는 전원을 끈다.

⑦ OHP의 스크린은 교실 전면의 왼쪽이나 오른쪽에 설치하는 것이 좋다.

(4) 좌석 배치

스크린에 투사된 상의 가로 길이의 2 ~ 6배 사이에 스크린 중앙을 중심으로 좌우 각 45° 이내의 부채꼴 모양의 위치에 학생들이 앉으면 왜곡되지 않은 상을 볼 수 있다. 이때 OHP의 위치는 스크린으로부터 투사된 상의 가로 길이의 1.3배 정도 떨어진 곳이 된다.

(5) 단점

① OHP 자체로 시각자료의 제시순서를 미리 계획하여 저장할 수 없다.

② 대집단 발표에는 적합하나 개별학습에는 적합하지 않다.

③ 사전에 반드시 TP로 제작하는 과정을 거쳐야 한다.

④ 다른 어떤 투사기보다 이미지의 변형(키스톤 현상)이 가장 심하게 발생한다. 키스톤 현상을 방지하고 직사각형 모양의 상을 얻기 위해서는 스크린의 상단부분을 벽에서 조금 떨어지게 설치해야 한다.

📁 **참고**

키스톤 효과(keystone effect)

1. 의의

투사 매체를 활용할 때 나타나는 화면의 왜곡현상으로 이 현상은 투사매체와 스크린 배치가 적절하지 못하였기 때문에 발생한다.

2. 유형

수평적 키스톤 효과	투사되는 면의 좌우의 길이가 다르게 나타나는 것으로 수정방법은 투사 매체를 화면과 수직이 되도록 이동한다.
수직적 키스톤 효과	상·하면의 길이가 다르게 나타나는 것으로 수정방법은 투사 매체를 화면과 직각이 되는 각도까지 높여주거나, 화면을 직각이 되는 각도까지 기울여 주는 방법이 있다.

---

6. 실물 환등기(opaque projector)

(1) 개념

신문, 잡지, 그림 등과 같이 불투명한 자료 제시대 위에 놓인 자료를 스크린 위에 확대하여 투사시켜 제시해주는 교수매체로 최근에는 투시물 환등기와 겸용으로 사용이 가능하도록 개발되었다.

(2) 구성

송풍장치, 모터, 자료 제시대, 초점 조절장치 등 비교적 부품 수가 적고 간단하게 구성되어 있다.

(3) 특징

① 즉석에서 지도나 신문·잡지 기사, 사진은 물론 부피가 크기 않은 납작한 돌, 동전, 작은 연장 등의 실물을 제시할 수 있다.

② 크기가 작은 자료를 즉시 그 자리에서 확대하여 제시할 수 있어 관찰이나 토론 등이 가능하며 큰 상(像)은 그룹영사를 가능하게 해준다.

③ 그림·차트·지도·글자 등의 시각자료를 임의의 크기로 확대시킬 수 있어 교사 가 게시판 자료나 포스터 등을 제작할 때나 밑그림을 그릴 때 도움을 받을 수 있다.

④ 교실에 있는 TV 모니터 또는 디지털 투사기에 연결하면 교실 안의 모든 학생 들이 작은 것도 잘 볼 수 있다.

(4) 장점

① 도표, 신문, 책, 잡지 등에 들어있는 도해 등과 같이 교실에서 구할 수 있는 어 떤 것이든 현장에서 즉시 투사가 가능하다.

② 모든 학생들이 동일한 자료를 쉽게 볼 수 있도록 동일한 기회를 제공한다.

③ 학생들의 그림, 작문, 수학문제에 대한 해답 등과 같은 내용을 제시하고 토론하 는 것을 가능하게 해준다.

(5) 단점

① 부피가 크고 무거워 이동이 힘들다.

② 모니터나 비디오 투사기 없이는 사용할 수 없다.

③ 좋은 화질을 위해 추가로 고가(高價)의 조명을 사용해야 한다.

(6) 적용

소집단, 학급 크기 정도의 집단, 혹은 인쇄된 또는 시각자료를 함께 보아야 하는 원거리의 대상자들에게 유용하며, 모든 교과영역 및 연령층에 적용이 가능하다.

7. 디지털 카메라

(1) 개념

시각자료를 사진 필름에 저장하는 대신 컴퓨터에 직접 연결하여 이미지를 컴퓨터 에 저장하는 것이 가능한 카메라이다.

(2) 장점

디지털 이미지로 사진을 찍을 수가 있기 때문에 일반 카메라처럼 현상, 인화, 스캔 과 같은 추가 과정이 필요없다.

8. 파워 포인트 프레젠테이션

(1) 개념

파워 포인트는 프레젠테이션 전문 작성 프로그램으로 강의나 프리젠테이션을 할 때 일반적으로 사용되는 소프트웨어이다.

(2) 특징

① 문서 작성이 편리하다.
② 슬라이드 순서의 재배치가 용이하다.
③ 사용자가 원하는 다양한 색상을 사용하여 슬라이드를 작성할 수 있다.
④ 윈도우의 다른 응용 프로그램을 프레젠테이션에 포함시킬 수 있다.
⑤ 다양한 형태의 그래프 및 개체의 삽입이 자유롭다.
⑥ 서식관리 기능을 제공한다.
⑦ 하이퍼 링크 기능을 제공한다.
⑧ 메모 및 메일 전송 기능이 가능하다.
⑨ 강력한 도움말을 제공한다.

9. 컴퓨터 프로젝터

(1) 특징

① 그림, 사진 등 정적 자료뿐만 아니라 애니메이션, 동화상 등 멀티미디어 자료를 제시할 수 있다.
② 컴퓨터 화면에 모든 작동을 보여줄 수 있으므로, 컴퓨터 프로그램의 기능이나 소프트웨어의 작동을 보여줄 수 있다.
③ 한 번 자료를 제작해놓으면 반복해서 영구히 사용할 수 있다.
④ 컴퓨터 화면뿐만 아니라 비디오, 방송 케이블과 연결하여 사용할 수 있으므로 따로 TV를 갖출 필요가 없다.

(2) 구조

컴퓨터 모니터의 화면을 프로젝터를 이용하여 스크린에 투사해주는 것으로 LCD (Liquid Crystal Display)패널과 빔 프로젝터(Beam Projector)의 두 가지 방식이 있다.

LCD 패널	OHP 위에 얹는 액정판을 말한다.
빔 프로젝터	프로젝터 자체를 컴퓨터 화면과 연결하여 사용하는 것으로 그 밝기와 선명도가 LCD Panal보다 훨씬 우수하다.

10. 교육방송

(1) 특징

① 각급 학교교육을 보충해주는 역할을 한다.
② 교실에서 활용 가능한 최신의 교수자료를 제공한다.
③ 모범적인 교실수업의 형태를 보여줌으로써 교사의 교수기술을 개선한다.
④ 정보의 전달뿐만 아니라 학습자의 사회적, 정서적 태도 형성에 도움을 준다.
⑤ 학생들이 직접 경험하기 어려운 지식이나 정보를 간접적으로 경험시켜 학생의 시야를 확대한다.

(2) TV의 부정적 측면

① 사고의 폭을 좁히고 창의력을 저하시킨다.
② 의사표현 능력 부족과 독서 능력 저하를 초래한다.

TV 문해(Literacy)
TV에서 제공되는 메시지를 올바르게 이해하고 이용하는 능력으로 TV를 비판적이고 선별적으로 수용할 수 있도록 적극적인 시청능력을 길러주는 것이다.

③ 대리경험의 한계를 지닌다.

④ 지식과 정보의 편향을 초래한다.

⑤ 흥미유발을 시키지 못하고 학습의욕을 저하시킨다.

⑥ 자신의 정체성 확립에 지장을 초래한다.

⑦ 가족 간의 고립화, 교우관계의 결핍, 수동적이고 현실 도피적인 성향을 조장한다.

⑧ 비판력의 약화, 무관심, 불안, 감각마비 현상을 초래한다.

⑨ 타 문화에 대한 무분별한 배타나 선호, 모방심리를 조장한다.

11. 화상강의

(1) 개념

먼 거리의 학습자들과 동시에 동화상 자료를 보여주고 실시간(real time)에 쌍방향 커뮤니케이션이 가능한 강의 시스템(원격화상 시스템)이다.

(2) 장점

① 인간 자원에 쉽게 접근할 수 있는 기회가 많다.

② 정보의 적시 분배가 가능하다.

③ 편리하고 비용 효과성이 높다.

④ 사무 자동화 테크놀로지와의 통합이 용이하다.

12. CATV(Cable TV, Community Antenna Television)

(1) 개념

방송국과 시청자 사이를 동축케이블이나 광케이블 등 유선으로 연결해서 데이터나 프로그램을 송신하는 방송매체를 말한다.

(2) 효과

① 다양성과 전문성을 지닌 교육 프로그램을 제공한다.

② 교육기회를 확대하고 서비스를 증가시켰다.

③ 상호작용성을 활용하여 교육의 질적 수준을 향상시켰다.

秀 POINT 뉴 미디어(new media)

1. 특징
통합성, 디지털화 그리고 쌍방향성을 특징으로 한다. 즉 여러 가지 매체가 통합되어 단일 매체로 전달되며, 매체에 담겨진 내용이 디지털 방식으로 전달되고, 정보의 교류가 일방향이 아닌 쌍방향으로 이루어진다.

2. 분류
① 정보전달 수단에 따른 구분: 뉴 미디어는 정보전달 수단에 따라 패키지계, 유선계, 무선계, 위성계로 구분된다.
② 정보형태에 따른 구분: 정보형태에 따라 문자미디어계, 음성미디어계, 영상미디어계, 멀티미디어계 등으로 구분된다.

3. 유형
케이블 TV, 직접 위성방송, 쌍방향 TV, 고화질 TV, 웹 TV, 인터넷 TV 등이 있다.

4 영상매체 디자인의 기본원리와 구성요소

1. 기본원리

단순성	전달하려고 하는 필수적인 정보만을 제공해주어야 한다.
명료성	보는 사람들이 이해하기 쉽도록 제작한다.
균형성	영상매체 자료들을 심미적(審美的)으로 좋은 배치가 되도록 위치시켜야 한다.
조화성	영상의 모든 부분들은 다른 것과 상호 관련되고 보완적이어야 한다.
조직화	내용의 배열이 전체적인 흐름이 있도록 한다.
강조	영상매체의 한 구성 부분을 나머지로부터 두드러져 보이게 한다.
해독성	보는 사람들이 그 영상을 충분히 자세히 보고 이해할 수 있도록 한다.
통일성	영상의 구성요소들이 전체적으로 하나라고 생각되도록 배치하여야 한다.
원근법	공간감과 입체감을 느끼게 해주어야 한다.

2. 구성요소

(1) 색상

① 학습자의 주의를 끌고 흥미를 유발할 수 있는 중요한 요소이다.

② 실제의 색상에 가깝게 선택함으로써 현실성을 높인다.

③ 강조해야 할 부분이나 다른 점, 유사한 점 등 주의가 필요한 부분은 색상으로 강조한다.

④ 따뜻한 색상은 시선을 끌어들이고, 찬 느낌의 색상은 시선을 멀리하게 한다.

⑤ 강한 느낌을 주는 단일색보다는 간색을 사용하는 것이 좋다.

⑥ 글자를 강조하거나 두드러지게 나타내고 싶을 때는 글자의 색깔과 배경색을 고려한다.

> 예 노란 바탕에 검은 글씨, 파란 바탕에 흰 글씨, 흰 바탕에 검은 글씨, 검은 바탕에 노란 글씨 등의 글자가 두드러지게 나타난다. 이 가운데 노란 바탕에 검정 글씨가 가장 눈에 띄는 배합이다.

(2) 시선의 움직임과 배열

① TV화면 구성과 컴퓨터 CRT(Cathod Ray Tube) 화면 디자인에 중요한 요소이다.

② 일반적으로 사람들은 정보를 좌측에서 우측으로, 위에서 아래로 읽는다. 따라서 중요한 내용은 왼쪽 위에서부터 시작한다.

③ 시선의 움직임은 선(線)의 역할이 중요하다.

5 원격교육(distance education)

1. 개념

원격교육은 원격통신(인쇄교재, 라디오, 전화, TV, 인터넷 등)을 이용하여 교육하는 것을 의미한다. 초기에는 인쇄매체나 방송을 통한 원격교육이 이루어졌으나 컴퓨터와 인터넷의 보급은 원격교육에 새로운 가능성을 열어주었다.

2. 특징

(1) 학습자와 교사가 물리적으로 떨어져 있다.

(2) 체계화된 교육용 프로그램이 있다.

(3) 공학적인 매체를 활용한다.

(4) 쌍방향 통신을 이용한다.

3. 교육용 원격통신 시스템의 구비 조건

(1) 정보제시

① 교사의 강의나 연설
② 교과서의 내용이나 삽화
③ 육성 녹음, 음악, 기타 음성자료
④ 동영상 자료

(2) 학생활동

① 질문 - 답변(수업 중 혹은 수업 후)
② 피드백(연습, 토론, 숙제)
③ 시험

(3) 학생 - 학생 간, 학생 - 교사 간 상호작용

① 토론
② 그룹 활동 및 그룹 프로젝트
③ 동료 교사(peer tutoring)

(4) 학습자료 활용

① 유인물(교과서, 읽기 보충자료, 과제지)
② 시청각 자료
③ 컴퓨터 데이터베이스(온라인 검색)

4. 장단점

(1) 장점

① 비용이 효율성이다.
② 시청각 기능을 사용한다.
③ 쌍방향 통신이 가능하다.
④ 온라인 사용이 가능하다.

(2) 단점

① 쌍방향 통신비용이 증가한다.
② 쌍방향 통신장치가 필요하다.
③ 고립감을 느낄 수 있다.
④ 기술적 문제가 발생할 수 있다.
⑤ 자기학습에 대한 책임감이 가중된다.
⑥ 면대면 수업에 비해 중도탈락률이 높다.

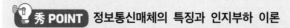 **POINT** 정보통신매체의 특징과 인지부하 이론

1. 정보통신매체의 특징
① 매체의 통합이 가능하다(영상, 음향, 문서, 데이터 통합, 공중파방송과 유선방송의 통합 등).
② 디지털화를 통해 전송 서비스가 고급화된다.
③ 정보교류가 상호작용적이다.
④ 커뮤니케이션 네트워크화, 즉 초고속 정보통신망을 구축한다.

2. 인지부하 이론(cognitive load theory)과 교수매체 설계
① 스웰러(Sweller)에 의해 제시된 것으로 교수매체 설계나 학습자료의 설계에 시사점을 제공한다.
② 학습자가 학습에 필요한 인지부하를 적절하게 조절할 수 있도록 만들어 주어야 최적의 학습이 가능하다고 본다.
③ 학습자의 작업기억이 최소화 상태를 유지하고 있을 때 학습자는 스키마 획득을 위해 장기 기억을 충분히 활용할 수 있기 때문에 효과적인 학습이 일어날 수 있다.
④ 작업기억을 최소화할 수 있는 설계원리

주의 분할 효과 (Split-attention effect)	그래픽 학습자료에 필요한 텍스트 정보가 제공되면 학습자의 주의 집중이 분산되어 효과적인 학습이 어렵다.
중복성 효과 (Redundancy effect)	동일한 학습 정보를 서로 다른 방식으로 동시에 제공하면 효과적인 학습이 어렵다. 예 텍스트를 제공하면서 그 텍스트를 음성 정보로 들려주면 학습에 집중하기 어렵다.
양식 효과 (Modality effect)	학습 정보를 제공할 때 다양한 양식으로 정보를 제공해 줄 때 학습의 효과성이 높다.

기출문제

원격교육에 대한 설명으로 옳지 않은 것은?   2020년 지방직 9급

① 원격교육은 컴퓨터 통신망을 기반으로 등장하였다.
② 각종 교재개발과 학생지원 서비스 등을 위한 물리적·인적 조직이 필요하다.
③ 교수자와 학습자가 물리적으로 떨어져 있으나 교수·학습 매체를 통해 의사소통을 한다.
④ 다수를 대상으로 하면서도 공학적인 기재를 사용하여 사전에 계획, 준비, 조직된 교재로 개별학습이 이루어진다.

해설
원격교육은 초기에는 우편통신을 통해 인쇄교재를 학습자에게 전달하는 방법으로 이루어졌고, 최근에는 컴퓨터 통신망을 통한 원격교육이 일반화되었다.   **답 ②**

06 | 컴퓨터, 멀티미디어 및 인터넷

핵심체크 POINT

1. 컴퓨터의 교육적 활용

CAI	개인 교수형, 반복 연습형, 모의 실험형, 게임형 등
CMI	교사의 업무를 컴퓨터가 관리, 시험과 평가의 절차, 학습자 성적 기록 관리 프로그램 등
CBT	일반 기업훈련에 활용
CMC	인터넷 등, 개별학습, 협동학습, 자기주도적 학습, 원격학습, 동시 및 비동시 학습 가능

2. 코스웨어 설계
분석(개발내용 선정, 목표 및 내용분석, 교수 및 동기전략 설계) → 개발(스토리보드 작성, 흐름도 작성, 프로그래밍) → 평가(지침서 준비, 형성평가, 수정 및 완성)

3. e-learning
적시(just-in-time)에 학습 가능, 블렌디드 학습(blended learning: on-line과 off-line의 배합), 플립러닝

1 컴퓨터 활용의 필요성

1. 정보화 사회의 도래

(1) 의의

아이디어와 정보가 사회의 주요 자본이 되어 정보의 창출과 유통이 사회의 중심이 되는 지식 중심의 사회를 말한다. 이런 사회에서는 정보처리기술과 정보생산능력이 요구될 뿐만 아니라 특정 문제 해결을 위해서 컴퓨터와 통신 기기 등의 정보도구를 사용할 수 있는 능력(Information Literacy)이 요구된다.

(2) 정보 문해(Information Literacy) 교육

① 정보 필요성 인식 능력 교육
② 정보접근 능력 교육
③ 정보원 검색 능력 교육
④ 정보의 질을 평가하는 능력 교육
⑤ 정보의 조직능력 교육
⑥ 정보의 활용능력 교육

(3) 정보화 사회에서 교육체제의 변화 양상

① 학교 외 교육기관의 확산
② 학교의 정보인력 양성 역할의 강조
③ 멀티미디어 시스템과의 협력 강조
④ 교육제도의 유연화
⑤ 네트워크 형태의 교육기관 확대
⑥ 교육 프로그램의 다양화
⑦ 정보의 효율적 관리자로서의 교사 역할 강조
⑧ 학교시설의 네트워크형 전환
⑨ 행정 및 관리의 전산화

2. 교육 정보화의 추진

(1) 의의

다양한 기술정보를 이용하여 교육 수요자가 필요로 하는 정보를 적시에 활용할 수 있게 하고 교육 수요자의 개성과 특성에 맞는 학습기회를 제공하여 언제, 어디서나, 누구나 평생학습이 가능하게 하는 것이다.

(2) 기본방향

① 기존의 교육이 정보화 사회에 적합한 교육이 되도록 새로운 교육의 틀과 방식을 구축한다.
② 모든 국민에 대한 실질적인 교육기회의 균등을 실현한다.
③ 유연성과 개방성을 바탕으로 교육의 효율성을 극대화한다.
④ 인간의 능력개발과 조화로운 인간교육을 강화한다.
⑤ 우리 고유의 문화와 정체성을 더욱 발전시킨다.

2 컴퓨터의 교육적 활용

1. CAI(Computer Assisted Instruction, 컴퓨터 보조 수업)

(1) 역사

① 컴퓨터가 교육의 분야인 교수기계(Teaching Machine)의 기능(가르치는 기능)을 수행한 데서 비롯되었다(컴퓨터는 1958년 IBM에서 개발).
② 개별화 수업의 실현에 그 목적이 있으며, 프로그램 학습과 동일한 이론적 근거에서 출발하였다. 즉 프로그램 학습과 컴퓨터를 활용한 것이다.

(2) 공통적인 특징

① 컴퓨터가 학습내용을 전달한다.
② 컴퓨터가 학습 안내 및 교수를 실시한다.
③ 컴퓨터가 연습과 복습의 기회를 제공한다.
④ 컴퓨터가 학습 평가의 4단계를 가진다.

(3) 유형

CAI는 교수목표의 특성과 코스웨어의 설계 방식에 따라 개인 교수형, 반복연습형, 모의 실험형, 게임형 등의 유형으로 나누어진다.
① 개인 교수형
  ㉠ 개념: 특정 영역에 관한 새로운 정보를 가르치고, 확인하고, 강화해 줌으로써 학습자가 독자적으로 학습할 수 있도록 된 프로그램이다.
  ㉡ 어떤 새로운 기술·정보·지식 등을 교사가 수업을 하는 것처럼 컴퓨터가 가르쳐준다.

ⓒ 학습자는 마치 교사와 일대일로 학습을 하는 것처럼 프로그램과 상호작용을 한다.

ⓔ 교사가 학습자를 실제로 지도하는 것처럼 교사의 역할을 수행한다.

② 반복 연습형

ⓐ 개념: 새로운 지식을 가르치기 위한 것이기보다는 이미 배운 지식을 연습을 통해 숙련도를 높이기 위한 프로그램이다.

ⓑ 단순한 반복이 요구되는 외국어 학습이나 수학의 계산, 기타 기초 기능의 교과영역에 유용하게 사용될 수 있다.

ⓒ 정규 수업에 사용되기 보다는 정규 학습 과정을 보충, 심화하기 위한 보조 자료로 유용하다.

③ 모의 실험형

ⓐ 개념: 컴퓨터를 통하여 실제적인 상황이나 문제사태와 매우 유사한 학습 환경을 제공함으로써 실제 상황과 관련된 개념이나 원리 등을 학습할 수 있도록 설계된 프로그램이다.

ⓑ 실제로 실험하기에는 너무 많은 비용과 위험이 따르거나, 관찰하고자 하는 변화가 장시간에 걸쳐 일어나는 과제에 유용하다.

④ 게임형

ⓐ 개념: 흥미 유발적 요소를 활용하여 학습 과제를 재미있게 학습하도록 하기 위한 프로그램이다.

ⓑ 승자와 패자의 경쟁적 요소를 이용하여 학습자의 학습동기를 유발할 수 있고, 특히 단순하고 반복적인 내용을 학습할 때 유용하다.

(4) CAI 코스웨어 개발 - 코스웨어 설계 모형

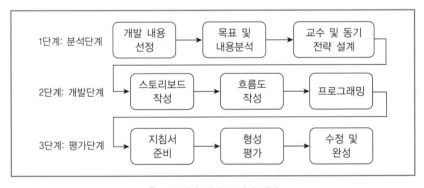

⊙ 코스웨어 설계 모형의 절차

① 제1단계 - 분석단계

ⓐ 개발 내용을 선정한다.

ⓑ 목표를 설정하고 내용을 분석한다.

ⓒ 교수 및 동기유발 전략을 설정한다.

② 제2단계 - 개발단계

　　㉠ **스토리보드 작성:** 스토리보드란 학습목적을 달성하기 위해 컴퓨터 화면상에 제시될 내용을 상세하게 종이 위에 구성한 것이다. 화면에 나타날 내용과 그래픽, 화면의 특징, 버튼의 기능, 학습자의 반응에 대한 피드백 등을 상세하게 나타낸다.

　　㉡ **흐름도 작성:** 흐름도란 프로그램이 작동되는 논리 및 순서를 시각화한 것으로, 전체적으로 프로그램이 어떻게 진행되는지를 쉽게 파악할 수 있게 해준다.

　　㉢ **프로그래밍:** 스토리보드와 흐름도에 따라서 프로그램을 실제로 만들어 내는 작업을 의미한다.

③ 제3단계 - 평가단계

　　㉠ **지침서 준비:** 지침서는 코스웨어를 사용하는 사람에게 코스웨어의 활용을 돕기 위한 책자이다.

　　㉡ **형성평가:** 코스웨어를 개발하고 나면 프로그램이 제대로 작동하는지, 사용하는데 어려움은 없는지, 학습자가 쉽게 이해하는지 등에 대한 평가를 한다.

　　㉢ **수정 및 완성:** 평가에서 발견된 오류나 문제점을 수정하여 프로그램을 완성한다.

2. CMI(Computer Managed Instruction; 컴퓨터 관리 수업)

(1) 개념

① 교사의 업무를 컴퓨터가 관리해주는 것으로 시험과 평가의 절차와 학습자의 성적을 기록하고 관리해주는 성적 관리 프로그램이다.

② CAI가 가르치는 것을 주된 목적으로 하는 것이라면 CMI는 교수 - 학습의 개선을 목적으로 교사를 지원, 강화하고 교사의 기능을 확충하는 등 컴퓨터를 이용한 관리, 정보 시스템이다.

(2) CMI의 활용영역

① 수업설계 및 교육과정 설계
② 교육과정 개선을 위한 분석 평가
③ 학습 진도 성과의 연속 감시와 처방정보를 만들어 학습개선을 위한 평가관리
④ 교사훈련 및 교사양성을 위한 시스템
⑤ 시험 문제은행 데이터 베이스(Data Base)를 이용한 시험 출제 프로그램

 참고

CAI와 CMI의 비교

CAI	CMI
학생의 학습활동에 관한 것이다.	교사의 수업을 도와주기 위한 것이다.
학생과 컴퓨터와의 상호작용이 매우 활발하다.	학생과 컴퓨터와의 상호작용이 활발하지는 않다.
입력 자료를 점진적으로 처리한다.	입력 자료를 일괄적으로 처리한다.
즉각적인 피드백을 요구한다.	지연된 피드백을 요구한다.
온라인이 필수적이다.	반드시 온라인을 요구하지 않다.
다량의 정보를 주기억장치와 보조기억장치에 저장하여 즉각 이용한다.	주요 자료를 별도로 보관하다 필요한 경우에 컴퓨터로 읽혀 이용한다.

3. CBT(Computer Based Training; 컴퓨터 기반 훈련)

(1) 개념

기업의 교육훈련 분야에 컴퓨터를 활용하는 것이다.

(2) 장점

① 교육훈련에 포함되는 각종 비용과 시간을 절감시켜 줌으로써 교육의 비용 효용성을 증가시킨다.
② 표준화되고 개별화된 프로그램의 제공과 충분한 연습의 기회를 제공함으로써 교육훈련을 효과적으로 수행한다.

4. CMC(Computer Mediated Communication; 컴퓨터 매개 통신)

(1) 개념

컴퓨터를 전화선과 모뎀, 정보통신망과 연결하여 사용자 간의 정보 공유와 교환, 의사소통이 가능하도록 하는 시스템이다.

(2) 특징

① 의사소통에 있어 컴퓨터가 주요 매체가 된다.
② 의사소통이 컴퓨터와 사람보다는 사람과 사람 간에 이루어진다. 즉, 컴퓨터는 단지 매개의 역할을 할 뿐 실제로 상호작용하는 주체는 사람이다.
③ 상호작용하는 사람들이 시간과 장소에 있어서 서로 떨어져 있다는 점이다.

(3) 장점

① 많은 양의 최신 정보를 빠른 시간 내에 교환하게 해준다.
② 학습자가 개별적으로 자유로운 환경에서 공부를 하도록 함은 물론 여러 방식으로 정보나 의견교환, 토론을 통한 협동학습을 가능하게 한다. 즉, 개별학습과 협동학습을 활발히 할 수 있게 하고, 원격교육을 더욱 발전시켰다.

📁 **참고**

교육용 소프트웨어(코스웨어 프로그램) 유형에 따른 특성

유형	활용	교사의 역할	컴퓨터의 역할	학습자의 역할
반복 연습형	① 이미 배운 내용 반복 연습 ② 기본적 사실이나 정보 복습 ③ 수업목표가 달성될 때까지 계속 반복 연습 가능	① 관련된 내용의 수업을 먼저 제시 ② CAI문제의 수준 확인 ③ 학습자 진도의 확인과 조언	① 질문 제시 ② 즉각적 피드백 제시 ③ 학습자의 진도를 디스크에 저장	① 질문에 대답 ② 정답 여부 확인 및 피드백을 통한 반복 학습
개인교수형	① 새로운 학습 내용 제시 ② 개별지도가 많이 필요한 내용의 학습	개별 학습자의 진도 확인 및 관찰	① 학습내용 제시 ② 학습내용에 대한 질문, 정답 확인 도움 확인 피드백 제공, 요약제시, 학습 경로 및 성취도 저장	① 프로그램의 지시에 따라 학습함 ② 질문에 대답 ③ 필요 시 질문이나 도움 사용 ④ 피드백을 통한 학습

모의실험형	① 실제상황과 유사한 상황의 제시가 필요할 때 ② 학습활동이 위험하거나 수행에 따른 비용이 비쌀 때	① 주제 제시 ② 배경과 규칙의 설명	① 역할분담 ② 상황의 규칙, 데이터, 그리고 학습자의 결정에 따른 결과의 제시	① 의사결정 연습 ② 선택 ③ 자신의 선택에 대한 결과 분석 및 평가
게임형	① 복습용 ② 동기를 높일 필요가 있을 때 ③ 개별적 또는 소집단간의 경쟁을 통해 동기를 높일 때	① 학습시간 제한 ② 진도의 관찰	경쟁자, 심판 또는 점수 기록자 역할	① 사실, 전략, 기능들의 학습 ② 자신의 선택에 대한 평가 ③ 컴퓨터나 동료와의 경쟁

3 멀티미디어(Multimedia)의 교육적 활용

1. 개념

멀티미디어는 문자, 그림, 사진, 영상, 애니메이션, 음향, 음악, 출판 등이 디지털 방식으로 컴퓨터를 중심으로 통합된 커뮤니케이션과 상호작용이 수반된 복합 다중매체이다.

2. 역사

(1) 초기

두 개 이상의 개별교수 매체를 함께 사용하는 것을 의미했다. 즉, 인쇄매체와 슬라이드, 녹음기 등 여러 매체 가운데 두 가지 이상을 함께 사용하는 것을 의미하였다.

(2) 1970 ~ 1980년대

CAI와 의미가 구별되었다. CAI는 단순히 컴퓨터만 사용하는 교수 - 학습이고, 멀티미디어란 컴퓨터에 비디오 등의 추가 장비를 붙여 사용했다.

(3) 1990년대

멀티미디어란 음성, 화상 및 정보처리에 관한 데이터를 동시에 운용하는 것이며, 이 동시 운용을 가능하게 하는 데이터의 창출, 축적, 전송 및 재생에 관한 기술의 총체를 말하는 것이다. 즉 문자, 그림, 사진, 영상, 애니메이션, 음향, 음악, 출판 등이 디지털 방식으로 컴퓨터를 중심으로 통합된 커뮤니케이션과 상호작용이 수반되는 복합 다중매체를 말한다.

3. 특징

(1) 다양한 매체가 통합되어 한 화면에 제시된다.

(2) 상호작용이 가능하다.

(3) 많은 양의 정보를 수록할 수 있다.

(4) 고화질의 음향과 영상을 얻을 수 있다.

4. 종류

(1) 하이퍼미디어(Hypermedia)

① 컴퓨터상에서 노드와 링크로 구성되어 비순차적, 무선적 검색이 가능한 멀티미디어로 정보 간의 연결과 검색을 손쉽게 해줄 수 있으며 학습자가 원하는 학습정보의 연결과 정보의 제시순서를 변경하는 것을 가능하게 해준다.

② 온라인, CD-ROM 멀티미디어 백과사전, WWW 등이 포함된다.

(2) 상호작용 비디오

학습자가 자신의 반응에 따라 각기 서로 다른 과정의 영상과 소리정보를 제공받을 수 있는 시스템으로 멀티미디어를 이용한 교육연구에 촉매 역할을 하였다.

(3) CD-ROM

① 4.74인치의 금속성 디스크에 투명한 플라스틱 소재를 입혀 550MB 정도의 많은 정보를 저장하는 광 디스크의 일종이다. 취급이 편하고, 물리적인 포맷이 표준화되어 있다.

② 한번 저장된 정보는 반영구적으로 사용할 수 있을 뿐만 아니라 프로그램과 학습자의 상호작용이 가능하다.

5. 장점

(1) 학습효과 측면

다양한 유형의 정보를 통해 학습자의 학습과 기억 효과를 높일 수 있다. 특히 멀티미디어 수업은 인지적 측면보다도 정의적 측면에서 효과적이다.

(2) 교수 - 학습의 이론적 측면

인지주의적 관점	① 인지발달 수준에 따른 개별 적응 수업을 제공한다. ② 학습자가 스스로 만들어 내는 질문과 이에 대한 대답을 제공한다. ③ 학습자가 원하는 정보를 항상 제시할 수 있다. ④ 새로운 지식을 빠른 시간에 학습자의 기억 장치에 효과적으로 넣어줄 수 있는 산출체제를 제공한다. ⑤ 선행 조직자를 활용한다. ⑥ 시뮬레이션을 통한 발견학습 모형을 구현한다.
구성주의적 관점	① 실제 상황과 거의 유사한 시뮬레이션을 통한 상황학습을 구현한다. ② 통신을 통해 교실 안과 밖의 상황을 연결한다. ③ 하이퍼미디어를 통해 학습자 개개인의 개별적, 주관적 지식 구성을 촉진한다. ④ 시청각 정보와 다양한 정보로 학습자의 능동적 학습을 유도한다. ⑤ 통합교과적이고 문제해결력, 창의력이 강조되는 수업을 제공한다. ⑥ 멀티미디어를 통한 소집단 학습으로 활발한 상호작용과 협력학습을 유도한다.

구성주의적 관점
멀티미디어를 통해 가장 잘 표현될 수 있다.

(3) 교육의 다면화

① 원격교육: 세계 어디, 어느 지역이든 통신을 통한 연결이 가능하다.

② 교육체제의 시·공간적 초월: 학습자를 시·공간의 제약으로부터 자유롭게 한다.

③ 개방교육: 누구든 원하는 시간에 원하는 내용의 교육할 수 있다.

④ 폭넓고 깊이 있는 교육정보 활용: 인터넷의 World Wide Web을 통해 폭넓고 깊이 있는 활용이 가능하다.

6. 문제점

(1) 소프트웨어가 질적, 양적으로 부족하다.

(2) 멀티미디어 시스템이 고가(高價)이다.

(3) 학습자와 교사의 활용능력이 부족하다.

(4) 멀티미디어 사용 환경 구축의 문제가 있다.

(5) 수업 중에 교사가 학습자를 적절히 통제하기 어렵다.

(6) 정보 통제의 문제가 있다.

(7) 비인간화가 초래된다.

4 인터넷

1. 인터넷상의 컴퓨터 활용형태

E-mail, 파일전송(FTP), 원격접속(Telnet), 뉴스그룹(Usenet), 토론그룹(Listserves), 고퍼(Gopher), 파일검색(Archie), 전자대화(IRC), 가상환경(MUDS), WWW 등이 있다.

2. 인터넷의 교육적 활용상의 장점

(1) 개인이나 공인된 기관과 학술단체, 학교 등에서 올리는 문서나 자료 등을 참고하거나 교육 자료로 활용할 수 있다.

(2) 하이퍼텍스트(Hypertext)를 활용해서 학습자의 자기주도적 학습을 촉진한다.

(3) 자신에게 필요한 정보를 찾아가는 과정의 학습이 가능하다.

(4) 협동학습이 가능하다.

(5) 세계적 의사소통의 통로 역할을 한다.

3. 인터넷의 교육적 활용상의 한계

(1) 정보접근의 지역적 불균등이 초래될 수 있다(특히 농촌 학교).

(2) 동영상의 화면이나 그래픽 정보들을 받을 때 시간이 많이 소요되어 학습자의 주의가 산만해진다.

(3) 외국과의 정보교류에서 언어소통의 문제가 발생한다.

(4) 불필요하거나 가치 없는 정보를 수용한다.

5 e-Learning(이 러닝)

1. 개념

네트워크 중심으로 학습내용을 전달하고 학습자와 상호작용하며 학습을 촉진시키는 일련의 과정을 의미한다.

2. 특징

(1) e-Learning은 언제, 어디서나, 누구나, 자기에게 알맞은 학습을 필요할 때 적시에 (just-in-time) 할 수 있게 하는 것을 목적으로 한다.

(2) e-Learning에서 e는 electronic을 의미한다. 즉 전기선을 연결하여 사용하는 학습 매체, 즉 컴퓨터를 중심으로 CD-ROM, 인트라넷, 인터넷과 같은 네트워크가 매개체로 작용하여 학습이 이루어지는 시스템을 말한다.

3. 유형

측면	종류
활용 기술의 종류	① 동영상 강의 기반의 e-Learning ② 웹 기반의 e-Learning
면대면 교육 및 학습활동 여부	① 일반 e-Learning ② 블렌디드 러닝, Flipped Learning
교수 - 학습방법 유형	① 개인교수　② 반복연습 ③ 시뮬레이션　④ 교육용 게임 ⑤ 자료제시　⑥ 문제해결

4. 장점

(1) 학습에 드는 비용을 절감할 수 있다.

(2) 학습하는 방법도 다양해져서 능률적이다.

(3) 네트워크를 통하여 학습자와 교수, 학습자와 학습자 간에 상호작용이 일어나며 협동학습이 가능하다.

5. 방법

(1) 비동기적 방법

e-mail, Web forums, Newsgroups, BBS 등이 있다.

(2) 동기적 방법

Chat rooms, 텔레컨퍼런스, 비디오 컨퍼런스, Moos와 MUDs 등이 있다.

秀 POINT　동기적(synchronous) 및 비동기적(asynchronous) 학습

동기적 학습	① 학습이 같은 시간대에 이루어지는 것을 의미하며 실시간 학습이라고도 한다. ② 환경과 학습자와의 상호작용이 쌍방향으로 동시에 이루어지면 이를 동기적이라고 한다.
비동기적 학습	① 학습자의 상호작용이 시간적인 간격을 두고 이루어지는 것이다. ② 보통 원격교육에서 게시판이나 이메일과 같은 매체를 활용하여 이루어지는 비실시간 토론을 의미한다.

6. 구성요소

(1) 비동기적 협력

비동기적 환경에서의 토론과 핵심적인 학습전략을 기반으로 한 협력적인 문제해결이 동반되어야 한다.

(2) 명시적 스케줄

온라인 코스에서 '언제든지, 어디서든지'의 융통성을 보장한다.

(3) 전문가 촉진

각 분야의 수준 높은 교수자로부터 온라인 강의를 들을 수 있어야 하며, 교수자는 대화 촉진자, 토론 조정자로서 역할을 해야 한다.

(4) 탐구수업 방법

그래픽, 시뮬레이션, 역할극(role-play), 시각화 등의 장치를 통해 탐구학습을 할 수 있도록 온라인 코스를 설계하도록 한다.

(5) 공동체 구축

공동체 문화의 조성, 감성적 분야의 규준, 적절한 행동의 모델, 유해한 요소를 조절하는 것 등이 필요하다.

(6) 12~25명 정도의 제한된 참가자가 각 개인별로 보다 질 높은 수업을 지향해야 한다.

(7) 다양한 학습 스타일을 지원할 수 있는 수준 높은 자료의 제공이 요구된다.

(8) 목적 있는 가상공간을 마련하는 일이다.

(9) 진행 평가를 실시하는 것으로 토론에의 참여 횟수, 문제해결에 접근하는 방법, 대화 및 커뮤니케이션 수준 등 계속적으로 수업과정 속에서의 평가를 실시해야 한다.

6 m-Learning(엠 러닝)

1. 의의

(1) 이전에는 모바일 이 러닝이라는 용어를 사용하였으며, 기존의 이 러닝의 정의에 모바일이라는 개념을 추가하여 정의되었다.

(2) 이 러닝에 포함되는 하나의 학습방법으로 전자매체 중 모바일 환경으로 구현되는 휴대폰이나 PDA 등과 같은 매체로 이루어지는 학습방법이다.

(3) 엠 러닝은 'The ability to receive learning anytime, anywhere and any device' 란 정의에서 알 수 있듯이 이동성(mobility), 지속적 접근성(constant availability), 비가시성(invisibility), 개별성(indivisualization), 사용자 위주의 적응적 인터페이스가 가미된 모바일을 이용한 학습으로, 모바일 기기와 모바일 테크놀로지를 교육적으로 활용하여 교육 콘텐츠를 제공하는 서비스이다.

(4) 이 러닝의 시공을 초월한 교육에 이동 가능한 교육을 할 수 있는 장점을 가진 새로운 학습 형태로서 '목적학습(learning objects)'이라 알려진 적은 양의 지식을 전달하는 데 적합하며, 이동 통신 장치가 교실 현장에서 학습자의 학습 능력의 차이에 따른 수준별 학습을 가능하게 하는 도구로서 이용될 수 있는 커다란 잠재성으로 자리 잡고 있다.

2. 속성

(1) 자기주도성(self-directed)

자기주도성 학습은 시간적, 지리적 자유를 의미하는 것뿐만 아니라 자신의 학습능력에 맞는 학습을 스스로가 진행하는 것을 의미하며 자신의 이해 능력, 학습 능력에 따라 학습 속도를 스스로가 조절할 수 있다.

(2) 편재성(ubiquity)

언제 어디서나 실시간으로 학습이 가능한 것을 의미한다. 이동성이 보장되는 휴대용 단말기를 통한 학습이기 때문에 학습자는 늘 학습할 수 있는 환경이 갖추어져 있는 상태이다.

(3) 즉시 접속성(instant connectivity)

무선 단말기를 통해 학습을 위한 사전의 준비단계 없이 접속하여 실시간으로 학습할 수 있는 특징을 의미하며, 학습을 위해 학습매체가 구비되어 있는 학습 환경으로 이동하는 것 대신에 개인의 휴대형 단말기를 통해 편리하게 접속하여 학습이 가능하다.

(4) 학습공동체 형성(learning-community)

자기주도적으로 원하는 지식을 습득하는 과정에서 일정한 상호작용이 지속되면 특정 지식을 공유하는 사람들끼리 새로운 학습공동체를 형성하며, 모바일의 환경에서는 학습 내용에 대한 피드백을 SMS이나 전화통화를 이용하여 보다 빠르고 쉽게 얻을 수 있으며, 또한 학습공동체 구성원들과 원활한 관계를 유지할 수 있다.

(5) 개인성(personalization)

자신의 고유의 단말기를 통해 이루어지는 학습이기 때문에 학습자는 텍스트나 동영상 등 다양한 학습형태를 자신의 취향에 맞게 선택할 수 있으며, 학습에 대한 내용 또한 자신이 특별히 원하는 것으로 집중할 수 있다.

7 u-Learning(유 러닝)

1. 의의

유비쿼터스 러닝(Ubiquitous Learning)의 약자로, 유비쿼터스 컴퓨팅 기술과 네트워크 기술 기반 환경에서 학습이 이루어지는 것이다.

2. 교육적 특징

(1) 교육장소가 융통성 있게 다양하다.

(2) 교수 - 학습방법이 다양한 맞춤형으로 변화하였다.

(3) 지식 전달체제가 실시간으로 현장성 높게 변화하였다.

(4) 다양한 학습공동체의 출현이 가능하다.

3. 유비쿼터스 공간(제3공간)

(1) 제3공간은 전자공간(사이버공간)과 물리공간의 결합이 이루어지는 새로운 차원의 공간을 의미한다.

(2) 전자공간의 무제한성과 물리공간의 실체성을 결합한 공간이며, 전자공간의 정보가 물리공간의 물체와 연동되고 반대로 물리공간의 물체는 전자공간의 정보로 전환되는 영역으로 특징지어진다.

4. 속성

(1) 영구적인 학습자원 관리

학습자가 의도적으로 삭제하지 않는 이상 결코 그들의 작업내용을 잃지 않는다.

(2) 접근성

학습자는 어느 곳에서나 자신들이 작성한 문서, 데이터, 비디오 자료에 접속할 수 있으며, 이러한 정보는 학습자의 요청에 의해 제공되므로 자기주도적인 학습이 이루어지게 된다.

(3) 즉시성

학습자가 어디에 있든지 학습자는 즉시적으로 원하는 정보를 얻을 수 있어 신속하게 문제를 해결할 수 있거나 현장에서 생긴 의문을 기록 및 녹음해 둘 수 있다.

(4) 상호작용성

학습자는 전문가, 교사, 또래 학습자와 동시적, 비동시적으로 언제나 상호작용할 수 있다.

(5) 학습활동의 맥락성

학습은 일상생활 속에 내재되며, 모든 문제나 관련된 지식은 자연스럽고 실생활과 밀접히 연관된 형태로 제시된다.

5. 유비쿼터스 러닝의 가능성

(1) 미래 가정, 학교, 도서관을 주요 테마로 유기적 연계 및 오감을 통한 생생한 학습과 체험 중심의 학습 환경이 가능할 것이다.

(2) 미래의 학습 도서관은 생생히 느끼고 체험하는 새로운 학습의 장이 되며, e-book, 3차원으로 제시되는 학습자료 등이 제공되는 환경이 보편화될 것이다.

(3) 지능형 학습장, 멀티미디어 학습장 서비스가 가능하며 원격교육 서비스가 가능할 것이다.

(4) 재택학습 서비스, 장기입원환자를 위한 원격수업 서비스, 이동식 학습서비스, 학습 도우미 서비스 등 다양한 교육적 활용이 가능할 것이다.

秀 POINT 모바일 러닝(m-Learning)과 유비쿼터스 러닝(u-Learning), 로봇 러닝(r-Learning)

m-Learning	① PDA(Personal Digital Assistants), 핸드폰, 무선 노트북 등과 같은 이동 가능한 테크놀로지를 통해 학습을 가능하게 하는 시스템을 말한다. ② 핸드폰과 같은 이동성 매체를 통하여 학습 콘텐츠가 제공되고 학습자들이 지원 서비스를 받으며, 학습자 상호 간, 학습자와 튜터 간에 커뮤니케이션이 가능하고 다양한 학습 자료를 받을 수 있다. ③ 4C(Content, Capture, Compute, Communicate)기능을 활용하여 교수·학습을 촉진할 수 있다.
u-Learning	① 유비쿼터스(ubiquitous)는 PC, 노트북, Tablet PC, PMP, PDA 등 휴대용 단말기, 자동차의 Navigator, 각종 센서 등이 무선 네트워크에 연결되어 언제, 어디서나 존재하는 컴퓨팅 환경을 가능하게 한다. ② 유비쿼터스 컴퓨팅 기술을 활용하는 학습 환경을 말한다.
r-Learning	① 로봇(robot) 활용교육을 말한다. ② 학습자에게 로봇과 관련된 기술이나 시스템에 대하여 전달함과 동시에 로봇을 학습 도구나 자료로 이용하여 필요한 학습 목표를 성취하도록 활용하는 교육을 의미한다.

기출문제

다음 내용과 가장 관련이 깊은 학습 형태는?　　　2018년 지방직 9급

- 무선 환경에서 네트워크에 접속하여 학습한다.
- PDA, 태블릿 PC 등을 활용하여 물리적 공간에서 이동하면서 가상공간을 통하여 학습한다.
- 기기의 4C(Content, Capture, Compute, Communicate)기능을 활용하여 교수·학습을 촉진할 수 있다.

① 모바일 러닝(m-learning)
② 플립드 러닝(flipped learning)
③ 마이크로 러닝(micro learning)
④ 블렌디드 러닝(blended learning)

해설
모바일 러닝(m-Learning)은 PDA(Personal Digital Assistants), 핸드폰, 무선 노트북 등과 같은 이동 가능한 테크놀로지를 통해 학습을 가능하게 하는 시스템을 말한다.　　**답 ①**

8 컴퓨터 중심 매체환경

1. 오프라인(off-line)과 온라인(on-line) 체제

(1) 오프라인 체제

① 개념: 비통신적 환경으로 CD-ROM과 같이 일종의 폐쇄된 상태를 말한다.
② 오프라인 환경에서 사용자는 컴퓨터를 상대로 저장형 매체에 담긴 다양한 유형의 정보와 일대일로 제한된 상호작용을 한다.

(2) 온라인 체제

① 개념: 정보 또는 내용이 통신상에 떠 있는 상태로 정보는 사유(私有)가 아닌 공유임을 기본 전제로 한다.

② 온라인 환경에서의 상호작용은 일대일, 일 대 다수, 다수 대 다수의 형태를 띠며 쌍방향 또는 다방향적으로, 실시간 혹은 비동시적으로 이루어진다.

③ 온라인 환경은 에듀넷과 같이 교수설계자, 개발자들에 의해 교육적 목적을 위해 인위적으로 구조화되고 조직화된 교육정보서비스 체제와 가상공간으로 구분된다.

구분	오프라인	온라인	
		교육정보서비스망	열린, 가상공간
성질	폐쇄성(정보의 사유)	개방성(정보의 공유)	개방성(정보의 공유)
예	CD-ROM과 같은 저장성 멀티미디어	에듀넷	인터넷
상호작용 형태	일대일	일대일, 일 대 다수, 다수 대 다수	일대일, 일 대 다수, 다수 대 다수
상호작용의 대상	컴퓨터	컴퓨터 및 비슷한 목적을 가진 개인 및 집단	컴퓨터 및 목적은 다를 수 있는 네트워크에 연결된 개인 및 집단
적용 가능한 수업 paradigm	객관주의, 구성주의	객관주의, 구성주의	구성주의
학습자 활동의 예측 여부	예측 가능	상황에 따라 변화	예측 불가
영향 받는 사용자 수	이용자에 국한	망 가입자	네트워크 사용자
사용의 주요 초점	지식 중심	지식중심, 정보검색	정보검색
정보구조	구조화	구조화, 비구조화	비구조화
과제제공자	설계자, 사용자, 교사	설계자, 사용자, 교사	사용자, 교사

● 오프라인과 온라인 교육매체환경의 비교

2. 블렌디드 학습(Blended Learning; 혼합학습)

(1) 개념

① e-Learning을 효과적인 학습수단으로 하기 위해 온라인과 오프라인에 사용하는 수업 방식의 강점을 적절하게 배합하는 형태이다.

② 전통적인 면대면 교육방식이 지닌 시간과 공간의 제약 및 상호작용의 한계를 극복하는 데서 더 나아가 e-Learning에 면대면 방식의 장점을 결합해서 학습효과를 극대화하려는 설계전략이다. 즉, 시·공간적 제약으로 학생들의 적극적인 참여를 이끌어내기 어려워 학생들의 자발적이고 창의적인 활동을 제약하는 오프라인의 단점과 홈페이지 자료 제시나 게시판 정도의 낮은 단계의 활용에 머무는 온라인 학습의 단점을 극복하려는 수업 모형이다.

③ 학습목표, 학습내용, 학습시간과 공간, 학습방법, 학습매체, 상호작용 방식 등 다양한 학습요소들의 복합적 활용을 통해 최적의 학습효과를 창출해내기 위한 설계 전략으로 주로 온라인 학습전략과 오프라인 학습전략을 적절히 결합, 활용함으로써 학습 성과를 극대화하기 위한 학습체제 설계 전략이다.

(2) 구체적 적용방법

① **탐구학습**: 과학에서 탐구하는 절차를 e-Learning에 적용한 것으로, 가설을 설정하고 검증하는 작업을 온라인 커뮤니티를 통해서 협동학습으로 진행하는 방식이다.

② **체험학습**: 주제를 설정한 뒤 오프라인 체험 결과를 온라인상의 학습에 연결하거나 온라인에서 가상 체험활동을 하는 것을 말한다.

③ **프로젝트 학습**: 교사가 수행 과제를 주면 모둠별로 온·오프라인 활동을 통해 결과물을 만들어 내는 수업방법이다.

④ 이 밖에 어떤 쟁점을 놓고 찬반 논쟁을 벌이는 온·오프라인 토론학습, 문제를 주고 해결방법을 찾아내는 문제중심학습 등의 방법도 있다.

(3) 장점[싱과 리드(Singh & Reed), 2001]

① **학습효과 향상성**: 단일 전달방식에 비해 학습의 효과성을 향상시킬 수 있다.

② **학습의 시·공간적 한계 확대**: 단일 전달방식으로는 그 형식에 따라 학습 프로그램의 도달범위를 제한시킬 수밖에 없는 것을 혼합적 학습전략으로는 학습의 시·공간적 한계를 확대할 수 있는 잠재력을 제공한다.

③ **비용과 시간의 절감**: 훈련프로그램 개발에 드는 비용과 시간을 절감해준다.

④ **경영성과의 최적화**: 전통적 교육방식에 비해 학습목표에 이르는 비용과 시간을 줄여줌으로써 경영성과를 최적화하는 효과를 가져온다.

3. 플립 러닝(Flipped Learning; 거꾸로 교실)

(1) 개념

① 무료 온라인 강의를 제공하는 칸(Khan) 아카데미의 설립자인 살만 칸(Salman Khan), 존 버그만(Bergmann), 애론 샘즈(Sams)등이 시도한 방법이다.

② 학생들은 수업 전에 미리 교과서, 동영상 등의 학습 자료를 예습해오고, 강의실에서는 강의 대신 질문, 토론, 협동학습, 보충 및 심화학습 등을 수행한다.

(2) 특징(F-L-I-P)

① **유연한 학습환경(Flexible Environment)**: 학습자들이 학습하는 데 시간, 장소, 내용 등에 제한을 받지 않고 다양한 형태로 수행한다.

② **학습 문화(Learning Culture)**: 교수자 중심의 수업에서 학습자 중심의 수업으로 변화하였다.

③ **의도된 학습내용(Intentional Context)**: 교수자는 수업 시간에 가르칠 내용을 분명하게 제시하고 계획적으로 수업을 설계한다.

④ **전문적인 교수자(Professional Educators)**: 교수자의 역할과 전문성에 관한 것으로, 플립러닝에서 교수자는 지속적이고 즉각적인 피드백을 제공하는 조력자로서의 역할을 수행한다.

(3) 플립러닝의 수업 모형 - ADDIE 모형

구분	전통적 강의식 수업	플립 러닝
교실 내 주요 활동	강의 및 설명	실제 연습 및 문제해결
교실 밖 주요 활동	과제 및 문제해결	동영상 강의, 퀴즈
교사 역할	지식의 전달자	학습의 조력자
학생 역할	수동적	능동적
수업형식	획일성, 표준화	다양성, 개별화

⬆ 전통적 교사 중심의 강의식 수업과 플립 러닝의 비교

기출문제

다음 설명에 해당하는 학습법은?　　　　　　　　　　　　　　2022년 지방직 9급

> • 면대면 수업이 갖는 시간적·공간적 제한점을 온라인학습의 장점을 통해 극복한다.
> • 인간접촉의 부재, 홀로 학습하는 것에 대한 두려움, 동기 저하 등의 문제를 면대면 교육으로 보완한다.

① 상황학습(situated learning)
② 블렌디드 러닝(blended learning)
③ 모바일 러닝(mobile learning)
④ 팀기반학습(team-based learning)

해설

블렌디드 러닝(blended learning)이란 e-러닝을 효과적인 학습수단으로 하기 위해 온라인과 오프라인에서 사용하는 수업 방법의 장점을 적절하게 배합하는 방법이다.　　　답 ②

4. 무크(MOOC, Massive Open Online Course; 온라인 공개수업)

(1) 특징

① 웹 서비스를 기반으로 이루어지는 상호 참여적 및 거대 규모의 교육으로, 비디오나 유인물, 문제집 등이 보충 자료가 되는 기존의 수업들과는 달리, 인터넷 토론 게시판을 중심으로 학생과 교수, 그리고 조교들 사이의 커뮤니티를 만들어 수업을 진행하는 것을 말한다. 온라인 공개수업은 원격교육이 진화한 형태이다(북미 대학을 중심으로 시작).

② 유형
　㉠ cMOOC: 소셜 미디어, 컨텐츠 공유, 재배포 및 공식 평가가 거의 또는 전혀 없는 참가자가 참여할 수 있는 교육에 대한 연결주의 접근 방식이다. 기술이 교육에 제공하는 확장성인 Massive & Open은 cMOOC의 기본 목표이다.
　㉡ xMOOC: 유료 수업 내용, 상대적으로 고전적인 교사 - 학생 관계 및 공식 평가가 있는 전통적인 교실 모델을 기반으로 한다. cMOOC는 xMOOC보다 '창의적이고 역동적인 것'으로 간주된다.

③ 장점: ㉠ 많은 사람들에게 고등교육의 기회 제공, ㉡ 정식 교육에 대한 저렴한 대안적 교육 제공, ㉢ 지속가능한 개발, ㉣ 유연한 학습 일정 제공, ㉤ 온라인 협업 등이 있다.

(2) K-MOOC(한국형 무크, 한국형 온라인 공개강좌)

① 온라인을 통해서 누구나, 어디서나 원하는 강좌를 무료로 들을 수 있는 온라인 공개강좌 서비스로 2015년에 시작된 한국형 무크이다.

② 고등교육의 개방이라는 세계적 흐름에 발 맞춰 시작되어 최고 수준의 강의 공개를 통한 대학 수업의 혁신과 고등교육의 실질적 기회 균형의 실현, 그리고 고등교육에 대한 평생학습 기반 조성을 목표로 한다.

③ K-MOOC의 기본 방향

중점 추진 방향	K-MOOC 서비스 고도화	
추진 과제	양질의 우수강좌 개발제공 확대	㉠ 다양한 분야의 신규 강좌의 개발을 확대한다. ㉡ 재정지원사업 활용 등 자율참여 강좌를 확대한다. ㉢ 해외 MOOC 연계 글로벌 콘텐츠를 확보한다. ㉣ 강좌개발 주체 및 개발방식을 다양화한다.
	강의 질 제고 및 사용자 친화적 학습서비스 개선	㉠ 자율적 강의 질 개선을 유도하고 품질을 제고한다. ㉡ 사용자 맞춤형 플랫폼을 개선한다. ㉢ 콘텐츠 제공방식을 다양화한다.
	K-MOOC 강좌의 활용도 제고	㉠ K-MMC 학점은행제 학점인정과정을 활성화한다. ㉡ 대학교육혁신 및 정규학점 인정 확대를 추진한다. ㉢ 재직자 교육 등 활용을 확산한다.
	지속 가능한 운영구조 혁신을 위한 기반 조성	㉠ 지식창출 및 공유 확산을 위한 플랫폼을 구축한다. ㉡ K-MMC 유료화 서비스 도입 등 기반을 마련한다.

기출문제

다음에 해당하는 학습형태는? 2022년 국가직 9급

- 학습자가 언제 어디에서나 어떤 내용이건, 어떤 단말기로도 학습 가능한 지능화된 학습형태
- 획일적이거나 강제적이지 않으며, 창의적이고 학습자 중심적인 교육과정 실현 가능
- 원하는 정보를 찾기 위해 학습자가 특정 시간에 특정 장소를 찾아가는 것이 아니라, 학습정보가 학습자를 찾아다니는 방식

① e - 러닝(electronic learning)
② m - 러닝(mobile learning)
③ u - 러닝(ubiquitous learning)
④ 기계학습(machine learning)

해설

학습자가 언제 어디서나 어떤 내용이건, 어떤 단말기로도 학습이 가능하도록 지능화된 학습형태를 u - 러닝(ubiquitous learning)이라고 한다. **답 ③**

5. ICT(Information & Communication Technology) 활용교육

(1) 개념

ICT란 정보기술과 통신기술을 통합한 것으로 정보 기기의 하드웨어, 소프트웨어와 이들 기술을 이용하여 정보를 수집, 생산, 보존, 전달, 활용하는 모든 방법으로, ICT 교육이란 ICT를 교육에 적용하는 것을 말한다.

(2) 장점

① 학습자의 동기유발: 그래픽, 애니메이션, 동영상 등 다양한 멀티미디어를 활용함으로써 주의를 집중시키고, 호기심을 자극하며, 학습자의 능동적 반응을 유도할 수 있다.

② 학습의 개별화: CAI나 웹기반 프로젝트 학습 등을 활용하면 학습자의 수준과 능력에 따라 개별적인 학습이 가능하여 학습의 효과를 높일 수 있다.

③ 시·공간을 초월한 교육의 장을 확대: ICT 수업은 인터넷을 활용하여 전세계에 퍼져있는 학습 자료를 공유할 수 있고, 교사, 전문가들과 대화를 나누거나 자료를 교환할 수 있으며, 장기간에 걸쳐 일어나는 현상을 짧은 시간으로 줄여 제시할 수 있고, 순식간에 일어나는 현상을 관찰할 수도 있다.

④ 다양한 교수 - 학습활동의 촉진: ICT를 활용한 수업은 학습자의 자율과 특성을 존중하며, 다양하고 유연한 학습활동을 가능하게 한다. 즉 문제해결력, 프로젝트 학습, 상황학습, 협동학습 등 다양한 수업활동을 지원함으로써 학습의 효과성과 다양한 학습경험을 제공할 수 있다.

⑤ 문제해결력 및 자기주도적 학습능력의 신장: ICT를 활용하여 정보를 검색하고 수집하며, 분석하고 종합하는 과정을 통해 창의력과 문제해결력을 신장시키며, 정보검색 및 의견교환을 통해 학습목표와 전략 수립, 결과 평가 등 일련의 학습과정에서 학습자의 주도적인 역할을 지원할 수 있도록 한다.

6. 위키피디아(Wikipedia)

(1) 의의

모두가 함께 만들어 가며 누구나 자유롭게 쓸 수 있는, 다(多)언어판 인터넷 백과사전이다. 2001년 1월 15일, 지미 웨일스와 래리 생어(Jimmy Wales & Larry Sanger)가 시작하였고, 대표적인 집단 지성의 사례로 평가받고 있다.

(2) 특징

① 누구나 편집과 관리에 참여할 수 있다는 점이다. 인터넷을 통해 누구나 글을 고칠 수 있는 체계인 위키로 만들어져 있어 집단 지성적 특성을 가진다.

② 개방성은 위키피디아의 가장 큰 특징 가운데 하나로, 원칙적으로 사용자들은 누구든 거의 모든 문서를 새로 만들고 수정할 수 있다.

③ 이는 강점인 동시에 악의적인 문서의 훼손이나 부정확한 내용의 수록에 취약하다는 약점이 되기도 한다.

(3) 비판

누구나 참여할 수 있기 때문에 편집자의 시각에 따라 누군가 악의적으로 잘못된 정보를 입력할 수 있고, 이에 따라 잘못된 정보가 퍼져나갈 수 있다. 또한 수많은 정보의 홍수에 빠지는 인지적 과부하 현상이 발생할 수 있다.

 참고

인지부하(cognitive load)

인지부하는 학습이나 과제 해결 과정에서의 인지적 요구량을 말한다. 어떤 정보가 학습되기 위해서는 작동기억 안에서 정보가 처리되어야 하는데, 작동기억이 처리해 낼 수 있는 정보의 양보다 처리해야 할 정보가 많으면 문제가 생기며 인지부하가 생기게 된다. 챈들러(Chandler)와 스웰러(Sweller)에 의하면 인지부하 이론의 기본가정은 인간의 작동기억은 한 번에 저장하고 처리할 수 있는 정보의 양은 극도로 제한되어 있다는 것이다. 즉 학습하고자 하는 정보가 작동기억에서 처리되어야 하는데 이때 작동기억의 한계를 넘어 정보가 처리되지 못하고, 소멸되거나 과부하를 일으키는 것을 인지부하(cognitive load)라 한다[스웰러(Sweller), 1994]. 이는 한 번에 너무 많은 정보의 양을 제공하면 학습자에게 인지적 과부하(cognitive overload)를 일으켜 학습이 효과적으로 일어나는 것을 방해하는 요인이 된다는 것이다. 이러닝 학습 환경은 많은 양의 정보를 포함하고 있으며 이 정보를 탐색하고 학습하는 과정 속에서 학습자는 자신의 인지처리 능력을 벗어나는 양의 정보에 노출될 때 인지 과부하가 일어난다. 그렇게 되면 학습자는 처음의 학습목표를 잃고 학습흐름을 놓칠 수 있게 된다.

7. 사물인터넷(Internet of Things / IoT)

(1) 개념

정보통신기술 기반으로 모든 사물을 연결해 사람과 사물, 사물과 사물 간에 정보를 교류하고 상호 소통하는 지능형 인프라 및 서비스 기술, 즉 인간과 사물, 서비스 세 가지 분산된 환경 요소에 대해 인간의 명시적 개입 없이 상호 협력적으로 센싱, 네트워킹, 정보 처리 등 지능적 관계를 형성하는 사물 공간 연결망을 의미한다.

(2) 3대 주요 기술

① 센싱 기술

전통적인 온도·습도·열·가스·조도·초음파 센서 등에서부터 원격 감지, SAR, 레이더, 위치, 모션, 영상 센서 등 유형 사물과 주위 환경으로부터 정보를 얻을 수 있는 물리적 센서를 포함한다. 기존의 독립적이고 개별적인 센서보다 한 차원 높은 다중(다분야) 센서기술을 사용하기 때문에 한층 더 지능적이고 고차원적인 정보를 추출할 수 있다.

② 유무선 통신 및 네트워크 인프라 기술

IoT의 유무선 통신 및 네트워크 장치로는 기존의 WPAN, WiFi, 3G·4G·LTE, Bluetooth, Ethernet, BcN, 위성통신, Microware, 시리얼 통신, PLC 등, 인간과 사물, 서비스를 연결시킬 수 있는 모든 유·무선 네트워크를 의미한다.

③ IoT 서비스 인터페이스 기술

㉠ IoT 서비스 인터페이스는 IoT의 주요 3대 구성 요소(인간·사물·서비스)를 특정 기능을 수행하는 응용서비스와 연동하는 역할을 한다.

ⓒ IoT 서비스 인터페이스는 네트워크 인터페이스의 개념이 아니라, 정보를 센싱, 가공·추출·처리, 저장, 판단, 상황 인식, 인지, 보안·프라이버시 보호, 인증·인가, 디스커버리, 객체 정형화, 온톨러지 기반의 시맨틱, 오픈 센서 API, 가상화, 위치확인, 프로세스 관리, 오픈 플랫폼 기술, 미들웨어 기술, 데이터 마이닝 기술, 웹 서비스 기술, 소셜 네트워크 등, 서비스 제공을 위해 인터페이스(저장, 처리, 변환 등) 역할을 수행한다.

참고

유비쿼터스(Ubiquitous)

1. 정의

IT(정보기술)분야에서 나온 차세대 컴퓨팅 패러다임이다. 사전적으로는 '어디에나 있는'이라는 뜻을 가진 형용사이며, 종교적이고 철학적인 의미를 가진 단어이다. Ubiquitous는 형용사이기 때문에 실제적인 표현은 Ubiquitous 컴퓨팅, Ubiquitous 네트워크 등으로 사용된다.

2. 역사

미국 제록스사의 팔로알토 연구소에 근무하던 마크 와이저(Weiser)가 1988년에 "Ubiquitous 컴퓨팅"이라는 개념으로 처음 제안하였다. 그 이후 Calm Technology라는 이론으로 Ubiquitous에 대한 개념을 좀 더 구체적으로 정립하게 되었다.

3. Ubiquitous의 적용

① 휴대폰: 이미 생활이 되어버린 휴대폰은 Ubiquitous 생활에서도 핵심적인 역할을 한다.

② 교육: 국내 주요 대학들이 U-캠퍼스 구축에 나서고 있다.

③ 가정: 가정에서도 홈 네트워크라는 이름으로 Ubiquitous를 접할 수 있다. 외부에서 집안의 가전제품을 가동시킬 수 있다. 집안의 모든 제품들이 네트워크되어 있어서 거실의 TV를 보면서 세탁기나 에어컨 동작 상태를 모니터링하거나 제어할 수 있다.

④ 건강: 고령화 사회에 접어들게 되면서 노인들의 건강관리도 사회적 문제로 대두되고 있다.

⑤ 교통: 버스 정류장에서 버스를 기다리는 승객들에게는 전광판, 휴대폰을 통하여 버스가 언제쯤 도착하는지에 대한 정보를 제공하고, 운전하는 운전자에게는 앞차 및 뒷 차와의 운행간격을 조정할 수 있도록 정보를 제공한다.

⑥ 유통, 물류: 대형 할인마트에서는 재고를 최대한 줄이고자 하고, 과일, 채소류는 생산지로부터 싱싱한 물건을 확보하는게 중요하다. 실시간으로 매출 및 고객정보를 파악하고 필요할 때 바이어가 산지에서 무선발주단말기를 통해 상품을 매입할 수 있다.

기출문제

다음에 해당하는 학습 형태는?
2022년 국가직 9급

- 학습자가 언제 어디에서나 어떤 내용이건, 어떤 단말기로도 학습 가능한 지능화된 학습형태
- 획일적이거나 강제적이지 않으며, 창의적이고 학습자 중심적인 교육과정 실현 가능
- 원하는 정보를 찾기 위해 학습자가 특정 시간에 특정 장소를 찾아가는 것이 아니라, 학습정보가 학습자를 찾아다니는 방식

① e-러닝(electronic learning)
② m-러닝(mobile learning)
③ u-러닝(ubiquitous learning)
④ 기계학습(machine learning)

해설

학습자가 언제 어디서나 어떤 내용이건, 어떤 단말기로도 학습이 가능한 지능화된 학습형태를 u-러닝(ubiquitous learning)이라고 한다. u-러닝은 ubiquitous 컴퓨팅 기술과 네트워크 기술 기반 환경에서 학습이 이루어진 형태로 교육장소가 융통성이 있으며, 교수 - 학습 방법이 다양한 맞춤형으로 변화되며, 지식 전달체계가 실시간으로 현장성이 있으며, 다양한 학습공동체의 출현이 가능하다. u-러닝의 속성으로는 영구적인 학습자원 관리, 접근성, 즉시성, 상호작용성, 학습활동의 맥락성 등이 있다.

답 ③

秀 POINT 중요 개념

□ 교수 효과성	□ 교수 효율성	□ 처방적 이론
□ 피드백	□ 완전학습	□ 개별화 교수법
□ 선행 조직자	□ 학습 준비성	□ 표현방법
□ 탐구 교수	□ 언어정보	□ 지적 기능
□ 인지전략	□ 태도	□ 교수사태
□ 조직전략과 전달전략	□ 주의집중	□ 관련성
□ 자신감	□ 만족감	□ 향상점수
□ 교수설계	□ 요구분석	□ 교수매체
□ 원격교육	□ 이 러닝(e-learning)	□ 엠 러닝(m-learning)
□ 유 러닝(u-learning)	□ 블렌디드 러닝	□ 플립러닝
□ 무크(MOOC)	□ 사물인터넷	

교육평가

핵심체크 POINT

1. 평가관

측정(measurement)관	수량화, 과학화하는 일, 오차가 발생할 수 있음, 신뢰도 중시
평가(evaluation)관	사상의 가치를 판단하는 일, 타당도 중시
총평(assessment)관	전인적 평가, 구성주의 관점 반영(수행평가), 구인타당도와 예언타당도 중시

2. 평가의 기초

선발적 교육관(학습자의 개별 특성 강조 - 측정관)과 발달적 교육관(교사의 교육방법 중시 - 평가관)

3. 평가의 모형

목표중심 평가	목표를 미리 설정한 후 목표 달성도를 판단[타일러(Tyler)]
운영자중심 평가	의사결정자에게 필요한 정보 제공[스터플빔(Stufflebeam)의 CIPP모형]
소비자중심 평가	교육행위를 서비스로 간주하고 프로그램의 소비자가 원하는 것에 관심[스크리븐(Scriven)의 탈목표평가]

4. 평가의 절차

수업목표분석 → 평가 장면의 선정 → 평가도구의 제작 및 선정 → 측정의 실시 및 결과처리 → 결과의 해석 및 활용

1 평가관의 유형

1. 검사(test)관

(1) 개념

① 인간의 내재된 잠재적 속성은 직접 측정하는 것이 불가능하기 때문에 간접 측정을 해야 하며 이를 위해 사용되는 도구가 검사이다.

② 크론바흐(Cronbach)는 검사란 어떤 사람의 행동을 관찰하고 그것을 수량적 척도(서열, 동간, 비율척도), 유목척도(명명척도)로 기술하는 절차라고 하였다.

(2) 검사의 기능

① 교수적(instructional) 기능: 검사는 교사들에게 교과목표를 확인시켜주며 학생과 교사들에게 피드백을 제공하고 학습동기를 유발하며 시험의 예고는 복습을 위한 수단이 된다. 또한 검사를 통하여 잘못된 인지구조나 학습태도를 고칠 수 있다.

검사의 종류

지능검사, 학업적성검사, 학업성취도검사, 흥미검사, 직업적성 검사 등 측정내용에 따라 다양하다.

② **행정적(administrative) 기능**: 검사는 교육 프로그램, 학교 혹은 교사가 평가를 위하여 학생들을 분류, 배치하는 데 사용된다. 선발기능으로 대학 입학, 입사, 자격증 부여 등을 들 수 있고, 학교나 학교구조의 질을 통제할 수 있다.

③ **상담(counseling) 기능**: 검사는 피험자의 정의적 행동 특성을 진단하고 치료하는 데 있다. 즉 적성검사, 흥미검사, 성격검사 등을 통하여 피험자가 지니고 있는 문제점을 발견할 수 있다.

(3) 속도검사와 역량검사

① **속도검사(speed test)**: 제한된 시간에 얼마나 빨리 정확하게 문제의 답을 맞히는가를 측정하는 검사로 충분한 검사시간이 부여되지 않는다.

② **역량검사(power test)**: 충분한 검사시간이 부여되어 피험자가 지니고 있는 능력을 최대한 발휘하게 하여 피험자의 능력을 추정하는 검사이다. 일반적으로 학업성취도 검사는 역량검사의 형태를 지닌다.

③ **특징**

㉠ 속도검사와 역량검사 모두 신뢰도와 타당도가 중요하다.

㉡ 속도검사의 경우 반분신뢰도를 추정할 때 검사를 양분하는 방법으로 전후법(前後法)을 사용하지 않아야 한다.

2. 측정(measurement)관

(1) 개념

어떤 규정이나 법칙에 따라 물체의 어떤 속성을 수량화, 객관화하는 일을 말한다 (1910~1920년대 손다이크).

(2) 특징

① 어떤 규정이나 법칙에 따라 만들어진 측정도구나 측정방법을 통하여 얻어진 수치를 측정치라고 한다.

② 측정도구의 객관도와 신뢰도가 중시된다.

③ **오차 발생**: 측정은 간접적이고, 측정치는 불완전하고, 상대적이고, 측정도구의 불완전성과 관찰자의 개인차에 따라 오차를 가져온다.

(3) 타당도 검증

측정관으로 얻어진 결과의 유의미성은 공인 타당도와 예언 타당도의 형태로 결정된다. 즉, 측정도구의 타당성은 다른 측정이나 평가와 관련하여 결정된다.

(4) 환경적 조건

측정에서 환경이란 성가시고 귀찮은 존재로 간주하고 환경에 어떤 변화가 생겼다면 측정의 정확성을 방해하는 오차변인으로 간주한다.

3. 평가(evaluation)관

(1) 개념

어떤 준거에 비추어 볼 때 어떤 자료와 방법이 주어진 목적에 대하여 얼마만큼의 가치를 가지는가를 판단하는 일, 즉 측정한 것에 가치를 부여하여 판단하는 일이다. 평가관은 1930년대 타일러(Tyler)에 의해 체계화되었다.

측정의 예
국어시험 점수, 달리기에서 걸린 시간, 키를 cm로 나타내는 일 등이 해당한다.

(2) 특징

① 평가는 사용된 규칙에 의존해서 학생이 지식체계를 잘 습득하여 다음 단원으로 진행할 준비가 되었는지, 학생에게 추가적인 지식이 요구되는지를 말해준다.

② 평가에서는 타당도, 특히 내용 타당도가 중시된다.

(3) 환경적 조건

환경을 변화의 원천으로 간주한다. 환경이란 변화를 일으킬 수 있는 힘으로, 개인은 환경과의 상호작용을 통해 변화한다는 변화관에 핵심을 둔다.

4. 총평(assessment)관

(1) 개념

총평이란 전인적 평가로 개인의 행동 특성을 특별한 환경, 특별한 과업, 특별한 준거 상황에 관련시켜 의사결정을 하는 일이다. 1980년대 전통적 양적 평가에 대한 반발로 질적 평가를 지향한다.

(2) 목적

개인과 환경에 관한 증거를 찾고, 두 요인을 관련시켜 인간 행동 변화와 현상을 이해하며, 예언과 분류, 실험 등을 통해 미래를 예측하기 위한 것이다. 최근에 총평은 수행평가를 통해 가장 잘 반영되어 사용되고 있다.

(3) 특징

① 인간의 특성을 하나의 검사나 도구로 평가하는 것이 아니라 다양한 방법을 동원하여 종합적으로 평가한다[머레이(Murray)가 처음 사용].

② 개인에 관한 증거와 환경에 관한 증거 사이에 존재 가능한 관계와 상호작용을 분석하고, 예언, 실험, 분류에 활용된다.

③ 군사 첩보요원 양성을 위해 첩보요원으로서의 적성을 알기 위해 평가요원들의 계속적인 관찰 속에 소집단으로 구성하여 생활하게 하며, 상황검사, 적성검사, 투사적 방법, 집중 면담 등을 실시한 데서 비롯되었다.

(4) 중요시되는 타당도

① 개인과 환경에 관한 상이한 증거 사이의 합치도, 개인과 환경의 상호작용 분석은 구인에 의존한다. 따라서 총평관은 구인 타당도를 중요시한다.

② 개인과 환경의 구체적인 상호작용을 어느 한쪽의 특성에 관한 정보에 의해 얼마나 예언할 수 있느냐가 중요하므로 예언 타당도에도 관심을 갖는다.

秀 POINT 측정관, 평가관, 총평관의 비교

구분	측정관	평가관	총평관
환경관	① 환경의 불변성에 대한 신념 ② 환경 변인의 통제 및 영향의 극소화 노력 ③ 환경을 오차변인으로 간주	① 환경의 변화에 대한 신념 ② 환경 변인의 이용 ③ 환경을 행동변화의 자원으로 간주	① 환경의 변화에 대한 신념 ② 환경과 학습자의 상호작용을 활용 ③ 환경을 학습자 변화의 한 변인으로 간주

인간 행동관	① 항구적이고 불변적인 것으로 간주 ② 개인의 정적(靜的) 특징	① 안정성이 없고 가변적 인 것으로 간주 ② 개인의 변화하는 특성	① 환경과의 상호작용에 의해 가변적인 것으로 간주 ② 환경과 개인의 역동적 관계에서 변화하는 특성
강조점	① 규준에 비추어 본 개인의 양적 기술 강조 ② 간접적 증거 ③ 객관도와 신뢰도 강조	① 교육목적에 비추어 본 개인의 양적·질적 기술 강조 ② 직접적 증거 ③ 내용 타당도 강조	① 전인적인 기능 혹은 전체 적합도에 비추어 본질적 기술 강조 ② 직접 및 간접적 증거 ③ 구인 타당도 강조
증거 수집 방법	① 필답검사(표준화 검사) ② 객관적(양적)	① 변화의 증거를 얻을 수 있는 모든 방법 ② 주관적 및 객관적(양적 및 질적)	① 상황에 비춘 변화의 증거를 얻을 수 있는 모든 방법 ② 주관적 방법(질적)
활용	① 예언, 분류, 자격부여, 실험 ② 진단에 무관심	① 예언, 자격부여, 프로 그램 효과 판정 ② 교육목표 달성도의 진단	① 예언, 자격 부여, 분류, 실험, 선발 ② 준거 상황이나 역할에 비추어 본 진단

2 교육평가의 이론적 기초

1. 선발적 교육관

교육을 통하여 달성하고자 하는 교육목적이나 일정한 교육수준에 도달할 수 있는 사람은 어떤 교육방법을 동원하든지 다수 중 일부이거나 소수에 지나지 않는다는 신념을 가진 교육관이다.

2. 발달적 교육관

모든 학습자에게 각각 적절한 교수 - 학습 방법만 제시될 수 있다면, 누구나 의도하는 바의 주어진 교육목표를 달성할 수 있을 것이라는 신념을 가진 교육관이다.

3. 인본주의적 교육관

모든 교육이 학습자가 원하고, 희망하고, 바라는 것에 의해 이루어져야 한다는 신념의 교육관으로, 교육을 인성적 성장, 통합, 자율성을 통한 자아실현의 과정으로 전제한다.

구분	선발적 교육관	발달적 교육관	인본주의적 교육관
기본 가정	특정 능력이 있는 학습자 만이 교육을 받을 수 있음	누구나 교육을 받을 능력을 가지고 있음	
관련된 검사관	측정관	평가관	총평관
교육에 대한 책임	학습자(지능)	교사	학습자 + 교사
강조되는 평가 대상	학습자 개별 특성	교육방법	전인적 특성
관련된 평가유형	규준지향평가 (상대평가)	목표지향평가 (절대평가)	목표지향평가(절대평 가·평가무용론)

↟ 선발적·발달적·인본주의적 교육관 비교

3 교육평가의 대상과 기능

1. 평가의 대상

(1) 인적 대상

학생, 교사, 학부모, 학교 행정가, 학교 경영자, 지역 주민 등이 해당한다.

(2) 물적 대상

① 소프트웨어: 교수·학습 프로그램, 교육과정, 교구, 교재 등이 해당한다.
② 하드웨어: 시설, 환경, 교육예산, 예산집행관계 등이 해당한다.

(3) 평가

평가도 평가의 대상이 된다(평가에 대한 평가).

2. 교육평가의 기능

(1) 학습결과를 진단, 확인, 처방한다.

(2) 교육과정의 목표, 내용 및 학습지도 방법을 개선한다.

(3) 학습자의 동기를 유발한다.

(4) 학습자 자신을 이해한다.

(5) 교육계획을 수정, 보완, 개조하는 기능을 한다.

(6) 교사 자신에 대한 반성과 평가를 한다.

(7) 생활지도와 상담의 자료를 제공한다.

(8) 학급편성, 진급, 진학 및 선발의 근거와 기준이 된다.

4 교육평가의 모형

1. 개념

평가모형(evaluation model)이란 평가를 개념화하는 방식으로 평가의 기준을 무엇으로 보는가에 따라 다양한 평가모형이 가능하다.

2. 목표중심 평가(objective-oriented evaluation approach)

(1) 목표를 미리 설정한 후 그 목표가 얼마나 달성되었는지를 판단하는 데 초점을 둔다.

(2) 평가를 통해 얻어지는 정보를 근거로 교육목표와 교육내용 및 평가절차와 평가도구를 개선하게 된다.

(3) 대표적 모형

가장 대표적인 것은 타일러(Tyler)의 모형이다. 이외에 멧페셀(Metfessel)과 마이클(Michael)의 평가모형, 프로브스(Provus)의 불일치모형, 하몬드(Hammond)의 평가모형 등이 있다.

3. 운영중심 평가(management-oriented evaluation approach)

(1) 개념

① 평가를 의사결정자에게 필요한 정보를 제공함으로써 의사결정을 도와주기 위한 것으로 보며, 의사결정모형이라고도 한다.

② 투입, 과정, 산출을 기준으로 운용되는 체제적 접근을 취하며 의사결정자의 관심, 정보에 대한 요구 및 효율성을 위한 준거에 관심을 둔다.

(2) 기본전제

① 의사결정자는 무엇을 어떻게 평가할 것인가를 결정해야 한다.

② 평가자는 의사결정자를 도와주는 자문 역할을 해야 한다.

③ 평가활동은 정보를 수집·보고하는 활동에 국한되어야 한다.

④ 평가정보는 의사결정자의 요구에 부응해야 한다.

⑤ 어떤 정보가 중요하고 어떤 정보가 중요하지 않은가는 본질적으로 어떤 의사결정을 내리려고 하느냐에 따라 결정된다.

(3) 대표적 모형

스터플빔(Stufflebeam)의 CIPP 모형, 앨킨(Alkin)의 CSE(Center for the Study of Evaluation) 모형이 있다.

(4) 스터플빔의 CIPP 모형

① 특징

㉠ 그는 "평가는 개선을 목적으로 활용해야 한다."라는 신념으로 기존의 평가모형과는 다른 프로그램 개선 목적의 의사결정을 보조하기 위한 새로운 모형을 제시하였다.

㉡ 평가를 의사결정자에게 필요한 적절한 정보를 기술, 획득, 제공하는 과정으로 정의하고 평가목적을 달성하기 위해서는 해결해야 할 질문의 결정, 필요한 정보 획득방법의 결정, 수집한 정보의 보고방법의 결정 등의 절차가 필요하다.

㉢ CIPP란 상황평가(Context evaluation), 투입평가(Input evaluation), 과정평가(Process evaluation), 산출평가(Product evaluation)를 말하는 것으로 의사결정의 성격과 내용을 중시하는 동시에 그 결정이 추구하는 변화와 그 결정을 위해 요청되는 정보를 중시한다.

② 4가지 평가유형

㉠ 상황평가(계획 단계의 의사결정): 프로그램에서 다루어질 요구들을 결정하기 위한 것으로 프로그램의 목표를 설정하는 데 도움을 준다.

㉡ 투입평가(구조화 단계의 의사결정): 요구를 충족시키기 위해 사용 가능한 자원, 고려될 수 있는 대안적 전략, 최상의 잠재력을 가진 계획을 결정하기 위한 단계로 프로그램 절차를 설계하는 데 도움을 준다.

㉢ 과정평가(실행 단계의 의사결정): 계획의 원활한 진행여부, 실행상의 장애요인, 개선의 필요성 등을 파악하기 위한 평가단계이다. 이 과정에서 프로그램 절차상의 결점을 확인할 수 있으며 이를 통해 절차들이 조정되고 정련된다.

② 산출평가(재순환 단계의 의사결정): 획득 결과, 요구충족 정도, 필요한 후속 조치들을 파악하기 위한 평가 단계로 프로그램의 목표 달성 정도를 판단하는 데 중요하다.

4. 소비자중심 평가(consumer-oriented evaluation approach)

(1) 특징

① 스크리븐(Scriven)에 의해 제안된 것으로 프로그램들이 학생이나 교사에게 얼마나 필요한지를 설명하고, 시장성, 유용성, 생산성 대비효과 등을 분석하는 과정을 강조한다.

② 교육을 위해 사용되는 모든 것들을 교육상품으로 보고 나아가 교육의 행위도 서비스로 간주하여 교육 프로그램의 대상인 소비자가 무엇을 원하고 필요로 하는가에 관심을 둔다.

(2) 대표 모형

스크리븐(Scriven)의 평가모형, 모리셋과 스티븐스(Morrisett & Stevens)의 CMAS (Curriculum Materials Analysis System)가 있다.

(3) 스크리븐의 탈목표 평가

① 평가를 프로그램의 가치를 판단하는 것으로 보고, 평가자는 목표가 달성되었느냐에 관심을 둘 뿐만 아니라 목표의 질도 고려해야 한다고 주장한다.

② 평가에서 고려할 사항

　　㉠ 내재적 준거와 외재적 준거: 판단을 평가자의 주요 역할로 보았다. 판단의 준거를 내재적 준거와 외재적 준거로 구분할 수 있고, 교육평가는 외재적 준거에 관심을 기울여야 하고, 외재적 준거는 의도된 효과뿐만 아니라 의도되지 않은 부수적 효과까지를 포함한다고 보았다.

　　㉡ 형성평가의 중요성: 평가의 기능을 형성평가와 총합평가로 구분하였고, 최종 결과를 확인하는 총괄평가에 중점을 두기보다는 프로그램의 개선에도 관심을 두는 형성평가를 강조하였다.

　　㉢ 비교평가와 비(非)비교평가: 비교평가와 비비교평가를 구별해야 한다고 하였다. 교육평가에서는 비비교평가도 중요하지만 여러 가지 프로그램, 교육목표 등의 대안들 사이에 어느 것이 보다 우수하며, 어떤 장점이 있는지, 또한 그것의 효과는 무엇인지를 비교해서 제시해주어야 할 필요가 있다고 보았다.

③ 의의: 목표에 대한 정보가 전혀 없는 상황에서도 평가를 수행할 수 있다는 것을 입증하였고, 프로그램의 모든 효과를 포괄적인 입장에서 검토할 필요성을 역설하였다. 목표기준평가를 실시할 때에도 목표 자체의 가치를 판단할 필요성을 강조함으로써 평가의 이론과 실제에 큰 영향을 미친다.

5. 판단중심 모형(judgement-oriented model)

(1) 특징

① 평가를 평가자의 전문성을 이용하여 평가 대상의 가치와 장점을 체계적으로 판단하는 활동으로 본다.

② 평가자의 주관적인 전문성을 가장 중요한 평가 전략으로 간주한다는 점에서 다른 모형과 구분된다.

(2) 대표 모형

스테이크(Stake)의 반응적 평가모형이 있다.

(3) 스테이크의 모형(안면모형)

① 특징
  ㉠ 평가란 평가 의뢰인 중심으로 의뢰인의 요구에 답하는 데 중점을 두어야 하며, 평가대상 프로그램에 관련된 선행조건, 진행과정, 산출결과를 기술해야 하며, 의도한 결과만이 아니라 부수적 효과나 우발적 결과에도 관심을 가져야 한다고 보았다.
  ㉡ 평가자는 최종적인 결론을 독자적으로 내리지 말고 평가대상 프로그램 관련자들의 판단 수집·분석·반영에 비중을 더 두어야 한다.
② 공식적 평가의 중시: 프로그램에 대한 합리적 판단을 위해 비공식적 평가(주관적 평가)가 아닌 공식적 평가(formal evaluation, 객관적 평가)를 실시해야 한다고 보았다. 공식적 평가의 기본활동(평가의 얼굴)은 기술(description)과 판단(judgement)으로 구성되며, 완전한 평가란 기술과 판단을 모두 포함해야 한다.
③ 의의
  ㉠ 스테이크의 안면모형은 평가에 대한 다각적인 논의를 촉발시킴으로써 다양한 평가모형들이 등장되는 계기가 되었다.
  ㉡ 프로그램 평가를 성과에 선행요건과 실행과정까지 포함하는 개념으로 확대시켰고, 판단행위를 평가의 핵심적 측면으로 간주했으며, 평가의 상대적 표준과 절대적 표준을 구분하였다.

5 교육평가의 과정(過程)

1. 교육평가 절차의 분류

(1) 타일러 (R. W. Tyler)

① 교육목적을 설정하는 일이다.
② 교육목적을 분류하는 일이다.
③ 교육목적을 학습자의 행동의 형태로서 표현하는 일이다.
④ 학습자의 행동이 기대할 수 있는 상태로 잘 나타나도록 장면을 구성하는 일이다.
⑤ 그러한 상태에서 나타나는 행동을 적절히 평가할 수 있는 방법을 선정하고 이를 실시하는 일이다.
⑥ 평가결과를 종합하고 해석하는 일이다.
⑦ 평가결과를 기록하고 이에 따라 지도하는 일이다.

(2) 렘머스(H. H. Remmers)

① 교육목적을 설정하고 분석한다.
② 평가 장면을 선정한다.
③ 평가도구를 제작하고 선정한다.

④ 평가도구를 실시하고 결과를 처리한다.

⑤ 평가결과를 해석하고 활용한다.

2. 교육평가의 절차

(1) 교육목표의 분석

① 교육목표는 교육의 전 과정에 있어서 실천적 준거가 된다.

② 교육평가란 교육목적의 달성도를 따지는 일이다. 교육평가에서 다루는 교육목적은 교사에 의해 실천적 구체적으로 표현된 목표가 된다.

③ 교육평가를 통해 측정하고자 하는 교육의 구체적 목적은 '내용'과 '행동'으로 분류된 이원분류이다.

(2) 평가 장면의 선정

평가 장면이란 수업목표에서 분류된 내용과 행동을 어느 정도 달성하고 있는가를 젤 수 있는 가장 적합한 기회 혹은 검사상태를 말한다.

예 필답검사, 면접법, 질문지법, 관찰법, 사회성 측정법, 평정법, 투사법 등이 있다(교육평가에서 활용할 수 있는 평가 장면은 수없이 많다).

(3) 평가도구의 제작 및 선정

① 평가도구 제작: 교사가 직접 평가 장면에 알맞은 검사문항을 만드는 일이다.

② 평가도구 선정: 표준화된 검사를 평가목적에 맞게 고르는 것을 의미한다.

③ 수업목표에 따른 평가도구의 예

지능, 적성평가	표준화 지능검사, 적성검사, 관찰법, 면접법 등
정의적 행동 특성평가	관찰법, 질문지법, 평정법, 체크리스트법, 의미 분석법, 투사법 등
학력의 평가	표준화 학력검사, 교사 작성 검사 등
신체의 평가	관찰법, 신체검사 등

(4) 측정의 실시 및 결과처리

행동의 증거들을 수집하고 수집된 행동 증거를 통계적 방법에 의해 수량화하는 작업이다.

(5) 결과의 해석 및 활용

① 교육목적에 비추어 그 목적이 얼마나 달성되었는가를 구체적으로 하나하나 따져 나가는 과정이다.

② 평가의 최종적인 목적은 그 결과를 어떻게 활용할 것인가이다.

③ 평가 결과의 활용 방법

   ⊙ 교육과정이나 교수법을 개선한다.

   ⓒ 지도와 상담에 도움을 준다.

   ⓒ 교육행정 및 교육정치(定置)에 도움을 준다.

   ⓔ 평가 자체를 평가할 수 있다.

秀 POINT 표준화 검사(standardized test)

1. 개념
① 일정한 객관적 기준(norm)을 설정하여 이 기준에 의해 검사결과를 해석하는 표준화가 된 검사이다. 즉 모집단을 대표하는 피험자를 표집하여 동일한 지시와 절차에 의해 검사를 시행한 후 객관적 채점방법에 의하여 규준이 만들어진 검사이다.
② 누가, 언제, 어디서 검사를 실시하고 채점하고, 해석을 하더라도 객관성 있는 일정한 결과를 얻을 수 있다.

2. 특징
① 검사문항의 표준화(문항의 타당도)
② 실시방법의 표준화
③ 채점방법의 표준화
④ 해석방법의 표준화

3. 검사 선택 시 유의사항
① 측정하고자 하는 내용에 부합하는 검사를 선택한다.
② 검사하고자 하는 집단의 특성에 맞는 검사를 선택한다.
③ 검사 소요시간, 검사 결과의 활용을 고려한다.
④ 문화적, 인종과 성별에 따른 차별 기능 문항이 있는지 확인한다.
⑤ 타당도와 신뢰도를 확인한다.
⑥ 규준이 최근의 규준인지를 확인한다.

기출문제

스터플빔(D. L. Stufflebeam)의 의사결정 평가 모형에 대한 설명으로 옳은 것만을 모두 고르면?   2023년 국가직 7급

> ㄱ. 경영자의 결정에 판단적 정보를 제공한다는 점에서 경영자 위주의 접근이라고 불린다.
> ㄴ. 상황(Context)평가, 투입(Input)평가, 과정(Process)평가, 산출(Product)평가로 구성된다.
> ㄷ. 평가의 주된 목적은 목표 실현 정도를 파악하는 데 있다.
> ㄹ. 예술작품을 비평하는 것과 같은 전문가의 감식안(connois-seurship)에 근거한 평가를 의사결정에 활용할 것을 제안하고 있다.

① ㄱ, ㄴ   ② ㄱ, ㄹ
③ ㄴ, ㄷ   ④ ㄷ, ㄹ

해설

스터플빔(D. L. Stufflebeam)의 의사결정 평가 모형은 운영중심 평가(management-oriented evaluation approach)로 평가를 의사결정자에게 필요한 정보를 제공함으로써 의사결정을 도와주기 위한 모형이다. CIPP란 상황평가(Context evaluation), 투입평가(Input evaluation), 과정평가(Process evaluation), 산출평가(Product evaluation)를 말하는 것으로 의사결정의 성격과 내용을 중시하는 동시에 그 결정이 추구하는 변화와 그 결정을 위해 요청되는 정보를 중시한다.   답 ①

02 | 검사문항의 제작과 형태

 핵심체크 POINT

1. 좋은 문항의 조건
높은 타당도, 중간 정도의 난이도, 동기 유발 가능성, 낮은 오차(신뢰도), 참신성, 고등정신능력 측정, 문항의 구조화, 편파성 배제

2. 검사문항의 유형

선택형	진위형, 배합형, 선다형
구성형	완성형, 단답형, 논문형

3. 문항 제작 원칙

선다형 제작 원칙	① 질문은 끝에 오도록 한다. ② 문항 간 독립성을 유지한다. ③ 오답의 매력도가 높도록 한다. ④ 반복되는 말은 질문에 포함시킨다. ⑤ 유사한 답지가 인근 답지가 되도록 한다. ⑥ 숫자나 연도는 작은 수부터 나열한다. ⑦ 문항이 구조화되어야 한다. ⑧ 동질적 답지를 사용한다. ⑨ 논리적 순서로 배열한다. ⑩ 긍정적 질문을 사용한다. ⑪ 정답의 번호는 무선순이 되도록 한다.
논문형 제작 원칙	① 질문이 구조화되어야 한다. ② 반응의 자유를 적절히 제한한다. ③ 어휘 수준은 피험자의 수준 이하여야 한다. ④ 협소한 다수의 문항으로 질문한다. ⑤ 문항점수와 채점기준을 제시한다.

1 검사문항 제작 시 일반적 유의점

1. 문항제작 시 고려사항

(1) 교육목표와 교육내용이 무엇인가를 정확히 알아야 한다.

(2) 피험자의 독해력과 어휘 수준을 고려해야 한다.

(3) 문항유형에 따른 특징, 장단점, 복잡성 등을 고려해야 한다.

(4) 피험자에게 미칠 수 있는 부정적 영향을 고려해야 한다.

2. 좋은 검사문항의 조건

(1) 문항의 내용이 측정하고자 하는 내용과 일치해야 한다(타당도와 관련).

(2) 문항의 난이도가 적절해야 한다.

(3) 문항은 학습동기를 유발시킬 수 있어야 한다.

(4) 문항이 검사의 사용 목적에 부합되어야 한다.

(5) 측정의 오차를 유발하지 않아야 한다(신뢰도와 관련).

(6) 기존에 존재하는 진부한 형태의 문항이 아니라 참신성을 지녀야 한다.

(7) 질문 내용이 고등정신 기능(분석, 종합, 평가 등)을 측정할 수 있는 복잡성(complexity)을 지녀야 한다.

(8) 문항이 특정 집단에게 유리하게 제작되어서는 안 된다.

(9) 문항이 구조화되어야 한다. 문항의 구조화란 문항의 체계성을 말하는 것으로 질문이 모호하지 않으며 구체화되어야 한다. 일반적으로 선택형 문항이 서답형 문항보다 구조화되어 있다고 할 수 있다.

(10) 문항은 윤리적, 도덕적 문제를 지니고 있지 않아야 한다.

> **예** 국어의 지문이 반사회적 내용이나 비윤리적 문제를 포함한다든가, 논술문에서 갈등상황을 제시하고 그에 대한 견해를 논하는 문항은 좋은 문항이라고 할 수 없다.

> **편파성 문항**
> 문항이 특정 집단에게 유리하게 제작된 경우 이를 차별기능문항 혹은 편파성 문항이라고 한다.

2 검사문항의 유형 - 선택형(선다형, 객관형)

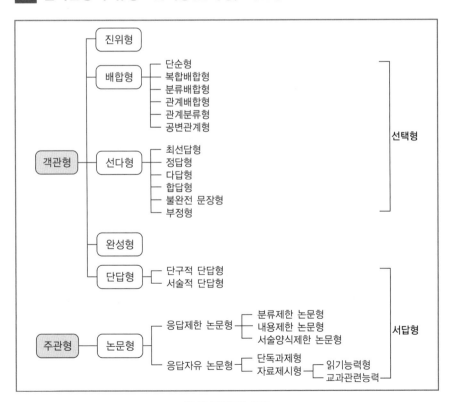

⬆ 검사문항의 유형

1. 선택형 문항제작의 일반적 원리

(1) 문항은 출제자의 의도가 정확히 전달되도록 작성되어야 한다.

(2) 문항은 중요한 지식, 내용을 포함해야 한다.

(3) 문항 작성 시 부정어와 이중 부정은 피해야 한다.

(4) 정답을 암시하는 언어적 단서를 피한다.

(5) 교과서나 다른 출판된 자료로부터 뽑은 문장으로 질문하지 않는다.

2. 선택형의 유형

(1) 진위형(true-false form)

피험자에게 진술문을 제시하고 그것의 진위, 정오를 판단하게 하는 문항형식이다. 흔히 2자 택일형(alternative-response type)이라고도 한다.

(2) 배합형(matching form)

일련의 전제와 답지 그리고 전제와 답지를 배합시키는 지시문의 세 가지로 구성된 문항형식이다. 전제와 답지에는 단어, 어구, 문장, 기호 등 무엇이든 사용할 수 있다.

(3) 선다형(multiple choice form)

① 특징
  ㉠ 문두와 그에 따른 두 개 이상의 답지로 구성된다.
  ㉡ 피험자가 답을 선택하는 형식으로 객관형 문항 중에서 가장 장점이 많은 문항형식이다.

② 선다형 문항제작의 일반적 원리
  ㉠ 답지 선택에 직접적인 관련이 있는 내용은 질문의 끝에 두는 것이 좋다.
  ㉡ 피험자의 의견을 묻는 질문은 피해야 한다.
  ㉢ 문항과 답지들의 내용은 서로 독립성을 유지해야 한다.
  ㉣ 정답은 분명하고 오답은 매력적으로 만들어야 한다.
  ㉤ 답지에서 반복되는 말은 질문에 포함시켜 표현한다.
  ㉥ 동질적 답지를 사용해야 하며, 답지는 짧게 하는 것이 좋다.
  ㉦ '정답 없음', '모두 정답'이란 답지는 사용하지 않는 것이 좋다.
  ㉧ 단정적인 표현은 피한다.
  ㉨ 정답의 번호가 일정 형태를 유지하지 않는 무선순에 의하도록 한다.
  ㉩ 문항의 질문 형태는 가능하면 긍정문이어야 한다.
  ㉪ 질문에 그림이나 도표 등을 포함할 경우, 그림, 도표, 질문 그리고 답지가 모두 동일 쪽에 인쇄되도록 한다.
  ㉫ 답지 내용이 유사하다면 유사한 내용의 답지들을 인접하게 배열한다.
  ㉬ 답지의 길이를 가능하면 비슷하게 한다. 길이가 서로 다를 때는 짧은 길이의 답지부터 배열한다.
  ㉭ 답지들이 수나 연도로 서술될 때, 일반적으로 작은 수부터 큰 수로 배열한다.

③ 장점

  ㉠ 문항 형식의 융통성이 높다. 선다형 문항은 단순한 정보지식뿐만 아니라 생소한 상황에서의 원리를 응용하는 적용력, 추리력, 판단력, 비판력 등도 측정할 수 있다.

  ㉡ 채점이 쉽고 객관적이다.

  ㉢ 초등학교 저학년을 제외한 모든 학년에 사용할 수 있는 문항 형식이다.

④ 단점

  ㉠ 문항 제작이 어렵다. 특히 좋은 오답지를 만드는 일이 어렵다.

  ㉡ 반응 시간이 많이 걸린다.

⑤ 유형: 최선답형, 정답형, 다답형, 합답형, 불완전 문장형, 부정형 등이 있다.

3 검사문항의 유형 - 구성형(서답형, 주관형)

1. 특징

(1) 피험자가 단순히 답을 선택하는 것이 아니라 답을 구성하여 제공한다.

(2) 교수 목표로써 피험자가 설명하고 정의하고 진술하거나 작성할 것이 요구되는 상황에서 적합하다.

(3) 일반적으로 분석, 응용, 종합 혹은 평가와 같은 높은 수준의 인지적 행동을 측정하는 데 적합하다.

2. 유형

(1) 완성형(completion form)

진술문의 일부분을 비워 놓고 단어, 어구, 숫자, 기호 또는 문장을 써 넣게 하는 문항 유형이다.

(2) 단답형(short answer)

간략한 단어, 구, 문장, 숫자, 그림 등 제한된 형태로 대답하게 하는 문항 유형이다.

(3) 논문형(essay)

① 특징

  ㉠ 학생이 답을 고르는 것이 아니라 스스로 정답을 만드는 형식이다.

  ㉡ 한 문장이나 여러 문장으로 학생이 반응을 구성할 것을 요구하고 교사가 이 반응을 읽고 답의 정확성과 질을 주관적으로 판단한다.

  ㉢ 학생들에게 자유반응을 허용하고 반응의 채점이 주관적이고 어렵다.

② 논문형 문항제작의 일반적 원리

  ㉠ 피험자의 입장에서 문항이 제작되어야 한다.

  ㉡ 평가 목표와의 관련에 특히 유의한다.

  ㉢ 질문이 명료해야 한다.

  ㉣ 객관적인 채점을 고려하여 제작한다(문항점수와 채점기준을 마련).

  ㉤ 질문의 내용을 명확히 하고 반응의 자유를 적절히 제한한다.

  ㉥ 채점의 기준을 미리 작성하고 피험자에게 제시한다.

ⓥ 여러 개의 문항을 주고 선택해서 쓰도록 하지 않는다.
ⓦ 논술문의 내용이나 지시문 등의 어휘 수준이 피험자의 어휘 수준을 넘지 않도록 한다.
ⓧ 문항을 배열할 때는 쉬운 문항에서 어려운 문항으로 배열한다.
ⓨ 광범위한 소수의 문항보다는 협소하더라도 다수의 문항으로 질문한다.

③ **논문형의 유형**: 응답자유 논문형(확대 반응형)과 응답제한 논문형(제한 반응형)이 있다.

3. 장단점

(1) 장점

① 반응의 자유도가 크다.
② 고등정신능력을 측정하는 데 유리하다.
③ 전체성을 강조한다.
④ 문항제작이 용이하다.
⑤ 인성적 진단의 자료를 얻는다.

(2) 단점

① 채점의 신뢰도와 객관도가 부족하다(채점의 일관성).
② 여러 문항을 출제하기 어려워 넓은 교과 영역을 측정하기 어렵고, 표집이 제한적이다.
③ 채점에 시간과 노력이 많이 든다.
④ 후광 효과가 작용하여 문장력이 채점에 영향을 줄 수 있다.
⑤ 제대로 작성되지 못한 문항의 경우 단순 지식이나 사실의 기억을 측정할 수 있다.

03 | 문항분석

📋 **핵심체크 POINT**

1. 양적 분석
   ① 고전적 검사이론

문항 곤란도	문항의 쉽고 어려운 정도
문항 변별도	능력의 상하를 구별
문항 추측도	어려운 문항은 추측도 올라감
오답의 매력도	오답의 매력도가 높은 문항이 좋은 문항

   ② 문항반응이론: 문항모수치의 불변성과 능력모수치의 불변성 전제, 문항반응특성 곡선

2. 질적 분석
   내용 타당도 분석을 통해서 이루어짐

1 문항분석

1. 개념

검사의 각 문항이 본래의 기능을 제대로 수행하고 있는지 확인하고 검토해보는 작업으로 문항의 양호도 분석이라고도 한다.

2. 방법

(1) 질적 분석

문항이 측정의 목적에 부합되게 제작되었는지를 점검하는 것으로 이는 내용 타당도를 확인하는 과정이다.

(2) 양적 분석

문항별로 그 난이도, 변별도, 그리고 추측에 의한 정답 가능성을 중심으로 분석된다. 문항분석의 방법은 고전적 이론검사 방법인 문항 곤란도와 문항 변별도에 의한 것과 문항반응이론에 의한 방법이 있다.

2 고전적 검사이론

1. 문항 곤란도(Item Difficulty)

(1) 특징

① 문항의 쉽고 어려운 정도를 검증하는 방법이다. 전체 응답자 수에 대한 정답자 수의 비율로 계산되며, 문항 난이도 혹은 문항 통과율이라고도 한다.
② 문항 곤란도는 통계학적 용어로 표준편차와 평균에 의해 결정된다.

③ 검사 전체에 대한 개인의 점수를 계산할 때에는 미달항(non reach, NR)도 계산한다. 그러나 문항분석을 할 경우는 그 문항에 반응하지 않은 피험자의 수는 제외한다. 중간 중간에 비워놓은 문항, 즉 제외항(omitted item)은 모두 오답으로 처리한다.

(2) 계산방법

정답에 의한 곤란도	$P = \dfrac{R}{N} \times 100$	① N : 사례 수 ② R : 정답자 수
추측요인을 제외한 곤란도	$P = \dfrac{R - \dfrac{W}{n-1}}{N - NR}$	③ W : 오답자 수 ④ n : 선다형 답지 수 ⑤ R : 한 서답형 문항에서 전체 응답자들이 받은 점수의 합 ⑥ A : 그 문항에 주어진 배점

(3) 해석과 활용

① 문항 배열의 순서를 정하는 데 활용된다.
② 절대평가의 경우 P가 높으면 수업목표 달성이 잘 되었음을 의미한다.
③ 일반적으로 문항 곤란도 지수가 0.25 미만이면 매우 어려운 문항이고, 0.25 이상 0.75 미만이면 적절한 문항, 0.75 이상이면 매우 쉬운 문항으로 평가한다.
④ 문항 곤란도의 활용

규준참조평가의 경우	준거참조평가의 경우
학생의 능력을 올바르고 정확하게 변별하여 개인차를 측정하기 위해 활용한다.	학생들이 교수목표를 도달하였는지를 판단하는 기준을 설정하는 데 필요한 정보를 제공하고, 교수목표의 타당성과 교수방법의 적절성을 평가하는 데 활용한다.
① 문항이 적절한 난이도를 가질 수 있도록 조절해야 한다. ② 대개 20~80% 사이의 문항 난이도를 가지고 평균 난이도가 50% 정도에 머무는 것이 이상적이다.	검사의 난이도를 적절하게 만드는 것이 중요한 것이 아니라, 이원목표분류표를 충실히 반영하여 검사를 개발하는 것이 중요하다.
① 문항 난이도는 넓은 범위에 걸쳐 있는 것이 바람직하다. ② 쉬운 문항은 능력이 낮은 학생의 동기유발을 위해, 어려운 문항은 상위능력을 가진 학생의 성취감을 고무시키기 위해 포함시키는 것이 바람직하다.	① 문항 난이도 지수가 높을수록 많은 학생들이 수업목표를 달성했다는 긍정적인 증거로 간주된다. ② 모든 학생이 만점을 받는 경우가 가장 이상적이다.

2. 문항 변별도(Discrimination Index; DI)

(1) 개념

① 각 문항이 얼마만큼 능력의 상·하를 변별해내는가의 방법이다. 즉 어떤 문항이 그 검사가 측정하고자 하는 능력의 상·하를 얼마나 예리하게 변별해주느냐 하는 정도를 의미한다.
② 문항 변별도 계산에서 집단을 구분하는 것은 준거점수에 따라 구분하기도 하고, 총 피험자 수에 근거하여 피험자 수가 같도록 집단을 구분하기도 하고 혹은 상위 27%와 하위 27%를 규정한 후 문항 변별도를 추정하기도 한다.

(2) 계산방법

① 문항점수와 피험자 총점의 상관계수에 의해 추정하는 방법이 있다.

② 피험자 집단을 상위 능력 집단과 하위 능력 집단으로 구분하여 상위 능력 집단의 정답률과 하위 능력 집단의 정답률의 차이로 추정하는 방법이 있다. 이때 검사 총점의 분포를 특정 기준에 의해 2집단 혹은 3집단으로 나누고 상위 능력 집단에서의 문항 정답률과 하위 능력 집단의 문항 정답률의 차이로 계산한다.

③ 예시

㉠ 1,000명이 실시한 20점 만점의 언어능력 검사에서 12점을 기준으로 상위 집단과 하위 집단으로 구분한 경우

구분	상위 집단	하위 집단	계
정답	300	180	480
오답	100	420	520
계	400	600	1,000

ⓐ 상위 집단 정답률: 300/400 = 0.75

ⓑ 하위 집단 정답률: 180/600 = 0.30

ⓒ 상위 집단 정답률 - 하위 집단 정답률: 0.75 - 0.30 = 0.45

㉡ 전체 집단을 상위 27%, 하위 27%로 구분한 경우

구분	상위 집단	중간 집단	하위 집단	계
정답	71	59	5	135
오답	10	79	76	165
계	81(27%)	138(46%)	81(27%)	300

ⓐ 상위 집단 정답률: 71/81 = 0.87

ⓑ 하위 집단 정답률: 5/81 = 0.06

ⓒ 상위 집단 정답률 - 하위 집단 정답률: 0.87 - 0.06 = 0.81

(3) 문항 변별도의 평가기준

문항 변별도 지수	문항평가
0.1 미만	변별력이 없는 문항
0.1 이상 0.2 미만	변별력이 매우 낮은 문항
0.2 이상 0.3 미만	변별력이 낮은 문항
0.3 이상 0.4 미만	변별력이 있는 문항
0.4 이상	변별력이 높은 문항

(4) 특징

① 문항 변별도의 범위는 $-1.0 \le DI \le +1.0$ 이다.

② 규준참조검사에서 문항 변별도의 바람직한 분포는 0.3 이상이다.

③ 문항 변별도가 높으면 검사도구의 신뢰도가 높아진다.

3. 문항 추측도

(1) 개념

진위형 문항이나 선다형 문항에서 문항의 답을 맞힌 피험자 중에는 추측에 의해 문항의 답을 맞힌 피험자도 있다. 틀린 문항에 벌점을 주지 않는 경우 추측은 검사에서 일어날 수 있으므로 문항 추측도도 문항분석의 요소가 된다. 문항 추측도가 높으면 어려운 문항으로, 추측도가 낮으면 쉬운 문항으로 해석된다.

(2) 공식

$GR = G \times \dfrac{1}{Q}$	① GR : 추측에 의해 문항의 답을 맞힌 피험자 수 ② G : 추측에 의한 피험자 수 ③ Q : 답지 수

4. 오답지의 매력도

(1) 개념

각 오답지들의 매력도는 각 오답지에 대한 응답비율에 의해 결정된다. 오답지에 대한 응답비율이 오답지 매력도보다 높으면 매력적인 답지, 그 미만이면 매력적이지 않은 답지로 평가한다.

(2) 공식

$P_o = \dfrac{1-P}{Q-1}$	① P_0 : 답지 선택확률 ② P : 문항 곤란도 ③ Q : 보기 수

예 1,000명의 피험자가 4지선다형 문항의 각 답지에 응답한 결과와 그에 따른 오답지의 매력도 추정

답지 내용	응답자	응답비율	비고
ⓐ	100	0.1	매력적이지 않은 오답지
ⓑ	400	0.4	정답
ⓒ	300	0.3	매력적인 오답지
ⓓ	200	0.2	매력적인 오답지

5. 교수 민감도

(1) 개념

문항이 교수 효과를 민감하게 반영하고 있는 정도이다. 교수 - 학습을 실시하기 전에 치르는 사전 검사문항과 교수 - 학습을 실시한 후에 치르는 사후 검사문항의 난이도를 비교함으로써 점검할 수 있다.

(2) 공식

$SI = \dfrac{(R_{post} - R_{pre})}{N}$	① SI : 교수 민감도 지수 ② R_{post} : 교수 - 학습 이후의 총 정답반응 수 ③ R_{pre} : 교수 - 학습 이전의 총 정답반응 수 ④ N : 교수 - 학습 이전 및 이후에 문항에 반응한 총 학생 수

3 고전적 문항분석의 의의와 단점

1. 의의

(1) 좋은 문항의 답지가 되려면 정답지에 상위 집단의 응답자가 하위 집단의 응답자보다 더 많이 반응을 보여야 한다.

(2) 오답지의 매력도가 골고루 높아 그 문항에 대한 정답을 모르는 학생에게는 오답지들이 모두 그럴듯하게 보이도록 하는 것이 바람직하다.

(3) 선택형 문항에서 오답지가 정답처럼 보여 정답자가 오답지를 정답으로 선택할 수 있는 정도를 오답지의 효과성(혹은 오답지의 매력도)이라고 한다.

(4) 문항반응분포를 살펴보면 오답지의 매력도를 직관적으로 판단할 수 있다.

2. 고전적 검사이론의 단점

(1) 문항에 응답한 피험자 집단의 특성에 의해 문항특성이 달리 분석된다. 즉 어떤 문항에 응답한 피험자 집단의 능력이 높으면 쉬운 문항으로 분석되고, 피험자 집단의 능력이 낮으면 어려운 문항으로 분석된다.

(2) 검사의 난이도에 따라 피험자 능력 추정이 변화된다. 즉 검사가 쉽게 제작되면 피험자 능력은 과대 추정되고 검사가 어렵게 제작되면 피험자 능력이 과소 추정된다.

(3) 피험자의 능력을 비교할 때 총점에 근거하므로 정확성이 결여된다. 예를 들어 5문항의 검사를 실시하여 동일한 3점을 얻었을 때 두 피험자의 능력은 같다고 해석된다.

4 문항반응 이론(Item Response Theory; IRT)

1. 의의

(1) 20세기 중반 이후 이론적 발전을 가져온 것으로 현재 널리 적용되는 이론이며, 검사 점수는 문항 점수들의 합에 의해 계산된다는 이론이다.

(2) 총점에 의존하여 분석하는 것이 아니라 문항 하나 하나의 특성을 분석하여 각 문항의 답을 맞힐 확률의 합이 검사 점수가 되며, 이론의 전개가 문항에 기초한다.

(3) 고전적 검사이론의 문제점을 해결하기 위해 로리(Lawley, 1943)가 제안한 검사이론이다.

2. 이론적 가정

문항 곤란도와 문항 변별도는 피검사자 집단의 성질에 따라 좌우되는 반면, 문항반응이론은 문항 모수치의 불변성과 능력 모수치의 불변성을 가정한다.

문항 모수치의 불변성	문항마다 고유의 특성이 있으며, 이러한 특성은 문항분석의 대상이 되는 집단이 달라져도 변하지 않는다.
능력 모수치의 불변성	피검사자의 능력이 검사문항에 따라 달라지는 것이 아니라 고유한 능력 수준을 갖는다.

3. 문항반응 이론의 기본 전제

(1) 일차원적 가정

검사가 단일한 특성을 측정해야 한다는 것이다.

㉠ 수리력을 측정하는 검사는 수리력만을 측정해야지 어휘력에 영향을 받으면 안 된다.

(2) 지역독립성의 가정

① 한 문항에 대한 피험자의 응답이 다른 문항에 대한 응답과 통계적으로 독립적이다.

② 어떤 능력을 가진 피험자의 하나의 문항에 대한 응답은 다른 문항의 응답에 영향을 주지 않는다.

4. 문항특성곡선

(1) 각 검사문항에 대한 정답률과 능력척도 사이의 관계를 나타낸 것이다. 문항반응이론을 통하여 피험자 집단의 능력이 높거나 낮은 것과 관계없이 거의 일정한 형태의 문항특성곡선을 추정할 수 있다.

(2) 문항반응모형을 함수의 관계로 표시하는 방법은 ① 정규 오자이브(normal ogive model)와 ② 로지스틱 모형(logistic model)이 있으며 로지스틱 모형이 보편적이다.

(3) 문항특성곡선의 형태

① 피험자의 능력이 높을수록 해당 문항을 맞힐 확률이 증가하므로 성장곡선과 같은 S자 형태이다. 문항특성곡선의 X축은 피험자의 능력을 나타내며 θ로 표기하고, Y축은 문항의 답을 맞힐 확률을 나타내며 $P(\theta)$로 표기한다. 문항특성곡선은 능력 수준에 따라 문항의 답을 맞힐 피험자들의 정답비율, 즉 관찰된 정답비율의 점들을 대표하는 곡선이다(SD = 1, M = 0).

② 문항특성곡선이 오른쪽에 위치할수록 능력 수준이 높은 피험자들에게 기능하는 어려운 문항이 되고, 왼쪽에 위치할수록 능력이 낮은 피험자에게 적합한 쉬운 문항이 된다.

③ 문항특성곡선의 위치는 문항 난이도와 관련 있고, 기울기는 문항 변별도와 관련 있다.

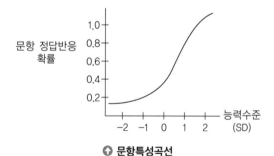

⬆ **문항특성곡선**

(4) 문항 변별도와 문항특성곡선

① 문항 변별도는 문항 난이도를 나타내는 피험자 능력 수준보다 낮은 능력의 피험자와 높은 능력의 피험자를 변별하는 정도를 나타내는 것으로 즉 문항이 피험자의 능력 수준을 변별하는 정도를 나타낸다.

② 문항 변별도가 서로 다른 3문항의 문항특성곡선: 1, 2, 3번의 3문항의 난이도는 동일하나 문항특성곡선의 기울기가 다르기 때문에 1번 문항이 3번 문항보다 피험자를 잘 변별해준다.

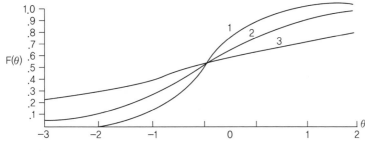

🔵 **문항 변별도가 다른 3문항의 문항특성곡선**

(5) 문항 난이도와 문항특성곡선

아래 그림에서 1번 문항은 능력이 낮은 피험자들에게 기능하고, 3번 문항은 보다 높은 능력 수준의 피험자 집단에서 기능한다. 즉 문항 3번이 문항 1번보다 어렵다는 것을 알 수 있다.

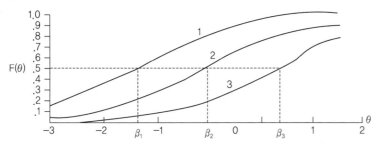

🔵 **문항 난이도가 다른 3문항의 문항특성곡선**

(6) 문항반응 이론의 장점

① 검사에 포함된 일부 문항들이 아니라 문항 전집에 비추어 피검사자의 능력을 추정할 수 있다.

② 특정 피험자 집단의 영향을 받지 않는 문항모수를 추정할 수 있다.

③ 피검사자의 능력수준에 따라 측정 오차를 추정하기 때문에 다양한 용도로 활용할 수 있다.

　㉠ 검사 제작

　㉡ 적응검사: 피험자의 능력수준에 따라 상이한 문항을 제시하는 검사이다.

　㉢ 검사 동등화: 동일한 특성을 측정하기 위해 제작된 여러 개의 검사에서 얻은 점수들을 단일 척도에서 보고하려고 할 때 서로 대응되는 점수를 찾는 과정이다.

　㉣ 숙달검사: 미리 설정된 표준을 기준으로 하여 피검사자들을 도달 - 미도달 (즉, 합격 - 불합격)로 분류하기 위한 준거지향검사의 일종이다.

04 | 측정 및 평가도구의 구비요건

 핵심체크 POINT

1. 타당도
① 개념: 측정도구가 무엇(what)을 측정하려고 하는가?
② 종류: 내용 타당도, 공인 타당도, 예언 타당도(공인 타당도와 예언 타당도를 준거 타당도라고도 함), 구인 타당도, 생태학적 타당도, 결과 타당도
③ 내용 타당도에 영향을 주는 조건: 교수목표와 일치도, 문항 곤란도가 피험자 수준에 맞는가, 문항표집 등

2. 신뢰도
① 개념: 측정도구가 어떻게(how) 일관성 있게 측정하고 있는가?
② 신뢰도 검증방법: 재검사 신뢰도(기억이 작용), 동형검사 신뢰도(문항의 동질성 중요), 반분 신뢰도(교정 공식), 문항내적 합치도(교정 공식 - KR20, KR21, Hoyt 신뢰도, Cronbah-α) 등
③ 신뢰도에 영향을 주는 조건: 검사문항의 포괄성, 검사조건의 균일화, 피험자의 준비상태, 채점의 객관성
④ 신뢰도 높이는 방법: 검사 길이 늘림, 곤란도(50%), 동질적 문항, 높은 변별도, 검사 범위 좁힘, 능력 범위 넓힘, 시험상황, 흥미와 동기, 문항배열 순서

3. 객관도
검사자의 신뢰도

4. 실용도
검사 실시의 용이성, 채점의 용이성, 해석과 활용의 용이성 등

1 타당도(validity)

1. 특징

(1) 측정하려는 대상을 측정도구가 정확히 재고 있는가의 충실도를 나타낸다. 즉 검사 점수가 검사의 사용목적에 얼마나 부합하는가의 문제로 검사의 진실성 혹은 정직성이라고도 한다.

(2) 검사가 갖는 고유한 속성이라기보다 검사에서 얻는 결과를 가지고 검사의 타당성의 근거를 제시한다.

(3) '타당도가 있다.' 혹은 '없다.'로 말하는 것이 아니라 어느 정도('낮다.', '적절하다.', '높다.' 등)로 표현한다. 즉 무엇에 비추어 본 타당도를 말한다.

(4) 타당도는 어떤 준거(criteria)와의 관련 아래서만 그 의의가 확인된다. 어느 조건에서만 타당도가 있다, 없다 하는 논리는 성립되지 않는다.

2. 종류

(1) 내용 타당도(content validity; 논리적 타당도, 교과 타당도)

① 특징

- ㉠ 측정 도구가 가진 내용의 충실도, 즉 검사도구가 수업목표와 수업내용(내적 준거)을 빠짐없이 충실히 측정하고 있는 정도를 말한다(과거 사용했던 안면 타당도라는 개념은 최근 사용하지 않음).
- ㉡ 교사 작성 검사에서 가장 중요시해야 하는 타당도이다.
- ㉢ 내용 타당도 추정 방법은 검사내용 전문가가 검사에서 측정하고자 하는 속성을 제대로 측정하였는가를 전문지식에 의해 검증된다. 따라서 내용 타당도는 주관적 판단으로 객관적 자료에 근거하지 않는다.
- ㉣ 학업성취도 검사의 내용 타당도의 검증은 문항들이 제작 전에 작성한 이원분류표에 의해 확인한다.

② 내용 타당도에 영향을 주는 조건

- ㉠ 선정된 문항이 교육목표나 수업목표에 일치하는가?
- ㉡ 문항이 교과내용을 골고루 포함하고 있는가?
- ㉢ 문항 곤란도가 피험자의 수준에 적합한가?
- ㉣ 문항 표집이 모집단을 적절하게 대표하는가?

(2) 예언 타당도(predictive validity)

① 특징

- ㉠ 측정도구가 가진 예언 가능성의 정도를 말한다.
- ㉡ 검사 결과가 피험자의 장래의 행동이나 특성을 어느 정도 정확하게 예언하느냐의 정도, 즉 어떤 평가도구가 목적하는 준거(외적 준거)를 정확히 예언하는 힘을 말한다.

  예 고교입시문제와 국어시험, 비행사 적성검사 성적과 운행기록, 대학 수학능력 시험 등
- ㉢ 일반적으로 적성검사에서 예언 타당도를 중시한다.

② 예언 타당도 추정방법

- ㉠ 피험자 집단에게 새로 제작한 검사를 실시한다.
- ㉡ 일정기간 후 검사한 내용과 관계가 있는 피험자들의 행위를 측정한다.
- ㉢ 검사 점수와 미래 행위의 측정치와 상관 정도를 추정한다.

③ 활용: 미래의 행위를 예언해주기 때문에 선발, 채용, 배치 등의 목적을 위해 사용될 수 있다.

   예 약사 고시, 의사 고시 등

(3) 공인(共因) 타당도(concurrent validity)

① 특징

- ㉠ 한 행동 특성을 잰 검사 X와 이 검사 밖에 있는 동질적 행동준거 Y와의 일치도로, 검사 X를 검사 Y로 대체할 수 있느냐를 판단할 때 공인 타당도가 사용된다.
- ㉡ 새로운 검사를 제작하였을 때 기존에 타당성을 보장받고 있는 검사와의 유사성 혹은 연관성에 의해 타당성을 검증하는 방법이다. 공유 타당도라고도 한다.

© 두 검사 사이의 공통요인의 정도를 말한다(행동의 준거가 '현재'에 있음).
　　　예 • 도덕 성적과 도덕적 행위
　　　　 • 지능검사와 적성검사, 국어고사와 윤리고사 사이의 공통성
② 공인 타당도 추정방법: 예언 타당도와 공인 타당도를 준거 타당도라고도 하며, 추정 방법은 상관계수에 의한다.
　㉠ 피험자 집단에게 새로 제작된 검사를 실시한다.
　㉡ 동일 집단에게 동일한 시험 상황에서 타당성을 인정받고 있는 검사를 실시한다.
　㉢ 두 검사 점수 간의 상관계수를 추정한다.
③ 공인 타당도와 예언 타당도의 관계: 일반적으로 검사도구의 공인 타당도가 예언 타당도보다 높게 추정된다. 이는 공인 타당도는 동시에 추정되는 데 비해 예언 타당도는 얼마간의 시간이 지난 후에 행위 변수와의 관계를 추정하기 때문이다.

(4) 구인(構因) 타당도(construct validity)

① 특징
　㉠ 가설적으로 개념화한 특성들을 실제 검사결과와 비교하여 어느 정도 대응하는가의 정도를 말한다. 구성 타당도 혹은 구성개념 타당도라고도 한다.
　㉡ 검사에서 조작적으로 정의되지 않고, 과학적으로 이론이 정립되지 않은 새로운 개념 혹은 구인(예 사회성, 동조성, 사고력, 자아개념 등)을 측정하는 검사에 과학적 이론과 타당성을 부여하는 과정이다.
　㉢ 한 검사 점수가 어떤 논리적 구성이나 심리적 특성을 어느 정도 측정하고 있느냐의 정도를 의미한다.
　㉣ 구인 타당도는 이론을 종합, 정리하고 새로운 가설을 설정하는 과학적 연구 과정과 같다.
　　　예 인간은 상상적 추리를 통해 구인 X가 이 검사의 원인이 되고 있으리라는 가정을 해 본다. 그리고 이에 따른 가정적 이론을 수립한다. 그리고 "만약 어떤 조건하에서 검사 점수 X가 높은 사람은 Y라는 상황 아래서는 Z와 같은 행동을 나타낼 것이다."라는 가설을 도출한다. 이러한 가설을 검증하기 위해 실제 실험과 인과 비교를 통해 경험적 검증을 하고 이 가설의 타당성 여부를 결정한다.
② 검증방법: 구인 타당도를 검증하는 데 가장 많이 쓰이는 통계방법이 요인분석이다. 그 밖에 상관계수법, 실험설계법 등이 사용된다.

(5) 결과 타당도

① 특징
　㉠ 검사는 교육적 목적에 의하여 제작되나 정치, 경제, 사회, 문화와 국가의 교육이념에 둘러싸여 있으므로 시대적 배경이나 환경을 고려하여야 한다. 즉 결과 타당도란 검사나 평가를 실시하고 난 결과에 대한 가치판단으로 평가결과의 평가목적과의 부합성, 평가결과를 이용할 때의 목적 도달, 평가결과가 사회에 주는 영향, 그리고 평가결과를 이용할 때 사회의 변화들과 관련된다.
　㉡ 대안적 평가 방법으로 제안되고 있는 수행평가가 학생들의 학습 동기를 얼마나 유발하고 학습의 변화를 어떻게 유도하는지 그리고 의도하지 않은 부정적 결과가 무엇인지 확인한다.

② 장점: 결과 타당도를 고려하면 검사 제작, 수집, 분석, 해석, 활용까지 체계적으로 검사를 운영하며, 검사가 사회에 미치는 영향까지를 고려하기 때문에 양질(良質)의 검사를 제작할 수 있다.

(6) 생태학적 타당도(ecological validity)

① 검사의 내용이나 절차가 검사를 실시하고자 하는 피험자들의 사회, 문화적 배경이나 주변 상황에 타당한가의 정도를 말한다.

② 실험결과를 얻은 환경적 조건으로부터 다른 환경적 조건으로 일반화할 수 있는 정도를 나타낸다.

[예] 지능검사의 국가 간 실시, 농촌과 도시 학생, 성별, 인종별 유·불리 검토

③ 실험집단이나 통제집단에 속한 연구대상들이 처치변수의 투입과 상관없이 스스로 어떠한 의미를 부여하여 종속변수의 변화를 발생시킬 수 있는데 그 효과가 실험집단에서 나타나는 호돈(Hawthorne) 효과와 통제집단에서 나타나는 존 헨리(John Henry) 효과 및 연구자 효과 등이 있다.

📂 **참고**

호돈 효과, 존 헨리 효과, 연구자 효과

1. 호돈(Hawthorne) 효과
① 개념: 연구 대상이 연구의 목적을 알고 있거나 알게 될 때 평상시와는 다르게 행동함으로써 연구결과에 미치는 효과이다.
② 작업환경의 변화에 따른 생산성의 차이를 비교하기 위하여 실험집단에는 작업장의 조명도를 밝게 하고, 통제집단에는 종전의 작업환경을 유지하는 실험을 한 결과, 실험집단이 생산성이 높게 나타났다.
③ 작업환경이 바뀌면 실험집단에 속한 종업원들이 연구의 목적에 대해 인식하게 되므로 통제집단에 비해 생산성이 향상된다.
④ 호돈 효과가 연구에 미치는 영향을 배제하기 위해 의학 분야에서 제안된 방법으로 플라시보(Placebo) 효과가 있다.

2. 존 헨리(John Henry) 효과
① 개념: 호돈 효과와 반대되는 현상으로 통제 집단에 있는 연구대상들이 실험집단에 있는 연구대상들보다 더 나은 결과가 나타나도록 노력하는 현상이다.
② 통제집단에 속한 연구대상들이 연구결과로부터 어떤 불이익을 받게 된다는 것을 알게 되면 실험집단에 속한 연구대상들보다 더 많은 노력을 하게 되므로 기대와 다른 결과가 나타난다.
③ 결과가 처치변수의 효과가 아니라 통제 집단에 있는 연구대상의 노력에 의한 것이므로 연구의 외적 타당도에 영향을 미치게 된다.

3. 연구자 효과
① 개념: 연구자가 연구결과에 영향을 미치는 말이나 행동을 함으로써 연구대상이 평상시와는 다르게 행동하는 것을 말한다.
② 연구자 효과를 줄이기 위해서는 실험을 담당하는 사람이나 실험 대상자 모두에게 연구의 목적에 대해 알리지 않고 연구를 진행하는 방법이 필요하다.

2 신뢰도(reliability)

1. 신뢰도의 특징

(1) 개념

① 측정 도구가 무엇을 재든 얼마나 틀림없이 정확히 재고 있느냐의 정도이다.
② 측정하려는 것을 얼마나 안정적으로 일관성 있게 측정하고 있는가의 정도이다.
③ 신뢰도의 개념은 스피어만(Spearman)에 의해 처음 소개되었고, 그는 신뢰도를 각기 독립적으로 얻어진 검사를 구성하는 문항 간 상관들의 평균으로 정의하였다.
> **참고** 신뢰도를 위해 처음 사용된 공식은 피어슨(Pearson)의 단순적률 상관계수 공식이다.

(2) 추정방법

신뢰도를 측정하는 접근 방법에는 변량분석, 표준오차, 상관계수 등이 있다.

2. 신뢰도 검사방법

(1) 재검사 신뢰도(안정성 계수)

① 특징
  ㉠ 개념: 한 피험자 집단을 대상으로 하여 동일한 검사를 서로 다른 두 시기에 실시하여 얻어진 상관계수를 말한다.
  ㉡ 서로 다른 두 시점에서 얻어진 점수분포가 비슷할수록 신뢰가 있다고 할 수 있기 때문에 일관성의 지수로 해석된다.
  ㉢ 재검사 신뢰도는 처음 실시한 검사 내용이 기억될 경우에는 두 번째 검사 점수에 영향을 주기 때문에 신뢰도에 영향을 준다.
  ㉣ 두 검사 사이의 기간이 지나치게 짧으면 신뢰도가 높고, 너무 길면 신뢰도가 낮아진다. 그러므로 적정한 기간, 즉 2~4주 정도가 적정하다.
  > **참고** 기억효과를 배제하기 위해 시험기간을 6개월 혹은 1년 등으로 설정하는 경우 이 기간 동안 학습능력의 변화, 피험자의 성숙 등 인간의 행위가 변화될 수 있는 기간이므로 신뢰도에 영향을 미친다.
② 측정 방법: 피어슨(Pearson)의 단순적률 상관계수 추정 공식에 의해 산출된다.
③ 용도: 속도검사와 같이 시간을 제한하는 검사, 동형검사가 없거나 제작하기 어려운 경우, 검사내용이 매우 친숙해서 기억효과가 작용할 가능성이 없을 때 적절하다.
④ 장점
  ㉠ 같은 검사를 두 번 실시하기 때문에 문항의 차이에서 기인하는 오차가 작용하지 않는다.
  ㉡ 동형검사를 제작하는 번거로움을 피할 수 있다.
  ㉢ 같은 날 검사와 재검사를 실시하면 매일 변화되는 요인들의 영향을 통제할 수 있다.
  ㉣ 계산이 쉽다.

⑤ 단점
　㉠ 같은 검사를 같은 집단에 두 번 실시하기가 어렵다.
　㉡ 같은 검사를 두 번 실시하는 시간 간격이 너무 짧으면 기억효과가 작용하기 때문에 검사결과를 과대 추정하게 되고, 시간 간격이 너무 길면 신뢰도가 낮아진다.

(2) 동형(同型)검사 신뢰도(동형성 계수)

① 특징
　㉠ 개념: 동일한 양식의 검사를 같은 응답자에게 처음에 하나의 양식을 실시한 다음 일정한 시간이 지난 후 다른 양식의 검사로 실시해서 두 검사 양식에서 얻은 점수 간의 상관계수를 말한다.
　㉡ 검사 내용이나 형식에서 동질성을 유지하는 것이 중요하다.
② 용도: 두 개의 동형검사의 동형성 여부를 확인한다. 동형검사 신뢰도는 재검사 신뢰도에 비해 낮다.
③ 장점: 재검사 신뢰도에서 오차 원인으로 작용하는 기억 및 연습의 효과를 통제할 수 있다.
④ 단점: 동질의 검사를 제작하기가 어렵다.

(3) 내적 합치도

① 개념: 검사를 한 번만 실시하고 신뢰도 계수를 구하는 방법이다.
② 반분(半分) 신뢰도(동질성 계수)
　㉠ 특징
　　ⓐ 개념: 한 개의 검사를 한 피험자 집단에게 실시한 다음 그것을 적당한 방법으로 두 부분으로 나눈 후 이 두 부분을 독립된 검사로 생각하고, 두 부분의 점수들의 상관계수로 문항 간의 내적 합치도를 알아보는 신뢰도를 말한다.
　　ⓑ 반분 신뢰도 계수는 검사를 한번 실시하면 구할 수 있기 때문에 동형검사 신뢰도 계수보다 높다.
　　　　참고 동형검사 신뢰도 추정 시 주의집중, 피로, 노력 등 여러 요인이 오차로 작용할 가능성 높다.
　　ⓒ 반분 신뢰도의 경우 단지 두 부분의 점수 사이의 상관도로 신뢰도를 계산하면 신뢰도가 낮아진다(문항 수가 반으로 줄기 때문). 그러므로 반드시 교정공식을 사용해야 한다.
　㉡ 검사를 두 부분으로 나누는 방법

전후 절반법	ⓐ 한 검사를 검사문항의 배열순서에 따라 전반부와 후반부로 반분하는 방법이다. ⓑ 비교적 문항 수가 적거나 검사문항의 난이도가 골고루 분포되어 있을 경우에 적합하다.
기우(奇偶) 절반법	ⓐ 검사문항의 번호에 따라 홀수번호 문제와 짝수번호 문제로 나누어 반분하는 방법이다. ⓑ 검사문항이 비교적 많은 검사나 난이도에 따라 문항이 배열되어 있는 검사에 적절하다.

© 교정공식: 스피어만 - 브라운(Spearman-Brown)공식으로 계산한다.
@ 용도: 학교시험의 신뢰도를 추정할 때 효과적이다.
@ 장점: 연습효과나 기억효과를 통제할 수 있고, 역량검사의 신뢰도 계수를 구하는 방법으로 적합하다.
@ 단점: 검사를 두 부분으로 나누는 방식에 따라 신뢰도 계수가 달라지기 때문에 속도검사에는 적용할 수 없다.

③ 문항내적 합치도(문항내적 일관성, 동질성 계수)
㉠ 특징
ⓐ 개념: 한 검사를 구성하는 문항들을 각각 독립된 검사로 간주하여 그 문항들이 동일 측정 대상을 어느 정도 일관성 있게 측정하는지를 반영하는 신뢰도를 말한다. 즉 검사 속에 있는 한 문항, 한 문항을 모두가 각각 독립된 한 개의 검사로 생각해서 각 문항 간의 상관도를 내어 그것을 종합하는 방법이다.
ⓑ 검사에 포함된 여러 문항들에 대한 반응의 일관성은 문항의 동질성에 따라 좌우되기 때문에 동질성 계수라고도 한다.
ⓒ 검사에 포함된 문항들이 유사한 특성들을 재고 있는 정도를 나타내므로 문항들의 동질성이 높을수록 커진다.

㉡ 측정 방법: Kuder-Richardson 20(KR-20), Kuder-Richardson 21(KR-21), Hoyt 신뢰도, Chronbach-α 등이 있다.

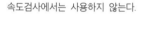
KR-20/21
속도검사에서는 사용하지 않는다.

ⓐ KR-20/21: KR-20은 문항 점수들이 맞고 틀리는, 즉 1점과 0점의 이분문항으로 주어질 때 신뢰도를 추정하는 공식이고, KR-21은 문항 점수가 연속점수일 때 신뢰도를 추정하는 공식이다. 이 방법은 속도 검사가 아닌 경우의 신뢰도를 시험을 한 번만 실시하고 구하고자 할 때 효과적이다.
ⓑ 호이트(Hoyt) 신뢰도: 문항점수가 이분점수이든 연속점수이든 상관없이 신뢰도를 추정할 수 있는 분산분석 방법을 이용한 방법이다.
ⓒ 크론바흐(Chronbach)의 공식: KR-20 공식의 변형된 형태로 이분문항의 분산이 문항에 정답할 확률과 그렇지 않을 확률의 곱으로 계산됨에 착안하여 신뢰도 계산 공식으로 도출하였다. 가장 일반적으로 사용되며, 객관식, 논문형 등에 널리 사용된다. 이 방법은 시간 및 경제적인 측면에서 효율적이고 재검사 신뢰도에서 오차원인으로 작용하는 기억효과나 연습효과가 작용하지 않는 장점이 있다.

 참고

문항내적 일관성 신뢰도
문항내적 일관성 신뢰도는 검사를 구성하고 있는 부분 검사, 또는 문항 간의 일관성의 정도를 말하며, 검사를 구성하는 부분 검사나 문항들이 측정하고자 하는 내용을 얼마나 일관성 있게 측정하느냐와 관련된 신뢰도이다. 문항내적 일관성 신뢰도에는 반분신뢰도와 문항내적 합치도가 있다.

기출문제

특정 교사가 개발한 시험에 대한 전문가들의 평가가 다음과 같은 경우, 이 시험의 양호도에 대한 설명으로 옳은 것은?　　2024년 국가직 9급

> 반복 측정에서의 결과가 일관성은 있으나 측정하고자 하는 것을 충실히 측정하지 못하고 있다.

① 신뢰도는 높지만 실용도는 낮은 시험
② 신뢰도는 높지만 타당도는 낮은 시험
③ 타당도는 높지만 난이도는 낮은 시험
④ 타당도는 높지만 신뢰도는 낮은 시험

해설

검사도구의 양호도 가운데 검사 도구가 무엇을 재든 얼마나 틀림없이 정확히 재고 있느냐의 정도, 즉 측정의 안정성 및 일관성의 정도를 말한다. 타당도란 측정하려는 대상을 측정도구가 정확히 재고 있는가의 충실도를 나타낸다.　　답 ②

3. 신뢰도에 영향을 주는 조건

(1) 검사문항의 포괄성

(2) 검사조건(장소, 시설 등)의 균일화

(3) 피험자의 준비상태

(4) 채점의 객관성

4. 신뢰도를 높이는 방법

(1) 검사문항 수

검사의 길이를 늘린다. 검사의 문항들이 동질적인 것이면 문항의 수, 즉 검사의 길이가 늘어나면 신뢰도는 올라간다. 문항 수가 많을수록 검사점수의 분산이 커지고 그 결과 상대적 서열의 안정성도 높아지기 때문이다.

(2) 곤란도

곤란도가 50% 수준인 것을 사용한다. 검사가 너무 어렵거나 쉬우면 피험자의 검사 불안과 부주의가 발생하여 일관성 있는 응답을 하지 못한다.

(3) 문항 동질성

동질적인 문항을 많이 사용한다. 내용의 범위를 좁힐 때 문항 간의 동질성을 유지하기 용이하므로 신뢰가 높아진다. 즉 한정된 영역을 측정하는 검사가 광범위한 영역을 측정하는 검사에 비해 신뢰도 계수가 높아진다.

(4) 문항 변별도

변별도가 높은 문항을 많이 사용한다. 일반적으로 각 문항의 변별도를 높이고 곤란도를 약 50% 정도로 하는 것이 신뢰도를 높인다(점수 분산이 증가).

신뢰도 증가
검사가 중간 정도의 난이도를 가지고, 변별도가 높은 문항이 많고, 검사 길이가 길 때 신뢰도가 증가한다.

(5) 집단의 개인차

집단의 능력의 범위가 넓을 때(例 개인차가 클 때, 이질집단일 때) 능력의 범위가 좁을 때보다 신뢰도가 올라간다.

例 능력 수준이 비슷비슷한 우수반 학생들을 대상으로 한 신뢰도 계수는 능력수준 차가 큰 학생들이 모여 있는 정상학급을 대상으로 추정한 신뢰도 계수보다 낮다. 그 이유는 동질집단에서는 측정 횟수에 따른 개인의 약간의 점수 변화가 상대적 지위 변동에 크게 영향을 주기 때문이다.

(6) 검사 시간

검사 시간의 제한을 엄격히 하는 것이 시간제한을 지나치게 완화하여 누구나 문제를 끝낼 수 있게 하는 것보다 신뢰도를 높일 수 있다. 그러나 시험 실시 중에는 시간이 충분하게 주어져서 시간 때문에 문제를 풀지 못하는 경우가 있어서는 안 된다.

(7) 출제 범위

검사도구의 측정 내용이 좁은 범위의 내용일 때 검사의 신뢰도는 증가한다.

例 한국사 시험에서 검사의 내용 범위가 근대사로 제한되면 한국사 전체의 내용을 포함하는 검사보다 신뢰도가 높다.

(8) 시험 상황

시험을 실시하는 상황이 적합해야 한다. 시간뿐만 아니라 부정행위가 방지되어야 하고 부주의로 인해서 오답을 하는 경우도 없어야 한다. 객관식 검사에서는 3지 선다형보다 4지 선다형이나 5지 선다형이 신뢰도가 높다.

(9) 피험자의 정서 상태

피험자와 관련된 요인인 흥미와 동기는 신뢰도에 영향을 미친다. 피험자들이 검사에 대한 흥미가 높고 검사 선택 동기가 높으면 검사에 대한 응답의 일관성이 유지되어 신뢰도가 증가한다.

5. 신뢰도와 타당도의 관계

(1) 신뢰도는 타당도의 선행 조건이다.
　① 타당도가 없는 검사가 신뢰도는 높을 수 있으나, 신뢰도가 없는 검사가 타당도가 높을 수는 없다.
　② 신뢰도는 타당도의 필요조건이며 충분조건은 아니다.
　例 지능검사로 지능을 측정하는 경우 오차가 발생한다(오차점수). 그런데 여러 번 잰 경우에 일관된 지수가 나온다(신뢰도 높음). 그러나 일관된 지수가 나와도 지능검사가 성격이나 적성의 일부를 포함할 수도 있다(타당도 낮음).

(2) 교육평가의 관점에서 볼 때 측정도구는 비록 신뢰도가 낮더라도 타당도는 높아야 한다.

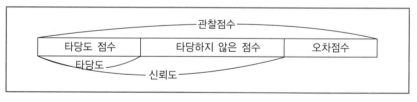

⬆ 신뢰도와 타당도의 관계

6. 수행평가에 있어서 신뢰도

평정자 간 신뢰도와 평정자 내 신뢰도가 중요하다. 그 이유는 수행평가는 대부분 평정자의 관찰이나 판단이 주가 되기 때문이다.

평정자 간 신뢰도	어떤 집단이나 개인을 평정하기 위해 여러 평정자가 평정했을 때 평정자 간의 일관성이다.
평정자 내 신뢰도	한 평정자가 시간이나 상황에 관계없이 얼마나 일관성 있게 대상을 평정하는가의 정도를 말한다.

3 객관도(objectivity)

1. 개념

채점자에 의해 좌우되는 신뢰도이다.

채점자 간 신뢰도	한 채점자가 다른 채점자와 얼마나 유사하게 평가하는가의 정도이다.
채점 간 신뢰도	한 채점자가 많은 측정 대상에 대해 계속적으로 일관되게 측정하는가의 정도이다.

2. 객관도에 영향을 미치는 요인

① 측정도구, ② 평가자의 소양, ③ 다수가 공동으로 평가하는 경우 등이 영향을 미친다.

3. 객관도, 신뢰도, 타당도의 관계

객관도가 낮은 검사는 신뢰도가 높을 수 없고, 신뢰도가 낮은데 타당도가 높을 수 없다.

4 실용도(usability)

1. 개념

한 평가 도구가 얼마나 경비, 시간, 노력을 적게 들이고도 소기의 목적을 달성할 수 있느냐의 정도를 말한다.

2. 측정도구가 실용도가 있는 경우

(1) 검사 실시의 용이성이 있는 경우

(2) 채점의 용이성이 있는 경우

(3) 결과의 해석과 활용의 용이성이 있는 경우

(4) 최소한의 시간, 노력, 비용이 가능한 경우

05 | 교수 - 학습 과정에서의 평가와 평가 유형

핵심체크 POINT

1. 교수 - 학습 과정에서의 평가

진단평가	학습 전 성취수준, 선행능력 보유 유무 결정
형성평가	학습단위 구조에 따른 오류확인을 통해 교수방법의 대안 제시
총괄평가	학습단위, 학기, 학년의 말에 성적 판정, 자격부여

2. 평가 유형

규준참조평가	학생 상호 간의 상대적 비교(상대평가)
준거참조평가	교사의 교수목표 달성도 평가(절대평가, 글레이저가 1960년대 사용)
능력참조평가	능력에 비해 노력한 정도 중시
성장참조평가	이전 성적과 이후 성적 간의 차 중시

1 실시 시기에 따른 평가 유형

1. 진단평가(Diagnosis Evaluation)

(1) 개념

특정한 수업을 시작하기에 앞서 학생들의 적성, 선수학습 정도, 경험배경 등을 파악해서 학습 성취율을 증진시키기 위한 평가이다.

(2) 실시목적

① 어떤 교과나 단원의 학습을 위하여 선수(先修)되어야 할 것으로 판단되는 특정 출발점 행동을 학생들이 제대로 갖추고 있는지를 확인한다(학습부진의 원인 진단).

② 어떤 교과나 단원의 수업목표군의 상당 부분을 이미 충분히 습득했는지를 밝힘으로써 학습의 중복을 피한다.

③ 학생의 분류 및 배치: 교과나 단원의 특수성 및 예상되는 수업방법 등에 비추어 학생들의 흥미 · 성격 특성 · 신체적 - 정서적 특성 · 경험 · 적성 · 과거의 학력 등을 밝힘으로써 효과적인 학생 배치, 예상되는 학습장애나 학습곤란에 대한 사전 대책의 수립 등을 목적으로 한다.

(3) 진단평가에서 분석해야 할 학습자 특성

① 학습목표의 선수 요건이 되는 출발점 행동 및 기능의 소유 여부를 분석한다.

② 학습단위목표 혹은 교과목표의 사전달성 여부를 분석한다.

③ 적절한 교수법이나 대안을 제공하기 위하여 학생의 특성을 분석한다.

(4) 절차 혹은 방법

① 전학년도의 성적표나 학생생활기록부를 토대로 학습자의 특성을 파악하고 교수·학습을 투입하기 전에 교사가 간단히 제작한 시험이나 혹은 질문 등을 이용한다.

② 평생교육기관 등에서는 과목 선택의 동기 및 목적, 관련 과목의 수강 여부, 현직업 그리고 교과를 통하여 얻고자 하는 내용 등을 분석한다.

③ 대학에서 교양영어나 수학과 같은 과목의 경우 대학에 입학한 후 배치고사를 보아 해당 과목의 면제 여부 및 학급 편성을 결정한다.

(5) 활용

① 전문계반과 일반계반의 분류

② 진학반과 비진학반의 분류

③ 능력별 반 편성

④ 수준별 이동수업

2. 형성평가(Formative Evaluation)

(1) 개념

① 일련의 유목적(有目的)적 활동의 진행과정에서 그 활동의 부분적 수정, 개선, 보완의 필요성에 관련된 정보를 얻기 위한 평가이다(스크리븐, 1967).

② 스크리븐(scriven)은 형성평가를 '학습 및 교수가 진행되고 있는 유동적인 상황에 있는 상태에서 학생에게 피드백을 주고 교과과정을 개선하며, 수업방법을 개선하기 위해 실시하는 평가'로 정의하였다.

(2) 실시목적

① 학습 속도를 조절(학습의 개별화 추구)한다.

② 송환(feedback) 효과와 학습동기를 유발한다.

③ 학습 곤란을 진단한다.

④ 교사의 교수법을 개선한다.

(3) 일반적 절차

① 학습 단위를 세분화하여 분석한다.

② 학습 단위의 교육을 세분화하고 행위 동사로 표시한다.

③ 학습 단위별로 교육목표를 진술하고 목표 진술은 '최저 성취수준'을 설정하여 제시한다.

④ 평가도구를 제작한다. 이때 학습단위 가운데 중요한 모든 요소와 이원분류표에 의한 행동요소의 각 단계를 모두 포함시킨다.

(4) 유의점

① 정의적 영역은 시간상 다루지 않는다.

② 가능하면 형성평가는 객관식 문항이 좋다.

③ 형성평가는 한 교과의 전체 수업목표와 관련된 모든 지식, 운동 - 기능적 학습 증가를 측정한다.

(5) 형성평가 도구 제작 시 고려해야 할 일반적 원칙

① 형성평가는 단원 내 중요한 학습요소가 모두 포함되어야 한다.
② 형성평가는 목표분류에 나타난 행동의 각 위계에 나타난 항목을 모두 포함해야 한다.
③ 문항의 형식은 다양하게 혼용할 수 있다(단, 논문형은 부적당).
④ 학습단원의 요소들이 위계에 따라 어떤 조직을 이루고 있다면 학생들의 반응도 이 위계에 부응해야 한다.
⑤ 하위 단계의 문항(선수학습요소)에서 정답을 맞추는 것이 상위 단계의 문항(상위 학습요소)을 학습하는 필요조건이 되도록 문항 위계가 형성되어 있어야 한다.
⑥ 형성평가 분석은 그 학습요소의 달성 여부 혹은 습득 여부를 기준으로 판단해야 한다.
⑦ 형성평가 분석은 학생이 반응한 답의 오류가 무엇인지를 밝혀주어야 한다.

3. 총합평가(Summative Evaluation, 총괄평가)

(1) 개념

① 일련의 교수학습 활동이 종결되어 그 활동의 효율성이나 그 활동의 결과로서 산출된 성과에 대한 종합적 판단을 위한 평가이다.
② 전체 교과목이나 혹은 그것의 중요한 부분에 걸친 학업성취가 어느 정도 달성되었는지 하는 정도를 총평하기 위해 실시된다.

(2) 실시목적 및 활용

① 성적 판정: 학생의 학업성취도의 수준을 결정해주기 위한 점수의 배정과 판정에 있으며 점수는 수치, 기호, 등급, 기술어로 표시된다.
② 자격인정: 학생이 지닌 기능이나 능력, 지식이 요구되는 정도의 자격에 부합하는지 인정하기 위한 판단의 역할을 한다.
③ 교수방법에의 활용: 다음 학년의 수업을 시작할 때 각 학생 혹은 학급 집단의 학생을 어느 정도의 수준에서 교수해야 할 것인지에 대한 의사를 결정하는 데 도움을 준다.
④ 후속학습 성패의 예언: 기말고사나 학년말 고사 등을 통해 다음 학기 혹은 다음 단계의 학습에서 성공과 실패를 예언하는 데 활용될 수 있다.
⑤ 학생에 대한 피드백(Feedback): 학생 각자의 학습 진보가 어느 정도 이루어지고 있느냐 하는 정보를 학생들에게 알려준다.
⑥ 집단 간 비교: 목표 지향적 관점 혹은 규준 지향적 관점에서나 집단 간의 성적 결과를 비교하기 위해 활용된다.

4. 진단평가, 형성평가, 총괄평가의 비교

구분	진단평가	형성평가	총괄평가
기능	① 선행능력 보유 유무를 결정한다. ② 학습 전 성취수준을 결정한다. ③ 교수방법의 대안과 관련된 특성에 따른 학생을 분류한다. ④ 계속적 학습곤란의 원인을 규명한다.	① 학습단위에 관련된 학생의 진보 상태를 교사·학생에게 피드백한다. ② 학습 단위의 구조에 따라 오류를 확인함으로써 교수방법의 대안 제시	학습 단위, 학기, 학년의 말에 학생 성적의 판정 및 자격을 부여한다.
시간	학습 시초: 학습 시초, 학기, 학년 초에 배치를 목적으로 실시한다.	수업 도중: 수업으로는 학생이 계속해서 도움을 받지 못하였을 때 실시한다.	학습 단위, 학년의 말에 실시한다.
평가의 주체	교사, 교과내용 전문가	교사	교육내용 전문가, 평가전문가
평가의 강조점	① 지적, 정의적, 심리적, 운동적 행동 ② 신체적, 환경적, 심리적 요인	지적 행동	일반적으로 지적 행동, 교과에 따라 심리·운동적 행동, 때로는 정의적 행동
검사 도구의 형태	① 표준화 학력검사 ② 표준화 진단검사, 교사 제작 평가도구, 관찰 및 체크리스트	학습 목적에 맞도록 특별히 고안된 형성평가 도구	종합 혹은 총괄평가 도구
교육 목표의 표본 방법	① 각 선행기능 행동의 구체적 표본 ② 비중을 둔 교과목표의 표본 ③ 특별한 교수 형태에 관계있다고 생각되는 학생변인의 표본	학습 단위의 위계에 포함된 모든 관련 있는 과제의 구체적 표본	비중을 둔 교과목표의 표본
문항 난이도	선행 기능 및 능력의 진단: 대부분 쉬운 문항, 65% 이상의 난이도로 한다.	미리 구체화 할 수 없다.	평균 난이도가 35~70%이고 매우 쉬운 문항, 어려운 문항도 포함한다.
채점	규준지향 및 목표지향 검사	목표지향 검사	일반적으로 규준지향이나 목표지향도 사용
점수 보고 방법	학위 기능별의 개인 프로파일	학습 위계에 포함된 각 과제에 대한 급락의 개인 점수의 유형	목표에 비추어 본 총점 혹은 하위 점수

2 준거에 따른 평가 유형

1. 규준참조평가(norm referenced evaluation)

(1) 의의

① 개념: 한 학생의 학업 성취도를 학생 상호 간의 상대적 비교를 통해서 성적을 결정하는 평가방법이다(신뢰도 중시).

② 한 학생의 성취가 얼마나 바람직하냐 하는 정도는 주어진 집단의 점수 분포인 규준에 의해 결정된다. 규준참조평가에서 사용되고 있는 상대적 서열에 대한 변환점수의 예로는 백분위(percentile)나 표준점수 등이 있다.

(2) 특징

① 한정된 특정 목표를 평가하기보다 광범위한 일반적인 목표를 다룬다.

② 서로 다른 방법으로 복잡한 자료를 공부한 학생들의 전체적인 성취를 측정하는 데 유용하다.

③ 최상위에 속하는 소수 응시자들에게만 프로그램이 허가될 경우 적절한 검사이다.

(3) 장점

① 집단 내에서의 상대적 위치 파악이 쉽다.

② 평가가 쉽고 객관성이 유지된다.

(4) 단점

① 수업목표의 달성도 파악이 곤란하다.

② 서로 다른 두 집단의 비교가 곤란하다.

③ 학생 개인의 학력증진에 대한 명시(明示)가 부족하다.

④ 정의적 목표와 심리·운동적 목표를 측정하는 데 부적절하다.

⑤ 지나친 경쟁이 조장되어 상호 협력 학습이 이루어지기 힘들다.

⑥ 지적 탐구를 통해 문제를 해결하려고 하기 보다는 암기 위주의 교육을 조장할 우려가 있다.

2. 준거참조평가(criterion referenced evaluation)

(1) 의의

① 개념: 어떤 기준 또는 교수목표의 달성도에 따라 한 개인의 성적을 결정하는 평가 방법이다. 목표참조평가라고도 한다.

② 1963년 글레이저(Glaser)가 처음 사용하였다. 그는 목표참조검사를 '사전에 구체화된 수행 규준에 의거해서 직접적으로 해석할 수 있는 측정을 하도록 의도적으로 제작된 검사'라고 정의하였다.

③ 준거참조평가에서는 '학생이 얼마나 성취했는가?'라는 질문보다 '학생이 무엇을 성취했는가?'의 질문에 더 관심을 갖는다(타당도 중시).

④ 의사면허, 운전면허 등 생명과 직결되는 시험에 주로 사용된다.

(2) 특징

① 특정한 목표를 달성하였는지를 측정하는데 유리하다.

② 준거참조검사의 결과는 학생이 최소한 어떤 조건하에서 무엇을 할 수 있고 무엇을 할 수 없는지 정확히 말해준다.

(3) 장점

① 수업목표 달성도 파악이 가능하다.

② 서로 다른 두 집단의 비교가 가능하다.

③ 학생 개개인의 학력증진에 대한 명시(明示)를 할 수 있다.

④ 무엇을 알고 무엇을 모르는가 하는 직접적인 정보를 제공해준다.

⑤ 학생들 사이의 지나친 경쟁을 방지할 수 있다.

⑥ 탐구정신이나 협동정신을 함양할 수 있다.

(4) 단점

① 평가 기준이 평가자에 따라 다를 수 있다.

② 집단 내에서의 상대적 위치파악이 곤란하다.

3. 규준참조평가와 준거참조평가

(1) 차이점

① 규준참조검사는 준거참조검사보다 더 오랜 역사를 지닌다.

② 규준참조검사 결과는 단일점수로서 특정학습영역에 대한 피험자의 성취수준을 간단히 요약해 주는 반면, 준거참조검사는 피험자가 무엇을 학습하고 무엇을 학습하지 못했는가에 관해 상세하고 구체적인 정보를 제공해준다.

③ 측정과제나 검사문항의 표집에 있어 규준검사는 광범하고 넓은 영역을 다루고, 준거검사는 학생의 어떤 주요 교수목표에 도달했는지의 정보를 제공해준다.

④ 규준검사는 총괄검사, 준거지향은 형성평가에 활용된다.

⑤ 목적에 있어 규준은 탁월한 성취도로부터 심한 학습결손에 이르기까지 여러 가지 성취수준을 밝히는 데 있고, 준거는 모든 사람에게 다 같은 하나의 성취기준을 설정한다.

(2) 규준참조평가와 준거참조평가의 비교

구분	규준참조평가	준거참조평가
검사목적	피험자 서열화	학업성취도 도달 확인
검사범위	광범위한 범위	보다 규명된 영역
문항 난이도	다양한 수준 (쉬운 문항과 어려운 수준)	적절한 수준
비교내용	피험자와 피험자	피험자의 능력과 준거
기록	① 퍼센타일(%) ② 표준점수(Z, T점수)	원점수와 준거점수
검사 양호도	신뢰도 강조	타당도 강조
용도	선발, 분류, 배치	확인, 교정, 개선

장점	광범위한 영역의 평가 가능, 개인차 변별	학습 성과에 부합되는 평가 가능, 경쟁 완화
단점	상대적 위치만 제공하며 낮은 성적을 받는 학생들이 반드시 존재	학습 성과를 명료화하고 수행표준을 설정하기 어려움

4. 능력참조평가와 성장참조평가

(1) 능력참조평가(ability referenced evaluation)

① 개념: 학생이 지니고 있는 능력에 비추어 얼마나 최선을 다하였느냐에 초점을 두는 평가방법이다.

② 학생 개인이 지니고 있는 능력을 얼마나 발휘하였느냐에 관심을 두므로 개인을 위주로 하는 평가방법이다.

③ 우수한 능력을 지녔음에도 불구하고 최선을 다하지 않은 학생과 능력이 낮더라도 최선을 다한 학생이 있을 때 후자의 성취수준이 낮더라도 더 좋은 평가결과를 얻을 수 있다.

(2) 성장참조평가(growth referenced evaluation)

① 개념: 교육과정을 통해 얼마나 성장하였느냐에 관심을 두는 평가방법이다.

② 최종 성취수준에 대한 관심보다는 초기 능력수준에 비추어 얼마만큼 능력의 향상을 보였느냐를 강조하는 평가로 사전 능력수준과 관찰 시점에 측정된 능력수준 간의 차이에 관심을 둔다.

③ 학생들에게 학업 증진의 기회 부여와 개인화를 강조하는 특징을 지닌다.

④ 전제 조건
   ⊙ 사전에 측정한 점수를 신뢰할 수 있어야 한다.
   ⓛ 현재 측정한 측정치를 신뢰할 수 있어야 한다.
   ⓒ 사전 측정치와 현재 측정치의 상관이 낮아야 한다. 상관이 높다면 이는 성장에 의한 것이 아니라고 본다.

5. 규준참조, 준거참조, 능력참조, 성장참조 평가의 비교

구분	규준참조평가	준거참조평가	능력참조평가	성장참조평가
강조점	상대적인 서열	특정 영역의 성취	최대능력발휘	능력의 변화
교육신념	개인차 인정	완전학습	개별학습	개별학습
비교대상	개인과 개인	준거와 수행	수행 정도와 소유 능력	성장, 변화의 정도
개인차	극대화	극대화하지 않으려고 함	고려하지 않음	고려하지 않음
활용도	분류, 선별, 배치 등 행정적 기능 강조	교수적 기능 강조	교수적 기능 강조	교수적 기능 강조

1. 다음 설명에 해당하는 교육평가의 유형은?   2023년 지방직 9급

> - 평가의 교수적 기능을 중시한다.
> - 최종 성취수준에 대한 관심보다는 사전 능력 수준과 현재 능력 수준의 차이에 관심을 둔다.
> - 고부담시험보다는 영향력이 낮은 평가에서 사용하는 것이 바람직하다.

① 규준참조평가
② 준거참조평가
③ 능력참조평가
④ 성장참조평가

해설
성장참조평가(growth referenced evaluation)란 교육과정을 통해 얼마나 성장하였느냐에 관심을 두는 평가방법이다. 최종 성취수준에 대한 관심보다는 초기 능력수준에 비추어 얼마만큼 능력의 향상을 보였느냐를 강조하는 평가로 사전 능력수준과 관찰 시점에 측정된 능력수준간의 차이에 관심을 둔다.   **답 ④**

2. 준거참조평가의 특징으로 옳은 것만을 모두 고르면?   2021년 지방직 9급

> ㄱ. 경쟁을 통한 학습자의 외적 동기 유발에 부족하다.
> ㄴ. 탐구정신 함양, 지적인 성취동기 자극 등을 장점으로 들 수 있다.
> ㄷ. 고등 정신능력의 함양보다는 암기 위주의 학습을 유도할 가능성이 있다.
> ㄹ. 일정 점수 이상을 획득한 대상에게 자격증을 부여할 때 주로 사용하는 평가이다.

① ㄴ, ㄷ
② ㄷ, ㄹ
③ ㄱ, ㄴ, ㄹ
④ ㄱ, ㄴ, ㄷ, ㄹ

해설
준거참조평가는 절대평가라고도 한다.

선지분석
ㄷ. 고등정신능력의 함양보다는 암기 위주의 학습을 유도할 가능성이 있는 것은 규준참조평가이다.   **답 ③**

06 | 수행평가

 핵심체크 POINT

1. 의의
   구성주의적 관점을 반영하는 평가, 앎과 행의 일치를 중시
2. 방법
   서술형 검사, 논술형 검사, 구술시험, 찬반 토론법, 실기시험, 실험·실습법, 면접법, 연구보고서법, 포트폴리오법(대표적인 수행평가 방법) 등

1 수행평가(performance assessment)

1. 개념

습득한 지식, 기능이나 기술을 실제 생활이나 인위적 평가 상황에서 얼마나 잘 수행하는지(doing) 혹은 어떻게 수행할 것인지(how to do)를 서술, 관찰, 면접 등의 다양한 방법을 통해 종합적으로 판단하는 평가로 지식이나 기능에 의한 정답여부나 산출물에만 관심이 있는 것이 아니라 수행과정과 그 결과를 총체적으로 평가한다.

> **秀 POINT 수행평가와 관련된 용어**
>
> **1. 관련 용어**
>
> | 수행평가 | 지식이나 기능, 혹은 기술의 수행 정도를 측정하는 평가 |
> |---|---|
> | 참 평가 | 실제 상황에서 수행 정도를 측정하는 평가 |
> | 포트폴리오 | 개인의 작업이나 작품을 모아 둔 자료집이나 서류철 |
> | 직접평가 | 표출되는 행위에 대한 직접 관찰을 통하여 실시하는 평가 |
> | 대안적 평가 | 기존의 어떤 평가방법을 대치할 수 있는 평가 |
>
> **2. 참 평가(authentic assessment)**
> 학습자들의 지식과 기술을 학교 밖의 실제 세계(real world)에서 사용하는 것과 동일한 방식으로 적용하도록 요구하는 평가[위긴스(Wiggins)에 의해 처음 소개]이다. 수행평가와 참 평가는 유사한 개념으로 사용되는데, 구분되는 점은 수행평가가 학습자들에게 평가될 구체적인 행동을 수행하도록 요구하는 경우라면, 참 평가에서 학습자는 요구된 행동을 완성하거나 드러내는 것이 아니라 실제 생활의 맥락에서 행동한다는 것이다. 수행평가와 참 평가의 구분은 평가 상황이 실제에 얼마나 근접한가에 달려있다. 따라서 모든 참 평가는 수행평가라고 할 수 있지만, 모든 수행평가가 참 평가는 아니다.

2. 이론적 기초

(1) 발달주의적 평가관

발달적 교육관에 근거하고 있는 것으로 모든 학습자들에게 각각 적절한 교수방법만 제시될 수 있다면 누구나 의도하는 바의 주어진 교육목표를 달성할 수 있다는 가정과 신념에 기초한 평가관이다.

(2) 인지심리학적 학습관과 학습자관

인지심리학적 학습자관에서는 지식은 학습자 개인의 인지구조 속에서 재구성되고 재조직되며 학습자 개인의 경험에 의해 주관적으로 구성된다고 본다. 또한 인지심리학에서는 학습을 능동적이고, 구성적이며, 목적지향적인 것으로 생각하며, 학습이란 학습자의 인지구조가 계속 변화되는 것을 의미하여 이 변화는 단순한 양적 변화만이 아니라 질적인 변화를 포함하고 있다고 가정한다. 따라서 이런 변화는 종래의 신뢰도와 객관도를 강조하는 양적 평가 중심의 평가체제에서 타당도를 강조하는 질적 평가 중심의 수행평가를 강조하는 배경이 되고 있다.

3. 필요성

(1) 21세기 지식·정보화 사회가 요구하는 고등정신 능력의 강조

지식 및 정보화 사회에서는 단편적, 사실적 지식의 암기, 이해 능력보다는 정보의 탐색, 수집, 분석, 비판, 종합, 창출 능력과 자기주도적인 평생학습 능력, 그리고 효율적인 의사소통 능력이 요구된다. 이에 따라 선택형 중심의 기존 평가방식에서 고등정신 능력을 중시하는 수행평가 방법의 도입이 강조된다.

(2) 교육 본질에 대한 직접 평가의 강조

교육을 국가발전, 경제성장, 개인적 출세 등을 위한 수단적 가치로 강조하게 되면 학교교육에서는 교육의 효율성이나 생산성만을 강조하게 된다. 반면 교육의 본질적 가치(진리탐구, 민주시민 양성 등)를 강조하게 되면 학교교육은 교육과정에 있는 목표 자체에 초점이 맞추어지고 학교에서 이루어지는 교육과정의 정상적인 운영이 중요시된다. 이런 교육적 가치의 강조는 기존의 평가에서 간접적으로 강조되어 왔던 인간능력(성적, 지능 등)을 전인적 인간능력의 평가인 직접적 평가로 전환될 수 있으며 이는 바로 수행평가를 통해 실현할 수 있다.

(3) 교육상황 개선과 암기 위주 교육의 해소 강조

교육에서 암기력과 같은 낮은 정신능력을 평가하는 데서 응용력, 종합력 혹은 창의력과 같은 인간의 고등정신능력 평가를 강조하는 수행평가의 도입은 기존의 교육상황과 암기 위주의 잘못된 교육을 해소하는 중요한 지름길이라고 할 수 있다.

(4) '아는 것'과 '행하는 것'의 일치 강조

학생이 인지적으로 아는 것도 중요하지만 그들이 아는 것을 실제로 적용할 수 있는지의 여부를 파악하는 것도 중요하며 이는 수행평가를 도입함으로써 가능하다.

(5) 진리관, 지식관 및 학습관의 변화에 따른 새로운 교육과정관 강조

최근의 진리관과 지식관은 기존의 객관적, 절대적 관점으로부터 주관적, 상대적 관점으로 변화하였고, 학습관도 변화되고 있다. 즉 학습은 외부에 객관적으로 존재하는 지식 체계를 수동적으로 흡수하는 것이 아니라 지식을 학습자 내부에서 능동적으로 처리, 구성하는 과정으로 본다. 이런 변화에 따른 평가체제는 수행평가를 요구하는 중요한 계기가 되고 있다.

4. 특징

(1) 학생이 문제의 정답을 선택하게 하는 것이 아니라, 자기 스스로 정답을 구성하거나 행동으로 나타내도록 하는 평가이다.

(2) 추구하고자 하는 교육목표를 실제 상황에서 달성했는지의 여부를 파악한다.

(3) 교육의 결과뿐만 아니라 교육의 과정도 함께 중시하는 평가이다.

(4) 단편적인 영역에 대해 일회적으로 평가하기보다 학생 개개인의 변화, 발달 과정을 종합적으로 평가하기 위해 전체적이면서도 지속적으로 이루어지는 것을 강조한다.

(5) 개개인을 단위로 평가하기도 하지만 집단에 대한 평가도 중시한다.

(6) 학생의 학습과정을 진단하고 개별학습을 촉진하는 데 그 목적이 있다.

(7) 학생의 인지적 영역뿐만 아니라 학생 개개인의 행동 발달 상황이나 흥미, 태도 등 정의적인 영역, 그리고 체격이나 체력 등 신체적인 영역에 대한 종합적이고 전인적인 평가를 중시한다.

구분	전통적 평가방법	대안적 평가방법
학습관	학습결과에 관심	학습과정과 결과에 관심
학습자관	수동적 관점, 분리된 지식과 기술을 평가	능동적 관점, 통합된 지식과 기술을 평가, 메타 인지적 관점
평가형태	지필 검사	수행평가, 참 평가, 포트폴리오
평가실시	일회적 평가	지속적 평가
평가내용	단일 속성	다원적 속성(다양한 측면)
평가대상	개인평가 대상	집단평가 강조(협동성)

⊕ 전통적 평가방법과 대안적 평가방법

5. 의의

(1) 학생이 인지적으로 아는 것도 중요하지만 아는 것을 실제로 적용할 수 있는지 여부를 파악하는 것도 중요하다.

(2) 획일적 표준화 검사를 적용하기 어려운 상황(예 다양한 인종과 문화가 공존하는 사회) 속에서 다양성 그 자체를 인정하면서도 동시에 타당한 평가를 해야 한다.

(3) 여러 측면의 지식이나 능력을 지속적으로 평가할 수 있는 장점이 있다.

(4) 학습자 개인에게 의미 있는 학습활동이 이루어지도록 한다.

(5) 교수 - 학습목표와 평가 내용을 직접적으로 관련시킨다.

(6) 교육평가의 과정이 학생의 학습과 이해력을 직접적으로 조장한다.

(7) 창의성이나 고등 사고능력에 대한 평가나 학습의 과정에 대한 평가를 하기에 적합하다.

2 수행평가의 방법

1. 서술형 검사

(1) 흔히 주관식 검사라고도 하며 문제의 답을 선택하는 것이 아니라 학생들이 직접 서술(구성)하는 검사의 형태이다.

(2) 학생들이 단순히 암기하고 있는 수준이 아니라 문제해결의 과정을 제대로 이해하고 있는지를 파악하는 데 중점을 둔다. 따라서 질문의 형태도 단편적인 지식을 묻는 것 대신 창의성 등 고등정신능력을 묻는 것이 중시된다.

2. 논술형 검사

(1) 서술형 검사의 일종으로, 서술된 내용의 깊이와 넓이뿐만 아니라 글을 조직하고 구성하는 능력을 동시에 평가한다.

(2) 학생들의 창의력, 문제해결력, 비판력, 조직력, 정보수집 및 분석력 등 고등정신능력을 평가할 수 있다.

(3) 수행평가로서의 논술형 검사의 핵심은 개인의 생각이나 주장을 창의적이고 논리적이면서도 설득력 있게 조직하여 작성하여야 한다.

3. 구술시험

(1) 학생으로 하여금 특정 교육내용이나 주제에 대해 자신의 의견이나 생각을 발표하도록 하여 학생의 준비도, 이해력, 판단력, 의사소통능력 등을 직접 평가하는 방법이다.

(2) 피험자들에게 특정 주제나 질문을 제시하고 응답하도록 한다는 점에서 면접법과 유사하다. 다만 면접이 주로 정의적 영역을 중심으로 이루어지는 반면 구술시험은 인지적 영역을 중심으로 이루어진다는 점에서 차이가 있다.

4. 찬반 토론법

(1) 개념

사회적·개인적으로 서로 다른 의견을 제시할 수 있는 주제를 가지고 개인별로 찬반 토론을 하도록 하거나 집단으로 나누어 집단별 찬반 토론을 하도록 한다. 찬성과 반대 의견을 토론하기 위해 사전에 준비한 자료의 다양성이나 충실성 그리고 토론 내용의 충실성과 논리성, 반대 의견을 존중하는 태도, 토론 진행방법 등을 총체적으로 평가하는 방법이다.

(2) 장점

찬반 토의는 토론의 진행 과정을 관찰함으로써 토론 진행 과정에서 지도력을 발휘하여 토론을 이끌어가는 사람, 당당하게 자기주장을 피력하는 사람, 남의 의견을 잘 듣고 모두의 의견을 집약하는 능력을 발휘하는 사람, 상대방에게 의견을 자유스럽게 제시하도록 한 다음 결론은 자신의 의견대로 이끌고 가는 사람 등 여러 가지 유형의 성격을 파악할 수 있다.

5. 실기 시험

(1) 개념

수행평가 방법으로서 실기 시험은 기존의 실기 시험에서 평가 상황이 통제되거나 강요되는 것이 아닌, 자연스러운 상황에서 여러 번 관찰함으로써 실제 수행 능력을 평가한다.

(2) 기존의 실기 시험이 강요된 인위적 상황에서 이루어진 반면, 수행평가에서의 실기 시험은 실제 문제 상황에서 요구되는 능력을 평가하며, 실제 상황에 대처하는 능력을 기르는 데 중점을 둔다.

(3) 예체능 분야에서 시도되었으나 다양한 분야에서 가능하다.

(4) 말하기, 읽기, 듣기, 쓰기 등의 분야에서 직접 학생들에게 말하거나, 듣거나, 쓰게 한 다음 2명 이상의 교사나 채점자가 평가하는 방식으로 이루어진다.

예 배구 실기 시험: 기존의 실기 시험은 서브, 리시브, 토스 등의 각 기능에 대해 자세, 강도, 정확률, 회수 등을 평가하는데 중점을 두었다면 수행평가에서의 실기 시험은 실제 배구 시합 상황에서 게임을 운영하고 상황에 대처하는 능력에 중점을 두고 평가한다.

6. 실험 실습법

(1) 개념

자연과학 분야에서 많이 사용되는 것으로 어떤 과제에 대해 학생들로 하여금 직접 실험 실습을 하게 한 다음 그 결과 보고서를 개인 단위 혹은 팀을 구성하여 공동 작업 후 제출하게 한다.

(2) 평가자는 학생들의 실험 실습 과정을 직접 관찰하고, 제출된 결과 보고서를 동시에 고려하여 평가한다.

7. 면접법

(1) 개념

평가자가 학생과 직접 대면하여 평가자가 질문하고 학생이 대답하는 과정을 통해 지필식 시험이나 서류만으로는 알 수 없는 사항을 알아보는 평가방법이다.

(2) 장점

다른 방법보다 심도 깊은 정보를 얻을 수 있으며, 사전에 예상할 수 없었던 정보나 자료를 얻을 수 있고 진행상 융통성을 발휘할 수 있다.

(3) 형태

① 구조화된 면접: 미리 준비된 질문지에 따라 질문의 내용과 순서를 지키면서 진행되는 면접으로, 모든 피면접자가 동일한 순서로 동일한 문항에 응답한다. 응답 자료를 분류하고 코딩하는 데 편리한 반면 면접상황에 대한 적응도가 낮으며 융통성이 적다는 단점이 있다.

② **비구조화된 면접**: 면접 계획을 세울 때 면접의 목적만을 명시하고 면접할 내용이나 면접방법은 면접자에게 일임하는 방법으로, 면접의 분위기가 자유스럽고 응답의 내용도 자유반응의 형식을 취하게 된다. 면접 결과의 타당도가 높은 대신, 고도의 면접기술이 요구되며 면접을 통해 얻은 자료를 분류하고 부호화하기가 어려운 단점이 있다.

③ **반 구조화된 면접**: 사전에 면접에 관해 치밀한 계획을 세우되 실제 면접상황에서는 융통성 있게 진행하는 방법으로 구조화된 면접과 비구조화된 면접의 장점을 절충한 형태이다. 실제 면접에서 가장 많이 활용되는 방법이다.

8. 관찰법

(1) 특징

① **개념**: 관찰을 통해 정보를 수집하는 측정 방법으로 인간 행동을 연구하는 방법으로 가장 오래된 방법임과 동시에 연구의 기본수단이기도 한다.

② 수행평가로서 사용되기 위해서는 인위적이 아닌 자연적인 상황에서 이루어져야 하고 특히 관찰 대상을 있는 그대로 기술하는 일화기록법이나 비디오 녹화 분석법 등을 활용하는 것이 효과적이다.

(2) 절차

① 목적을 설정한다.

② 관찰자를 선정하고 훈련한다.

③ 관찰기록 유형을 결정하고 기록지를 제작한다.

④ 관찰을 실제적으로 수행한다.

⑤ 분석하고 정보를 요약한다.

9. 보고서법

(1) 자기평가(self-evaluation) 보고서법

① **개념**: 개별 학생 스스로가 특정 주제나 교수·학습 영역에 대하여 학습과정이나 학습 결과에 대한 자세한 자기평가 보고서를 작성·제출하도록 한 다음, 그것을 이용하여 교사가 평가하는 방법이다.

② **장점**

㉠ 학습자로 하여금 자신의 학습 준비도, 학습동기, 성실성, 만족도, 다른 학습자들과의 관계, 성취수준 등에 대해 스스로 생각하고 반성할 수 있는 기회를 제공할 수 있다.

㉡ 교사로 하여금 교사가 시행한 해당 학습자에 대한 관찰이나 수시로 시행한 평가가 타당하였는지를 비교·분석해 볼 수 있는 기회를 제공한다.

예 어떤 수업을 실시한 후 그 수업을 이수하면서 자기 스스로의 학습 과정이나 학습 결과에 대해 평가 보고서를 작성·제출하도록 함으로써 학생으로 하여금 자신의 준비도, 학습동기, 성실성, 만족도, 다른 학생과의 관계, 학업성취 등에 대해 스스로 생각하고 반성할 수 있는 기회를 제공할 뿐만 아니라, 교사로 하여금 교사가 행한 학생 평가가 타당하였는지를 비교·분석해 볼 수 있는 기회를 제공한다.

(2) 동료평가(peer-evaluation) 보고서법

① **개념**: 동료평가 보고서법은 동료 학생들이 상대방을 서로 평가하도록 하여 동료평가 보고서를 작성·제출하도록 하고, 그것을 이용하여 교사가 평가하는 방식이다.

② **장점**: 학생 수가 많아서 담당 교사 혼자의 힘으로 모든 학생들을 제대로 평가하기 어렵다고 판단될 때, 자기평가 보고서와 동료평가 보고서를 이용하여 학생을 평가할 수 있다.

(3) 연구 보고서법

① **특징**

ⓐ **개념**: 개별 과목과 관련이 있거나 범교과적인 연구 주제 중에서 학생의 능력이나 흥미에 적합한 주제를 선택하여, 그 주제에 대해서 자기 나름의 자료를 수집하고 분석·종합하여 연구 보고서를 작성·제출하도록 하여 평가하는 방법이다.

ⓑ 연구의 주제나 범위에 따라 개인적으로 할 수도 있고, 관심 있는 학생들이 함께 모여 단체로 할 수도 있다.

② **장점**: 학생들은 연구를 수행하고 보고서를 작성하는 과정에서 연구하는 방법, 각종 정보를 수집하는 방법, 다양한 자료를 종합하고 분석하는 방법, 보고서 작성법 등을 익히게 되며, 연구 보고서 발표회나 학생들 간 연구 보고서의 상호 교환을 통해서도 많은 것을 배우게 된다.

③ **교사의 역할**: 교사는 학생들의 연구 진행 상황을 주기적으로 확인하여 평가하고 필요에 따라 적절한 지도를 할 수 있다.

④ **연구 보고서법의 예**

ⓐ 사회 교과에서 '세계 여행'을 가르치면서 학생들에게 특정 국가를 선정하여 연구 보고서를 제출하게 하여 평가한다. 이때 학생들은 자신의 관심에 따라 한 나라를 선정한 다음 도서관이나 여행사, 해당 국가 대사관, 인터넷 검색 등을 통해 직접 혹은 간접적으로 정보를 수집하고 분석하여 연구 보고서를 작성한다.

ⓑ **효과**: 보고서 작성을 통해 학생들은 관심 있는 특정 국가에 대한 각종 정보를 수집하는 방법, 다양한 자료를 종합하고 분석하는 방법, 보고서 작성 방법 등을 익히며, 연구 발표회나 연구의 상호 교환을 통해 다른 나라의 역사, 지리, 문화 등에 관한 많은 것을 배우게 된다.

10. 루브릭 평가

(1) 개념

① 학생의 수행수준을 기술적으로 진술해놓은 평가방법으로, 서술적 평가 척도라고도 한다.

② 새로운 대안적인 평가방법의 대표적인 방법 중의 하나이다.

③ 학습자가 수행과제에서 드러낸 수행 결과물(예 작품, 글쓰기, 문제해결, 만들기, 토론 등)의 수준을 판단하기 위하여 수행평가에서 사용되는 평가척도이다.

④ 평가준거가 표로 만들어졌을 때 표의 왼쪽 칸에 나와 있는 것이 기준이고, 오른쪽에 그 기준에 속한 단계별 설명이 간략하게 또는 상세하게 적혀 있는 서술식 평가기준이다.

(2) 장점

① 학습자가 도달한 수행의 현재 상태와 발달방향을 제공: 전통적인 지필검사는 결과(시험점수)가 학습자의 수행에 대하여 구체적인 정보를 제공해주지 못하는 반면, 루브릭 평가는 학습자의 수행이 보여줄 수 있는 특성을 단계별로 여러 개의 수준으로 세분화하여 학생의 수행이 어느 수준에 해당하는가를 결정할 수 있으므로 학습자가 도달한 수행의 현재 상태, 발달의 가능성과 방향을 제공해 준다.

② 학습자의 자기조절과 자기조정의 가능성을 향상시킬 수 있다.

③ 교사뿐만 아니라 학생 스스로가 자신들의 학습 과정이나 결과를 분석할 수 있는 준거를 제공한다.

11. 포트폴리오(Portfolio)법

(1) 특징

① 개념: 보통 자신이 쓰거나 만든 작품을 누가적이면서도 체계적으로 모아 둔 개인별 작품집 혹은 서류철을 이용한 평가방법이다.

② 포트폴리오를 통해 학생들은 자기 자신의 변화 과정을 알 수 있고, 자신의 강점이나 약점, 성실성 여부, 잠재 가능성 등을 스스로 인식할 수 있으며, 교사들은 학생들의 과거와 현재의 상태를 쉽게 파악할 수 있을 뿐만 아니라 앞으로의 발전 방향에 대해 쉽게 조언할 수 있다.

③ 단편적인 영역에 대해 일회적으로 평가하지 않고 학생 개개인의 변화·발달 과정을 종합적으로 평가하기 위해 전체적이면서도 지속적으로 평가하는 것을 강조하는 것으로 수행평가의 대표적인 방법 가운데 하나로 인식되고 있다.

④ 하나 이상의 분야에서 노력, 진보, 성취 정도를 보여주는 학생들의 작품을 의도적으로 모은 작품집으로 내용 선정, 선정의 준거, 가치판단의 준거, 학생 자기반성의 증거 등을 선택할 때 학생이 직접 참여해야 한다.

(2) 사용목적

① 여러 시점에서 지속적으로 학생의 작품의 질을 평가한다.

② 작품을 통하여 학생 각자의 관심과 능력을 표현할 수 있도록 한다.

③ 학생의 장래 진학 및 취업에 활용할 가능성이 있는 작품을 누적하여 수집한다.

④ 내용 범위를 초월하여 학습 결과를 광범위하게 파악할 수 있다.

⑤ 학생으로 하여금 학습 활동에 참여하고 자신의 학습에 책임을 질 수 있도록 한다.

(3) 포트폴리오의 다양성을 살리기 위한 조건[폴슨(Paulson)]

① 포트폴리오의 최종 결과물에는 학생들이 자기평가에 참여해왔다는 것을 보여주는 정보가 포함되어야 한다.

② 포트폴리오 평가는 학생이 자신의 작품을 어떻게 평가하는지, 더 나아가 학습자인 자신을 어떻게 평가해야 하는지 배울 수 있도록 구체적인 방법을 제공하고 있다. 따라서 학생들은 포트폴리오에 포함되어야 할 요소들을 선택하는 데 관여해야 한다.

③ 포트폴리오는 누적된 기록과는 구별된다. 점수나 기타 누적된 기록들은 새로운 의미를 가질 때만 포트폴리오에 포함될 수 있다.

④ 포트폴리오는 명시적이든 묵시적이든 학생들의 활동, 예를 들면 근거(포트폴리오를 구성하고자 하는 목적), 의도(목표), 내용(실제 작품), 기준(좋은 수행과 좋지 않은 수행 구분), 그리고 판단(포트폴리오 내용의 의미) 등을 표현해야 한다.

⑤ 포트폴리오는 최종 목적과는 다른 목적을 위해 수행될 때도 있다.

⑥ 포트폴리오는 다양한 목적을 가질 수 있다.

⑦ 포트폴리오는 향상을 설명해주는 정보를 포함해야 한다.

(4) 유형

① 과정중심 포트폴리오: 학습하는 과정이나 산출물을 만들어 가는 과정의 특징과 범위를 기록하는 학습과정 중심의 평가기법이다.

② 결과중심 포트폴리오: 학습 결과물 자체의 특징과 범위를 기록하고 스스로 평가하는 방법이다.

(5) 포트폴리오의 장점 및 교육적 효과[고든과 보닐라 브로완(Gordon & Bonilla Browan)]

① 학습자들은 종합적인 인지능력을 활용하며, 자신들의 학습을 반성하고, 스스로 학습을 구안하며, 다양한 학습의 형태를 활용할 수 있게 되므로 평가를 수업의 과정으로 인식할 뿐만 아니라 수업의 과제와 학교 밖의 자신들의 생활을 관련시키게 된다.

② 학습자들은 한 학기 혹은 한 해 동안 모아 온 작품집에서 작품을 선별하여 평가자에게 제출하기 때문에 학습자의 자기반성과 평가의 과정이 포함된다.

③ 수행과정이나 그 결과에 대한 평가뿐만 아니라 학습자들의 발달과정까지 평가할 수 있다.

④ 학습자들에게 자기평가의 기회를 제공해 줄 뿐만 아니라 교사와 학부모에게도 학생들의 학습의 진보와 강·약점에 대한 정보를 제공하여 학생들의 목표에 쉽게 적용할 수 있다.

⑤ 학생들은 스스로 자신의 작품집을 준비하고 교사들은 이러한 작품집을 개별적으로 검토하기 때문에 학생 개개인의 구체적인 수업목표가 설정될 수 있다.

⑥ 더 넓은 상황에서 학생들을 관찰할 수 있는 기회를 제공해준다. 즉 위기에 처했을 때, 창의적인 해결책을 개발할 경우, 자신의 수행을 판단하는 것을 배울 경우 등이다.

3 수행평가의 장·단점

1. 장점

(1) 인지적, 정의적, 심체적 특성을 모두 평가할 수 있는 총체적 접근이다.

(2) 개방형 형태의 평가 방법은 다양한 사고 능력을 함양시킨다.

(3) 과제의 성격상 협동학습을 유도하므로 전인적 발달을 도모한다.

(4) 검사결과뿐만 아니라 문제해결 과정도 분석할 수 있다.

(5) 학습동기와 흥미를 유발한다.

(6) 행정적 기능이 강조되지 않을 때 수행평가가 실시되므로 검사 불안이 적다.

2. 단점

(1) 수행평가 도구 개발에 어려움이 있다.

(2) 채점기준, 즉 점수 부여 기준 설정이 용이하지 않다.

(3) 채점자 내 신뢰도와 채점자 간 신뢰도 확보에 어려움이 있다.

(4) 평가도구 개발, 점수 부여, 채점 등에 시간이 많이 소요된다.

(5) 전통적 평가방법에 비해 많은 비용이 소요된다.

(6) 점수결과 활용에 어려움이 있다.

秀 POINT 메타 평가(Meta-Evaluation)

1. 개념
평가활동 전반에 걸친 질적 관리로, 전반적으로 평가가 지향해야 할 점을 안내해주고 실시된 평가의 장점과 약점을 평가 관리자들에게 알려주고, 이를 통해 평가의 문제가 무엇인가를 점검하고 확인하여 후속되는 평가를 개선할 수 있는 근거를 마련해주는 평가이다.

2. 형성적 메타 평가와 총괄적 메타 평가

형성적 메타 평가 (formative meta-evaluation)	평가를 계획하고 실시하는 과정에서 평가자에게 피드백을 제공함으로써 평가활동을 개선하는 데 목적을 둔 진행적인 형태의 메타 평가이다.
총괄적 메타 평가 (summative meta-evaluation)	평가활동이 종료된 후 그 평가의 장·단점을 총체적으로 판단함으로써 평가의 이해 관련 당사자들에게 평가의 질에 대한 정보를 제공하기 위한 목적으로 수행되는 평가이다.

3. 메타 평가에 대한 판단기준

실현성(feasibility)	평가가 실현 가능하였는지 여부
실용성(utility)	평가가 실제적으로 필요하였는지 여부
적합성(propriety)	평가가 도덕적으로 적합하게 실시되었는지 여부
정확성(accuracy)	정확한 정보를 전달하였는지 여부

전통적 평가체제(선택형)와 새로운 평가체제(수행평가)의 특성 비교

구분	전통적 평가체제(선택형)	새로운 평가체제(수행평가)
철학적 배경	실증주의, 합리론, 경험론 등	구성주의, 현상학, 해석학 등
진리관	절대주의 진리관	상대주의 진리관
시대적 상황	① 산업화 시대 ② 소품종 대량생산	① 정보화 시대 ② 다품종 소량생산
지식관	① 객관적 사실과 법칙 ② 개인과 독립적으로 존재 ③ 사실과 개념의 축적 강조	① 개인에 의한 창조, 구성, 재구성 ② 개념과 관계의 생성·정교화 강조
학습관	① 직선적·위계적·연속적 과정 ② 일반적·객관적 상황 중시 ③ 학습자의 기억·재생산 중시	① 인지구조의 계속적 변화 ② 구체적·주관적 상황 중시 ③ 학습자의 이해·성장 중시
학습자관	① 수동적 존재 ② 지식의 단순 재생산자	① 능동적 존재 ② 지식의 창조자
교육의 책임 소재	① 학습자에게 있다. ② 학습자의 능력이나 특성에 따른 차이를 강조한다.	① 교사에게 있다. ② 학습자의 학습목표 달성에 필요한 교수방법을 강조한다.
평가체제	① 선발주의적 평가관 ② 상대평가, 양적 평가를 강조한다.	① 발달주의적 평가관 ② 절대평가, 질적 평가를 강조한다.
평가목적	① 선발·분류·배치 ② 설명·예언·통제	① 지도·조언·개선 ② 이해·재구성
교수 - 학습 활동	① 교사 중심 ② 인지적 영역 중심이다. ③ 암기 위주 ④ 기본 학습능력을 강조한다.	① 학생 중심 ② 지·정·체를 모두 강조한다. ③ 탐구 위주 ④ 창의성 등 고등사고기능를 강조한다.
교사의 역할	지식의 전달자	학습의 안내자·촉진자
교과서의 역할	교수·학습·평가의 핵심 내용	교수·학습·평가의 보조 자료
평가내용	① 명제적 지식(내용적 지식) ② 학습의 결과를 중시한다.	① 절차적 지식(방법적 지식) ② 학습의 과정과 결과를 모두 중시한다.
평가방법	① 선택형 지필평가 위주이다. ② 간접평가(검사)를 중시한다. ③ 일회적·부분적인 평가 ④ 신뢰도·객관성·공정성을 강조한다.	① 다양한 평가방법의 활용을 강조한다. ② 직접평가(관찰) 위주이다. ③ 지속적·종합적인 평가 ④ 타당도·전문성·상황적합성을 강조한다.
평가시기	① 학습활동이 종료되는 시점 ② 교수 - 학습과 평가활동을 분리한다.	① 학습활동의 모든 과정 ② 교수 - 학습과 평가활동을 통합한다.

기출문제

수행평가에 대한 설명으로 옳지 않은 것은? 2018년 국가직 7급

① 수행평가의 유형으로는 지필식, 구술식, 실습식, 포트폴리오 평가방법 등이 있다.

② 수행평가의 개발 절차에는 일반적으로 평가목적의 진술, 수행의 상세화, 자료 수집·채점·기록 방법 결정·수행평가 과제의 결정 등이 포함된다.

③ 채점자가 범할 수 있는 평정의 오류는 집중경향의 오류, 후광효과, 논리적 오류, 표준의 오류, 근접의 오류 등이 있다.

④ 비판적 사고능력의 개인별 변화 및 발달과정을 평가하기에 적합한 수행평가 방식은 표준화 검사이다.

해설

수행평가는 객관적 표준화 검사를 제외한 모든 평가방법을 활용하는 것이 가능하다. **답 ④**

秀 POINT 중요 개념

□ 검사관
□ 총평관
□ 문항 변별도
□ 문항특성곡선
□ 신뢰도
□ 실용도
□ 형성평가
□ 규준참조평가
□ 성장참조평가
□ 수행평가
□ 메타평가

□ 측정관
□ 문항 곤란도
□ 문항반응이론
□ 타당도
□ 객관도
□ 진단평가
□ 총괄평가
□ 준거참조평가
□ 능력참조평가
□ 포트폴리오

교육연구법 및 통계

01 | 교육연구법

1 연구(Research)

1. 개념

연구란 증거가 없는 상식을 체계적·구체적·논리적인 방법으로 증거를 확인하여 이론을 정립해주는 작업을 말한다.

2. 이론(theory)

문제해결을 위해 체계적이고 과학적인 방법을 이용한 연구에 의하여 도출된 결과이다.

2 양적 연구와 질적 연구

1. 양적(量的) 연구

(1) 특징

① 인간의 실재를 형성하는 인간의 특성과 본질이 존재한다고 가정하며, 따라서 복잡한 패러다임에 관계된 변인들에 대한 연구가 가능하다.
② 연구자와 연구 대상 간의 관계가 밀접하게 되면 연구 자료가 왜곡될 수 있으므로 거리를 유지한다.
③ 행위 현상을 인과관계로 설명하며, 연구의 일반화가 가능하다.
④ 자료 수집은 객관적 절차에 의하며, 가치중립성을 특징으로 한다.

(2) 기원과 적용 분야

근대 자연과학의 발달에 의한 실증주의에 기초하며, 기능주의 사회학, 행동주의 심리학, 논리 실증주의의 발달을 가져왔다. 실험 심리학자와 행동주의자들에 의해 주도되었다.

(3) 한계

① 연구가 이론에 구속된다. 가설을 설정하여 연구를 진행하는 양적 연구는 가설 설정 시부터 이미 어떤 특정 이론에 의존하게 된다.
② 객관성과 가치 중립성을 유지하기 어렵다.
③ 연구주제가 제한되어 있다. 양적 연구는 관찰이나 질문 등을 통해 자료수집이 가능한 것만 연구 주제로 선택한다.
④ 연구결과를 일반화하는 데 문제가 있다.
⑤ 사회현상 연구를 위해서는 다양한 연구방법이 동원되어야 한다.

2. 질적(質的) 연구

(1) 특징

① 객관적 실재라고 일반화시킬 수 있는 인간의 속성과 본성은 없다고 가정하며, 따라서 단편적인 연구가 아닌 총체적인 연구의 필요성을 강조한다.
② 연구자와 연구 대상이 서로 밀접한 관계를 유지한다.
③ 인과관계가 분명하지 않으므로 상호 보완적인 것으로 분석하며, 연구 결과의 일반화는 특정한 상황에만 가능하다.
④ 연구 절차나 방법이 연구자의 주관에 의해 결정되며, 가치중립적이지 못하다.
⑤ 사전에 가설을 설정하지 않고, 오히려 연구가 진행됨에 따라 가설이 나타난다.

(2) 기원과 적용 분야

양적인 자료에 의존하는 실증주의 연구에 대한 반발로 후기 실증주의에 기초하며, 사회학(민속학)과 인류학 등과 같이 인간과 사회연구를 위해서는 다양한 연구방법이 필요함을 주장하면서 발전되었다. 질적 연구를 주관적 접근, 예술적 접근, 문화 기술적 접근이라고도 한다. 질적 연구는 인류학자와 사회학자들에 의해 주도되었다.

3. 양적 연구와 질적 연구의 비교

구분	양적 연구	질적 연구
실재의 본질	① 객관적 실재를 형성하는 인간의 특성과 본질이 존재한다고 가정한다. ② 복잡한 패러다임에 관련된 변인들에 대한 연구가 가능하다.	① 객관적 실재라고 일반화시킬 수 있는 인간의 속성과 본성은 없다고 가정한다. ② 단편적인 연구가 아닌 총체적 연구의 필요성을 주장한다.
인과 관계	결과에 시간적으로 선행하거나 동시에 일어나는 원인이 실재한다고 본다.	원인과 결과의 구분이 어렵다.
연구목적	① 일반적 원리와 법칙을 발견한다. ② 인과관계 혹은 상관관계를 파악한다.	① 특정 현상에 대한 이해를 목적으로 한다. ② 특정 현상에 대한 해석이나 의미의 차이를 이해하려고 한다.
연구대상	대표성을 갖는 많은 수의 표본으로 확률적 표집방법을 주로 사용한다.	적은 수의 표본, 비확률적 표집방법을 주로 사용한다.

연구자와 연구대상과의 관계	① 연구자와 연구대상의 관계가 밀접하게 되면 연구 자료가 왜곡될 수 있으므로 거리를 유지한다. ② 가치 중립적이다.	① 연구자와 연구 대상은 서로 밀접한 관계를 유지한다. ② 가치 개입적이다.
자료수집	① 다양한 측정도구를 사용한다. ② 구조화된 양적 자료를 수집한다.	관찰법, 면접법을 활용한 사례연구, 문화 기술적 연구 등을 이용한다.
자료분석	통계적 분석(기술통계, 추리통계 방법 활용)을 사용한다.	질적 분석(내용분석) 혹은 기술통계 분석을 사용한다.
연구방법의 예	설문지를 활용한 조사연구, 실험설계에 의한 실험연구, 점검표를 활용한 관찰연구 등이 있다.	관찰법, 면접법을 활용한 사례연구, 문화 기술적 연구 등이 있다.
일반화	일반화가 가능하다.	일반화가 곤란하다.

📁 **참고**

종단 연구와 횡단 연구의 비교

구분	종단 연구	횡단 연구
특성	① 대표성을 고려하여 비교적 소수를 표집한다. ② 성장과 발달의 개인적 변화 파악이 가능하다. ③ 검사결과상 비교가 어려워 연구가 일단 시작되면 도중에 사용하던 도구를 바꿀 수가 없다.	① 서로 비슷한 변인을 가진 다수를 표집한다. ② 시간의 흐름에 따른 성장의 특성을 밝혀 일반적 성향을 알 수 있다. ③ 개선된 최신의 검사도구를 충분히 활용할 수 있어 비교적 선택이 자유롭다.
장점	① 소수의 대상을 일정 기간 지속적으로 관찰, 기록하므로 대상의 개인 내 변화와 연구목적 이외의 유의미한 자료를 얻을 수 있다. ② 특정 주제, 즉 아동기의 신체발달과 성인기의 건강 간의 관계를 밝히는 식의 초기와 후기 간의 인과관계를 밝히는 주제에 용이하다. ③ 개인 내 차를 알 수 있다.	① 종단적 연구에 비해 경비와 시간, 노력이 절약된다. ② 각 연령에 따른 대표값을 구해서 그 값들을 연결하여 일반적인 성장 곡선을 그려볼 수 있다. ③ 상황에 따라 다양한 측정도구 선택이 가능하다. ④ 연구대상의 관리와 선정이 비교적 용이하다. ⑤ 개인 간 차를 알 수 있다.
단점	① 긴 시간과 노력, 경비가 많이 든다. ② 표집된 연구대상이 중도 탈락하거나 오랜 시간의 흐름에 따라 비교집단과의 특성이 크게 달라질 수 있다. ③ 한 대상에게 반복적으로 같은 검사도구를 이용하여 측정해야 하므로 신뢰성이 약해질 수 있다.	① 단지 성장의 일반적 경향만을 알 수 있을 뿐 구체적인 개인적 변화상을 알 수는 없다. ② 표집된 대상의 대표성을 확인하기 어렵다. ③ 행동의 초기와 후기의 인과관계에 관한 주제를 다루기가 어렵다.

핵심체크 POINT

관찰법	인간 행동을 직접적으로 측정, 자연적 관찰과 실험적 관찰
면접법	정의적 측면, 행위 뒤에 숨은 의도 파악 가능(대부분 상담은 면접을 통해 이루어짐)
질문지법	단시간에 많은 사례를 대상으로 의견을 조사하는 방법
델파이 기법	전문가에게 반복적 질문(3 ~ 4회 정도)을 통해 의견 종합
사회성 측정법	집단 내의 역동적 구조 파악, 내(內) 집단 파악 가능, 집단 따돌림 아이를 파악하는 하나의 방법도 됨
평정 척도법	척도상의 유목에 의해 관찰결과를 분류 및 기록하는 방법
투사법	인간의 심층에 자리 잡고 있는 정의적 특성을 자극을 통해 파악하는 방법
사례 연구법	개인의 생활사, 가정환경 등을 종합적이고 체계적으로 연구하는 방법, 자료수집 방법과 연구방법 동시
내용 분석법	역사적 고찰, 접근하기 힘든 인물 연구
의미 분석법	어떤 사상에 관한 개념의 심리적 의미 분석, 자신의 정서적 특성을 의미상의 공간에 표시
Q기법	사람 간의 유형이나 유사성 탐구
일화 기록법	한 개인의 행동을 제3자적 입장에서 누적 기록하는 방법, 질적 방법
문화기술적 연구	구성주의 혹은 해석학적 인식론에 기초한 질적 연구, 문화인류학에서 주로 활용
메타 연구법	동일 연구문제에 대한 누적된 연구결과를 종합적으로 검토, 양적 연구

1. 관찰법(observation)

(1) 특징

① 인간 행동을 직접적으로 측정하는 방법이다.

② 언제, 어디서나 학생들의 행동을 있는 그대로 생생하게 파악할 수 있다.

(2) 종류

① 관찰의 통제 여부: 통제적 관찰, 비통제적 관찰

② 관찰의 조직성 여부: 자연관찰, 조직적 관찰

③ 연구 참여 여부: 참여관찰, 비참여 관찰

(3) 유의점

① 확실한 목적과 계획하에서 실시한다.

② 관찰자의 주관을 최대한 배제한다.

③ 한 상황에서 여러 번 관찰한 것을 가지고 판단한다.

④ 관찰기록은 관찰과 동시 또는 바로 직후에 한다.

⑤ 피관찰지가 눈치 채지 않도록 한다.

⑥ 관찰하려는 행동만을 관찰한다.

(4) 문제점

선입견이나 주관에 영향을 받을 수 있고, 전체 장면의 관찰이 어렵다.

2. 필답검사(paper pencil test)

(1) 특징

① 지적 능력을 측정하는 데 유리하다.

② 최초의 필답검사는 중국의 시험제도(B.C 225)에서 비롯되었다.

③ 서양에서는 1702년 케임브리지 대학의 필답검사, 1845년 미국 보스턴 교육위원회의 필답검사, 손다이크(Thorndike) 이후 각종 표준화 검사가 시행되었다.

(2) 문제점

지적 능력 측정에는 유용하지만, 정의적 측면이나 사회적 측면 측정은 불가능하다.

3. 면접법(interview)

(1) 특징

① 정의적 측면(흥미, 태도, 인성, 동기)을 파악하는 것이 가능하며, 행위 뒤에 숨은 동기 파악이 가능하다(문답법에서 발전).

② 평가 대상에 제한을 받지 않고 널리 활용될 수 있다.

③ 학생을 이해하기 위한 자료를 구하는 방법일 뿐만 아니라 학생을 지도하는 방법이 되기도 하므로 생활지도나 정신분석의 기술로도 활용된다.

(2) 면접의 요령

① 분위기 조성이 필요하다.

② 모든 것은 사실대로 이야기 해준다.

③ 여러 번 면접을 해서 이를 종합한다.

④ 적개심이나 불쾌감을 유발하는 말은 피한다.

⑤ 일반적이고 막연한 충고는 피한다.

⑥ 면접의 결과를 적절히 기록한다.

⑦ 면접의 결과는 철저히 비밀을 보장한다.

4. 질문지법(questionnaire)

(1) 의의

① 개인의 지각, 신념, 감정, 동기, 기대, 계획 등 주로 내적인 자료를 구하는 방법이다.

② 짧은 시간에 많은 사람을 대상으로 어떤 사회문제나 개인의 의견, 태도 등을 알아보고자 할 때 사용한다.

③ 질문지법은 반응자 자신이 주어진 문제에 기술하도록 하는 일종의 자기 고백식 방법이다.

(2) 특징

① 시간, 노력, 비용이 절약된다.

② 생활배경에 대한 사실 발견과 자아의 내성적 자료를 구하는 데 유리하다.

③ 익명성(匿名性)을 전제로 하기 때문에 비교적 솔직한 반응을 얻을 수 있다.

④ 반응의 시간적 여유가 있기 때문에 응답자가 심사숙고하여 보다 정확한 반응을 할 수 있다(게으름뱅이의 방법, 안락의자의 방법).

(3) 질문지 작성상의 원칙

① 측정하고자 하는 내용을 명확히 한다.

② 질문지의 형식을 미리 고려한다.

③ 질문은 간단명료하게 한다.

④ 질문에 암시나 자극을 주는 어구는 사용하지 않는다.

⑤ 질문의 순서는 작성자의 논리적 순서에 따르지 말고 피험자의 심리적 순서에 따른다.

⑥ 응답자가 누구인지 확인되지 않도록 한다.

(4) 질문지를 통한 조사연구의 일반적 절차

① 연구목적을 구체화한다.

② 연구대상을 선정하고 표집방법을 규명한다.

③ 안내문을 작성한다.

④ 질문지를 제작한다.

⑤ 사전연구를 실시한다.

⑥ 질문지를 분석 및 수정한다.

⑦ 표본을 추출한다.

⑧ 질문지를 발송한다.

⑨ 미회송자에 대한 독촉편지를 발송한다.

⑩ 응답 자료를 분석한다.

(5) 모집단, 표본 및 표집

① 모집단(population)과 모수치(parameter)

㉠ 모집단: 연구의 대상이 되는 전체를 말한다. 예를 들어 고등학교 3학년 학생들의 수학능력에 대한 학업성취도 연구에서 모집단은 전국의 고등학교 3학년 학생 전체가 된다.

㉡ 모수치: 모집단이 가지는 속성을 말한다.

② 표본(sample)과 표본분포

㉠ 표본: 모집단을 대표하여 추출된 일군의 대상을 말하며, 모집단을 연구 대상으로 하는 것이 실질적으로 불가능하기 때문에 모집단을 대표하는 표본을 사용하여 연구하게 된다.

㉡ 표본분포: 모집단을 대표하는 표본을 추출하여 표본의 특성을 그린 것을 말한다.

③ 표집(sampling)과 표집오차, 표집분포
　　㉠ 표집: 모집단으로부터 표본을 추출하는 과정을 말하며, 표집단위(sampling unit)는 개인이 될 수도 있고 학급이나 학교가 될 수도 있다.
　　㉡ 표집오차(sampling error): 표집하는 과정에서 발생하는 오차로, 표본평균과 모집단 평균의 차이를 말한다.
　　㉢ 표집분포(sampling distribution): 추리통계의 의사결정을 위한 이론적, 가상적 분포이다. 표집분포는 표본의 크기가 n인 표본을 무한히 반복 추출한 후 무한개의 표본들의 평균들을 가지고 그린 분포이다. 표집분포는 추리통계의 가설검정을 위한 판단의 기준을 제시하는 기각역과 채택역을 나타내주며 '중심극한정리(central limit theorem)'의 특징을 갖는다. 중심극한정리란 표본의 수가 많으면 모집단의 실제분포와는 관계없이 정규분포를 따른다는 것을 말한다.
④ 전수조사(sensus)와 표본조사
　　㉠ 전수조사: 모집단 전체를 대상으로 하는 조사를 말한다. 이론상으로 가장 이상적인 자료수집 방법이지만 전수조사는 실현 가능성의 정도와 필요성의 문제가 검토되어야 한다.
　　㉡ 자료수집 과정에서 발생할 수 있는 비표집오차(조사자의 경험 부족, 응답자의 실수, 자료를 잘못 기입하는 등)에 의한 비용이 클 것으로 예상되는 경우 표본조사가 바람직하다.

秀 POINT　표본의 크기와 오차

1. 표본의 크기(대표본이 요구되는 경우)
① 연구결과에 영향을 미칠 수 있는 중요한 변수들을 모두 통제하지 못할 경우 대표본을 이용하면 통제하지 못한 변수들이 연구결과에 무선적으로 작용하여 그 영향을 상쇄할 수 있다.
② 효과크기(effect size)가 작을 것으로 예상되지만 가급적 그 효과를 검증하고자 할 때 많은 사례를 대상으로 해야 민감한 차이 혹은 변화를 밝혀낼 수 있다. 사례 수가 작으면 표준오차가 커지므로 작은 크기의 효과를 탐지하지 못하기 때문이다.
③ 연구대상 집단을 여러 개의 하위집단으로 분류하여 하위집단들을 서로 비교하고자 할 경우 분석단위가 되는 하위집단의 사례 수가 너무 적으면 의미 있는 비교가 어렵기 때문에 대표본이 필요하다.
④ 중도 탈락률이 높을 것으로 예상될 때 처음부터 표집의 크기를 여유 있게 설정하여 최종 분석에 필요한 표본의 수를 확보해야 한다.
⑤ 높은 수준의 통계적 유의성과 통계적 검증력이 요구될 때 대표본이 필요하다. 유의수준 0.05보다 유의수준 0.01에서 영가설을 기각하고자 할 때 더 많은 사례 수를 필요로 하며 표본의 크기가 크면 클수록 표본오차는 작아지므로 동일한 조건하에서는 표본의 크기가 클수록 통계적 검증력이 증가한다.
⑥ 모집단을 구성하고 있는 사례들이 매우 이질적일 때 많은 사례를 표집하여야 다양한 특성의 소유자들을 골고루 포함시켜 모집단을 대표할 수 있다.
⑦ 측정도구의 신뢰도가 낮을 경우 대표본이 필요하다. 측정의 신뢰도가 낮다는 것은 측정의 오차가 크다는 것을 의미하며 측정의 오차가 크면 표준오차도 커진다.

2. 표본오차

전체가 아니라 그 일부인 표본을 대상으로 조사하기 때문에 필연적으로 생기는 오차이다. 예를 들어 '95%의 신뢰수준에 표본오차는 ±3% 포인트'인 경우, 이 경우는 100번 같은 방법으로 조사를 할 경우 95번은 ±3% 포인트 범위에서 결과가 나온다는 의미이다. 즉 A 후보자의 지지율이 30%일 경우 100번 조사하면 95번은 최고 33%, 최저 27% 사이에서 지지율이 나온다는 의미이다.

3. 신뢰구간

구간추정과 관련하여, 특정 추정자를 통해 전집치가 포함될 확률을 구간으로 표시한 것을 신뢰구간(confidenence interval)이라 한다. 예를 들어 전집의 평균이 포함될 가능성이 95%인 95% 신뢰구간과, 그 확률이 99%인 99% 신뢰구간은 다음과 같이 표시할 수 있다.

> ① 95% 신뢰구간: $\overline{X} - 1.96\dfrac{SD}{\sqrt{N}} \leq \mu \leq \overline{X} + 1.96\dfrac{SD}{\sqrt{N}}$
>
> ② 99% 신뢰구간: $\overline{X} - 2.58\dfrac{SD}{\sqrt{N}} \leq \mu \leq \overline{X} + 2.58\dfrac{SD}{\sqrt{N}}$
>
> (단, $\overline{X}$ = 표집의 평균, SD = 표집의 표준편차, N = 사례 수, μ = 전집의 평균)

(6) 표집방법(확률표집 방법)

① 단순 무선(무작위)표집(simple random sampling)

ㄱ 특징

ⓐ 모집단의 모든 개체에 번호나 순서를 부여하고 무작위로 표집하는 방법이다.

ⓑ 일명 복권 당첨식이라고도 한다.

ⓒ 독립성과 동일기회의 조건을 충족하여, 통계학적으로 가장 바람직하다.

ⓓ 모집단이 클 경우에는 실시가 곤란하다.

ㄴ 절차

ⓐ 모집단을 선정하여 모집단 전체의 수와 표본의 크기를 정한다.

ⓑ 모집단 구성원에게 1부터 n까지 번호를 부여한다.

ⓒ 난수표의 한 지점을 연구자가 임의로 선정한다.

ⓓ 그 지점에서 표집을 위한 난수(亂數)를 추출한다. 난수표에서 선정된 번호가 n보다 크면 다음 번호를, 작으면 추출한다.

ⓔ 그 다음 난수를 추출하기 위해 이동할 방향을 정한다(상·하, 좌·우 어느 방향이든 일관성만 유지하면 됨).

ⓕ 표본의 크기가 채워질 때까지 그 다음 난수를 추출한다.

ⓖ 표본의 크기가 채워지면 표집을 완료한다.

예 전국의 교원 40만 명 중 4,000명 표집의 경우, 1번부터 n까지 번호를 부여한 다음 무작위로 4,000명을 추출한다(혹은 난수표 이용). 이 경우 모집단 구성원(40만 명)이 뽑힐 확률은 동일하고 한 대상이 추출되었다고 관련된 다른 대상이 추출되지 않는다.

ㄷ 장점

ⓐ 모집단의 모든 구성 요소가 표본에 포함될 가능성이 동일하고 서로 독립적이다.

ⓑ 이해하기 쉽고 모든 다른 확률표본 추출 방법과 연계되어 사용할 수 있기 때문에 모든 확률표본 추출의 토대 기능을 한다.

ⓒ 모집단의 구성에 대한 사전 지식이나 자세한 정보가 없을 때도 사용할 수 있다.

ⓓ 추출된 표본과 관련된 표본오차의 크기를 쉽게 계산할 수 있다.

ⓔ 단점

ⓐ 모집단 전체의 목록이 구비되어야 사용할 수 있다. 그러나 현실적으로 이는 거의 불가능하다.

ⓑ 표본의 크기가 큰 경우에 표본이 모집단을 대표할 가능성이 높기는 하지만 대표성을 보장하지는 못한다(이때는 유층표집이 효과적).

ⓒ 모집단을 구성하는 비중이 낮은 요소들이 표본에 포함될 확률이 매우 낮다.

ⓓ 표본의 크기가 같을 때 단순 무선표집의 표본오차는 유층표집에 의한 표본보다 크다.

② 체계적(계통적) 표집(systematic sampling)

㉠ 특징

ⓐ 모집단의 각 표본에 일련번호를 부여한 다음 일정한 간격으로 표본을 추출하는 방법으로, 계통표집이라고도 한다.

ⓑ 표집이 쉽고 빠른 장점이 있으나, 모집단의 표집들이 무선적으로 배열되어 있지 않을 경우 특정 집단이 상대적으로 많이 추출되어 모집단을 대표하지 못할 수도 있다(표집 편파성 발생).

㉡ 방법: k번째 1의 법칙이 적용되므로 모집단에서 표본을 추출할 때 표본의 크기를 고려하여 전 모집단의 대상이 표본에 추출될 수 있도록 k를 선정한 후, 특정 일련번호를 추출하고 k째마다 대상을 추출한다.

예 40만 명 중 4,000명을 고르는 경우, 평균 100명씩 묶어서 1명씩 표집한다. 예를 들면 15, 115, 215, 315 등을 추출한다.

㉢ 장점

ⓐ 적용이 간편하며 경제적이다.

ⓑ 중요한 속성별로 번호가 부여되는 경우 모집단의 번호 부여 순서가 유층의 효과를 가져 올 수도 있다.

㉣ 단점

ⓐ 모집단의 구성원들이 일일이 번호가 부여되고 체계적 양식으로 집합되어 있을 때만 사용이 가능하다.

ⓑ 선정된 매 k번째 조사단위 사이에 있는 모든 조사단위를 무시한다.

ⓒ 조사단위의 목록이 어떤 순서에 따라 배열되어 있는가에 따라 표본집단이 결정된다.

③ 군집표집(cluster sampling)

㉠ 특징

ⓐ 모집단을 특징이 다른 몇 개의 하위 집단으로 나누고 이 하위 집단을 단위로 표집하는 방법이다. 추출된 하위 집단은 모두 조사한다.

ⓑ 자연스럽게 형성되어 있는 여러 개의 집단을 분류하고 그 집단들 가운데서 표집의 대상이 될 집단을 먼저 추출한 다음 추출한 집단에 한정하여 표본을 선정하는 방법이다.

참고 반면 유층표집은 모집단을 여러 개의 유층으로 분류하고 각 유층으로부터 무선적으로 표본을 추출하는 방법이다.

ⓒ 이 방법은 전집의 하위 집단 간에는 동질성이 높고, 하위 집단 내의 구성 요소 간에는 이질성이 높은 경우에 사용한다.

예 40만 명 중 4,000명을 고르는 경우, 전국 단위학교 10,000개 가운데(교원 평균 40명인 경우) 100개교를 표집해서 교원 모두를 표집한다.

ⓛ 장점

ⓐ 대규모의 모집단을 연구하거나 지리적으로 광범위한 지역을 세밀히 조사할 때 사용된다.

ⓑ 다른 표본추출 방법에 비해 비용이 적게 든다.

ⓒ 단점

ⓐ 군집의 크기에 따라 각 군집이 추출될 확률을 다르게 조절하는 것이 어렵다.

ⓑ 표본의 수가 동일할 때 다른 표본추출 방법에 비해 표본오차가 크다.

④ 유층표집(층화표집, 類層, stratified sampling)

㉠ 특징

ⓐ 전집을 구성하는 표집 단위들을 다소 이질적이라고 생각되는 하위집단으로 나눈 다음 각 하위 집단 안에서 다시 무선표집(유층무선), 체계적 표집(유층 체계적), 군집표집(유층군집)을 하는 방법이다. 층화표집이라고도 한다.

ⓑ 전집의 하위 집단 간에는 이질성이 높고, 하위 집단 내의 구성 요소 간에는 동질성이 높은 경우에 사용한다.

예

대도시(인구비례 50%)	1,500명
중소도시(25%)	750명
읍·면(25%)	750명

㉡ 장점

ⓐ 유층표집은 연구자가 사전에 알고 있는 어떤 특성에 의하여 모집단이 확연히 구분될 때, 그 특성을 고려하여 골고루 표집함으로써 표본이 모집단을 적절히 대표할 수 있도록 하는데 장점을 지닌다.

ⓑ 단순 무선표집에 비해 표집오차가 작으며 하위 집단들의 특성을 파악하고 이것을 상호 비교할 수 있는 장점이 있다.

ⓒ 유층을 통해 표본의 대표성이 높아지고 층별 특성을 파악할 수 있다.

ⓓ 필요한 경우 각 층에 서로 다른 표본추출 방법을 사용할 수 있다.

ⓔ 일정한 수준의 정확성을 얻기 위해 필요한 표본의 수를 감소시킬 수 있다.

㉢ 단점

ⓐ 유층을 위해 많은 정보가 필요하고 유층이 너무 복잡하거나 잘못된 경우 표본오차가 더 커질 수 있다.

ⓑ 연구를 위해 어느 변수와 특징이 유층에서 사용되어야 하는가에 대한 판단이 요구되는데 이를 판단할 정보를 가지고 있지 못한 경우가 많다.

ⓒ 일반적으로 유층표집은 단순 무선표집에 비해 비용이 더 많이 소요된다.

⑤ 행렬표집(matrix sampling)
  ㉠ 특징
    ⓐ 표본의 추출이 피험자와 문항에 대하여 동시에 실시되는 표본추출방법이다[로드(F. Lord)가 고안].
    ⓑ 어떤 검사에 대한 한 모집단의 능력을 추정하기 위해서는 추출된 모든 표본들이 검사의 모든 문항을 풀지 않아도 된다.
    ⓒ 특히 교육평가에서 유용하게 사용될 수 있다.
  ㉡ 장점
    ⓐ 검사 시간이 단축된다.
    ⓑ 표본오차가 작다.
    ⓒ 많은 문항으로 이루어진 검사에 유용하다.
    ⓓ 피험자의 심리적 부담을 감소시킬 수 있다.
  ㉢ 단점
    ⓐ 개인 성적 산출에 부적절하다.
    ⓑ 여러 종류의 검사 시행이 복잡하다.
    ⓒ 속도검사에서의 검사상황 효과가 개입된다.
    ⓓ 자료처리가 복잡하다.
    ⓔ 피험자들의 노력 정도에 차이가 발생한다.

표집유형	특징 및 표집절차
단순 무선표집	① 모집단 내의 모든 사람들이 동등하고 독립적인 선발기회를 갖는다. ② 표본은 우연적으로, 즉 단수표나 컴퓨터를 통해 생성된 난수를 활용하여 추출된다.
체계적 표집	① 표본의 수에 따라, 모집단 내의 n번째 사람을 표본으로 선정한다. ② 무선적으로 나열된 모집단 목록이 있을 때만 활용가능하다.
유층표집	① 모집단 내의 하위집단(층)을 알 수 있을 때 사용된다. ② 선발은 일반적으로 각 층 내에서 무선적으로 이루어진다.
군집표집	① 모집단 내에 있는 기존의 집단이 표집단위로 선정된 경우를 지칭한다. ② 집단이 선발단위기 때문에 비교적 많은 집단이 선발되어야 한다.
유층 군집표집	① 유층표집과 군집표집을 통합한 것이다. ② 성별이나 학교 유형 등으로 계층을 구분한 다음 학교 혹은 사람을 무선으로 표집하는 방법이다.
비율표집	표본 내의 각 하위집단별 비율이 모딥단 내의 하위집단별 비율과 동일한 경우이다.
비 비율표집	① 모집단 내의 비율에 상관없이, 표본에 각 하위집단별로 동수의 사람들이 포함된 경우이다. ② 결과는 모집단 전체보다는 하위 모집단에 일반화될 수 있다. ③ 소수집단의 비율이 단순무선표집을 적용할 경우 대표적 표본을 얻을 수 있을 정도로 충분히 크지 않을 때 활용된다.

⬆ 확률표집 방법

표집유형	특징 및 표집절차
목적표집	무선표집 대신에 구체적인 연구문제나 연구목적, 사람 혹은 집단에 대한 가용 정보에 기초하여 선발하는 방법이다.
편의표집	① 연구목표·연구문제에 대한 적합성보다는 자료수집의 가용성과 용이성에 기초하여 표집이 이루어지는 방법이다. ② 전속표본, 지원자표본, 우연적 표본 등도 포함된다.
할당표집 (층화 비 무선표집)	① 유층표집과 유사하지만, 비 무선적이면서도 의도적인 편의표집의 방식을 취한다. ② 모집단의 하위집단별로 비 무선적인 방법을 사용하여 표본(자원자, 가용한 사람 등)이 선정된다.
스노우볼 표집 (연쇄표집)	① 선발된 표본의 구성원이나 개개인으로부터 획득한 정보에 기초하여 각 개인을 선발해 가는 방법이다. ② 새로 선발된 각 개인이 다른 하나 이상의 사례에 대한 정보를 제공하는 잠재력을 갖고 있기 때문에, 연구가 진행됨에 따라 표본도 계속 커진다.

⊕ 비확률적 표집방법

기출문제

다음 설명에 해당하는 정의적 특성 측정방법은? 2020년 국가직 9급

- 의견, 태도, 감정, 가치관 등을 측정하기 용이하다.
- 단시간에 다양한 자료를 수집하고 결과 또한 신속하게 처리할 수 있다.
- 응답 내용의 진위 확인이 어려워 결과 해석에 유의해야 한다.

① 관찰법 ② 사례연구
③ 질문지법 ④ 내용분석법

해설

질문지법은 단시간에 많은 사람들을 대상으로 사회문제나 개인의 의견, 태도 등을 연구하는 방법이다. **답 ③**

---

5. 델파이 기법(Delphi Technique)

(1) 특징

① 전문가 집단의 의견과 판단을 추출하고 종합하기 위해 동일한 전문가 집단에게 설문 조사를 단계별로 실시하여 집단의 의견을 종합하고 정리하는 연구하는 방법으로, 미국의 Rand 연구소의 국방 분야에서 처음 활용하였다.

② 이 방법의 논리적 근거는 '한 사람의 의견보다는 두 사람의 의견이 정확하다.'는 계량적 객관의 원리와 '다수의 판단이 소수의 판단보다는 타당하다.'는 민주적 의사결정의 원리에 있다.

(2) 절차

① 체계적으로 구성된 설문지를 동일한 사람에게 3~4회 반복으로 실시하게 되는데, 각 회의 설문지를 전회의 설문조사 결과에 대한 보고와 함께 제시함으로써 응답자에게 다른 사람의 정보와 의견이 환류될 수 있도록 되어 있다.

② 구체적 절차

　　㉠ 의견을 수렴하려는 분야의 전문가 집단을 선정하고, 선정된 각 성원은 특별히 구조화된 질문지에 응답하도록 한다.

　　㉡ 질문지에 관한 각 개인의 응답 결과를 알려준다.

　　㉢ 전체 주기가 반복된다.

(3) 활용

다음의 경우 델파이 기법을 활용할 수 있다.

① 교육청에서 교육과정 개선을 위해 선정된 교육행정가와 교사들로부터 의견을 추출하기를 원할 때

② 교육청에서 관련자의 요구와 필요성을 상담한 후 건축계획을 결정할 때

③ 대학의 장기 확장 계획에서 여러 학과의 의견을 받아들여 우선순위를 결정할 때

④ 교육청에서 각계 각층의 도움을 받아 교육혁신에 관한 종합계획을 수립할 때 등

6. 사회성 측정법(socio-metric test)

(1) 특징

① 집단 내에서의 개인 간의 사회적 위치 및 비형식적 집단형성의 구조를 알아내는 방법이다.

② 모레노(Moreno)가 1934년 『Who Shall Survive?』에서 처음 사용하였다.

(2) 유의점

① 실시자는 학급 담임이 좋다.

② 결과는 학생들에게 절대로 알리지 않는다.

③ 집단의 한계가 명시되어야 한다.

④ 한정된 집단 구성원 전원이 조사 대상이 되어야 한다.

⑤ 한 학기에 한번 정도 실시하는 것이 좋다.

⑥ 저학년 아동들은 개별면접으로 하는 것이 좋다.

(3) 교우도(sociogram)

사회성 측정의 결과를 선택을 주고받는 관계, 배척하고 배척당하는 관계, 선택과 피선택의 우선순위 등을 그림이나 도표로 나타낸 것이다.

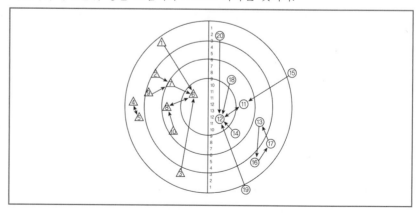

✿ 교우도(○표는 남자, △표는 여자)

(4) 교우도를 통해 분석해 낼 수 있는 것

① 집단의 중심 인물 혹은 지도자적 위치에 있는 사람이 누구이며, 그는 어떤 특성을 지닌 인물인가?

② 전체 집단 내의 소집단은 몇 개이며, 어떤 성격을 지닌 집단들인가?

③ 집단 속에서 서로 어울리지 못하고 고립되어 있는 사람은 누구인가?

④ 두 사람 간의 관계형성(서로 선택을 주고받는 관계) 상황은 어떠한가?

(5) 시사점

① 교사는 사회성 측정 검사의 결과를 활용해서 학생 개인의 사회적 적응을 도울 수 있다. 특히 동료집단에서 잘 적응하지 못하는 학생을 쉽게 가려냄으로써 교사나 부모 혹은 상담의 도움을 필요로 하는 객관적이고 수량적인 근거를 제공할 수 있다.

② 집단을 조사하거나 재조직하는 데 도움을 줄 수 있다.

예 학생회나 토론집단을 조직할 때 사회성 측정 결과 자료를 활용할 수 있다.

③ 학급의 사회구조를 개선하는 데 도움을 줄 수 있다. 교사는 검사를 통해 상호 선택의 교우관계, 학생들의 파벌관계, 하위집단들 간의 분열 정도를 파악함으로써 학급의 응집력을 높이기 위한 기초 자료로 활용할 수 있다.

④ 학교의 구체적인 특수한 활동들이 학생의 사회성에 주는 영향을 평가하려고 할 때 도움을 줄 수 있다.

예 신체적으로 장애가 있는 학생이 또래집단에서 잘 받아들여지고 있는가, 능력별 반편성을 했다면 이러한 집단구성에 따른 집단 사이에 갈등이 일어나고 있는가, 남녀학생 사이에 지나친 경쟁심은 없는가 등의 문제에 대한 해답의 자료를 제공해 줄 수 있다.

기출문제

정의적 영역의 평가를 위한 사회성 측정법에 관한 설명으로 옳지 않은 것은?

2018년 지방직 9급

① 선택 집단의 범위가 명확해야 한다.
② 측정 결과를 개인 및 집단에 적용할 수 있다.
③ 문항 작성 절차가 복잡하고 검사 시간이 길다.
④ 집단 내 개인의 사회적 위치를 알아 낼 수 있다.

해설

사회성 측정법이란 집단 내에서의 개인 간 사회적 위치 및 비형식적 집단의 구조를 알아내는 방법으로 개인 간 선호도를 간단한 질문을 통해 짧은 시간에 파악할 수 있다. **답 ③**

---

7. 평정법(rating method)

(1) 특징

① 관찰자가 관찰의 결과를 척도상의 유목(有目)이나 숫자에 의거해서 분류, 기록하는 측정방법이다(평정법에서 사용되는 수는 서열척도에 해당).

② 검사 자체로는 측정하지 못하는 인간의 심리적 특성(학습태도, 운동기능, 정의적 특성 등)을 파악해서 측정하고 수량화할 수 있다. 평정법을 위해 사용된 척도를 리커트(Likert) 척도라고 하며 3단계, 5단계 혹은 9단계의 척도를 사용한다.

매우 반대	반대	그저 그렇다	찬성	매우 찬성

(2) 평정의 오차

① 집중경향의 오차

　㉠ 개념: 평정자의 관용의 심리가 작용하여 대부분의 평점이 평정척도의 중앙부에 몰려있는 경향으로 훈련이 부족한 평정자가 저지르기 쉬운 오차이다.

　㉡ 원인: 주로 극단적인 판단을 꺼리는 인간 심리와 피평정자를 잘 모르는 데서 온다.

　㉢ 제거 방법: 중간 평정척도의 간격을 넓게 잡고 의식적으로 평정의 범위를 상하로 넓히려고 노력해야 한다.

② 표준오차

　㉠ 개념: 두 평정자가 평정의 표준을 어디에 두고 평정하느냐에 따른 오차로 동일학생에 대한 평정결과가 각각 다르게 나오는 경우를 말한다.

　　예 7단계 평정에서 한 평정자는 3을 표준으로, 다른 평정자는 5를 표준으로 삼을 수 있기 때문에 두 사람의 평정분포는 전혀 다른 결과를 보일 수 있다.

　㉡ 제거 방법: 척도에 관한 개념을 분명히 정립하고 평정 항목에 관한 오차를 줄임으로써 제거할 수 있다.

③ 인상의 오차[손다이크(Thorndike)]

　㉠ 개념: 평정자의 편견이나 선입관이 작용하여 발생되는 오차이다.

　㉡ 성적이 좋은 학생, 잘 아는 학생, 말썽꾸러기 학생 등 자아관여가 되어 있는 학생의 다른 특성의 평정을 보다 좋게 혹은 나쁘게 평정하는 경향이다.

　㉢ 제거 방법: ⓐ 모든 피험자에 대해 한 번에 한 가지 특성만 평정할 것, ⓑ 평정 특성을 조작적으로 정의할 것, ⓒ 강제선택법을 사용할 것 등이 있다.

④ 논리적 오차[뉴콤(Newcomb)]

　㉠ 개념: 한 평정자가 2개 이상의 특성을 동시에 잴 때 각 특성 간의 논리적 구분을 하지 못해 비슷한 특성에는 비슷한 평정을 주는 경우이다.

　　예 사교성이 있으면 명랑성도 있다든가, 정직성이 낮으면 준법성도 낮다와 같이 평정자 자신의 모순된 논리적 판단이 평정결과에 그대로 반영되는 경우이다.

　㉡ 제거 방법: 객관적인 자료나 관찰을 통하거나 특성의 의미 변별을 정확히 함으로써 제거될 수 있다.

⑤ 대비의 오차[머레이(Murray)]

　㉠ 개념: 평정자 자신이 자기가 잘하지 못하는 일 또는 자신이 가지지 못한 요인에 대해서는 좋게, 평정자 자신이 잘하는 일을 피평정자가 못하는 경우에는 나쁘게 평정하는 경우이다(인상의 오차와 유사).

　㉡ 행동 특성을 있는 사실 그대로 평정하지 않고 사실보다 과대 혹은 과소평가하는 현상을 낳게 한다.

　㉢ 정신분석학에서 말하는 반동 형성 혹은 투사의 현상과 유사하다.

ⓖ 근접의 오차[스톡포드와 비셀(Stockford & Bissell)]

  ㉠ 개념: 시간적, 공간적으로 가깝게 평정하는 특성 사이에 평점의 상관이 높게
     나오는 경우를 말한다.

  ㉡ 제거 방법: 비슷한 성질을 띤 측정은 시간적으로나 공간적으로 멀리 떨어지
     게 하는 것이 좋다.

8. 투사법(project method)

(1) 특징

① 인간의 심층에 자리 잡고 있는 정의적 특성을 외부의 어떤 불확실한 자극에 투
   사시켜서 파악하는 기법으로 성격 진단에서 큰 의의를 지닌다. 투사법은 프로
   이드의 정신분석학에서 유래되었고, 인성을 전체로 보고 이해하려고 하며 그
   요소들을 서로의 관련 속에서 유기적으로 해석하려고 한다는 점에서 게슈탈트
   심리학을 통해 발전되었다.

② 개인의 심층 세계(욕구, 동기, 감정)를 밖으로 끌어내기 위해 비구조적 자극을
   사용한다. 제시하는 장면이 모호하면 할수록 개인차는 커지고 투사적 목적을
   달성하는 데 유리하다.

③ 의식적으로 혹은 무의식적으로 표출을 피하거나, 사회적으로 금지된 개인적 욕
   구, 감정 등의 표현을 언어와 동작 혹은 작품 등을 통해 표출시킨다.

(2) 활용

① 개인적인 욕구, 감정, 지각 등이 밖으로 드러날 수 있는 자극을 피험자에게 제
   시함으로써 피험자 자신의 내면적 정신세계를 연구하는 목적으로 사용된다.

② 성격, 성취동기, 상상력 검사 등에 주로 사용한다.

(3) 종류

① 머레이(H. A. Murrray)의 주제통각 검사(TAT 검사)

  ㉠ 인간은 불명료한 사회장면을 해석할 때 무의식 속에 잠재한 성격의 여러 측
     면을 드러낸다는 이론적 배경에 기초한다.

  ㉡ 주제가 있는 30매의 불명료한 그림과 한 장의 백색카드로 구성된 그림을
     보여주고 그 반응을 분석한다.

  ㉢ 분석방법은 주인공, 욕구, 압력, 결과, 주제, 관심 등에 관해서 성격 특성을
     해석한다(객관도가 문제됨).

② 로르샤흐(Rorschach)의 잉크반응 검사

  ㉠ 기본 전제: 인간은 모호한 자극에 대해 반응할 때 자신의 내적인 상태나 특
     성을 투사하기 때문에 이러한 반응을 분석하면 그 개인의 성격이나 심리적
     특성을 파악할 수 있다.

  ㉡ 검사방법: 대칭적인 잉크 반점으로 구성된 10개의 카드를 한 번에 하나씩
     피험자에게 보여주면서 각각의 그림이 무엇처럼 보이는지, 왜 그렇게 생각
     했는지 등을 물어본다.

  ㉢ 시간 제한은 없고 채점은 반응한 위치, 반응 형태, 반응 내용, 반응의 독창성
     이며 이를 바탕으로 상호관계성, 정신상태 등을 해석한다(객관도가 문제됨).

③ 로렌쯔바이(Rosenzweig)의 그림좌절 검사
  ㉠ 그림을 25개 제시하고 비어있는 곳에 반응을 하게 한다.
  ㉡ 그 결과에 따라 성격을 진단한다.
  ㉢ 결과의 해석은 공격의 방향과 공격의 반응형태에 의한다.
④ 페인과 로터(Payne & Rotter)의 문장완성 검사(Sentence Completion Test; STC)
  ㉠ 문항의 양식이 일부분만을 제공한 후 나머지 부분을 피험자가 스스로 채우
     게 하는 검사로 피험자가 완성한 문장을 검토함으로써 피험자의 현재 심리
     상태를 파악하는 방법이다[융(C. Jung)의 단어연상검사의 변형].
  ㉡ 일반적으로 개인의 관심사, 교육적 열망, 미래의 목표, 두려움, 갈등, 욕구
     등에 관한 다양한 정보를 얻는 데 유용하다.
     예 • 나는 _____을(를) 두려워한다.
        • 나는 _____ 때 자랑스럽다.
        • 나의 아버지는 _____ 다.
        • 나의 희망은 _____ 다.
⑤ 그림 검사(drawing test)
  피험자에게 어떤 그림을 그리도록 한 뒤 그려진 그림을 보고 어떤 특성을 지니
  고 있는 사람들이 그리는 일반적인 그림의 경향에 의하여 분석하는 정의적 행
  동 특성의 평가방법 가운데 하나이다.
  예 종이 한 장을 주고 가족에 대해 그리도록 하였을 때 그림을 통하여 가족관계를 추측할
     수 있다.
⑥ 단어연상 검사(Word Association Test)법
  ㉠ 처음에 갈톤(F. Galton)이 시작하였고, 그 뒤 융(C. Jung)이 일반적인 정서
     적 도착을 검사하기 위해 100개의 단어를 사용하여 연구하였다.
  ㉡ 개념: 단어 100개를 미리 정상인과 비정상인에게 실시해서 그 반응어의 빈
     도를 정상과 이상의 준거로 삼고, 피험자를 정상인, 비정상인으로 변별하려
     는 방법이다.

| 1. 책상 | 2. 어두운 | 3. 음악 | 4. 병 | 5. 사람 |
| 6. 깊은 | 7. 부드러운 | 8. 먹는 것 | 9. 산 | 10. 집 |

↥ 단어의 예

⑦ HTP(House / Tree / Person: 집, 나무, 사람 그림검사)
  일종의 투사적 성격검사로서 평가자의 지시에 따라 아동은 흰 종이 위에 집과
  나무와 사람을 그리고, 이에 대하여 솔직하고 자유롭게 설명한다. 이 검사는 친
  숙한 소재를 통해 아동의 생각이나 내부의 욕구상태, 자아 개념, 가족관계, 현
  재 보이는 정서적 상태 등에 대하여 알아볼 수 있다.
⑧ 존디 검사(Szondi test)
  ㉠ 피검사자에게 얼굴 사진을 보여주고 좋음과 싫음을 판단하게 하여 그 반응
     으로 성격과 충동병리(衝動病理) 등을 분석하는 방법으로 헝가리의 의학자
     존디(Szondi)가 창안하였다.
  ㉡ 방법: 동성애, 잔인성 살인자, 정신분열증 긴장형, 전간(epileptic), 편집광,
     울증, 조증인 사람들의 얼굴 사진으로 되어 있다. 8장의 사진을 보여주고
     이 중에서 가장 좋아하는 얼굴 두 장을 고르도록 하고, 싫어하는 얼굴만 있
     을 경우 가장 싫어하는 얼굴 두 장을 고르도록 한다.

⑨ BGT(Bender Gestalt Test)

　　㉠ BGT는 Bender Gestalt Test의 약자로, 원 명칭은 Bender Visual Motor Gestalt Test이다. 이 검사는 벤더(Lauretta Bender)가 1938년 미국예방정신의학협회(America Orthopsychiatric Association)의 연구자 제3호에 「시각 - 운동 형태 검사 및 그 임상적 활용(A Visual-motor Gestalt test and its clinical use)」이라는 논문을 발표하면서 개발되었다.

　　㉡ **방법**: 간단한 기하학적 도형이 그려져 있는 9개의 자극 카드들을 피검자에게 한 장씩 차례로 보여주면서 그것을 종이 위에 따라 그리도록 하고 여러 가지 변형된 추가단계를 실시한 뒤 수집된 정보들을 통해서 인지, 정서, 성격 같은 피검자의 심리적 특성들을 분석한다.

　　㉢ 장점

　　　　ⓐ 대표적인 투사 검사로 행동상의 미성숙을 검사하는 방법 중에서 가장 신뢰할 수 있는 검사이다. 로르샤흐(Rorschach)검사나 주제통각검사(TAT)와는 달리 비언어적인 검사로서 문화적인 영향을 적게 받기 때문에 비교적 피검사자의 나이나 문화와는 무관하게 실시, 해석될 수 있다.

　　　　ⓑ 검사 실시, 채점, 해석이 다른 투사적 검사보다 쉽고 간편하면서도 투사적 기본이론에 일치하고 신뢰도 및 타당도가 충분하기 때문에 교육과 임상에서도 활발히 사용되고 있다.

　　　　ⓒ 심리검사의 통합적인 면을 갖고 있어 시각 - 운동기능 성숙도, 지능, 성격구조, 정서문제, 학습장애, 학업성취도 등의 진단과 예언에 유용하게 적용될 수 있다.

9. 사례연구(case study)

(1) 특징

① 개인의 생활사, 가정환경 등을 종합적이고 체계적으로 연구하는 방법이다.
② 문제행동의 진단이나 치료방법을 모색하기 위한 자료 수집 방법으로 사용한다.
③ 개인을 포괄적, 총체적으로 파악함으로써 상담이나 연구의 기초를 제공한다.
④ 특정 대상을 여러 측면에서 종합적으로 연구함으로써 문제해결을 위한 보다 의미 있는 자료를 얻을 수 있다.

(2) 특징

① 연구 대상에 대한 심층조사이다.
② 연구 대상의 규모는 작지만 많은 변인들을 포함한다.
③ 자료 수집은 양적·질적 방법 모두 활용된다.
④ 기초연구로 이루어지지만 그 결과는 일반화를 지향하는 연구로 활용될 수도 있다.

사례연구

홀랜드(Holland)는 각 개인이 가진 독특성 또는 개인차를 이해하기 위한 방법으로 사례연구가 가장 적합하다고 보았다.

총합성	사례의 어떤 측면만 연구하는 것이 아니라 그 사례의 신체적, 심리적, 환경적인 모든 요인을 조사하고 그 사례가 당면한 문제를 포괄적으로 고찰한다.
다각성	어떤 방법이건 문제해결에 도움을 준다고 생각되는 것이면 모두 이용한다.
개별성	사례연구의 대상은 개개의 사례이며 한 개인이 당면한 문제이므로 특수성, 개별성을 띤다(개체에 관심을 둠)
치료성	개인이 당면한 곤란이나 부적응을 교육적으로 혹은 심리적으로 치료받는 것을 목적으로 한다.

⊙ 사례연구의 특징

(3) 문제점

① 타당도보다 신뢰도가 문제가 된다.

② 연구자의 주관에 의존하기 때문에 윤리성이 문제가 된다.

10. 내용 분석법(content analysis)

(1) 개념

질문지나 검사 혹은 관찰과 같은 방법을 통해서 필요한 정보를 얻기 어려운 상황, 즉 역사적 고찰이나, 사망했거나 접근하기 힘든 인물연구 등에 사용된다(질적 연구).

(2) 특징

① 연구방법은 역사적 기록, 전기, 연설문, 편지, 문학작품, 교과서, 신문 사설 등 다양한 자료들의 내용을 분석한다.

② 관찰법이 인간의 행동을 직접 관찰하는 반면, 내용 분석법은 인간이 이미 만들어 놓거나 남겨놓은 자료를 관찰한다는 점이 차이가 있다.

③ 인간의 의사소통의 원인이나 효과에 대한 추론을 이끌어내는 방법으로 교육연구에서는 교과서 분석에 주로 사용되고 있다.

④ 비구조적 질문지에 대한 반응을 어떤 기준에 따라서 분석하는 것, 대화 내용의 녹음이나 자연스런 장면에서 나타내 보이는 행동을 비디오로 촬영하여 그 내용을 분석하는 것, 플랜더스(Flanders)의 수업에서의 언어적 상호작용 분석법 등이 내용 분석법에 해당한다.

11. 의미 분석법(의미 변별법, sementic differential method)

(1) 특징

① 어떤 사상(事象)에 관한 개념의 심리적 의미를 분석하여 의미 공간상의 위치로 표현하는 방법으로 인간 심리적 특성을 염두에 두고 개발된 방법이다.

② 1957년 오스굿(Osgood)이 창안한 방법이다.

(2) 방법 및 적용

① 인간의 정의적 특성, 특히 태도나 감정 상태 혹은 느낌이나 어떤 대상에 대한 상(像)을 측정하기 위한 방법으로 여러 가지 대상, 사물, 사건, 인간 등에 대한 개념의 의미를 의미 공간(semantic space)속에서 측정하려는 것이다. 의미 공간이란 어떤 대상에 대한 의미나 상(지각한 상태)을 평가요인, 능력요인, 활동요인의 3차원 공간에 표시하기 위한 가상적 공간 혹은 모형을 말한다.

② **실시방법**: 분석하고자 하는 개념을 척도 위에 제시하고 피험자로 하여금 7단계 혹은 5단계 척도에 표시하도록 하고 그 결과를 3차원으로 된(평가 E, 능력 P, 활동 A) 의미공간에 표시한다. 의미 분석은 척도(scales), 개념(concepts), 의미 공간(semantic space)의 3요소에 의해 분석된다.

③ 각 개념(예 교사, 학생, 아버지, 중국, 한강 등)의 의미를 양극적인(예 깨끗한 - 더러운) 뜻을 갖는 대비되는 다양한 형용사군에 의해 측정하고, 그 결과를 방향과 거리, 혹은 질이나 강도를 나타내는 의미 공간에 위치시킬 수 있다고 가정한다.

④ 수업에서 교사와 학생의 자아상 분석에 활용함으로써 수업의 효과, 수업의 영향, 수업 만족도 등을 파악할 수 있다.

의미공간	평가차원	능력차원	활동차원
형용사군	좋은 - 나쁜 깨끗한 - 더러운 밝은 - 어두운 귀한 - 천한 중요한 - 하찮은 진실된 - 거짓된 친절한 - 불친절한 새로운 - 낡은 유쾌한 - 불쾌한	큰 - 작은 강인한 - 허약한 높은 - 낮은 유능한 - 무능한 무거운 - 가벼운 깊은 - 얕은 굵은 - 가는 똑똑한 - 어리석은	빠른 - 느린 능동적 - 수동적 적극적 - 소극적 예민한 - 둔감한 뜨거운 - 차가운 복잡한 - 단순한 진취적 - 보수적

⬆ 의미 분석에 사용되는 형용사군의 예

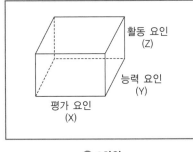

⬆ 3차원

⬆ 2차원

12. Q 기법(Q technique)

(1) 개념

① 스티븐슨(Stephenson)이 고안한 인성측정 방법으로·여러 가지 다원적 판단, 기호, 인상 등을 측정하고 기록하는 심리측정 및 통계적 절차를 통틀어 지칭하는 말이다.

② 전통적인 개념인 변인 간 상관 혹은 검사 간의 상관(예 지능과 학업 성적 등) 대신에 사람 간의 상관 혹은 사람 간의 요인을 밝혀 봄으로써 사람 간의 유형이나 유사성을 기초로 현상을 탐구하는 방법이다.

③ Q 분류의 조직적인 단계를 거쳐 인간의 주관적인 특성을 연구하는 기법으로 질적인 준거에 의한 결과를 양적으로 처리하여 '모형화'하였기 때문에 양적·질적 방법이 통합된 연구방법이다.

(2) 방법

일종의 등위법의 변형이다.

> 예 서울에 거주하는 사람들에게 영남과 호남의 여러 지역을 열거하고 "가장 살기 좋은 곳이 어디인가?"라는 질문을 하고 살기 좋다고 생각하는 지역을 순위대로 매기게 한 후, 사람 간의 순위에 따른 상관 계수를 구하여 상관행렬을 검토하면 영남지향성을 지닌 사람군과 호남지향성을 지닌 사람군으로 분류할 수 있다.

13. 일화 기록법(anecdotal records)

(1) 개념

한 개인의 행동을 타인이 제3자의 입장에서 관찰하고 기록하는 방법으로 일화 기록법은 질적(質的)인 방법이다.

(2) 특징

① 지적 특성을 연구하거나 평가할 때도 사용되지만, 주로 정의적 학습이나 사회적 행동을 연구하거나 평가할 때 활용된다.

> 예 예를 들어 국가관, 애향심, 효도 등과 같은 연구 내용들에 대하여 학생 행동의 변화를 수량화할 수 없을 때 활용할 수 있다.

② 문제 학생의 행동을 종단적으로 연구하는 데 유용하다.

(3) 방법

① 문제 학생의 행동이 있을 때마다 상세하게 기록한다.

② 행동이 일어나는 시간과 장소 또는 조건의 사실적 기록이 되어야 하며, 해석과 처리 방안은 사실과 구별되게 제시되어야 하며, 하나 하나의 일화(逸話)는 각각 독립된 사건이 되도록 기록하는 것이 중요하다.

③ 기록된 사건은 그 학생의 발달과 성장을 이해하는 데 의미가 있어야 한다.

(4) 한계

① 일반적으로 다른 관찰법보다 비공식적이고 체계성이 적다.

② 시기에 따른 체계적인 시간표집이 되는 것이 아니라 그때 그때 사건이 생길 때마다 기록되므로 관찰법보다 신뢰성이 낮을 수 있다.

14. 메타 분석(Meta-Analysis)

(1) 개념

① 동일한 연구 문제에 대한 누적된 연구결과들을 종합적으로 검토하는 계량적 연구방법이다[글래스(Glass)가 처음 사용].

② 기존의 문헌연구에서 연구자의 주관적 견해에 따른 연구의 편파성을 극복하고 선행연구들의 결과를 객관적으로 요약하기 위한 통계적 방법이다.

(2) 방법

① 분석의 대상은 선행의 개별 연구들이며, 각 연구에서 연구변수들의 효과크기를 산출하여 효과 규모가 연구들 사이에 통계적으로 유의미한 분산이 있는가를 검토한다.

② 분석결과 유의미한 분산이 발견되는 경우에는 효과 크기에 영향을 미치는 연구설계 요인을 통계적 검정절차를 거쳐서 밝히는 분석을 시행한다.

(3) 특징

① 계량적이며, 일반적인 결론을 찾으려고 한다.

② 연구의 질에 의해서 연구결과를 미리 판단하지 않는다.

(4) 활용

① 단일 주제에 관해 두 개의 상반된 결론이나 논쟁이 야기되었을 때 이를 해결하기 위해 보다 신뢰적이고 타당한 대결론(big decision)을 내려야 할 필요가 있을 때 활용한다.

② 현장으로부터 원 자료를 수집할 만한 시간적 여유가 없거나, 경비와 노동력의 절약이 요구되는 상황에서 2차 자료를 이용한 문제해결이 필요할 때 활용한다.

③ 각종 학술정보의 범람 속에서 체계적으로 압축된 지식 또는 정보들이 필요할 때 활용한다.

15. 문화 기술법(ethnography)

(1) 개념

① 문화 인류학에서 널리 사용되는 방법으로 특정 집단의 구성원들의 생활양식과 문화에 대한 폭넓은 자료를 찾아내기 위하여 연구자가 현지에서 장기간 머물면서 참여자의 관점에서 상황을 파악하는 방법이다.

② 구성주의 혹은 해석학적 인식론에 기초를 둔 질적(質的)연구이다.

(2) 특징

① 연구자가 특정 집단의 일상 세계에 장기간 참여하여 그들의 삶과 문화를 관찰, 기록, 해석하는 참여 관찰을 시도한다.

② 최근 문화 기술적 연구는 대규모 문화체제의 일부 하위 문화에 초점을 둔 연구가 증가하고 있는 추세이다.

③ 문화 기술적 연구에서 사용하는 면담은 질문의 내용과 방식을 사전에 한정하지 않음으로써 면담자와 피면담자의 재량권을 극대화하는 비구조적 면담, 심층 면담법 등을 사용한다.

④ 최근에는 소집단 상호작용의 미시적 분석, 심층 면담을 통한 경험의 이차적 해석에 치중하는 경향을 보이고 있다.

⑤ 문화 기술적 면담에서 연구자의 의문들을 풀어주고 그 문화를 보다 잘 이해할 수 있도록 정보를 제공해주는 사람을 '제보자(informant)'라고 한다.

(3) 타당성과 신뢰성

① **타당성**: '연구를 하는 상황이 얼마나 자연적인 상황인가?'와 관련된다. 인위적으로 조작되거나 연구자나 제3자에 의하여 상황이 변화되었을 경우는 연구의 타당성이 상실된다. 또한 문화 기술적 연구의 타당성은 연구결과를 얼마나 일반화할 수 있는가와 관련된다(이 경우는 크게 고려되지 않음).

② **신뢰도**: 연구자가 동일한 상황에서 연구를 실시하였을 때 동일한 연구결과를 얻을 수 있는가와 관련된다. 문화 기술적 연구에서 신뢰도를 높이기 위해서는 2인 이상의 연구자가 참여하는 것이 좋다. 2인 이상의 연구자가 자료를 수집하고 해석하는 과정에서 의견이 다를 경우는 상호 의견 교환이나 워크샵 등을 통해

서로 자료수집, 해석, 결과 유도 등에 대해 의견을 교환함으로써 신뢰 있는 연구결과를 얻을 수 있다.

> **秀 POINT 정의적 행동 특성의 측정방법**
>
> 일반적으로 질문지법, 평정법, 관찰법, 체크리스트, 의미 분석법, 투사적 방법 등이 주로 사용된다.

16. 실험적 연구

(1) 특징
① 어떤 변인을 조작하여 이를 적용함으로써 나타나는 변화를 관찰하는 연구방법이다.
② 기술적(記述的) 연구가 '있는 그대로'의 모습을 찾아내고 기술하는 데 비해, 실험적 연구는 인위적으로 조작을 통하여 나타나는 변화를 관찰, 기술하는 연구이다.
③ 반복성, 인위적 행동의 통제, 변인 등을 특징으로 한다.

(2) 실험연구의 변인
① **독립변인(처치변인):** 연구자가 임의로 조작하는 변인(처치변인)으로 실험결과에 영향을 주는 변인이다.
② **종속변인:** 독립변인에 의해 좌우되며 연구자가 관심을 가진 변인으로 실험연구에서 처치에 따라 변화가 일어났는지를 규명하는 변인이다.
　예 새로운 학습방법(독립변인)이 학업성적에 미치는 영향(종속변인)
③ **매개변인**
　㉠ 처치변인 이외에 종속변인에 영향을 주는 변인으로, 종속변인에 영향을 주는 독립변인 이외의 변인을 말한다. 통계적으로는 공변인이라고 하며, 혼재변인(가외변인)이라고도 한다. 매개변인의 영향을 통계적으로 제거하는 방법이 공분산분석(ANCOVA)이다.
　㉡ 통제방법
　　ⓐ 피험자들을 각 실험집단에 무선적으로 배치한다.
　　ⓑ 매개변인을 독립변인으로 실험설계에 포함시킨다.
　　ⓒ 매개변인을 각 실험집단에 동일 수준이 되게 한다.

(3) 실험군과 통제군
① **실험군:** 독립변인을 작용시키는 집단이다.
② **통제군:** 조건을 가하지 않고 실험군과 비교하는 집단이다.

예	실험군	새로운 학습방법을 사용하는 집단
	통제군	기존의 학습방법을 사용하는 집단

(4) 통제(control)
처치변인을 조절한다는 것과 매개변인을 규제 혹은 고정시킨다는 두 가지 의미이다. 실험연구는 실험상황을 통제하는 연구이다.

(5) 가설(Hypothesis)

독립변인과 종속변인의 관계를 문장화시킨 것을 말한다.

예 새로운 학습방법은 학업성적을 향상시킬 것이다.

영가설과 유의도

1. **영가설(null hypothesis)**

   두 집단 간에 차이가 없다는 가설이다. 영가설은 기각(reject) 되는 것을 목적으로 연구자의 마음 속에 설정되는 가설이며 귀무가설이라고도 한다. 영가설의 반대는 대립가설(alternative hypothesis 혹은 연구가설)이다.

2. **유의도(P)**

   가설검증에서 통계적으로 의의 있다고 판단할 확률을 말한다. 이는 연구자가 내린 판단이 오판일 확률이다. 즉 영가설이 진리일 때 영가설을 기각하는 제1종 오류를 말한다.

(6) 실험의 타당성에 영향을 주는 조건

① **내적 타당성[캠벨(Campbell), 스탠리(Stanley)]**: 연구의 진행과정이 얼마나 타당하게 이루어졌느냐 하는 것으로, 곧 매개변수가 제대로 통제되었느냐의 문제이다.

    ㉠ **역사**: 최초의 측정과 두 번째 측정 간에 나타나는 실험변인 이외의 사건을 말한다.

        예 어떤 학교에서 작문력 향상을 위한 실험연구를 하고 있는데, 실험기간 중에 그 학교 졸업생으로 유명한 소설가가 우연히 학교에 들러 실험집단 학생들에게 강한 자극을 준 경우가 해당한다.

    ㉡ **성숙**: 사건과 관계없이 시간의 경과 그 자체로 인하여 나타나거나 작용하는 피험자 내부의 변화를 말한다.

        예 나이를 더 먹는다든지, 피로하여진다든지, 배고파진다든지 하는 경우이다.

    ㉢ **검사**: 처음에 검사 받은 흔적이 두 번째 검사에 미치는 영향을 말한다. 피험자들이 처음에 검사를 받을 때 다음 검사를 예상하는 경우 또는 검사 자체가 독특한 것이어서 처음의 검사에 대한 경험이 이후의 검사에 어떤 영향을 미치는 경우이다.

    ㉣ **도구사용**: 처음에 사용하는 검사도구와 다음에 사용하는 측정도구가 다른 경우 또는 처음과 나중의 관찰자나 채점자가 서로 다른 경우에 문제되는 경우이다.

    ㉤ **통계적 회귀**: 집단 선정에 있어서 극단적인 점수를 기초로 하여 선정할 때 나타나는 통계적인 현상을 말한다. 통계적인 극단적 수치는 회귀선에 영향을 미친다.

    ㉥ **선정**: 통제집단 또는 실험집단의 피험자가 어떤 사정에 의하여 탈락하는 현상을 말한다. 처음에는 양 집단을 질적으로 동일하게 하였으나 실험기간 중에 피험자가 탈락하게 됨으로써 실험에 영향을 미치게 되는 경우이다.

    ㉦ **선정 - 성숙 상호작용**: 양 집단이 서로 다른 경우 종속변인의 차는 양 집단이 처음에 지녔던 차와 양 집단의 성숙도의 상호작용에 영향을 받을 수가 있다. 처음에는 양 집단이 동질이라 하여도 그 선정이 잘못되어 성숙의 차가 종속변인에 영향을 주는 경우가 있다.

예 실험집단은 남학생을, 통제집단은 여학생을 선정하는 경우 사전검사의 측정치는 같아도 사후검사는 성숙의 영향을 받을 수 있다.

② 외적 타당성

㉠ 일반화 가능성을 문제 삼는다. 즉 이 실험효과는 어떤 모집단에, 어떤 사태에, 어떤 처치변인에, 어떤 측정변인에 일반화할 수 있느냐 하는 문제와 관련된다.

㉡ 외적 타당도의 종류

ⓐ 전집 타당도: 실험 대상보다 큰 집단으로 실험 효과가 일반화될 수 있는 정도이다.

ⓑ 생태학적 타당도: 실험 결과가 다른 환경 조건에서 어느 정도 일반화될 수 있는가의 정도이다.

㉢ 표집과의 관련성이 높음

ⓐ 검사의 반발적 영향 혹은 상호작용: 사전검사가 피험자의 감수성이나 책임감에 영향을 주어 '있는 그대로'의 검사치보다 많거나 적을 수가 있다.

ⓑ 잘못된 선정과 실험변인의 상호작용 효과: 지역사회 환경, 학교의 입지조건, 교풍, 학교의 행정 및 조직 등의 실험여건을 고려하지 않고 실험집단을 선정하였을 때 나타나는 실험집단과 실험변인의 상호작용을 말한다.

ⓒ 실험배치의 반발적 효과: 피험자를 비실험적인 사태에 노출시켰을 때 실험변인이 과연 어떤 효과를 나타낼 것인지를 문제 삼는다.

ⓓ 중다(重多) 처치간섭: 같은 피험자에게 여러 실험변인을 작용시켰을 때 나타나는 요인이다.

기출문제

실험연구의 내적타당도 저해요인에 대한 설명으로 옳지 않은 것은? 2022년 국가직 7급

① 성숙 - 시간 흐름에 따른 피험자의 내적 변화가 종속변수에 영향을 미치게 된다.

② 통계적 회귀 - 극단적인 측정값을 보인 사례를 다시 측정하면 실험처치와 무관하게 덜 극단적인 측정값으로 회귀하는 경향이 있다.

③ 반복검사 - 사전검사와 사후검사가 동일한 경우 사전검사가 사후검사에 영향을 미치게 된다.

④ 피험자 탈락 - 실험집단과 통제집단을 구성할 때 무작위배치를 하지 않음으로써 두 집단 간의 동질성이 결여된다.

해설

실험연구의 타당성에 영향을 주는 조건 가운데 내적 타당도란 연구의 진행과정이 얼마나 타당하게 이루어졌느냐 하는 것으로 매개변수가 제대로 통제되었느냐의 문제를 말한다. 내적 타당도에 영향을 주는 조건으로는 역사, 성숙, 검사, 도구 사용, 통계적 회귀, 선정, 선정 - 성숙 상호작용 등이다.

답 ④

참고

실험 오차와 판단의 오류

1. 실험오차

① S형 오차

　⊙ 실험대상을 잘못 선정해서 발생하는 오차이다.

　ⓒ 만일 실험군과 통제군에 차이가 있다면 실험결과로 나타나는 효과의 차는 실험 자체에 의한 차도 있지만 집단의 차로 인하여 나타날 수도 있다. 따라서 실험에 임할 때는 대상선정 방법에 유의해야 한다.

　ⓒ 실험군과 통제군을 선정할 때 두 집단 학생들의 수준은 같아야 한다.

② G형 오차

　실험에 관련된 집단의 통제가 엄격히 이루어지지 못했거나 통제할 수 없는 요인의 개입으로 나타나는 오차이다.

　例 집단 A에는 우수한 교사를 배치하고, 집단 B에는 열등한 교사를 배치한다든가, 실험집단은 열심히 가르치고 통제집단의 열성도는 덜하든지, 양 집단 간의 교실의 위치가 달라서 소음의 영향이 다른 경우 등이 있다.

③ R형 오차

　⊙ 같은 실험 내용을 다른 집단에게 반복할 때 나타나는 오차이다.

　ⓒ R형 오차를 줄이기 위해서는 하위 모집단에 실험을 여러 번 실시해야 한다.

　例 A 방법이 B 방법보다 '갑'이라는 학교에서는 훨씬 좋으나 '을'이라는 학교에서는 효과가 없거나 도리어 B 방법이 우수할 수도 있다. 이것은 학교의 전통, 분위기, 지역사회의 여건, 학부모의 교육에 대한 관심의 방향, 학교의 시설 조건 등 여러 요인에 기인할 수 있다.

2. 1종 오류와 2종 오류(판단의 오류)

① 1종 오류(type I error, α오류)

　⊙ 통계적 가설검정 시 발생할 수 있는 오류의 하나로 연구자가 상정한 영가설(H_0)이 실제로 진(眞)임에도 불구하고 이를 위(僞)로 간주할 확률(P)을 말한다.

　例 모집단에서 집단 간의 평균을 비교하는 경우에 모집단 평균에는 실제로 차이가 없음에도 표본자료의 분석결과 모집단 간 차이가 있다고 판단하는 것을 말한다.

　ⓒ 1종 오류를 범할 확률을 유의수준이라고 한다.

② 2종 오류(type II error, β오류)

　연구자가 상정한 영가설이 실제로는 진이 아님에도 이를 진으로 수용할 확률을 말한다. H_1이 진인데도 H_1을 기각하고 H_0를 수용하는 오류를 범할 확률을 말한다.

통계적 의사결정		H_0가 진(眞)	H_1이 진(眞)
	H_0 기각 (H_1 수용)	I 종 오류 ($P = α$)	정확한 결정 ($P = 1 - β$)
	H_1 기각 (H_0 수용)	정확한 결정 ($P = 1 - α$)	II 종 오류 ($P = β$)

⊕ 판단의 오류

③ 1종 오류와 2종 오류의 예

가설	• 영가설(H_0): 두 교수법에 의한 학업성취도에 차이가 없다. • 대립가설(H_1): 두 교수법에 의한 학업성취도의 차이가 있다.
1종 오류	두 교수법에 의한 학업성취도의 차이가 없는데 차이가 있다.
2종 오류	두 교수법에 의한 학업성취도에 차이가 있는데 없다.

　⊙ 유의도 수준: 1종 오류를 허용하는 수준을 유의도 수준이라 한다. 오류 중에서 1종 오류가 더 심각한 오판이므로 연구에서는 이를 줄여야 한다.

　ⓒ 검정력: '두 교수법에 의한 학업성취도의 차이가 있을 때 차이가 있다.'고 판단하는 정확한 판단이다. $1 - β$로 표기하며 높을수록 좋다.

핵심체크 POINT

1. 현장연구의 의미
현장의 교사들이 현장의 교육문제를 연구하는 방법

2. 현장연구의 연구방법
질적 방법을 적용

3. 연구문헌 작성 방법
연구주제, 가설 진술, 연구논문의 글쓰기, 인용과 참고문헌 작성요령 등

1 현장연구(실행연구)

1. 개념

교육현장의 개선을 위해 교육실천가들이 수행하는 연구로, 최근에는 실행연구라고도 한다.

2. 특징

(1) 교육이론과 실천 간의 차이를 감소시키기 위해 등장하였다.

(2) 연구문제를 교육현장에서 찾는다.

(3) 현장 교사가 반드시 참여한다.

(4) 교육실천의 개선에 초점을 둔다.

(5) 연구결과의 일반화는 비슷한 학교 간에만 가능하다.

(6) 현직 교사들에게 교육적 가치를 지녀야 한다.

(7) 1회적으로 끝나기보다 반복 순환되는 과정이다.

3. 기본전제

(1) 연구의 윤리성이 보장되어야 한다.

(2) 장기간에 걸친 실천이 전제되어야 한다.

(3) 연구결과에 대한 일반화는 고려되지 않는다.

(4) 현직교육의 개선의 효과가 보장되어야 한다.

4. 방법

현장기록, 참여 관찰, 면담, 문답, 녹음, 문서자료, 학생활동의 수집과 분석 등 민속학적 혹은 현상학적 연구법이 적합하다(질적 연구).

2 연구 계획서 및 현장 연구논문 작성요령

1. 연구 계획서 작성의 필요성

(1) 연구에 대한 조직적·체계적 사고가 가능하다.

(2) 필요한 자료, 문헌 수집과 진행절차를 명백하게 해준다.

(3) 다른 사람의 비평과 조언을 받을 기회를 제공받는다.

(4) 생산적이고 경제적인 연구를 수행할 수 있다.

(5) 연구에 대한 사전 승인을 얻는 서류가 된다.

(6) 연구 활동 전반에 대한 조망 능력을 기르며, 연구 수행에 필요한 조언과 지원 방법을 익힐 수 있다.

2. 연구 주제의 진술 방법

(1) 간단명료하게 진술한다.

(2) 필요하면 부제(副題)를 붙인다.

(3) 독립변인과 종속변인의 관계가 있는 주제는 독립변인을 먼저 진술하고 종속변인을 뒤에 진술한다.

> 예 '학업성취(종속변인)를 향상시키기 위한 협동학습(독립변인)에 관한 연구'가 아니라, '협동학습(독립변인)이 학업성취(종속변인)에 미치는 영향에 관한 연구'로 진술한다.

(4) 실험연구와 현장연구에서는 가능하면 독립변인과 종속변인을 함께 진술하는 것이 좋다.

> 예 • 독립변인만 진술된 경우: "학습평가 결과 처리의 효율적 방안"
> • 종속변인만 진술된 경우: "무늬 꾸미기의 표현능력 신장에 관한 연구"

(5) 가치 중립적인 진술을 하는 것이 바람직함하다. 연구는 객관성을 요구하는 것이므로 '효율적', '증진', '향상' 등과 같은 표현은 부득이한 경우를 제외하고 사용하지 않는 것이 좋다.

3. 가설 진술상의 유의점

(1) 기술적 가설과 관계적 가설

① 기술적 가설(descriptive hypothesis): 사실 자체의 존재 여부를 확인하기 위한 가설로, 문장화하지 않는다.

> 예 컴맹률의 비율은 80% 이상 될 것이다.

② 관계적 가설(relational hypothesis): 변인 간의 관계에 대한 분석을 말하며, 문장화한다.

(2) 선행연구의 분석, 경험의 분석, 직관의 경우 등 가설 설정의 근거를 명시한다.

(3) 가설은 선언적 문장형태와 가정법적 문장형태 가운데 어느 것을 사용해도 무방하다.

(4) 가설은 검증이 가능하도록 명백한 용어로 진술되어야 한다.

(5) 하나의 연구에 하나의 가설 또는 둘 이상의 가설이 있을 수 있다.

4. 연구 논문의 글쓰기 방법

(1) 쉬운 용어와 문장을 사용한다.

(2) 전달하고자 하는 바를 손상시키지 않는 범위 내에서 간결하고 효과적인 문장을 활용한다.

(3) 문단을 적절하게 끊어서 표현하려고 하는 바를 정확히 하고, 내용의 전·후관계를 따져서 문단을 구성함으로써 글의 흐름이 자연스럽게 되도록 한다.

(4) 주어와 동사, 맞춤법과 띄어쓰기, 구두점, 인칭, 직위의 사용 등 문법에 맞는 글을 쓴다. 연구논문의 경우는 존칭어를 쓰지 않는다.

(5) 문체는 구어체보다는 문어체를 사용한다.

(6) 문장의 시제

현재형으로 표현하는 경우	① 연구의 필요성, 목적 및 내용을 작성할 때 ② 어떤 이론의 일반적 진술을 인용할 때 ③ 연구결과를 바탕으로 해서 논의를 전개할 때 ④ 결론을 작성할 때
과거형으로 표현하는 경우	① 선행연구 결과를 개괄하거나 인용할 때 ② 연구의 방법을 작성할 때 ③ 연구결과의 해석을 작성할 때 ④ 요약할 때
미래형으로 표현하는 경우	가설(현재형으로 진술하기도 함)을 작성할 때

5. 인용(quotation)과 참고문헌 작성요령

(1) 인용

① 글의 출처를 논문이 요구하는 형식에 적합하도록 명확하게 밝히는 것으로 연구자의 연구윤리를 실천하고 원문 생산자에 대한 예의이며 논문 독자들에 대한 연구자의 서비스 정신이기도 하다.

② 교육학 분야에서는 튜레비언식(turabian type; 인용, 각주, 참고문헌 및 표와 그림을 나타내는 형식)과 미국 심리학회식(APA type)을 사용한다.

> 참고 APA식은 각주를 사용하지 않고 본문의 ( ) 속에 저자, 연구자 명, 출판연도, 페이지 등을 밝힌다.

(2) 참고문헌

① 연구 논문 작성과정에서 직접 참고한 문헌(Reference)과 직·간접 참고문헌(Bibliography)으로 구분한다.

② Reference는 논문 작성과정에서 직접 혹은 간접 인용한 문헌이고, Bibliography는 인용한 자료는 물론이고 인용하지는 않았으나 논문 작성과정에서 보충적인 자료로 참고했거나 독자들에게 해당 저서 혹은 연구물을 안내함으로써 보다 깊이 있는 연구를 위해 참고가 될 것으로 판단되는 자료들의 목록이다. APA식에서는 주로 Reference를 사용한다.

참고문헌 표기의 예

1. 김신일(2000). 교육사회학. 서울: 교육과학사.
2. 홍은숙(1999). 전인교육을 위한 교과교육의 모형 연구. 한국교육학회. 교육학연구, 37,3. 221-245.
3. John Dewey(1916). Democracy and Education: An Introduction to the Philosophy of Education. New York: MaCmillian

04 | 교육통계

핵심체크 POINT

측정 단위	① 명명척도: 이름 대신 숫자를 부여 ② 서열척도: 대상의 크기를 서열로 수치화(동간성이 없음) ③ 동간척도: 동간성 보장(가감만 가능, 가상적 영점 가정) ④ 비율척도: 절대영점을 갖춘 이상적 척도(가감승제 가능)
점수비교를 위한 통계적 방법	① 원점수: 측정되어 나온 점수, 비교기준이 없기 때문에 큰 의미를 가지지 못함 ② 등위점수: 원점수를 점수 순서대로 배열, 동간성이 없음 ③ 백분위: 집단의 인원 수를 100으로 잡아 등위 계산(백분위 점수), 집단의 크기나 성질에 관계없이 비교 가능 ④ 표준점수: Z점수, T점수, 스테나인 점수 등
집중경향치	① 중앙치: 전체 사례 수를 2등분하는 척도상의 점수 ② 최빈치: 한 분포상에서 가장 많이 나타나는 점수 ③ 평균치: 한 분포의 모든 점수의 합을 사례 수로 나눈 점수로 가장 신뢰적 인 값
변산도	① 범위 ② 사분편차: 어떤 일정한 위치에 있는 점수 간의 거리 비교, 양 극단의 점 수가 있는 경우 효과적 ③ 평균편차: 한 집단의 산술평균으로부터 각 점수까지의 거리의 평균 ④ 표준편차: 편차를 자승하여 사례 수로 나누어 제곱근을 얻은 수, 개인차 정도 표시
상관도	상관도의 의미, 상관계수(단순상관은 r로 표시)
변량분석 (분산분석)	2집단 이상의 평균의 차를 검증(종속변인이 양적 변인인 경우)
카이자승법 (x^2)	2집단 이상의 사례 수나 백분율의 차를 검증(종속변인이 질적 혹은 범주 변 인인 경우)
공분산분석	매개변수를 통계적으로 통제하기 위한 검증방법
요인분석	인간의 심리적 특성을 규명하기 위해 개발된 통계방법

1 통계적 개념과 원리

1. 인간행동 연구에서 통계적 방법의 의의

(1) 개인 혹은 집단의 어떤 특성을 기술, 설명, 예언, 통제하기 위한 구체적이고 객관
적인 자료 근거를 필요로 할 때 이 필요를 충족시킬 수 있다.

(2) 집단의 비교와 차이, 관계성 등을 합리적으로 규명할 수 있다.

(3) 평가에서 자료의 다양한 분석의 필요를 충족시킬 수 있다.

(4) 측정 도구의 양호도를 검증할 수 있다.

2. 통계학의 유형

(1) 기술 통계학(Descriptive Statistics)

① 하나의 집단, 하나의 자료 묶음에 관한 통계학으로 관찰 대상의 양적 자료를 수집, 분석, 정리 및 해석하는 통제적 방법이다.

② 빈도분포, 도표방법, 백분위와 표준점수와 같은 점수의 표시 방법, 정규분포곡선, 집중 경향치, 변산도치, 상관계수, 예측을 위한 일원회귀분석 등이 해당된다.

(2) 확률 통계학(Probability Statistics)

일어날 사상의 확률을 계산하고, 이에 바탕을 둔 의사결정을 위한 통계학이다.

(3) 추리 통계학(Inferential Statistics)

① 표본(sample)을 이용한 통계학이다.

② 전집을 직접 측정하여 전집 측정치를 분석 대상으로 삼을 때는 통계치가 곧 전집치가 되므로 통계치 자체의 신뢰성을 의심할 필요가 없다. 그러나 전집을 추출한 표본을 연구 대상 혹은 측정 대상으로 하여 표본의 통계치를 구한 경우에는 그 통계치로 전집치를 구하는 것이 불가피하며 이러한 추리의 절차를 거치는 통계학을 추리 통계학이라고 한다.

③ 표본분포, 표준오차, 통계치의 신뢰도 혹은 유의 수준, 통계치가 계산된 전집에 대한 기본적인 가정의 충족 등이 중요한 주제가 된다.

2 측정 및 측정 단위

1. 측정의 개념

인간이나 사물의 특성을 구체화하기 위해 수(數)를 부여하는 절차를 말한다.

2. 측정 절차

(1) 무엇을 측정할 것인지를 결정한다.

(2) 어떤 방법으로 측정할 것인지를 결정한다.

(3) 어떻게 수를 부여할 것인지를 결정한다.

3. 측정 단위의 종류

(1) 명명척도(nominal scale)

① 어떤 대상을 이름 대신에 일정한 숫자를 붙이는 것을 말한다.

② 특징

　㉠ 조사연구를 위해 연구 대상의 개인정보를 측정할 때 주로 사용된다.

　㉡ 연구에서는 일반적으로 독립변수를 측정하기 위해 사용한다(교수법 등).

　㉢ 질적 변수에 속하여, 가감승제의 조작이 불가능하다.

　예 자동차 번호, 선수의 등 번호, 좌석 번호, 성별, 직업, 거주 지역, 교수법, 최빈치 등

(2) 서열척도(ordinal scale)

① 어떤 대상들의 크기를 서열로 나타내는 수치를 말한다.

> 예 • 수학시험 성적(원점수)을 성적 순서로 배열하는 것
> • 키를 재서 1, 2, 3 … 등으로 배열하는 것 등

② 특징

 ㉠ 연구에서 연구자가 원자료를 서열척도로 치환하여 자료를 분석하면 원 자료가 지니고 있는 정보를 상실할 가능성이 크기 때문에 원 자료를 사용하여 자료를 분석하는 경우는 극히 드물다.

 ㉡ 리커트(Likert) 척도(3단계, 5단계 혹은 7단계 사용)가 해당한다.

 ㉢ 동간성(equi-distance)이 없고, 가감승제가 불가능하다.

> 예 중앙치, 사분편차, 백분위 점수 등

(3) 동간척도(interval scale)

① 동간성이 보장된 척도로 가감(加減)의 연산이 가능하다(승제는 안됨). 연구에서 자주 사용되는 척도이다.

② 특징

 ㉠ 절대영점(absolute zero)이 아닌 가상적 영점과 가상적 측정 단위를 가지며 측정 단위 간에 동간성이 유지된다.

 ㉡ 교육연구에서는 동간척도인 점수가 종속변수로 자주 사용된다.

 ㉢ 수치 사이에서 배수관계가 성립하지 않는다. 온도계의 10℃와 15℃의 차이는 20℃와 25℃ 사이의 차와 같지만 20℃는 10℃의 2배라고 말할 수 없다. 즉 학업 성취도에서 40점과 80점의 차이는 능력의 2배라고 할 수 없다.

 ㉣ 자료가 갖고 있는 양의 간격까지도 잴 수 있으며, 간격을 재기 위해서는 측정단위가 표준화되어야 한다.

> 예 온도계의 눈금, 원점수, IQ점수, 평균, 표준편차 등

(4) 비율척도(ratio scale)

① 분류, 서열, 동간, 절대영점을 모두 갖춘 이상적인 척도로 절대영점을 갖는다.

② 측정단위가 가상적 단위이며 가감승제의 조작이 가능하다.

> 예 길이, 무게, 시간, 백분율, 표준점수 등

(5) 절대척도(absolute scale)

영점이 절대영점이며 측정단위도 절대단위이다.

> 예 사람 수, 자동차 수 등이 절대척도이다. 자동차 수를 말할 때 영(0)은 없음을 말하고 한 대, 두 대의 단위에 대하여 모든 사람이 협약을 할 필요가 없기 때문이다.

(6) 교육에서 활용되는 척도

척도 가운데 교육연구에서는 일반적으로 서열척도나 비율척도에 의해 측정된 변수들이 주로 사용된다. 연구에서는 종속변수가 어떤 척도로 측정하였느냐에 따라 자료 분석 방법이 달라진다.

구분	특징	예	주요 통계량	분석방법
명명척도	대상의 특성을 구분	성별, 거주지, 종교	빈도, 비율, 최빈값	x^2
서열척도	대상의 특성에 대한 상대적 위치를 판단	석차, 최종 학력	명명척도 통계량, 백분위, 중앙치	명명척도 분석 방법, 순위상관
동간척도	임의영점, 임의단위, 가감(加減)만 가능	온도, 지능점수	서열척도 통계량 평균, 표준편차	대부분의 방법 적용
비율척도	절대영점, 임의단위 가감승제 가능	체중, 신장	모든 통계량	모든 통계방법
절대척도	절대영점, 절대단위, 가감승제 가능	사람 수, 결석일 수	모든 통계량	모든 통계방법

⬆ 각 척도의 주요 특징

4. 척도의 일반적 성격

똑같은 변수라고 해도 연구의 목적에 따라 척도를 달리하여 사용할 수 있다.

예 학생들의 신체 발달에 관한 연구를 하기 위해 학생들의 체중을 재는 경우, 체중은 비율척도로서 80kg인 학생은 40kg의 학생보다 2배 무겁다고 할 수 있다. 그런데 체중의 분포를 알기 위해 표준점수 Z점수를 구하면 Z는 동간척도가 된다. 또 각 학생의 Z점수를 기초로 체중의 순서를 매긴다면 서열척도가 되며, 1등부터 10등까지는 키가 큰 집단, 11등부터 20등까지는 중간집단 등등으로 표시하면 명명척도가 된다. 즉 척도의 수준이 높은 것은 낮은 척도로 변환될 수 있으며 그 반대는 불가능하다.

📁 참고

척도별로 가능한 통계적 처리 방법

척도	통계적 응용	분류 기능	서열· 대소	가감	승제	관련대표치		
						M_o	M_{dn}	M
명명 척도	① 유목에 따른 사례수 또는 백분율의 계수 ② 최빈치 ③ 유관 상관계수(또는 4류 상관계수)	○	×	×	×	○	×	×
서열 척도	① 명명척도의 방법이 모두 적용 ② 최빈치, 중앙치 ③ 사분편차, 백분위 점수 ④ 등위 상관계수	○	○	×	×	○	○	×
동간 척도	① 서열척도의 방법이 모두 적용 ② 최빈치, 중앙치, 산술평균 ③ 표준편차 ④ 적률 상관계수	○	○	○	×	○	○	○
비율 척도	① 동간척도 방법이 모두 적용 ② 최빈치, 중앙치, 산술평균 ③ 표준점수(Z점수, T점수 등) ④ 여러 척도 가운데 가장 완전 ⑤ 모든 수학적 적용이 가능	○	○	○	○	○	○	○

3 점수의 비교를 위한 통계적 방법

1. 원점수(Raw Score)

(1) 개념

검사나 고사의 결과로 채점되어 나온 점수를 말한다.

(2) 원점수가 지닌 문제점

① 절대영점이 없어 점수 자체의 절대적인 의미가 없다.
② 측정단위의 비율관계가 성립하지 않는다.
  예 수학의 80점은 40점의 2배라고 할 수 없다.
③ 다른 점수 혹은 성적과 비교가 불가능하다.
  예 • 영어 80점과 국어 80점은 동일 수준인가?
    • 국어 90점과 수학 85점 가운데 어느 과목의 실력이 우수한가?

2. 등위(等位)점수

(1) 개념

원(原) 점수에 비추어 한 집단의 학생을 점수 순서대로 배열해놓은 점수이다. 즉 1, 2, 3, … 등으로 순위를 붙이는 방법이다.

(2) 특징

① 한 집단 내에서 학생들의 상대적 위치를 파악하는 데 도움을 준다.
② 집단의 크기(사례 수)가 다를 경우 비교가 불가능하다.
③ 학생의 능력 차에 대한 비교가 불가능하다.

3. 백분위(百分位 혹은 퍼센타일)

(1) 개념

집단의 인원수를 100으로 잡아 등위를 계산하는 방법이다. 백분위란 점수의 %(비율)를, 백분위 점수(percentile score)는 백분위에 해당하는 원점수를 말한다. 예를 들어 영어시험에서 70점의 백분위가 80인 경우, 백분위 점수는 70점이다.

(2) 특징

① 어떤 학생의 점수 아래에 전체 학생의 몇 %가, 또는 어떤 학생의 점수 위에 전체 학생의 몇 %가 있느냐를 지시해 준다.
② 집단의 크기나 집단의 성질이 달라도 학생들을 비교할 수 있다.
③ 백분위는 다른 시험점수와 비교할 수 있다.
④ 계산하기 편리하고 이해하기 쉽기 때문에 널리 활용된다. 그러나 백분위는 서열척도에 불과하여 동간성이 없다는 단점이 있다.

(3) 산출 과정

① 원점수(X)를 최고점에서 최하점까지, 순서대로 기입한다.
② 각 원점수에 해당하는 학생 수(f)를 기입한다.
③ 누가빈도(cf)를 분포의 아래부터 기입한다.
④ 누가빈도를 총 인원수(N)로 나누어 100을 곱한다($\frac{cf}{N} \times 100$).

백분위와 정답률
백분위는 정답률과는 다르다.
1. 백분위는 특정 점수 이하의 점수를 받은 학생들의 백분율을 의미한다.
2. 정답률은 전체 문항 중에서 정답을 한 문항의 백분율을 의미한다.

4. 표준점수(standard score)

(1) 개념

표준점수란 한 개인의 점수(X)가 분포의 중심이 되는 평균(M)에서 얼마나 떨어져 있는가의 거리를 표준편차(SD)로 재어보는 것을 말한다.

(2) 특징

가장 신뢰할 수 있는 점수이며, 동간성과 상대적 위치를 파악할 수 있다.

(3) 표준점수의 종류

① Z점수

　㉠ 특징

　　ⓐ 평균을 0, 표준편차를 1로 한 점수이다.

　　ⓑ 동간성이 있기 때문에 Z점수 상호 간에 비교가 가능하다.

　　ⓒ 가감승제(加減乘除), 점수간의 평균 계산이 가능하다.

　　ⓓ 대부분 소수점으로 나타나고 분포의 절반은 (-)부호가 붙는다.

　㉡ 계산공식

$$Z = \dfrac{(X - \overline{X})}{SD}$$	ⓐ X : 원점수 ⓑ $\overline{X}$: 평균 ⓒ SD: 표준편차

② T점수

　㉠ 특징

　　ⓐ 평균을 50, 표준편차를 10으로 한 점수이다($M = 50$, $SD = 10$).

　　ⓑ Z점수를 변형한 것으로 소수점과 (-) 부호를 없앤 점수이다.

　　ⓒ 점수분포는 20 ~ 80의 범위이다.

　㉡ 계산공식: $T = 10Z + 50$

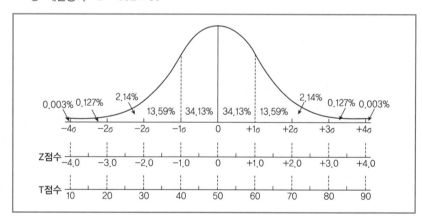

⬆ Z점수와 T점수

③ H점수

　㉠ 특징

　　ⓐ 평균을 50, 표준편차를 14로 한 점수이다.

　　ⓑ 측정 가능한 점수 분포는 0 ~ 100점까지이다.

　㉡ 계산공식: $H = 14Z + 50$

④ C점수
  ㉠ 특징
    ⓐ 평균을 5, 표준편차를 2로 한 점수이다.
    ⓑ 원점수의 분포를 11개로 나누고, 최고점이 10, 최하점이 0, 중간점이 5.5 인 점수이다.
    ⓒ T점수보다 단위가 좁고, 표준점수 가운데 가장 이해하기 쉽고, 활용하기 쉬운 점수이다.
  ㉡ 계산공식: $C = 2Z + 5$

⑤ 스테나인(stanine) 점수
  ㉠ 특징
    ⓐ 정규분포 상에서 1점부터 9점까지 한 자리 숫자로 크게 묶을 때 적용된다.
    ⓑ stanine란 stay-in-nine 혹은 standard nine의 약자로 정규분포에서 비추어 9개의 척도치로 원점수를 전환하여 표시한 점수이다.
    ⓒ 평균을 5, 표준편차를 2로 한다.
    ⓓ 상대적 서열에 대한 자세한 정보를 얻을 수는 없지만 유사집단을 하나로 묶어 한 자리 수의 지수를 제공한다.
    ⓔ 점보다는 구간으로 묶는다. 비율로 구간을 나누고 같은 구간에 속해 있으면 같은 점수를 부여하기 때문에 동간척도에 해당한다.
    ⓕ 변별력에 문제가 있는 경우 스테나인 척도로 점수를 부여한다면 특정 등급에 포함된 학생이 한 명도 없는 경우가 발생할 수도 있다.
    ⓖ 2007년도부터 우리나라 수학능력검사와 내신 성적을 스테나인 점수로 표시하여 입학전형에 반영하였다.
  ㉡ 계산 방법
    ⓐ $2Z + 5$로 나온 수치를 반올림한다.
      예 Z점수가 0.35라면 스테나인 = 2Z + 5 = 2 × 0.35 + 5 = 5.7이므로, 스테나인 점수는 6이 된다.
    ⓑ 원점수의 분포를 정규분포로 가정하고 가장 낮은 점수부터 높은 점수로 배열한 후, 맨 아래의 4%에 1을, 그 다음 7%에 2를, 그 다음 12%에 3을, 그 다음 17%에 4를, 그 다음 20%에 5를 부여하며 상위 4%에 만점인 9를 부여한다. 스테나인 점수 1점과 2점을 구분하는 지점의 Z점수는 -1.75이며 2점과 3점을 구분하는 지점은 -1.25이다.
  ㉢ 장점: 미세한 점수 차이의 영향을 적게 받는다.
  ㉣ 단점
    ⓐ 상대적 위치를 정밀하게 표현하기 어렵다.
    ⓑ 두 개의 스테나인 점수의 경계선에 위치하는 사소한 점수 차이가 과장될 수 있다.
      예 백분위 88에 해당하는 학생의 스테나인 점수는 7이지만, 백분위 89에 해당하는 스테나인 점수는 8이 된다.

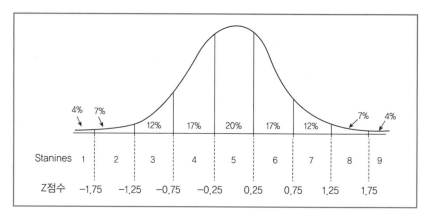

⬆ 스테나인 점수와 Z점수

4 정규분포곡선(normal curve)

1. 개념

마치 종을 엎어놓은 것과 같은 모양을 하고 있으며 하나의 꼭지를 가진 좌우 대칭의 분포이다.

2. 특징

(1) 좌우 대칭이고 하나의 꼭지를 가진 분포이므로 평균, 중앙치 및 최빈치가 일치하는 분포이다.

(2) 정규분포곡선의 또 다른 특징은 연속적 변인의 분포라는 점이다.

(3) 예외적으로 너무 높거나 낮은 점수를 갖기도 하지만 결코 극한치에 닿지 않는다.

(4) $\mu \pm 3\sigma$ 내에 대부분의 면적이 분포되어 있어서, 그 바깥 면적의 비율은 매우 낮다.

(5) 인간의 심리적 특성의 측정 결과는 정규분포를 이룬다고 가정한다. 예를 들면 키, 몸무게, 지능 등 인간의 특성을 동일한 성(性)과 연령의 집단으로부터 수집하여 분포를 낼 때 표집의 크기가 크면 클수록 정규분포에 접근한다.

3. 정규분포곡선의 여러 가지 형태

(1) 전체 사례 수가 다른 3가지 다른 모양의 정규분포

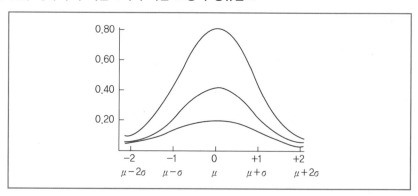

⬆ 평균과 표준편차 동일, 전체 사례 수가 다른 경우

(2) 표준편차가 다른 3가지 모양의 정규분포

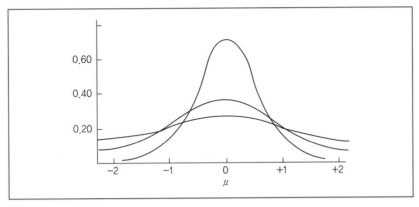

⊕ **전체 사례 수와 평균이 동일, 표준편차가 다른 경우**

4. 정규분포를 가정하는 경우

(1) 키, 가슴둘레, 다리의 길이 등 인간의 신체적 특성을 동일한 성(姓)과 연령의 집단으로부터 표집하여 분포를 낼 때 표집의 크기가 크면 클수록 정규분포에 접근한다.

(2) 오차를 포함하는 측정의 결과는 정규분포를 이룬다. 즉 동일한 물체에 대하여 무한대로 반복 측정하여 이들의 분포를 내면 정규분포를 이룬다.

(3) 한 전집에서 무선적으로 표집된 표집의 통계치는 분포의 정규분포에 접근한다.

(4) 일반적으로 인간의 심리적 특성의 측정 결과는 정규분포를 이룬다고 가정한다.

5. 정규분포를 가정하기 어려운 경우

(1) 상위나 하위의 한 극단의 분포가 제한을 받는 경우 정규분포라고 가정하기 어렵다.

> 예 초등학교 집단보다는 대학생 집단의 경우에서 지능의 분포가 정규분포에서 많이 이탈된다. 지능이 낮은 학생들이 진학과정에서 탈락되기 때문이다.

(2) 서로 다른 특성의 집단이 각각 정규분포를 이루고 있는 경우, 이들 이질적인 집단을 통합하면 통합된 집단의 분포는 꼭지가 평평한 분포나 여러 개의 꼭지를 가진 분포를 이룬다.

> 예 남자와 여자의 키의 분포를 통합한 분포, 남녀의 기계적성의 분포를 통합한 경우는 두 개의 꼭지를 지닌 양봉(兩峰)분포를 이룬다.

5 집중 경향치(central tendency)

1. 개념

(1) 한 집단의 점수 분포를 하나의 값으로 요약·기술해주는 지수이다.

(2) 한 집단의 어떤 특성을 측정하여 점수화하였을 때, 이 집단의 특징을 하나의 수치로서 대표하고자 하는 것이 목적이다.

2. 종류

(1) 중앙치(Median, M_{dn}으로 표시)

① 특징

  ㉠ 개념: 한 분포 안에 포함된 사례 수를 정확하게 2등분하는 척도상의 점에 해당하는 점수로, 분포를 균등하게 하는 점수이다.

  ㉡ 한 집단의 점수 분포에서 전체 사례 수를 상위 반(半)과 하위 반(半)으로 나누는 점을 나타낸다.

  예 초등학교 7명의 수학 성적이 각각 64, 76, 77, 80, 85, 88, 93이라고 할 때 중앙치는 80이 된다. 사례 수(n)가 홀수인 경우 중앙치는 $\frac{(n+1)}{2}$번째의 점수이다.

  ㉢ 평균치보다 안정성이 낮고 수리적 조작이 제약된다.

② 중앙치의 계산이 필요한 경우

  ㉠ 평균치를 계산할 만한 충분한 시간이 없을 때

  ㉡ 양극단의 점수가 심하게 편포(遍布)되어 있어 극단치의 영향을 배제하고자 할 때

  ㉢ 분포의 상반부와 하반부에 관심이 있을 때

  ㉣ 측정 단위의 동간성이 의심될 때

(2) 최빈치(Mode, M_o로 표시)

① 특징

  ㉠ 개념: 한 분포에서 가장 많이 나타나는 점수로 분포에서 가장 전형적인 점수이다.

  ㉡ 가장 자주 나타나는 수치라는 점에서 그 분포를 대표하는 점수이다.

  ㉢ 정규분포에서는 최빈치가 하나뿐이지만, 분포에 따라 최빈치가 여러 개 존재할 수 있고, 모든 점수의 빈도가 같을 때는 존재하지 않는다.

  예 중학교 2학년 C반의 영어 성적이 64, 74, 76, 76, 80, 80, 80, 86, 90, 90인 경우 최빈치는 80이고, 영어성적이 64, 67, 74, 75, 76, 80, 85, 87, 90인 경우에는 최빈치가 존재하지 않는다.

  ㉣ 장단점: 극단치의 영향을 받지 않으나, 집단의 사례 수가 적을 때는 안정성이 떨어진다.

② 최빈치의 계산이 필요한 경우

  ㉠ 집중경향을 가장 빨리 알고자 할 때

  ㉡ 명명척도, 서열척도, 동간척도, 비율척도 등의 자료를 구하고자 할 때

  ㉢ 집중경향의 가장 정형적(定型的)인 경우를 알고자 할 때

(3) 평균치(Mean, M으로 표시)

① 평균치의 특징

⊙ 개념: 한 분포의 모든 점수의 합(合)을 사례 수로 나눈 값으로, 가장 신뢰도가 높은 집중 경향치이다. 평균치는 분포의 균형을 유지하는 점수이다.

ⓒ 평균치로부터 모든 점수 차의 합은 0이다.

ⓒ 평균을 중심으로 획득된 편차점수 제곱의 합은 다른 값을 기준으로 하여 획득된 편차점수의 제곱의 합보다 항상 적다. 평균은 편차범위의 자승화가 최소가 되는 값이다(최소자승화의 원리).

ⓔ 평균은 측정치 분포의 균형을 이루는 점이다.

ⓜ 다른 집중경향보다 가장 정확하고 신뢰할 수 있는 값이다.

ⓗ 점수 분포가 극단적으로 높거나 낮은 점수가 있을 때는 적절하지 않다.

② 평균치의 계산이 필요한 경우

⊙ 동간적, 비율적 측정치 자료일 때

ⓒ 가장 신뢰도가 높은 집중 경향치를 원할 때

ⓒ 분포가 좌우 대칭이거나 정상분포에 가까울 때

ⓔ 변산도, 상관도, 점수 차이 등의 계산이 따를 때

ⓜ 한 분포의 중력 또는 역률(力率) 등의 중심을 알고자 할 때

(4) 평균, 중앙치, 최빈치의 특징의 비교

① 한 전집의 추정치로서 표집을 통하여 그 값을 계산하는 경우 표집에 대한 변화가 가장 큰 것은 최빈치, 중앙치, 평균치의 순이다(평균치가 표집에 따른 변화가 가장 적음).

② 평균치는 후속적인 여러 복잡한 통계적 처리에 기초가 되지만, 중앙치나 최빈치는 하나의 대표치로서 그 기능이 끝난다.

③ 하나의 대표치로서 급히 계산을 해야 하는 경우는 최빈치가 장점을 가진다. 특히 정규분포에서는 최빈치, 중앙치, 평균치가 일치함으로 산술평균의 대략적 추정치로서 최빈치를 사용할 수도 있다.

④ 극단적 편포의 경우에는 평균치는 계산에서 모든 점수를 고려하므로 대표치로서 부적절하고, 중앙치가 대표치로서 적절하다.

⑤ 명명척도에는 최빈치만 계산할 수밖에 없고, 중앙치는 서열척도, 평균치는 동간척도와 비율척도에 적합하다.

⑥ 분포상의 비교

⊙ 점수의 분포가 정규분포를 이루는 경우: $M = M_o = M_{dn}$

ⓒ 정적 편포(正的 遍布, 'M - M_{dn}'이 '+'인 경우): $M > M_{dn} > M_o$

ⓒ 부적 편포(負的 遍布, 'M - M_{dn}'이 '-'인 경우): $M < M_{dn} < M_o$

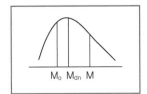

⬆ 정적 편포

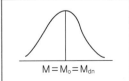

⬆ 정규분포

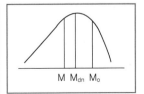

⬆ 부적 편포

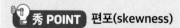

秀 POINT 편포(skewness)

편포의 형태는 분포의 꼬리가 향하는 부호와 일치한다는 것을 기억하면 혼동하지 않는다. 즉 정적 편포(positive skewness)는 분포의 꼬리가 +방향에 있고(그림 A), 부적 편포(negative skewness)는 분포의 꼬리가 -방향에 있다(그림 C). 정적 편포는 낮은 점수가 많고 높은 점수가 적은 분포로 극히 어려운 시험에서 이러한 분포형태가 나타난다. 부적 편포는 낮은 점수가 적고, 높은 점수가 많은 분포로 매우 쉬운 시험에서 나타난다.

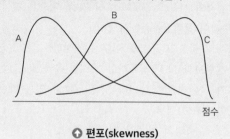

⬆ 편포(skewness)

6 변산도

1. 개념

(1) 측정치의 분포에서 넓이 혹은 분산의 정도를 기술해주는 지표이다.

(2) 각 점수의 분산의 정도를 수치로 표시한 것이다.

　① 집단 간, 개인 간 변산도: 두 집단 중에서 어느 집단의 사례들이 보다 동질적이고 이질적인가?

　② 개인 내 변산도: 학생 개인의 성적은 어느 정도 안정적인가?

(3) 종류는 범위, 4분편차, 표준편차 등이 있다.

2. 변산도의 종류

(1) 범위(Range, R)

　① 개념: 범위는 표집에 따른 변화가 크고 계산이 쉽다는 점에서 대표치로서 최빈치와 같은 성격을 지닌 변산도 지수이다.

　② 단점: 범위는 극단한 점수의 영향을 받으므로 안정적인 변산도 지수가 되지 못한다.

　③ 계산방법: 점수범위 = 최고점 - 최저점 + 1

　　예 국어 점수가 최고 93점, 최하 23점일 경우 전 범위는 93 - 23 + 1 = 71이 된다.

(2) 사분편차(Quartile Deviation, QD)

　① 특징

　　㉠ 개념: 백분위 75에 해당하는 점수에서 백분위 25에 해당하는 점수를 뺀 점수를 2로 나눈 값으로, 양극단의 점수가 아닌 어떤 일정한 위치에 있는 점수 간의 거리를 비교할 수 있다.

ⓛ 전체 사례 수를 4등분하여 분할했을 때 아래로 사례 수의 25%를 포함하는 점을 제1·4분점이라 하고, 위로 25%가 있는 점을 제3·4분점이라고 한다. 사분편차는 중앙치를 중심으로 상·하위 쪽으로 백분위 25가 되는 평균거리를 가지고 비교하기 위한 지수이다.

ⓒ 백분위 75보다 큰 점수나 백분위 25보다 작은 점수의 영향을 전혀 받지 않으므로 범위에 비해 극단치의 영향을 받지 않는다.

ⓔ 단점: 표준편차에 비해 안정성이 낮고 수리적 조작이 제한된다.

② 계산공식

$$Q = \frac{Q_3 - Q_1}{2}$$

@ Q = 사분편차
ⓑ Q_1 = 제1분점(전체 사례 수의 25%가 놓여 있는 백분위 점수)
ⓒ Q_3 = 제3분점(전체 사례 수의 75%가 놓여 있는 백분위 점수)

③ 의의: 백분위 점수 50에 해당하는 점수인 중앙치를 Q_2라고 할 때 Q_2와 Q_1, Q_3의 간격을 비교함으로써 점수분포의 형태를 파악할 수 있다.

점수분포가 정규분포인 경우	$\lvert Q_2 - Q_1 \rvert = \lvert Q_3 - Q_2 \rvert$
부적 편포인 경우	$\lvert Q_2 - Q_1 \rvert > \lvert Q_3 - Q_2 \rvert$
정적 편포인 경우	$\lvert Q_2 - Q_1 \rvert < \lvert Q_3 - Q_2 \rvert$

(3) 표준편차(Standard Deviation; SD 혹은 δ로 표시)

① 개념

㉠ 편차를 자승하여 사례 수로 나눈 값의 제곱근이다.

㉡ 집단의 개인차 정도를 표시해주는 역할을 한다. 즉 표준편차의 값이 클수록 점수들의 분포가 넓게 퍼져 있고 분포의 곡선이 낮고 완만한 모양이며 구성요소들이 이질적이다.

편차
평균치에서 얼마나 떨어져 있는가를 지시해주는 값이다.

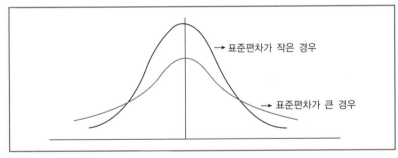

→ 표준편차가 작은 경우

→ 표준편차가 큰 경우

❶ 평균, 중앙치, 최빈치가 같으면서 표준편차가 다른 두 정규분포

② 계산방법: $SD = \sqrt{\dfrac{\sum (x-m)^2}{N}}$

③ 특징

㉠ 양극단의 점수가 크게 영향을 미친다.

㉡ 집단에 속한 모든 사례가 영향을 준다.

㉢ 각 사례의 점수를 가감(加減)해도 변하지 않는다.

㉣ 각 사례의 점수에 A를 곱하면 A만큼 변한다.

㉤ 표집에 따른 변화(표집오차)가 가장 적다.

④ **장단점**: 표준편차는 평균치와 더불어 널리 쓰인다. 표준편차는 변수가 연속변수이고 정규분포를 이룰 때 변산도 지수로서 가장 적절하며, 변산도 지수 가운데 가장 안정성이 높다. 반면 극단치의 영향을 받기 때문에 분포가 편포를 이룰 때는 적합하지 않고, 질적변수(명명척도, 서열척도)에서도 부적절하다.

⑤ **활용**: 표준점수, 상관계수, 회귀분석, 분산분석 등을 계산하는 기초적인 통계값으로 활용된다.

> 참고 표준편차를 제곱한 값을 분산 혹은 변량이라고 한다.

⑥ 정규분포곡선에서 표준편차의 비율

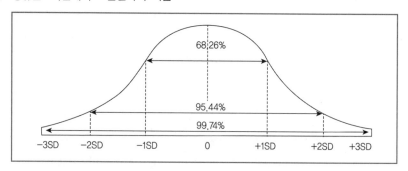

⬆ **분포 비율**

⊙ $M \pm 1SD = 68.26\%$

ⓛ $M \pm 2SD = 95.44\%$

ⓒ $M \pm 3SD = 99.74\%$

특성	범위(R)	사분편차(Q)	표준편차(SD)
행동과학 연구에서의 사용빈도	약간	극히 드물다	거의 항상
고급통계에서의 적용 가능성과 수학적 치밀성	거의 없다	극히 제한적이다.	매우 크다
표본과 정상 안정성	매우 불안정하다.	비교적 안정적이다.	매우 안정적이다.
소수의 극단점수가 있을 때 사용 가능성 또는 매우 편포된 분포	오류	괜찮다	주의 깊은 해석
관련된 집중 경향치	없다	중앙치	평균치
상, 하 관계가 없는 분포에서의 사용가능성	불가능하다.	일반적으로 가능하다.	추천할 수 없다
표본 크기에 의해 심하게 영향을 받는 정도	영향 받는다.	별로 안 받는다.	안 받는다.
계산의 용이성	매우 쉽다.	서열척도로 쉽게 구한다.	비교적 쉽다

⬆ **범위(R), 사분편차(Q) 및 표준편차(SD)의 비교**

7 상관도와 상관계수(coefficient of correlation)

1. 상관도

(1) 특징

① 한 변인이 변함에 따라 다른 변인이 어떻게 변하느냐의 정도이다[피어슨(pearson)이 발전시킨 상관계수 혹은 적률상관계수].

② 두 변인 간의 상관 정도가 높을수록 한 변인을 알 때 다른 변인에 대한 정확한 예언을 할 수 있다.

③ 두 변인 간의 관계를 다루는 것을 단순상관, 여러 개의 변인을 가지고 한 개의 주어진 변인과의 상관의 정도를 다루는 것을 중다상관(multiple correlation)이라고 한다.

> 예 • 지능과 학업성적 간에는 어떤 관계(상관)가 있는가?
> • 국어 성적과 수학 성적 간에는 어떤 관계가 있으며, 이러한 상관은 성별에 따라 차이가 있는가?
> • 1학기 성적과 2학기 성적 간에는 어떤 관계가 있는가?

(2) 정적 상관과 부적 상관

① 정적(正的) 상관: 두 변수가 함께 증가 또는 감소하는 관계를 말한다.

> 예 음식 섭취량과 체중의 증가

② 부적(負的) 상관: 한 변수의 높은 값이 다른 변수의 낮은 값과 관련되어 있는 두 변수 간의 관계를 말한다.

> 예 • 신장과 머리끝부터 천장까지의 거리
> • 외부 온도와 입는 옷의 무게 간의 관계

2. 상관계수

(1) 개념

상관도는 -1.00 ~ +1.00 사이에 위치한다.

(2) 상관계수의 크기와 상관도

0.90	극히 높은 상관
0.70 ~ 0.89	높은 상관
0.40 ~ 0.69	보통의 상관
0.20 ~ 0.39	낮은 상관
0.00 ~ 0.19	상관이 없거나 낮은 상관

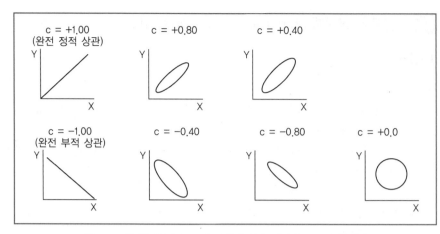

⬆ X, Y 두 변인의 분포도의 양상에 따른 상관계수 크기의 방향

(3) 활용

① 교육학이나 심리학에서 검사의 신뢰도와 타당도를 검증할 때 사용된다.

② 잘 만들어진 검사의 경우 신뢰도계수가 곧 상관계수로 표시되며 이때 γ가 0.90 이상이 되어야 한다.

(4) 상관계수에 영향을 미치는 요인

① 상관계수의 크기는 연구 집단의 점수분포 양상에 의해 크게 영향을 받는다.

② 다른 조건이 동일하다면 집단이 동질적일수록 상관계수는 적게 나온다.

③ 두 변인 중 어느 하나 또는 두 변인 모두의 분포에 제한을 받을 경우 상관계수 γ은 작아진다.

> **예** 지능과 학업성취도와의 상관은 초등학교에서가 대학생 집단보다 크다. 왜냐하면 대학생 집단에서는 제한된 범위의 IQ점수들만이 나타나기 때문이다.

④ 한 두 개의 극단 점수가 상관계수에 큰 영향을 미칠 수 있다.

⑤ 평균치가 다른 집단들을 통합하여 얻은 상관계수는 통합 전의 상관계수와 크게 다를 수 있다.

⑥ 두 변인 간에 상관관계는 인과관계 추리에서 필요조건은 되지만 충분조건은 되지 못하므로 두 변인 간에 반드시 어떤 인과관계가 있다는 것을 의미하지는 않는다(반면 실험연구는 두 변인 간에 존재하는 인과관계에 대한 정확한 평가 가능).

> **예** 물을 끓일 때 시간이 흐를수록 물의 온도는 높아지지만, 이는 시간이 물의 온도를 높이는 원인이라고 말할 수는 없다.

⑦ 상관계수 γ은 두 변수 간의 상관의 정도뿐만 아니라 방향까지 가리켜주며, 결정계수 γ^2은 X변수가 Y변수를 설명해 주는 비율을 나타낸다. $\gamma = 0.50$일 때 γ^2은 0.25가 되며 이런 경우 Y분산의 25%를 X가 설명(또는 예측)할 수 있다고 해석한다.

⑧ 중간 부분의 분포를 제외한 양극단 집단에서 얻어진 상관계수는 사실 이상으로 커진다. 왜냐하면 중앙의 집단을 제거하였기 때문에 전체적인 분산의 범위가 작아지므로 실제보다 상관계수가 높아지게 된다.

⑨ 측정의 오차는 두 변인 간의 진정한 상관계수를 축소시켜 준다.

⑩ 두 변수 간 관련성이 곡선적일 때 계산된 상관계수는 두 변수 간의 관련성을 과소 추정하게 된다(피어슨의 적률상관계수는 두 변수 간의 선형관계에 적합할 뿐 곡선적인 관계일 때는 다른 기법을 적용해야 함).

⑪ 사례 수가 적을 때 보다 사례 수가 많을 때 상관계수는 더 안정적이다.

기출문제

피어슨(Pearson)의 적률상관계수를 활용하여 독서량과 국어 원점수 간의 상관을 분석하는 과정에 나타날 수 있는 현상으로 옳은 것만을 모두 고르면? 2020년 지방직 9급

> ㄱ. 극단한 값(outlier)의 영향을 크게 받을 수 있다.
> ㄴ. 두 변수가 곡선적인 관계를 보이면 상관이 과소 추정될 우려가 있다.
> ㄷ. 국어 원점수를 T점수로 변환하면 두 변수 간의 상관계수는 달라진다.

① ㄱ, ㄴ   ② ㄱ, ㄷ
③ ㄴ, ㄷ   ④ ㄱ, ㄴ, ㄷ

해설

선지분석
ㄷ. 원점수를 T점수로 변환하면 두 변수 간의 상관계수는 변하지 않는다. T점수는 표준점수를 의미한다.   **답** ①

---

8 변량분석(analysis of variance, 분산분석)

1. 개념

(1) 여러 개의 모집단으로부터 나온 것으로 가정되는 여러 개의 평균치들이 과연 우연 이상의 의미 있는 차이를 보이는지를 종합적으로 검증해주는 방법이다.

(2) 변량분석은 2집단 이상의 평균 간의 차이를 검증하는 데 사용된다.

2. 종류

(1) **1원적 변량분석(one-way analysis of variance; one-way ANOVA)**

하나의 독립변인에 의한 종속변인의 평균치 간의 차를 검증하는 방법이다.

예 중학교 1, 2, 3 학년 학생(독립변수)들의 용돈(종속변수)의 평균 금액의 차를 검증하는 경우

(2) **이원변량분석(two-way ANOVA)**

2개의 독립변인에 의한 영향을 동시적으로 분류하여 분석하는 방법이다.

예 학년, 지능(두 개의 독립변수)에 의한 영향을 동시에 분석하는 경우

(3) **다변량분석(Multivariate analysis of variance; MANCOVA)**

종속변인이 두 개 이상의 변인으로 합성되어 있을 때 집단 간 차이가 있는지를 검증하는 방법으로, 종속변수가 다양한 변수들이 섞인 복합변수일 때 사용하는 방법이다.

예 3가지 교수법에 따라 어휘발달(문자해독력, 말하는 빈도 수, 어휘 수준 등이 혼합되어 있음)에 차이가 있는가를 검증하는 경우

秀 POINT 목적에 따른 통계적 방법

1. 기초 통계학의 내용

집단의 대표치를 구하는 통계적 방법	집중경향치(최빈치, 중앙치, 평균치)
집단의 이질성 여부를 밝히는 통계적 방법	산도(범위, 사분편차, 표준편차)
두 변인의 상관 정도를 밝히기 위한 통계적 방법	상관계수
점수의 비교를 위한 통계적 방법	표준점수
두 통계치의 차이 검증을 위한 통계학	Z검증, t검증
두 집단 이상의 통계치 차의 유의도 검증 방법	변량분석(ANOVA)
빈도자료의 집단 반응 차의 유의도 검증 방법	카이자승(x^2) 검증

2. 집단비교를 위한 통계방법

모집단의 분포가 정규분포일 때 사용하는 통계	모수통계(t검증, 분산분석)
모집단의 분포가 편포일 때 사용하는 통계	비모수통계
종속변인이 단일 속성을 지닌 변인일 때	단일분산분석
종속변인이 다양한 변인들이 섞인 복합변인일 때	다변량분석
종속변인이 양적 변인일 때 집단 간 비교를 위한 방법	Z검증, t검증, F검증
종속변인이 질적 변인일 때 집단 간 비교를 위한 방법	카이자승(x^2) 검증

秀 POINT 중요 개념

☐ 양적 연구   ☐ 질적 연구
☐ 모집단   ☐ 표집과 표본
☐ 표집방법   ☐ 사회성 측정법
☐ 평정법   ☐ 투사법
☐ 메타 분석   ☐ 가설
☐ 현장연구   ☐ 명명척도
☐ 서열척도   ☐ 동간척도
☐ 비율척도   ☐ 백분위
☐ 표준점수(Z, T점수)   ☐ 중앙치
☐ 최빈치   ☐ 평균치
☐ 표준편차   ☐ 상관계수

XII

교육행정 및 교육경영

01 | 교육행정의 의미

1 교육행정의 개념

1. 개념

(1) 행정(administration)의 개념

행정이란 조직목표 달성을 위한 모든 활동을 조정하고 돕는 행위를 말한다.

(2) 교육행정의 개념

교육활동을 수행하면서 그 활동을 합리적으로 관리·운영하고 조직적으로 지원·발전시키려는 노력과 활동 등을 총칭하는 개념이다.

2. 교육행정의 세 가지 측면

(1) 교육에 관련되는 조직을 관리·운영하는 조직 관리의 측면이다.

(2) 교육활동의 방향을 이끌고 발전을 도모한다는 활동계획과 지도의 측면이다.

(3) 교육활동이 잘 이루어지도록 제반 조건을 정비·지원한다는 조건정비 및 지원의 측면이다.

3. 교육행정 개념의 변천

(1) 일반 행정의 일부로 보는 입장이다(내무행정의 일부).

(2) 교육목표 달성을 위한 수단적 봉사활동으로 보는 입장이다.

(3) 교육목표 달성을 위한 집단적 활동으로 보는 입장이다.

2 교육행정의 정의

1. '교육에 관한 행정'과 '교육을 위한 행정'

(1) 교육에 관한 행정

행정의 종합성 및 포괄성을 강조하는 입장이다.

(2) 교육을 위한 행정

교육의 자주성과 독자성 및 특수성을 고려해서 정의하는 방식이다.

(3) 교육의 특수성 혹은 전문성

① 효과의 장기성

② 성과의 비가시성

③ 평가의 곤란성

④ 비긴급성

⑤ 높은 공공성

2. 정의

(1) 법규 해석적 정의(공권력설 혹은 공법학적 해석)

① 특징

㉠ 개념: 교육행정을 일반 행정의 일부분으로 보고 일반 행정작용 가운데 교육 부분에 관한 행정으로 규정하는 견해이다.

㉡ 국가의 통치 작용을 입법, 사법, 행정으로 구분하는 고전적 삼권분립 사상과 행정의 개념을 국가의 통치 작용의 일환으로 보는 법학적 이론에 의해 지지되는 견해이다.

㉢ 교육행정은 권력기관이 교육에 관한 법규를 집행하는 과정으로서, 교육의 이념과 목표를 수립하고 이를 구현 혹은 달성하기 위한 구체적인 계획을 세우며 그 계획을 구체화시키기 위한 실제적 작용을 의미하는 것으로 본다.

㉣ 교육행정의 공권력설, 공법학적 해석 혹은 일반 행정에서 교육행정의 위치를 밝히려는 관점이라는 측면에서 분류체계론 혹은 교육행정 영역구분론이라고도 한다.

② 문제점

㉠ 교육행정을 중앙집권적이고 관료적인 관리·통제 작용으로 보고 권력적·강제적 요소를 강조하고 있다.

㉡ 교육행정의 특수성과 전문성을 약화시킬 가능성이 높다.

(2) 기능론적 정의(조건 정비설)

① 특징

㉠ 개념: 교육행정을 교육목표를 설정하고 이를 달성하기 위한 인적·물적 조건을 정비·확립하려는 수단적 봉사활동(service activities)으로 보는 견해이다.

㉡ 행정행위를 교육활동의 목적이 아니라 수단으로 보고, 이를 달성하기 위한 조건을 마련하는 활동이라고 보기 때문에 조건 정비론이라고도 하며, '교육에 관한 행정'이 아닌 '교육을 위한 행정'으로 보려는 관점을 반영한다.

㉢ 몰맨(Moehlman)이 제기하였고, 캠벨(Campbell) 등이 동조하였다.

② 문제점: 기능론적 정의는 교육행정을 교육활동을 위한 조건정비라는 수단적·기술적 측면만을 강조하여 행정 주체의 권력적 작용의 측면을 소홀히 취급하고 있다.

(3) 행위론적 정의(행정 행위설, 경영설)

① 특징
  ㉠ 개념: 교육행정을 교육목적 달성을 극대화하기 위하여 관련되는 교육체제의 변인들을 합리적으로 조정·관리함으로써 최소의 투입으로 최대의 산출을 얻으려는 활동으로 보는 견해이다.
  ㉡ 교육행정 활동을 단순한 절차나 과정이 아니라 그 수행하는 활동의 내용을 중심으로 정의하고 있다는 점에서 교육행정 활동의 본질적 의미를 구현할 수 있는 가능성을 내포하고 있다. 이 입장에서 강조되는 것은 성과를 확인하는 목표관리중심의 조정행정이다.
  ㉢ 교육행정을 계획된 절차에 따라 인간 행동을 최대한 합리적으로 신장하기 위하여 교육활동에 관련된 모든 조직의 상호관계가 학습 장면의 제조건을 정비하는 봉사적 활동의 방향으로 나아가도록 의도적 기능을 발휘하는 협동적 행위로 본다. 사회과학이나 행동과학의 영향을 받아 교육행정의 이론화를 주장하는 견해이다.
  ㉣ 학교나 교육기관의 특수성보다는 다른 공공기관이나 기업체·군대·병원·호텔 등과 같은 조직 운영상의 공통점을 강조한다.

② 문제점: 일반적인 행정작용을 기준으로 하여 제안된 것이기 때문에 단순한 집단 활동만을 강조하는 문제점을 지닌다.

(4) 포괄설

① 개념: 교육행정을 교육목적을 효과적으로 달성하기 위해 교육법규나 정책을 입안 혹은 집행하고 교수 - 학습에 필요한 제반 조건을 정비·확립하며, 교육조직 구성원의 협동적 행위를 능률적으로 조성하는 수단적 봉사활동의 과정으로 규정한다.

② 국가의 발전과 국민복지의 향상에 대한 교육의 중요성을 재인식하고 교육에 대한 국가의 강력한 영향력을 행사하는 최근의 추세에 부응하지 못한다는 조건정비설의 문제점을 지적한다. 포괄설의 관점에서는 교수와 학습의 효율화를 위해 제한된 자원을 효과적으로 정비·확립하려면 국가의 정책적 배려와 법령의 한계를 무시해서는 안 된다는 점을 강조한다.

③ 행정행위설이 타 분야의 행정과의 공통점만을 강조하고 행동과학적 입장에서 보편적 이론을 강조한 결과 교육행정의 특수성을 무시하고 지나치게 추상적이고 일반적이라는 점을 문제로 삼는다.

(5) 과정론적 정의

① 특징
  ㉠ 개념: 교육행정을 계획의 수립으로부터 실천·평가에 이르는 행정의 전체 경로를 의미하는 행정과정에 초점을 두고 그 경로 속에서 이루어지는 행정작용의 구성 요소를 찾아 정의하려는 견해이다.
  ㉡ 페이욜(Fayol)이 처음 주장하였고, 귤릭(Gulick) 등에 의해 발전되었다.

© 행정활동을 계획하고 수행하며 그 결과를 평가하는 일련의 과정들을 보다 상세화하고 구체화하여 교육행정을 설명하려는 방식이다.

② 종래의 교육행정 현상을 정태적(情態的)으로 파악하려는 관점과는 달리 동태적(動態的)으로 파악할 수 있는 계기를 마련하였다.

② 문제점: 행정의 과정과 절차에만 초점을 맞춘 나머지 행정행위의 내용과 그 법규적 측면에 소홀히 하였다는 문제점을 지닌다.

3. 영역

교육행정의 영역은 다음과 같다.

교육활동의 부문	초등교육, 중등교육, 고등교육, 교원교육, 실업교육, 취학 전 교육, 특수교육, 해외교육, 평생교육 등
과업의 구분	교육목표, 교육과정, 교육방법, 교원인사, 학생인사, 재무, 시설, 사무관리, 홍보행정 등
과정 요인	계획, 정책결정, 조직, 지도, 조정, 통제, 평가행정 등
행정력의 범위	중앙교육행정, 지방교육행정 등

3 교육행정의 원리

1. 법제적 측면의 원리

(1) 법치행정의 원리

① 개념: 법이 정하는 범위 내에서 이루어져야 한다는 원리로 합법성의 원리라고도 한다. 헌법, 국가공무원법, 각 교육관계 법령, 대통령령, 교육부령, 훈령 등에 기초한 행정원리를 말한다.

② 장점: 국민의 교육권이 보장되고, 국가예산이 효율적으로 집행되며, 공무원의 부당한 직무수행과 행정재량권의 남용이 방지되고, 공무원이 소신 있게 일할 수 있도록 신분이 보장된다.

③ 단점: 지나친 법적 만능주의는 행정이 형식화, 경직화될 가능성이 많다.

(2) 기회균등의 원리

① 개념: 교육은 성별, 신분, 지역, 종교 등 모든 면에서 차별을 두지 아니하고 균등하게 혜택이 돌아가도록 해야 한다는 원리이다. 기회균등의 원리는 헌법 제31조 제1항과 「교육기본법」 제1장 제4조에 규정되어 있다.

② 기회균등 원리의 법적 규정

㉠ 모든 국민은 능력에 따라 균등하게 교육을 받을 권리를 가진다(헌법 제31조 제1항).

㉡ 모든 국민은 성별, 종교, 신념, 사회적 신분, 경제적 지위 또는 신체적 조건 등의 이유로 교육에 있어서 차별을 받지 아니한다(「교육기본법」 제1장 제4조).

(3) 적도집권(適度集權)의 원리

① 개념: 중앙집권과 지방분권의 균형을 도모하려는 원리이다.

② 장점: 중앙집권은 능률성, 지방분권은 민주성의 원리에 적합하다.

(4) 자주성 존중의 원리

① 개념
- ㉠ 교육은 교육 본래의 목적에 의해 운영·실시되어야 한다는 원리이다.
- ㉡ 교육은 일반 행정으로부터 분리·독립되어야 한다는 원리이다.
- ㉢ 교육의 정치적 중립성 존중의 원리로 교육은 어떤 정치·파당 및 기타 개인의 편견을 선전하는 방편으로 이용될 수 없다는 것을 의미한다.
- ㉣ 교육행정에서 자주성이 존중되어야 하는 이유는 교육이 장기적, 범국민적 사업이며, 개인의 능력을 최대로 계발하고 국가사회의 이상을 구현하기 위한 공적(公的) 활동이기 때문이다.
- ㉤ 교육의 자주성은 헌법 제31조 제4항과 「교육기본법」 제1장 제5조에 규정되어 있다.

② 법적 규정
- ㉠ 교육의 자주성·전문성, 정치적 중립성 및 대학의 자율성은 법률이 정하는 바에 의해 보장된다(헌법 제31조 제4항).
- ㉡ 국가 및 지방자치단체는 교육의 자주성 및 전문성을 보장하여야 하며, 지역의 실정에 맞는 교육의 실시를 위한 시책을 수립·실시하여야 한다(「교육기본법」 제1장 제5조 제1항).
- ㉢ 학교운영의 자율성은 존중되며, 교직원·학생·학부모 및 지역주민 등은 법령이 정하는 바에 의하여 학교운영에 참여할 수 있다(「교육기본법」 제1장 제5조 제2항).

(5) 평생교육의 원리

① 개념: 교육은 '요람에서 무덤까지' 평생을 통해 지속되어야 하며, 가정, 학교, 사회를 통하여 일관되게 지속되어야 한다는 원리이다.

② 법적 규정: 평생교육은 헌법 제31조 제5항과 「교육기본법」 제10조, 그리고 「평생교육법」에서 규정하고 있다.

(6) 그 밖에 지방자치의 원리와 공공성의 원리 등이 있다.

2. 운영 측면의 원리

(1) 합목적성의 원리(타당성의 원리)

교육행정은 교육목적을 달성하는 수단이 되어야 한다는 원리이다.

(2) 민주성의 원리

교육행정은 독단과 편견을 배제하고 광범한 주민의 참여를 통해야 한다는 원리이다. 이를 위해 시민참여, 행정의 공개성과 공익성, 행정과정의 민주화, 공평한 대우 등을 포함해야 한다. 교육정책의 수립과 집행과정에서 다양한 중지를 모으거나, 의사소통을 개방하고 일방적인 명령이나 지시보다는 협조와 이해를 기초로 일을 집행해가는 것을 말한다.

(3) 능률성의 원리(경제성의 원리)

최소의 노력과 비용을 투입해서 최대한의 성과를 기하려는 것을 말한다.

(4) 적응성의 원리

적응성의 원리란 교육행정은 새로운 사태에 신축성 있게 대처해야 한다는 원리로 변화가 급격한 현대 사회에서 필요하다.

(5) 안정성의 원리

교육활동의 일관성과 지속성을 유지함으로써 안정성을 확보한다. 안정성의 원리는 적응성의 원리와 상충되기도 한다.

4 교육행정과 교육경영

1. 개념

(1) 행정

입법·사법·행정이라는 국가권력의 3권 분립에 의한 헌정체제를 갖추게 된 근대 국가의 성립에 따라 국가의 공권력을 배경으로 공익을 위한 공공조직의 관리이다.

(2) 경영

산업혁명 이후 대량생산에 의한 시장경제의 경쟁에 대처하기 위한 자원과 조직의 관리를 나타낸 말이다.

(3) 교육행정과 교육경영

교육행정은 비교적 객관적 강제성을 띠고 있는 반면, 교육경영(educational management)은 비교적 주관적 융통성을 내포하고 있는 개념이다.

2. 차이점

(1) 행정은 공익을 추구하는 데 비해, 경영은 이윤의 극대화를 추구한다.

(2) 행정은 정치권력을 지니고 있어 강제성이 있는 반면, 경영은 강제성이 없다.

(3) 행정은 독자성을 지니고 있어 경쟁력이 없거나 극히 제한되고 비능률적이며 봉사의 질이 저하되기 쉬우나, 경영은 독점성을 지니기 어려워 경쟁성이 높으며 능률적이고 봉사의 질이 높다.

(4) 행정은 법령의 제약을 엄격히 받는 데 비해, 경영은 상대적으로 법률적 제약을 덜 받는다.

(5) 행정은 이념상 고도의 합법성을 요구하며 법 앞에서 평등을 요구하는 데 비해, 경영은 이러한 원칙에 적용을 적게 받는다.

5 교육행정가의 자질

1. 캇즈와 데이비스(Katz & Davis)

(1) 실무적 기술(technical skill, 사무적 기술)

어떤 과업을 수행하는 과정에서의 방법, 절차, 기법에 관한 이해와 숙련도이다.

> 예 교수와 교육과정의 운영, 학생과 교원의 인사관리, 시설과 재정관리 등의 분야에 대한 전문적 지식과 분석력이 필요하다.

(2) 인간적 기술(human skill)

① 조직의 일원으로서 효과적으로 일하고, 조직 성원의 활동을 조정하고, 조직의 목표달성을 위해 최선을 다하도록 동기를 유발하는 기술을 말한다.

② 조직의 어느 위치에 있는 지도자에게나 같은 비중으로 중요시되는 기술이다.

③ 지도자가 성공하는 데 가장 결정적 요인이며, 양성과정에서 습득되기 보다는 현직에서의 경험과 인생의 경륜이 쌓여가면서 습득된다.

(3) 전체파악 기술(conceptual skill, 개념적 기술)

① 높이가 높아질수록 더욱 중요시된다.

② 조직을 전체로 보는 능력으로 장기적인 계획과 조직 내부나 외부 집단 간의 상호관련성을 폭넓게 다루어 의사를 결정하는 기술이다.

③ 종합적 기술 혹은 통합적 기술이라고도 한다.

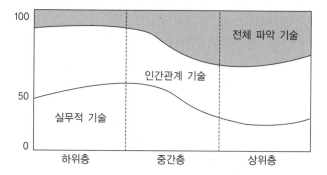

2. 스캔런과 키스(Scanlan & Keys)

인간관계 능력, 의사소통 능력, 실무적 능력, 종합적 능력으로 구분한다.

3. 드레이크과 로우(Drake & Roe) - 교육행정가의 기술

02 | 교육행정이론의 발달

핵심체크 POINT

고전적 조직이론	조직 및 인간 관리의 과학, 합리화, 능률화 추구(과학적 관리론, 행정관리론, 관료제론 등)
인간 관계론	조직구성원의 필요, 협동, 사기, 의사소통 등 중시[메이오와 뢰슬리스버거(Mayo & Roeslisberger)의 호돈공장 실험]
행동과학이론	1950년대 조직 내 인간행동의 과학적 연구(실증주의 반영), 인간의 직무행동에 관심
체제이론	조직을 전체적, 요소들 간의 상호작용, 외부환경과의 관계 탐구[겟젤스와 구바(Getzles & Guba), 리커트(Likert) 등]
대안이론(1970년대 이후)	조직 내의 인간행동을 해석(해석학적 관점), 조직 내의 성역할 불평등 문제 제기

1 고전적 조직이론

1. 특징

(1) 기원

19세기 후반부터 1930년대까지 발달한 이론으로 성악설적 인간 관리 철학에 기초하여 조직 및 인간 관리의 과학화·합리화·능률화를 추구한 이론이다.

(2) 유형

과학적 관리론, 행정관리론, 관료제론 등이 있다.

2. 유형

(1) 과학적 관리론(1910~1920년대)

① 기본 입장: 인간을 효율적인 기계와 같이 프로그램화할 수 있으며 노동자들이란 단순해서 경제적 요인만으로도 과업동기가 유발되고 생리적 요인에 의해 성과가 크게 제한을 받는다는 것이다(경제적 인간 요구).

② 창시자: 테일러(F. W. Taylor)는 작업과정을 분석하여 과학화하면 능률과 생산성을 극대화 할 수 있다고 믿고 시간연구와 동작연구 등을 통해 체계적인 공장관리론을 발전시켰다[『공장관리기법(Shop Management), 1903』과 『과학적 관리의 원리(Principle of Scientific Management), 1911』 등].

고전적 조직이론의 발생배경

18세기부터 시작된 산업혁명은 인류에게 엄청난 에너지와 가능성을 가져다주었으며, 이러한 시대적 상황에서 일반 행정이나 기업경영의 주요 관심은 에너지와 가능성을 현실화할 수 있는 효율적인 조직체제와 절차, 합리적인 관리기술의 개발에 집중되어 있었다. 고전적 조직이론은 이러한 시대적 요구에 부응하여 19세기 후반부터 1930년대까지 발달한 이론이다.

③ 과학적 관리론의 원리

　　㉠ 시간 연구의 원리: 모든 생산적인 노력은 정확한 시간 연구에 의해 측정되어야 하며, 공장에서 행해지는 모든 작업에 대하여 표준 시간이 설정되어야 한다.

　　㉡ 성과급의 원리: 임금은 산출에 비례하여야 하며, 그 비율은 시간 연구에 의해 결정된 표준에 입각하여야 한다.

　　㉢ 계획과 작업수행 분리의 원리: 경영자는 작업을 계획하고 그 작업 수행을 물리적인 면에서 가능하도록 하는 책임을 노동자로부터 떠맡아야 한다.

　　㉣ 과학적인 작업 방법의 원리: 경영자는 작업방법에 관한 책임을 노동자로부터 떠맡아야 하며, 최선의 방법을 결정하고 이에 따라서 노동자를 훈련시켜야 한다.

　　㉤ 관리 통제의 원리: 경영자는 경영과 통제에 과학적인 원리를 제공할 수 있는 훈련과 교육을 받아야 한다.

　　㉥ 기능적 관리의 원리: 군대식 원리의 엄격한 적용은 재고되어야 하며, 산업조직은 여러 전문가의 활동들에 대한 조정(coordination)의 개선 목적에 가장 잘 기여할 수 있도록 고안되어야 한다.

④ 교육 분야에 적용: 테일러의 과학적 관리론을 교육행정에 적용한 사람이 보비트(F. Bobbitt)와 스포올딩(Spaulding)이다. 보비트는 학교운영에 있어서 교사나 교육 행정가는 자신들이 수행해야할 과업이 구체적으로 무엇이며, 과업을 수행하는데 있어 효과적인 방법이 무엇인가를 제시해주어야 한다고 보았다.

학교에서의 과학적 관리의 원칙
[보비트(Bobbitt)]

1. 모든 시설을 동시에 이용한다.
2. 교사의 작업능률을 최대로 향상시켜 교사의 수를 최소로 감소시킨다.
3. 낭비를 추방한다.
4. 각자의 능력에 적합한 개별 프로그램을 적용한다.

최대의 1일 작업량	모든 노동자에게 명확하게 최대의 1일 작업량을 정해주어야 한다.
표준화된 조건	노동자들이 과업을 성공적으로 수행할 수 있도록 작업조건과 도구를 표준화해주어야 한다.
성공에 대한 높은 보상	노동자들이 과업을 성공적으로 완수한 경우에는 높은 보상을 해주어야 한다.
실패에 대한 책임	노동자가 과업을 달성하지 못한 경우에는 그 실패에 대한 책임을 지도록 해야 한다.
과업의 전문화	노동자에게 주어지는 과업은 일류 노동자만이 달성할 수 있을 만큼 어려운 것이어야 한다.

⬆ 테일러의 과학적 관리의 원리

秀 POINT **고전적 행정모형의 기본 특징[호이와 미스켈(Hoy & Miskel)]**

1. 시간과 동작 연구
2. 분업과 전문화
3. 과업의 표준화
4. 명령의 일원화
5. 통솔의 범위
6. 기능의 독자성
7. 공식 조직

⑤ 장점

    ㉠ 조직 운영과 관리의 과학화, 능률화, 합리화를 도모할 수 있다.

    ㉡ 경영 합리화의 일환으로 절약과 능률을 실현할 수 있다.

⑥ 단점

    ㉠ 생산 과정에서 인간적 요소를 완전히 배제하고 인간을 기계로 취급하였다 (인간의 소외와 의욕 저하).

    ㉡ 작업의 성질, 인간의 개성과 잠재력, 상호작용 등을 무시하였다.

(2) 페이욜(Fayol)의 행정 관리론

① 특징: 페이욜은 테일러가 인간을 공장의 기계장치의 일부로 보는 경향과는 달리 작업자보다는 관리자에게 관심을 가졌다[『일반 기업관리(General and Industiral Management), 1916』].

② 행정요소: 페이욜은 행정과정을 생산과 같은 조직 운영에서 분리시켰고, 기업전체의 관리를 어떻게 할 것인가의 법칙적, 원리적 고찰의 결과를 토대로 계획, 조직, 지위, 조정, 통제의 5가지 요소를 제시하였다. 이를 행정의 과정으로 보았다.

계획하기	앞으로의 전망을 연구하여 운영 계획을 마련한다.
조직하기	인적 및 물적 업무 조직을 수립한다.
명령하기	직원으로 하여금 각자의 일을 시킨다.
조정하기	모든 활동을 통합하고 상호 관련짓는다.
통제하기	제정된 규칙과 주어진 지시대로 일이 이루어지도록 한다.

③ 굴릭과 어윅(Gulick & Urwick)의 행정요소: 굴릭(Gulick)은 페이욜의 5가지 요소를 발전시켜 행정과정 이론을 제시하였다(POSDCoRB).

계획(planning)	조직의 목적을 달성하기 위해 행동의 대상과 방법을 개괄적으로 확정하는 일이다.
조직(organizing)	공동의 목적을 달성하기 위해 공식적 권한 구조를 설정하고 직무 내용을 배분·규정하는 일이다.
인사(staffing)	설정된 구조와 직위에 적합한 직원을 채용·배치하고 작업에 적합한 근무조건을 유지해 주는 일이다.
지시(directing)	조직의 장이 의사결정을 하고 그것을 각 부서에 대한 명령과 지휘 등의 형태로 구체화하는 일이다.
조정(coordinating)	각 부서별 업무수행의 관계를 상호 관련시키고 원만하게 통합·조절하는 일이다.
보고(reporting)	작업 진척 상황에 대한 기록, 조사, 연구, 감독 등을 통해 조직의 장이 자신과 하위 직원들에게 정보를 제공하는 일이다.
예산(budgeting)	조직의 목표 달성에 소요되는 제반 예산을 편성하고 회계, 결산 등을 하는 일이다.

페이욜(Fayol, 1841 ~ 1925)

페이욜은 1860년에 프랑스의 St. Etienne의 광산학교(School of Mines)에서 광업기술자로 졸업하고, 즉시 그의 전 경력을 쌓아 왔던 기업에 종사하였다. 그는 곧이어 그 회사의 책임집행관이 되었는데, 페이욜의 승진은 이 기업에서 파격적인 것이었다. 이뿐만 아니라 그는 프랑스의 지질구조에서부터 지하화재, 자연발화 그리고 광산 안전에까지 전문가가 되었다. 그는 이 분야에 대한 연구를 바탕으로 책을 발간하기도 하였는데, 1916년 페이욜이 75세가 되었을 때, 그의 주요 서적이 출간되었다. 이에 그치지 않고 페이욜은 1925년 죽을 때까지 관리를 주제로 저술 활동을 하였다. 1916년 그의 책은 프랑스에서 영향력을 가지고 있었으며, 1929년에는 비록 제한된 부수지만, 처음으로 영어로 번역되기도 하였다.

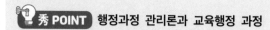

秀 POINT 행정과정 관리론과 교육행정 과정

1. 시어즈(Sears)
① 페이욜의 이론에서 시사를 받아 최초로 교육행정 분야에 행정과정을 적용하였으며, 교육행정의 과정으로 PODCoCon의 다섯 과정을 제시하였다.
② 교육행정 과정요소: 기획(Planning) - 조직(Organizing) - 지시(Directing) - 조정(Coordinating) - 통제(Controlling)

2. 그레그(Gregg)
① 교육행정 과정의 상호 관련성을 강조하여 교육행정 과정요소를 7가지로 분류하였다.
② 교육행정 과정요소: 의사결정(Decision-making) - 기획(Planning) - 조직(Organizing) - 의사소통(Communicating) - 영향(Influencing) - 조정(Coordinating) - 평가(Evaluating)

3. 캠벨(Campbell)
① 1950년대 후반에 교육행정의 이론화를 위하여 노력하였으며, 교육행정 과정요소 5가지를 제시하였다.
② 교육행정 과정요소: 의사결정(Decision-making) - 프로그래밍(Programing) - 자극(Stimulating) - 조정(Coordinating) - 평가(Evaluating)

(3) 막스 베버(M. Weber)의 관료제론

① 베버는 권위(authority)를 '어떤 특정한 명령이 일정한 집단의 사람들에 의해 준수될 가능성'으로 정의하고, 권위가 정당화되는 방법에 따라 전통적 권위, 카리스마적 권위, 합리적(합법적) 권위로 구분하였다. 이 가운데 합리적 권위란 지배의 근거를 법 규정에 의한 합법성에 두는 권위를 말하며, 이런 조직을 관료제(Bureaucracy)라고 하였다. 관료제를 이념형(ideal type)이라고도 한다.

② 특징
  ㉠ 분업과 전문화(division of labor and specialization): 조직의 목적 달성을 위한 과업이 구성원의 책무로서 공식적으로 배분된다.
  ㉡ 몰인정성(impersonality): 조직의 분위기가 감정에 좌우되지 않고 엄정한 공적(公的) 정신에 의해 규제된다.
  ㉢ 권위의 위계(hierarchy of authority): 부서가 수직적으로 배치되고 하위 부서는 상위 부서의 통제와 감독을 받는다.
  ㉣ 규정과 규칙 중시(system of rules and regulations): 의도적으로 확립된 규정과 규칙 체계를 통해 활동이 일관성 있게 규제된다.
  ㉤ 경력지향성(career orientation): 연공이나 업적 혹은 양자를 조합한 승진 제도를 갖추고 있으며 경력이 많은 사람이 우대된다.

③ 단점
  ㉠ 의사결정이 경직적이다.
  ㉡ 조직원 간의 갈등, 긴장을 초래할 가능성이 있다.

특징	역기능	순기능
분업	싫증	전문적 기술과 지식
몰인정성	사기저하	합리성
권위의 계층	의사소통 봉쇄	훈련된 준수와 조정
규칙과 규정	경직과 목표전도	계속성과 통일성
직업지향성	업적과 연공제 간의 갈등	유인

◆ 관료제 모형의 역기능과 순기능

④ 학교의 관료제적 성격

     ③ 초·중등학교의 분리, 교과지도와 생활지도 활동의 구분, 수업과 행정이 분리되어 있다.

     ⓛ 학교조직은 기구표 내지 직제표상 명확하고도 엄격하게 규정되어 있는 권위의 위계를 지닌다.

     ⓒ 조직 구성원들의 행동을 통제하고 과업수행의 통일성을 기하기 위하여 규칙과 규정을 제정하고 활용한다.

     ⓡ 인화단결을 내세우기는 하지만 조직관계에서 보면 몰인정성의 원리가 적용된다.

     ⓜ 교사의 채용은 전문적 능력에 기초하며, 승진은 연공서열과 업적에 의해 결정되고 경력에 따라 급여를 받는다.

秀 POINT 관료제 모형에 대한 비판

관료제 자체가 지닌 역기능	관료제가 지닌 특징인 분업과 전문화, 몰인정성, 권위의 계층, 규정과 규칙, 경력지향성 등은 그 자체가 순기능도 발휘하지만 동시에 역기능도 발생한다.
비공식 조직의 경시	관료제는 공식적 조직의 기능만을 강조함으로써 공식적 조직에서 자연적으로 발생하는 비공식적 조직의 중요성을 간과했다. 조직 내의 비공식적 관계는 공식적 행동에도 영향을 미친다.
관료제 모형의 이중성	관료제는 관료제 원리 간의 내적 모순, 즉 관료제는 전문적 지식을 근거로 한 것인가 혹은 지시에 따른 훈련된 준수(disciplined compliance)를 근거로 한 것인가 하는 문제를 지닌다.
성(性)에 따른 불평등	관료제의 특징인 규칙, 합리성 권위의 위계, 몰인정성 등은 남성적 가치를 강조하기 때문에 여성들에게 불리하다. 즉 관료적 구조는 남성의 지배를 영속화한다는 비판을 받는다.

기출문제

1. 다음 설명에 해당하는 교육행정 과정의 요소는?   2020년 국가직 9급

- 각 부서별 업무 수행의 관계를 상호 관련시키고 원만하게 통합, 조정하는 일이다.
- 이것이 잘 이루어지면 노력·시간·재정의 낭비를 막고, 각 부서 간의 부조화 및 직원 간의 갈등을 예방할 수 있다.

① 기획
② 명령
③ 조정
④ 통제

해설
교육행정 과정의 요소 가운데 조정하기는 모든 활동을 통합하고 상호 관련짓도록 하는 일이다.

답 ③

참고

관료주의 지향과 전문성 지향 학교의 비교 - 코윈(Corwin)

관료주의 지향 학교	전문성 지향 학교
① 행정가에 대한 복종을 강요한다.	① 학생 중심적인 의사결정과 정책 방향이 특징이다.
② 조직에 대한 복종을 강요한다.	② 전문성을 중시하며 전문적, 권위지향적이다.
③ 교수능력은 경험에 기초한다는 신념이다.	③ 교수능력은 지식 위에 기초한다는 신념이 있다.
④ 대중에 대한 복종을 강조한다.	④ 교사는 의사결정의 권한과 책임을 가져야 한다고 생각한다.
⑤ 표준, 규칙, 규범을 강조한다.	⑤ 교사는 전문 저널을 구독해야 한다고 생각한다.
⑥ 교장에게 고분고분하기를 요구한다.	⑥ 학교 의사결정에서 교사라는 전문가에 대하여 최우선적 중요성을 둔다.
⑦ 동일 교과 담당교사는 동일한 수업 계획에 따라 교수활동에 임한다.	⑦ 보수는 능력에 바탕을 둔다.
⑧ 보수는 근무 연수에 따른다.	

2 인간관계론(1930 ~ 1940년대)

1. 기원

폴렛(Follett)과 메이오(Mayo)의 호돈(Hawthorne) 공장 실험에서 비롯되었다.

2. 호돈(Hawthorne) 실험

(1) 메이오(E. Mayo)와 뢰슬리스버거(Roethlisberger)가 미국 시카고에 있는 서부전기회사인 호돈 공장에서 8년간(1924 ~ 1932)의 연구를 통해 조직 내의 인간관계의 중요성을 확인하게 한 연구이다.

(2) 목적

조직 내의 인간적 요인에 의해 생산성이 어떻게 달라지는가를 밝히고자 하는 것이었다.

(3) 방법

작업장의 조명도와 노동자의 작업능률 간의 관계, 종업원의 피로 및 단조로움과 생산성과의 관계, 종업원의 작업환경에 대한 면접조사 등을 실시하였다.

(4) 의의

과학적 관리론의 비인간적 합리론과 기계적 도구관을 부정하고, 조직 관리의 인간화를 모색할 수 있는 연구결과를 도출함으로써 인간관계론의 기초를 제공하였다.

실험	목적	결과
조명실험(1차)	작업장의 조도를 높이면 작업능률도 올라갈 것이라는 가설을 검증하기 위해 실시하였다.	생산량은 작업장의 조명도와는 아무런 상관이 없다.
전화계전기 조립실험(2차)	작업조건의 변화에 따른 생산량의 변화와 집단임금제도의 영향을 알아보기 위해 실시하였다.	작업능률에 크게 영향을 미치는 것은 인간적·사회적 측면이다.
면접 프로그램 (3차)	종업원들이 자신들의 관심사를 직접 이야기하도록 하여 그들이 무엇을 생각하고 있는가를 파악하기 위해 실시하였다.	생산성 향상을 위해서는 물리적 요인보다 인간적 요인이 필요하다.
건반배선 조립 관찰실험(4차)	작업집단의 사회적 구조를 분석하기 위해 실시하였다.	생산성은 직공들의 능력과 기술보다는 비공식조직에서 정해 놓은 비공식적 작업 표준량에 의해 좌우된다.

(5) 결론

① 조직에 대한 주요 관심이 인간적 요인(심리적, 정서적, 심미적 조건 등)이다.

② 조직의 작업능률을 좌우하는 것은 물적 조건만이 아니라 종업원의 태도, 감정, 정서적 심미성 등이 더 크다.

③ 종업원의 태도, 감정은 개인적, 사회적 환경, 조직 내의 세력관계, 비공식적 조직의 영향 등에 의해 좌우된다.

④ 관리의 비공식성, 인간의 심리적·사회적 성질, 조직 구성원의 사기, 집단행동 등은 조직 구조를 이해하는 준거가 되었다.

秀 POINT 호돈 효과(Hawthorne effect)

실험대상이 된 피험자들은 자신이 실험과정에 참여함을 인식하는데, 이러한 인식이 실험결과에 미치는 효과를 말한다. 페녹(Pennock)이 호돈 전기 공장에서 수행한 실험 도중에 발견한 현상으로 그는 공장 근로자들에게 실험이 어떻게 진행될 것인지를 설명만 해주고 처치는 가하지 않았는데, 생산성이 향상된 결과가 나타났다. 즉 실험에 참여하고 있다는 피험자의 인식이 혼재변인(confounding variable)으로 작용하였다.

3. 특징

(1) 조직 구성원의 필요, 협동 및 사기 등을 중요시하는 관리방법이다.

(2) 생산 과정에서 인간을 기계로 취급하는 대신 사람답게 취급하는 것이며, 가능한 한 그들의 불행에 귀를 기울이고 작업조건 등에 관한 결정에 그들을 참여시킴으로써 소속감과 자기 존재의 중요성을 인식한다.

(3) 노동자들은 임금이나 작업조건도 중요하지만 인간의 태도, 감정, 비공식적 관계와 같은 인간적 측면이 더 중요하다.

(4) 조직 구성원 간의 의사소통의 중요성을 강조한다.

4. 비판

(1) 조직 내의 인간적 측면에 지나치게 집착하여 조직의 구조적인 측면과 생산성 제고의 측면을 경시하였다.

(2) 조직을 폐쇄체제로 보아 환경과의 관계를 다루지 못하였다.

> 참고 이점은 과학적 관리론도 마찬가지이다. 두 이론 모두 조직 외부 환경과의 상호작용보다는 조직 내부의 문제에 더 관심을 갖는다.

(3) 조직의 중요한 문제를 다루지 못하였다. 더 중요한 경영상의 문제를 다루지 못하고 노동자의 사소한 반응에 초점을 맞추었다.

5. 영향

(1) 지도성 이론에서 민주적 지도성(인화중심 지도성)을 강조하게 되었다.

(2) 비공식적 조직의 중요성을 강조하였다.

(3) 인간관계론적 접근과 관련된 것으로는 레빈(K. Lewin)의 지도성 연구(집단역학 연구), 로저스(C. Rogers)의 인간주의 상담, 모레노(Moreno)의 사회성 측정법 등이 있다.

(4) 교육에서 민주적 행정을 도입하는 계기가 되었다. 1930년대 이후 진보주의 교육운동과 결합되어 개성, 사기, 학생과 교원의 상호 신뢰 등 강조, 민주적 교육행정, 인간주의적 장학 등을 위한 방법적 원리로 부각되었다.

秀 POINT 민주적 교육행정의 특징

1. 교육행정가는 교직원의 사기와 인화를 촉진한다. 즉 동료 교사 간의 인간관계나 교사의 개인적 사정에 대한 배려를 중시한다.
2. 교육행정은 수단적 봉사 활동(교육을 위한 행정 강조)이다.
3. 의사결정은 광범한 참여를 통해 이루어진다.
   > 예 교장은 의사결정 과정에 교사 친목회, 교사 동호회 등의 의견을 반영한다.
4. 행정적 권위는 집단에 의해 주어져야 한다.

---

3 행동과학 이론

1. 개념

(1) 1950년대 조직 내의 인간행동을 추구하는 심리학, 사회학, 인류학과 같은 행동과학을 이용한 접근을 말한다.

(2) 조직의 목표달성에 중점을 둔 테일러(Taylor), 페이욜(Fayol), 개인의 만족을 강조하는 폴렛(Follett), 메이오(Mayo)의 생각을 통합한 이론이다.

(3) 대표자로는 버나드(Barnard)와 사이먼(Simon) 등이 있다.

2. 특징

(1) 공식적 조직 내에서 행해지는 인간의 직무행동에 관심을 둔다.

(2) 논리실증주의에 근거한 가설 연역적 연구와 합리주의적 양적 연구를 지향하며, 사실과 가치를 엄격히 구분한다.

3. 버나드와 사이몬의 구분

(1) 행정에서 효과와 능률을 구분[버나드(Barnard)]

　① **효과(effectiveness):** 체제 지향적이며 조직목표와 관계된다.

　② **능률(efficiency):** 인간 지향적이며 조직 구성원으로서 가지는 만족감과 관계있다. 조직의 계속적인 존속을 위해서는 이 두 가지가 모두 필요하며 개인의 의욕, 신념, 만족감 등이 조직목표 달성에 중요한 요인이 된다고 보았다.

(2) 경제적 인간과 행정적 인간[사이먼(Simon)]

　① **경제적 인간:** 의사결정 과정에서 최적의 합리성만을 추구하는 사람을 말한다.

　② **행정적 인간:** 만족스러운 범위 내에서 제한된 합리성을 추구하는 사람을 말한다.

　③ 보다 객관적이고 효과적인 의사결정을 위해서는 행정적 인간형이 필요하다고 주장하였다. 즉, 행동과학 시대에는 행정적 인간이 중시된다.

3. 영향

(1) 조직원의 동기 이론의 중요성을 강조하였다.

　〖예〗 허즈버그(Herzberg)의 동기 - 위생이론, 매슬로우(Maslow)와 알더퍼(Alderfer)의 ERG이론 등

(2) 의사결정의 합리성을 추구하였다.

(3) 지도성 이론의 발전에 공헌하였다. 즉 지도성 이론을 기존의 특성이론에서 행동론으로 전환하는 계기를 마련해주었다.

(4) 조직이론의 발전을 가져왔다.

　〖예〗 조직풍토론, 성숙 - 미성숙이론, X-Y이론 등

(5) 교육행정의 이론화 운동에 영향을 주었다. 즉 교육행정은 종합 학문적 또는 학제 간 접근방법을 통해 과학으로서의 교육행정을 지향하면서 이론형성을 위한 과학적 연구에 노력을 집중하게 되었다.

 참고

신과학적 관리론

1. 1957년 스푸트니크 사건 이후 교육에 대한 책무성 요구에 따른 효율성 논리가 강조되면서 교육체제 밖에서 교육의 성과와 질적 수준을 높여야 한다는 여론이 고조됨으로써 과학적 관리의 주요 개념이 등장되게 된 것으로 이를 신고전적(neoclassical)관리 혹은 신과학적(neoscientific) 관리론이라고 한다.

2. 여기에서는 목표관리(MBO), 능력본위 프로그램, 기초학력증진 프로그램(back to basics), 기획예산제도(PPBS) 성과급제도, 비용 - 효과분석 등이 강조되었다.

3. 신과학적 관리론에서는 과업, 직무, 구체화된 성과목표에 관심을 가지면 몰인간적이고 기술적이며, 합리적인 통제장치를 통해 효율성을 도모하고자 한다.

4. 1983년의 「미국교육의 위기(A Nation at Risk: The Imperative for Educational Reform)」 이후의 교육 수월성 추구를 위한 각종 프로그램이나 1991년의 「미국 2000: 교육전략」 이후 학력증진을 위한 중핵교과(영어, 수학, 과학, 역사, 지리)의 학력기준설정, 대학시험 실시, 차등 급여제, 학부모의 학교선택권 보장 등의 개혁전략도 신과학적 관리의 관점이 반영된 것으로 볼 수 있다.

4 체제이론(system theory)

1. 의의

(1) 기원

1960년대 이후 학교조직을 이해하는 하나의 방법으로 사용되기 시작하였다[베르탈란피(Bertalanffy)].

(2) 특징

① 조직을 종합적이고 체계적으로 조망하는 방식이다.
② 조직을 전체적으로 연구하고 조직의 구성요소들 간의 상호관계 그리고 조직과 외부 환경과의 관계를 탐구한다.
③ 체제를 구체적이고 의도적으로 설정된 목적을 달성하기 위한 하나의 단위로서 기능하는 상호관련 있는 구성 요소들의 집합체라고 정의한다.

2. 겟젤스와 구바(Getzels & Guba)의 사회체제 이론

(1) 의의

① 학교조직을 사회체제로 보고 그 안에서 이루어지는 사회적 행동을 규명하려 했다.
② 파슨스의 영향을 받아 조직 내 인간의 사회적 행동이 유발되는 경로를 규범적 차원(혹은 사회학적 차원)과 개인적 차원(혹은 심리학적 차원)으로 제시하였다.

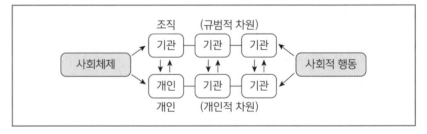

(2) 특징

① 겟젤스와 구바는 학교조직을 하나의 사회체제로 보고 사회체제 내에서의 인간의 사회적 행동은 조직에서의 역할(Role) 기대와 개인의 인성(Personality), 욕구의 함수관계로 설명하였다. 즉 $B = f(R \times P)$의 공식이 성립된다.
② 지도자는 이 두 요소를 잘 관리해야 한다. 즉 구성원의 동기적 기대를 만족시켜 주면서 조직의 목적을 달성시키는 관리기능을 해야 한다.
③ 조직에서 지도성과 조직풍토에 대한 논의 계기를 마련해주었다.

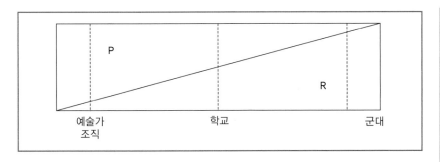

3. 리커트(Likert)의 경영체제론

(1) 개념

리커트는 학교를 포함한 조직의 특성을 측정하여 체제 1 에서 체제 4 에 이르는 4 가지 유형으로 구분하였다. 이들은 하나의 연속선상에 놓이는데 생산성이 낮을수록 체제 1 에 가깝고, 생산성이 높을수록 체제 4 에 가깝다.

(2) 체제유형

① 체제 1 - 착취적이고 권위주의적 경영체제: 경영자는 부하를 신뢰하지 않고, 의사결정과 통제권이 최고 경영자에게 집중된 형태이다.

② 체제 2 - 자선적이고 권위주의적 경영체제: 경영자는 부하들에게 자선적인 태도와 신뢰를 가지고 정중하지만 부하들은 의사결정에 거의 참여하지 않는 형태이다.

③ 체제 3 - 자문적인 경영체제: 경영자는 완전하지는 않으나 신뢰하고 의사소통이 상하로 이루어지고 통제권이 아래로 위임된 형태이다.

④ 체제 4 - 참여적 경영체제: 경영자는 부하를 완전히 신뢰하고 통제과정과 책임이 분산되고 참여에 의한 동기유발과 의사결정이 이루어지는 형태이다.

(3) 특징

① 체제 1 과 체제 2 를 채택하는 교장이나 교사는 학교의 목적 달성을 위해 고도의 통제와 지위를 이용한 압력과 권한을 행사한다. 이 때 지도자와 부하의 관계는 일대일의 관계를 강조한다.

② 체제 3 은 부하와 개인적으로 상의하여 의사결정을 하는 참여적 지도성을 보인다. 그러나 학교 목적의 극대화, 학생의 자아실현, 교사의 자아 충족에는 미치지 못한다.

③ 체제 4 는 중요한 조직의 모든 과정에 팀워크가 강조된다. 교장이나 교사는 자아 통제적 방법으로 커다란 집단 충성심과 높은 목표완수, 고도의 협동을 이룬다.

④ 체제 1 에 가까울수록 맥그리거(McGregor)의 X이론에 가깝고, 체제 4 에 가까울수록 Y이론 가정에 가깝다.

4. 카우프만(Kaufman)의 체제접근

(1) 개념

더 적합하고 실질적인 교육성과를 얻기 위해서 논리적으로 문제해결을 시행해나가는 과정을 말하며 구체적으로는 논리적이고 체제적이며, 자기수정적인 과정이다.

(2) 절차

문제규명, 해결과제결정 및 해결대안탐색, 해결전략선택, 실행, 실행효과확인, 필요에 따라 수정하는 과정을 거친다.

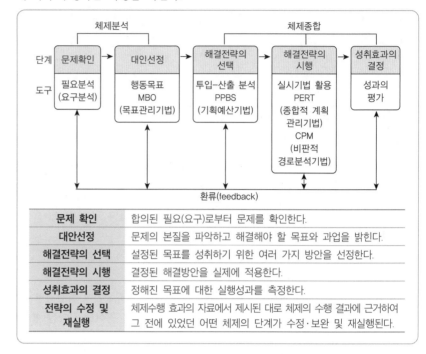

문제 확인	합의된 필요(요구)로부터 문제를 확인한다.
대안선정	문제의 본질을 파악하고 해결해야 할 목표와 과업을 밝힌다.
해결전략의 선택	설정된 목표를 성취하기 위한 여러 가지 방안을 선정한다.
해결전략의 시행	결정된 해결방안을 실제에 적용한다.
성취효과의 결정	정해진 목표에 대한 실행성과를 측정한다.
전략의 수정 및 재실행	체제수행 효과의 자료에서 제시된 대로 체제의 수행 결과에 근거하여 그 전에 있었던 어떤 체제의 단계가 수정·보완 및 재실행된다.

5. 체제접근의 영향

행동과학과 체제이론의 종합을 제시한 이론으로 학교경영절차, 기법, 개발과 교수체제 설계, 교육체제 설계 등에 영향을 주었다.

 참고

체제(system)

1. 어떤 목적 달성을 하기 위한 상호작용하는 부분 요소 간의 통합체이다.

2. 체제는 투입, 과정, 산출의 연속과 피드백을 통한 순환 과정을 이루며, 경계에 의해 다른 체제와 구별되고 그 주변에 환경이 있어 체제에 영향을 미친다.

3. 개방체제와 폐쇄체제가 있다. 개방체제란 경계영역을 넘어 환경과 상호작용하는 체제로, 학교조직은 정치, 경제, 사회, 문화 등 여러 환경과 유기적인 관계를 유지하기 때문에 개방체제이다.

4. **개방체제의 주요 요소**
   ① 투입(inputs), 전환과정(transformational process), 산출(outputs), 피드백(feedback) 등이 있다.
   ② 경계영역(boundaries): 체제는 자신의 환경과 구분되는 영역이 있다. 이 경계영역은 개방체제보다 폐쇄체제에서 더 분명하다.
   ③ 환경(environment): 체제의 경계영역 밖에 존재하는 어떤 것으로 내부 구성 요소의 속성에 영향을 미친다.
   ④ 항상성(hemeostasis): 체제의 구성요소들 간에 상태가 변하지 않도록 하기 위해 관리자들이 이용하는 방법이다.

⑤ 엔트로피(entropy): 어떤 체제가 쇠퇴하여 존재하지 않게 되는 경향이다.
⑥ 이인동과성(異因同果性, principle of equifinality): 체제들의 최초의 위치가 다르고 경로가 달라도 체제들은 같은 목적에 도달하고자 하는 경향이다.

5 사회체제 모형에 대한 수정모형[겟젤스와 텔렌(Getzels & Thelen)]

1. 겟젤스와 구바(Getzels & Guba)의 한계

겟젤스와 구바의 모형은 기관의 차원과 개인적 차원만을 고려하였기 때문에 현대 사회와 같은 복잡한 사회에서 이루어지고 있는 사회적 상호작용을 설명하는 데는 한계가 있다. 인간의 행위는 단순히 조직과 개인의 차원에서만 이루어지는 것이 아니라 전체 사회, 문화, 집단심리 등 보다 복잡한 차원과 관련된 사회적 상호작용에 의해 이루어진다.

2. 겟젤스와 텔렌(Getzels & Thelen) 수정모형

(1) 개념

겟젤스와 구바의 모형에 인류학적, 사회심리학적, 생물학적 차원을 추가하여 더 다양한 사회적 행동을 설명하고 있다.

(2) 특징

① 합리성: 한 개인의 행위가 목표로 하는 사회적 행동으로 나타나려면 목표 행위에 역할기대가 논리적으로 부합되도록 해야 한다.
② 일치성: 제도적 목표에 자신의 욕구성향을 만족시켜야 한다.
③ 소속감: 집단의 제도적 목표달성에 의식적으로 참여함으로써 공동체 의식을 가져야 한다.

3. 추가된 내용

(1) 인류학적 차원

① 사회가 여러 제도들의 조직으로 이루어진다는 것에 주목한 결과로 인류학적 차원이 추가되었다.
② 사회는 여러 제도들로 구성되어 있으며, 한 제도에 소속된 개인의 행동은 보다 큰 차원의 사회의식에 의해 영향을 받는다.
③ 사회의식은 넓게는 전체 사회에 흐르고 있는 시대정신에서부터 좁게는 영향권 내에 있는 다른 조직의 집단문화에 이르기까지 한 개인이 소속한 집단과 관련을 맺고 있는 보다 큰 사회체제의 문화를 의미한다.

(2) 생물학적 차원

① 한 개인이 심리학적 관심의 대상일 뿐만 아니라 생물학적 관심의 대상이 될 수도 있다는 점에 주목한 결과이다.
② 학습에 대한 연구를 통해 온도, 조명, 기후, 음향, 날씨 등 학생의 물리적·정서적 조건과 상태가 학습에 커다란 영향을 준다는 점과, 교육행정의 연구에서도 성차(性差)와 신체적 차이가 지도성의 발휘에 상당한 정도로 영향을 준다는 사실이 알려지고 있다.

체제이론의 대안적 관점의 특징
1. 전통적인 과학의 가정과 방법에 대해 의문을 제기한다.
2. 전통적인 과학의 객관성, 인과성, 실제, 사회과학적인 탐구방식의 보편적인 규칙을 반대한다.
3. 주관성, 비결정성, 비합리적·개인적인 해석 등을 제안한다.
4. 감정에 대한 신뢰가 중립적인 관찰을 대치한다.
5. 객관주의보다 상대주의가 추구된다.
6. 단편성이 통일성보다 선호되며 조직의 독특한 특성이 규칙성보다 선호된다.

③ 유기체로서의 인간의 신체구조와 내적 잠재력이 개인의 인성과 욕구에 영향을 주고 사회적 행동에까지 영향을 미치게 된다.

(3) 조직풍토의 차원(사회·심리적 차원)

① 조직풍토의 차원은 역할(role)과 인성(personality)의 상호작용이 상황에 의존한다는 점을 강조하기 위해 사용되었다.

② 역할과 인성은 상황이 적절할 때 극대화된다. 조직의 풍토(organizational climate)가 특정한 역할을 수행하는 데 부적절하다면 혹은 특정한 인성을 지닌 개인으로 하여금 그것의 발휘를 불가능하게 하는 것이라면 그 사람의 사회적 행위는 다른 형태로 나타날 것이다.

③ 어떤 조직이든 특수한 조직풍토 혹은 집단의식이 존재하며, 이들에 의해 개인의 사회적 행위는 아주 다르게 나타나게 된다.

6 사회체제모형에 대한 수정모형[호이와 미스켈(Hoy & Miskel)]

1. 특징

(1) 호이와 미스켈은 공식적 조직에 초점을 맞춘 수정된 확대모형을 제시하였다.

(2) 이들은 공식조직에서의 행위는 기관이나 개인적 요소들에 의해서 뿐만 아니라 작업집단의 가치와 상호작용의 유형에 의해 영향을 받고 나아가 환경으로부터 오는 다양한 힘에 의해서도 제한을 받는다고 주장한다.

(3) 사회체제로서의 공식조직이 생존하고 번성하기 위해서는 적응, 목적달성, 통합 그리고 유형유지와 같은 기본적인 문제를 해결해야 한다고 주장한다.

2. 요소

이들이 제안하고 있는 모형은 기관(institution), 개인(individual), 작업집단(work group), 그리고 환경(environment) 등과 같은 요소를 포함한다.

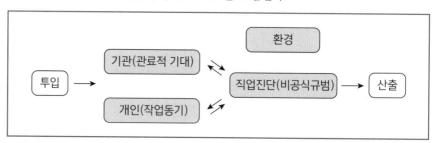

3. 투입과 산출 요인

(1) 투입요인

자원, 가치, 기술, 역사, 지역사회, 국가의 요구, 교육위원회가 있다.

(2) 산출요인

적응, 목적달성, 직무 만족, 출석(결석률), 중도탈락이 있다.

7 대안적 관점(실증주의에 대한 대안)

1. 특징

(1) 실증주의의 사회과학적 방법과 합리성에 대해 의문을 제기한다.

(2) 주관성, 불확정성, 비합리성 등을 교육행정 현상을 분석하는 데 주요한 개념으로 설정한다.

(3) 해석적 관점과 급진적 관점으로 구분된다.

2. 유형

(1) 해석적 관점

① 그린필드(Greenfield)가 대표자이다.

② 특징

    ㉠ 조직은 객관적인 실체가 아니고 인간에 의해 창조되고 의미가 부여된 사회 문화적 가공물이므로, 가설 연역적 체제나 정교한 통계적 방법만으로는 이 해할 수 없다고 주장한다. 따라서 조직을 인간이 적응해야 하는 외적 실체 로 보고 조직과 인간을 이해하려는 관점은 실패할 수밖에 없다고 본다.

    ㉡ 조직의 구조와 역동성을 설명하거나 예측하려 하지 않는다. 과학적 방법을 통해 법칙을 정립하려고 하기보다는 합리적인 사고와 간주관적(間主觀的) 해석을 통해 현상을 이해하는 것을 목적으로 한다.

    ㉢ 민속방법론, 현상학, 해석학, 상징적 상호작용론 등의 영향을 받아 성립되 었다.

③ 기본입장

    ㉠ 조직은 인간이며, 인간 속에 존재한다. 조직은 인간과 무관한 객관적 실체 에 적용되는 과학적 법칙으로는 이해될 수 없다.

    ㉡ 조직은 하나의 체제와 구조 또는 욕구충족의 장치가 아니라 사람들에 의해 서 만들어지고 유지되는 사회적 창조물이고, 구성된 실재이다.

    ㉢ 조직이 정치의 핵심이듯이 조직의 핵심은 권력이다. 권력은 조직의 구조나 과정에서 나오는 것이 아니라 인간관계에서 나온다.

    ㉣ 가치의 세계는 인간 내부 깊숙이 존재하며, 가치는 주관적 실재이므로 객관 적 세계에서는 존재할 수가 없다.

(2) 급진적 관점

① 특징

    ㉠ **성립과정**: 신 마르크스주의(Neo-Marxism)의 영향을 받아 성립되었다.

    ㉡ 조직의 비합리적이고 특수한 측면, 즉 주변적이고 소외된 측면에 초점을 맞 추어 조직의 문제를 탐구한다.

    ㉢ 해석적 관점과 달리 좀 더 객관적 탐구를 추구한다.

    ㉣ 포스트모더니즘, 비판론, 페미니즘(feminism) 등이 해당한다.

실증주의적 관점
교육행정에 대한 전통적인 생각을 반영해 서 사회과학의 전통과 과학적 방법에 바탕 을 둔 객관적이고 합리적인 지식만이 교육 행정의 이론이 될 수 있다는 입장을 견지 한다.

1. 포스트모더니즘 논리가 교육의 영역에 등장한 것은 1980년대 후반으로, 다민족으로 구성된 교육대상자들은 이 이론의 교육적 적용에 다문화 교육이 필수적인 미국에서 많은 관심을 보였다.

2. 포스트모더니즘적 교육행정관은 교육행정 현상을 설명하기 위한 합리적이고 과학적인 기존의 연구 패러다임에 대해 회의적이고 비판적이다.

3. **한계점**
   현재 포스트모더니즘의 문화적, 철학적 논리가 얼마나 교육적으로 적용될 수 있는지, 그리고 포스트모더니즘의 시대적 상황 속에서 교육의 방향과 역할은 무엇인지에 대해서는 아직까지 합의점을 찾지 못하고 있다.

      ⓜ 인간은 자신의 세계를 구성하는 적극적인 행위자이다.

      ⓗ 지식과 권력은 필연적으로 연관되어 있다.

      ⓢ 사실(facts)은 사회적 맥락에 구속되어 있다. 따라서 사실은 사회적이고 가치 개입적인 과정을 통해서만 해석될 수 있다.

      ⓞ 사회구조와 공식적인 위계는 노출되는 것만큼 또한 은폐되어 있다.

   ② 기본입장

      ㉠ 비판론적 관점은 비판을 통해 신비화된 허위의식을 파헤치고 새로운 변화를 모색하고자 한다.

      ㉡ 조직론에 있어 비판론은 현대 조직들이 지배계급의 이익을 위해 어떠한 기능을 수행하는지를 드러냄으로써 사회적 실체를 해체하려는 관점을 표방한다.

      ㉢ 페미니즘은 현대의 조직은 순응, 권위에 대한 복종, 충성, 경쟁, 공격성, 효율성 등을 강조하는 남성문화의 산물이며 그에 편향되어 있다는 점을 비판한다.

      ㉣ 현존하는 조직사회를 주어진 것으로 보고 그 사회에서 여성의 역할을 부각시키려는 자유주의적 여권론(女權論)과 기존의 관료제적 조직을 다른 조직체계로 변혁시키려는 것을 목적으로 하는 급진주의적 여권론으로 나누어진다. 최근에는 교육활동과 교직에서의 성차별 등에 관한 문제를 제기하고 있다.

📁 **참고**

포스트모더니즘(postmodernism)적 조직의 주요 속성[허시혼(Hirshhorn)]

1. 권한의 분산
2. 개방적인 문화
3. 개인의 권위
4. 관계성의 개인화
5. 역할의 융통성
6. 권한의 위임
7. 열정과 참여의 고취

03 | 교육행정 조직

1 조직

1. 개념

의식적으로 조정된 두 사람 이상의 활동이나 힘의 체제, 즉 의식적이고 심사숙고된 그리고 유목적(有目的)적인 조정을 통해 달성되는 활동의 체제이다.

2. 특징

(1) 조직은 의도적으로 형성된 사회집단이다.

(2) 에치오니(Etzioni)는 회사, 군대, 학교, 병원, 교회 및 형무소 등은 조직체이나 부족, 계급, 인종집단, 가족 등은 조직에서 제외시켰다.

3. 원리

계층제의 원리 (hierarchy)	공식 조직을 구성하는 성원들의 상하관계이다.
분업의 원리 (division of work)	업무수행의 효율을 높이기 위해 한 사람에게 가능한 한 한 가지 주된 업무를 분담시키는 것이다.
조정의 원리 (coordination)	조직의 목표달성을 위해 구성원들의 노력을 결집시키고 업무를 조정하는 것이다.
지휘통일의 원리 (unity of command)	부하는 그에게 권한과 책임을 부여한 오직 한 사람의 상관으로부터 지시나 지휘를 받고 또 그에게 보고해야 한다는 것이다.
통솔한계의 원리 (span of control)	한 사람의 상관이 유효 적절하게 통솔할 수 있는 부하직의 수에는 한계가 있다는 것이다.

2 조직의 분류와 형태

1. 조직의 분류

(1) 파슨스(Parsons)의 분류

생산조직	기업 등
정치조직	정부, 관공서 등
통합적 조직	법원 등
유지(維持)조직	학교, 종교집단, 문화단체 등

(2) 블라우와 스콧트(Blau & Scott)의 분류

조직 유형	주된 수혜자	조직의 주요 관심	예
호혜조직	조직 구성원	① 구성원의 참여 ② 구성원에 의한 통제를 보장하는 민주적 절차	정당, 노동조합, 전문직 단체, 종교 단체 등
사업조직	조직 소유주	① 이윤 획득 ② 경쟁적인 상황 속에서 능률의 극대화	제조 회사, 보험 회사, 은행 등
공공조직	일반 대중	대중에 의한 외재적 통제가 가능한 민주적 장치	행정 기관, 군대, 경찰, 소방서 등
봉사조직	고객	서비스 제공	학교, 병원, 사회사업기관 등

(3) 에치오니(Etzioni)의 분류

권력의 종류 \ 참여의 종류	소외적 참여	타산적 참여	도덕적 참여
강제적 권력	강제적 조직	-	-
공리적 권력	-	공리적 조직	-
규범적 권력	-	-	규범적 조직

① 강제적 조직
  ㉠ 부하 직원의 활동을 통제하기 위한 수단으로 물리적 제재나 위협을 사용하며, 그에 대해 구성원은 소외적으로 참여한다.
  ㉡ 질서 유지를 중시한다.
  예 형무소와 정신병원 등
② 공리적 조직
  ㉠ 부하 직원에게 물질적 보상체제를 사용하여 조직을 통제하며, 그에 대해 구성원은 타산적으로 참여한다.
  ㉡ 이윤 추구를 중시한다.
  예 공장, 일반회사, 농협 등
③ 규범적 조직
  ㉠ 규범적 권력을 사용하여 구성원의 높은 헌신적 참여를 유도한다.
  ㉡ 새로운 문화의 창출과 계승, 활용을 중시한다.
  예 종교단체, 종합병원, 전문직단체, 공립학교 등

(4) 칼슨(Carlson)의 분류

구분		고객의 참여 결정권	
		유	무
조직의 고객 선택권	유	유형 1: 야생조직 예 사립학교, 개인병원, 공공복지기관 등	유형 3 예 이론적으로는 가능하나 실제는 없음
	무	유형 2 예 주립대학 등	유형 4: 사육조직(온상조직) 예 공립학교, 정신병원, 형무소 등

① 유형 1: 조직과 고객이 독자적인 선택권을 갖고 있는 조직으로, 이 조직은 살아남기 위하여 경쟁을 하지 않으면 안 되기 때문에 야생조직이라고도 한다.

② 유형 2: 조직이 고객을 선발할 권리는 없고 고객이 조직을 선택할 권리만 있는 조직이다.

③ 유형 3: 조직은 고객 선발권을 가지나 고객이 조직 선택권을 갖고 있지 않는 조직은 봉사조직으로 존재하기 어렵기 때문에, 이 유형은 이론적으로는 가능하나 실제로는 존재하지 않는다.

④ 유형 4: 조직이나 고객이 선택권을 갖지 못하는 조직으로, 이 조직은 법적으로 존립을 보장받고 있어 사육조직 또는 순치조직이라고도 한다. 적응 방식으로는 상황적 은퇴, 반항적 적응, 부수적 보상 적용 등이다.

2. 조직의 형태

(1) 계선조직과 참모조직

① 계선조직(Line Organization)

ⓐ 특징

ⓐ 지휘체계가 분명한 지휘명령을 가진 수직적인 조직이다.

ⓑ 권한의 차이에 따른 명령권과 집행권을 행사하며 조직의 업무를 신속히 처리하는 조직의 특성을 지닌다.

ⓒ 장점과 단점

장점	ⓐ 권한과 책임의 한계가 분명하다. ⓑ 업무수행이 능률적이다. ⓒ 정책결정이 신속하다. ⓓ 업무가 단순하고 비용이 절약된다. ⓔ 강력한 통솔력 발휘가 가능하다.
단점	ⓐ 업무량이 과다하다. ⓑ 조직의 장에 의해 주관적이고 독단적 조치의 가능성이 있다. ⓒ 조직이 경직될 가능성이 있다. ⓓ 특수 분야에서 전문가의 지식과 경험 활용이 어렵다.

② 참모조직(Staff Organization)

ⓐ 특징

ⓐ 계선조직이 원만하게 그 기능을 수행할 수 있도록 자문, 권고, 협의, 정보 수집, 인사, 연구 등의 기능을 수행하는 조직이다(막료조직).

ⓑ 참모조직은 조직의 목표달성에 간접적으로 기여할 뿐 직접적인 명령, 집행, 결정권은 행사하지 못한다(심의관, 담당관 등).

ⓒ 장단점

장점	ⓐ 조직의 장의 통솔범위가 확대된다. ⓑ 전문적 지식과 경험을 활용할 수 있다. ⓒ 수평적 업무의 조정과 협조가 가능하다. ⓓ 조직이 신축적이다.
단점	ⓐ 조직의 복잡성으로 인해 조직 내의 알력과 불화가 초래된다. ⓑ 경비가 증가한다. ⓒ 책임 전가의 가능성이 있다. ⓓ 의사소통에 혼란이 있다.

구분	계선조직	참모조직
형태	계층적, 수직적	횡적, 수평적
기능	명령, 지휘, 집행	권고, 조언, 보조, 자문
권한	강함	약함
태도	현실적, 실제적, 보수적	이상적, 이론적, 개혁적
장점	① 권한과 책임의 한계가 명백하다. ② 강력한 통솔력 ③ 조직이 안정적이다. ④ 소규모 조직이 적당하다.	① 최고 책임자의 인격이 확장된다. ② 합리적 결정을 위한 권고, 조언 ③ 조직의 신축성을 기한다. ④ 수평적 업무의 적용이 용이하다.
단점	신중성 결여, 지도자 상실 시 금방 혼란에 빠진다.	책임을 회피하고 비경제적이다.

⬆ 계선조직과 참모조직의 비교

(2) 공식적 조직과 비공식적 조직

① 공식적 조직(Formal Organization)

㉠ 전통적인 행정조직으로서 조직의 공식적인 조직도표 혹은 명문화된 기구표에 나타나 있는 조직이다.

㉡ 권위가 계층화되어 있고, 명확한 책임 분담, 표준화된 업무 수행을 특징으로 한다.

② 비공식적 조직(Informal Organization)

㉠ 공식적 조직 속에서의 대인접촉이나 상호작용의 결과, 감정이나 태도, 가치관 등이 유사한 사람들끼리 모여 자연발생적으로 형성된 자생조직이다.

㉡ 공식적 조직 속에서 충족할 수 없는 심리적, 사회적 욕구를 충족할 수 있다.

㉢ 장점

비공식적 조직은 업무의 능률적 수행, 조직원의 심리적 만족, 의사소통체계의 통로를 확대시킨다.

㉣ 단점

파벌조성의 위험성, 조직책임의 무효화, 개인적 이익 도모 등이 발생할 가능성이 있다.

순기능	역기능
① 업무의 능률적 수행이 가능하다. ② 조직 구성원에게 만족감을 주고 직무집단을 안정시킨다. ③ 구성원이 서로 정보를 교환할 수 있는 의사소통 체계나 그 통로를 확장시켜 주는 역할을 한다. ④ 조직 구성원의 좌절감과 심리상의 불평, 욕구불만에 대한 배출구 역할을 한다. ⑤ 관리자는 이 조직을 통해 구성원의 업무태도나 내부사정 등의 생리 현상의 파악이 가능하다. ⑥ 조직 구성원들의 자기실현과 자기혁신 및 자기계발을 가능하게 하는 중대한 역할을 한다.	① 파벌조성의 위험이 있으며, 조직의 책임을 무효화시킬 우려가 있다. ② 구성원이 불안감을 가질 때에는 이것이 조직 전체에 확대되어 공식조직을 해체할 우려가 있다. ③ 비공식적 접촉을 통하여 개인적인 이익을 도모하기 쉬우며 사실이 왜곡될 우려가 있다.

❶ 비공식적 조직의 순기능과 역기능

3 우리나라 교육행정 조직

1. 중앙교육행정 조직

(1) 구성

대통령, 국무총리와 국무회의, 교육부와 그 소속 기관 및 단체로 구성된다.

(2) 역할

교육관계 법규의 입안, 제반 교육정책과 예산의 결정, 교육과정과 교과서 행정, 고등교육기관의 관장, 교육에 관한 전국적 최저기준 설정, 재정확보와 지원, 교육에 관한 조사·통계·분석 및 연구 등의 업무를 관장한다.

2. 지방교육행정 조직

(1) 구성

시·도교육청의 기구, 교육위원회와 의사국, 교육 지원청 및 직속기관 등의 기구로 구성된다.

(2) 역할

교육감의 책임하에 시·도의 교육 및 학예에 관한 사무와 교육장의 업무 조정 및 고등학교를 관장하며, 교육장은 유치원, 초·중학교를 관장한다.

3. 교육행정기관의 조직

(1) 국(局)

소관업무의 성질이나 양이 3개 과(課) 이상의 하부조직을 필요로 하는 경우에 설치한다.

(2) 실(室)

국 또는 과로서는 그 목적달성이 곤란하다고 인정되는 경우에 설치한다.

(3) 심의관 및 담당관

전문적 지식을 활용하여 정책의 기획이나 계획의 입안·조사·분석·평가와 행정개선 등에 관하여 기관장이나 보좌기관을 보좌하기 위해 필요한 경우에 설치한다. 참모의 기능을 담당하는 부서이다.

(4) 시·도 교육청

특별시·광역시 및 도의 교육감을 보좌하는 기관 및 교육감 소속으로 설치된 기관이다.

(5) 본청

시·도 교육청 기관 중 직속기관 등을 제외하고 교육감을 직접 보좌하는 기관이다.

(6) 교육 지원청

1개 또는 2개 이상의 시·군·구 자치구를 관할구역으로 설치된 하급 교육행정기관이다.

4. 교육의 지방자치제

(1) 개념

교육자치제는 일반 행정으로부터 분리·독립하여 교육행정의 전문성과 자주성을 확보하려는 제도이다.

> 📁 **참고**
>
> **「지방교육자치에 관한 법률」 제1조**
> 교육의 자주성 및 전문성과 지방교육의 특수성을 살리기 위하여 지방자치단체의 교육·과학·기술·체육 그 밖의 학예에 관한 사무를 관장하는 기관의 설치와 그 조직 및 운영 등에 관한 사항을 규정함으로써 지방교육의 발전에 이바지함을 목적으로 한다.

(2) 특징

교육 자치는 민주성의 이념과 전문성의 이념을 특징으로 한다. 민주성은 지방 자치에 중점을, 전문성은 교육에 중점을 둔 것이다. 민주성의 이념은 주민자치와 지방분권의 원리로 구체화되며, 전문성의 이념은 자주성과 전문적 관리의 원리로 구체화된다.

(3) 원리

지방분권	① 중앙 정부의 집권적 권한을 지방에 적정하게 위임한다(단체자치). ② 중앙 정부의 획일적 통제를 지양하고 지역실정에 부합하고 다양한 요구 및 지역 특수성을 반영한다.
주민에 의한 통제 (주민자치)	① 지역 주민들이 자신들의 대표를 통하여 교육정책을 심의하고 결정한다. ② 관료적 통제를 지양하고 주민의 의사를 교육정책에 반영한다.
자주성 존중	① 일반 행정으로부터 분리·독립한다. ② 교육의 정치적 중립성 보장의 원리
전문적 관리	① 교육활동의 본질과 특수성을 이해하고 전문적 능력을 가진 사람이 교육행정을 담당한다. ② 교육감제도 및 교육행정전문가에 의해 교육행정을 운영한다.

(4) 우리나라 지방자치제의 역사

① 1952~1961: 1952년 4월 23일 교육법 시행령에 의해 교육자치제 실시의 법적 근거를 마련하였고, 1952년 6월 4일 시·군 단위의 교육자치제를 실시하였다(기초자치).

② 1961~1963: 교육자치제 실시의 유보기이다.

③ 1964~1991: 1964년 1월 1일부터 도(道) 단위 교육자치제를 실시하였다(광역자치).

④ 1991~현재: 1991년 3월 8일 '지방교육자치에 관한 법률'에 의해 시·도 단위의 지방자치제가 실시되었다(광역자치).

(5) 지방교육행정 협의회와 교육감

① 지방교육협의회: 지방자치단체의 교육·학예에 관한 사무를 효율적으로 처리하기 위하여 지방교육행정협의회를 둔다. 지방교육행정협의회의 구성·운영에 관하여 필요한 사항은 교육감과 시·도지사가 협의하여 조례로 정한다.

② 교육감: 교육감은 시·도의 교육·학예에 관한 사무의 집행 기관이다.

秀 POINT 지방교육자치에 관한 법률

제18조【교육감】 ① 시·도의 교육·학예에 관한 사무의 집행기관으로 시·도에 교육감을 둔다.
② 교육감은 교육·학예에 관한 소관 사무로 인한 소송이나 재산의 등기 등에 대하여 해당 시·도를 대표한다.

제19조【국가행정사무의 위임】 국가행정사무 중 시·도에 위임하여 시행하는 사무로서 교육·학예에 관한 사무는 교육감에게 위임하여 행한다. 다만, 법령에 다른 규정이 있는 경우에는 그러하지 아니하다.

제20조【관장사무】 교육감은 교육·학예에 관한 다음 각 호의 사항에 관한 사무를 관장한다.
1. 조례안의 작성 및 제출에 관한 사항
2. 예산안의 편성 및 제출에 관한 사항
3. 결산서의 작성 및 제출에 관한 사항
4. 교육규칙의 제정에 관한 사항
5. 학교, 그 밖의 교육기관의 설치·이전 및 폐지에 관한 사항
6. 교육과정의 운영에 관한 사항
7. 과학·기술교육의 진흥에 관한 사항
8. 평생교육, 그 밖의 교육·학예진흥에 관한 사항
9. 학교체육·보건 및 학교환경정화에 관한 사항
10. 학생통학구역에 관한 사항
11. 교육·학예의 시설·설비 및 교구(教具)에 관한 사항
12. 재산의 취득·처분에 관한 사항
13. 특별부과금·사용료·수수료·분담금 및 가입금에 관한 사항
14. 기채(起債)·차입금 또는 예산 외의 의무부담에 관한 사항
15. 기금의 설치·운용에 관한 사항
16. 소속 국가공무원 및 지방공무원의 인사관리에 관한 사항
17. 그 밖에 당해 시·도의 교육·학예에 관한 사항과 위임된 사항

제21조【교육감의 임기】 교육감의 임기는 4년으로 하며, 교육감의 계속 재임은 3기에 정한다.

제23조 【겸직의 제한】 ① 교육감은 다음 각 호의 어느 하나에 해당하는 직을 겸할 수 없다.

1. 국회의원·지방의회의원
2. 「국가공무원법」 제2조에 규정된 국가공무원과 「지방공무원법」 제2조에 규정된 지방공무원 및 「사립학교법」 제2조의 규정에 따른 사립학교의 교원
3. 사립학교경영자 또는 사립학교를 설치·경영하는 법인의 임·직원

② 교육감이 당선 전부터 제1항의 겸직이 금지된 직을 가진 경우에는 임기개시일 전일에 그 직에서 당연 퇴직된다.

제24조 【교육감후보자의 자격】 ① 교육감후보자가 되려는 사람은 해당 시·도지사의 피선거권이 있는 사람으로서 후보자 등록신청 개시일부터 과거 1년 동안 정당의 당원이 아닌 사람이어야 한다.

② 교육감후보자가 되려는 사람은 후보자 등록신청 개시일을 기준으로 다음 각 호의 어느 하나에 해당하는 경력이 3년 이상 있거나 다음 각 호의 어느 하나에 해당하는 경력을 합한 경력이 3년 이상 있는 사람이어야 한다.

1. 교육경력: 「유아교육법」 제2조 제2호에 따른 유치원, 「초·중등교육법」 제2조 및 「고등교육법」 제2조에 따른 학교(이와 동등한 학력이 인정되는 교육기관 또는 평생교육시설로서 다른 법률에 따라 설치된 교육기관 또는 평생교육시설을 포함한다)에서 교원으로 근무한 경력
2. 교육행정경력: 국가 또는 지방자치단체의 교육기관에서 국가공무원 또는 지방공무원으로 교육·학예에 관한 사무에 종사한 경력과 「교육공무원법」제2조 제1항 제2호 또는 제3호에 따른 교육공무원으로 근무한 경력

제30조 【보조기관】 ① 교육감 소속하에 국가공무원으로 보하는 부교육감 1인(인구 800만명 이상이고 학생 150만명 이상인 시·도는 2인)을 두되, 대통령령이 정하는 바에 따라 「국가공무원법」 제2조의2의 규정에 따른 고위공무원단에 속하는 일반직공무원 또는 장학관으로 보한다.

② 부교육감은 해당 시·도의 교육감이 추천한 사람을 교육부장관의 제청으로 국무총리를 거쳐 대통령이 임명한다.

③ 부교육감은 교육감을 보좌하여 사무를 처리한다.

④ 제1항의 규정에 따라 부교육감 2인을 두는 경우에 그 사무 분장에 관한 사항은 대통령령으로 정한다. 이 경우 그 중 1인으로 하여금 특정 지역의 사무를 담당하게 할 수 있다.

⑤ 교육감 소속하에 보조기관을 두되, 그 설치·운영 등에 관하여 필요한 사항은 대통령령이 정한 범위 안에서 조례로 정한다.

⑥ 교육감은 제5항의 규정에 따른 보조기관의 설치·운영에 있어서 합리화를 도모하고 다른 시·도와의 균형을 유지하여야 한다.

제34조 【하급교육행정기관의 설치 등】 ① 시·도의 교육·학예에 관한 사무를 분장하기 위하여 1개 또는 2개 이상의 시·군 및 자치구를 관할구역으로 하는 하급교육행정기관으로서 교육지원청을 둔다.

② 교육지원청의 관할구역과 명칭은 대통령령으로 정한다.

③ 교육지원청에 교육장을 두되 장학관으로 보하고, 그 임용에 관하여 필요한 사항은 대통령령으로 정한다.

④ 교육지원청의 조직과 운영 등에 관하여 필요한 사항은 대통령령으로 정한다.

제35조 【교육장의 분장 사무】 교육장은 시·도의 교육·학예에 관한 사무 중 다음 각 호의 사무를 위임받아 분장한다.

1. 공·사립의 유치원·초등학교·중학교·고등공민학교 및 이에 준하는 각종학교의 운영·관리에 관한 지도·감독
2. 그 밖에 조례로 정하는 사무

제41조【지방교육행정협의회의 설치】 ① 지방자치단체의 교육·학예에 관한 사무를 효율적으로 처리하기 위하여 지방교육행정협의회를 둔다.

② 제1항의 규정에 따른 지방교육행정협의회의 구성·운영에 관하여 필요한 사항은 교육감과 시·도지사가 협의하여 조례로 정한다.

기출문제

우리나라의 현행 지방교육자치제도에 대한 설명으로 옳은 것은? 2021년 지방직 9급

① 부교육감은 대통령이 임명한다.

② 교육감의 임기는 4년이며 2기에 걸쳐 재임할 수 있다.

③ 지방교육자치제의 실시 단위는 시·군·구 기초자치단체를 단위로 한다.

④ 시·도 교육청에 교육위원회를 두고 교육의원은 주민이 직접 선거하여 선출한다.

해설

부교육감은 당해 시·도의 교육감이 추천한 자를 교육부장관의 제청으로 국무총리를 거쳐 대통령이 임명한다. **답** ①

---

4 학교조직

1. 학교조직에 대한 관점

(1) 관료제로서의 관점

① 베버(Weber)가 체계화한 것으로 운영의 합리성을 최고의 가치로 추구하는 현대적 조직구조로 1960년대 이후 학교를 관료체제로 접근하기 시작하였다.

② 특징

 ㉠ 노동의 분화와 책임의 배분 차원에서 학교는 초등 및 중등학교로, 그리고 교과별로 구분된다.

 ㉡ 규칙과 규정, 정책에 기초한 의사결정과 행동의 차원에서 학교조직은 구성원의 행동을 통제하기 위한 일반적 규칙을 사용하고 과제수행에서 일률성을 보장하기 위한 표준을 개발한다.

 ㉢ 비인간지향적 측면에서 학교조직은 구성원 간 상호작용이 기능적으로 분산되어 있다기보다는 전문화되어 있다.

 ㉣ 직원의 임용차원에서 학교는 교사들을 전문적인 능력에 기초해서 임용한다.

(2) 사회체제로서의 학교조직

① 사회체제로서의 접근은 겟젤스와 구바가 제시하였다. 즉 사회체제로서의 학교도 기관의 차원과 개인의 차원을 가진다. 사회체제로서의 학교조직은 다양한 공식적, 비공식적 사회체제들로 구성된다.

② 특징

 ㉠ 구성 요인들 간의 상호의존적 관계

 ㉡ 분명하게 규정된 구성원

 ㉢ 환경으로부터의 분화

 ㉣ 사회적 관계의 복잡한 네트워크

        ⑩ 독특한 문화
        ⑭ 조직생활의 공식적·비공식적 측면이 존재

(3) 느슨하게 결합된 체제로서의 학교조직(이완결합체)

① 1976년 웨익(Weick)이 주장하였다.

② 기본입장

　⑦ 학교조직은 다른 체제보다는 느슨하게 결합된 특징을 갖는다. 이는 조직운영의 과정과 산출을 합리화하려는 관료제의 특징을 완화시키는 작용을 한다. 즉, 학교체제의 구조적 느슨함은 교사와 교장으로 하여금 비교적 광범위한 자율성을 행사하도록 한다.

　ⓛ 학교조직은 교실이라는 독립적인 단위가 있어 학교행정가들이 교사를 통제하는 데 한계를 지닌다.

　ⓒ 행정적 영역에서는 행정가가 주도권을 가지지만 교수 - 학습의 영역에서는 교사들이 자율성을 가진다.

③ 특징

　⑦ 학교에서 이루어지고 있는 다양한 과업이나 활동들은 약하게 연결되어 있고, 단위 부서들은 분리되어 독자적인 역할과 기능을 수행한다.

　ⓛ 한 부분의 성공이나 실패가 다른 부분의 성공이나 실패와 깊게 연결되어 있지 않다.

　ⓒ 교원의 직무수행에 대한 엄격하고 분명한 감독이나 평가방법이 없다. 교사들은 나름대로 자기 업무에 대한 전문지식과 기능을 가진 전문가로서 자율권을 행사하며 상부나 상사의 권위에 무조건 순종하지 않는다.

　ⓔ 학교에서는 활동과 결과가 분리되어 있다. 교사의 교수행위의 결과는 학생의 학습 성취도로 나타나지만 교사의 의도대로 학습이 성취되는 것은 아니다.

　⑩ 학교에서의 계획은 지속적으로 연계되어 추진되기보다는 단절적이다.
　　⟦예⟧ 학년 초에 수립한 교육계획이 일관성 있게 지속적으로 실행되기는 힘들다.

(4) 조직화된 무정부(organized anarchy)로서의 학교조직

코헨(Cohen), 마치와 올센(March & Olsen) 등은 학교조직을 '조직화된 무정부(organized anarchy)'로 규정하였다.

① 특징

　⑦ 학교조직의 목적은 구체적이지 못하고 애매모호하며 때로는 일관성이 없고 서로 충돌한다.

　ⓛ 교사, 행정가, 장학 요원들이 사용하는 기술이 명확하지 못하다.

　ⓒ 학교조직에의 참여가 유동적이다.

　ⓔ 의사결정 방식은 '쓰레기통 모형'이다.

② 상황적 모형

　⑦ 학교조직을 '조직화된 무정부상태'로 개념화한 것은 상황 적응적 이론모형에 적합한 상황적 문제해결 과정이 필요함을 제시한다.

　ⓛ 상황적 문제해결 과정이란 많은 문제에 대한 많은 해결책 중에서 한 가지 문제에 대한 한 가지 해결책을 찾아내는 데 자신의 제한된 시간과 에너지를 쏟는 관심 있는 사람들에 의해서 결정된다는 것이다.

© 조직화된 무정부 체제에서의 지도성 이론은 상황에 따른 지도성이 존재할 뿐이다.

秀 POINT 학교조직에 대한 포스트모더니즘(Post modernism)의 관점

학교조직에 대한 대안적 관점으로 탈과학적, 탈구조주의적, 탈전통적, 탈분석적 관점에서 학교 조직의 실체를 분석해서 자연의 세계와 다른 인간의 세계를 있는 그대로 이해하려는 관점이다. 즉 질적, 현상학적, 참여 관찰적, 자연주의적, 민속지학적 연구와 접근을 통해 학교를 이해하고자 하는 입장이다. 지금까지 모더니즘의 관점이 학교를 여타의 조직과의 공통적 관점에서 일반화된 조직 이론이나 조직의 이미지를 가지고 이해하려는 것이었는 데 비해, 포스트 모더니즘의 관점은 학교 자체에 초점을 두어 여타의 조직과는 다른 '학교조직의 특수성'과 '차별성'을 탐구하려는 것이다. 대표적인 모형이 학교조직을 '무정부 상태의 조직'과 '이완결합체'로 보는 경우이다.

기출문제

다음과 같은 학교조직의 특성에 가장 부합하는 조직 유형은? 2021년 국가직 9급

학교의 목적은 구체적이지도 않고 분명하지도 않다. 비록 그 목적이 명료하게 나타나 있다고 하더라도 그 해석은 사람마다 다르며, 그것을 달성할 수단과 방법도 분명하게 제시하기 어렵다. 또한 학교의 구성원인 교사와 행정직원들은 수시로 학교를 이동하며, 학생들도 일정한 시간이 지나면 졸업하여 학교를 떠나게 된다.

① 야생 조직(wild organization)
② 관료제 조직(bureaucratic organization)
③ 조직화된 무질서(organized anarchy) 조직
④ 온상 조직(domesticated organization)

해설

학교조직의 특징 가운데 조직화된 무질서(organized anarchy) 조직으로 보는 관점은 첫째, 학교조직의 목적은 구체적이지 못하고 애매모호하며 때로는 일관성이 없어 서로 충돌하며, 둘째, 교사, 행정가, 장학 요원들이 사용하는 기술이 명확하지 못하며, 셋째, 학교조직에의 참여가 유동적이고, 넷째, 의사결정방식은 '쓰레기통 모형' 등이다. 답 ③

2. 학교조직의 성격

(1) 직능이 세분화되어 있지 않고, 내용면에서 단일 기능집단이다.

(2) 기능면에서 비영리조직이며, 고객(학생)에 대한 봉사조직이다.

(3) 전문가들로 이루어진 조직이다.

(4) 산출 결과가 인간행동 특성이기 때문에 조직의 효과를 측정하기가 어렵다.

(5) 구성원은 몇 개의 하위조직(예 학년회, 교과협의회, 또는 교무, 연구, 학생 분과 등)이 있으나, 동일 교사가 여러 하위조직에 속해있기도 하고 하위 조직 간에도 기능과 업무에 유사성이 많다.

(6) 학생집단은 강제적으로 형성되며 정해진 일시에 집합(입학이나 등교)과 분산(귀가나 졸업)이 이루어진다.

(7) 해마다 주기적으로 성원의 이동이 있으며, 교육과정은 1년 주기로 반복되고, 교직원과 학생의 일부가 주기적으로 교체된다.

(8) 집단 간의 양립성의 정도는 같은 종류의 다른 학교집단 사이에 적대관계를 찾아보기 어렵다.

(9) 통일의 정도는 기능적인 통솔관계와 그 밖에 위계질서를 갖지만 하위집단(학급)사이에는 도당(徒黨)의 관계를 볼 수 있다.

3. 학교조직 구조의 유형

(1) 홀(Hall)의 관료 구조 접근 모형

① 홀의 연구는 관료화의 정도를 측정하려고 초기에 시도된 체계적인 연구들 중 하나로 관료 구조의 6가지 중요한 특징을 측정하기 위해 조직 조사표를 개발한 것이다. 홀이 제시한 6가지 특징은 전문적 성격의 조직패턴과 관료적 성격의 조직패턴으로 구분할 수 있다.

조직의 특징	조직 패턴
권위의 위계, 직원들을 위한 규칙, 절차 명세서, 비정성	관료적
기술적 능력, 전문화	전문적

② 학교조직의 구조 유형: 학교의 조직유형을 전문적 형태와 관료적 형태에 따라 4가지의 유형으로 구분하였다.

구분		전문적 패턴	
		높음	낮음
관료적 패턴	높음	베버형(유형1)	권위주의형(유형2)
	낮음	전문형(유형3)	혼돈형(유형3)

㉠ 베버형 구조(Weberian structure): 전문화와 관료화가 서로 보완적이다.

㉡ 권위주의적 구조(authoritarian structure): 전문적인 고려사항을 희생시키면서 관료주의적 권위를 강조한다. 규칙, 규제, 지시에 엄격히 따르는 것이 활동의 기본원칙이다. 권력은 집중되어 있고 위에서 아래로 흐르는 일방적인 것이다. 규칙과 절차는 몰인정적으로 적용된다. 지도자는 항상 최종적인 말을 한다.

㉢ 전문적 구조(professional structure): 중요한 의사결정이 전문적 직원들에게 위임되는 구조이다. 직원들은 중요한 조직의 결정을 내릴 수 있는 전문지식과 능력을 지니고 있으며, 규칙과 절차는 일률적으로 적용되는 것이 아니라 가이드로써 봉사한다.

㉣ 무질서한 구조(chaotic structure): 무질서한 조직은 매일 매일 학교를 운영하는데 갈등과 혼돈과 같은 특징을 가지고 있다. 모순, 상충과 비효과성이 전형적인 현상이다. 이 구조는 다른 유형으로 이동하도록 강력한 압력을 받게 된다.

(2) 민츠버그(Mintzberg)의 조직이론

① 조직의 5가지 중요 부분인 전략적 정점(strategic apex), 기술구조(technostructure), 지원직원(support staff), 중도선(middle line), 경영상의 핵심과 5가지 조정장치인 상호적응(mutual adjustment), 직접감독(directsupervision), 작업과정의 표준화(standardization of work process), 산출의 표준화(standardization of output), 기술의 표준화(standardization of skills)를 기준으로 학교구조의 형태를 구분하였다.

② 학교구조의 형태

　　㉠ 단순한 구조(simple structure)

　　　ⓐ 고도의 직접 감독에 의해 조정되고, 수직적으로 중도선이 없고, 적은 전략적 정점을 가지고 있으며, 고도로 집권화되어 있는 조직이다.

　　　ⓑ 중요한 의사결정에 대한 권력이 최고행정가에게 집중되며, 구성원들 간에 느슨한 비공식적 작업관계를 가지며, 의사소통은 비공식적이다.

　　㉡ 기계적 관료제(machine bureaucracy)

　　　ⓐ 세밀한 조정과 표준화에 따라 통합되고 조절된 기계처럼 경영하는 조직을 말하며, 규칙과 규정이 조직을 지배하게 되고 모든 계층에서 공식적 의사소통이 절대적이고, 의사결정은 권위의 계층에 따라 이루어진다.

　　　ⓑ 표준화한 책임, 기술적 자격, 공식적 의사소통 통로, 규칙과 규정 그리고 권위의 계층을 가지고 있다.

　　㉢ 전문적 관료제(professional bureaucracy)

　　　ⓐ 분권화와 표준화가 동시에 이루어지는 구조로 이러한 조직은 기술의 표준화를 주요 조정장치로 사용한다.

　　　ⓑ 효과적으로 기능하기 위해 경영상의 전문가들의 기술과 지식에 의존한다.

　　　ⓒ 전문가들을 고용하고 그들 자신의 작업에 대해 상당한 통제권을 준다. 따라서 이런 조직은 기계적 혹은 단순한 관료제보다 아주 느슨하게 연결된 관계를 갖는다.

　　　ⓓ 학교는 교사의 자율성을 중요시한다. 교사들은 상대적으로 동료들이나 윗사람들로부터 감시를 받지 않으며 학생들에 대해서는 폭넓은 재량권을 갖는다. 학교의 구조적 느슨함은 전문성을 근거로 한 조직임을 의미한다.

　　　ⓔ 학교는 직원들이 대단히 유능하며 훈련이 잘 되어있는 교사들로 이들은 자신의 일을 통제하며, 자신들에게 영향을 미치는 결정에 대해서는 집단적 통제를 하려고 한다.

　　㉣ 단순한 관료제(simple bureaucracy): 교장의 권력과 권위가 지배한다. 교수와 교육과정은 표준화되어 있고, 교장이 교사들을 직접 감독한다. 따라서 교장은 교사들의 활동을 통제하며 정해진 규칙, 표준화된 절차 및 행정 계획이 있는 정교한 제도에 의해 조정된다.

ⓜ 단순한 전문적 관료제(simple professional bureaucracy)
    ⓐ 단순 구조와 전문적 관료제의 혼합 형태로 중앙집권성과 전문성이 높다.
    ⓑ 표준화된 교수법을 실천하는 고도로 훈련된 전문교사가 강력한 교장에
       게서 주도권을 가져가기도 한다. 그러나 교장의 공식적 권위는 교사들의
       전문적 권위에 의해 보완된다.
    ⓒ 학교의 직원은 표준화된 교과과정을 가르치고 숙련된 교사들로서 이들
       은 강력한 전문성과 지휘력을 지닌 교장의 감독을 받는다.
ⓑ 준전문적 관료제(semiprofessional bureaucracy)
    ⓐ 기계적 관료제와 전문적 관료제의 혼합형으로 이 구조는 기계적 관료제
       만큼 중앙집권화 내지 공식화되어 있지 않으며, 또한 전문적 관료제만큼
       느슨하지도 않다.
    ⓑ 교과과정과 교수내용의 몇몇 측면들이 표준화되어 있기는 하지만 전문
       교사들은 합당한 정도의 자율성을 지닌다.

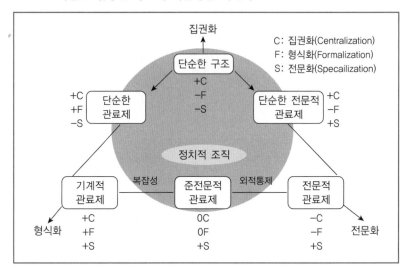

🔺 학교구조의 형태

(3) 학교조직의 주요 부분[민츠버그(Mintzberg)]

① 운영 핵심층(operating core)
    ㉠ 제품 및 서비스 생산과 직접적으로 관련을 가지는 기본적인 과업과 활동을
       수행하는 사람들로 구성된다.
    ㉡ 학교에서는 교수 - 학습의 핵심적 산출을 담당하는 교사들이 운영 핵심층이다.
② 전략적 고위층(strategic apex)
    ㉠ 조직의 목적을 달성할 수 있도록 하는 책임을 부여받은 최고 행정가들로 구
       성된다.
    ㉡ 교육자치단위에서 볼 때 교육감과 실·국장이 여기에 속한다.
③ 중간 관리층(middle line)
    ㉠ 고위층과 운영 핵심층을 연계시키는 행정가들로 구성된다.
    ㉡ 교육자치단위에서 볼 때 학교장이 여기에 속한다.

④ 기술 구조층(technostructure)
  ㉠ 계획을 책임 맡고 있는 행정부서로 구성원들이 과업을 표준화하고 조직을 환경에 적응시키기 위하여 기술을 적용하는 분석가들로 구성된다.
  ㉡ 학교의 기술 구조층에는 교육과정담당 장학사와 수업담당 장학사가 속한다. 이들은 교사들이 수업을 설계하고 계획하도록 도와주며, 교사들의 전문적 성장·발달을 촉진시키기 위해 연수기회를 제공한다.
⑤ 지원부서(support staff)
  ㉠ 조직을 지원해주기 위해 존재하는 세분화된 단위들로 구성된다.
  ㉡ 학교의 경우는 시설, 재정, 서무, 식당 등이 속한다.

秀 POINT 교육제도(educational system)와 학교제도(school system)

1. 교육제도
① 개념: 교육에 관한 작용이나 활동이 법률에 의해 구체적으로 조직화된 것으로 교육제도는 사회가 교육적 의도를 가지고 조직적·계획적으로 교육기능을 담당하려는 기구이다.
② 특징: 교육정책을 법률로 규정한 지속성을 가진 조직이며, 사회적으로 공인된 교육에 관한 조직이므로 그 사회의 전통 및 관습과 밀접한 관련을 맺어 성립된다.

2. 교육제도의 기능[호퍼(Hopper)]
① 능력의 형태와 수준에 따라 아동을 선발하는 기능이다.
② 선발과정을 통해 형성된 여러 범주의 아동들에게 적절한 형태의 교육기능이다.
③ 직업과 사회적 역할의 분배기능이다.

3. 교육제도와 학교제도(학제)
① 교육제도: 가정교육, 직업교육, 평생교육제도 등을 포함하지만 핵심은 학교제도(school system, 학제)이다.
② 학교제도: 기간학제(基幹學制)와 방계학제(傍系學制)로 구성된다.

4. 학제의 구분
① 학교단계(school level)와 학교계통(school stream)으로 구분된다.
② 학교단계: 학교 단계란 학습자의 발달단계에 따라 교육의 목적과 내용을 달리하는 것으로 취학 전 교육·초등교육·중등교육·고등교육으로 구분된다.
③ 학교계통: 학교계통은 종적·수직적 계열에 따른 학교의 종별을 말하는 것으로 일반계·전문계 혹은 단선형 학제와 복선형 학제로 구분한다.
  ㉠ 복선형 학제: 복선형 학제는 귀족과 서민 대중을 위한 이질적인 두 계통의 학교로 구분되어 있는 것으로 서민 자제는 능력이 있어도 고등교육을 받을 기회가 제한되어 있는 문제를 지닌다.
  ㉡ 단선형 학제: 단선형 학제는 계층 간의 갈등과 위화감을 해소하기 위해 발달한 것으로 지배 계층과 서민 계층 사이에 존재하는 교육제도상의 차등을 없애고 공통의 초등학교로부터 시작하여 수업연한이나 자격이 동등하게 주어지는 중등학교에 연결되는 통일적 학제이다.

5. 최근 학제발전의 추세
① 최근 각 국가의 학제발전의 형태는 순수한 복선형이나 순수한 단선형을 취하는 경우보다는 양자의 혼합형이거나 절충형이다.
② 교육의 기회균등을 위해 의무교육 위의 학교 단계(특히 후기 중등학교)부터 다양화를 추구하는 추세이며, 이처럼 교육의 기회균등과 교육의 다양화 현상을 민주적 복선형(혹은 분기형)이라고 한다.
③ 민주적 복선형은 민주적 다양화와 국민 각자의 소질이나 적성·능력에 적합한 교육으로 개인의 수월성을 추구하는 것을 목적으로 한다.
④ 최근 학제발전의 추세는 평등성과 수월성을 모두 실현하고자 하는 것이 일반적이다.

5 조직문화론

1. 맥그리거(McGregor)의 X-Y이론

(1) X이론

① 기본가정

　㉠ 보통 인간은 선천적으로 일하기를 싫어한다.

　㉡ 조직목표 달성을 위해 적절한 강제, 통제, 지시해야 한다.

　㉢ 인간은 조직의 문제해결에 필요한 창의력이 부족하다.

　㉣ 동기는 생리적 욕구와 안정 욕구에 의해 야기된다.

　㉤ 인간은 조직의 요구에 무관심하고, 오직 자신만을 생각한다.

　㉥ 인간은 지적이지 못하고 어리석으며 선동에 쉽게 따른다.

　㉦ 인간은 변화에 저항한다.

② X 이론에 기초한 관리전략

　㉠ 관리자는 조직원을 지도하고 통제한다.

　㉡ 생산성 향상을 위해 작업량에 대한 적정한 보상 등을 강조한다.

　㉢ 조직의 목표달성을 위해 강제, 통제, 지시 등의 수단을 사용한다.

(2) Y이론

① 기본가정

　㉠ 일하는 것은 놀거나 휴식처럼 자연스러운 것이다.

　㉡ 인간은 자신의 일을 스스로 한다.

　㉢ 목표에 대한 헌신의 정도는 성취에 대한 보상과 함수관계이다.

　㉣ 인간은 조직의 문제를 창의적으로 해결할 수 있다.

　㉤ 인간은 스스로 통제할 수 있고 동기화가 되면 과업을 창의적으로 해결한다.

　㉥ 인간은 책임을 가질 능력, 인간적 성장과 발달의 잠재적인 능력을 갖고 있다.

② Y이론에 기초한 관리전략

　㉠ 조직원 스스로 일할 수 있는 분위기를 조성한다.

　㉡ 외적 위협이나 통제를 약화시킨다.

　㉢ 소속감, 책임감 등을 느낄 수 있는 기회를 부여한다.

(3) X, Y이론의 비교

X이론(성악설)	Y이론(성선설)
① 인간은 본질적으로 악하다.	① 인간은 본질적으로 선하다.
② 인간은 본능적으로 행동한다.	② 인간은 자율성에 따라 행동한다.
③ 인간은 강제적으로 동기화된다.	③ 인간은 자발적인 협력에 의해 동기화된다.
④ 인간의 본성은 경쟁적이다.	④ 인간의 본성은 협동적이다.
⑤ 개인이 가장 중요하다.	⑤ 집단이 가장 중요하다.
⑥ 인생관은 현실적이다.	⑥ 인생관은 낙천적이다.
⑦ 인간은 본질적으로 일을 싫어 한다.	⑦ 인간은 본질적으로 일을 하고 싶어 한다.

2. 오우치(Ouchi)의 Z이론

(1) 특징

① 맥그리거의 이론이 경영자의 지도성 유형 간의 차이를 강조한 데 비해, Z이론은 전체 조직의 문화에 관심을 갖는다. 성공적인 기업은 친밀성, 신뢰, 협동, 팀워크, 평등주의 등의 공유된 가치관에 의하여 내적으로 일관되고 다져진 독특한 기업문화를 가진다.

② 조직의 성공은 기술보다 인간 관리에 기인한다고 본다.

③ Z이론의 조직은 장기간의 고용, 완만한 승진, 참여적 의사결정, 집단 결정에 대한 개인의 책임, 전체 지향과 같은 특성을 지닌다.

④ Z이론의 조직은 친밀성, 신뢰, 협동, 평등주의의 가치를 증진시킬 수 있는 체제로 운영된다.

(2) 문화 특성

조직의 특성		핵심적 가치
장기간의 고용	→	조직에 대한 헌신
완만한 승진	→	경력지향성
참여적 의사결정	→	협동심과 팀워크
집단결정에 대한 개인적 책임	→	신뢰와 집단충성
전체지향	→	평등주의

3. 아지리스(Agyris)의 성숙 - 미성숙 이론

(1) 의의

조직의 과업환경에서 관리의 실제가 구성원의 행위와 성장에 어떤 영향을 미치는가를 연구한 결과 조직의 풍토 측면에서 어떤 조직은 구성원의 성장을 억제하면서 계속 미성숙한 상태로 묶어 놓으려고 하고, 어떤 조직은 구성원을 계속 성장하도록 격려하고 있음을 규명하였다.

(2) 특징

① 조직 구성원을 미성숙하게 하는 것이 공식 조직의 본질적 특성이다. 즉 공식조직은 본질적으로 인간 성격에 적절한 발달을 조장할 수 없는 여건을 제공한다. 아지리스는 사람들을 종속적이 되게 하는 주요 변인으로 ⊙ 공식 조직의 구조, ⓒ 지시적 지도성, ⓒ 예산·유인체제·품질관리·동작 및 시간 연구와 같은 관리적 통제가 있다고 주장하였다.

② 인간관계론적 접근은 구성원을 성숙되게 하고, 과업을 효과적으로 성취하도록 유도하는 반면, 과학적 관리론적 접근은 구성원을 미성숙되게 하고, 과업을 비효과적으로 성취하도록 한다.

(3) 시사점

① 조직 속에서 미성숙한 인간으로 취급받게 되면 공격적이 되거나 냉담한 반응을 나타내며, 성숙한 인간으로 취급받게 되면 신뢰적인 인간관계, 집단 간 협동, 융통성 증가, 조직의 효율성이 증대된다[피그말리온(Pygmalion) 효과].

② 조직의 관리자는 구성원을 성숙한 인간으로 취급하고 그러한 문화 풍토를 조성하는데 관심을 기울여야 한다.

미성숙		성숙
수동적 행동		능동적 행동
의존성	→	독립성
한정된 행동	→	다양한 행동
변덕스럽고 천박한 흥미	→	보다 깊고 강한 흥미
단기적 전망	→	장기적 전망
종속적 자아	→	동등하거나 우월한 지위
자아 의식의 결여	→	자아의식과 자기 통제

📁 참고

학교문화

1. 분류

스타인호프(C. Steinhoff)와 오웬스(R. Owens)는 공립학교에서 발견될 수 있는 4가지의 특유한 문화형질을 통해 가족문화, 기계문화, 공연문화, 공포문화의 4가지로 분류하였다.

가족 문화	① '가정(home)'이나 '팀(team)'의 비유를 통해 설명한다. ② 가족으로서의 학교는 애정어리고 우정적이며, 때로는 협동적이고 보호적이다.
기계 문화	① '기계(machine)'의 비유로 설명한다. ② 모든 것을 기계적인 관계로 파악하며, 학교는 목표달성을 위해 교사들을 이용하는 하나의 기계로 설명한다.
공연 문화	① 서커스, 브로드웨이쇼, 연회 등을 시연하는 '공연장(cabaret)'으로 비유한다. ② 교장은 곡마단 단장, 공연의 사회자, 연기주임 등으로 간주되며, 이 문화에서는 공연과 함께 청중의 반응이 중시된다.
공포 문화	① 전쟁터나 혁명 상황, 혹은 긴장으로 가득 찬 악몽으로 묘사된다. ② 교장은 자기 자리를 유지하기 위해 무엇이든지 희생시킬 준비가 되어 있다. ③ 교사들은 자신의 학교를 밀폐된 상자 혹은 교도소라고 표현한다.

2. 은유

그는 학교문화를 기술하기 위해 가족(family), 기계(machine), 극장식 식당(theater restaurant), 작은 공포의 집(house of little horrors)과 같은 은유를 사용하였다.

가족	학교는 하나의 가정 혹은 팀으로 여겨지고 교장은 부모 혹은 감독자이다.
기계	학교는 부드럽게 굴러가는 기계이거나 녹슨 기계로 기술되고 교장은 알코올 중독자이거나 굼벵이이다.
극장식 식당	학교는 서커스나 브로드웨이 쇼이고 교장은 연기주임이거나 의식책임자이다.
작은 공포의 집	학교는 예측 불가능하고 프랑스 혁명을 악몽처럼 상기시켜 주는 곳이며 교장은 셀프크리닝하는 조상(彫像)이거나 지킬 박사와 하이드씨이다.

6 조직 갈등이론

1. 갈등(conflict)의 개념

(1) 개인이나 집단 또는 조직과 같은 사회적 실체 내부나 그들 사이에서 모순, 의견의 불일치나 상이(相異)에서 나타나는 상호작용적 상태이다[라힘(A. Rahim)].

(2) 어떤 사람이 자기의 관심사를 좌절시켰거나 좌절시키려고 한다는 것을 자각했을 때 나타나는 과정이다[토마스(K. W. Thomas)].

2. 갈등에 관한 견해

(1) 과학적 관리론과 관료제론적 관점

종업원이 조직의 기능적 분업화와 능력에 따라 계층적 권한 구조에 동조하고 참여한 것이기 때문에 갈등은 존재할 수 없으며, 갈등이 발생해도 조직에 역기능적이기 때문에 반드시 제거되어야 한다고 본다.

(2) 행동과학적 관점

모든 조직에 갈등은 불가피하며 조직은 갈등 속에 존재한다. 그러나 갈등은 반드시 해결되어야 한다는 점에서 갈등의 기능적 측면을 이해하지 못한다.

(3) 상호작용적 관점

갈등의 긍정적 측면을 인정한다. 조직에서 갈등은 제거할 수 없을 뿐만 아니라 갈등을 통해 조직이 변화, 발전할 수 있다. 갈등이 전혀 없거나 낮은 조직에서는 적정 수준의 갈등을 제공해서 이를 극복하도록 노력함으로써 조직의 계속적인 발전과 효과성을 제고해야 한다.

3. 역할 갈등의 유형

(1) 역할 내 갈등(intra-role conflict)

특정한 역할 수임자의 역할이 역할 전달자의 역할 기대와 양립할 수 없는 경우에 일어난다.

> 예 교칙을 위반한 학생에 대하여 교장은 담임교사에게 엄한 처벌을 기대하는 데 비해, 담임 교사는 처벌이 생활지도에 어긋난다고 생각하는 경우

(2) 역할간 갈등(inter-role conflict)

특정한 역할 수임자가 맡은 복수의 역할에 대한 기대들이 상충하는 경우에 일어난다.

> 예 직장인으로 초과 근무해야 한다는 역할 기대와 가장으로서 가족들의 문제에 더 많은 관심을 가져야 한다는 역할 기대가 충돌하는 경우

(3) 역할·인성 간 갈등(personality role conflict)

이 경우는 특정한 역할 수임자의 인성이 그의 역할 수행을 방해하는 경우에 일어난다. 즉 역할 요건이 역할 수임자의 개인적 윤리관이나 가치관에 맞지 않을 때 발생한다.

> 예 회사에 유리한 계약을 체결할 때, 특정 내용이 개인의 윤리관에 대치되는 경우

인지적 갈등과 정서적 갈등

인지적 갈등	당면한 과업, 정책, 자원에 관련된 문제를 중심으로 형성된다.
정서적 갈등	사회 정서적 문제, 가치 및 집단의 정체성과 관련된다.

인지적 문제는 정서적 문제보다 문제해결 행동을 더욱 촉진하는 반면, 경쟁 행동은 덜 촉진한다.

4. 학교조직에서 갈등의 형태

계층 갈등	교장과 교감 간, 교장·교감과 교사 간, 교사와 학생 간, 상급생과 하급생 간의 갈등이다.
기능 갈등	학교의 업무분장 상에서 일어날 수 있는 부서 간의 갈등이다.
계선 - 참모 간 갈등	서무 담당자와 교원 간, 학교운영위원회와 교장 간의 갈등이다.
공식조직 대 비공식조직 갈등	학교의 공식 조직의 목표 수행과 교원들의 각종 비공식적 모임의 역할 수행 간의 불일치에서 오는 갈등이다.

5. 전문가와 관료와의 갈등

(1) 개념

전문가는 자신들의 고객을 위해 최선을 다하는 것을 중시하는 반면, 관료들은 조직의 이익을 위해 최선을 다해야 한다는 데서 오는 갈등으로, 즉 고객의 이익과 조직의 이익 사이의 갈등을 말한다.

(2) 갈등에 대한 조직의 조정 방법

① 전문조직의 개발: 전문가와 관료 간의 갈등을 조정하는 한 가지 방법은 전문조직(professional organization)의 개발이다. 전문조직은 지식을 창조하고, 응용하고, 보존하고, 의사소통하기 위해 만들어진다. 전문조직은 그들이 추구하는 목적에 의해서, 전문가의 비율이 높고(50% 이상, 5년 이상의 전문 교육을 받은 자) 전문가들이 주요 목표활동에 대해서 우세한 권위를 가진다.

② 전문조직: 지식의 창조와 응용에 관심이 있는 조직으로 대학, 학교, 연구기관, 치료적 정신병원, 종합병원, 사회사업기관 등이 있다.

③ 준 전문조직: 지식의 창조보다는 지식의 전달에 일차적 관심을 갖는 조직으로 초등학교가 대표적이다.

6. 갈등 처리 기법[토마스(K. W. Thomas)]

(1) 경쟁(competitive style)

① 개념: 승패의 상황을 만드는 유형이다.

② 적용상황

　㉠ 신속한 결정이 요구되는 긴급한 상황

　㉡ 중요한 사항이지만 인기 없는 조치가 요구되는 경우

　㉢ 조직의 성장, 복지에 매우 중요한 문제일 때

　㉣ 타인이 부당하게 이용하는 사람에게 대항할 때

(2) 회피(avoiding style)

① 개념: 비협조적이고 비주장적인 행동 유형으로, 행정가는 스스로 치유되기를 바라면서 갈등을 무시한다.

② 적용상황

　㉠ 쟁점이 사소한 것일 때

　㉡ 해결책의 비용이 효과보다 훨씬 클 때

　㉢ 사태를 진정시키고자 할 때

　㉣ 더 많은 정보를 얻는 것이 꼭 필요할 때

ⓜ 다른 사람들이 문제해결을 더 효과적으로 해결할 수 있을 때

ⓗ 해당 문제가 다른 문제의 해결로부터 자연스럽게 해결될 수 있는 하위 갈등
일 때

(3) 수용(accommodating style, 순응, 동조, 적응)

① 개념: 비주장적이고 협조적인 유형으로, 행정가는 하급자들의 요구에 굴복한다
(복종형).

② 적용상황

ⓐ 자기가 잘못한 것을 알았을 때

ⓑ 다른 사람에게 더 중요한 사항일 때

ⓒ 보다 중요한 문제를 위해 좋은 관계를 유지해야 할 때

ⓓ 패배가 불가피할 때 손실을 극소화하기 위해

ⓔ 조화와 안정이 특히 중요할 때

(4) 협동(collaborating style, 협력)

① 개념: 주장적이고 협조적이며, 문제해결적 접근이다.

② 적용상황

ⓐ 양자의 관심사가 매우 중요하여 통합적인 해결책만이 수용될 때

ⓑ 목표가 학습하는 것일 때

ⓒ 다른 관점을 지닌 사람들로부터 통찰력을 통합하기 위해

ⓓ 합의와 헌신이 중요할 때

ⓔ 관계증진에 장애가 되는 감정을 다루기 위해서

(5) 타협(compromising style)

① 개념: 조직의 욕구와 개인의 욕구 간에 균형을 지키려는 유형이다.

② 적용상황

ⓐ 목표가 중요하지만 잠재적인 문제가 클 때

ⓑ 당사자들의 주장이 서로 대치되어 있을 때

ⓒ 복잡한 문제에 대한 일시적인 해결책을 얻기 위해

ⓓ 시간 부족으로 신속한 행동이 요구될 때

ⓔ 협력이나 경쟁의 방법이 실패할 때

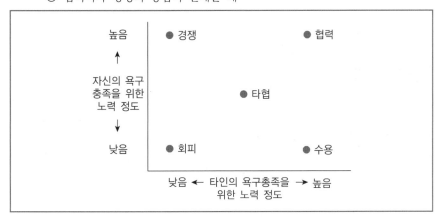

⬆ 갈등 처리 기법

(6) 갈등 해결 전략의 예

경쟁	① 다른 사람의 이해는 무시하고 자신의 목표만을 추구한다. ② 상황 통제 및 자신의 욕구달성 가능성을 극대화하고자 선수를 친다. ③ 문제를 다루는 데 있어서 타인이 피로하여 포기할 때까지 문제점의 논의를 계속한다.
회피	① 문제의 심각성을 무시하고 그 문제해결에 시간을 낭비하지 않도록 당사자에게 제안한다. ② 본인은 그 문제에 대해 관심이 없다고 말한다. ③ 기본적으로 성격 차이가 있는 두 사람 사이의 갈등을 해결하려고 노력하는 것은 의미가 없다고 말한다.
협동	① 각자의 입장을 정리하여 두 사람 모두의 욕구를 충족시킬 수 있는 대안을 식별하고자 한다. ② 본인과 상대방이 함께 아이디어를 창출할 것을 제안한다. ③ 차이점에 관심을 표하며 모두 함께 만족할 수 있는 해결책을 찾기를 바란다고 상대방에게 알린다.
수용	① 상대방이 원하는 방식으로 문제를 다룰 것을 제의한다. ② 직접적인 대결을 피하기 위해 상대방의 요구는 무엇이든지 수용한다.
타협	① 쌍방이 조금씩 양보한다면 갈등이 쉽게 해결될 수 있음을 지적한다. ② 의견불일치를 해소하려면 쌍방이 조금은 희생해야 함을 지적한다.

7. 갈등 관리[루선스(Luthans)]

(1) 승 - 패 접근(win-lose approach)

상대방의 희생 위에서 자신의 목적을 달성함으로써 갈등을 제거한다. 이 경우는 단기적으로는 갈등을 해결하지만 문제의 근본적인 원인을 치유하지 못한다.

(2) 패 - 패 접근(lose-lose approach)

양자 모두가 패자가 되어 무엇을 잃음으로써 갈등이 해소되는 것으로 갈등의 원인을 제거하지는 못한다.

(3) 승 - 승 접근(win-win approach)

단계적 문제해결 과정을 통해서 얻어진 해결책이 양자 모두에게 만족스럽게 수용됨으로써 갈등이 해소된다. 갈등이 일어나는 문제에 대한 해결책이 양자 모두가 수용하는 해결책이며, 생산성 증대는 물론이고 원만한 인간관계를 유도하는 해결방식이다.

7 조직건강 및 조직풍토

1. 조직건강의 접근방법

(1) 유추적 접근(analogy approach)

조직의 특성을 인간의 특성과 유사한 측면에서 인간의 건강개념으로부터 조직건강의 개념을 유추하는 접근이다.

(2) 효과적 접근(effectiveness approach)

조직건강을 조직 효과성과 동일시하여 조직목표의 달성 정도로 파악하려는 접근이다.

(3) 체제 접근(system approach)

조직건강을 환경과의 상호작용이라는 개방 체제적 관점에서 과정영역의 내적 기능 상태로 보는 접근이다.

2. 조직건강 이론 모형

(1) 마일즈(Miles)의 모형

마일즈는 조직건강의 개념을 학교조직에 도입하여 학교조직건강의 이론적 모형을 제시하였다. 그는 학교조직건강의 측정 변인을 과업 변인, 조직유지 변인, 성장·변화 변인으로 구분하였다.

과업 변인	목표 중심성, 의사소통의 적절성, 적절한 권력배분
조직유지 변인	자원 활용, 응집성, 사기
성장·변화 변인	혁신성, 자율성, 적응성, 문제해결의 적절성

(2) 헬핀과 크로프트(Halpin & Croft)의 모형

① 조직풍토기술 질문지(OCDQ; organizational climate description questionnaire)를 개발하였다. 이 질문지는 교사의 행동과 교장의 행동으로 구분하여 교사에게 설문을 실시하는 방법을 사용하였다.

② 변인

	일탈성 (disengagement)	과업에 실질적인 의무감이 없이 움직이는 대로 가는 교사의 경향(무관심 혹은 방관)
교사의 행동특성과 관련된 변인	장애성 (hindrance, 방해)	교장이 교사 자신의 업무를 도와주는 것이 아니라 방해되는 존재로 여기는 행동특성
	사기 (esprit)	교사들의 사회적 욕구만족과 업무에서의 성취감
	친밀성 (intimacy)	교사들 상호 간의 우호적인 관계와 과업성취에 관계없는 사회적 요구에 대한 만족도
교장의 행동특성에 관련된 변인	냉담성 (aloofness)	공식적이고 비정적인 교장의 행위(원리원칙 강조, 초월성)
	생산성 강조 (production emphasis)	⊙ 교장의 엄격한 감독행동으로 지시적이고 교직원의 피드백에 민감하지 않음 ⓒ 하향적 의사소통
	추진성 (thrust)	교장이 직접적인 지도감독을 하지 않고 교사들로 하여금 과업지향적으로 행동하도록 동기화시키면서 학교를 운영하는 정도
	배려성 (consideration)	교장은 교사들을 인간적으로 대우하며 가급적 업무와 무관한 개인적인 면에서도 교사를 도와주려는 정도

③ 학교 조직풍토의 유형: 위의 8가지 변인을 결합해서 학교조직의 풍토를 6가지로 분류하였다.

개방적 풍토 (open climate)	⊙ 조직구성원들의 사기가 극도로 높다. ⓛ 교사들은 서로 방해받지 않고 함께 일한다. ⓒ 교사들은 동료들과 친밀한 관계를 유지하고 직무 만족감을 갖는다. 학교에 대한 자부심이 강하다. ⓔ 교장의 행동지침은 교사들의 성취 욕구를 촉진시켜 준다. ⓜ 교사의 행동 면에서는 이탈의 정도가 낮고 사기와 친밀성이 높으나 교장의 행동 면에서는 초월성의 정도가 낮고 생산성을 크게 강조하지 않으며 사려성이 높은 행동을 한다.
자율적 풍토 (autonomous climate)	⊙ 교장이 교사들에게 적극적인 상호작용을 보장해주고 교사들로 하여금 사회적 욕구충족을 하도록 집단 내에서 방법을 모색하도록 해준다. ⓛ 업무수행보다는 교사들의 사회적 욕구 만족에 비중을 둔다. ⓒ 교장의 행동은 높은 초월성, 낮은 생산성, 정상의 사려성을 보여준다. ⓔ 교장은 스스로 열심히 일하고 모범을 보여줌으로써 조직체를 위한 추진력을 마련해준다. ⓜ 개방적 풍토에 비해 그의 행정상 활동범주는 제한되어 있다.
통제적 풍토 (controlled climate)	⊙ 지나치게 업무 중심적이고 교사들의 사회적 욕구만족을 제한한다. ⓛ 교사들의 행동은 자유롭지 못하고 높은 장애 의식과 낮은 친밀성을 지닌다. ⓒ 교장의 행동은 위압적이고 지배적이며 융통성이 없고, 높은 초월성과 높은 생산성을 지닌다.
친교적 풍토 (familiar climate)	⊙ 교장과 교사들은 상호 우호적인 태도를 보인다. ⓛ 교사의 사회적 욕구는 최대한 충족되나 목표달성을 위한 집단 활동에는 소홀하다. ⓒ 교사들은 자유방임상태이고, 교장은 거의 통제력을 행사하지 않기 때문에 업무성취가 낮다.
간섭적(친권적) 풍토(paternal cliamte)	⊙ 교장은 비효과적인 행동으로 교사들의 사회적 욕구를 만족시키고 조정한다. ⓛ 교사들의 협조가 잘 되지 않고 교장의 비능률적인 행동은 과업성취나 사회적 욕구 충족에 부적당하다.
폐쇄적 풍토 (closed climate)	⊙ 교사들이 과업성취에 있어서나 사회적 욕구 충족에 있어서 별로 만족을 느끼지 못한다. ⓛ 교장은 교사들에게 비효과적인 지시를 하며 상호 간에 역동적인 의사소통이 거의 없다. ⓒ 가장 부적절한 풍토 유형이다.

참고

수정된 조직풍토 기술 설문지[호이와 미스켈(Hoy & Miskel)]

구분		교장행동	
		개방형	폐쇄형
교사행동	개방형	개방형 풍토	관여형 풍토
	폐쇄형	불관여 풍토	폐쇄형 풍토

1. **개방형 풍토(open climate)**

   교직자들 내에서 그리고 교직자와 교장 간에 존재하는 협력과 존경이 특징이다. 교장이 교사의 제안에 귀를 기울이고 거기에 개방적이며 진정하고 빈번한 칭찬을 해주며, 교직자의 전문가적 능력을 존중한다(교장: 저 지원성 - 저 지시성, 교사: 고 전문적 관계 - 고 친교성).

2. **관여형 풍토(engaged climate, 몰입 풍토)**

   통제하려는 교장의 비효율적 시도와 다른 한편으로는 교사들의 높은 전문가적 수행에 의해 구별된다. 교장은 경직되고, 교직자의 전문가적 능력도 개인적 필요도 존중하지 않는다(교장: 고 지시성 - 저 지원성, 교사: 고 전문성 - 고 관여성).

3. **불관여 풍토(disengaged climate, 일탈 풍토)**

   관여형과 대조를 이룬다. 교장의 행위는 개방되어 있고 지원적이고, 교사들에게 자신의 전문적 식견에 의해 행동할 수 있는 자유를 주지만 교사들은 교장을 받아들이기를 꺼려한다. 교사들은 교장의 지도력 시도를 무력화하거나 방해하려고 적극적인 행동을 하기도 한다(교장: 고 지원성 - 저 지시성 - 저 제한성, 교사: 저 친교성 - 저 전문성).

4. **폐쇄형 풍토(closed climate)**

   개방형 풍토의 정반대로 교장과 교사는 도무지 움직이려 하지 않아서 교장은 판에 박힌 지엽말단사와 불필요한 바쁜 잡무를 강조하고 교사는 최소한의 반응만을 보인다(교장: 고 지시성 - 저 지원성 - 고 제한성, 교사: 저 친교성 - 저 전문성).

기출문제

호이(Hoy)와 미스켈(Miskel)이 구분한 학교풍토의 네 가지 유형에 대한 설명으로 옳지 않은 것은? 2022년 국가직 9급

① 개방풍토 - 교장은 교사들의 의견과 전문성을 존중하고, 교사들은 과업에 헌신한다.

② 폐쇄풍토 - 교장은 일상적이거나 불필요한 잡무만을 강요하고, 교사들은 업무에 대한 관심과 책임감이 없다.

③ 몰입풍토 - 교장은 효과적인 통제를 시도하지만, 교사들은 낮은 전문적 업무수행에 그친다.

④ 일탈풍토 - 교장은 개방적이고 지원적이지만, 교사들은 교장을 무시하거나 무력화하려 하고 교사 간 불화와 편견이 심하다.

해설

호이(Hoy)와 미스켈(Miskel)의 학교풍토 가운데 몰입풍토(관여형 풍토)는 교장은 비효율적인 시도, 교사는 높은 전문가적 수행에 의해 구분된다. 즉 교장은 경직되어 있고 교사의 전문가적 능력, 개인의 필요를 존중하지 않는다. **답 ③**

04 | 동기 이론

 핵심체크 POINT

1. 동기의 내용이론
① 매슬로우(Maslow)의 욕구위계: 결핍욕구와 성장욕구
② 포터(Poter)의 욕구위계: 안정의 욕구 → 소속의 욕구 → 자아존중의 욕구 → 자율의 욕구 → 자아실현의 욕구
③ 알더퍼(Alderfer)의 ERG이론: 존재 - 관계 - 성장 욕구가 융통성 있게 작용
④ 허즈버그(Herzberg)의 동기·위생이론: 동기요인과 위생요인, 직무 풍요화, 자율성 증대, 인사행정의 확대 등 강조
⑤ 그 밖에 X·Y이론[맥그리거(McGregor)], 미성숙 - 성숙이론[아지리스(Argyris)], 관리체제이론[리커트(Likert)] 등

2. 동기의 과정이론
브룸(Vroom)의 VIE이론, 포터와 로울러(Poter & Lawler)의 기대이론, 아담스(Adams)의 공평성이론, 로크(Locke) 목표이론, Z이론[오우치(Ouchi)] 등

---

1 동기의 내용이론

1. 특징

(1) 개념

행동을 유발하는 욕구가 무엇이며 욕구의 우선순위가 무엇인가를 연구하는 이론이다. 즉 '동기는 무엇에 의해 일어나는가?'에 대한 이론이다.

(2) 유형

매슬로우(Maslow)의 욕구계층이론, 포터(Porter)의 욕구계층이론, 알더퍼(Alderfer)의 ERG이론, 허즈버그(Herzberg)의 2요인설 등이 있다.

상위의 욕구 ↕ 하위의 욕구	허즈버그의 2요인설	매슬로우의 욕구위계론	알더퍼의 ERG설	내재적 동기 ↕ 외재적 동기
	동기요인	자아실현	성장(G)	
		존경		
		사회적	관계성(R)	
	위생요인	안전	생존(E)	
		생리적		

⊕ 동기 이론의 비교

내용이론

직무만족이 과업수행의 질을 결정한다는 것으로, 직무에 만족하게 되면 과업을 더 잘 수행할 것이라는 가정이다.

2. 유형

(1) 포터(Porter)의 욕구위계론

① 특징: 매슬로우의 욕구위계에서 생리적 욕구를 제외하고 자율의 욕구를 추가하였다.

② 욕구위계: 욕구위계를 안정의 욕구 → 소속의 욕구 → 자아존중의 욕구 → 자율의 욕구 → 자아실현의 욕구로 제시하였다.

(2) 알더퍼(Alderfer)의 ERG이론

① 특징: 인간의 욕구계층을 3가지로 유목화하고 이를 생존욕구(existence needs), 관계욕구(relatedness needs), 성장욕구(growth needs)로 명명하였다.

② 욕구의 유형

생존욕구	㉠ 인간이 생존을 위하여 필요로 하는 욕구이다. ㉡ 신체적 안녕·복지를 유지하기 위해 본질적으로 필요한 생리적 욕구와 안정의 욕구를 포함한다. 모든 형태의 생리적인 욕구와 음식, 의복, 은신처와 같은 물질적 욕망이 포함된다. 조직에서의 보수, 직업 안정성, 근무조건 등이 여기에 속한다. ㉢ 매슬로우의 생리적 욕구와 안전욕구에 해당한다.
관계욕구	㉠ 인간이 사회적 존재로서 타인과 인간관계를 맺으려고 하는 욕구이다. ㉡ 의미있고 만족스러운 사회적 관계에 대한 욕구로 상사나 부하, 동료와의 인간관계나 가족, 친구들과의 인간관계가 이에 속한다. ㉢ 관계욕구는 분노와 혐오를 표현하고, 타인과 친근하고 따뜻한 개인적 관계를 발전시킴으로써 충족될 수 있다. ㉣ 매슬로우의 사회적 욕구와 다른 사람으로부터 존경을 받고 싶어 하는 욕구에 해당한다.
성장욕구	㉠ 최고 수준의 욕구로 자존과 자아실현의 욕구를 포함한다. 인간이 성장하고 발전하며 자신의 잠재력을 최대한으로 발휘하고자 하는 내적 욕구이며, 개인적 발전을 위한 고유의 욕구이다. ㉡ 직장에서 개인이 자신의 기술과 능력을 최대 활용할 수 있는 과업에 종사함은 물론 새로운 기술과 능력을 창조적으로 개발할 것을 요구하는 과업에 종사할 때 충족된다. ㉢ 매슬로우의 자아실현욕구와 자기존경욕구에 해당한다.

③ 알더퍼의 욕구 이론이 매슬로우의 욕구 이론과 다른 점

㉠ 어느 단계의 욕구가 충족되지 않을 경우 그보다 낮은 단계의 욕구로 퇴행할 수 있다.

㉡ 세 가지 욕구가 비록 강도를 다를지라도 동시에 나타날 수도 있다.

㉢ 하위 단계의 욕구가 충족되지 않아도 상위 단계의 욕구가 발생할 수 있다.

(3) 허즈버그(Herzberg)의 동기 - 위생 이론(motivation-hygiene theory)

① 특징: 직무수행에 영향을 주는 조건을 만족을 주는 요인(동기요인)과 불만족을 주는 요인(위생요인)으로 구분한다. 이 두 요인은 계층을 이루지도, 단일의 연속선상에서 양극단에 위치하는 것도 아니며 별개의 차원을 이루고 있다.

② 동기요인과 위생요인

㉠ 동기요인: 직업 자체에서 도출된 인간의 내적 혹은 심리적인 것과 실제 직무에 관련된 것을 말한다.

위생
의학적 용어로 불만족을 사전에 예방할 수 있다는 의미이다.

ⓒ 위생요인(유지요인): 과업수행의 상황이나 환경에 관련된 것으로 과업의 외재적 혹은 물리적 성격을 갖는다.

동기요인	성취감, 인정, 승진, 책임감, 성장가능성, 일(과업) 자체 등
위생요인	보수, 작업조건, 동료관계, 직무 안정성, 지위, 정책과 행정, 사생활, 하급자와의 관계 등

③ 동기화 전략: 위생요인의 제거나 개선은 곧바로 동기요인이 되지 않는다. 그러나 직무에 대한 부정적 장애요인은 제거할 필요가 있다. 이 이론은 종래의 위생요인 개선을 통해 직무동기를 높이고자 하였던 동기화 전략은 적절하지 못함을 설명해주고 있다. 결국 내적 보상의 제공을 통한 동기화 전략이 필요함을 제시하였다. 또한 허즈버그는 동기 - 위생이론을 실제에 적용하기 위해 중요한 아이디어로 직무 풍요화, 과업수행에서 자율성 증대, 인사행정의 확대를 제시하였다.

ⓐ 직무 풍요화(job enrichment): 동기요인을 자극할 수 있는 것으로 직무수행상의 책임을 증가시키고, 권한과 자유 재량권을 부여하며, 구성원들로 하여금 자신의 능력을 발휘할 수 있는 기회를 가지도록 하여 직무 속에서 도전·보람·흥미·심리적 보상을 얻을 수 있도록 하는 것을 말한다.

직무 풍요화와 직무확대
직무 풍요화와 직무확대는 차이가 있다. 직무확대는 직무의 수를 수평적으로 늘리는 것을 의미이다.

> **참고**
>
> **풍요화된 직무의 구성요소**
>
> | 고객 중심 | 직무는 고객들에게 서비스를 제공해야 한다. |
> |---|---|
> | 피드백 | 직무는 피고용자들에게 결과에 대한 지식을 제공해야 한다. |
> | 새로운 학습 | 직무는 개인들에게 새롭고 의미 있는 전문지식에 다가서는 접근로를 제공해야 한다. |
> | 자유 재량적 자원 | 직무는 과업 완수를 촉진하기 위해 어떤 자원에 대한 일하는 사람들의 통제력을 허용해야 한다. |
> | 직접적 의사소통 | 직무는 개인을 필요한 정보원에 곧바로 연결해주어야 한다. |
> | 개별적 책임성 | 직무는 결과에 대한 사람들의 책임성을 장려해야 한다. |

ⓑ 자율성 증대: 자율성 증대는 완전한 자율성이 아니라 제한된 범위 내에서 자율성을 증대하는 것으로 특히 과업수행에 관련된 의사결정에의 적극적인 참여를 강조한다.

ⓒ 인사행정의 확대: 직원의 생산성을 증대시키기 위해 동기를 강화하여 과업에 헌신도를 증가시키고, 업무를 창조하거나 재설계하는 데 초점을 둔다.

④ 영향

ⓐ 동기를 다루기 위한 이론적 체계로서 동기요인, 직무태도, 직무성취에 관련된 연구의 기반을 제공하고, 직무를 직원 자신의 욕구와 연관 지어 직무 자체의 특성에서 얻을 수 있는 내적 보상의 중요성을 강조하였다.

ⓑ 과업 성취동기에 대하여 새로운 관점을 제시하였다. 즉, 과업을 성취하도록 동기화하는 데 동기요인과 위생요인을 구분하여 적용할 수 있게 하였다.

⑤ 문제점
　　㉠ 연구과정에서 인간의 욕구를 여러 요인으로 분류하였으나 그 분류가 논리
　　　적인 일관성이 부족하다.
　　㉡ 연구과정에서 표집된 사람들이 만족 및 불만족의 원인에 대하여 응답할 때
　　　개인들 간의 차이가 존재한다는 사실이 무시되었다.
　　㉢ 연구과정에서 공개적인 면담을 통해 응답을 얻었기 때문에 응답 자체가 사
　　　실과는 달리 사회적으로 수용될 수 있거나 면담자가 듣기를 원하는 것일 가
　　　능성이 높다.
　　㉣ 만족 차원과 불만족 차원의 상호 배타성에 대한 오류이다. 일부 연구결과에
　　　서 동기요인은 만족 요인임과 동시에 불만족 요인으로 나타나기도 하였다.

동기유발을 위한 직무 재설계

1. 개요
　직무의 내용과 과정을 바꾸어 구성원들의 내재적 동기를 유발하고자 하는 방안이다.

2. 방법
① 직무 확장이론(직무 풍요화)
　㉠ 허즈버그의 동기·위생이론에 근거한 직무 재설계이론으로 구성원들이 좋은 대우
　　를 받을 때 성과가 향상된다는 이론이다.
　㉡ 특징: 동기요인을 강조하며, 위생 요인 제거 프로그램을 제공한다.
② 직무 특성이론
　㉠ 직무 풍요화 이론의 문제점을 보완하기 위해 제시한다.
　㉡ 헤크만과 올드햄은 매슬로우의 욕구이론, 허즈버그의 직무 확장이론, 브룸의 기대
　　이론을 기초로 하여 직무 특성모형을 제시한다.
　㉢ 직무 특성모형은 직무가 세 가지 심리적인 만족상태(심리적 상태, 핵심 직무특성,
　　조정요인)를 가져올 때 동기가 유발됨을 강조한다.
　㉣ 직무특성모형의 교육에의 적용: 직무특성모형은 교사의 직무, 자율성, 피드백 등의
　　요소들이 교사의 동기유발, 태도, 성과에 미치는 영향을 점검하는 틀로 유용하게 사
　　용할 수 있다.
③ 교사의 경력단계 프로그램: 교원의 책임과 보상을 차등화시켜 교원 인사에 탄력성을
　주기 위해 실시하는 직무확장의 방법이다.

1단계 - 수습교사	학생을 가르치면서 수석교사로부터 교과지도 및 학생지도에 대한 지도와 조언을 받고 정규교사가 되기 위한 수습기간을 마친다.
2단계 - 정규교사	교과지도와 학생지도에 대한 독자적인 책임을 지고 자율성을 가진다.
3단계 - 선임정규교사	교사연수, 수업연구 등의 특수한 과제에 대한 책임이 확대된다.
4단계 - 수석교사	㉠ 교단교사로서는 가장 높은 경력단계이다. ㉡ 수업은 경감되고 동료 교사들을 지원해주는 역할을 담당한다.

2 동기의 과정이론

1. 특징

(1) 개념

과정이론
과업수행의 질이 직무만족을 이끈다는 것으로, 과업수행을 잘해야 직무만족을 느낄 것이라는 가정이다.

① 사람들이 목표달성을 추구하면서 거치게 되는 공통적인 심리적(내적) 행동적(외적) 과정 확인을 통해 동기를 이해하려는 것으로 1960년대 이후 등장하였다.

② 과정요인은 조직 속에서 인간의 행동은 개인적 요소와 환경과의 조화에 의해 결정된다는 것을 설명한다.

(2) 유형

브룸(Vroom)의 기대이론, 포터와 로울러(Porter & Lawler)의 기대이론, 아담스(Adams)의 공평성이론, 로크(Locke)의 목표이론 등이 있다.

2. 과정요인 이론

(1) 브룸(Vroom)의 기대이론

① 유인가(valence, 가치) - 수단성(instrumentality, 도구성) - 기대(expectancy), 즉 VIE이론 혹은 가치이론이라고 한다.

유인가	목표 매력성
성과기대	노력과 성과의 연계
보상기대	성과와 보상의 연계

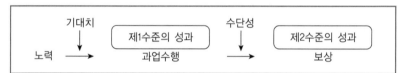

② 피고용자의 일에 대한 동기적 힘: 노력을 쏟은 결과로 얻게 될 성과수준에 대한 인지된 성과기대와 일정한 수준의 성과로부터 얻게 될 보상에 대한 보상기대 간의 함수이며, 이 양자는 피고용자의 산출에 달려 있는 유인가에 의해 조정된다.

③ 기대이론은 조직 속의 인간을 매우 복잡한 존재로 파악하고 동기과정에서 개인의 지각이 중요한 역할을 강조한다. 기대이론의 기본가정은 다음과 같다.

㉠ 인간은 그들의 욕구, 동기, 과거의 경험에 대한 기대를 가지고 조직에 들어온다.

㉡ 개인의 행동은 의식적인 선택의 결과이다.

㉢ 사람들은 조직에 대하여 각각 다른 것을 원한다.

㉣ 사람들은 자신을 위한 산출을 극대화할 수 있는 대안을 선택한다.

④ 주요 개념
  ㉠ 기대(expectancy)
    ⓐ 개인이 노력과 성취를 연계하며 어떤 행동이 추구하는 결과를 초래할 것이라는 주관적인 확률이다.
    ⓑ 열심히 노력하면 과업을 성공적으로 수행할 수 있을 것인가에 대한 신념의 정도로 성공확률이 높으면 더 노력하게 되며 이때 기대치가 높다고 한다. 기대치가 높을수록 과업수행의 정도가 높다.
    예 교사가 열심히 노력하여 가르치면 학생들의 성적이 오를 것이라는 확신의 정도
  ㉡ 유인가(value, 가치)
    ⓐ 목표가 갖는 매력의 정도이고, 결과에 대하여 개인이 갖고 있는 선호의 정도이다.
    ⓑ 제2수준의 성과인 보상의 가치나 매력의 정도로 승진이나 급료의 증가, 직업 안정, 도전감과 같은 보상에 대한 열망의 강조나 매력의 정도는 개인의 욕구에 따라 그 중요성과 가치가 다르다.
  ㉢ 수단성(instrumentality, 도구성)
    ⓐ 성과와 보상의 연계로서 성취를 위한 노력의 1차적인 결과와 2차적인 결과의 상관관계의 정도이다.
    ⓑ 성공적으로 과업을 수행하면 그 결과를 인정받아 보상을 받을 것이라고 지각하는 정도로 제1수준과 제2수준의 성과인 보상을 결합시키는 동기의 과정이다.
    예 '교사가 노력하여 잘 가르친 결과 학생들의 성적이 오른다.'는 것은 교장의 인정을 받아 승진이나 보너스를 더 받게 되는 수단이다.
  ㉣ 결과의 산출: 과업행동의 결과를 나타내며, 과업수행의 결과는 직업 - 목표성취에 대한 어떠한 형태의 보상을 갖는다.
⑤ 시사점
  ㉠ 기대이론에서 동기(M)는 기대치(E), 유인가(V), 수단성(I)이 높을수록 높아지며 인간의 동기를 $M = f(E \cdot I \cdot V)$의 공식으로 나타낸다.
  ㉡ 종업원이 목표를 달성하기 위해 열심히 일하는 것은 과업에 대한 기대 때문이다. 그러나 이는 과업 수행에 대한 보상을 얻기 위한 수단이라는 것이다.

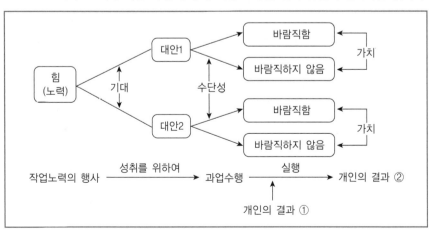

● 브룸의 기대이론 모형

(2) 포터와 로울러(Porter & Lawler)의 기대이론

① 특징
ㄱ 브룸의 기대이론을 발전시킨 것으로, 수행 - 만족이론이라고도 한다.
ㄴ 포터와 로울러는 과업수행이 직무만족을 가져오며 과업수행과 직무만족을 연계시키는 것은 보상이라고 주장한다. 이는 기존의 이론이 직무만족이 과업수행을 증진할 것이며, 불만족은 과업수행을 저해할 것이라는 인과관계를 기초로 했던 것을 뒤집는 것이다.
ㄷ 교사가 일을 잘하면 그에 대해 보상을 받고, 그 결과로 만족을 얻는다. 즉 과업수행이 독립변인이고 만족은 결과변인이며 보상은 중개변인이 된다.
ㄹ 개인이 과업의 성취에 필요한 기능과 지식을 이해하도록 하고 의도한 결과를 야기하고 노력을 강화하기 위하여 개인의 역할을 정확하게 지각하도록 한다.

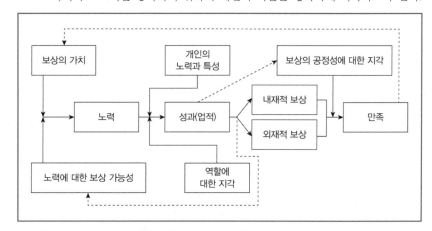

⬆ 포터와 로울러의 기대이론 모형

② 포터와 로울러의 기대이론 모형 설명
ㄱ 노력, 과업수행, 보상은 브룸과 동일하지만 노력이 과업수행으로 직접 연결되는 것은 아니다.
ㄴ 능력이나 성격특성과 역할지각이 노력과 과업수행을 매개하며 과업수행 후에 따라오는 보상과 이를 어떻게 지각하느냐가 만족을 결정한다.
ㄷ 과업수행이 직무만족을 가져온다는 것으로 이는 직무만족이 과업수행을 촉진한다는 전통적 사고와 다른 것이다. 보다 중요한 것은 과업수행 후에 따라오는 보상과 이것을 어떻게 공정하게 지각하느냐가 만족을 결정한다는 것이다.

(3) 아담스(Adams)의 공평성 이론

조직원의 동기는 그가 조직에서 공정하게 대우받는가의 지각 정도에 영향을 받는다는 입장이다.

① 투입과 성과
ㄱ 투입: 과업을 수행하기 위해 피고용자가 기여하는 모든 것으로 교육, 경험, 능력, 훈련, 개인적 특성, 노력, 태도 등이 해당한다.
ㄴ 성과: 과업을 수행한 결과로서 피고용자가 받게 되는 보수, 승진, 작업안정, 부가적 혜택, 근무조건, 인정 등이 해당한다.

② 공정성을 회복하기 위한 행동
- ⊙ 투입조정: 비교 대상과 비교하여 낮은 봉급을 받고 있다고 느끼면 직무에 대한 시간과 노력을 감소시키거나 봉급 인상을 요구한다. 반면 과대보상을 받는다고 느끼면 직무수행의 양과 질을 높인다.
- ⓛ 성과조정: 노력이나 투입의 증가 없이 보수, 근무조건, 노동시간 개선을 요구한다.
- ⓒ 투입과 성과에 대한 인지적 왜곡: 타인이 자신보다 불균형하게 높은 성과를 받는 경우 타인이 자신보다 많은 직무 지식이나 지능을 가진 것으로 추론해서 자신의 지각을 왜곡시키고, 반대로 자신이 불균형하게 많이 받을 경우는 자신이 타인보다 많은 경험이나 지식을 가지고 있는 것으로 자신을 정당화시킨다.
- ② 비교하는 타인의 투입과 성과의 변경: 동료에게 투입을 감소시키도록 압력 혹은 비교하는 타인이 실제적으로 자신보다 열심히 하므로 보다 큰 보상을 받을 만하다고 믿는다.
- ⑩ 비교 대상의 변경
- ⑪ 조직이탈: 전보나 부서를 옮기거나 조직을 떠난다.

(4) 로크(Locke)의 목표이론

1970년대, 작업동기에 관한 인지과정 접근으로 인간의 동기는 목표가 분명할 때 잘 일어난다는 입장으로 행정에서 목표관리 기법, 수업에서 행동적 수업목표 제시 등과 관련된다.
① 목표의 설정과정: 상황 발생 → 인지 및 평가 → 정서적 반응 → 목표 → 행동
② 목표와 관련된 요인: 목표의 구체성, 곤란성, 목표설정에 참여 등이다.

📁 **참고**

헤크만과 올드함(Hackman & Oldham)의 직무 - 특성이론

1. **특징**
   ① 매슬로우(Maslow)의 욕구이론, 허즈버그(Herzberg)의 동기 - 위생이론 그리고 기대이론 등을 결합한 이론이다.
   ② 이 이론에 따르면 직무가 심리적 상태를 생성할 때 피고용자는 내적 동기화를 경험한다.

2. **구성 요소**

핵심직무특성	기술의 다양성, 과업 정체성, 과업의 의의, 자율성, 피드백
심리적 상태	일의 의미성, 일에 대한 책임감, 결과에 대한 지식
결과	강한 내적 작업 동기화

3. **조정 조건**
   ① 지식과 기술
   ② 성장욕구 강함
   ③ 상황적 만족

내용이론과 과정이론의 비교

이론	개념	대표적 이론 및 학자
내용 이론	어떤 요인이 동기부여를 시키는 데 크게 작용하게 되는가를 다루는 이론(욕구의 우선 순위를 밝히고자 하는 이론)	① 욕구위계론(Maslow) ② 욕구위계 수정이론(Porter) ③ 동기 - 위생이론(Herzberg) ④ 생존 - 관계 - 성장이론(Alderfer) ⑤ X·Y이론(McGregor) ⑥ 미성숙 - 성숙이론(Argyris) ⑦ 관리체제이론(Likert)
과정 이론	동기부여가 어떤 과정을 통해서 발생하는가를 다루는 이론	① 기대이론(Vroom) ② 성취 - 만족이론(Poter & Lawler) ③ 공정성이론(Adams) ④ 목표설정이론(E. Locke) ⑤ Z이론(Ouchi)

기출문제

교사의 동기과정이론에 대한 설명으로 옳은 것은? 2021년 지방직 9급

① 목표설정이론은 직무에서 만족을 주는 요인과 불만족을 주는 요인을 독립된 별개의 차원으로 본다.

② 공정성이론은 보상의 양뿐 아니라 그 보상이 공정하다고 지각하는 정도가 만족을 결정한다고 본다.

③ 기대이론은 동기를 개인의 여러 가지 자발적인 행위 중에서 자신의 선택을 지배하는 과정으로 본다.

④ 성과 - 만족이론은 자신이 투자한 투입 대 결과의 비율을 타인의 그것과 비교하여 공정성을 판단한다고 본다.

해설

동기과정이론은 어떻게 해서 동기가 발생되는가에 관한 이론으로 브룸(Vroom)의 기대이론, 아담스(Adams)의 공평성이론, 로크(Locke)의 목표이론, 포터와 로울러(Porter & Lawler)의 기대이론(혹은 수행 - 만족이론) 등이 있다.

선지분석

① 직무에서 만족을 주는 요인과 불만족을 주는 요인을 독립된 별개의 차원으로 보는 것은 내용이론 가운데 하나인 허즈버그(herzberg)의 동기 - 위생이론에 대한 설명이다.

② 보상의 양뿐만 아니라 그 보상이 공정하다고 지각하는 정도가 만족을 결정한다고 보는 것은 포터와 로울러의 기대이론(혹은 수행 - 만족이론)에 대한 설명이다.

④ 자신이 투자한 투입 대 결과의 비율을 타인의 그것과 비교하여 공정성을 판단한다고 보는 것은 공정성이론이다. **답 ③**

05 | 지도성 이론

📊 **핵심체크 POINT**

1. **특성요인 이론**
   버나드(Banard)와 스톡딜(Stogdill)

2. **행동적 접근**
   블레이크와 머튼(Blake & Mouton)의 관리망 이론(2차원 지도성)

3. **상황적 접근(3차원 지도성)**

피들러(Fiedler)의 모형	지위권력, 과업구조, 지도자와 구성원의 관계
허쉬와 블렌차드 (Hersey & Blanchard)	구성원의 직무 성숙도와 심리적 성숙도
하우스(House) 경로	목표이론
레딘(Reddin)	3차원 지도성

4. **변화지향 지도성**
   영감적 동기, 이상화된 감화력, 개인적 배려, 지적 자극

1 지도성의 의미

1. 개념

주어진 상황에서 조직목표를 효율적으로 달성하기 위하여 조직 구성원들로 하여금 자발적으로 협력하도록 하는 일종의 기술이며 영향력이다.

2. 교육에서 지도성의 의미[서지오바니(Sergiovanni)]

(1) 학부모, 교사, 학생들이 지도자의 비전(vision)에 따르도록 영향을 주는 것을 의미한다.

(2) 학부모, 교사, 학생들이 그들이 당면한 문제를 확인하고 이해하며, 해결책을 찾도록 영향을 주는 것을 의미한다.

(3) 학부모, 교사, 학생들의 요구를 충족할 유용한 목표를 추구할 뿐만 아니라 목표가 그들을 보다 더 높은 도덕적 수준으로 향상시키는 것을 의미한다.

(4) 학부모, 교사, 학생들이 공동의 이념과 이상에 기여함으로써 그들이 경험하는 목적과 의미 및 의의를 고양시키는 것을 의미한다.

2 지도성 이론

1. 특성이론

(1) 특징

① 지도자는 태어나는 것이지 만들어지는 것이 아니라고 가정한다(심리학적 접근).
② 지도자와 비지도자와 구별되는 개인의 육체적 및 심리적 혹은 사회적 특성을 확인하는 데 관심을 갖는다.

(2) 주요 이론가

① 버나드(Barnard): 지도자의 자질로 활동성과 인내심, 설득력, 책임감, 지적 능력을 강조하였다.
② 스톡딜(Stogdill)
  ㉠ 1948년: 능력, 업적, 책임, 참여, 지위, 상황 등을 범주화하였다.
  ㉡ 1981년: 최근 지도자의 특성요인으로 책임과 과업을 완성하려는 강력한 추진력, 목적을 추구하려는 활력과 인내력, 모험심과 문제해결의 독창성, 사회적 상황에서 주도권을 행사하려는 추진력, 자신감과 개인적 정체감, 결정과 행동의 결과에 대한 호의적 수용성, 대인관계에서 오는 스트레스를 흡수하려는 준비, 좌절과 지연을 견뎌내려는 자발성, 타인의 행동에 영향을 주는 능력, 상호작용 체제를 구조화하는 능력을 중시하였다.
③ 임머가르트(G. L. Immegart, 1988): 지능, 지배욕, 자신감, 높은 에너지, 혹은 행동 수준 등의 특성이 지도자와 연관되어 있다고 하였다.
④ 유클(Yukl, 2002): 인성 특성(자신감, 스트레스에 대한 인내, 정서적 성숙, 성실), 동기적 특성(과업과 대인관계 욕구, 성취지향, 권력욕구, 기대), 기능(기술적, 대인관계적, 개념적, 행정적)등을 제시하였다.

2. 행동적 접근

(1) 개념

지도자가 어떤 행동을 하느냐를 분석의 초점으로 삼는다. 사회학적 접근, 행위론적 접근이라고도 한다.

(2) 주요 이론가

① 레빈(Lewin), 리피트(Lippitt), 화이트(White) 등: 전제형, 민주형, 방임형의 지도성이 아동에 미치는 영향을 연구하였다.
② 탄넨바움과 슈미트(Tannenbaum & Schmidt): 경영자 중심의 권위적 지도자와 구성원 중심의 민주적 지도자로 구분하였다.
③ 오하이오(Ohio)대학의 지도자 행동기술 척도(LBDQ; Leader Behavior Description Questionnaire): LBDQ에 대한 반응을 요인을 분석하여 지도자 행동을 과업중심 차원과 인화중심 차원으로 구분하였다.
④ 블레이크와 머튼(Blake & Mouton)의 관리망 이론: 인간관계를 더 중요시하는 측과 직무중심의 지도성을 중시하는 양측에 대한 절충론으로 관리망(관리격자, managerial grid) 이론을 제시하여, 지도성 유형을 무기력형, 사교형, 과업형, 중도형, 팀형 등으로 분류하였다.

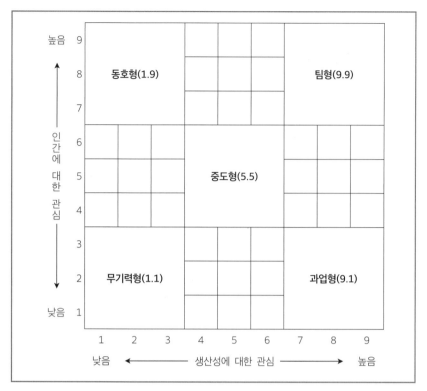

🔼 **블레이크와 머튼의 지도성 유형 분류**

3. 상황 적응적 접근(지도자 효과성 이론)

(1) 기본입장

① 어느 하나의 지도성 유형이 효과적이거나 이상적이라고 보는 것은 비현실적이며, 어떤 유형의 지도성도 상황 여하에 따라 효과적일 수도 혹은 비효과적일 수도 있다고 본다. 상황 적응적 접근은 복합조직의 핵심적 문제인 불확실성(uncertainty)과 관련된다.

② 지도성을 이해하기 위해서는 4가지의 개념, 즉 지도자의 특성, 상황의 성격, 지도자의 행위 및 지도자의 효과성과의 관계를 알아야 한다.

(2) 지도자의 행위에 영향을 주는 지도성의 상황요인[호이와 미스켈(Hoy & Miskel)]

① 조직의 구조적 속성, 즉 규모, 계층 구조, 공식화, 기술

② 역할 특성, 즉 지위 권력, 과업의 형태와 난이도, 처리 규칙, 만족과 수행에 대한 기대

③ 부하의 특성, 즉 교육정도, 연령, 지식과 경험, 모호성에 대한 관용성, 책임, 권력

④ 내부 환경, 즉 풍토, 개방성, 참여 정도, 집단 분위기, 가치와 규범

⑤ 외부환경, 즉 복잡성, 안정성, 불확실성, 자원 의존성, 제도화

(3) 지도성 유형

① 피들러(Fiedler)의 모형

㉠ 기본 가정

ⓐ 지도성 유형은 지도자의 동기에 의해 결정된다.

ⓑ 상황은 과업구조, 직위권력, 지도자와 구성원의 관계에 의해 결정된다.

ⓒ 조직의 효과성은 지도성 유형과 상황의 호의성 정도가 상호작용한다.

㉡ 지도성 결정의 상황적 요인

ⓐ 지위 권력(position power): 조직이 일을 완수하기 위해 지도자에게 부여하는 힘, 즉 직위 그 자체로 인해 지도자가 부하 직원에게 지시사항을 따르도록 할 수 있는 정도를 말한다.

ⓑ 과업구조(task structure): 과제가 분명하게 구체화된 목표, 방법, 수행표준을 갖고 있느냐의 정도를 말한다. 특히 과업구조를 결정하는 요인으로는 목표의 명확성, 방법의 수, 해결의 한정성, 결정의 입증 등이 포함된다.

ⓒ 지도자와 구성원의 관계(leader-member relation): 집단 구성원에 의해 지도자가 수용되고 존경받는 정도를 말한다. 이는 지도자와 부하직원 간의 개인 상호 간의 관계의 질과 지도자에게 허용된 비공식적 권위의 수준이 중요하다.

㉢ 지도성 측정을 위한 LPC(Least Preferred Co-worker Scale) 척도: LPC 척도는 지도자가 과거나 현재에 함께 일하기 가장 싫은 동료를 묘사하는 8점 척도로 된 18개의 문항으로 구성되어 있다. LPC 척도에 의한 검사결과의 점수가 높으면 관계지향지도성이고, 낮으면 과업지향지도성이다.

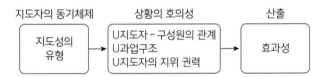

ⓐ 지도자의 동기체제: 피들러는 지도자의 동기유발구조를 측정하기 위해서 LPC(Least Preferred Co-worker Scale; 가장 싫어하는 동료작업자) 척도를 개발하였다.

인화 지향적 지도자	LPC 점수가 높은 지도자로 과업수행을 위하여 인간 관계를 중시한다.
과업 지향적 지도자	LPC 점수가 낮은 지도자로 과업목표 달성에 우선적으로 동기를 부여한다.

ⓑ 상황의 호의성: 기본적으로 지도자가 조직 구성원들을 통제하고 영향력을 행사할 수 있는 정도이다.

ⓒ 산출: 집단이 그 기본적 과업을 성취하는 정도이다.

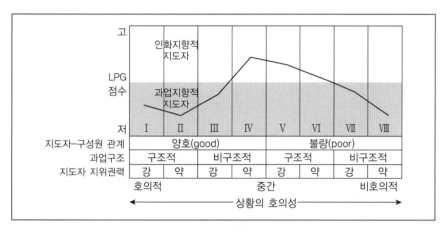

🔼 피들러의 지도성 모형

② 허쉬와 블렌차드(Hersey & Blanchard)의 지도성 효과

  ⊙ 특징

    ⓐ 지도성 효과(effectiveness)는 지도자(leader)와 추종자(follower) 및 상황(situation)과의 함수관계이다. 즉 E = $f(l \cdot f \cdot s)$의 공식으로 표시된다.

    ⓑ 지도성 연구는 지도자 자신·추종자·상사·동료·조직·과업·시간 등 상황적 변인들이 모두 중요하지만 추종자와 관련된 지도자의 행위를 강조하여 추종자들을 가장 중시한다.

  ⓛ 성숙도의 개념

    ⓐ 높지만 달성 가능한 목표를 설정하는 능력(성취동기)을 말한다.

    ⓑ 기꺼이 책임을 맡고 질 수 있는 능력을 말한다.

    ⓒ 개인이나 집단의 교육 정도나 경험을 말한다.

  ⓒ 성숙도의 종류

    ⓐ **직무 성숙도**: 과업을 수행하기 위한 능력과 기술적 지식을 말한다.

    ⓑ **심리적 성숙도**: 개인으로서의 자기 자신에 대한 자신감과 자존심을 말한다.

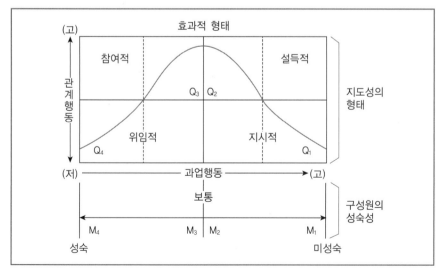

🔼 허쉬와 블렌차드의 지도성 모형

ⓐ 효과적 지도성

지시형(설명형) 지도성	ⓐ 구성원들의 동기와 능력이 모두 낮은 경우이다. ⓑ 특정한 과업상황에서 조직 구성원들에게 역할을 분담하고 어디까지나 의사결정에서 일방적이다.
지도형(설득형) 지도성	ⓐ 구성원들이 적절한 동기를 갖고 낮은 능력을 갖고 있는 경우이다. ⓑ 과업에 대한 지시는 계속되나 쌍방의 의사소통을 통하여 사회 정서적인 지원을 해주고 의사결정에 있어서 조직 구 성원들의 의사를 수용해준다.
지원형(참여형) 지도성	ⓐ 구성원들이 적절한 능력을 갖고 낮은 동기를 갖고 있는 경우이다. ⓑ 의사결정 과정에서 쌍방적 의사소통을 통하여 부하들의 과업수행 능력과 부하들의 자발적 행동을 조장해준다.
위임형 지도성	ⓐ 구성원들이 높은 능력과 동기를 갖고 있는 경우이다. ⓑ 위임이나 전반적인 감독을 통하여 조직 구성원들로 하여 금 자신의 일을 자신이 주도하도록 허용해준다.

기출문제

구성원의 성숙도를 지도자 행동의 효과성에 영향을 주는 주요 요인으로 보는 리더십 이론에 대한 설명으로 옳은 것은? 2019년 국가직 9급

① 조직의 상황과 관련 없이 최선의 리더십 유형이 있다고 본다.
② 허시(P. Hersey)와 블랜차드(K. Blanchard)의 상황적 리더십 이론이 대표적이다.
③ 블레이크(R. Blake)와 머튼(J. Mouton)에 의해 완성된 리더십 이론이다.
④ 유능한 지도자는 환경보다는 유전적인 특성에 달려 있다고 본다.

해설

지도성 이론 가운데 어느 하나의 지도성 유형이 효과적이거나 이상적이라고 보는 것은 비현실적이며, 어떤 유형의 지도성도 상황에 따라 효과적일 수도 비효과적일 수도 있다고 보는 것이 상황적 지도성이다. 상황적 지도성 가운데 구성원의 성숙도를 상황요인으로 보는 이론은 허시(P. Hersey)와 블랜차드(K. Blanchard)의 지도성 이론이다. **답 ②**

③ 하우스(House)의 경로 - 목표이론(Path-Goal Theory)
ⓐ 동기기대 이론에 근거해서 지도자가 구성원들의 만족과 동기유발 및 성과에 영향을 줄 수 있다는 가정으로 부하의 목표에 대한 지도자의 영향과 목표달성을 위한 행로를 강조한다.
ⓑ 지도자가 상황적 요인을 고려하여 목표달성을 위한 적절한 행로를 제시할 구성원들이 그것을 어떻게 지각하느냐에 따라 효과성이 달라진다는 것이다.
ⓒ 지도자의 효과성: 행로 - 목표이론에서 지도자의 효과성은 과업달성의 개념이 아니라 일종의 심리적 상태를 의미한다. 즉 부하들의 직무만족을 개선하고 지도자에 대한 수용성을 높이며 부하들의 동기유발을 증진시키는 정도를 지도자 행동의 효과성으로 표현한다.
④ 레딘(Reddin)의 3차원 지도성
ⓐ 지도성의 기본 유형을 분리형, 관계형, 헌신형, 통합형으로 구분하였다. 이 네 가지는 상황에 따라 변하며, 이때 지도성의 효과에 영향을 미치는 상황요인은 기술, 조직철학, 상위자, 동료, 부하 등이다.

ⓒ 효과적인 지도성 유형

ⓐ 경영자: 과업지향성과 관계지향성이 모두 높은 통합형 지도자이다. 지도자는 부하에게 동기를 훌륭하게 부여하고, 높은 기준을 설정하고, 개인 간 차이를 고려하며, 팀 접근을 활용한다.

ⓑ 개발자: 과업지향성이 낮고 관계지향성이 높은 관계형 지도성의 특성을 갖는다. 지도자는 부하를 신뢰하는 온화한 인간이며, 타인의 개인적 발전에 관심을 갖는다.

ⓒ 자선적 전제자: 과업지향성이 높고 관계지향성이 낮다. 지도자는 자신이 해야 할 일을 충분히 이해하고, 부하의 적개심을 유발하지 않고 과업을 역동적 및 적극적으로 추진한다.

ⓓ 관료형: 과업지향성과 관계지향성이 낮다. 지도자는 과업을 공명정대하게 처리하고, 규칙을 사용하여 상황을 유지하고 통제한다.

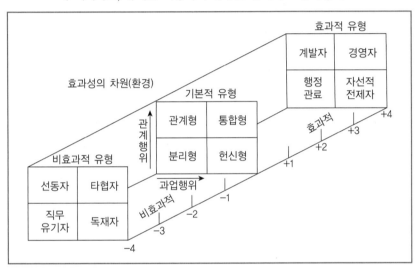

● 레딘의 3차원 지도성 모형

3 새로운 지도성 유형

1. 변화 지향적 지도성(transformational leadership)

(1) 특징

① 번스(Burns)에 의해 시도되었고, 바스(Bass)에 의해 체계화되었다.

② 번스는 지도성을 교환적 지도성(transactional leader, 거래적 지도성)과 변화 지향 지도성(transformational leader)으로 구분하였다. 바스는 자유방임형 지도성, 교환적 지도성, 변화지향 지도성으로 구분하였다.

③ 교환적 지도성: 부하들이 그들의 업무수행에 대한 대가로 지도자가 보상을 해주는 양자 간의 교환관계에 의해 성립된다. 예를 들면 학교와 같은 조직에서 교환적 지도자는 직원들이 일로부터 무엇을 원하는가를 깨닫고 그들이 이룬 성과가 합당하다면 그들에게 원하는 것을 제공하려고 한다. 즉 교환적 지도자는 그가 원하는 것에 대한 대가로 부하직원들에게 그들이 원하는 것을 준다. 교육체제

자유방임형 교장

교장실에 주로 있고, 교사나 학생들에게 최소한으로 개입하며, 학습과 발달에 별 관심을 보이지 않으면서 학교구조와 가정은 기존의 방식대로 둔다.

변화지향 지도성 이론 검증

'다요인 지도성 설문지(multifactor leader-ship questionnaire, MLQ)'를 사용한다.

외부에서 오는 영향에 대처하기에는 부적절하며, 조건적 보상, 적극적 예외관리, 소극적 예외관리 등을 특징으로 한다.

④ 변화지향 지도성: 부하를 전인으로 다루며 상위 수준의 욕구를 충족시키는 데까지를 배려하는 것, 즉 도덕적 지도성을 의미한다. 변화지향 지도성의 초점은 인간의 잠재능력을 각성시키고, 높은 요구를 충족시키며, 동기를 유발하여 고도의 사명감을 가지고 업무를 수행하도록 하는 데 있다. 이 지도성은 1983년 미국의 『위기의 국가(A Nation at Risk)』가 출판되면서 교육 지도자에 대한 새로운 역할이 강조되는 것과 더불어 새로운 외적 환경 변화에 대처하기 위한 필요성에 의해 등장되었다. 뿐만 아니라 최근에는 학교 재구조화의 도전에 적절한 지도성 유형으로 간주되고 있다.

(2) 변화지향 지도자에게 요구되는 활동

① 변화에 대한 필요를 규정한다.
② 새로운 비전(vision)을 창안하고 그 비전에 대해 열의를 집중시킨다.
③ 장기적 목표에 집중한다.
④ 보다 높은 체제의 목표를 위해 추종자들이 그들 자신의 개인적 이익을 초월하도록 고무시킨다.
⑤ 조직을 변화시켜 기존의 비전 내에서 일하기보다 비전을 조정하도록 한다.
⑥ 추종자들이 그들 자신의 개발과 다른 사람의 개발에 보다 큰 책임감을 갖도록 가르친다.

(3) 변화지향적 지도성의 요인 - '4가지 아이(I)'[바스(Bass)]

영감적 동기 (inspirational motivation)	조직의 목표를 이끌 비전(vision)을 제시함으로써 조직의 문제가 해결될 수 있다는 신념을 갖도록 한다.
이상화된 감화력 (idealized influence)	추종자들에게 신뢰와 존경심을 형성하고 급진적이고 가변적인 변화를 개인과 조직이 수용할 수 있는 기반을 제공한다.
개인적 배려 (individualized consideration)	지도자는 추종자와 동료들의 잠재력을 계속하여 높은 수준으로 발전시키고 자기 발전에 대한 책임을 갖도록 도와준다.
지적 자극 (intellectual stimulation)	추종자들을 자극하여 가정에 대한 질문, 문제의 재형성 및 낡은 상황에 대한 새로운 접근을 할 수 있도록 혁신적이고 창의적인 사람이 되도록 한다.

(4) 학교장의 변화지향 지도성의 차원[레이스훗(Leithood)]

카리스마·영감·vision	교사들에게 장기간에 걸쳐 추구되어질 기본적인 목적의식을 갖도록 한다.
목적 합의	비전을 지향하기 위하여 성취해야 할 목표를 설정한다.
높은 성과기대	교사들에게 질 높은 교육을 기대한다.
개인적 배려	교사들을 존중하고 그들의 개인감정과 욕구에 관심을 가진다.
지적 자극	교사들에게 자신의 수행에 대해 항상 반성하고 평가하도록 한다.
솔선수범	언행일치를 통해 교사들에게 모범을 보인다.
보상	교사들이 성취한 바람직한 결과에 대해 수시로 보상을 제공한다.

참여기회	교사들에게 영향을 줄 중요한 의사결정에 참여하도록 기회를 제공한다.
문화형성	학교 구성원들로 하여금 규범, 가치, 신념 등을 공유하도록 한다.

秀 POINT 교환적 지도성과 변화적 지도성의 비교

교환적 지도성	변화적 지도성
① 조건부 보상: 노력에 대해 보상을 한다는 교환적 계약, 좋은 수행에 대한 보상의 약속, 성취의 인정이다.	① 이상적 영향력(카리스마): 비전과 사명감을 제공하고 긍지를 부여하고 존경과 신뢰를 얻는다.
② (적극적) 예외적 관리: 규칙과 기준으로부터의 이탈을 감시하고 찾아내어 올바른 행동을 취하도록 한다.	② 영감적 동기유발: 고도의 기대를 알리고, 노력에 초점을 둔 상징을 사용하며, 중요한 목적을 단순한 방법으로 표현한다.
③ (소극적) 예외적 관리: 만일 기준에 맞지 않을 때만 관여한다.	③ 지적 자극: 합리성, 신중한 문제해결을 증진한다.
④ 자유방임: 책임을 포기하고 의사결정을 기피한다.	④ 개인적 배려: 개인적인 관심을 보이며, 각자를 개별적으로 취급하고 코치하며 충고한다.

기출문제

배스(Bass)의 변혁적 리더십 요인에 대한 설명으로 옳지 않은 것은? 2020년 지방직 9급

① 지적 자극 - 기존 상황에 새롭고 개방적인 방식으로 접근함으로써 구성원이 혁신적이고 창의적이 되도록 유도한다.

② 개별적 배려 - 구성원의 개인적 성장 욕구에 세심한 관심을 기울이고 학습 기회를 만들어 그들의 잠재력을 발전시킨다.

③ 추진력 - 결단력과 업무 추진력으로 조직을 변혁하고 높은 성과를 유도해야 한다.

④ 이상화된 영향력 - 구성원으로부터 신뢰와 존경을 받고 동일시와 모방의 대상이 되어 이상적인 영향력을 행사한다.

해설

변혁적 리더십의 요인은 지적 자극, 개인적 배려, 영감적 동기, 이상화된 감화력 등이다. 이 가운데 결단력과 업무 추진력으로 조직을 변혁하고 높은 성과를 유도하는 것은 영감적 동기이다.

답 ③

2. 분산적 지도성(distributed leadership; 혹은 조직 리더십)

(1) 배경

① 기존의 지도성(특성이론, 행동과학적 접근, 상황이론, 변혁적 지도성)은 지나치게 지도자 한 사람에게만 집중된 지도성(focused leadership)을 강조한다.

② 기존의 지도성 연구는 실증주의적 지식관에 근거한 가설 - 연역적 접근(양적 연구)에 근거하고 있어 역사 문화적 맥락 속에서 작용하고 있는 인간 인지를 반영하고 있지 못하다.

(2) 특징

① 규모와 복잡성 그리고 범위 면에서 다양한 여러 과제를 해결하기 위해서는 조직내 다양한 자원을 적극 활용하는 것을 강조한다[엘모어(Elmore), 그론(Gronn), 스필레인(J. Spillane), 다이아몬드(Diamond)].

② 학교조직이 너무 복잡하고 과제도 광범위하여 개인이 이와 같은 모든 문제를 처리하기에는 역부족이기 때문에 강조된다.

③ 과제 완수와 관련된 지도자의 책임은 교육청 소속 교육행정가, 교장, 교감, 교사, 기타 교직원, 외부전문가, 학부모, 학생 등 여러 사람들에게 분산된다.

(3) 요소

① 지도자와 구성원, ② 상황과의 상호작용, ③ 구성원 간 공유와 협력, ④ 구성원 간 공유와 실행 등이 있다.

(4) 지도성 분산의 상태

① 지도성이 네트워크화된 상태

② 지도성이 '지도자 확대(leader-plus)'된 상태

③ 지도성의 경계가 개방된 상태

④ 지도성이 분업된 상태

⑤ 지도성이 결집된(aggregated) 상태

⑥ 지도성 실행에 있어 공조행위 또는 임의적 협조가 이루어진 상태

⑦ 구성원들이 상호 의존적이며, 조직 구성원들의 집합적 탐구와 조직학습이 촉진되는 상태

(5) 전통적 지도성과 분산적 지도성의 비교

구분	전통적 지도성	분산적 지도성
지도성 개념 차원	지도자 한 두 사람이 조직에 성공적 변화 유도	조직 내 다른 구성원의 동기, 지식, 정서, 실행에 영향
지도자 차원	지도자의 과업, 자질, 특성, 역할, 기능 및 구조 등 요소별 객관적 분석에 초점을 둔 영웅적 지도자	지도자는 구성원과 상황의 상호작용에 의해 지도성의 경계가 확장(stretched over)되고 지도자 확대(leaders-plus) 양상
상황차원	학교 지도자가 일하는 맥락 (밖 → 안으로)	지도성 실행을 규정하는 사회·문화적 맥락(안 → 밖으로)
지도성 실행의 차원	지도자 중심의 기능, 역할과 구조 등 위계적 및 공식적 수준에서 영웅적 지도성 실행에 초점	사전에 계획된 공식적이고 제도적인 분산과 비공식적이면서 문화적으로 임의적인 분산 형태 속에서 네트워크로 인한 분업과 지도성 경계의 확대 등 다양한 요소 간의 상호작용

3. 가치 부가적 지도성

(1) 특징

① 서지오바니(Sergiovanni)는 지도성을 가치 지도성과 가치 부가적 지도성으로 나누어 학교조직에 적용하였다.

② 전통적 지도성의 가치에 탁월한 업무수행의 진작을 위하여 필요로 하는 요소들을 첨가하였다.

(2) 학교의 개선을 위해 요구되는 4가지 지도성

① 교환(bartering)으로서의 지도성: 지도자와 피지도자가 서로 원하는 것을 주고받는 교환관계에 의해 이루어진다. 생리적, 안전, 사회적 욕구와 같은 기본적 욕구와 외적 동기에 의존한다.

② 조성(building)으로서의 지도성: 지도자는 성취, 책임, 능력 및 존경의 욕구를 피지도자가 충족할 수 있는 기회를 신장시키기 위한 풍토와 지원을 제공한다. 양자에게 요구되는 고차적 목표 추구를 위해 서로 연합한다.

③ 결속(bonding)으로서의 지도성: 지도자와 피지도자는 공동 목적을 위해 서로 결속할 수 있는 일단의 가치와 헌신 체제를 발전시킨다. 양자 모두 인간적 행위와 열망 수준을 높여 변화 효과를 기한다.

④ 정착으로서의 지도성(banking): 개선된 것들을 학교의 일상생활 속으로 제도화함으로써 정착시킨다. 학교 개선의 일상화는 새로운 개선 노력으로서의 전환을 가능하게 한다.

4. 카리스마(charisma)적 지도성

(1) 특징

① 카리스마적 지도자란 개인적인 능력과 신념으로 추종자에게 심대하고 비상한 영향을 미치는 사람이다.

② 그 추종자들은 지도자와 그 신념과 사명에 동감하고 극단적인 충성과 지나친 존경, 애정, 숭배, 신념을 나타낸다.

③ 카리스마적 지도자는 조직이 위태롭거나 전환기에 나타날 가능성이 높다. 공식적인 심각한 위기를 다루지 못하고, 전통적 가치와 신념이 의문시될 때 번창한다.

(2) 카리스마적 지도성의 특징[하우스(House)]

① 성취 지향성

② 자신감

③ 고도의 정력과 관여

④ 창의적이고 개혁적이며 영감적인 성향

⑤ 고도의 과업참여와 위기 성향

⑥ 추종자의 육성과 추종자에 대해 민감하며 배려를 하는 성향

⑦ 도덕적이고 비착취적인 권력 행사와 관련하여 사회적 영향력에 대한 고도의 요구

(3) 카리스마적 리더가 추종자의 태도와 행위에 영향을 미치는 방법[유클(G. Yukl)]

① 호소력 있는 비전(vision)을 명확히 표명한다.

② 높은 기대를 전달한다.

③ 추종자에 대한 신뢰를 나타낸다.

④ 비전과 일치하는 행동을 솔선수범한다.

⑤ 비전을 표명할 때는 강하면서도 의미심장한 커뮤니케이션 형태를 취한다.

⑥ 비전을 달성하기 위해서는 개인적 위험을 무릅쓰고 희생을 한다.

⑦ 리더에 대한 추종자들의 인상을 관리한다.

⑧ 추종자에게 힘을 실어준다.

⑨ 집단이나 조직과의 일체감을 갖게 한다.

5. 학교장의 지도자 유형[서지오바니(Sergiovanni)]

(1) 기술적 지도자

건전한 경영관리자로서의 역할을 맡는데, 계획, 시간관리 기술, 상황적응 지도성이론 및 조직의 구조와 같은 개념을 강조함으로써 지도자는 최적의 효과를 보장하기위한 전략 및 상황의 조작에 익숙하다.

(2) 인간적 지도자

인간관리자로서의 역할로 인간관계론, 대인관계능력, 동기유발기술과 같은 개념을강조하여 학교라는 인간조직의 성원에 지원적이며 격려하고 성장하도록 한다.

(3) 교육적 지도자

일선 실무자의 역할로 교육에 관한 전문적 지식을 교육효과, 교육프로그램 개발,임상장학에 적용하는 전문가이다.

(4) 상징적 지도자

최고 책임자로서의 역할로 선택적 관심을 보임으로써 타인에게 무엇이 중요하며가치가 있는지 알려준다.

(5) 문화적 지도자

고위 성직자로서의 역할로 학교가 추구하는 영속적 가치와 신념 및 문화의 맥을규정하고 강조하며 표현하도록 한다.

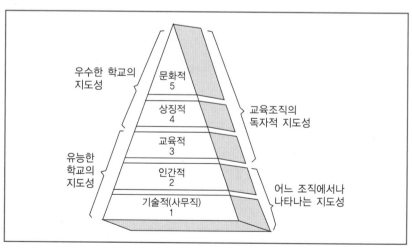

⬆ 학교장의 지도자 유형(sergiovanni)

6. 초우량 지도성[super leadership, 만즈와 심스(Manz & Sims)]

(1) 특징

① 부하로 하여금 자기 자신을 스스로 이끌어갈 수 있도록 해주는 지도성으로 부하에게 자율성과 권한을 부여하여 셀프 리더(self-leader)로 만드는 지도성이다.

② 지도자의 역할은 구성원 각자의 내적인 셀프 리더십의 에너지를 발현하게 하여 스스로 이끌도록 도와주는 것이다.

③ 조직 구성원들은 자기 자신을 스스로 통제할 수 있고 그렇게 할 수 있도록 영향을 주는 지도자가 효과적인 지도자라고 전제한다.

(2) 단계

① 먼저 자신이 셀프 리더가 된다.

② 셀프 리더의 모델이 된다.

③ 개인 목표 설정을 독려한다.

④ 긍정적인 사고의 관점을 참조한다.

⑤ 보상과 건설적인 비판을 통하여 셀프 리더를 개발한다.

⑥ 팀워크를 통하여 셀프 리더를 양성한다.

⑦ 셀프 리더십 문화를 활성화시킨다.

자율적 지도성을 촉진하기 위한 전략	
효과적인 행동에 초점을 두는 행태중심 전략	① 자기관찰 ② 자발적인 목표설정 ③ 단서의 관리 ④ 연습 ⑤ 자기보상 ⑥ 자기처벌 및 비판
효과적인 사고와 감정을 중시하는 인지중심 전략	① 과업의 내재적 보상 확립 ② 내재적 보상에 초점 ③ 효과적인 사고방식의 확립

7. 서번트 지도성

(1) 개념

공동의 최선을 위하여 타인에게 영향력을 행사하는 과정이며 타인의 욕구 충족을 위해 기꺼이 나를 희생하는 것을 말한다.

(2) 부하들의 업무 관련 성장 욕구를 찾아 이를 먼저 해결해주기 위해 노력하고 필요한 지원을 강화하면서 이들을 전체 조직의 목적으로 이끌어 가는 리더십이다.

(3) 그린리프가 헤르만 헤세(H. Hesse)의 『동방순례』에서 영감을 얻어 제시하였다.

(4) 섬김과 봉사, 인간 중심, 높은 인격, 도덕적 권위와 양심, 일관된 원칙, 명확한 목표와 비전, 강한 책임감, 사랑, 공동체 의식 등을 특징으로 한다.

기출문제

다음에 해당하는 리더십 유형은?
2022년 국가직 9급

- 성원으로 하여금 조직 목적에 헌신하도록 하고, 의식과 능력 향상을 격려함으로써 자신과 타인의 발전에 보다 큰 책임감을 갖고 조직을 변화시키고 높은 성취를 이루도록 유도한다.
- 이상적 영향력, 영감적 동기화, 지적 자극, 개별적 고려 등의 특징을 갖는다.

① 변혁적 리더십   ② 문화적 리더십
③ 도덕적 리더십   ④ 슈퍼 리더십

해설
변혁적 지도성은 번스(Burns)가 시도하고 바스(Bass)가 체계화한 것으로 부하를 전인으로 다루며 상위 수준의 욕구를 충족시키는 데까지를 배려한다. 이 지도성은 인간의 잠재능력을 각성시키고, 높은 요구를 충족시키며, 동기를 유발하여 고도의 사명감을 가지고 업무를 수행하는 데 초점을 둔다. **답 ①**

06 | 교육기획과 교육정책

핵심체크 POINT

1. **교육기획**
   ① 미래의 교육 활동을 준비하는 과정
   ② 특징: 미래지향성, 지적활동, 합리적 활동, 사전 준비과정
   ③ 유형: 사회수요 접근법, 인력수요 접근법, 수익률 접근법, 델파이 방법 등
2. **교육정책**

성격	국민의 동의를 바탕으로 한 국가권력에 의한 강제 행위
형성단계	기본적 힘의 작용 - 선행운동 - 정치적 활동 - 교육정책의 평가

1 교육기획(educational planning)

1. 개념

현상에 대한 분석과 미래에 대한 예측을 기초로 하여 타당한 목표를 설정하고 그 목표를 달성할 수 있는 전략과 활동 계획을 수립하는 의식적 과정으로, 미래의 교육 활동을 준비하는 과정을 말한다.

2. 특징

(1) 미래지향적 행동과정

기획은 미래의 구상으로 장래의 활동에 관한 준비과정이다.

예 주간계획, 월간계획, 연간계획, 장기계획 등 실제로 시행되기 이전에 이를 준비하고 구상한다.

(2) 지적인 활동

기획은 일을 구체적으로 시행에 옮기기 전에 그 목표와 내용, 절차와 방법, 기대되는 성과에 대해 고려하는 것이기 때문에 고도의 전문성을 요구한다.

(3) 합리적 활동

기획은 목표와 수단 및 방법을 합리적으로 연결하고 목표 달성을 효율화하는 활동이기 때문에 합리적 해결능력을 필요로 하는 특징을 지닌다.

(4) 사전 준비과정

기획은 실제적인 시행이나 집행이 아니고 사전의 준비과정이므로 상황의 변화에 따라 수정하거나 보완할 수 있는 특징을 지닌다. '무한궤도식(無限軌道式) 교육기획(caterpillar type planning)'이 필요하다.

3. 교육기획의 원리

합목적성의 원리	교육목표를 달성할 수 있는 타당한 수단과 방법을 가져야 한다.
전문성의 원리	교육의 각 부문의 전문가들을 참여시켜 전문적으로 이루어져야 한다.
참여의 원리 (민주성의 원리)	주민이나 이해 관련 집단 등의 광범위한 참여를 통한 민주적 방식으로 이루어져야 한다.
중립성의 원리	교육 자체의 논리에 의해 이루어져야 하며, 어떠한 정치적·종교적·파당적 압력에 의해 좌우되어서는 안 된다.
효율성의 원리	의도하는 교육목표 달성을 위한 능률적이고 효과적인 수단과 방법을 동원할 수 있어야 한다.
적응성의 원리	상황의 변화에 탄력적으로 대응할 수 있도록 신축성이 있어야 한다.
안정성의 원리	정책의 일관성과 안정성을 유지할 수 있도록 수립되어야 한다.
통합성의 원리	국가의 다른 부분의 기획과 통합되도록 이루어져야 하며, 하위 부문들을 종합적으로 고려해야 한다.

4. 교육기획의 접근방법

(1) 사회수요 접근법(social demand approach)

① 교육에 대한 개인적 또는 사회적 수요를 근거로 교육기획을 수립하는 방법이다.

② 특징

　㉠ 희망하는 모든 사람들에게 교육기회가 주어져야 한다.

　㉡ 인구의 자연증가와 교육에 대한 사회수요의 증가에 따라 교육의 양적 증대를 꾀하고 사회수요에 따라 교육의 구조적 변화를 도모한다.

　㉢ 사회구성원의 교육적 요구 충족에 일차적인 목적을 둔다.

　㉣ 고등교육보다는 초·중등 교육단계의 학생 인구 추정에 유용하게 활용될 수 있다.

③ 문제점

　㉠ 교육에 대한 사회적 수요가 사회적 요구와 일치하지 않을 수 있다.

　㉡ 사회 수요를 지나치게 고려하다 보면 사회적으로 잉여 노동력이 발생하거나 어떤 부분에서는 노동력이 부족하게 되는 현상을 초래할 수 있다.

(2) 인력수요 접근법(manpower demand approach)

① 일정 시점에서 소요되는 인력을 추정하여 교육계획을 수립하는 것으로 1960년대 개발 시대에 널리 활용되었다.

② 인력 수요 추정의 절차

　㉠ 목표연도(추정연도)의 총 노동력 추정: 목표연도의 국민총생산을 토대로 한 총 인력공급의 상한선을 추출한다.

　㉡ 목표연도의 산업별 및 직업별 총 고용자 수 추정: 목표연도의 산업별 GNP 수준과 계획기간 중의 생산성 증가율, 기술 발전의 효과를 고려하여 총 고용자 수를 산업부분별, 직업별로 배분하여 추정한다.

　㉢ 직종별 인력의 교육 분포 구조의 추정: 직종별로 추정된 인력을 교육 정도와 과정의 구분에 따라 교육구조를 추정한다.

ⓔ **교육자별 추정된 인력구조와 현재 공급능력의 비교**: 추정된 교육자격별 인력과 현 공급능력을 비교하여 계획기간 중의 순 증가분을 산출한다.

ⓜ **향후 졸업자 수의 추정**: 노동력의 순 증가분에 사망 등 기타 요인 등으로 인한 퇴직률을 감안하여 계획기간 중의 교육 정도별 산업부분별 졸업자 수의 총계를 산출한다.

ⓗ **향후 교육규모의 설정**: 졸업생 수를 근거로 향후 재적 학생 수를 추정하여 이를 근거로 교육인구, 교육시설, 교육재정 계획을 수립한다.

③ **특징**: 주로 경제적 상황에 관한 자료를 기초로 이루어진다. 따라서 경제발전계획의 한 부문으로서의 교육계획 수립을 위해 활용하기 유용하다.

④ **문제점**

ⓞ 지나치게 경제발전 계획에 근거하기 때문에 교육을 통한 자아실현이나 국가적 차원에서 볼 때 사회·문화 발전을 소홀히 한다.

ⓛ 교육 정도별 소요인력을 추정하기 위해서는 직업과 교육을 일대일로 대응시켜야 하는데 양자를 쉽게 연결시켜 추정하기 어렵다.

예 학생들이 반드시 전공한 분야로만 취업하는 것이 아니며 한 직종 내에서도 다양한 기술이 요구된다.

(3) 수익률 분석방법(rate of return approach)

① 교육에 투입된 경비와 산출된 효과를 비용으로 환산하여 그 경제적 효과를 산출하여 이를 토대로 교육기획을 수립하는 방법이다.

② **특징**: 수익률에 근거하여 교육 프로그램의 우선순위를 결정하는 것으로 수익률이 높은 교육 프로그램에 우선적으로 투자한다. 이 방법은 단일한 교육기획이라기 보다는 사회수요 접근이나 인력수요 접근방법의 보완적 의미로 활용된다.

③ **문제점**

ⓞ 교육수익을 소득에 한정하고 있기 때문에 이를 제외한 소득(사회 심리적 편익, 외부 경제 효과 등)을 기초한 수익률은 낮게 나타난다.

ⓛ 수익률은 일정한 양의 교육을 받은 사람을 다루는 개념이므로 평균인의 평균수입이 아닌 추가적 한계적인 사람을 다루는 데 문제가 있다.

ⓒ 수익률에 분석된 학력 간 소득차이를 전적으로 교육의 효과만으로 보기 어렵다.

ⓔ 학력별 평생기대소득의 차이를 정확하게 추정하기 어렵다.

(4) 델파이 방법(Delphi approach)

예측하려는 문제에 대해 선행 참고자료가 없는 경우 관계 전문가들로부터 그들의 견해를 유도하여 이를 종합하여 집단적인 판단을 내리는 방법이다.

5. 교육기획의 효용성

(1) 교육정책 수행과 교육행정의 안정성에 기여한다.

(2) 교육행정 및 교육경영의 효율성과 타당성을 제고할 수 있다.

(3) 한정된 재원의 합리적 배분에 도움을 준다.

(4) 교육개혁과 교육적 변화를 촉진시킨다.

(5) 합리적 통제를 가능하게 해준다.

2 교육정책(educational policy)

1. 의의

(1) 개념
국가의 공권력이나 국민의 동의를 바탕으로 교육목적 달성을 위해 강제하는 기본적인 교육지침을 말한다.

(2) 개념적 속성
① 목적 지향적 활동이다.
② 정부에 의해 이루어지는 체계적 활동이다.
③ 의도적 목적달성을 위한 실제적 행동과정을 포함한다.
④ 공공성을 지닌다.
⑤ 국민의 동의를 바탕으로 한 국가권력에 의한 강제행위이다.

2. 성격

(1) 교육정책은 정책의 산출을 목적으로 수립된 절차를 통해 적절한 정치적 권력에 의해 결정되는 행위이다. 물론 민주국가에서는 그 공권력의 행사가 국민의 동의에 기초한 행위여야 한다.

(2) 교육정책은 그를 통하여 수립되거나 개편·운용되는 교육제도의 지침이 된다. 그러나 한편으로 교육제도가 법규나 관습에 의한 활동의 틀이기 때문에 반대로 교육정책의 기반이 되기도 한다.

(3) 교육문제 해결을 위한 여러 가지 대안 중에서 특정한 기준에 의해 하나의 대안을 합리적으로 선택하는 과정이다.

(4) 교육이념의 구현과정에서 수단적 역할을 함으로써 교육이념의 구현을 돕는다. 그러나 때로는 교육정책이 교육이념에 대한 결정 작용을 할 수도 있다.

(5) 교육정책을 기본 지침으로 삼아 그 구체적 목표를 실현시키는 과정인 교육행정 활동의 기초가 된다.

3. 교육정책결정의 원칙

(1) 민주성의 원칙
정책결정 과정에 국민의 의사를 존중하여 민의를 반영시킬 수 있는 장치가 있어야 한다는 원칙

(2) 중립성의 원칙
교육정책을 수립하는 과정에 어떠한 정치적·종교적·파당적·사회적 압력에 의해 좌우되어서는 안 된다는 원칙

(3) 합리성의 원칙
교육정책 형성에 있어 가치지향적 정책에 객관성과 과학성을 부여하여 현실에 입각한 합리적 교육정책을 형성하고자 하는 원칙

(4) 효율성의 원칙
교육정책 형성과정에 능률적이어야 하며, 그 집행에 있어 실현가능한 것이어야 하며 능률성과 효과성을 확보할 수 있어야 한다는 원칙

교육문제에 대한 정책결정 순서
사회적 이슈화 → 정책의제 설정 → 정책결정 → 정책집행 → 정책평가

4. 평가 기준(N. Dumm)

(1) 효과성(effectiveness)

정책목표의 성취 여부를 검토하는 일이다.

(2) 능률성(efficiency)

사람, 돈, 시간 등의 자원을 얼마나 절약했는가의 경제적 효율성이다.

(3) 충족성(adequacy)

교육정책의 목표와 성과의 달성이 문제의 해결을 충족했느냐의 여부와 목표달성 과정에 동원된 정책수단이 목표를 성취하는 데 충족했느냐의 정도이다.

(4) 형평성(equity)

교육운영에 있어 기회의 균등원리가 보장되었으며, 남녀 간, 지역 간, 계층 간 균형이 이루어졌느냐의 정도이다.

(5) 대응성(responsiveness)

특정 집단과 전체 주민의 필요와 욕구, 선호와 가치 등에 어느 정도 대응하느냐의 정도, 즉 주민의 만족도나 수혜자의 호응 정도이다.

(6) 적절성(appropriateness)

정책목표와 그 목표달성을 위해 동원되는 정책수단, 방법이 적절한가, 사회적으로 타당하고 적합한가의 정도이다.

秀 POINT 교육정책의 유형

1. 기능적 분류

자치행정	총무, 정책기획, 자치행정, 교육지원, 민원여권, 공보, 감사 등
재무행정	재무, 세무, 지역경제, 전산정보 등
주민생활	사회복지, 문화체육, 청소, 환경, 보건 등
도시관리	주택, 도시계획, 건축, 공원녹지 등
건설교통	건설관리, 교통행정, 토목, 치수 등

2. 로이(Lowi)의 정책유형 분류

배분정책 (Distributive policy)	① 개별주체에 대해서 시행되어질 수 있고 구체화될 수 있으며 비영합 게임으로 간주된다. ② 정책 수혜자와 정책에 의해 피해를 보는 집단 간의 반목이나 갈등이 적다.
재배분정책 (Redistributive policy)	국민의 모든 계층에 가급적 널리 그리고 평등하게 재배분하기 위한 정책으로 재분배를 통하여 두 계급 간의 갈등을 줄여나가는 데 관심을 가진다.
규제정책 (Regulatory policy)	사회 구성원이나 집단의 활동을 통제해 다른 사람이나 집단을 보호하려는 목적을 지닌 정책으로 규제대상이 되는 개인이나 집단이 존재하기 때문에 갈등을 일으킬 소지가 상대적으로 많다.
구성정책 (Constitutional policy)	정부기관의 구성 및 조정과 관련된 정책으로 정부의 수권기능의 민주적 절차적 달성에 관심을 보인다.

07 | 의사결정 및 의사소통 모형

1 의사결정

1. 개념

행동 노선에 영향을 주는 모든 판단을 말한다. 즉 의사결정은 대안(alternatives)을 선택하는 과정이다.

2. 특징

(1) 모든 공식조직은 기본적으로 의사결정을 위한 구조이다.

(2) 지위가 높을수록 의사결정의 업무가 많고 실제로 집행하는 일은 적어진다.

(3) 정책결정과 동일한 의미로도 사용된다.

(4) 최근 정치 행정 일원론의 입장에서는 정책의 결정이나 정책의 수립도 행정의 영역으로 본다.

(5) 의사결정의 논리와 절차는 정책결정에도 대체로 원용되고 있다.

3. 의사결정의 유형

(1) 정형화된 결정과 비정형화된 결정

① 정형화된 결정(programmed decision)
  ⊙ 반복적이며 일상적이고 이미 결정의 절차가 마련되어 있는 경우이다.
  ⊙ 목표·표준·절차·방법 및 정책 등이 있다.
  ⊙ 정형화된 결정이 많으면 경영자의 재량권은 작아진다.

② 비정형화된 결정(non-programmed decision)
  ⊙ 새롭고 중요한 결정으로 발견 또는 문제해결의 과정이 필요하다.
  ⊙ 전에 일어난 적이 없으므로 문제의 특성과 구조가 분명하지 않고 복합적이다.

© 비정형화된 결정에서 경영자의 창의성과 판단력이 더 요구된다.

② 수명은 짧고 용도는 특수하고 일회적이다.

(2) 전략적, 전술적 및 실행적 의사결정

① 전략적 의사결정(strategic decision-making)

  ⊙ 전체 조직의 목적과 방향을 결정하는 것은 최고 경영자의 과업이다(비정형화된 의사결정).

  © 외부 환경과의 관련성도 고려해야 한다.

  © 조직의 모든 부서에 영향을 미치고 적용되어야 하기 때문에 지나치게 상세화할 필요는 없다.

② 전술적(관리적) 의사결정(administrative decision-making)

  ⊙ 부서장 수준의 중간 관리층에서 이루어진 의사결정이다.

  © 전략적 의사결정을 전술적으로 발전시키는 일에 관련된다.

  © 조직의 목표를 부서 수준에서 구체화, 상세화하여 전략적 결정보다 더 과업 지향적인 결정이다.

③ 실행적 의사결정(operational decision-making)

  ⊙ 조직의 일선 관리자 수준에서 일상적 업무 추진에 관해 결정한다.

  © 전술적 결정을 가장 능률적이고 효과적으로 수행하기 위한 업무를 지휘하기 위해 내리는 결정이다.

2 의사결정 모형

1. 합리적 모형(rational-comprehensive model)

(1) 특징

① 인간과 조직의 합리성, 완전한 지식과 정보의 활용을 전제로 한 모형이다.

② 정책결정자의 전지전능, 최적 대안의 합리적 선택, 목표의 극대화, 합리적 경제인을 전제로 한 이상론적, 낙관론적 모형이다(규범적 모형).

③ 전체주의 체제에 적합하다.

④ 의사결정이 단순하고, 완전한 정보가 있고, 선호 관계가 확실하여 갈등이 없을 때 적합한 모형이다.

⑤ 문제를 인지하고 가치·목표를 명확히 결정한다.

⑥ 모든 행동 대안을 체계적·포괄적으로 탐색·분석한다.

⑦ 각 대안의 효과를 투입 - 효과분석에 의하여 비교·평가한다.

⑧ 문제해결을 위한 최선의 대안을 선택한다.

(2) 단점

① 인간의 주관적 판단을 고려하지 않으며 인간 사회의 동태적 요소를 경시하는 폐쇄이론이다.

② 인간이 전지전능하지 못하므로 완전한 예측이 불가능하다.

③ 목표에는 가변성이 항상 존재하고 있다.

④ 결정자의 지적 능력에는 한계가 있다.

⑤ 완전한 대안의 발견 및 선택에는 많은 비용이 소요된다.

2. 만족화 모형(satisfying model)

(1) 특징

① 의사 결정자는 주관적인 입장에서 가해지는 여러 제약 하에 의도된 합리성 또는 제한된 합리성(bounded rationality)을 근거로 하여 최적 대안보다는 만족스러운 대안을 선택한다는 입장이다. 사이몬은 이를 행정적 모형이라고 하였고, 기술적 모형 혹은 행위론적 모형이라고도 한다.

② 정책결정자의 주관적 입장에 서서 그가 어떻게 행동하는가를 실증적으로 관찰하여 그 기술적 자료를 토대로 정책결정이 이루어지는 것을 모형화한 것이다.

③ 불확실성과 갈등이 나타날 때 적합한 모형이다.

(2) 대표자

사이먼(Simon)과 마치(March)가 제시하였다.

(3) 기본가정

① 행정적 의사결정은 여러 가지 조직의 문제를 해결할 뿐만 아니라 이 과정에서 다른 문제들도 야기하는 역동적 과정이다.

② 완전한 합리적인 의사결정은 불가능하다. 따라서 의사결정 과정을 최적화할 수 있는 능력 또는 인지적 능력을 가지고 있지 못하기 때문에 행정가들은 만족을 추구한다.

③ 의사결정은 조직의 모든 주요 과업 및 기능을 합리적으로 실행할 때 나타나는 일반적인 행동 패턴이다.

④ 가치는 의사결정의 필수불가결한 부분이다.

(4) 문제점

만족화의 기준을 형성하는 척도가 명확하지 않고 대안의 탐색이 현실에 만족하는 것이므로 보수주의에 빠지기 쉽고 쇄신적·창의적 대안의 탐색활동을 기대하기 어렵다.

3. 점증 모형(incremental model)

(1) 특징

① 전년도까지의 실적을 기초로 현실을 긍정하면서 여기에 약간의 향상된 정책을 추구하는 방법이다.

② 현재 추진되고 있는 기존의 정책대안과 경험을 기초로 약간의 점진적인 개선을 도모할 수 있는 제한된 수의 대안만을 검토하여 현실성 있는 정책을 선택한다.

③ 첨예한 갈등이나 문제를 야기하지 않고 안정적인 정책결정과 집행이 가능하다.

④ 다원적이고 합의지향적인 민주주의 체제에 적합한 모형이다. 즉 대안을 인식하기가 어렵거나 결과가 너무 복잡하여 예측이 어려운 경우에 적합하다.

(2) 대표자

린드블룸(Lindblom)이 체계화하였다. 린드블룸은 이 의사결정 방법을 '계획없이 그럭저럭 해나가기(muddling through)'로 표현하고 있으며, 사항이 복잡하고 불확실하며 갈등을 불러일으킬 때 이 방법이 가장 알맞은 의사결정방법이라고 하였다. 이 방법은 계속적 제한 비교방법이다. 의사결정은 대안과 그 결과에 대한 객관적이고 자세한 분석을 필요로 하지 않으며, 최적의 또는 만족스러운 결과에 대한 기준이 사전에 결정되지도 않는다. 그 대신 의사결정자들 간에 행동 과정에 대한 어느 정도의 합의가 이루어질 때까지 대안들의 결과를 계속 비교해나가는 과정을 통해 기존의 상황과 유사한 소수의 제한된 대안들이 고려의 대상이 된다.

(3) 장점

안정적인 정책결정과 집행, 실현 가능성이 높은 대안 선택, 대중의 폭넓은 지지 획득의 가능성 등의 장점을 지닌다.

(4) 단점

보수주의적 성격을 띠고 있어 혁신이 요구되는 사회에는 부적합하며, 장기적인 것은 소홀히 되고 단기적인 것에만 관심을 갖는 문제점을 지닌다.

4. 혼합 모형(mixed-scanning model)

(1) 특징

① 기본적 방향의 설정과 같은 결정은 합리성을 근거로 하고 특정 문제의 결정은 점증 모형의 입장을 취한다(적응적 모형이라고도 함).
② 합리적 모형의 비현실성과 점증 모형의 보수주의를 비판하면서 이 두 모형을 혼합한 형태이다(만족화 모형과 점증 모형의 장점을 결합).
③ 기본적인 결정 범위 내의 점증적 결정으로 전반적인 국면과 세부적인 국면을 함께 고려한다.
④ 상황에 따른 융통성을 제공해줌으로써 급격한 환경 변화에 적응할 수 있다.
⑤ 결정에 있어 결정자의 능력을 고려한다.

(2) 대표자

에치오니(Etzioni)가 체계화하였다.

(3) 단점

① 독자성이 없고 절충 혼합 모형을 띠고 있어 독립된 모형으로 보기 어렵다.
② 합리적 모형과 점증 모형의 결함을 극복하지 못하고 있다.
③ 현실적으로 의사결정이 기본적 결정과 특정 문제 결정 간에 전환의 신축성 부여가 불명확하다.

5. 최적 모형(optimal model)

(1) 특징

① 합리적 요인과 초합리적 요인을 동시에 고려하는 최적치 중심의 규범적 모형이다.
② 계량적인 측면과 질적인 측면을 구분하여 검토하고 난 다음 이들을 결합시키는 질적 모형이다.

③ 직관, 판단, 창의와 같은 초합리성을 중시하며 초합리적 과정이 정책 결정에 있어 적극적이며 불가결한 역할을 한다고 본다.

(2) 대표자

드로어(Dror)가 체계화하였다.

(3) 단점

의사결정에 있어 사회적 과정에 대한 고찰이 불충분하며, 지나치게 유토피아적 이상에 치우쳤다는 비판을 받는다.

6. 쓰레기통 모형(gabage can model)

쓰레기통 모형
대학과 같은 교육조직에 잘 적용된다.

(1) 특징

① 학교의 의사결정은 늘 불안정하고, 유동적인 상황이기 때문에 합리적이고 체계적인 의사결정이 어렵다. 즉 '조직화된 무정부 상태'의 학교조직에서는 합리적인 의사결정이 존재하지 않는다.
② 학교의 의사결정은 문제, 해결책, 참여자, 선택의 기회라는 비교적 독립적인 영역들이 혼합되어 있다가 우연히 의사결정이 이루어진다.
③ 쓰레기통은 의사결정을 해야 할 문제들과 의견들, 미해결 문제에 대한 해결책, 그리고 골칫거리나 즐거움을 찾고 있는 참가자들이 함께 만나는 장이다.
④ 의사결정 과정을 합리적으로 설명하기 어렵고, 문제에서 시작하여 문제의 해결로 끝나는 것이 아니라 조직에서 독립적인 상황의 흐름에 따라 경험적으로 결정이 이루어진다.

(2) 명제

① 대개의 의사결정이 현존하는 문제를 간과하거나 도피를 통해 이루어진다.
② 문제를 해결하는 데 필요한 노력이 증가할수록 문제는 더욱 해결하기 어려워지고, 의사결정자들은 더욱 빈번히 이 문제에서 저 문제로 옮기게 되고, 선택하는 데 시간이 더 걸리고 문제해결은 어려워진다.
③ 중요한 문제는 사소한 문제보다 해결될 가능성이 크다.
④ 중요한 선택들은 사소한 선택들보다 문제해결 가능성이 더 적다.

(3) 4가지의 투입조건

학교조직에서의 의사결정은 다음의 4가지 투입물들의 합리적 관계보다는 이들의 특수한 혼합에 의해 이루어진다.

문제 (problems)	조직 내외의 사람들이 불만이 많다는 것, 즉 교내에는 끊임없이 문제(성적, 시설, 교사의 질, 학생 생활지도 등)가 많으며 이런 문제는 해결책과는 별도로 존재한다.
해결책 (solutions)	해결책이란 채택되기 위해서 제안된 아이디어들로 문제와는 독립적으로 존재 가능하다.
참여자 (participants)	참여자란 수시로 드나드는 조직의 성원으로 학교는 성원들의 출입이 유동적이기 때문에 문제와 해결책이 빨리 변한다.
선택의 기회 (choice opportunities)	조직이 의사결정을 하도록 기대되는 경우이다. 예를 들면 계약에 서명하고, 성원의 채용과 사직, 금전의 지출 등을 말한다.

(4) 대표자

콘(Cohn)이 사이먼(Simon)의 '제한된 합리성' 개념을 발전시켜 학교의 의사결정 방식을 비유한 모형이다.

3 의사소통망의 형태

⬆ 의사소통망의 형태

1. 연쇄형(連鎖型)

(1) 정보가 단계적으로 최종 중심 인물에 집결되는 경우로 구성원들 간의 뚜렷하고 엄격한 신분서열 관계가 존재한다(고리형이라고도 함).

(2) 중심 인물을 제외한 구성원의 직무 만족도가 비교적 낮다.

(3) 상호간의 피드백이 복잡하고 어려워 의사소통의 효율성이 낮다.

2. 수레 바퀴형(Wheel)

(1) 구성원들 간의 중심 인물이 있어 모든 정보가 집중되는 형태이다.

(2) 신속하게 정보를 획득하거나 문제해결을 위한 상황파악이 신속하며, 문제에 대한 대응도 신속하게 이루어진다.

(3) 업무가 복잡한 경우에는 효과를 기대하기 어렵고, 집단의 만족도는 낮다.

3. 원형(圓型)

(1) 개방적인 의사소통 유형으로 중심 인물이 없는 상태에서 의사소통의 목적과 방향이 없고 구성원 간의 정보가 전달되는 유형이다.

(2) 신분 관계가 불확실하고 집단구성원 간의 사회적 서열이 분명하지 않은 경우에 형성된다.

(3) 문제가 복잡성을 띠고 의사소통의 목적이 명백할수록 효율성과 만족도가 높게 나타난다.

(4) 정보전달과 수집, 상황의 종합적 파악 및 문제의 해결이 느리다.

4. 상호연결형(별형)

(1) 비공식적인 의사소통에서 형성되는 유형이다.

(2) 특정한 중심 인물이 없고 구성원 개개인이 서로 의사소통을 주도한다. 그러므로 구성원들의 참여를 통하여 창의적으로 문제를 해결하고자 할 때 효과적이며, 구성원의 만족도가 높다.

(3) 구성원 상호 간에 정보교환이 왕성하게 이루어짐으로써 사태파악과 문제해결에 시간이 많이 소요된다.

5. Y형

(1) 두 사람 이상의 직접적인 의사소통의 경로가 있는 사람과 그렇지 않은 사람들이 섞여 있는 원형(圓型)과 같이 뚜렷한 중심 인물이 존재하지 않는다.

(2) 대다수 구성원의 대표적인 지도자가 존재할 경우에 나타나며, 지도자에 대한 집중도는 중간 정도이다. 계선조직과 참모조직의 혼합집단에서 발생한다.

(3) 문제해결의 속도가 신속하고 단순한 문제일 경우는 효율성이 높으나, 문제가 복잡할수록 효율성은 낮으며 구성원들의 직무 만족도는 낮은 편이다.

4 의사결정과 참여

1. 무관심권과 수용권

(1) 무관심권(zone of indifference)

상급자의 명령을 아무런 문제없이 수용 가능한 영역을 의미한다[버나드(Banard)].

(2) 수용권(zone of acception)

상급자가 행한 의사결정을 충분히 검토하지 않고 따르는 영역을 말한다[사이먼(Simon)].

2. 참여방법

(1) 학교장이 수용권 내에 있는 의사결정에 교사를 참여시킨다면 그 참여는 비효과적이며, 수용권 밖에 있는 의사결정에 교사를 참여시킨다면 그 참여는 효과적이다[브리지스(Bridges)].

(2) 관련성이 없고 교사의 능력 밖에 있는 경우 그 결정은 수용권 내에 해당되며 이때 교사를 참여시켜서는 안 된다.

(3) 교사가 의사결정에 이해관계(높은 관련성)가 있고 유용한 공헌을 할 수 있는 지식(높은 전문성)을 가지고 있다면 그 결정은 수용권 밖에 해당되며 이때는 교사를 의사결정에 참여시켜야 한다.

3. 참여적 의사결정 모형

(1) 호이와 미스켈(W. K. Hoy & C. G. Miskel)의 공동 의사결정 모형(shared decision-making model)

① 제 I 유형
  ㉠ 의사결정을 하려는 문제가 수용권 외부에 있으며 개인적 이해관계도 있고 전문적 지식도 있는 경우이다.
  ㉡ 교사들을 반드시 참여시켜야 할 뿐만 아니라 참여 범위도 최대한 넓히고 결정과정의 문제 확인 단계에서부터 참여시키되 결정방법은 의회 민주주의적 방법으로 한다.

② 제Ⅱ유형
  ⊙ 의사결정을 하려는 문제가 수용권 주변에 있으며 개인적 이해관계는 있으나 전문적 지식이 없는 경우이다.
  ⓛ 제한된 범위에서 교사들을 결정과정의 최종 선택 단계에서 참여시키되 의사결정 방식은 민주적·집권적 방식을 취해야 한다.

③ 제Ⅲ유형
  ⊙ 의사결정을 하려는 문제가 수용권 주변에 있으며 개인적인 이해관계는 없으나 전문인인 지식이 있는 경우이다.
  ⓛ 가끔 제한된 범위에서 참여시키고 결정과정의 대안모색 단계 및 결과 예측 단계에 교사들을 참여시키되 의사결정 방법은 민주적 - 집권적 방식을 따른다.

④ 제Ⅳ유형
  ⊙ 의사결정을 하려는 문제가 수용권 내부에 있으며 개인적 이해관계도 없고 전문적 지식도 없는 경우이다.
  ⓛ 교사들의 참여를 배제시킨다.

(2) 브리지스(Bridges)의 참여적 의사결정 모형

① 수용의 영역을 기초로 하여 참여적 의사결정 모형을 제시하였으며, 조직 구성원들이 의사결정의 수용영역 범위 안에 있느냐 아니면 밖에 있느냐에 따라 참여 여부를 검토해야 한다고 보았다.

② 의사결정 수용의 연속선: 행정가는 수용영역 내에 있는 사항에 대해서 교사들을 의사결정에 참여시키는 것은 덜 효과적이고, 수용영역 밖에 있는 사항은 참여시키는 것이 효과적이라고 보았다.

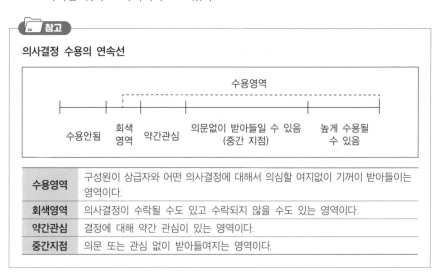

참고

의사결정 수용의 연속선

수용영역	구성원이 상급자와 어떤 의사결정에 대해서 의심할 여지없이 기꺼이 받아들이는 영역이다.
회색영역	의사결정이 수락될 수도 있고 수락되지 않을 수도 있는 영역이다.
약간관심	결정에 대해 약간 관심이 있는 영역이다.
중간지점	의문 또는 관심 없이 받아들여지는 영역이다.

③ **수용영역에 따른 의사결정의 4가지 유형**: 적절성 검토와 전문성 검토의 조합에 따라 4가지 의사결정 유형으로 구분한다.

상황 1	⊙ 교사들이 개인적 이해관계(적절성)와 전문적 지식(전문성)을 모두 가지고 있어 수용영역 밖에 있는 경우이다. ⓒ 구성원을 의사결정 과정에 자주 참여시키고, 참여 단계도 초기 단계인 문제의 인지 및 정의부터 적극적으로 참여시킨다. ⓒ 리더의 역할은 소수의 의견까지 보장하여 의회주의형으로 의사결정이 이루어지도록 하는 것이다.
상황 2	⊙ 구성원이 결과에 대해 이해관계(적절성)는 가지고 있으나 전문적 지식(전문성)이 없는 경우이다. ⓒ 구성원들은 수용영역의 한계조건(marginal conditions)에 있으며, 이런 경우 구성원을 가끔 참여시키고 참여 단계도 최종 대안을 선택할 때 제한적으로 참여시킨다. ⓒ 참여시키는 목적은 최종결정을 하기 전에 구성원들에게 이해를 구하거나 설득·합의를 도출하여 저항을 최소화하기 위해서이다. ⓔ 리더는 구성원의 부분적인 참여를 통해 의사결정에 감정적 반항을 감소시켜 민주적으로 커다란 마찰 없이 문제를 해결해야 한다.
상황 3	⊙ 구성원이 이해관계는 가지고 있지 않으나, 전문성이 있는 경우이다. ⓒ 상황 2와 마찬가지로 수용영역의 한계조건 내에 있는 경우이므로 구성원을 제한적으로 참여시키는 것이 바람직하며, 이때 참여는 의사결정의 질을 높일 수 있는 아이디어나 정보를 얻기 위해서라는 점을 감안하여 대안의 제시나 결과의 평가 단계에서 참여시킨다.
상황 4	⊙ 구성원이 전문성도 없고 이해관계도 가지고 있지 않은 경우이다. ⓒ 수용영역 내부에 있게 되므로 참여시킬 필요가 없다.

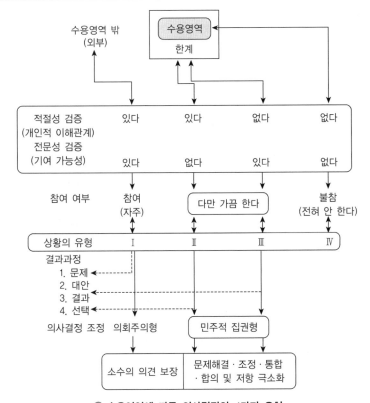

⟁ **수용영역에 따른 의사결정의 4가지 유형**

(3) 호이와 타터(Hoy & Tarter)의 참여적 의사결정 모형

① 브리지스가 제안한 명제에 두 가지 이론적 명제를 추가하여 참여적 의사결정
　모형을 제안하였다.

② 참여적 의사결정 모형

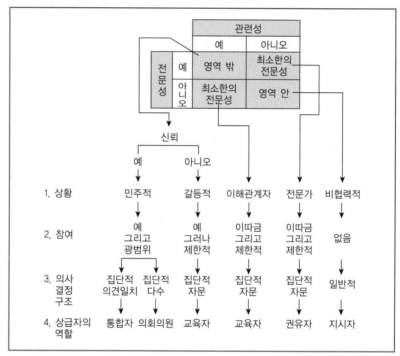

③ 지도자의 역할에 따른 기능과 목표

역할	기능	목표
통합자	다양한 입장 통합	의견일치 획득
의회의원	개방적 논의 촉진	반성적 집단사고 지원
교육자	쟁점의 설명과 토론	결정의 수용 추구
권유자(간청자)	자문 요청	결정의 질 개선
지시자	일방적 결정	효율성 성취

(4) 브룸과 예튼(Vroom & Yetton)의 상황 적합적 의사결정 모형

① 의사결정 과정에 구성원들을 어느 정도까지 참여시켜야 조직 효과성을 확보할
　수 있는가를 연구하여 독단적인 것에서 민주적인 것까지 5가지 의사결정 형태
　를 제시하였다.

② 의사결정 방법: AI, AII, CI, CII, GII

의사결정	형태	방법
전제적 의사결정	AI	단독 결정: 행정가가 현존하는 정보를 이용하여 단독으로 결정한다.
	AII	정보수집 후 단독 결정: 행정가는 구성원들로부터 정보를 구하고 나서 단독으로 결정을 내린다. 이때 구성원은 정보를 제공할 뿐 대안의 탐색이나 평가에 관여하지 않는다.

자문적 의사결정	CI	**개별자문 후 결정**: 행정가가 구성원들과 집단이 아닌 개별적 의 견교환을 통해 아이디어와 제안을 얻고 나서 의사결정을 하는 데, 이 과정에서 구성원들의 의견이 반영될 수도 있고, 그렇지 않을 수도 있다.
	CII	**집단자문 후 결정**: 행정가가 구성원들과 집단적으로 만나 함께 문제를 논의하여 그들의 집약된 아이디어와 제안을 얻고 나서 의사결정을 한다. 구성원들의 의견은 반영되지 않을 수도 있다.
집단적 의사결정	GII	**집단결정**: 참여적 방법으로, 행정가는 집단적으로 문제와 상황 을 함께 논의하여 결정한다. 모든 구성원은 함께 대안을 탐색 하고, 평가하며, 해결책에 대한 합의점에 도달하기 위해서 노력 한다.

4. 참여의 효과

(1) 정책 형성에 참여의 기회는 교사의 사기와 학교에 대한 열성에 중요한 요인이며,
    참여의 배제는 심한 좌절을 겪게 하기도 한다.

(2) 의사결정에 참여는 교직에 대한 교사의 만족도에 긍정적으로 관계된다.

(3) 교사들은 의사결정에 관여시키는 교장을 더 좋아하는 경향이 있다.

(4) 질이 낮거나 부하들이 수락하지 않는 의사결정은 실패가능성이 높다.

(5) 교사들은 모든 의사결정에 관여하기를 기대하지도, 원하지도 않는다.

(6) 의사결정에서 교사와 행정가의 역할과 기능은 문제의 성격에 따라 달라져야 한다.

5. 집단의사결정의 문제점[제니스와 만(Janis & mann)]

불사신적 능력에 대한 환상 (illusion of invulnerability)	구성원들은 명백한 위험을 무시하고, 극도의 모험을 감행하고 지나치게 낙관적이다.
집단적 합리화 (collective rationalzation)	구성원들은 집단의 사고에 모순되는 경고는 불신하고 교묘히 변명하여 발뺌한다.
도덕성에 대한 환상 (llusion of morality)	구성원들은 그들의 결정이 도덕적으로 옳다고 믿고, 그들 결정 의 윤리적 결과를 무시한다.
지나친 정형화 (excessive stereotyping)	집단은 그 집단 외부의 경쟁자에 대한 부정적 정형화를 구축한다.
순응성에 대한 압력 (pressure of conformity)	구성원은 집단의 정형화, 환상, 또는 책임성에 반대되는 의견을 표현하는 사람은 누구든 간에 불충(不忠)으로 간주하는 압력을 가한다.
자기 - 검열 (self-censorship)	구성원은 자신의 반대 의견을 저지하고 논쟁에 반격을 가한다.
만장일치에 대한 환상 (illusion of unanimity)	구성원은 모든 사람이 집단의 결정에 동의한다는 그릇된 믿음 을 가진다. 침묵은 동의로 해석된다.
정신적 경호원 (mindguards)	일부 구성원은 집단의 자기 만족성을 위협하는 반대 정보로부 터 집단을 보호하는 역할을 스스로에게 임명한다.

5 조직 내 의사소통 유형

1. 집권적 의사소통과 분권적 의사소통

(1) 업무가 비교적 단순한 경우에는 집권화된 의사소통 구조가 분권화된 의사소통 구조보다 효율적이다.

(2) 복잡한 문제나 애매모호한 업무를 처리할 경우에는 집권적 구조가 분권적 구조보다 비효율적이고 직원들의 사기와 직무 만족도를 저하시킨다.

(3) 스캇(Scott)에 의하면 의사소통의 필요성과 조직위계의 유용성 사이에는 포물선의 관계가 존재한다.

2. 수직적 의사소통과 수평적 의사소통

(1) 수직적 의사소통과 수평적 의사소통의 관계는 피라미드형으로 나타낼 수 있다. 상향적일수록 면적은 줄어들고 하향적일수록 면적은 증가한다.

(2) 포터(Poter)는 수평적 의사소통을 ① 작업집단 내의 친밀한 동료들 간의 의사소통, ② 조직 내의 다른 부서와의 의사소통, ③ 계선과 참모 간의 의사소통 등으로 유형화하였다.

3. 언어적 의사소통과 비언어적 의사소통

(1) 언어적 의사소통

구두 의사소통	말을 수단으로 하여 직접 정보를 교환하거나 메시지를 전달하는 것으로 대면적 의사소통이 모두 여기에 속하며, 즉시성과 대면성을 특징으로 한다.
문서 의사소통	메모, 편지, 보고서, 지침, 공문, 안내서, 회람 등이 여기에 속하며 정확성과 보존성을 특징으로 한다.

(2) 비언어적 의사소통

① 교통신호, 도로 표지판, 안내판 등 물리적 언어를 통한 의사소통, ② 사무실의 크기, 좌석 배치, 의자의 크기, 집기, 자동차의 크기나 색깔 등의 상징적 언어를 통한 의사소통, ③ 자세, 얼굴 표정, 몸짓, 목소리, 눈동자, 하품 등과 같은 신체적 언어를 통한 의사소통이 있으며 신체적 언어에 의한 의사소통은 언어를 통한 의사소통보다 메시지 전달이 정확하고 밀도가 높을 수 있다.

4. 의사소통의 원칙

명료성(clarity)의 원칙	의사소통에 있어 전달하는 내용이 보다 분명하고 정확하게 이해될 수 있도록 표시되어야 한다는 원칙이다.
일관성(consistency)의 원칙	의사소통에 있어 전달 내용은 전후가 일치되어야 한다는 원칙이다.
적시성(timeliness)의 원칙	의사소통은 적시에 이루어져야 한다는 원리로 필요한 정보는 필요한 시기에 적절히 입수되어야 한다는 원칙이다.

적정성(adequacy)의 원칙	전달하고자 하는 정보의 양과 규모는 적당해야 한다는 원칙으로 정보의 양이 너무 많거나 빈약해서도 안 된다는 원칙이다.
배포성(distribution, 분포성)의 원칙	의사전달의 내용은 비밀을 요하는 특별한 경우를 제외하고는 모든 사람들이 알 수 있도록 공개해야 한다는 원칙이다.
적응성(adaptability)의 원칙	의사소통의 내용이 환경에 적절히 적응해야 한다는 원칙이다.
수용성(acceptability)의 원칙	의사소통은 피전달자가 수용할 수 있어야 한다는 원칙이다(수용성은 의사소통의 최종 목표).

5. 의사소통의 기법으로서 조하리의 창(Johari Window)

(1) 의의

① 러프트(J. Lufft)와 잉햄(H. Ingham)이 고안한 의사소통 모형으로 다른 사람과 의사소통을 할 때 영향을 주는 자신에 관한 4가지 정보를 알려준다.

② 조하리의 창을 통해 자기 인식의 수준과 타인으로부터의 수용의 정도를 알 수 있다.

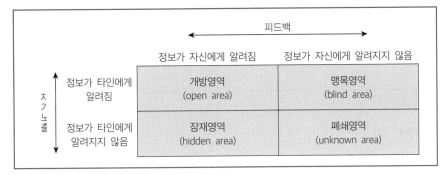

⬆ 조하리의 창

(2) 의사소통 형태

① 개방적 부분(Arena): 자신에 관한 정보가 자신이나 타인에게 잘 알려져 있는 부분으로, 이 부분이 확대되면 민주형이 된다. 이 영역이 넓혀지기 위해서는 자기를 노출하고 피드백을 많이 받아야 하며 효과적인 의사소통이 가능하다.

② 맹목적 부분(Blindspot): 자신에 대한 정보가 타인에게는 알려져 있지만 자신에게는 알려져 있지 않은 부분이다. 타인에게 피드백을 잘 받지 못할 때 이 부분이 더 넓어져 효과적인 의사소통이 어려우며 독단형이 된다.

③ 잠재적 부분(Facade): 자신에 대해 타인에게는 잘 알려져 있지 많지만 자신에게는 알려져 있는 부분으로, 이 부분이 커지면 과묵형이 된다. 타인이 어떻게 반응할지 몰라 자기의 감정과 태도를 비밀에 붙이고 방어적인 태도를 취한다. 의사소통에서 자신의 의견이나 감정을 표출시키지 않고 타인으로부터 정보를 얻으려는 경향이 커진다.

④ 미지적 부분(Unknown): 자신에 대한 정보가 자신과 타인에게 모두 알려져 있지 않은 부분으로, 이 부분이 커지면 폐쇄형이 된다. 이 경우에는 자신에 대한 견해를 표출하지도 않고 타인으로부터 피드백을 받지도 못하여 자기폐쇄적이 되기 쉽다.

08 | 교원인사 행정

핵심체크 POINT

1. **교육공무원의 분류**
   ① 교육공무원: 경력직의 특정직이면서 교원과 교육전문직으로 구분
   ② 교원은 자격증 소지자(단 대학 교원 제외), 교육전문직은 자격조건만 구비
2. **교육공무원의 근무조건**
   임용, 승진, 승급, 전직, 전보, 복직, 강임 등
3. **교원의 평정**
   경력평정(20년, 70점 만점), 근무성적 평정(100점, 동료교사에 의한 다면평가 포함), 연수성정(30점) 및 가산점
4. **교육공무원의 징계**
   파면, 해임, 강등, 정직, 감봉, 견책 등

1 인사행정

1. 개념

유능한 인적 자원을 확보하고 그들의 능력을 개발하며 그들로 하여금 최선을 다할 수 있는 제반 여건을 조성하는 과정이다.

2. 원리

전문성의 중시, 실적주의와 연공서열주의의 조화, 공정성 확보, 적재적소의 배치, 적정수급의 원칙 등이 있다.

2 교육공무원

1. 개념

(1) 「국가공무원법」 제2조에 경력직의 특정직공무원에 속하며 교원과 교육전문직원으로 구분된다.

(2) 「국가공무원법」과 「교육공무원법」에 의한 개념이므로 사립학교의 교원은 제외된다. 다만 사립학교도 모든 국민의 교육받을 권리를 보장하기 위해 존재하는 공교육기관이므로, 사립학교의 교원도 복무, 신분보장, 보수와 기능 및 자격 등은 교육관계법과 교육공무원법에 준하도록 되어 있다.

秀 POINT 공무원 분류표 - 「국가공무원법」 제2조

1. 경력직공무원

실적과 자격에 따라 임용되고 그 신분이 보장되며 평생토록 공무원으로 근무할 것이 예정되는 공무원을 말하며, 그 종류는 다음과 같다.

일반직 공무원	기술·연구 또는 행정 일반에 대한 업무를 담당하며, 직군(職群)·직렬(職列)별로 분류되는 공무원이다.
특정직 공무원	법관, 검사, 외무공무원, 경찰공무원, 소방공무원, 교육공무원, 군인, 군무원, 헌법재판소 헌법연구관, 국가정보원의 직원, 경호공무원과 특수 분야의 업무를 담당하는 공무원으로서 다른 법률에서 특정직공무원으로 지정하는 공무원이다.
기능직 공무원	기능적인 업무를 담당하며 그 기능별로 분류되는 공무원이다.

2. 특수경력직공무원

경력직공무원 외의 공무원을 말하며, 그 종류는 다음과 같다.

정무직 공무원	① 선거로 취임하거나 임명할 때 국회의 동의가 필요한 공무원이다. ② 고도의 정책결정 업무를 담당하거나 이러한 업무를 보조하는 공무원으로서 법률이나 대통령령에서 정무직으로 지정하는 공무원이다.
별정직 공무원	특정한 업무를 담당하기 위하여 별도의 자격 기준에 따라 임용되는 공무원으로서 법령에서 별정직으로 지정하는 공무원이다.
계약직 공무원	국가와의 채용 계약에 따라 전문지식·기술이 요구되거나 임용에 일정 기간 종사하는 공무원이다.
고용직 공무원	단순한 노무에 종사하는 공무원이다.

2. 분류

(1) 교원

「초·중등교육법」과 「고등교육법」에 의해 규정된 바와 같이 각급 학교(유치원 ~ 대학)에서 원아·학생을 직접 지도·교육하는 자를 말한다.

① **교원의 종류:** 교원이란 국·공립이나 사립학교를 불문하고, 정규학교나 각종학교를 불문하고 교육기관인 학교에서 원아·아동·학생의 교육에 책임 있는 모든 사람들을 말한다.

  ㉠ 유치원 교사·원감·원장

  ㉡ 초·중·고등학교의 교사·교감·교장

  ㉢ 전문대학과 대학(교)의 조교·전임강사·조교수·부교수·교수, 총·학장

② 교원의 자격

> 「초·중등교육법」제21조 【교원의 자격】 ① 교장과 교감은 대통령령으로 정하는 바에 따라 교육부장관이 검정(검정)·수여하는 자격증을 받은 사람이어야 한다.
> ② 교사는 정교사(1급·2급), 준교사, 전문상담교사(1급·2급), 사서교사(1급·2급), 실기교사, 보건교사(1급·2급) 및 영양교사(1급·2급)로 나누되, 대통령령으로 정하는 바에 따라 교육부장관이 검정·수여하는 자격증을 받은 사람이어야 한다.
> ③ 수석교사는 제2항의 자격증을 소지한 사람으로서 15년 이상의 교육경력(「교육공무원법」 제2조 제1항 제2호 및 제3호에 따른 교육전문직원으로 근무한 경력을 포함한다)을 가지고 교수·연구에 우수한 자질과 능력을 가진 사람 중에서 대통령령으로 정하는 바에 따라 교육부장관이 정하는 연수 이수 결과를 바탕으로 검정·수여하는 자격증을 받은 사람이어야 한다.

(2) 교육전문직원

교육기관·교육행정기관·교육연구기관에 근무하는 장학사·장학관·교육연구사·교육연구관을 말한다.

(3) 교원과 교육전문직원의 차이

대학의 교원을 제외한 교사와 교감, 교장, 원감, 원장은 법정 자격기준에 해당하는 자로서 교원자격검정령의 규정에 의하여 교육부장관이 수여하는 자격증을 가진 자여야 한다. 대학의 교원과 교육전문직원은 법정자격기준의 요건을 갖추되 반드시 자격증이 필요한 것은 아니다.

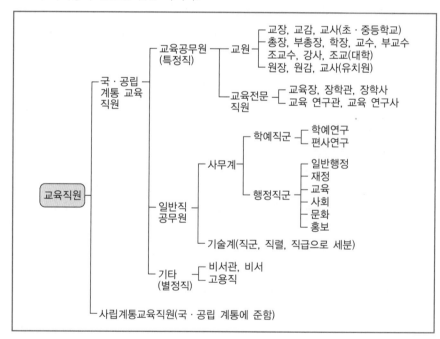

♠ 교육직원의 분류

1. 초·중등학교에 근무하는 교원과 직원의 신분에 대한 설명으로 옳은 것은?

2019년 국가직 9급

① 수석교사는 교육전문직원이다.
② 공립학교 행정실장은 교육공무원이다.
③ 교장은 별정직공무원이다.
④ 공무원인 교원은 특정직공무원이다.

해설

교육공무원은 교육기관에 근무하는 교원 및 조교, 교육행정기관에 근무하는 장학관 및 장학사, 교육기관, 교육행정기관 또는 교육연구기관에 근무하는 교육연구관 및 교육연구사를 말한다. 공무원에는 일반직공무원으로는 기술·연구 또는 행정 일반에 대한 업무를 담당하는 공무원과 특정직공무원인 법관, 검사, 외무공무원, 경찰공무원, 소방공무원, 교육공무원, 군인, 군무원, 헌법재판소 헌법연구관, 국가정보원의 직원과 특수 분야의 업무를 담당하는 공무원으로서 다른 법률에서 특정직공무원으로 지정하는 공무원 등이 있다(「교육공무원법」 제2조, 「국가공무원법」 제2조). **답 ④**

2. 현행 법령상 교원을 <보기>에서 고른 것은?

2018년 지방직 9급

<보기>

ㄱ. 교장   ㄴ. 교감
ㄷ. 행정실장   ㄹ. 교육연구사

① ㄱ, ㄴ   ② ㄱ, ㄷ
③ ㄴ, ㄹ   ④ ㄷ, ㄹ

해설

교원이란 국·공립이나 사립의 정규학교나 각종학교를 불문하고 교육기관인 학교에서 원아·아동·학생의 교육에 책임이 있는 모든 사람을 말한다. 교원에는 첫째, 유치원 교사·원장·원감, 둘째, 초·중·고등학교의 교사·교감·교장, 셋째, 전문대학과 대학의 조교·전임강사·조교수·부교수·교수, 총·학장 등이 있다. **답 ①**

3. 교직원의 구분과 임무

「**초·중등교육법**」 제19조 【**교직원의 구분**】 ① 학교에는 다음 각 호의 교원을 둔다.

1. 초등학교·중학교·고등학교·고등공민학교·고등기술학교 및 특수학교에는 교장·교감·수석교사 및 교사를 둔다. 다만, 학생 수가 100명 이하인 학교나 학급 수가 5학급 이하인 학교 중 대통령령으로 정하는 규모 이하의 학교에는 교감을 두지 아니할 수 있다.
2. 각종학교에는 제1호에 준하여 필요한 교원을 둔다.

② 학교에는 교원 외에 학교 운영에 필요한 행정직원 등 직원을 둔다.

③ 학교에는 원활한 학교 운영을 위하여 교사 중 교무(教務)를 분담하는 보직교사를 둘 수 있다.

④ 학교에 두는 교원과 직원(이하 "교직원"이라 한다)의 정원에 필요한 사항은 대통령령으로 정하고, 학교급별 구체적인 배치기준은 제6조에 따른 지도·감독기관 (이하 "관할청"이라 한다)이 정하며, 교육부장관은 교원의 정원에 관한 사항을 매년 국회에 보고하여야 한다.

제20조 【교직원의 임무】 ① 교장은 교무를 총괄하고, 민원처리를 책임지며, 소속 교직원을 지도·감독하며, 학생을 교육한다.

② 교감은 교장을 보좌하여 교무를 관리하고 학생을 교육하며, 교장이 부득이한 사유로 직무를 수행할 수 없을 때에는 교장의 직무를 대행한다. 다만, 교감이 없는 학교에서는 교장이 미리 지명한 교사(수석교사를 포함한다)가 교장의 직무를 대행한다.

③ 수석교사는 교사의 교수·연구 활동을 지원하며, 학생을 교육한다.

④ 교사는 법령에서 정하는 바에 따라 학생을 교육한다.

⑤ 행정직원 등 직원은 법령에서 정하는 바에 따라 학교의 행정사무와 그 밖의 사무를 담당한다.

참고

보직교사

1. 보직교사의 명칭은 관할 교육청이 정하고 학교별 보직교사의 종류 및 그 업무분장은 학교의 장이 정한다.

2. 교감과 교사의 중간위치에 위치하며, 자격이 아니고 일정한 업무를 수행하기 위해 마련된 보직으로, 교육공무원의 직위와 구분된다. 즉 법률상 자격이나 직위가 아니며 학교조직에 형성된 계층이다.

3. 보직교사는 분야별로 그 소속원들에 대한 지도적 지위에 설 뿐만 아니라 승진규정상 일반교사보다 우선권을 가지며 일정액의 직무수당을 받을 수 있다.

4. 교육공무원의 근무조건 - 「교육공무원법」 제2조

임용	신규채용, 승진, 승급, 전직(전직), 전보(전보), 겸임, 파견, 강임(강임), 휴직, 직위해제, 정직(정직), 복직, 면직, 해임 및 파면을 말한다.
직위	1명의 교육공무원에게 부여할 수 있는 직무와 책임을 말한다.
전직	교육공무원의 종류와 자격을 달리하여 임용하는 것을 말한다.
전보	교육공무원을 같은 직위 및 자격에서 근무기관이나 부서를 달리하여 임용하는 것을 말한다.
강임	같은 종류의 직무에서 하위 직위에 임용하는 것을 말한다.
복직	휴직, 직위해제 또는 정직 중에 있는 교육공무원을 직위에 복귀시키는 것을 말한다.

5. 교원의 권리와 의무

(1) 권리의 유형

① **적극적 권리**: 교원이 전문적 교육활동에 전념할 수 있는 여건 조성에 관련된 권리이다. 자율성 신장, 생활보장, 근무조건 개선, 복지 및 후생제도 확충 등이 해당한다.

② **소극적 권리**: 권리란 법규적인 면에 관련된 권리이다. 신분보장, 쟁소제기권, 불체포 특권, 교직단체 활동권 등이 해당한다.

(2) 의무

적극적 의무는 주어진 일을 수행하는 측면에서의 의무이고, 소극적 의무는 해서는 안 되는 금지 사항에 관한 것이다.

적극적 의무	① 교육 및 연구 활동의 의무 ② 선서, 성실, 복종의 의무 ③ 품위유지의 의무 ④ 비밀엄수의 의무 친절 및 공정의 의무
소극적 의무	① 정치활동 ② 집단행위 ③ 영리업무 ④ 직장이탈

⊙ 적극적 의무와 소극적 의무

3 교원의 평정(『교육공무원 승진규정』)

1. 적용대상

제2조【적용대상】 ① 이 영은 다음 각호의 교육공무원에게 적용한다. 다만, 제4호의 규정에 의한 교육공무원에 대하여는 이 영중 근무성적평정(교사의 경우에는 다면평가, 근무성적평정과 다면평가 결과의 합산을 포함한다)에 관한 규정에 한하여 이를 적용한다.
  1. 각급학교의 교감(유치원의 원감을 포함한다. 이하 같다)으로서 그가 근무하는 학교 또는 이와 동등급학교의 교장(유치원의 원장을 포함한다. 이하 같다)의 자격증을 받은 자
  2. 각급학교의 교사로서 그가 근무하는 학교 또는 이와 동등급학교의 교감의 자격증을 받은 자
  3. 장학사 또는 교육연구사로서 장학관 또는 교육연구관의 자격기준에 달한 자
  4. 제1호 내지 제3호 외의 교감·교사·장학사 및 교육연구사
  ② 수석교사에 대해서는 이 영을 적용하지 아니한다.

2. 경력평정

제2장 경력평정

제7조【경력의 종류】 경력은 기본경력과 초과경력으로 나눈다.

제8조【경력의 평정기간】 기본경력은 제9조의 규정에 의한 평정대상경력으로서 평정시기로부터 15년을 평정기간으로 하고, 초과경력은 기본경력 전 5년을 평정기간으로 한다.

제14조【평정결과의 보고】 확인자는 경력평정을 실시한 때에는 그 결과를 경력평정표에 기록하여 평정 후 10일 이내에 평정대상자의 임용권자에게 보고하여야 한다.

제15조【평정결과의 공개】 경력평정의 결과는 평정대상자의 요구가 있는 때에는 이를 알려 주어야 한다.

3. 근무성적평정

> ### 제3장 근무성적평정 등
>
> #### 제2절 교사의 근무성적평정 등
>
> **제28조의2 【근무성적평정 및 다면평가의 실시 등】** ① 교사에 대하여는 매 학년도 종료일을 기준으로 하여 해당 교사의 근무실적·근무수행능력 및 근무수행태도에 관하여 근무성적평정과 다면평가를 정기적으로 실시하고, 각각의 결과를 합산한다.
> ② 근무성적평정 및 다면평가의 기준에 관하여는 제16조를 준용하되, 교사의 자기실적평가서는 별지 제3호의2서식에 따른다.
>
> **제28조의4 【평정자 등】** ① 근무성적의 평정자 및 확인자는 승진후보자명부작성권자가 정하고, 다면평가자는 제2항에 따라 근무성적의 확인자가 선정한다.
> ② 근무성적의 확인자는 평가대상자의 동료 교사 중 제4항 제1호에 따른 선정기준을 충족하는 3명 이상을 다면평가자로 선정하여야 한다.
> ③ 근무성적의 확인자는 근무성적의 평정자를 위원장으로 하고, 평가대상자의 동료 교사 중 3명 이상 7명 이하를 위원으로 하는 다면평가관리위원회(이하 이 조에서 "위원회"라 한다)를 구성·운영한다. 이 경우 위원회의 구성에 관한 기준 및 절차 등에 관하여 필요한 사항은 승진후보자명부작성권자가 정한다.
>
> **제28조의7 【평정 등의 채점】** ① 근무성적의 평정점은 평정자가 100점 만점으로 평정한 점수를 20퍼센트로, 확인자가 100점 만점으로 평정한 점수를 40퍼센트로 환산한 후 그 환산된 점수를 합산하여 60점 만점으로 산출한다.
> ② 다면평가점은 다면평가자가 수업교재 연구의 충실성 등 정성평가의 방법에 따라 100점 만점으로 평가한 점수를 32퍼센트로, 주당 수업시간 등 정량평가의 방법에 따라 100점 만점으로 평가한 점수를 8퍼센트로 각각 환산한 후 그 환산된 점수를 합산하여 40점 만점으로 산출한다.
> ③ 합산점은 근무성적평정점과 다면평가점을 합산하여 100점 만점으로 산출한다.

4. 연수성적 평정

> ### 제4장 연수성적의 평정
>
> #### 제1절 총칙
>
> **제29조 【평정의 구분】** 교육공무원의 연수성적평정은 교육성적평정과 연구실적평정으로 나눈다.
>
> #### 제2절 교육성적평정
>
> **제32조 【교육성적평정】** ① 교육공무원의 교육성적평정은 직무연수성적과 자격연수성적으로 나누어 평정한 후 이를 합산한 성적으로 한다.
> ② 직무연수성적의 평정은 당해 직위에서 「교원 등의 연수에 관한 규정」에 의한 연수기관 또는 교육부장관이 지정한 연수기관에서 10년 이내에 이수한 60시간 이상의 직무연수성적을 제33조 제1항 제1호에 따라 환산한 직무연수환산성적 및 직무연수이수실적(교장·장학관·교육연구관 승진후보자 명부작성 대상자는 제외한다)을 대상으로 평정한다.
>
> #### 제3절 연구실적평정
>
> **제34조 【연구실적평정】** 교육공무원의 연구실적평정은 연구대회입상실적과 학위취득실적으로 나누어 평정한 후 이를 합산한 성적으로 한다.

4 교원연수

교원의 연수는 제도적 연수와 자율연수로 구분된다(대통령령).

1. 제도적 연수

(1) 직무연수

① 교육의 이론과 방법 및 직무수행에 필요한 능력배양을 위해 실시한다.

② 직무연수의 기간은 연수를 실시하는 기관장이 정한다.

(2) 자격연수

① 교원의 자격을 취득하기 위한 것으로 2급 정교사 과정, 1급 정교사 과정, 전문 상담교사과정, 사서교사 과정, 1급 보건교사 과정, 원장 과정, 원감과정, 교감과 정 및 교장과정으로 구분된다.

② 자격연수는 30일(180시간) 이상으로 한다.

(3) 교원 등의 연수에 관한 규정

> **제6조【연수의 종류와 과정】**① 연수는 다음 각 호의 직무연수와 자격연수로 구분한다.
> 1. 다음 각 목의 직무연수
>   가. 제18조에 따른 교원능력개발평가 결과 직무수행능력 향상이 필요하다고 인정되는 교원을 대상으로 실시하는 직무연수
>   나. 「교육공무원법」 제45조 제3항에 따라 복직하려는 교원을 대상으로 실시하는 직무 연수
>   다. 그 밖에 교육의 이론·방법 연구 및 직무수행에 필요한 능력 배양을 위한 직무연수
> 2. 자격연수: 「유아교육법」 제22조 제1항부터 제3항까지, 같은 법 별표 1 및 별표 2, 「초·중 등교육법」 제21조 제1항부터 제3항까지, 같은 법 별표 1 및 별표 2에 따른 교원의 자격 을 취득하기 위한 자격연수
> ② 직무연수의 연수과정과 내용은 연수원장(위탁연수를 실시하는 경우에는 위탁받은 기관 의 장을 말한다. 이하 같다)이 정한다.
> ③ 자격연수의 연수과정은 정교사(1급)과정, 정교사(2급)과정, 준교사과정(특수학교 실기교 사를 대상으로 하는 과정을 말한다), 전문상담교사(1급)과정, 사서교사(1급)과정, 보건교사 (1급)과정, 영양교사(1급)과정, 수석교사과정, 원감과정, 원장과정, 교감과정 및 교장과정으 로 구분하고, 연수할 사람의 선발에 관한 사항 및 연수의 내용은 교육부령으로 정한다.

2. 자율연수

(1) 교내 자율연수

단위학교의 자율연수로는 수업연구 발표, 교과협의회, 동학년 협의회, 기타 특정 주제를 중심으로 여러 형태의 연수나 학교 전체 연수 등이 있다.

(2) 자기주도적 연수

대학원 진학, 사회교육기관의 수강, 각종 학회 활동이나 교직단체에 가입하여 활 동, 각종 워크숍 등에 참여한다.

3. 특별연수 - 「교원 등의 연수에 관한 규정」

> **제13조【특별연수자의 선발】** ① 교육부장관 또는 교육감은 특별연수자(제2항에 따른 특별연수의 대상자는 제외한다)를 선발할 때에는 근무실적이 우수하고 필요한 학력 및 경력을 갖춘 사람 중에서 선발하여야 한다. 이 경우 국외연수자는 필요한 외국어 능력을 갖추어야 한다.
> ② 교육부장관 또는 교육감은 교원 스스로 수립한 학습·연구계획에 따라 전문성을 계발 (啓發)하기 위한 특별연수로서 교육부장관이 정하는 특별연수의 대상자를 선발할 때에는 제1항의 요건을 갖추고 제18조에 따른 교원능력개발평가 결과가 우수한 사람 중에서 선발하여야 한다.
>
> **제14조【특별연수자에 대한 지도·감독】** ① 교육부장관 또는 교육감은 특별연수자의 연수 상황을 정기적으로 또는 수시로 파악하여 연수 및 복무에 관하여 지도·감독을 하여야 한다.

기출문제

1. 교원의 특별연수에 해당하는 것은?　　　　　　　　　　　　　　2018년 지방직 9급

① 박 교사는 특수 분야 연수기관에서 개설한 종이접기 연수에 참여하였다.
② 황 교사는 교육청 소속 교육연수원에서 교육과정 개정에 따른 연수를 받았다.
③ 최 교사는 학습연구년 교사로 선정되어 대학의 연구소에서 1년간 연구 활동을 수행하였다.
④ 교직 4년차인 김 교사는 특수학교 1급 정교사 자격증을 취득하기 위한 연수에 참여하였다.

> 해설
> 학습연구년이란 학교별 자율적으로 실시된 교원능력개발평가 결과 등 우수교사 중 일정 조건을 갖춘 '교사를 대상'으로 수업 및 기타 업무 부담으로부터 벗어나 자기학습계획에 따라 연수를 수행하되, 교과교육과정 개발 및 연구에 참여할 수 있는 기회를 제공하여 현장 교육개선에 기여하도록 하는 것을 목적으로 한다.　　　　　　　　**답 ③**

2. 2급 정교사인 사람이 1급 정교사가 되고자 할 때 받아야 하는 연수는?
　　　　　　　　　　　　　　　　　　　　　　　　　　　　2019년 국가직 9급

① 직무연수
② 자격연수
③ 특별연수
④ 지정연수

> 해설
> 교원의 연수에는 제도적 연수에는 직무연수와 자격연수, 자율연수에는 교내 자율연수와 자기주도적 연수 등이 있다. 이 가운데 자격연수는 교원의 자격을 취득하기 위한 것으로 2급 정교사 과정, 1급 정교사 과정, 전문상담사 과정, 사서교사 과정, 1급 보건교사 과정, 원장 과정, 원감 과정, 교감과정, 교장 교정 등이 있다.　　　　　　　　**답 ②**

참고

교원능력개발평가제

1. 목적
① 교원의 교육활동에 대한 전문성을 진단하고 그 결과에 따른 능력개발을 지원하여 학교교육의 질 향상을 도모한다.
② 모든 학생들에게 양질의 교육을 제공하여 학교교육 만족도를 향상시키고, 구성원 간의 소통 증진을 통해 공교육의 신뢰를 제고한다.

2. 평가모형

목적	교원 전문성 신장을 통한 공교육 신뢰 제고	
평가대상	국·공·사립, 초·중·고 및 특수학교 재직 교원(단, 2개월 미만 재직 교원 제외)	
평가종류 / 평가참여자	동료교원평가	교장·교감 중 1인 이상, 수석교사 1인 이상, 동료교원 5인 이상
	학생 만족도 조사	지도를 받는(은) 학생 → 개별교원 대상
	학부모 만족도 조사	지도받는(은) 학생의 학부모 → 개별교원 대상
평가 시기	매년	

3. 교원능력개발평가 시 문제해결
① 동료교원 평가에 참여하지 않은 경우: 동료교원평가를 서로 참여하지 않게 되면 동료교원평가의 점수가 0점이 되고, 그렇게 되면 연수대상자가 될 수 있음을 안내한다.
② 학생 / 학부모만족도 조사 시 익명성 보장: 이 경우 내용은 누가 어떻게 하였는지 학교관리자 및 교원도 알 수 없다(인터넷으로 실시).
③ 시각장애를 가진 학생이나 학부모의 참여 가능성 여부: 한국교육학술정보원에서 제공하는 스크린 리더 프로그램을 사용하여 평가에 참여할 수 있다. 시각장애를 가진 교사, 학생, 학부모 모두 교원능력개발평가에 참여할 수 있다.
④ 학부모로서 만족도 조사 결과에 대한 반영과 활용 안내 방법: 교원능력평가결과는 평가대상인 각 교원에게 통보되며 각 교원은 평가결과와 자유서술식 의견을 수업과 학생 지도에 반영하고 필요한 연수를 선정, 이수하게 된다. 단위학교는 운영보고서로 결과를 분석하여 학생과 학부모, 동료교원의 의견을 내년도 교육활동에 반영한다. 신학기 학부모 총회, 학교 및 학급 교육활동 안내 행사 시 전년도 평가 결과와 학생, 학부모 의견이 어떻게 반영되었는지 안내해야 한다.

4. 일반교사에 대한 평가 영역

구분			주요내용	
평가시행 주체			교육부장관 및 시도 교육감, 소속 학교의 교사에 대한 평가는 학교장이 실시	
평가 영역 · 요소 · 지표	교사	개요	교원의 교육활동 전반(학습지도, 생활지도, 교수 - 연구 활동 지원, 학교경영 등)	
		구분	평가영역	평가요소	평가지표
		학습지도	수업준비	① 교육과정의 이해 및 교수 - 학습방법 개선 노력 ② 학습자 특성 및 교과내용 분석 ③ 교수 - 학습 전략 수립
			수업실행	① 수업의 도입 · 교사의 발문 ② 교사의 태도 · 교사 - 학생 상호작용 ③ 학습자료의 활용 · 수업의 진행 ④ 학습정리
			평가 및 활용	① 평가내용 및 방법 ② 평가결과의 활용

		개인생활지도	① 개인문제의 파악 및 창의·인성 지도 ② 가정 연계 지도 ③ 진로지도 및 특기·적성 지도
	생활지도	사회생활지도	① 기본생활습관 지도 ② 학교생활적응 지도 ③ 민주시민성 지도
수석 교사	교수· 연구활동 지원	수업지원, 연수· 연구활동 지원	교수 - 학습전략 지원 등 6개 지표
교장 · 교감	학교경영	학교교육계획, 교내장학, 교원인사, 시설 관리 및 예산운용	학교경영목표관리 등 8개 지표

5. 비교과 교사에 대한 평가 영역

평가영역	평가요소	평가지표	
학습지도 (3요소, 12개 지표)	수업준비	① 교육과정의 이해 및 교수 - 학습방법 개선 노력 ② 학습자 특성 및 교과내용 분석 ③ 교수 - 학습 전략 수립	
	수업실행	① 수업의 도입·교사의 발문 ② 교사의 태도·교사 - 학생 상호작용 ③ 학습자료의 활용·수업의 진행 ④ 학습정리	
	평가 및 활용	① 평가내용 및 방법 ② 평가결과의 활용	
생활지도 (2요소, 6개 지표)	개인생활지도	① 개인문제의 파악 및 창의·인성 지도 ② 가정 연계 지도 ③ 진로지도 및 특기·적성 지도	
	사회생활지도	① 기본생활습관 지도 ② 학교생활적응 지도 ③ 민주시민성 지도	
	학생지원 (비교과 교사)	보건교사	① 학교보건 기본계획 ② 학생건강검사 ③ 질병예방관리 ④ 응급환자관리 ⑤ 일반건강 및 의료상담 ⑥ 요양호 학생관리 ⑦ 보건교육계획 ⑧ 보건교육운영 ⑨ 보건교육평가
		영양교사	① 영양교육 및 식생활지도 ② 식생활 정보 제공 및 상담 ③ 조리실 종사자 지도 및 감독 ④ 식재료 공급업체 지도 및 관리 ⑤ 시설 및 기기관리 ⑥ 영양소 및 열량 분석 ⑦ 식재료의 예산 편성 및 집행 ⑧ 식재료 검수기준 이행

5 징계

1. 징계사유

(1) 국가공무원법 및 이 법에 의한 명령에 위반하였을 때

(2) 직무상의 의무에 위반하거나 직무를 태만한 때

(3) 직무의 내외를 불문하고 그 체면 또는 위신을 손상하는 행위를 한 때

2. 징계종류

(1) 파면

공무원으로서의 신분을 박탈하고 공무원직을 5년간 금지한다.

(2) 해임

공무원으로서의 신분을 박탈하고 공무원직을 3년간 금지한다.

(3) 강등

1계급 아래로 직급을 내리고(고위공무원단에 속하는 공무원은 3급으로 임용하고, 연구관 및 지도관은 연구사 및 지도사로 함), 공무원의 신분은 보유하나 3개월간 직무에 종사하지 못하며 그 기간 중 보수의 전액을 감한다.

(4) 정직

1개월 이상 3개월 이하의 기간으로 하고 정직 처분을 받은 자는 그 기간 중 공무원의 신분은 유지하나 직무에 종사하지 못하며 그 기간 중 보수의 전액을 감한다(처분기간 동안 경력평정은 제외됨).

(5) 감봉

공무원으로서의 신분을 유지하고 1 ~ 3개월간 보수의 1/3을 감한다.

(6) 견책

전과(前過)에 대하여 훈계하고 회개하게 한다.

3. 징계절차

(1) 공무원의 징계는 징계위원회의 절차를 거쳐 징계위원회가 설치된 소속기관의 장이 행한다.

(2) 징계의결을 요구한 기관의 장은 징계위원회의 의결이 경(輕)하다고 인정한 때에는 그 처분을 하기 전에 직근 상급기관에 설치된 징계 위원회에 심사 또는 재심사를 청구할 수 있다.

중징계와 경징계	
중징계	파면, 해임, 정직
경징계(교정 징계)	감봉, 견책

참고

징계의 종류와 효력

종류		기간	신분	보수 및 퇴직급여 등
중징계	파면	-	① 공무원 관계로부터 배제 ② 5년간 공무원에 임용될 수 없음	① 재직기간 5년 미만자의 경우는 퇴직급여의 1/4 ② 5년 이상인 자는 1/2 감액
	해임	-	① 공무원 관계로부터 배제 ② 3년간 공무원에 임용될 수 없음	퇴직 급여액 전액 지급
	강등	3개월	① 1계급 아래로 직급 내림 ② 공무원 신분은 유지, 3개월간 직무 배제(고위공무원단에 속하는 공무원은 3급으로 임용)	3개월간 보수의 전액 감액
경징계	정직	1~3개월	① 신분은 유지하나 직무에 종사하지 못함 ② 18개월+정직 처분기간 승진 제한 ③ 처분기간 경력평정에서 제외	① 18개월+정직 처분기간 승급 제한 ① 처분기간 동안 보수의 전액 감액
	감봉	1~3개월	12개월+감봉 처분기간 승진 제한	① 12개월+감봉 처분기간 승급 제한 ① 보수의 1/3 감액
	견책	-	6개월간 승진 제한	-

기출문제

교육공무원의 징계 효력에 대한 설명으로 옳은 것은? 2016년 지방직 9급

① 정직된 자는 직무에 종사하지만 3개월간 보수를 받지 못한다.
② 견책된 자는 직무에 종사하지만 6개월간 승진과 승급이 제한된다.
③ 해임된 자는 공무원 신분은 보유하나 3개월간 직무에 종사할 수 없다.
④ 파면된 자는 공무원 관계로부터 배제되고 1년간 공무원으로 임용될 수 없다.

> **해설**
> 교육공무원의 징계 가운데 견책은 경징계의 일종으로 6개월간 승급이나 승진이 제한된다.
>
> 답 ②

09 | 장학론

핵심체크 POINT

1. 장학이론의 발달

과학적 관리론	테일러(Taylor)의 과학적 관리론을 장학에 도입, 교사의 능률 향상
인간 관계론	교사의 욕구와 참여 강조, 교사의 만족감과 사기, 원만한 인간 관계 강조
행동과학	다양한 실증적 기법 도입
인간 자원론	개인의 잠재가능성, 자아 존중감, 동기, 책임, 성장 가능성 중시, HRD와 통합

2. 교내장학의 유형

임상장학	교사와 장학사의 대면적 관계
동료장학	동료교사 활용
자율장학	자신이 수업개선을 위해 노력
확인장학 (약식장학, 전통적 장학)	교장 혹은 교감

3. 최근 장학의 경향
발달장학 혹은 자율장학, 컨설팅 장학 등

1 장학(supervision)

1. 개념

교수 - 학습의 개선을 위해 교사를 중심으로 한 모든 교육담당자들에게 제공되는 제반 전문적·기술적 지도과정을 말한다.

2. 특징

이념적 측면에서 교수 - 학습의 개선을, 기능적 측면에서 교사의 전문적 성장, 교육운영의 합리화 그리고 학습 환경의 개선, 법규적 측면에서 행정 활동을 포함한다. 즉, 장학은 전문적, 기술적, 참모 활동, 지도 조언, 보조 활동 등을 공통적으로 포함하고 있으며, 공식조직의 활동이다.

3. 장학의 내용[와일즈(Wiles)]

(1) 수업의 개선을 위한 계획적 프로그램

(2) 수업의 개선에 종사하는 교직원들에게 지도성을 제공하는 모든 노력

(3) 현직교육과 협동적인 집단발전 프로그램

교육행정 및 교육경영

XII

해커스공무원 이이수 교육학 기본서

(4) 교사의 계속적 성장을 자극하고 조정하며 안내하는 노력

(5) 교수 - 학습상황의 개선과 발전에 대한 조력

(6) 현재의 교수 프로그램의 개선 및 유지 수단

2 장학이론의 발달

1. 과학적 관리론의 장학

(1) 이론적 근거

테일러(Taylor)의 과학적 관리론을 장학에 도입한 이론이다.

(2) 특징

① 장학의 주요 관심은 낭비요인을 줄이고 학교시설의 이용을 극대화하고 교사의 능률을 올리고자 한다.

② 교사는 과업 수행상의 자율권이 전혀 없으며 장학사가 지시하는 대로 따르기만 하면 된다. 즉 장학이란 교사에게 지시하고 지시한 대로 실행하였는가를 판단하면 된다.

(3) 단점

대부분의 권한과 의사결정권이 국가적 차원에서는 중앙정부에, 단위 행정기관이나 교육기관에서는 행정가에게 집중된다.

2. 인간관계론적 장학

(1) 이론적 근거

메이오(Mayo)에 의해 실시된 호돈(Hawthorne) 공장실험 결과를 반영한 장학이다.

(2) 특징

① 교사의 욕구와 참여를 강조하고, 인간적 대우에 의한 교사의 만족감과 사기, 원만한 인간관계 형성을 중시한다.

② 교사와의 인간관계를 원만하게 하는 것은 학교의 목표 달성도를 높이기 위한 수단 혹은 교사를 조작하기 쉽게 하기 위한 차원일 뿐 교사의 인권 존중의 차원에서가 아니다. 즉 인간관계론은 경영자의 입장에서 조직의 생산성을 향상시키고 조직의 목표 달성도를 높이기 위한 수단으로 인간을 강조하였을 뿐이다.

(3) 단점

자유방임적 장학으로 흘러 교사의 직무수행의 효과나 학교교육의 목표 달성도를 향상시키지 못했다는 비판을 받기도 한다(이 점에서 인간자원론적 장학과 구별됨).

3. 행동과학적 장학

(1) 이론적 근거

1950년대 행동과학(behavioral sciences) 이론을 장학에 도입한 것이다.

(2) 특징

장학의 조직, 조직의 구조, 조직 풍토, 권한의 배분, 장학 행위, 장학의 역할과 과업, 장학의 기능, 지도자 행위, 의사결정, 동기유발, 갈등관리, 의사소통 등의 기본 개념을 강조하였다.

4. 인간 자원론적 장학

(1) 대표자

1980년대 서지오바니(Sergiovanni)와 스타랏트(Starratt)가 주장하였다.

(2) 특징

① 교사 자신이 개인의 욕구와 잠재능력, 수행 가능성, 사명감, 자아 존중감을 가지고 능동적으로 기능할 수 있는 경쟁력 있고 환경이 넘치는 조직이 되도록 하는 데 관심을 갖는다.
② 학교의 목표 달성도 자체보다는 학교의 목표실현을 통해서 교사로 하여금 인간적 자질을 함양하고 욕구를 충족시키거나 만족을 증대하도록 한다.
③ 교사를 의사결정에 참여시키면 과업을 성공적으로 수행하여 학교의 효과성이 증대되고 그 결과 교사의 만족감이 증대된다.
④ 장학의 중요 전략은 의사결정에 교사의 진정한 참여기회를 제공하고 책임감을 느끼도록 하는 데 있다.
⑤ 인간관계론 장학이 안정과 사회적 욕구에만 관심을 갖는 반면, 인간자원론 장학은 내적 만족요인인 일에 대한 동기, 책임, 성공에 대한 열망과 가능성에 초점을 둔다.

(3) 이론적 근거

① 인간적 접근에 바탕을 두고 있는 HRD[(Human Resources Development 혹은 인간자원관리(HRM)]와 맥을 같이 하며, 인간자원행정, 인간자원경영, 교육인사행정에서의 인간자원적 접근과 통한다. 과거 교육부의 명칭을 교육인적자원부로 개칭했던 것도 같은 맥락으로 볼 수 있다.
② 사람이 조직에서 가장 중요한 자원이라는 전제에서 그들의 지식, 통찰, 아이디어, 에너지, 헌신성은 조직의 발전 여부를 결정하는 중요한 요인으로 간주한다. 인간자원관리를 위한 시도로는 직무 풍요화, 참가적 경영, 조직민주화, 조직개발(OD), Z이론 등이 있다.

秀 POINT 인간자원장학과 인간관계장학

인간자원장학은 인간 자원으로서 교사들의 자질 개발에 역점을 둔 장학이다. 인간자원장학은 1970년대 후반에 교사가 자신의 능력을 최대한 발휘하게 하여 교사의 자아실현을 도와 행복하게 해주자는 인간자원론적 철학에 기반을 둔다. 과거의 인간관계장학이 교사를 수단시했다는 데 대한 반성과 수정으로 발전한 철학적 변화인 것이다. 인간관계장학과 인간자원장학은 둘 다 교사의 직무만족에 관심을 갖는다는 면에 있어서는 공통점이 있지만, 인간관계장학에서는 직무만족을 학교운영을 원활히 하고 보다 효과적인 학교를 만들기 위한 수단으로 본다. 인간관계장학에서 교사를 의사결정에 참여시키는 것은 교사의 직무 만족을 증가시키기 위함이다. 직무 만족을 느끼는 교사는 다른 사람과 함께 일하기 쉽고, 지도하기 쉽고, 그리하여 효과성은 증가할 것이라고 가정한다. 이와는 대조적으로 인간자원장학에서는 교사의 직무 만족을 교사가 일하게 되는 바람직한 목적으로 본다. 이 관점에 의하면 직무만족은 중요하고 의미있는 일을 성공적으로 성취함으로써 생긴다.

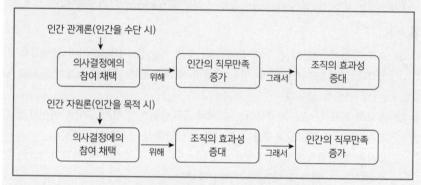

⊕ 인간 자원론적 장학과 인간 관계론적 장학의 비교

시기	장학방법	교육행정이론
~ 1930년대	① 시학(視學)과 강제적 장학 ② 과학적 장학 ③ 관료적 장학	과학적 관리론
1940년대 ~	① 협동적 장학 ② 교육과정개발 장학	① 인간관리론 ② 행동과학, 체제이론
1970년대	임상장학(수업장학)	-
~ 1980년대	① 경영으로서의 장학 ② 인간자원론적 장학 ③ 지도성으로서의 장학	상황적응론, 인간자원론
1980년대 이후	발달장학	-

⊕ 장학의 발달과 관련 교육행정이론

3 장학의 종류

1. 중앙장학

교육부 내에서 이루어지는 모든 장학활동을 의미한다.

2. 지방장학

시·도 교육청과 그 하급 행정기관에서 이루어지는 장학을 의미한다.

(1) 활동내용

교육활동을 위한 장학지도, 교원의 인사관리, 학생의 생활지도, 교육기관의 감독을 통해 지방의 교육행정업무를 관할하는 행정활동으로 규정된다.

(2) 장학방법

지방장학은 종합장학, 확인장학, 개별장학, 요청장학, 특별장학 등의 방법을 통해 시행된다.

종합장학	국가시책, 교육청 시책을 비롯하여 중점업무 추진상황, 교수 - 학습지도, 생활지도 등 학교운영 전반에 관해 종합적으로 지도·조언하는 장학활동
확인장학	종합장학의 결과 시정할 점과 계획상으로 시간이 소요되는 사항의 이행 여부를 확인·점검하는 절차이며, 학교 운영의 문제를 발견하여 지도·조언하는 활동
개별장학	각급 학교에 따라 학교현장의 현안문제를 중심으로 확인하고 지도·조언하는 활동
요청장학	개별학교의 요청에 의해 해당 분야의 전문 장학담당자를 파견하여 지도·조언에 임하는 활동
특별장학	현안문제 해결을 위해 필요하다고 판단되는 경우 혹은 사전예방 차원의 전문적·집중적 지원이 필요한 경우 실시되는 장학활동

3. 지구(地區) 자율장학

(1) 특징

지구별 장학 협력회 간사 학교가 중심이 되어 지구 내 학교 간, 교원 간의 협의를 통해 독창성 있는 사업을 자율적으로 선정, 운영함으로써 교수 - 학습 방법의 개선을 도모하는 장학이다.

(2) 내용

① 학교 간 방문장학을 실시한다.
② 자율학습, 보충학습, 학사일정 등 현안문제를 협의한다.
③ 지구별 자율 장학반을 편성한다.
④ 교육연구 활동을 한다.
⑤ 순회교사제를 운영한다.
⑥ 연구발표회 및 합동강연회 등을 개최한다.

수업장학

교사의 교수 - 학습 개선에만 초점을 두는 장학으로 주로 초임교사나 저경력교사를 대상으로 한다. 임상장학과 마이크로티칭이 대표적인 수업장학의 형태이다.

4. 교내장학

(1) 임상장학(clinical supervision)

① 개념

ⓐ 코간(Cogan)과 골드햄마(Goldhammer)에 의해 개발되었다.

ⓑ 환자를 치료하는 의사와 같이 교실에서 이루어지는 교수 - 학습의 과정에서 일어나는 사태를 실제로 관찰하여 자료를 얻고 이를 토대로 교사와 장학사가 교수계획과 전략을 수립하여 실행한 다음 그 결과를 평가하여 교수 - 학습 과정에 재반영함으로써 교사의 교실활동을 개선하고 학생의 학습효과를 높이려는 장학으로 '협력 장학(collaborative supervision)'이라고도 한다.

② 기본전제

ⓐ 수업개선을 위해서는 교사가 특별한 지적·행동적 기능을 배워야 한다.

ⓑ 장학사의 주 기능은 교사에게 다음과 같은 기능을 가르치는 것이다. 즉 수업과정에 대한 복잡한 분석적 지각기능, 뚜렷한 관찰의 증거에 의한 수업과정의 합리적 분석기능, 교육과정의 혁신·실천·실험기능, 교수 수행기능 등을 가르치는 것이다.

ⓒ 장학의 주요 목적은 수업을 개선하는 것이지 교사의 인성을 변화시키는 것이 아니다.

ⓓ 장학의 초점은 실패에 대한 비난보다는 건설적인 분석과 수업의 성공적 형태에 대한 강화에 있다.

ⓔ 장학은 장학사와 교사가 상호 교육적 이해를 추구하기 위한 동료로서 상호 교환의 역동적 과정이다.

ⓕ Y이론에 입각하여 교사를 선하게 보고, 또 전문적 능력, 수행동기, 성취행동에 근거하고 있다.

③ 목적

ⓐ 교사수업의 형태에 관한 객관적 피드백을 교사에게 제공한다.

ⓑ 수업의 문제점을 진단하고 해결한다.

ⓒ 교사로 하여금 수업전략 사용 기능을 개발할 수 있도록 도움을 준다.

ⓓ 교사의 승진, 임기보장, 또는 다른 어떤 결정을 위하여 교사를 평가한다.

ⓔ 교사로 하여금 계속적인 전문적 발전에 대한 긍정적 태도를 발전시킨다.

④ 특징

ⓐ 교수향상을 위한 기술이다.

ⓑ 교수과정에 의도적으로 개입한다.

ⓒ 목표 지향적이며 학교와 교직원의 성장욕구를 결합한다.

ⓓ 교사와 장학사 간에 함께 일하는 관계를 확립한다.

ⓔ 체계적이며 융통성 있는 방법론이 필요하다.

ⓕ 이해, 지원, 성장을 위해 상호 신뢰가 필요하다.

ⓖ 현실과 이상의 간격을 메워주는 생산적 노력을 창조한다.

ⓗ 장학사는 교수와 학습에 관해 교사보다 더 많이 알고 있는 것으로 간주된다.

⑤ 절차

㉠ 장학사와 교사가 사전에 수업계획에 대하여 충분히 협의하고 수업을 관찰·분석한 다음, 분석된 자료를 놓고 피드백 협의회를 실시한다.

㉡ 임상장학은 ⓐ 건전한 장학풍토 개선, ⓑ 친밀한 동료의식으로 된 상호협력 체제, ⓒ 계획협의회, 수업관찰, 피드백 협의회로 구성된다.

(2) 동료장학(peer supervision)

① 개념

둘 이상의 교사가 서로 수업을 관찰하고 관찰사항에 관하여 상호 조언하며, 서로의 전문적 관심사에 대하여 토의함으로써 자신들의 전문적 성장을 위해 함께 연구하는 장학으로 '참여적 장학(participating supervision)'이라고도 한다.

② 장점

㉠ 학교의 인적 자원을 동원하여 공동으로 노력할 수 있다.

㉡ 교사의 책임과 교사 개인의 성취감을 높여줌으로써 수업 개선에 공헌할 수 있다.

㉢ 적극적인 동료관계를 증진시킬 수 있다.

③ 활성화 방안

㉠ **교사들의 가치관과 태도 변화 필요**: 수업이 종래와 같이 개별교사가 격리된 상태의 수업을 지양하여 동료교사 상호 간의 마음의 장벽을 허물고 자기의 수업을 스스로 개선하려면 동료교사의 조력이 반드시 필요하다는 상호 간의 연대 책임의식이 강조된다.

㉡ **학교의 행정적 배려가 요구됨**: 교사가 수업시수가 많고 잡무에 많은 시간을 보내게 되면 동료장학에 적극적으로 참여하기 어렵다. 동료장학을 실시하려면 개인 교사들이 더 많은 시간과 정력을 투입해야 하므로 이에 대한 학교의 배려가 있어야 한다.

④ 동료장학 실시에 필요한 지침

㉠ 교사가 자기와 함께 일하고 싶은 동료를 선택한다.

㉡ 교장은 교사들을 팀으로 구성하는 데 최종 책임을 진다.

㉢ 동료장학의 구조는 공식성을 띠어야 하며, 팀은 동료장학 활동을 언제, 무엇을, 어떻게 했는지를 사실에 바탕으로 하여 비평가적으로 기록해둔다.

㉣ 교장은 이 팀이 학교의 정규시간 동안에 활동할 수 있도록 필요한 자원과 행정적 지원을 해준다.

㉤ 교수와 학습에 대한 정보를 모으기 위한 평가는 팀에서 다루어져야 하며 교장이 평가에 개입해서는 안 된다.

㉥ 어떤 경우에서든지 교장이 팀의 교사에게서 평가정보를 찾아내면 안 된다.

㉦ 교사들은 동료장학 활동의 결과로 이루어진 전문성 성장에 대한 기록을 남겨 두어야 한다.

㉧ 교장은 동료장학 과정에 대한 정보와 느낌을 교환하고 일반적인 흐름을 파악하기 위하여 적어도 1년에 한 번 이상은 동료장학 팀과 만나야 한다.

(3) 자율장학(self-supervision)

① 개념
- ㉠ 임상장학을 필요로 하지 않거나 원하지 않는 교사가 혼자 독립적으로 자신의 전문적 성장을 위해 연구하는 과정으로 자기장학이라고도 한다.
- ㉡ 자율장학은 교사가 자기발전을 위한 노력을 스스로 다 하도록 북돋아준다.

② 특징
- ㉠ 전문적 성장의 프로그램에 의해 개인이 독립적으로 일한다.
- ㉡ 개인교사는 목표지향적인 전문적 개선 프로그램을 개발하고 추구한다.
- ㉢ 개인교사는 이러한 목표를 달성을 위해 일에 있어 다양한 자원에 접근한다.
- ㉣ 자율 장학 프로그램의 결과를 교사의 근무성적평정이나 업적평가에 사용하지 않는다.

③ 방법
- ㉠ 혼자 전문서적을 읽거나 각종 연구회에 참석하거나 전문가를 찾아가 협의한다.
- ㉡ 자기평가체제나 자기의 수업을 비디오테이프나 학생반응 조사 등에 의해 자신의 수업을 분석하는 자기분석방법을 활용할 수 있다.

(4) 전통적 장학 혹은 행정적 감독(administrative monitoring)

① 개념
- ㉠ 교장이나 교감이 비공식적으로 학급을 순시하거나 수업을 관찰하는 불시방문을 통해 교사들에게 지도, 조언을 제공하는 방법이다.
- ㉡ 전통적인 장학의 형태로 약식장학이라고도 한다.

② 특징
- ㉠ 공개적이어야 한다.
- ㉡ 계획적이고 정해진 일정에 의해 이루어져야 한다.
- ㉢ 학습 중심적이어야 한다.
- ㉣ 교장이나 교감 등 행정가는 교사에게 피드백을 주고, 또한 교수 프로그램과 학교풍토의 현상에 대한 평가의 부분으로 관찰 자료를 사용해야 한다.

기출문제

다음 설명에 해당하는 것은?   2020년 지방직 9급

- 학교교사가 공동으로 노력하도록 함으로써 장학활동을 위해 학교의 인적 자원을 최대한 활용할 수 있다.
- 수업개선 전략에 대한 책임감을 부여함으로써 수업개선에 기여할 수 있다는 성취감을 갖게 할 수 있다.
- 교사관계를 증진할 수 있고, 학교 및 학생 교육에 대한 적극적인 자세와 전문적 신장을 도모할 수 있다.

① 임상장학   ② 동료장학
③ 약식장학   ④ 자기장학

해설

동료장학이란 교내장학의 일종으로 두 명 이상의 교사가 서로 수업을 관찰하고 관찰사항에 관하여 상호 조언해주고 나아가 서로의 전문적 성장에 관해 토의하는 장학이다.   **답 ②**

5. 발달장학(developmental Supervision)

(1) 특징
① 교사의 직무 만족이나 학교의 생산성 강조보다는 인간발달과 교사 개인의 자율적 성취노력을 중시한다.
② 교사들의 성장이나 발달단계가 매우 다양하다는 데 초점을 둔다. 이런 의미에서 장학 담당자는 교사들이 교실 수업을 분석해나갈 수 있도록 사고능력과 기술을 길러주어야 하며 교사들이 변화에 대한 대안들을 생각해보도록 도와주어야 한다.

(2) 장학 유형[글릭맨(Glickman) 등, 1998]
① 지시적 통제 유형(directive control style)
   ㉠ 장학 담당자는 지시, 표준화, 결과에 대한 강화를 해나간다.
   ㉡ 장학지도의 내용, 방법은 상호 합의된 실행계획 속에 나타난다.
② 지시적 정보 유형(directive informational style)
   ㉠ 장학 담당자가 표준을 정하고 교사의 선택은 제한된다.
   ㉡ 실행 계획은 장학 담당자가 제안한다.
   ㉢ 지시적 장학은 수업에 대한 관심이나 수업개선에 대한 전략을 모르는 미성숙한 교사에게 적절한 접근이다.
   ㉣ 본질주의 철학을 지닌 장학 담당자의 장학 형태이다.
③ 협동적 유형(collective style)
   ㉠ 장학 담당자와 교사가 협력적으로 청취, 제시, 문제해결, 협상을 해나가는 형태이다.
   ㉡ 장학 담당자와 교사가 함께 노력하여 상호작용한 결과로 혜택을 얻을 수 있는 교사에게 적절하다.
   ㉢ 진보주의 철학을 지닌 장학 담당자의 장학 형태이다.
④ 비지시적 유형(nondirective style)
   ㉠ 교사가 스스로 협력적으로 청취, 제시, 문제해결, 협상을 해나가는 형태이다.
   ㉡ 교사가 실행 계획을 결정하며 교사로부터 산출이 나온다.
   ㉢ 자기 평가와 자기 개선의 의지와 책임 능력이 있는 성숙한 교사에게 적절하다.
   ㉣ 실존주의 철학을 지닌 장학 담당자의 장학 형태이다.

(3) 지시적 장학과 비지시적 장학의 비교

① 비지시적 장학에서 교사의 책임은 높고 장학 담당자의 책임은 낮으며 자기평가 방법을 활용한다.

② 지시적 장학에서 교사의 책임은 낮은데 비해 장학 담당자의 책임은 높고 장학 담당자가 구체적 기준을 설정한다. 협동적 장학은 중간 정도이다.

秀 POINT 컨설팅 장학

1. 개념

교원들의 전문성 계발을 위해 교원들의 요청과 의뢰에 의해 전문성을 갖춘 사람들이 제공하는 자문활동이다.

2. 컨설팅 장학과 기존 장학과의 차이점

① 장학이 단위학교나 교육청이 상급의 위치에서 주도한 계획에 의해 타율적으로 시행되는 반면 컨설팅 장학은 의뢰인인 교사가 주최가 되고 동등한 위치에서 그들의 필요와 욕구를 충족하기 위한 자발적 활동이다.

② 장학은 교육행정기관이 설정한 제한적인 영역이고 감독의 책임인 반면 컨설팅 장학의 영역은 의뢰인이 필요로 하는 모든 영역이다.

③ 장학이 상급 기관으로서 학교 및 교사에 대한 감독, 평가를 포함한 지도 차원이라면 컨설팅 장학은 순수하게 교원들에게 부딪친 문제해결 중심의 다양한 전문성 제공으로 과업 수행을 돕고 지원하는 차원이다.

3. 컨설팅 장학의 원리

자발성의 원리	컨설팅 장학은 교원이 스스로 필요성을 느끼고 자발적으로 도움을 요청함으로써 시작된다.
전문성의 원리	지위의 고하, 직책의 성격을 막론하고, 교원이 필요로 하는 과제해결에 전문성이 있는 사람은 장학요원이 될 수 있다.
자문성의 원리	장학요원은 교원을 대신해서 문제를 직접 해결하는 것이 아니라 교원이 그것을 해결하도록 자문하는 역할을 수행해야 한다.
독립성의 원리	도움을 요청한 교원은 장학요원과 하급자 - 상급자의 입장이 아니라 장학 의뢰인 - 제공자의 입장에서 상호작용을 해야 한다.
일시성의 원리	교원에게 제공되는 컨설팅 장학은 계약 기간 동안 제공되는 일시적인 서비스가 되어야 한다.
교육성의 원리	컨설팅 장학의 전 과정은 교원에게 장학요원으로부터 컨설팅 장학 자체에 관한 학습의 과정이 되어야 한다.

6. 교사의 경력별 장학방법

(1) 생존단계 - 경력 1년 정도

이 단계에 있는 교사들은 구체적이고 기술적인 교수 기능에 관해 도움이 필요함으로 지시, 시범, 표준화와 같은 지시적 방법이 효과적이다.

(2) 조정단계 - 경력 2 ~ 4년 정도

이 단계에 있는 교사들은 장학 지도자와 교사가 책임을 공유하고 문제해결과 상호 협의를 중요시하는 협동적 특성을 보이므로 협동적 동료장학이 요구된다.

컨설팅

일정한 전문성을 갖춘 전문가들이 의뢰인의 요청에 따라 조직의 문제와 기회를 조사, 확인, 발견하며, 이것의 해결, 변화, 발전을 위한 방안과 대안들을 제시하고, 필요한 경우 시행을 돕는 활동을 말한다.

(3) 성숙단계 - 경력 5년 이상

이 단계에서는 교사 스스로 자기주도적인 역할을 담당할 수 있으므로 비지시적 방법이 효과적이다.

선택적 장학 대안(비율)	대상 교사
임상장학(5)	① 초임교사(생존기, 첫 3년간 계속, 그 후 3년마다) ② 경력교사(갱신기, 3년마다)
동료장학(10)	높은 동료의식을 가지고 있고 경험 있고 능력 있는 교사(정착기)
자기장학(5)	혼자 일하기를 좋아하는 경험 있고 유능한 교사(성숙기)
전통적 장학(30)	모든 교사 또는 1, 2, 3을 선택하지 않는 교사(모든 단계의 교사)

⬆ 교사의 경력 주기에 따른 장학[카츠(Katz)]

7. 장학사

(1) 학생들의 학습의 질을 증진하기 위해 교육과정과 교수를 증진하기 위한 목적으로 공식적으로 조직이 임명한 사람이다.

(2) 역할[에스포시토(J. P. Esposito)]

조력적 역할 (helping role)	① 현직교육을 계획하고 프로그램을 준비한다. ② 교실을 방문하고 관찰한다. ③ 교사와 개인별 면담을 한다. ④ 교육과정을 개발하고 교육과정 개선 노력을 조정한다. ⑤ 새로운 교수 미디어를 개발하고 준비한다.
행정적 역할 (administrative role)	① 수업 프로그램을 조정한다. ② 학교 경영을 돕고 평가한다. ③ 일상적인 행정업무를 처리한다.

10 | 교육재정

1. 교육재정의 조달

중앙정부	지방교육재정교부금(보통교부금, 특별교부금)
국고보조금	비율이 일정하지 않아 안정적이지 못함
지방자치단체	지방자치단체의 전입금

2. 교육경비의 분류

직접교육비	공교육비(공부담 공교육비, 사부담 공교육비), 사교육비
간접교육비	기회비용, 학교에 대한 조세감면, 잠재적 임차료와 감가상각비

3. 교육과 소득

인간자본론	교육의 투자 → 생산성 향상 → 소득 결정
선발가설	교육의 투자 → 졸업장, 학위 → 소득 결정
이중노동시장론	1차 노동시장과 2차 노동시장
비판론	개인의 소득 불평등은 가정의 SES가 결정

4. 교육예산제도
영기준예산제도, 기획예산제도, 단위학교 예산제도(학교회계)

1 교육재정

1. 개념

국가나 지방공공 단체가 교육활동의 운영을 지원하기 위해 경비를 조달하고 관리, 사용하는 것이다. 즉 공익사업으로서의 교육활동을 지원하기 위해 국가나 지방공공단체가 필요한 재원을 확보, 지출, 평가하는 일련의 활동을 말한다.

2. 교육재정의 일반적 성격

(1) 높은 공공성 및 장기 투자성

(2) 비긴급성과 장기 효과성

(3) 효과의 비실측성

(4) 독립성(일반 행정으로부터의 분리, 독립)

3. 교육재정과 일반재정의 공통성

강제성	공권력을 통하여 기업과 국민들의 소득의 일부를 받아들임으로써 성립되는 강제경제의 성격을 띤다.
공공성	재정은 국민 전체의 공공복지를 도모한다.
무한성	재정의 존속 기간은 민간경제보다 길고 무한하다.
양출제입의 원칙	재정은 추진해야 할 활동계획, 즉 활동의 종류와 범위를 결정하고, 이에 필요한 경비를 산출한 후 수입을 정하는 '양출제입의 원칙'을 적용한다.

4. 교육재정의 특수성

비긴급성	교육은 그 효과가 장기성을 띠고 있어서 교육경비의 지출을 일시적으로 연기·축소한다고 해도 국가의 재산이나 국민의 생명을 직접적으로 좌우하는 것은 아니므로, 교육재정은 비긴급성을 띠고 있다고 할 수 있다.
비생산성	교육경비가 비생산적이라고 보는 것은 교육의 효과가 무형적이고 계수적인 실적 측정이 어렵다는 데서 연유한다.
장기효과성	교육에 투입된 재정은 그 효과가 곧바로 나타나는 것이 아니고 오랜 시간 뒤에 나타나기 때문에 장기효과성을 그 특징으로 한다.
팽창성	교육재정은 일반적으로 팽창하는 특성이 있으며, 교육비는 그 팽창이 항구성을 가지는 것이 특징이다.
분리 독립성	교육재정은 교육을 위한 재정이기 때문에 일반재정으로부터 분리, 독립되어 있는 바, 이는 정치와 교육의 관계에서 교육의 자주성과 정치적 중립성을 보장하는 데서 연유한다.

5. 교육재정의 운영 원리

(1) 충족성

교육활동을 운영하는 데 필요한 재원이 충분히 마련되어야 한다는 것으로 적정교육재정 '확보의 원리'라고도 한다.

(2) 자구성

중앙으로부터 지원되는 기본 교육경비 이외의 필요 재정을 지방자치단체가 스스로 확보할 수 있는 제도적 장치가 마련되어야 함을 의미한다.

(3) 효율성

최소한의 재정으로 최대의 교육 효과를 얻어야 함을 의미한다.

(4) 공정성

특정 기준에 의한 교육재정 배분의 차이가 정당하다고 보는 것을 의미한다.

(5) 자율성

지방교육행정기관 스스로가 외부적 통제나 규율이 없이 재정에 관한 결정을 내리고 집행한다는 것을 의미한다.

(6) 적정성

표준화된 성과를 산출할 수 있는 자원의 배분과 교육대상자의 필요를 충족시킬 수 있는 교육프로그램의 양과 질의 보장을 강조하는 것으로, 의도한 교육적 결과를 산출하는 데 필요한 자원의 충분성과 적절성을 의미한다.

(7) 효과성

투입된 재원이 교육의 질적 향상을 가져오도록 해야 한다는 것으로, 교육재정이 다양한 방법으로 효과를 높이는 데 사용되어야 함을 의미한다.

(8) 책무성

사용된 경비에 대해서 납득할 만한 명분을 제시할 수 있고 책임져야 함을 의미한다.

기출문제

지방교육재정교부금에 대한 설명으로 옳지 않은 것은?   2022년 지방직 9급

① 교육의 균형 있는 발전을 목적으로 확보·배분된다.

② 지방자치단체 교육비특별회계의 세입 재원에 포함되지 않는다.

③ 국가는 회계연도마다 「지방교육재정교부금법」에 따른 교부금을 국가예산에 계상(計上)하여야 한다.

④ 「지방교육재정교부금법」상 지방자치단체에 교부하는 교부금은 보통교부금과 특별교부금으로 나눈다.

해설

제11조【지방자치단체의 부담】① 시·도의 교육·학예에 필요한 경비는 해당 지방자치단체의 교육비특별회계에서 부담하되, 의무교육과 관련된 경비는 교육비특별회계의 재원 중 교부금과 제2항에 따른 일반회계로부터의 전입금으로 충당하고, 의무교육 외 교육과 관련된 경비는 교육비특별회계 재원 중 교부금, 제2항에 따른 일반회계로부터의 전입금, 수업료 및 입학금 등으로 충당한다.

② 공립학교의 설치·운영 및 교육환경 개선을 위하여 시·도는 다음 각 호의 금액을 각각 매 회계연도 일반회계예산에 계상하여 교육비특별회계로 전출하여야 한다. 추가경정예산에 따라 증감되는 경우에도 또한 같다.   **답** ②

참고

공공경제와 민간경제의 비교

구분	공공경제	민간경제
수입조달방법	강제원칙(강제획득)	합의원칙(등가교환)
기본원리	예산원리	시장원리
목적	공공성(일반이익)	이윤극대화
존속기간	영속성	단기성
생산물	무형재	유형재
수지관계	균형(균형예산)	불균형(잉여획득)
보상	일반보상	특수보상

2 중앙정부 재원조달 - 지방교육재정교부금

1. 지방자치단체의 교육기관과 교육행정기관 및 그 소속기관을 설치, 경영하는 데 필요한 재원의 전부 또는 일부를 국가가 교부하여 교육의 균형 있는 발전을 도모하는 데 목적을 둔 재원을 말한다.

2. 「지방교육재정교부금법」

제1조【목적】 이 법은 지방자치단체가 교육기관 및 교육행정기관(그 소속기관을 포함한다. 이하 같다)을 설치·경영하는 데 필요한 재원(재원)의 전부 또는 일부를 국가가 교부하여 교육의 균형 있는 발전을 도모함을 목적으로 한다.

제2조【정의】 이 법에서 사용하는 용어의 뜻은 다음과 같다.

1. "기준재정수요액"이란 지방교육 및 그 행정 운영에 관한 재정수요를 제6조에 따라 산정한 금액을 말한다.
2. "기준재정수입액"이란 교육·과학·기술·체육, 그 밖의 학예(이하 "교육·학예"라 한다)에 관한 모든 재정수입으로서 제7조에 따른 금액을 말한다.
3. "측정단위"란 지방교육행정을 부문별로 설정하여 그 부문별 양(양)을 측정하기 위한 단위를 말한다.
4. "단위비용"이란 기준재정수요액을 산정하기 위한 각 측정단위의 단위당 금액을 말한다.

제3조【교부금의 종류와 재원】 ① 국가가 제1조의 목적을 위하여 지방자치단체에 교부하는 교부금(이하 "교부금"이라 한다)은 보통교부금과 특별교부금으로 나눈다.

② 교부금 재원은 다음 각 호의 금액을 합산한 금액으로 한다. <개정 2022.12.31.>

1. 해당 연도 내국세[목적세 및 종합부동산세, 담배에 부과하는 개별소비세 총액의 100분의 45 및 다른 법률에 따라 특별회계의 재원으로 사용되는 세목(稅目)의 해당 금액은 제외한다. 이하 같다] 총액의 1만분의 2,079
2. 해당 연도 「교육세법」에 따른 교육세 세입액 중 「유아교육지원특별회계법」 제5조 제1항에서 정하는 금액 및 「고등·평생교육지원특별회계법」 제6조 제1항에서 정하는 금액을 제외한 금액

③ 보통교부금 재원은 제2항제2호에 따른 금액에 같은 항 제1호에 따른 금액의 100분의 97을 합한 금액으로 하고, 특별교부금 재원은 제2항 제1호에 따른 금액의 100분의 3으로 한다.

④ 국가는 지방교육재정상 부득이한 수요가 있는 경우에는 국가예산으로 정하는 바에 따라 제1항 및 제2항에 따른 교부금 외에 따로 증액교부할 수 있다.

제4조【교부율의 보정】 ① 국가는 의무교육기관 교원 수의 증감 등 불가피한 사유로 지방교육재정상 필요한 인건비가 크게 달라질 때에는 내국세 증가에 따른 교부금 증가 등을 고려하여 제3조 제2항 제1호에서 정한 교부율을 보정(보정)하여야 한다.

② 제1항에 따라 교부율을 보정하여야 하는 경우 그 교부방법 등에 관한 사항은 대통령령으로 정한다.

제5조【보통교부금의 교부】 ① 교육부장관은 기준재정수입액이 기준재정수요액에 미치지 못하는 지방자치단체에 대해서는 그 부족한 금액을 기준으로 하여 보통교부금을 총액으로 교부한다.

② 교육부장관은 제1항에 따라 보통교부금을 교부하려는 경우에는 해당 특별시·광역시·특별자치시·도 및 특별자치도(이하 "시·도"라 한다)의 교육감에게 그 교부의 결정을 알려야 한다. 이 경우 교육부장관은 보통교부금의 산정기초, 지방자치단체별 명세 및 관련 자료를 작성하여 각 시·도 교육감에게 송부하여야 한다.

제5조의2 【특별교부금의 교부】 ① 교육부장관은 다음 각 호의 구분에 따라 특별교부금을 교부한다.

1. 「지방재정법」 제58조에 따라 전국에 걸쳐 시행하는 교육 관련 국가시책사업으로 따로 재정지원계획을 수립하여 지원하여야 할 특별한 재정수요가 있거나 지방교육행정 및 지방교육재정의 운용실적이 우수한 지방자치단체에 대한 재정지원이 필요할 때: 특별교부금 재원의 100분의 60

2. 기준재정수요액의 산정방법으로 파악할 수 없는 특별한 지역교육현안에 대한 재정수요가 있을 때: 특별교부금 재원의 100분의 30

3. 보통교부금의 산정기일 후에 발생한 재해로 인하여 특별한 재정수요가 생기거나 재정수입이 감소하였을 때 또는 재해를 예방하기 위한 특별한 재정수요가 있는 때: 특별교부금 재원의 100분의 10

② 교육부장관은 제1항제2호 또는 제3호에 해당하는 사유가 발생하여 시·도의 교육감이 특별교부금을 신청하면 그 내용을 심사한 후 교부한다. 다만, 제1항 제1호에 해당하는 사유가 발생한 경우 또는 교육부장관이 필요하다고 인정하는 경우에는 신청이 없어도 일정한 기준을 정하여 특별교부금을 교부할 수 있다.

③ 제1항에 따른 특별교부금의 사용에 대해서는 조건을 붙이거나 용도를 제한할 수 있다.

④ 시·도의 교육감은 제3항에 따른 조건이나 용도를 변경하여 특별교부금을 사용하려면 미리 교육부장관의 승인을 받아야 한다.

⑤ 교육부장관은 시·도의 교육감이 제3항에 따른 조건이나 용도를 위반하여 특별교부금을 사용하거나 2년 이상 사용하지 아니하는 경우에는 그 반환을 명하거나 다음에 교부할 특별교부금에서 해당 금액을 감액할 수 있다. <개정 2021.12.28.>

⑥ 제1항 제1호에 따른 우수한 지방자치단체의 선정기준 및 선정방법과 특별교부금의 교부시기 등 절차에 관한 사항은 대통령령으로 정한다.

제5조의3 【교부금의 재원 배분 및 특별교부금의 교부에 관한 특례】 ① 제3조 제3항에도 불구하고 2026년 12월 31일까지는 보통교부금 재원은 같은 조 제2항 제2호에 따른 금액에 같은 항 제1호에 따른 금액의 1,000분의 962를 합한 금액으로 하고, 특별교부금 재원은 같은 호에 따른 금액의 1,000분의 38로 한다.

② 제5조의2 제1항에도 불구하고 교육부장관은 제1항에 따라 배분된 특별교부금을 다음 각 호의 구분에 따라 교부한다.

1. 「지방재정법」 제58조에 따라 전국에 걸쳐 시행하는 교육 관련 국가시책사업으로 따로 재정지원계획을 수립하여 지원하여야 할 특별한 재정수요가 있거나 지방교육행정 및 지방교육재정의 운용실적이 우수한 지방자치단체에 대한 재정지원이 필요할 때: 특별교부금 재원의 380분의 180

2. 기준재정수요액의 산정방법으로 파악할 수 없는 특별한 지역교육현안에 대한 재정수요가 있을 때: 특별교부금 재원의 380분의 90

3. 보통교부금의 산정기일 후에 발생한 재해로 인하여 특별한 재정수요가 생기거나 재정수입이 감소하였을 때 또는 재해를 예방하기 위한 특별한 재정수요가 있는 때: 특별교부금 재원의 380분의 30

4. 다음 각 목의 어느 하나에 해당하는 사유로 특별한 재정수요가 있거나 재정지원이 필요할 때: 특별교부금 재원의 380분의 80

   가. 「초·중등교육법」 제21조에 따른 교원에 대한 인공지능 기반 교수학습 역량 강화 사업 등 디지털 기반 교육혁신을 위한 특별한 재정수요가 있는 때

   나. 초등학교·중학교·고등학교 방과후학교 사업 등 방과후 교육의 활성화를 위한 특별한 재정수요가 있는 때

   다. 가목 또는 나목과 관련하여 디지털 기반 교육혁신 또는 방과후 교육 활성화 성과가 우수한 지방자치단체에 대한 재정지원이 필요한 때

③ 제2항제4호에 따라 교부되는 특별교부금의 교부시기, 절차 및 우수한 지방자치단체의 선정기준 등 필요한 사항은 대통령령으로 정한다.

[본조신설 2023.12.31.]

[법률 제19938호(2023.12.31.) 제5조의3의 개정규정은 같은 법 부칙 제2조의 규정에 의하여 2026년 12월 31일까지 유효함]

제6조 【기준재정수요액】 ① 기준재정수요액은 각 측정항목별로 측정단위의 수치를 그 단위비용에 곱하여 얻은 금액을 합산한 금액으로 한다.

② 측정항목과 측정단위는 대통령령으로 정하고, 단위비용은 대통령령으로 정하는 기준 이내에서 물가변동 등을 고려하여 교육부령으로 정한다.

제7조 【기준재정수입액】 ① 기준재정수입액은 제11조에 따른 일반회계 전입금 등 교육·학예에 관한 지방자치단체 교육비특별회계의 수입예상액으로 한다.

② 제1항에 따른 수입예상액 중 지방세를 재원으로 하는 것은 「지방세기본법」 제2조 제1항 제6호에 따른 표준세율에 따라 산정한 금액으로 하되, 산정한 금액과 결산액의 차액은 다음다음 회계연도의 기준재정수입액을 산정할 때에 정산하며, 그 밖의 수입예상액 산정방법은 대통령령으로 정한다.

제8조 【교부금의 조정 등】 ① 교부금이 산정자료의 착오 또는 거짓으로 인하여 부당하게 교부되었을 때에는 교육부장관은 해당 시·도가 정당하게 받을 수 있는 교부금액을 초과하는 금액을 다음에 교부할 교부금에서 감액한다.

② 지방자치단체가 법령을 위반하여 지나치게 많은 경비를 지출하였거나 확보하여야 할 수입의 징수를 게을리하였을 때에는 교육부장관은 그 지방자치단체에 교부할 교부금을 감액하거나 이미 교부한 교부금의 일부를 반환할 것을 명할 수 있다. 이 경우 감액하거나 반환을 명하는 교부금의 금액은 법령을 위반하여 지출하였거나 징수를 게을리하여 확보하지 못한 금액을 초과할 수 없다.

제9조 【예산 계상】 ① 국가는 회계연도마다 이 법에 따른 교부금을 국가예산에 계상(計上)하여야 한다.

② 추가경정예산에 따라 내국세나 교육세의 증감이 있는 경우에는 교부금도 함께 증감하여야 한다. 다만, 내국세나 교육세가 줄어드는 경우에는 지방교육재정 여건 등을 고려하여 다음다음 회계연도까지 교부금을 조절할 수 있다.

③ 내국세 및 교육세의 예산액과 결산액의 차액으로 인한 교부금의 차액은 늦어도 다음다음 회계연도의 국가예산에 계상하여 정산하여야 한다.

제10조 【행정구역 변경 등에 따른 조치】 교육부장관은 시·도가 폐지·설치·분리·병합되거나 관할구역이 변경된 경우에는 대통령령으로 정하는 바에 따라 해당 시·도에 대한 교부금을 조정하여 교부하여야 한다.

제11조 【지방자치단체의 부담】 ① 시·도의 교육·학예에 필요한 경비는 해당 지방자치단체의 교육비특별회계에서 부담하되, 의무교육과 관련된 경비는 교육비특별회계의 재원 중 교부금과 제2항에 따른 일반회계로부터의 전입금으로 충당하고, 의무교육 외 교육과 관련된 경비는 교육비특별회계 재원 중 교부금, 제2항에 따른 일반회계로부터의 전입금, 수업료 및 입학금 등으로 충당한다.

② 공립학교의 설치·운영 및 교육환경 개선을 위하여 시·도는 다음 각 호의 금액을 각각 매 회계연도 일반회계예산에 계상하여 교육비특별회계로 전출하여야 한다. 추가경정예산에 따라 증감되는 경우에도 또한 같다.

1. 「지방세법」 제151조에 따른 지방교육세에 해당하는 금액
2. 담배소비세의 100분의 45[도(道)는 제외한다]
3. 서울특별시의 경우 특별시세 총액(「지방세기본법」 제8조 제1항 제1호에 따른 보통세 중 주민세 사업소분 및 종업원분, 같은 항 제2호에 따른 목적세 및 같은 법 제9조에 따른 특별시분 재산세, 「지방세법」 제71조 제3항 제3호 가목에 따라 특별시에 배분되는 지방소비세에 해당하는 금액은 제외한다)의 100분의 10, 광역시 및 경기도의 경우 광역시세 또는 도세 총액(「지방세기본법」 제8조 제2항 제2호에 따른 목적세, 「지방세법」 제71조 제3항 제3호 가목에 따라 광역시 및 경기도에 배분되는 지방소비세에 해당하는 금액은 제외한다)의 100분의 5, 그 밖의 도 및 특별자치도의 경우 도세 또는 특별자치도세 총액(「지방세기본법」 제8조 제2항 제2호에 따른 목적세, 「지방세법」 제71조 제3항 제3호 가목에 따라 그 밖의 도 및 특별자치도에 배분되는 지방소비세에 해당하는 금액은 제외한다)의 1천분의 36

③ 특별시장·광역시장·특별자치시장·도지사 및 특별자치도지사(이하 "시·도지사"라 한다)는 제2항 각 호에 따른 세목의 월별 징수내역을 다음 달 말일까지 해당 시·도의 교육감에게 통보하여야 한다.

④ 시·도는 제2항 각 호에 따른 세목의 월별 징수액 중 같은 항에 따라 교육비특별회계로 전출하여야 하는 금액의 100분의 90 이상을 다음 달 말일까지 교육비특별회계로 전출하되, 전출하여야 하는 금액과 전출한 금액의 차액을 분기별로 정산하여 분기의 다음 달 말일(마지막 분기는 분기의 말일로 한다)까지 전출하여야 한다.

⑤ 예산액과 결산액의 차액으로 인한 전출금(轉出金)의 차액은 늦어도 다음다음 회계연도의 예산에 계상하여 정산하여야 한다.

⑥ 시·도의 교육감은 제2항부터 제5항까지에 따른 일반회계로부터의 전입금으로 충당되는 세출예산을 편성할 때에는 미리 해당 시·도지사와 협의하여야 한다.

⑦ 시·도교육위원회는 제6항에 따라 편성된 세출예산을 감액하려면 미리 해당 교육감 및 시·도지사와 협의하여야 한다.

⑧ 시·도 및 시·군·자치구는 <u>대통령령</u>으로 정하는 바에 따라 관할구역에 있는 고등학교 이하 각급학교의 교육에 드는 경비를 보조할 수 있다.

⑨ 시·도 및 시·군·자치구는 관할구역의 교육·학예 진흥을 위하여 제2항 및 제8항 외에 별도 경비를 교육비특별회계로 전출할 수 있다.

⑩ 시·도지사는 제2항부터 제5항까지에 따른 교육비특별회계로의 회계연도별·월별 전출 결과를 매년 2월 28일까지 교육부장관에게 제출하고, 교육부장관은 매년 3월 31일까지 국회 소관 상임위원회에 보고하여야 한다.

제12조【교부금의 보고】 교육부장관은 매년 3월 31일까지 다음 각 호의 사항을 국회 소관 상임위원회에 보고하여야 한다. <개정 2023.10.24.>

1. 보통교부금의 배분기준·배분내용·배분금액, 그 밖에 보통교부금의 운영에 필요한 주요사항
2. 특별교부금의 전년도 배분기준·배분내용·집행실적 등 특별교부금의 운영에 따른 결과

제13조【교부금액 등에 대한 이의신청】 ① 시·도의 교육감은 <u>제5조 제2항</u>에 따라 보통교부금의 결정 통지를 받은 경우에 해당 지방자치단체의 교부금액 산정기초 등에 대하여 이의가 있으면 통지를 받은 날부터 30일 이내에 교육부장관에게 이의를 신청할 수 있다. <개정 2021.12.28.>

② 교육부장관은 제1항에 따른 이의신청을 받은 날부터 30일 이내에 그 내용을 심사하여 결과를 해당 지방자치단체의 교육감에게 알려야 한다.<개정 2021.12.28>

제14조【고등학교 등의 무상교육 경비 부담에 관한 특례】 ① 국가는 「초·중등교육법」제10조의2에 따른 고등학교 등의 무상교육에 필요한 비용 중 1,000분의 475에 해당하는 금액을 제3조 제4항에 따라 따로 증액교부하여야 한다.

② 시·도 및 시·군·구는 「초·중등교육법」제10조의2에 따른 고등학교 등의 무상교육에 필요한 비용 중 1,000분의 50에 해당하는 금액을 대통령령으로 정하는 바에 따라 교육비특별회계로 전출하여야 한다.

3 교육경비

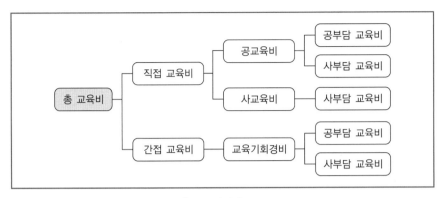

⬆ **교육경비의 분류**

1. 직접 교육비

(1) 개념

교육활동을 위해 지출되는 모든 비용으로 교육재정의 대상이 되는 비용을 말한다.
공교육비와 사교육비로 구성된다.

① 공교육비란 회계절차를 거치는 비용이다.

② 사교육비란 회계절차를 거치지 않는 비용이다.

(2) 구분

공교육비	공부담 교육비	국가 및 지방자치단체부담 교육비, 학교법인 교육비 등
	사부담 교육비	입학금 및 수업료 기성회비 및 학생자율경비, 현장학습, 수련활동비, 특기적성활동비, 급식비 등
사교육비		교재비, 학용품비, 생활비, 잡비(과외비, 교통비, 하숙비) 등

2. 간접 교육비

(1) 개념

일정 단위의 교육서비스의 생산에 있어서 직접비용 이외에 소요되는 경비를 말한다.

(2) 구분

① **기회비용(opportunity costs 혹은 포기소득):** 실질적으로 교육활동을 위해 투입되는 경비는 아니지만 피교육자가 교육에 종사하기 때문에 포기해야 하는 포기소득과 같이 다른 용도의 사용을 가정한 경비

② 비영리기관으로서의 학교에 대한 조세감면

③ 건물 시설의 잠재적 임차료와 감가상각비

秀 POINT 표준 교육비와 교육비용(Costs of Education)

1. 표준 교육비

일정 규모의 단위학교가 그에 상응하는 인적, 물적 조건 즉 표준 교육조건을 확보한 상태에서 정상적 교육활동을 수행하는 데 필요한 최저소요교육비(minimum standards of education cost)이다. 표준 교육비는 교육예산의 편성과 교육계획수립의 과학적이고 합리적인 기초 자료가 되며, 교육의 기회균등을 보장하는 데 의의가 있다.

2. 교육비용

① 교육활동을 위해 희생하는 자원으로 교육학적 측면에서는 교육목적을 달성하기 위해 투입되는 경비를 말한다. 이 경우에는 물질적인 것 뿐만 아니라 비물질적(정신적)인 것도 포함된다. 교육경제학적 측면에서는 교육이라는 서비스를 생산·공급하기 위해 희생되는 자원을 말한다.

② 교육비의 유형
 ㉠ 실질비용과 기회비용
  ⓐ 실질비용(real costs): 교육 서비스를 생산하기 위해 직접 희생되는 생산요소의 양 또는 가치로 인건비, 시설비, 재료비, 관리 운영비, 실험 실습비 등이 있다.
  ⓑ 기회비용(opportunity costs): 실질적으로 교육을 위해 투입되는 경비는 아니지만 피교육자가 교육에 종사하기 때문에 포기해야 하는 포기소득과 같이 다른 용도의 사용을 가정한 경비를 말한다.
 ㉡ 사적비용과 사회적 비용
  ⓐ 사적비용(private costs): 개인 혹은 가계(家計)가 희생하는 비용으로 수업료, 학용품비, 도서비, 교통비, 하숙비 등과 같은 실제비용과 포기된 소득으로서의 기회비용을 포함한다.
  ⓑ 사회적 비용(social costs): 사회 또는 국가가 희생하는 경비로 교사와 다른 직원들의 임금과 급여, 도서, 비품, 자료, 건물의 비용과 전체 사회가 상실 당했다고 생각되는 학생들의 포기된 소득을 포함한다.
 ㉢ 직접비용과 간접비용
  ⓐ 직접비용(direct costs): 교육목적의 달성을 위해 직접 투입되는 경비로 공교육비와 사교육비와 같은 경비를 말한다.
  ⓑ 간접비용(indirect costs): 잠재비용 또는 기회비용을 말하는 것으로 학생의 포기소득, 비영리기관으로서 학교에 대한 조세감면, 건물시설의 잠재적 임차료와 감가상각비를 포함한다.

4 교육과 경제적 소득과의 관계 이론

1. 인간자본론

(1) 특징

① 인간자본론의 요체는 교육 투자의 결과로 지식과 기술의 형태로 인적자본이 형성되면 일터에서의 노동 생산성이 향상되고 그 결과 노동 소득이 향상된다는 것이다(결과적 평등 실현).

② 학교교육을 통한 지식과 기술의 습득, 직업훈련을 통한 기능의 습득, 직장에서의 전문지식의 습득, 교육과 건강 및 직업으로 인한 이주에 대한 직접적인 지출, 교육과 훈련을 받음으로 인해 포기된 소득, 기능과 지식의 향상을 위한 여가시간 활용 등을 인적자본에 대한 투자로 파악한다. 즉 인간에 대한 교육적 투자는 소득의 형태로 개인에게 되돌아 온다는 이론이다.

③ 노동시장은 동질적이며, 완전 경쟁적이고, 노동 수요면에서는 고용주가 노동자들의 한계 생산성에 관한 완전한 정보를 갖고 있으므로 그것을 토대로 고용량을 결정한다.

(2) 대표자

슐츠(Schultz), 벡커(Becker), 민서(Mincer) 등이 있다.

(3) 인간 자본론의 비판

① 작업현장에서 필요한 생산능력이 교육을 통해서 길러진다고 볼 수 없다.

② 노동시장은 자유 경쟁의 논리로 운영되지 않으며 취업 정보도 균등하게 배분되지 않는다.

③ 계급, 계층, 인종, 성 등에 의한 구조적 불평등에 의해서 삶의 기회가 거의 좌우된다.

2. 선발가설(Screening Hypothesis)

(1) 특징

① 인간 자본론에 대한 반기로 성립되었다.

② 학력은 생산성에 별다른 영향을 끼치지 않으며 교육은 단지 선발의 장치 내지 생산성이 있음을 보이는 신호의 역할만을 하게 된다.

③ 교육은 능력에 따라 개인을 분류하고 그 능력에 합당하는 교육자격증을 부여하는 역할을 한다.

④ 교육에 대한 투자가 생산성 향상을 통해 더 높은 소득을 가져오는 것이 아니다. 즉 선발가설은 생산성이 아니라 보다 높은 졸업장, 학력이 보다 높은 소득을 가져온다고 본다.

(2) 대표자

버그(Berg), 애로우(Arrow) 등이 있다.

3. 이중노동 시장론(구조론)

(1) 특징

① 한 나라의 노동시장은 1차 노동시장과 2차 노동시장으로 나누어져 있다.

1차 노동시장	높은 보수와 수당, 좋은 작업환경, 승진 기회 등이 존재하는 시장이다.
2차 노동시장	저임금, 저수당, 저훈련, 승진 기회의 부족, 열악한 작업환경, 잦은 해고 등이 존재하는 시장이다.

② 소득에 미치는 교육의 영향은 인정되지 않으며 소득은 1차 노동시장과 2차 노동시장 중 어느 부분에 편입되는가에 따라 결정된다고 본다.

③ 빈곤, 비자발적 실업, 산업 간 임금격차, 성(性) 및 인종 차별 등의 문제를 설명하는 데 활용된다.

(2) 대표자

도어링과 피오레(Doering & Piore)가 대표적이다.

4. 비판론

(1) 개념

개인의 소득 불평등은 가정의 사회경제적 배경이 결정하며, 교육은 상류층으로 하여금 부(富)를 세습하는 수단이며 장치라고 간주하는 이론으로, 경제적 재생산이론이라고도 한다.

(2) 대표자

보올스와 진티스(Bowles & Gintis)가 대표적이다.

5 교육예산제도

📁 **참고**

교육예산의 원칙

공개성의 원칙	예산안의 편성·심의·집행 등은 공개되어야 한다.
명료성의 원칙	예산은 모든 국민이 쉽게 이해할 수 있도록 세입·세출을 합리적으로 분류·표시하고, 수지추계와 수입의 출처 및 지출의 용도를 명시해야 한다.
한정성의 원칙	예산의 각 항목은 서로 분명한 한계를 지녀야 한다는 것으로, 특정목적을 위해 편성·배분된 예산은 그 목적만을 위해 지출해야 한다.
사전의결의 원칙	예산은 회계연도 개시 전에 편성되어 국회 또는 시·도 의회의 의결을 거쳐 성립된 후, 승인된 범위 내에서 집행되어야 한다.
통일성의 원칙	모든 수입은 한데 모아서 지출해야 한다(특정수입이 특정지출로 직결되어서는 안 됨).
단일성의 원칙	국가의 회계연도를 종합적으로 밝히고 예산항목 간의 상호 관련성을 명확히 하기 위하여 예산이 단일해야 한다(추가경정예산, 특별회계 예외).
완전성의 원칙 (예산 총계주의의 원칙)	세입·세출을 혼동함이 없이 모든 세입은 그 금액을 세입예산에, 모든 세출은 그 금액을 세출예산에 계상해야 한다.
엄밀성의 원칙	예산과 결산이 일치되어야 한다.
회계연도 독립의 원칙	각 회계연도에 지출되어야 할 경비의 재원은 그 연도의 수입으로 조달되고, 당해 연도에 지출되어야 할 경비는 그 익년도 등 다른 연도에서 지출되어서는 안 된다.
건전성의 원칙	예산을 편성하거나 집행을 함에 있어서 연도 간 재정사정을 충분히 고려하여 재정운영의 건전성을 유지하여야 한다.

1. 품목별 예산제도(Line-Item Budgeting System; LIBS)

(1) 특징

① 예산의 편성·분류를 정부가 구입·지출하고자 하는 물품 또는 서비스별로 하는 예산제도이다.

② 전년도 예산에 준하여 예산과 물가상승률 그리고 신규 사업 등을 토대로 예산을 편성한다.

③ 학교회계제도가 시행되기 이전까지 우리나라에서 사용하였던 예산제도이다.

(2) 장점

예산편성이 용이하고 한정된 재정규모 내에서 효율적인 배분을 강조한다.

(3) 단점

① 개별 학교의 특수성이 반영되지 못한다.
② 학교의 교육목표와 사업의 우선순위가 고려되지 못한다.
③ 학교 경영 목표량과 예산과의 관계가 고려되지 않는다.
④ 예산 담당자의 자유재량 행위를 제한한다.

2. 성과주의 예산제도(Performance Budgeting System; PBS)

(1) 개념

주요 사업을 몇 개의 사업으로 나누고 사업을 다시 몇 개의 세부 사업으로 나눈 다음 각 세부 사업별로 단위원가에 업무량을 곱해서 예산액을 표시하는 제도이다.

(2) 장점

① 정부의 계획수립과 입법부의 예산심의가 간편하다.
② 달성하려는 목표와 사업이 무엇인가를 표시할 수 있고, 이를 달성하는 데 필요한 비용을 명시해줄 수 있다.
③ 예산을 편성할 때 자금배분을 합리화할 수 있다.
④ 예산을 집행할 때 신축성이 있다.

(3) 단점

① 업무측정단위 선정과 측정이 곤란하다.
② 단위원가 계산에 어려움이 있다.
③ 예산관리에 치중하여 계획을 소홀히 하거나, 회계책임이 불분명하고, 실제운영에서의 어려움이 많다.

3. 기획예산제도(Planning-Programming Budgeting System; PPBS)

(1) 개념

① 장기적인 계획수립과 단기적인 예산편성의 프로그램 작성을 통해 유기적으로 연결하는 예산제도이다.
② 자원배분에 관한 의사결정을 일관성 있고 합리적으로 하려는 제도이다.

(2) 의의

① 목표의 정확한 파악이 가능하다.
② 목표달성에 가장 능률적인 각종 대안의 체계적 검토이다.
③ 장기적 시계(視界)를 보유한다.

(3) 기획예산제도의 3단계

기획 (planning)	조직의 장기목표를 선택하거나 비용과 이익 면에서 다양한 행동과정을 체계적으로 분석하는 일이다.
프로그래밍 (programming)	결정된 계획을 수행하는 데 필요한 특정의 행동 과정을 결정하는 일이다.
예산편성 (budgeting)	계획과 프로그램을 특정의 재정계획으로 바꾸는 일이다.

(4) 장점

① 학교목표의 우선순위에 따라 자원의 합리적 조정이 가능하다.

② 예산의 절약과 지출의 효율화를 도모할 수 있다.

③ 학교의 목표, 프로그램과 예산을 체계화할 수 있다.

④ 연도별 학교 목표와 이를 달성하기 위한 교육 프로그램의 소요 자원을 확인하여 연간 기준으로 목표의 재검토가 가능하다.

(5) 단점

① 지나친 중앙집권화가 초래된다.

② 교육목표 달성 효과의 계량화가 곤란하다.

③ 간접비의 배분문제 및 환산작업이 곤란하다.

④ 교육성과의 장기성에 비추어 볼 때 성급한 단기적 실적평가에 중점을 둔다.

4. 영(零)기준 예산제도(Zero Base Budgeting System; ZBBS)

(1) 특징

① 전(前)회계연도의 예산에 구애받지 않고 의사결정단위인 조직체의 모든 사업과 활동에 대해 영기준 예산제도를 적용한다.

② 체계적으로 비용 - 수익분석, 혹은 비용 - 효과분석을 행하고 그에 따라 우선순위를 정해서 예산을 결정한다.

(2) 작성절차

① 의사결정을 위한 기본계획서 작성(decision package)

　　㉠ 사업 기본계획을 구성한다.

　　㉡ 기본계획서를 구성한다.

② 사업 우선순위를 결정한다.

③ 실행예산을 편성한다.

(3) 장점

① 재정 경직화를 타파한다.

② 재원을 합리적으로 배분할 수 있다.

③ 각 수준 관리자의 참여가 가능하다(학교에서의 경우 학교경영에 전 교직원 참여 유도 가능).

④ 창의적이고 자발적인 사업구상과 실행을 유도할 수 있다.

⑤ 학교경영 계획과 예산의 일치로 합리적이고 과학적인 학교경영이 가능하다.

(4) 단점

① 각 계층에 근무하는 관료들이 자신의 사업평가에 불리한 것을 감추고 유리한 것만 제시하는 '관료들의 자기방어'가 초래된다.

② 분석·평가 작업이 어렵다.

③ 각 결정단위의 예산 작업 이전에 새해의 예산 수준이나 물가 및 인건비에 대한 정책결정이 필요하다.

④ 시간·노력이 과중하다.

⑤ 사업 우선순위 결정이 곤란하다.

5. 단위학교 예산제도(School Based Budgeting System; SBBS)

(1) 특징

① 단위학교에서 교장이 예산과정의 중심적인 역할을 담당하는 분권화된 예산제도이다.

② 종래의 교육청 중심의 학교예산 편성 및 집행을 단위학교의 예산편성 및 집행으로 전환한 제도이다.

③ 단위학교 책임경영제의 핵심적 제도이다.

(2) 단위학교 책임경영

단위학교가 지식, 기술, 권력, 자료, 사람, 시간 및 재정 등 자원의 배분과 관련된 의사결정권을 가지고 있으며, 단위학교는 의사결정과정에 교직원과 학부모 등이 이해관계 집단을 참여시킨다.

(3) 장점

① 학교경영 계획과 학교예산간의 연계를 강화해서 교육효과를 제고할 수 있다.

② 학교예산의 탄력적 운영과 함께 학교의 책무성이 증대된다.

③ 학교교육의 수요자인 학생들의 요구를 교육청에서 최우선적으로 반영할 수 있다.

④ 예산편성 과정에 교직원과 학부모들의 참여를 증대시킬 수 있다.

6. 도급(都給)경비 제도

(1) 개념

'특수한 경리'를 필요로 하는 기관의 경비로서 그 전부 또는 일부를 당해 관서의 장에게 교부하여 일반적으로 복잡한 회계 절차나 서류를 생략하는 대신 관서의 장의 책임과 재량으로 특수한 경리를 함으로써 효율적이고 능률적인 교육 또는 행정을 수행하기 위한 제도이다.

(2) 특징

① 도급경비를 지급 받는 관서의 장 또는 도급경비 취급원은 세출예산을 과목별로 정리하지 않고 통합하여 경리하되, 세출예산 과목을 참작하여 관서의 실정에 맞도록 사용할 것을 규정한다.

② 도급경비는 회계연도 말에 사용 잔액이 있어도 반납하지 않고 다음 연도로 이월해서 사용하도록 한다.

③ 예산을 집행하는 사람을 관서 위주, 서류 위주보다 신뢰하는 제도이다.

7. 학교회계 제도

(1) 개념

학교예산이란 일정기간 동안 학교가 교육활동을 실천해나가는 데 필요한 세입과 세출의 체계적인 계획서를 말하며, 학교회계란 계획을 집행하면서 발생하는 일련의 활동에 대한 구체적인 기록으로서 학교에서의 '수입과 지출의 관리와 운용에 관한 예산제도'를 말한다.

사립학교의 재원

사립학교는 입학금, 수업료, 학교법인 전입금만으로 부족할 경우 인건비 재정결함보조금과 운영비재정결함보조금을 국가 및 지방자치단체가 보조하고 있다.

(2) 설치

학교회계는 국·공립의 초등학교·중학교·고등학교 및 특수학교에 설치한다(2001학년도부터 시행).

(3) 회계연도

매년 3월 1일에 시작하여 다음해 2월 말일에 종료되며 예산편성, 예산심의, 예산집행, 결산의 과정을 거친다.

(4) 학교회계의 세입

① 국가의 일반회계 또는 지방자치단체의 교육비특별회계로부터의 전입금
② 학교운영지원비(육성회비)
③ 학교발전기금으로부터의 전입금
④ 수업료 및 학교운영지원비 외에 학교운영위원회의 심의를 거쳐 학부모가 부담하는 경비
⑤ 국가 또는 지방자치단체의 보조금 및 지원금, 사용료, 수수료, 이월금 기타 수입 등

(5) 학교회계의 세출

학교운영 및 학교시설의 설치 등을 위하여 필요한 일체의 경비이다.

세입	세출
① 국가의 일반회계 / 지방자치단체의 전입금 ② 학교운영위원회의 학교운영지원비 ③ 학교발전기금으로부터의 전입금 ④ 학부모부담 경비(수익자 부담 경비) ⑤ 국가 또는 지방자치단체의 보조금과 지원금 ⑥ 사용료 및 수수료 ⑦ 이월금 ⑧ 물품 매각대금 ⑨ 기타 수입	① 교직원 등의 인건비 ② 학교회계 직원 및 비정규직 보수 ③ 학생복리비 ④ 교수 - 학습활동 지원비 ⑤ 공통 운영비 ⑥ 업무추진비 ⑦ 시설비 ⑧ 수익자부담 경비 ⑨ 예비비

(6) 예산안편성

학교장은 학교 구성원의 의견을 반영하여 세입과 세출로 구성된 학교예산안을 편성하여 학교운영위원회에 제출하고, 학교운영위원회에서 심의 후 학교장에게 통보하면 학교장은 예산을 확정한다.

(7) 편성절차

기본지침서 시달	교육청에서 기본지침서를 시달한다.
교직원 예산요구서 제출	학교의 부서별 혹은 개인별예산을 제출한다.
분기별 자금교부계획 통보	교육청에서 자금교부계획을 통보한다.
예산조정 및 확정	단위학교의 세입규모를 확정한다.
예산안 제출	학교운영위원회에 회계연도개시 30일 전 제출한다.

(8) 도입효과

① 학교의 자율적인 예산을 운영이 가능하다.
② 학교재정 운영의 투명성을 확보할 수 있다.
③ 학교재정운영의 효율성을 증대시킬 수 있다.
④ 회계업무를 간소화할 수 있다.
⑤ 학교예산 관련자들의 참여 증대가 보장된다.
⑥ 평생학습센터로서의 학교 활용이 가능하다.

구분	기존 학교회계 제도	새 학교회계 제도
회계연도	① 교육비특별회계: 1.1. ~ 12.31. ② 학교운영지원비: 3.1. ~ 2월 말	3.1. ~ 2월 말(학년도와 일치)
예산배부방식	일상경비와 도급경비를 구분하고 사용목적을 정하여 배부	일상경비와 도급경비의 구분 없이 표준교육비를 기준으로 총액 배부
예산배부시기	수시 배부	학교회계연도 개시 전에 일괄 배부
세출예산편성	세원·재원별로 사용 목적에 따라 세출예산 편성	재원에 따른 사용목적 구분 없이 학교실정에 따라 자율적으로 편성(보조금 및 수익자부담경비 제외)
사용료·수수료 수입처리	학교시설 사용료·수수료 수입 등을 국고 및 교육비특별회계금고로 납입	학교시설사용료·수수료 수입 등을 학교 자체 수입으로 처리
회계장부관리	경비의 종류에 따라 서로 다른 회계지침을 적용하여 자금별로 별도의 회계 및 장부 관리	통합 장부 사용
자금의 이월	일상경비의 경우 잔액 발생 시 모두 반납	집행 잔액은 자동적으로 이월

⊕ 기존 학교회계 제도와 새 학교회계 제도 비교

기출문제

「초·중등교육법」상 국·공립학교 학교회계의 세입(歲入)에 해당하지 않는 것은?

2019년 국가직 9급

① 지방자치단체의 교육비특별회계로부터 받은 전입금
② 학교발전기금으로부터 받은 전입금
③ 사용료 및 수수료
④ 지방교육세

해설
학교회계의 세입으로는 국가의 일반회계 또는 지방자치단체의 교육비특별회계로부터의 전입금, 학교운영지원비, 학교발전기금으로부터의 전입금, 수업료 및 학교운영지원비 외에 학교운영위원회의 심의를 거쳐 학부모가 부담하는 경비, 국가 또는 지방자치단체의 보조금 및 지원금, 사용료, 수수료, 이월금 기타 수입 등이다.

답 ④

 **POINT** 학교회계

1. 학교예산과 학교회계

학교예산이란 단위학교가 1년간의 교육활동계획을 실천해나가는데 필요한 세입과 세출의 체계적인 계획표를 말한다. 학교회계란 이 계획을 집행하면서 발생하는 일련의 활동에 대한 구체적인 기록으로서 학교에서의 '수입과 지출의 관리와 운용에 관한 예산제도'를 의미한다. 학교회계가 도입되기 이전에는 교직원의 인건비와 교육부나 교육청이 지원하는 보조금은 일상경비로, 일반운영비는 도입경비로 배부되어 각각 별도로 관리되었을 뿐만 아니라 각 경비에 적용되는 법규가 서로 달라 학교 현장에서 학교재정이 교육과정을 효과적으로 지원하는 데 많은 어려움이 있었다. 이에 따라 학교에서 재정을 효율적으로 운영할 수 있도록 된 것이 학교회계 제도이다.

2. 학교회계 제도의 내용

① 학교회계의 설치와 통합운영: 학교회계 제도의 시행으로 2001년도부터 국·공립의 초·중·고등학교 및 특수학교에 학교회계가 설치되어 여러 회계로 나누어 관리되던 경비가 통합되어 운영되게 되었다.

② 회계연도 및 예산과정: 학교회계의 회계연도는 매년 3월 1일에 시작하여 다음해 2월 말일에 종료된다. 학교의 장은 회계연도마다 학교회계세입세출예산안을 편성하여 회계연도 개시 30일 전까지 학교운영위원회에 제출하여야 한다. 학교운영위원회는 학교회계세입세출예산안을 회계연도 개시 5일전까지 심의하여야 한다. 학교의 장은 회계연도마다 결산서를 작성하여 회계연도 종료 후 2월 이내에 학교운영위원회에 제출하여야 한다.

③ 예산안이 확정되지 않은 경우의 예산집행: 새로운 회계연도가 개시될 때까지 예산안이 확정되지 않은 경우에는 교직원 등의 인건비(교직원의 제 수당 및 학교회계직원, 일용직의 인건비 등) 학교교육에 직접 사용되는 교육비(수업진행을 위해 필요한 학습준비물 구입비 등), 학교시설의 유지관리비, 법령상 지급의무가 있는 경비(전기사용료, 수도요금, 각종 공과금), 이미 예산으로 확정된 경비(명시이월비나 계속비 등 학교운영위원회의 심의를 거쳐 미리 예산으로 확정된 경비)에 대하여서는 전년도 예산에 준하여 집행할 수 있다.

3. 학교예산

① 학교예산이란 단위학교가 한 회계연도 동안 교육과정운영 등 학교운영을 해나가는 데 필요한 활동을 세입과 세출로 나타낸 체계적인 계획표이다. 따라서 학교예산에는 한 회계연도 동안의 학교의 제반활동 및 이에 따른 재정소요액이 나타나야 하며 학교예산을 통하여 학교의 전반적인 계획을 파악할 수 있어야 한다.

② 예산총계주의: 예산을 운영하는 조직의 모든 세입과 세출이 예산에 계상(計上)되어야 한다는 의미로 단위학교의 경우에도 이런 예산총계주의의 원칙이 적용된다.

③ 예산과 학교교육계획: 학교의 예산편성은 기본적으로 학교계획서를 바탕으로 교수학습활동을 포함한 학교운용을 효과적으로 지원할 수 있는 방향에서 이루어져야 하기 때문에 학교계획과 예산이 별개로 운영되는 것이 아니라 학교운영을 위한 제반 활동을 효과적으로 지원하는 방향에서 학교재정이 운영되어야 한다.

④ 예산의 종류

  ㉠ 본예산: 한 회계연도 간의 단위학교 활동을 모두 반영하여 편성되고 학교운영위원회의 심의를 거쳐 확정·성립된 매 회계연도의 최초의 예산을 말한다.

  ㉡ 수정예산: 학교장이 예산안을 학교운영위원회에 제출한 후 학교운영위원회의 심의가 종료되기 전에 학교장이 다시 예산안 내용의 일부를 수정하여 제출하는 예산을 말한다.

  ㉢ 추가경정예산: 예산 성립 후에 생긴 사유로 인하여 필요한 경비의 과부족이 생길 때 본예산에 추가 또는 변경을 가한 예산을 말한다.

4. 예산안의 편성 절차

학교회계예산편성 기본지침 시달	① 회계연도 개시 3개월 전까지 단위학교에 시달한다. ② 관할청의 재정 여건 및 운용 방향을 제시한다. ③ 교육시책 및 권장사업을 포함한다. ④ 예산과목 및 과목내용 등 학교예산운영에 관하여 필요한 제반내용을 포함한다.
교직원의 예산 요구서 제출	① 예산편성 지침 시달 후 학교예산편성방향 및 계획에 따라 제출 ② 교육과정운영 및 학교운영을 위하여 필요한 사업 및 재정 소요액 등을 기록한다. ③ 부서별 또는 개인별 예산요구서를 제출한다.
연간 총 전입금 및 분기별 자금교부 계획 통보	① 관할청으로부터 학교회계로 전출되는 금액의 총 규모 및 분기별 자금교부계획을 통보한다. ② 목적사업의 경우 대상학교가 지정되는 대로 확정·통보한다.
예산조정 작업 및 예산안 확정	① 부서별 또는 전체 조정회의를 거쳐 예산안을 확정한다. ② 단위학교의 총 세입규모를 확정한다.
예산안 제출	학교의 장은 회계연도 개시 30일 전까지 학교운영위원회에 제출한다.

5. 예산안 심의 및 예산확정 절차

예산안 통지	학교운영위원들에게 회의 개최 5일 전까지 예산안을 통지한다.
예산심사 소위원회 구성	예산심의의 효율성을 높이기 위하여 학교운영위원회의 의결에 의해 자율적으로 구성한다.
학교장 제안 설명 및 관계자 의견청취	① 학교의 교육시책방향 및 재정여건, 예산편성 방향 및 내용에 대한 학교장(행정담당자) 제안을 설명한다. ② 예산과 관련된 교직원 의견을 청취한다. ③ 소위원 구성 시 소위원위원장이 심사의견을 발표한다.
예산안 심의결과 송부	① 회계연도 개시 5일 전까지 심의를 종료한다. ② 학교장에게 예산안 심의결과를 송부한다.
예산확정	학교장이 학교회계세입세출예산을 확정한다.

6. 결산의 절차

회계연도 종료	① 매년 2월 말일이 기준이다. ② 당해 회계연도의 징수행위 및 지출원인행위를 종료한다.
출납폐쇄정리	① 회계연도 종료 후 20일까지이다. ② 당해 회계연도 징수행위 및 지출원인행위가 된 사항의 세입금수납 및 세출금 지출을 마감한다.
결산서 작성	① 제 장부 마감 및 세입·세출 결산서 작성한다. ② 예산의 이·전용 내역, 이월경비내역, 예비비사용내역을 첨부한다.
결산서 제출	회계연도 종료 후 2개월 이내에 학교운영위원회에 제출한다.
결산 심의	① 학교운영위원들에게 회의 개최 7일전까지 결산서를 개별 통보한다. ② 학교장이 결산 내용을 설명한다. ③ 의문사항에 대하여 관련 교직원 의견 청취한다.
결산심의 결과 통보	회계연도 종료 후 4개월 이내에 결산심의 결과를 학교장에게 통보한다.

7. 「초·중등교육법」

「초·중등교육법」 제30조의2 【학교회계의 설치】 ① 국립·공립의 초등학교·중학교·고등학교 및 특수학교에 각 학교별로 학교회계(학교회계)를 설치한다.

② 학교회계는 다음 각 호의 수입을 세입(歲入)으로 한다.

1. 국가의 일반회계나 지방자치단체의 교육비특별회계로부터 받은 전입금
2. 제32조 제1항에 따라 학교운영위원회 심의를 거쳐 학부모가 부담하는 경비
3. 제33조의 학교발전기금으로부터 받은 전입금
4. 국가나 지방자치단체의 보조금 및 지원금
5. 사용료 및 수수료
6. 이월금
7. 물품매각대금
8. 그 밖의 수입

③ 학교회계는 학교운영과 학교시설의 설치 등을 위하여 필요한 모든 경비를 세출(세출)로 한다.

④ 학교회계는 예측할 수 없는 예산 외의 지출이나 예산초과지출에 충당하기 위하여 예비비로서 적절한 금액을 세출예산에 계상(계상)할 수 있다.

⑤ 학교회계의 설치에 필요한 사항은 국립학교의 경우에는 교육부령으로, 공립학교의 경우에는 시·도의 교육규칙으로 정한다.

제30조의3 【학교회계의 운영】 ① 학교회계의 회계연도는 매년 3월 1일에 시작하여 다음 해 2월 말일에 끝난다.

② 학교의 장은 회계연도마다 학교회계 세입세출예산안을 편성하여 회계연도가 시작되기 30일 전까지 제31조에 따른 학교운영위원회에 제출하여야 한다.

③ 학교운영위원회는 학교회계 세입세출예산안을 회계연도가 시작되기 5일 전까지 심의하여야 한다.

④ 학교의 장은 제3항에 따른 예산안이 새로운 회계연도가 시작될 때까지 확정되지 아니하면 다음 각 호의 경비를 전년도 예산에 준하여 집행할 수 있다. 이 경우 전년도 예산에 준하여 집행된 예산은 해당 연도의 예산이 확정되면 그 확정된 예산에 따라 집행된 것으로 본다.

1. 교직원 등의 인건비
2. 학교교육에 직접 사용되는 교육비
3. 학교시설의 유지관리비
4. 법령상 지급 의무가 있는 경비
5. 이미 예산으로 확정된 경비

⑤ 학교의 장은 회계연도마다 결산서를 작성하여 회계연도가 끝난 후 2개월 이내에 학교운영위원회에 제출하여야 한다.

⑥ 학교회계의 운영에 필요한 사항은 국립학교의 경우에는 교육부령으로, 공립학교의 경우에는 시·도의 교육규칙으로 정한다.

11 | 학교경영

1 학교경영

1. 개념

교장의 자율적·창의적 관점하에 교육목표를 설정하고 그 목표달성을 위해 필요한 제반 조건을 정비·확립하고, 목표달성을 위한 활동을 지도·감독하는 일련의 봉사활동을 말한다.

2. 학교경영 조직

(1) 목적

학교조직은 추구하려는 목적이 조직적이고 장기적인 교육을 하려는 데 있다.

(2) 인적 구성

학교는 가르치는 교사집단과 배우는 학생집단이 확연히 구분되는 두 집단으로 구성되어 있다. 학생들은 입학과 졸업이라는 예측 가능한 이동 유형을 보이기도 하나, 도시화와 이농(離農) 현상에 따른 인구 변동에 따라 이동이 연중무휴로 일어나 유동성이 크다.

(3) 인간관계

학교조직은 어느 사회 못지않게 치밀한 인간관계망을 형성하고 있다.

(4) 과업수행

학교는 과업 수행의 측면에서 다른 사회 조직과는 다른 자율성과 전문성을 지닌다.

(5) 통제

학교는 교수와 학습의 능률을 최대화하고 사회적 책임을 수행하기 위해 교사가 지배하고 학생이 지배받는 권력의 상하관계가 형성되며 어느 정도 전제적 원리에 입각한 조직이다. 그러나 통제 수단은 물리적 혹은 강제적이 아니라 규범적이라는 특징을 갖는다.

3. 학교경영의 규범적 원리

(1) 합목적성의 원리

학교경영은 학교교육목표에 비추어 타당한 경영이 되어야 한다. 즉 학교는 교육적 가치를 전수하며 공익을 추구하는 것을 목적으로 하기 때문에 경영도 이러한 목적에 합치되어 한다.

(2) 합법성의 원리

학교경영은 국민의 교육권을 보장하고 국가예산을 효율적으로 집행하며 부당한 직무수행과 행정재량권의 남용을 방지하기 위해 교육관계법령에 의거하여 집행되어야 한다.

(3) 민주성의 원리

학교교육의 목표 설정과 경영계획의 수립, 실천, 평가 등 학교경영의 제반 과정과 영역에 교직원과 학생 그리고 학부모의 광범한 참여를 통하여 공정한 의사를 반영해야 한다.

(4) 자율성의 원리

학교경영은 변화에 신축성 있게 적응하고 창의적인 민주 시민을 육성하며, 전문성을 발휘하게 하기 위해서는 단위학교의 경영이 자율적으로 이루어져야 한다.

(5) 능률성의 원리

학교경영은 단기적인 평가보다는 장기적 평가에 의한 능률을, 그리고 단순한 경제적 능률보다는 구성원의 만족 혹은 욕구 충족을 높이는 사회적 능률을 강조해야 한다.

(6) 과학성의 원리

교육실태에 대한 정확한 진단과 전망을 기초로 경영계획을 수립하고 이를 체계적으로 실천하며 그 결과를 객관적으로 평가하여 경영을 관리해야 한다.

(7) 지역성의 원리

학교경영은 교육자원을 얻는 출처로서, 그리고 사회의 요구를 반영하는 차원에서도 지역사회와 사회적 유대를 형성해야 한다.

4. 학교경영의 영역

(1) 교육목표와 관련해서 학교경영의 가장 중요한 영역은 교육과정의 편성과 운영이다.

(2) 구성원의 만족도와 관련해서는 학생관리, 교직원 인사의 분야이다.

(3) 교육의 전문성과 관련된 영역은 교내장학 및 연구지원의 분야이다.

(4) 연계강화의 측면에서 학교와 학부모 및 지역사회와의 관계, 타 학교 및 타 기관과의 관계도 중요한 영역이다.

(5) 경영의 효율성 측면에서 재무관리, 사안관리, 시설관리, 사무관리의 영역이다.

秀 POINT 해리스(Harris)의 학교경영 개념모형

해리스는 학교경영의 주요 기능을 교사의 수업과 관련되는 차원과 학생의 학습에 관계되는 두 차원의 상호 관련성의 정도에 따라 5가지(교수기능, 특별봉사기능, 관리기능, 장학기능, 행정기능)로 구분하였다. 이 중 해리스는 '교수'를 가장 직접적 생산기능으로 중요시하였다.

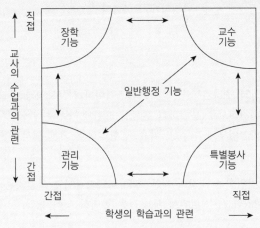

---

2 학교경영 조직

1. 교육지도 조직

(1) 특징

교장 - 교감 - 부장교사 - 교사로 이어지는 조직으로 교육과정 운영을 직접 담당하여 학생들을 가르치는 교수조직으로 전문조직의 성격을 지닌다.

(2) 종류

교수 - 학습지도 조직, 생활지도조직, 연구 및 연수조직이 이에 속한다.

2. 교무분장(教務分掌) 조직

(1) 특징

① 교사가 담당해야할 관리 사무적인 면의 업무를 조직화하는 활동을 말한다.

② 계선조직: 교장 - 교감 - 부장교사 - 계원으로 이어지는 교육과정운영을 간접적으로 지원해 주기 위해 사무적 기능을 담당한다.

③ 초등학교의 경우 교무, 학생, 연구, 윤리, 과학, 환경, 체육 및 서무 등이 있다.

(2) 교무분장의 배정 원칙

① 학교의 경영방침에 따라 업무를 분장하고 교과와 관련 있는 부서를 고려하여 적재적소에 배치한다.

② 각 부서 보직교사의 의견과 교사의 희망 부서를 존중하고 업무량의 형평을 고려한다.

③ 업무량의 형평과 건강상태를 고려하여 배치한다.

④ 과업 위주로 조직: 직무분석에 의한 일의 내용과 양 및 범위, 난이도를 정한 후 사람을 배치한다.

⑤ 사무를 책임 있게 수행할 수 있는 권한을 위양한다.

> 참고 단, 권한은 위양하나 책임은 위양할 수 없다. 최종 책임은 교장에게 있다.

⑥ 모든 교직원에게 공평·공정하게 분배한다.

3. 운영협의 조직

(1) 특징

① 구조상 분업적 조직기능을 가진 교육조직이나 사무조직과는 달리 관련 조직을 조종하고 유기적으로 통합하여 활동을 효율적으로 촉진하기 위한 조직이다.

② 참모조직: 학교업무의 민주화, 자율화, 합리화를 위한 의사결정조직이다.

(2) 종류

교직원회의(교직원회는 교장의 자문 혹은 보조기관이고 의결기관은 아님), 부장회의, 각종 위원회(학교운영위원회 등), 각종 협의회 등이 있다.

(3) 기능

교사들에게 경영의 참여기회를 제공하며, 의사결정 과정에 기여하도록 한다.

 참고

경영과 관리의 비교

1. **경영**
   일반적으로 주관적이고 융통적이며, 이윤의 극대화를 추구한다. 또한 경쟁력이 높으며 능률적이고 봉사의 질이 높고, 법률적 제약을 덜 받는다.

2. **관리**
   행정의 의미와 동일한 개념으로 객관적, 법규적, 관료적, 집권적인 체제의 성격을 지닌다.

3. **학교경영과 학교관리 비교**

학교경영	학교관리
학교경영자의 창의적 기능으로서 자주적·자율적으로 교육의 이념과 목표를 실현하기 위한 교육내용 그 자체의 운영을 말한다.	교육법규나 권력에 의해서 의존적·타율적으로 교육내용을 운영하는 데 필요한 제반 조건과 시설을 정비하는 것을 말한다.
교육목표 달성의 효율성을 극대화시키기 위해 학교장이 나름대로의 교육적 이상에 의한 자율적·창의적 관점에서 교육활동을 운영한다.	법규해석적 입장에서 학교장이 위임된 법규하에서 교육목표를 달성하기 위해 객관적·체계적으로 학교를 운영한다.

학교장의 주관적·이상적 관점에서 교육활동을 전개·운영하는 일차적·직접적 배려이다.	객관적·법규적 관점에서 교육의 조건 내지 상태를 유지하고 정비하는 이차적·간접적 배려이다.
학교를 하나의 경영체로 보아 학교운영의 최고방침을 결정하는 기능을 한다.	학교운영의 최고방침에 따라 아동을 교육하기 위해서 필요한 인적·물적·재정적 자원에 관한 기능을 한다.

3 인사관리

1. 학교장의 인사권

인사 내신권	전직, 전보, 면직, 휴직, 복직, 직위 해제, 징계, 급여 호봉 재확정, 표창대상자 추천, 연수대상자 추천
위임된 인사권	보직교사 임면, 교원 및 일반직 공무원의 정기 승급, 임시교사 임면, 기능직 공무원의 임면
고유의 내부 인사권	교과담당 명령, 학급담당 명령, 교무분장 업무담당 명령, 근무성적 평정

2. 보직교사 임명

보직교사의 명칭은 관할청이, 학교별 보직교사의 종류 및 그 업무분장은 학교장이 정한다.

교육시방서

1. 교육활동과 학교시설과의 연계를 맺기 위해 교육의 목적과 활동, 참여 인원수, 이들의 활동에 필요한 공간과 거기에 비치·설치해야할 기자재와 설비, 비품 및 공간 상호 간의 관계에 대해 진술한 명세서이다.
2. 교육활동에 필요한 제반 물리적 조건을 학교시설이 갖추도록 교육자 측에서 건축가 측에게 요구하는 문서이다.
3. 학교를 신설할 때는 물론 기존 시설의 증축이나 개축 시에도 유용하다.

4 학교경영기법

1. 목표관리기법(Management by Objectives; MBO)

(1) 의의

① 조직의 목표달성 문제를 관리적인 측면에서 중점적으로 다루려 하는 관리기술로써 드러커(P. Drucker)가 『경영의 실제(The Practice of Management), 1954』에서 사용하였다.

② 목표의 표명과 목표를 달성하기 위한 과정에 관심을 기울인 테일러(F. W. Taylor)의 정신을 계승한 것이다.

③ 드러커는 현대의 경영자가 갖추어야 할 자질은 목표를 설정하고 그 목표에 따른 경영관리 방법을 숙달하여 개인의 권한과 책임의 범위를 최대한 확대시키고 공동작업을 통하여 개인의 목적과 공동의 이익을 조화시키는 것이라고 하면서 목표에 의한 관리와 자기통제 방식이야말로 경영활동의 효율성을 높이는 지름 길이라고 하였다. 그 후 오디온과 험블(G. S. Odiorne & J. W. Humble) 등에 의해 강조되었다.

(2) 목표관리의 공통적 특징

① 전 직원의 공동으로 참여한다.
② 명확한 목표를 설정한다.
③ 권한에 따른 책임을 규정한다.
④ 직원 간에 상호 협력한다.
⑤ 공헌도 및 기여도를 평가한다.
⑥ 자기통제의 원칙에 따른다.
⑦ 기업과 관리자 요구가 통합된다.

(3) 목표관리의 속성

① **참여성**: 학교의 목표설정에 전 교직원이 공동으로 참여해야 한다.
② **명료성**: 목표 진술의 명료성으로 학교의 목표는 조작적이고 구체적인 용어로 진술되어야 한다.
③ **통제성**: 모든 교직원은 자신의 업무수행 결과에 대하여 책임을 져야 한다. 즉, 자신의 성과를 스스로 통제하는 자기통제의 기능을 한다.
④ **협동성**: 효과적인 팀워크를 강조하는 것으로 담당 부서별로 업무를 수행하며 부서별 목표달성을 위해 그 성과와 책임을 공유한다.

(4) 목표관리의 과정

① **목표설정 단계**: 상위 목표에 따른 구체적인 목표를 설정하고 이에 따라 실행할 행동계획을 입안하는 단계로 교육부와 시·도 및 시·군 교육청의 교육지표에 따라 학교교육목표를 설정하고 이를 구체적으로 실천하기 위한 학교경영목표와 경영방침을 구상한다.
② **대안탐색 단계**: 목표도달을 위한 전략을 탐색하고 각 전략대안의 가능성을 분석하는 단계이다. 즉 교육목표를 도달하기 위한 각종 대안을 탐색하여 그 실현 가능성을 분석한다.
③ **대안선정 단계**: 최종적으로 대안을 선정하여 부서별로 활동계획을 정하고 운영 전략을 설정하는 단계이다.
④ **실천 단계**: 실제로 목표활동을 추구하는 단계로 실천과정에서 가장 중요한 것은 업무상황이 얼마나 진척되었는가를 수시로 점검하는 일이다.
⑤ **평가 단계**: 성과를 평가하는 단계로 성과의 평가는 목표달성여부를 판단하는 일이며, 그 달성도 및 방법 등을 확인하여 업무 담당자의 실적을 평가하고 자기통제의 원리와 책임에 따른 보상을 한다.

(5) 목표관리의 장·단점

① 장점

　　㉠ 부하 직원의 경우

　　　ⓐ 업무 목표가 명확해서 역할 갈등을 느끼지 않는다.

　　　ⓑ 성과를 객관적으로 측정, 평가할 수 있기 때문에 자신의 노력을 최대로 발휘할 수 있다.

　　　ⓒ 권한과 책임이 명확해진다.

　　　ⓓ 직무 만족을 극대화할 수 있다.

　　㉡ 관리자의 경우

　　　ⓐ 부하 직원의 업무의욕을 불러일으킬 수 있다.

　　　ⓑ 상사와 부하 사이의 관계를 원활히 할 수 있다.

　　　ⓒ 부하 직원의 지도 및 감독을 능률적으로 할 수 있다.

　　　ⓓ 성과 평가를 객관적으로 할 수 있다.

　　㉢ 조직의 경우

　　　ⓐ 관리의 능률을 중점적으로 유발해냄으로써 조직 전체의 효율을 높인다.

　　　ⓑ 협력 체제를 통해 구성원들 간의 상호 협력적 노력을 용이하게 한다.

　　　ⓒ 객관적 보상 기준을 제공한다.

　　　ⓓ 조직 개발을 위한 전략적 부문이 무엇인가를 제시한다.

　　　ⓔ 조직 혁신을 가능하게 한다.

② 단점

　　㉠ 학교조직의 특수성에 비추어 볼 때, 명확한 목표 제시가 곤란하고 목표와 성과의 측정이 어렵다.

　　㉡ 절차가 복잡하여 관료주의적 타성을 초래할 수 있다.

　　㉢ 불확실하고 불안정한 상황에서는 의도된 목표달성이 어렵다.

　　㉣ 목표에 지나치게 의존함으로써 목표가 수단을 정당화할 수도 있다.

　　㉤ 단기적 목표를 강조하여 장기효과를 등한시할 수 있다.

2. 경영정보체제(Management Information System; MIS)

(1) 의의

① 조직의 관리, 분석 및 의사결정 기능을 지원하기 위해 정보를 제공하는 인간과 기계의 통합 시스템을 말한다.

② 사업수행 시 의사결정자가 대안들을 검토하여 합리적인 결정을 내릴 수 있도록 관련된 경영정보나 회계자료 등을 수집, 처리, 보관, 평가하였다가 적시에 효율적으로 제공하는 종합적인 체제이다.

③ 버나드(C. Barnard)의 『행정가의 기능(1938)』에서 비롯되었고, 제2차 세계대전 후 사이먼(H. A. Simon) 등에 의해 개념화되어 1960년대 중반 이후 널리 활용되었다.

(2) 주요 처리기능

거래 처리 기능	거래 수행 시 거래를 지시하고 결과의 보고·확인·설명하며 참고 자료로서의 거래 기록을 유지한다.
원본 서류의 유지 기능	비교적 영구적이고 역사적인 자료로서의 원본 서류를 생성 및 유지한다.
보고서 작성 기능	각종 거래의 처리 결과를 관리자에게 보고한다.
상호지원 기능	여러 가지 계획 모형, 의사결정 모형을 기초로 지원하며 이 시스템은 사용자와 컴퓨터 사이에서 상호작용한다.

(3) 기본모형

① 의사결정 하위 체제
② 저장·검색 기능을 포함한 처리 하위 체제
③ 정보의 소재가 되는 자료원
④ 모든 하위 체제의 통신을 수행하는 하위 체제
⑤ 하위 체제들을 구성·조정하는 체제설계 하위 체제

(4) 문제점

① 새로운 체제의 도입 및 발전이 행정 책임자의 지지를 얻지 못하고 정보를 사용할 사람들이 어떤 정보가 그들에게 필요한지 모른다.
② 구성원 간의 불협화음이나 주도권 다툼이 일어날 수 있다.
③ 실천할 수 있는 시간이 부족하거나 전문가 집단도 적당하지 않을 때가 발생한다.
④ 장기적인 예산 지원이 없는 경우가 발생한다.

3. 사업평가검토기법(Program Evaluation and Review Technique; PERT)

(1) 개념

생산의 지체·중단 및 갈등을 최소화하고 전반적 직무의 여러 부분을 조정하여 동시에 이루어지도록 하고, 사업의 완료를 촉진하며, 미리 정해진 일을 예정대로 성취하도록 일정계획을 짜고 예산을 편성하는 방법이다.

(2) 구성요소

PERT는 단계(events)와 활동(activities)으로 구성된다.

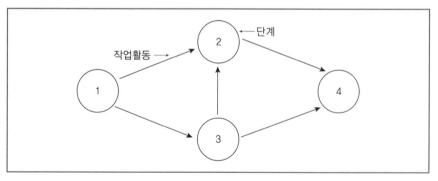

♦ PERT

(3) 단계

① 순간 시점에서의 성취 상태를 의미한다.

② 사업단계를 나타내는 규칙

 ⊙ 모든 단계는 반드시 숫자로 표시해야 한다.

 ⓒ 동일한 숫자는 한 가지 단계에서만 사용할 수 있다.

 ⓒ 두 단계는 한 가지 이상 활동의 극단이 될 수 없다,

 ⓔ 단계의 번호는 일정한 순서로 표시한다.

 ⓜ 사업의 개시와 완료는 단계로 확인되어야 하며, 이들 단계에 번호를 붙여야 한다.

(4) 활동

하나의 특수 단계를 완료하기 위해 요구되는 작업을 말하며 시간이나 자원을 필요로 한다. 활동을 화살표(→)로 표시하고, 명목활동은 점선 화살표(…→)로 나타낸다.

(5) 과정

① 사업을 기획한다(project planning).

② 시간 및 자원을 추정한다.

③ **기본 일정표 작성**: 사업을 가장 빨리 끝낼 수 있는 시간(최초 기대시간, the earlist expected time)과 사업 추진에 최종활동까지 소요되는 가장 늦은 예정시간(최저허용시간, the latest allowable time)을 고려한다.

④ 시간비용 교환관계를 분석한다.

⑤ **사업통제**: 이때는 일정에 따라 진도를 점검하고 인력과 장비를 배당하고 일정 계획을 짜며 지체의 결과를 분석한다.

(6) 장점

① 사업계획의 진행과정과 절차를 정확하게 파악하고 합리적으로 통제할 수 있게 해준다.

② 일정표에 따라 사업이 수행될 수 있도록 자원을 배정하고 예산을 수립할 수 있다.

③ 자원의 배분에 따른 사업완수시간을 예측할 수 있게 하여 계획을 보다 합리적으로 수립할 수 있도록 한다.

④ 사업진도에 대한 의사소통을 명확히 해준다.

4. 기획예산제도(Planning Programming Budgeting System; PPBS)

(1) 개념

① 계획과 예산을 밀접하게 통합하여 전체로서 경영계획과정을 합리화하는 목적을 가진 예산편성 체제이다.

② 장기적인 계획의 수립과 단기적인 예산편성을 실행계획을 통하여 유기적으로 통합, 연결시킴으로써 정책의 기획, 집행, 평가와 자원배분에 관한 의사결정을 합리화하고 일관성 있게 행하고자 하는 예산제도이다.

(2) 절차

① 기본계획 단계(Planning): 목표의 정의 → 목표달성을 위한 대안의 제시 → 비용과 효과의 측정에 따른 대안의 평가 → 목표 및 분석 전제에 대한 재검토 → 대안의 선택 → 목표의 확립이라는 일련의 사이클로 진행된다.

② 프로그램화 단계(Programming): PPBS의 핵심적인 부분으로 다양한 프로그램에 관한 자료를 수집하고 분석할 수 있는 방법을 결정한다. 프로그램을 작성하는 일은 본질적으로 교육계획의 추상적 요소[누가(학생), 무엇을(교육과정), 누구에게(인사; 교사, 학부모 등), 언제(때), 어디서(위치), 어떻게(교수법)] 등을 교육적 요소로 전환시킴으로써 교육프로그램을 체계화하게 된다. 프로그램의 체계화 작업은 교과목에 따라 학년별 혹은 목표 진술에 의해 구분할 수 있다.

③ 예산 편성(budgeting): 기본계획 및 업무계획에서 결정되어 채택된 업무의 차년도분을 실시하는데 필요한 자금을 뒷받침 하는 작업이다. 프로그램화 단계에서 작성된 비용 견적을 기본계획 작성의 지침이 됨과 동시에 예산 편성의 준비 자료가 된다. 예산 편성은 학교마다 차이가 있지만 보통 재무관에 의해 프로그램 체계의 예산과목에 따라 예산이 배정된다.

④ 프로그램 평가: 프로그램의 가치를 사정하고 문제점과 개선점을 발견하는 과정으로 평가결과는 프로그램의 수정, 보완 및 후속 프로그램 계획 수립과 작성에 피드백이 된다.

(3) 학교예산에 적용

PPBS는 계획지향성과 목표연계성, 중앙집권적 특성 때문에 학교예산편성에 적용 가능성이 높다. 즉 PPBS는 예산사업을 계량적으로 표시하고, 목표의 우선순위에 따라 자원을 합리적으로 조정하며, 사업 효과를 측정하여 최소 경비로 목표를 실현할 수 있고, 학교목적과 효과 및 소요 예산이 연계되어 있어 학교장의 의사결정을 용이하게 함으로써 학교운영체계를 효율화할 수 있다.

(4) 장점

① 계획이 목표에 직결되고 장기적인 사업계획에 신뢰성을 가질 수 있다.
② 학교경영체제의 종합적 경영 및 관리가 가능하다.
③ 자원의 배분이 목표에 따라 합리적으로 배분된다.
④ 사업목표와 그 실천방법을 선택하는 능력이 질적으로 향상된다.
⑤ 모든 조직의 구성원이 의욕을 가지고 경영에 참가하게 되므로 목표관리 체제를 발전시킬 수 있다.

(5) 문제점

① PPBS는 정량화와 계량화를 중시하기 때문에 경험적인 판단이나 정서적이고 심리적인 측면을 경시할 가능성이 높다.
② 요구보다 경제성을 강조하기 때문에 값싼 것만을 추구하다가 큰 목표를 잃어버릴 가능성이 있다.
③ 의사결정권이 학교장에게 지나치게 집중될 우려도 있다.
④ 예산운영이 영기준예산제도보다 경직적이다.

5. 영기준예산제도(Zero Base Budgeting System; ZBBS)

(1) 의의

① 과거의 실적이나 계획에 관계없이 새로운 관점에서 DP(Decision Package)를 작성하고 그 검토 결과에 따라 동일한 기준에서 신·구 계획을 평가하여 예산의 범위 안에서 순서를 정하고 채택된 계획에 대해서만 예산을 결정하는 제도이다.

② 모든 사업·활동에 전년도 예산을 고려하지 않기 때문에 무엇보다 사업의 우선순위를 정기적으로 새로 결정하여 노력의 중복, 과다한 활동과 낭비를 배제할 수 있으므로 사업의 효율성을 향상시키고 학교의 모든 사업·활동에 관하여 그 능률·비용·효과를 계속적으로 재평가함으로써 자원 배분의 합리화를 보장할 수 있다.

(2) 특징

① 전년도 예산을 영(zero)으로 간주한다.
② 모든 과정에 걸쳐 관리자가 예산 편성 과정에 참여한다.
③ 모든 활동에 대하여 재원의 요구를 입증한다.
④ 목표와 활동 중심이며, 새로운 운영방법을 개발하고 시도한다.
⑤ 목표달성을 위한 대안의 평가가 가능하다.
⑥ 자원의 배분에 대하여 신뢰할만한 근거를 제시한다.
⑦ 업무활동을 예산결정표(DP)에 의하여 식별한다.

(3) 편성절차

① 결정단위(Decision Unit; DU)의 확인: 결정단위는 각 조직의 활동에서 의미 있는 요소를 말한다. 즉 예산을 작성하거나 혹은 지출액 내지 수행해야할 업무의 범위 및 질(質)에 관한 의사결정을 내리기 위한 프로그램을 말한다. 결정단위 결정은 상급 관리자가 한다.

② 의사결정 패키지 작성(Decision Package; DP): 의사결정 패키지란 ZBBS의 기본 요소가 되는 문서로서 관리자가 프로그램이나 활동 수준 또는 예산요구에 관하여 판단하는데 필요한 정보를 기재하여 업무의 타당성을 간결하게 밝힌 것이다. 각 기능 활동의 상대적 중요성과 우선순위를 정하는 데 필요한 자료로 특정 활동의 목적 활동, 성과의 척도, 업무량, 수행방법, 비용과 편익 등에 관한 정보를 제시해준다.

③ 우선순위 결정: 우선순위 결정은 한정된 자원의 효율적인 사용에 관한 순위와 기준을 정하는 일로 모든 DP에 대한 DU의 단계적 평가를 의미한다. 즉 조직의 존속상 가장 중요한 목적 달성을 위하여 사업의 중요도에 따라 순위를 정하고 중요도가 가장 낮은 사업으로부터 순서를 정하여 제한된 예산범위에서 수행 가능한 선을 결정한다. 각 DP에 관한 하급 관리자의 순위결정은 중간 관리자가, 중간 관리자의 순위결정은 최고 관리자가 심사하여 다시 순위를 정하고 상향적으로 통합시켜 DU 전체의 순위표가 작성된다.

④ DP별 실행예산의 책정: 예산 지출의 근거가 될 DP에 따른 세밀한 실행예산을 작성한다.

(4) 장점

① 저(低) 순위 사업을 폐지·삭감할 수 있고, 고(高) 순위 사업은 더 많은 자금을 얻을 수 있다.

② 비용과 활동과의 상관관계를 상세하게 검토하여 보다 합리적인 대안을 선택할 수 있다.

③ 모든 상·하 관리자가 결정에 참여하여 결정방식이 상향적이다.

④ 사업계획의 효율적 운영을 위한 수단이 될 수 있다.

⑤ 조직의 사업 활동에 대하여 비용·효과를 계속적으로 재평가함으로써 자원이 합리적으로 배분된다.

⑥ 직원의 근무실적을 평가할 수 있으므로 관리자는 적절한 관리 수단을 가지게 된다.

(5) 단점

① 관리자들의 활동이 능률적·효과성에 치중하고, 차원 높은 목표를 지향하는 쇄신적 행동을 억제하는 경향으로 나가기 쉽다.

② 관리자들이 적절한 결정 단위의 선정, 효과적인 분석을 위한 적합한 자료 개발, 노력의 최소 수준 결정, 상이한 사업들의 우선순위 결정, 많은 양의 DP 처리 등에 곤란을 받는다.

③ 비용 - 편익 분석 방법의 활용에 한계가 있고 목표달성도의 판단, 산출 척도의 설정 등이 곤란하다.

④ 문서 작성에 많은 시간과 정력을 소비하게 되며 하급 관리자의 업무 부담이 많고 시간상의 제약으로 ZBBS가 요구하는 기본절차를 거치기가 어렵다.

(6) 학교경영에서 ZBBS의 활용(농업계고등학교에 적용)

① 의사결정단위의 결정: 학교에서 의사결정 단위란 예산에 대한 의사결정 대안 작성의 대상이 되는 것으로 연초 실과교원, 포장담당 기능직, 서무 일반직 등이 참여하는 실과협의회에서 농장운영을 위한 학교의 경영목표와 방침을 확인하고 예산의 편성과 집행 그리고 전문적 연구 활동을 위한 조직적인 의사결정 단위를 1차적으로 편성한다.

② 목표의 구체화: 목표의 구체화는 시·도 교육청의 교육방향, 학교의 교육목표, 경영목표와 활동내용 등으로 계통화하고 구체화하여 계량화하는 일이다.

③ 기본계획서 작성: 기본계획서 작성은 목표를 행동화하기 위한 전략적인 계획을 구체화하는 작업이다. 기본계획서란 다른 사업과 비교·평가가 가능하도록 구체적인 운영 상황을 규정한 요약서로 일반적인 사업개요서이다. 따라서 이러한 목표를 행동화하기 위한 전략적 계획을 구체화하는 기본계획서를 작성한다.

④ 우선순위 결정서 작성: 한정된 예산을 가장 유효하고 적절하게 사용할 수 있도록 의사결정 단위별로 작성된 수많은 기본계획을 정리, 종합하여 우선순위를 결정한다. 우선순위 결정은 학교의 경영목표상 가장 중대한 것부터 어떤 사업을 먼저 집행해야 할 것인지를 그 순위를 매겨 자원배분의 우선순위를 부여하는 일이다.

⑤ **실제 운영계획에 반영**: 예산운영위원회의 단일 순위결정서에 의해 학교장의 우선 순위 결정에 대한 최종적인 의사결정이 이루어지면 각 의사결정 단위별로 실질적인 예산이 확정되므로 그 예산에 맞춰 농장운영계획서를 작성하여 앞의 결과를 반영하는 일이다.

⑥ **실행예산편성 및 성과심사**: 예산편성단계에서는 투입평가가 이루어져야 하고 사업이나 활동의 시행단계에서는 분기별로 진척에 대한 과정 평가를 하여 조정하고 예산을 집행하는 데 조언을 해야 한다.

6. 각 예산제도의 비교

(1) 기본 방향은 품목별 예산은 통제중심주의, 성과주의예산은 관리중심주의, PPBS는 계획중심주의, ZBBS는 모든 구성원이 의사결정에 참여하는 것을 강조한다.

(2) 품목별 예산제도는 지출의 대상, 성질을 중요 정보로 하여 얼마만큼의 예산을 투입할 것인가를 다루고, 성과주의예산은 활동의 성과에 따라 예산을 평가하는 것으로 투입과 산출을 중시하고 있으며, PPBS와 ZBBS는 예산을 투입한 후에도 목적에 비추어 사업을 계속 평가함으로써 투입과 산출, 효과, 대안을 포괄적으로 다루고 있다.

(3) 품목별 예산을 다루는 직원은 경리에 관한 기능과 회계학적 지식이 요구되고, 성과주의 예산은 원가계산과 과학적 관리에서 유래하여 행정학이 그 배경이 되고 있으며, PPBS와 ZBBS는 모두 체제분석기법의 개발과 아울러 각각 경제학과 행정학이 발전의 배경이 되었다.

(4) 예산결정의 측면에서 보면 품목별예산과 성과주의 예산, ZBBS는 분권화되어 있는 반면, PPBS는 예산결정이 중앙집권화되어 있다.

(5) 대안선택방식의 측면에서 볼 때는 품목별 예산 및 성과주의 예산은 점증적 모형을 따르나 PPBS와 ZBBS는 체제적 모형을 따르고 있다.

7. 조직 개발기법(Organizational Development; OD)

(1) 개념

① 행동과학의 개념을 사용하여 공식적 및 비공식적 절차, 과정, 규모 또는 구조의 변화에 표면적으로 초점을 맞추고, 체제의 자체평가 연구와 개선을 위하여 집중적이고 체계적이고 계획적인 지속적 노력을 하는 것이다. 즉 행동과학적인 지식과 기술을 활용하여 조직의 목적과 개인의 욕구를 결부시켜 조직 전체의 변화와 발전을 도모하려는 노력을 말한다.

② 지식 경영, 학습조직, 총체적 질 관리, 변화 관리 등이 포함된다.

③ 새롭고 급격히 변화하는 기술·시장·도전에 잘 적응할 수 있도록 조직의 태도·가치·신념·구조 등을 변화시키기 위해 고안된 복합적인 교육전략이다.

④ 학교와 교육청 관 내 학교들의 문제해결 및 자아갱신 능력을 신장시키기 위해 행동과학적 개념을 사용하여 공식적·비공식적 절차, 과정, 규범, 또는 구조상의 변화에 중점을 두면서 체계적, 계획적, 지속적, 장기적으로 이루어지는 일련의 노력이며 과정이다.

(2) 주요 개념

① **목표**: 조직 자체의 기능을 개선하는 것을 주요 목적으로 한다.

② **체제경신**: 변화를 시도하고, 환경에의 영향력을 증대하고, 새로운 조건에 적응하고 새로운 문제를 해결하는 능력을 개발하고, 목표의식과 방향의식을 높이는 능력을 신장한다.

③ **체제적 접근**: 조직을 복합적인 사회기술체제로 보고 접근한다.

④ **인간에 초점**: 주요 관심을 조직 내의 과업, 기술, 구조보다는 인간의 사회제체에 둔다.

⑤ **교육적 전략**: 교육을 통한 의미 있는 방법으로 조직 내 인간의 행동을 변화시킴으로써 조직의 자기 경신을 자극한다.

⑥ **경험을 통한 학습**: OD의 학습기초는 '행을 통한 학습(learning by doing)'의 개념을 조직생활에 적용한다.

⑦ **실제적 문제**: 현존하는 문제를 다루기 위해 조직에 적용된다.

⑧ **계획적 전략**: 전반적·체제적 접근과 함께 모든 노력이 체계적으로 계획된다.

⑨ **변화 촉진자**: OD의 특징 가운데 하나가 변화 노력의 초기 단계에서는 변화 촉진자가 활동적이고 구체적인 역할을 하여 참여한다.

⑩ **최고 수준 행정의 참여**: OD의 성공을 위해서 최고 수준의 행정가가 참여하여 조직의 전(全) 부분을 다룬다.

(3) 특징

① 사전에 치밀한 계획에 의해 신중하게 검토되어야 한다.

② 전체 체제의 변화에 초점을 둔다.

③ 장기적인 변화이다.

④ 변화 담당자가 참여해야 한다.

⑤ 행동과학을 활용한다.

⑥ 계속적인 과정으로 실시되어야 한다.

⑦ **집단 지향적**: 조직 내 집단 간의 상호작용에 역점을 둔다.

⑧ **평등주의적**: 집단의 관계성을 개선하는 데 역점을 둠으로 계층의 차이는 무시한다.

⑨ **현재성**: 과거보다는 현재의 문제를 발견하고 적합한 전략을 수립하여 조직을 발전시키고자 한다.

(4) 단계

① 변화의 필요성을 인식한다.

② 문제를 인식하고 진단하며 성취목표를 설정한다.

③ 개선방법 및 전략과 대안을 설정한다.

④ 최선의 전략과 기법을 선정한다.

⑤ 전략과 기법을 실시한다.

⑥ 실시결과를 분석 및 평가한다.

(5) 최근 경향

최근에 OD와 관련된 연구로 학교 문화가 강조되고 있다. 즉 학교 문화에 영향을 주는 보다 넓은 환경의 외적 요인의 영향을 밝히고, 학교 문화가 교사의 행위에 어떻게 영향을 주며 궁극적으로는 학생의 성취가 어떻게 되는지를 밝히려는 패러다임(paradigm)이 중시되고 있다.

秀 POINT 학습조직(learning organization)

1. 개념
급변하는 경영 환경 속에서 승자로 살아남기 위해서는 조직원이 학습할 수 있도록 기업이 모든 기회와 자원을 제공하고 학습결과에 따라 지속적인 변화를 이루어 학교의 모습을 지녀야 한다는 것이다. 벤치마킹이 다른 기업의 장점을 수용하려는 자세를 강조한 것이었다면, 학습조직은 끊임없이 학습하는 조직만이 살아남는다는 전제하에 어떻게 하면 인간, 조직, 기술을 유기적으로 통합하여 기업의 생산성을 극대화하며 지식의 경제적 가치를 효과적으로 관리할 것인가에 역점을 둔다.

2. 등장 배경
① 급격한 환경변화로 인한 불확실성의 증가: 지식과 정보가 노동자와 자본보다 경제의 핵심적 자원이 되고 있다.
② 경영혁신의 초점 변화: 벤치마킹, 고객만족 경영, 성과중심 경영 등과 같은 경영기법만으로는 조직 전체의 장기적인 변화를 가져올 수 없으며, 새로운 지식 경제의 필요성이 등장되고 있다. 즉 지속적인 성장을 위해서는 새로운 지식을 부단히 만들어 내고 자신의 문제점을 개선할 수 있으며, 스스로를 재설계할 수 있는 경영혁신이 요구된다.
③ 효율적인 조직형태의 등장: 창의성을 발휘하려고 하는 조직 구성원의 요구와 그것을 요구하는 조직의 요구가 증대됨에 따라 최고 경영층 및 중간 관리층의 비중이 낮아지고 대신 지식과 정보를 담당하는 전문가들로 조직의 구성이 대치되는, 즉 정보를 기반으로 한 조직형태가 등장하고 있다.

3. 구성요소
① 확실한 비전(vision)을 가진 지도자: 지도자는 내부 깊숙이 수용될 수 있고 항상 의사소통할 수 있는 명확한 비전을 가지고 있어야 한다. 학습조직에서의 지도자는 설계자, 안내자, 가르치는 역할을 수행한다.
② 구체적이고 측정 가능한 활동계획: 측정 가능한 계획은 비전이 사실에 근거하도록 하며, 비전이 은밀하게 진행되는 것을 막아준다. 개선과 변화를 위한 비전을 구체적인 활동 단계들로 전환되어야 한다.
③ 정보의 신속한 공유: 학습조직이 구축되기 위해서는 조직 내외부의 정보가 빠르고 정확하고 개방적으로 제공되고 공유되어야 한다.
④ 창의성: 학습조직은 공유된 정보를 바탕으로 조직의 잠재 능력을 완전하게 발휘할 수 있는 참신한 해결방법을 제시해야 한다.
⑤ 계획을 실행할 수 있는 능력: 학습조직의 성패는 최종적으로 계획을 실천할 수 있는 능력에 달려 있다.

4. 구축 원리[센지(Senge)]

개인적 숙련	개인이 자신의 꿈과 비전과 현재의 상황을 자각하고 이 차이를 메우기 위해 끊임없이 학습활동을 전개한다.
비전 공유	학습조직이 추구하는 방향이 무엇이고 그것이 왜 중요한지에 대해 모든 구성원이 공감대를 형성한다.
팀(team) 학습	구성원이 팀을 이루어 학습하는 것으로, 팀 학습은 개인 수준의 학습을 증진시키며 조직학습을 촉진하고, 개인이 해결할 수 없는 복잡한 문제나 핵심적 문제해결에 기여할 수 있다.
정신모형	각 개인이 무엇을 어떻게 보고 행동할지를 경정하는 인식의 틀로써 하나의 상황에 대해 자신의 정신 모형에 따라 다르게 해석한다.
시스템적 사고	조직에서 일어나는 여러 가지 사건들을 부분적으로 이해하고 해결하기보다는 전체적으로 인식하고 부분과 부분들 사이의 순환적 인과관계 혹은 역동적 관계로 해석한다.

8. 총체적 질(質) 관리(Total Quality Management; TQM)

(1) 개념

① 소비자가 만족할 수 있는 재화와 서비스를 제공하기 위해 조직 내 품질 개발, 유지, 개선 노력들을 통합하는 효과적인 시스템이다[파이겐바움(Feigenbaum)].

② 모든 조직기능과 계층에 속하는 모든 종업원이 최고 경영층의 강력한 리더십하에 품질개선을 위한 노력을 추구하는 일로서, 지금까지 논의된 모든 품질개념을 포함하고 나아가 끝없는 품질개선 과정을 강조하는 경영방식을 의미한다.

③ 여기에서는 고객이 누구이며 고객의 기대가 어떤 것인지 분석하기 위해 모든 조직 구성원들이 문제해결과 의사결정에 참여하여 품질과 서비스의 계속적인 질적 향상을 추구하게 된다.

(2) 주요 원리

① **변화를 긍정적으로 수용할 수 있는 열린 조직문화:** 정보를 공유하고, 조직 구성원의 만족도가 증진되며, 수량할당제가 개선된다.

② **조직 구성원의 참여와 팀워크:** 구성원이 의사결정에 참여하고, 직무에 대한 책임감과 동기를 부여하며 불량품 발생 시 생산현장에서 작업자가 바로 시정하는 원천적 품질관리를 강조한다.

③ **최고 경영자의 강력한 리더십과 열의:** 구성원에게 권한과 미래 비전을 제시하고, 품질향상을 위한 훈련이나 연수 기회를 부여한다.

④ **고객의 요구 반영:** 고객과의 대화를 통해 만족도, 의견, 선호도를 반영한다.

⑤ **지속적 품질개선:** 직관이나 경험에 의한 판단을 배제하고 품질관리 테스트와 통계방법을 활용한다.

(3) 학교경영에 활용

① 학교경영에 활용하기 위해선 학생, 교사, 직원, 지역사회, 행정가들의 적극적인 열의가 요구된다.

② 교사와 학생활동, 교육과정 설계, 예산기획과 관리, 관리자 개발과 업무수행, 교육평가 등에서 품질을 향상시킬 수 있다.

(4) 성공요건

성공적으로 실시되기 위해서는 비전을 중심으로 하여 구체적 전략과 목표 수행을 위한 팀과 도구가 뒷받침이 되고 문화, 헌신, 의사소통의 3C 요소가 균형 있게 조화를 이루어야 한다.

문화(Culture)	조직을 결속시키는 내재적 규칙, 가정 및 가치이다.
헌신(Commitment)	모든 조직 구성원이 조직 목표에 대한 소유의식이 크고 그것을 달성하기 위해 위험을 감행하며 혁신과 발전기회에 관해 잘 아는 사람과 더불어 체계적으로 작업하는 것이다.
의사소통(Communication)	작업팀 내에서 또는 팀 간에 이루어지는 의사소통이 강력하고 단순하며 효과적임을 의미한다.

秀 POINT 총체적 질 관리

1. 총체적 질 관리와 학교교육

학교교육의 질 관리는 학교교육을 과학적으로 경영해보려는 접근에서 출발한 것이다. 원래 질 관리는 기업경영에서 빌려온 용어이다. 기업경영에서 질 관리는 곧 품질 관리이며, 이는 소비자의 요구에 알맞은 품질의 제품을 경제적으로 생산해내는 관리체계이다. 기업의 생산 과정과 달리 학교의 교육과정의 주요 요소(학생, 교사, 교육내용)가 모두 가변적임에도 불구하고 학교에 기업의 경영방식을 도입하는 까닭은 학교교육의 효율성을 높이고 나아가서 교육의 생산성을 향상시키기 위한 것이다.

2. 총체적 질 경영의 원칙[데밍(W. E. Deming)]

① 개선을 위한 목표의 불변성을 창조하라.
② 새로운 철학을 택하라.
③ 질을 달성하기 위해 감사와 등급 매기기에 의존하는 것을 중지하라.
④ 가격표만의 토대 위에서 사업에 상을 주지는 마라.
⑤ 산물과 서비스의 질을 끌어올리기 위해서 조직 내의 모든 체제를 지속적으로 개선하라.
⑥ 일에 대한 기관 훈련, 훈련과 교육은 누구에게나 필요하지만 새로운 피고용자와 행정가는 현장 훈련이 특히 필요하다.
⑦ 기관 지도력, 행정의 일이란 감독이 아니다.
⑧ 두려움을 몰아내라.
⑨ 학과 간의 장벽을 허물어뜨려라.
⑩ 전직원을 대상으로 한 구호와 설교와 도달목표를 없애라.
⑪ 작업 표준과 숫자에 의한 경영을 없애 버려라.
⑫ 사람들에게서 일하는 사람의 자부심을 앗아 버리는 장벽을 제거하라.
⑬ 교육과 자기 향상의 프로그램을 제도화하라.
⑭ 조직을 변모시키는 일에 모든 사람을 나서게 하라.

5 단위학교 책임 경영제

1. 개념

(1) 교육운영에 관한 결정을 학교 단위로 함으로써 단위학교의 상황에 적합한 운영을 통해 교육의 생산성과 효과성을 증진시키고자 하는 제도이다.

(2) 학교는 권한과 책임이 수반되며 의사결정 과정에 학부모와 지역사회의 참여가 필수적으로 요구된다.

(3) 학교중심 경영제, 학교자체 관리제, 학교 자율 경영제라고도 한다.

2. 핵심요소

(1) 교육과정·인사·재정에 대한 권한의 단위학교로의 이양과 자율적 결정을 한다.

(2) 학교 경영 성과에 대한 책무성이 증대된다.

3. 의의

(1) 교육운영에 관한 결정을 학교 단위로 함으로써 단위학교 상황에 적합한 운영을 가능하게 하고 교육의 생산성과 효과성을 높인다.

(2) 교육에 관한 의사결정 과정에 학부모와 지역사회의 참여를 전제로 하기 때문에 이들로부터 학교에 대한 지원을 확보할 수 있다(학교발전기금 조성 등).

(3) 교장이나 교사들의 직무 만족을 증대시키고 교육전문가로서의 자긍심을 높인다.

(4) 교육활동에 필요한 프로그램과 자료를 자유롭게 개발, 실시할 수 있음으로써 자율적인 학교 활동이 가능하다.

(5) 학교경영의 자율화는 궁극적으로 교육의 질적 관리를 향상시키는 데 있다. 이를 위해 학교조직의 재구조화가 요구된다.

4. 학교경영의 자율성 증진 방안

(1) 단위학교 책임경영제의 정착

① 학교운영위원회 기능의 강화
  ㉠ 학교운영위원 선출 절차의 민주성·합법성을 제고한다.
  ㉡ 교육청별 학교운영위원회의 연수를 강화한다.
  ㉢ 소풍·수학여행·수련활동·학교 급식 등을 심의한다.
  ㉣ 교원 협의에 의한 예산안을 작성하고 학교운영위원회를 심의한다.
  ㉤ 방과 후 및 방학 중에 교육활동을 심의한다.
  ㉥ 학교발전기금을 조성·운영하고 사용을 주관한다.
  ㉦ 사립학교 학교운영위원회 설치를 의무화한다.
  ㉧ 교육감·교육위원은 주민의 직접선거에 의해 선출된다.

② 학교교육 계획 수립 시 학부모 참여 권장
  ㉠ 설문조사, 협의회, 면담 등을 통한 의견을 수렴한다.
  ㉡ 수립된 학교교육 계획을 학부모에게 홍보한다.

③ 재정 운용의 효율화 도모
  ㉠ 구매방법을 개선하고 기능직을 용역체제로 전환한다.
  ㉡ 예산 및 결산 공개를 통한 투명성을 확보한다.

④ 수업 등 학교경영 모니터링제 실시: 모니터 지정, 연수, 모니터링, 환류 체제를 구축한다.

⑤ 학교공동체의 날 운영
  ㉠ 학부모, 지역 인사, 민간단체에 참여한다.
  ㉡ 학교교육활동 소개, 상담 등 다양한 프로그램을 운영한다.

(2) 지역사회 인사 및 유관기관과의 협조체제 확립

① 지역 인사들의 학교 방문을 통한 교육이해 기회 확대
  ㉠ 변화된 학교의 모습으로 신뢰를 구축한다.
  ㉡ 학교현장의 애로 사항에 대한 공감대 형성으로 협조를 유도한다.
② 지역사회 기관의 학습장화 및 공개화를 유도한다.
③ 시민단체의 교육 참여를 유도한다.
④ 퇴직 교원 등을 학교교육에 활용하는 프로그램 개발·홍보한다.

(3) 초빙 교장·교사제 확대

① 학교운영위원회 심의과정의 투명성과 객관성을 유지한다.

② 교장의 교사 초빙제를 확대한다.

③ 학교장의 전입·전출 내신권 확대하고 교사 정기 전보제를 개선한다.

秀 POINT 학교운영위원회의 설치와 기능(「초·중등교육법」)

제31조【학교운영위원회의 설치】 ① 학교운영의 자율성을 높이고 지역의 실정과 특성에 맞는 다양한 교육을 창의적으로 실시할 수 있도록 하기 위하여 초등학교·중학교·고등학교 및 특수학교에 학교운영위원회를 구성·운영하여야 한다.

② 국·공립학교에 두는 학교운영위원회는 당해 학교의 교원대표·학부모대표 및 지역사회 인사로 구성한다.

③ 학교운영위원회의 위원정수는 5명 이상 15명 이하의 범위에서 학교의 규모 등을 고려하여 대통령령으로 정한다.

제31조의2【결격사유】 ① 「국가공무원법」 제33조 각 호의 어느 하나에 해당하는 사람은 학교운영위원회의 위원으로 선출될 수 없다.

② 학교운영위원회의 위원이 「국가공무원법」 제33조 각 호의 어느 하나에 해당할 때에는 당연히 퇴직한다.

제32조【기능】 ① 국·공립학교에 두는 학교운영위원회는 다음 각호의 사항을 심의한다. 다만, 사립학교에 두는 학교운용위원회의 경우 제7호 및 제8호의 사항은 제외하고, 제1호의 사항에 대하여는 자문한다.

1. 학교헌장과 학칙의 제정 또는 개정
2. 학교의 예산안과 결산
3. 학교교육과정의 운영방법
4. 교과용 도서와 교육 자료의 선정
5. 교복·체육복·졸업앨범 등 학부모 경비 부담 사항
6. 정규학습시간 종료 후 또는 방학기간 중의 교육활동 및 수련활동
7. 「교육공무원법」 제29조의3 제8항에 따른 공모 교장의 공모 방법, 임용, 평가 등
8. 「교육공무원법」 제31조 제2항에 따른 초빙교사의 추천
9. 학교운영지원비의 조성·운용 및 사용
10. 학교급식
11. 대학입학 특별전형 중 학교장 추천
12. 학교운동부의 구성·운영
13. 학교운영에 대한 제안 및 건의 사항
14. 그 밖에 대통령령이나 시·도의 조례로 정하는 사항

② 삭제

③ 학교운영위원회는 제33조에 따른 학교발전기금의 조성·운용 및 사용에 관한 사항을 심의·의결한다.

제33조【학교발전기금】 ① 제31조의 규정에 의한 학교운영위원회는 학교발전기금을 조성할 수 있다.

② 제1항에 따른 학교발전기금의 조성과 운용방법 등에 필요한 사항은 대통령령으로 정한다.

제34조【학교운영위원회의 구성·운영】 ① 제31조의 규정에 의한 학교운영위원회 중 국립학교에 두는 학교운영위원회의 구성·운영에 관하여 필요한 사항은 대통령령으로 정하고, 공립학교에 두는 학교운영위원회의 구성·운영에 관하여 필요한 사항은 대통령령이 정하는 범위 안에서 시·도의 조례로 정한다.

② 사립학교에 두는 학교운영위원회의 위원 구성에 관한 사항은 대통령령으로 정하고, 기타 운영에 관하여 필요한 사항은 정관으로 정한다.

6 학교경영과 성공적인 학교

1. 성공적인 학교의 개념

최근 학교경영의 목표를 학교를 성공적으로 운영하는 데 두고자 하는 경향이 대두되고 있다. 성공적인 학교란 다음과 같이 정의될 수 있다.

(1) 학생들이 학습에 대한 높은 수준의 성취도를 보여주는 학교이다. 이런 학교에서 학생들은 학업성취에 대한 검사를 통해 읽기, 쓰기, 셈하기, 컴퓨터를 다루는 능력 등에서 성취도를 보인다. 학생들은 학습을 통해 문제를 풀고, 창의적이고 분석적으로 생각할 수 있는 능력을 배운다.

(2) 지역적인 환경과 자원이 유사한 다른 학교들에 비해 높은 성취를 하는 학교이다. 학생들은 유사한 다른 학교들에서 일반적으로 기대되는 것보다 훨씬 높은 성취도를 보여준다.

(3) 느리지만 지속적으로 개선되고 있는 학교이다.

2. 핵심적인 특성[뉴만(Newmann), 1996]

성공적인 학교의 핵심적인 특성

외부 환경의
적극적 지원
학교 전체의
능력계발
높은 수준의
교수활동
학생의
학습

(1) 학생의 학습에 대한 초점

① 성공적인 학교는 학생들의 학습에서 지적인 질(質)을 향상시키는 데 초점을 둔다.
② 교사들은 높은 수준의 지적인 학습에 대한 목표에 합의하고 이러한 목표를 학생과 학부모에게 전달한다.
③ 학교의 핵심적인 활동인 교육과정, 교수, 평가활동, 교사연수, 학생지도, 교직원의 채용 등 모든 면에서 학생의 학습에 대한 비전에 초점을 맞춘다.

(2) 수준 높은 교수활동

① 성공적인 학교를 위해서는 교사들이 성취목표에 따라 학생들을 가르칠 수 있는 수준 높은 교수활동을 필요로 한다.
② 교사들은 '참된 교육(authentic pedagogy)'을 통해서 학생들이 높은 사고력을 계발하도록 하고, 학습내용에 대한 심층적인 이해력을 갖게 하며, 학교에서 학습한 내용을 실제 일상생활의 중요한 문제에 적용할 수 있도록 가르친다.

(3) 학교 전체의 공동체적인 역량개발

① 성공적인 학교는 학생의 높은 수준의 지적 학습과 교사들의 수준 높은 교수활동이 이루어지도록 하기 위해 우수한 교사를 채용할 뿐만 아니라 교사들의 전문성을 향상시키기 위해 지속적인 연구기회를 부여한다.
② 아울러 교사들의 협력을 통해 지속적으로 개선해나갈 수 있는 학교 전체의 역량을 발전시켜 나간다.

(4) 외부 환경의 적극적인 지원

성공적인 학교를 위해서는 지역사회를 비롯한 환경으로부터 재정적, 기술적, 정치적인 지원이 충분히 제공되어야 한다.

12 │ 학급경영

1. **학급의 성격**
   교육의 최종 단위로 교사와 학생들이 상호작용이 이루어지는 인격형성의 장이며, 삶의 장
2. **학급집단의 형성과정**
   형성단계 → 격동단계 → 규범화단계 → 성취단계
3. **학급경영의 원리**
   ① 타당성 ② 개별화 ③ 자율화
   ④ 사회화 ⑤ 통합화 ⑥ 전문화
   ⑦ 협동의 원리

1 학급과 학급집단

1. 학급의 개념

(1) 학교교육의 최종적인 기본 단위이다.

(2) 교사와 학생이 상호작용을 통해 수업이 이루어지는 장이다.

(3) 궁극적으로 사회의 가치나 규범을 내면화하여 자아를 형성하는 사회화의 장이다.

(4) 학생들이 인격을 형성하는 장이며 삶의 장이다.

(5) 학급집단은 학생 개인의 요구와 사회의 요구 간의 상호작용 속에서 형성된다.

2. 학급집단의 형성 단계

(1) 형성 단계(Forming Stage)

① 시기: 대략 3~4월경에 이루어지는 허니문과 같은 단계이다.

② 학생들은 자신의 행동에 최선을 다하며, 과업 지향적이고 교사의 지시에 잘 따른다. 학생 간의 관계는 교사의 조정에 의지한다.

③ 주요 지도활동

　㉠ 연계활동: 이전에 학습한 것과 앞으로 배울 내용을 연계하고, 학생들의 초기 불안감을 진정시키고 자신감을 형성한다.

　㉡ 집단 내 역할과 역할 수행절차의 확립: 교사는 다양한 집단 활동에서 아동에게 역할을 부여하고 수행의 규정과 절차를 확립하고, 학생들은 학습활동에서 자신의 위치와 역할을 명확하게 인식하게 된다.

　㉢ 정보 수집 활동: 학생들의 강점과 약점, 각자의 특성을 관찰·기록하며, 수업목표의 개별화가 가능하다.

학급의 형성 단계에 따라 구성원의 행동을 특징짓는 심리학적 역동성(dynamics)과 교사의 경영목적 및 기능이 다르다.

④ 수업관리 기능의 강조
　　㉠ 교과에 정통한 전문가로서의 역할: 재미있는 생각과 활동, 학습자료를 제공하고 학생들로 하여금 학습내용의 중요성을 인식하도록 한다.
　　㉡ 다양한 수업 방법의 적용: 교과내용에 따라 교수방법을 다양화, 학습에 애착과 도전감을 갖도록 지도한다.
　　㉢ 광범위한 학생 참여 유도: 물리적 환경 관리, 일과표 작성, 학생 진도의 확인, 피드백 제공, 시설 및 설비의 유지 및 사용방법 지도, 각종 규정(예 자료 배부, 과제 수집, 출석 확인, 시험지 채점 등) 확립 등을 실시한다.

(2) 격동 단계(Storming Stage)

① 시기: 4 ~ 6월경으로 모험을 시도하거나 관계 재정립을 통해 학생에 대한 기대 수준이 높아지고 교사의 권위가 확립된다.

② 당연하게 여겨졌던 교사의 신뢰, 능력, 학급 내 역학관계 등에 이의를 제기하거나 토론을 시도하는 등 이탈행동을 한다.

③ 자기중심적 행동을 한다. 모든 것을 자신의 방식대로 해석하고, 자신이 공정한 대우를 받는가에 관심(학생의 공정성 발달에 기여), 자신들의 공정성에 비추어 교사의 편애에 민감해진다. 학생들은 편애를 인식하게 되면 낙담하거나 의기소침 혹은 분노와 적대적 태도를 보인다.

④ 행동관리 기능을 강조한다. 이때는 행동단계에서 당연하게 여겨졌던 것들은 더 이상 인정하지 않으려고 한다. 행동 규칙을 위반하는 행위(예 교실 내 소란, 다른 학생 괴롭힘, 토의 시 고함 등)가 증가하고 수업진도나 수업관리가 곤란해진다. 따라서 교사는 아동의 행동지도에 관심이 요망되며, 교사가 집단의 규범에 초점을 두어야 한다. 비행을 예방하고 위반자에게는 공정한 처리를 해야 한다. 이런 적절한 행동지도를 통해 학습의 양(量)과 질(質)을 향상시키고 학급의 단결심을 고양시켜야 한다.

(3) 규범화 단계(Norming Stage)

① 시기: 여름방학을 전후해서 수업관리 규정과 행동관리 규칙을 수락 및 준수하는 단계이다.

② 주요 활동 내용
　　㉠ 적응 활동: 자신에게 기대되는 행동 및 교사가 원하는 행동을 인식하고 교과 활동에 몰두한다. 학기 초에 기대되고 분담된 역할을 인식하고 수용하며, 역할에 맞는 행동이 강화됨에 따라 학생 간의 갈등과 일탈행동이 감소한다.
　　㉡ 활력 공급활동: 교과의 요구와 사회적 요구를 충족하도록 힘을 저장한다. 때로는 집중력이 부족하여 자신의 열망을 포기하기도 한다. 과업의 미완성이나 달성의 실패는 학생의 무능력이 아니고 필요한 힘의 효율적 활용 능력이 부족하여 오는 것이다. 사회적 활동에서의 활력은 교과 학습의 방향과 성취 수준을 결정하므로 이때 교사는 교과 학습이나 사회적 상호작용에만 힘을 낭비하지 않도록 지도해야 한다.

ⓒ 교사와의 관계 관리 강조: 교사에게는 가장 생산적 시기로 교사와 학생 간의 상호 존중과 신뢰에 기초한 쌍방적 의사소통을 한다. 규준 확립과정에서 의사소통이 중요한 요소이다. 또한 공동의 목적과 열망을 공유하게 된다. 교사와 학생간의 상호 관계를 최대한 활용하려는 약속에 기초한 유대관계를 확립한다. 유대관계는 학생들로 하여금 학문적 성장을 지향하게 하고 헌신하도록 하는 활력을 공급한다.

(4) 성취 단계(Performing Stage)

① 앞의 3단계가 종합되는 단계, 교사와 학생 모두 만족스러운 단계로 생산성의 시기이다(생산성은 학기 말에 절정을 이룸). 교사는 학급경영의 궁극적 목표인 자율적 자기 통제, 자기 신뢰, 자기 훈련을 달성하게 된다.

② 주요 활동 내용

ⓐ 노력 분담 활동: 우선순위를 확립하고, 시간을 분배하며, 다양한 책임을 동시에 완수하는 방법을 학습한다. 과업(교과학습)과 사회적 요구(사회성 발달)와의 균형 유지 방법의 학습에 건전한 판단이 요구된다.

ⓑ 마무리 활동: 교과, 시험 친구 등에서 점진적으로 종결을 준비한다. 한 학기를 마치고 새로운 학기를 맞이하여 적응하는 방법을 학습한다.

ⓒ 절충적 관리: 교사는 각 발달단계를 이해하고 수업관리, 행동지도, 관계관리와 같은 3가지 경영기술을 절충적으로 적용한다.

2 학급경영의 기능(3C's)

1. 수업관리(content management)

(1) 교과내용의 학습에 영향을 주는 조건들을 관리하거나 교육 프로그램의 계획과 조직을 하는 일로 과업 지향적 활동이 주(主)가 된다(전문성).

(2) 학습시간과 공간의 배분, 물품의 지급, 이동 통제와 같은 환경의 규정에 관심을 갖는다.

(3) 자습, 과제풀이, 집단토의 등과 같은 수업활동 관리에 중점을 둔다.

(4) 교사의 경영활동은 학생과 협의 없이 교사가 사전에 해야 할 일, 활동의 절차와 일 처리 방식을 고안하고 알린다.

2. 행동지도(conduct management)

(1) 수업관리 활동보다 훨씬 복잡한 인간행동을 규정하는 일로 교실의 질서 유지를 위해 행동 강령을 만드는 것으로 질서 지향적 활동이 주가 되고 개인행동을 강조한다(합법성).

(2) 개인마다 다른 행동방식과 규칙을 주장하기 때문에 긴장, 갈등과 같은 상황이 초래될 가능성이 크다. 따라서 설득, 협의, 단호함을 통해 교사·학생 간의 의견차를 조정해야 한다.

(3) 유능한 학급 경영자는 학생들의 저항과 갈등 야기 없이 행동지도 및 관리를 한다.

3. 관계관리(covenant management)

(1) 교수 - 학습 과정에서 인간관계를 관리하는 일로 민주적 상호작용을 위한 태도와 기술이 요구되며, 인간관계지향적 행동이 강조된다(신뢰성).

(2) 교사·학생 상호 간의 행복을 인식하고 공통의 이익을 위해 상호 적응하며, 의사소통과 양보(타협)하거나 평등주의를 중시한다.

(3) 명령보다는 권유형의 의사소통방식이 강조된다.

(4) 성인과 아동의 관계에서 이러한 의사소통방식이 어렵기 때문에 의사소통방식의 기술이나 태도를 형성하기 위한 노력이 요구된다.

4. 절충적 관리(eclectic management)

(1) 교사와 아동의 동기유발이 지도성의 효과를 좌우함으로 단결과 응집력을 갖도록 하여 협력과 협동 지향적으로 행동하도록 한다.

(2) 학급경영 전문가는 많은 경험과 실제에서 얻은 폭넓은 아이디어에 의지하여 상황에 따라 학급을 절충적으로 관리한다.

3 학급경영의 원리

1. 타당성의 원리

학급경영이 교사의 자율성을 최대로 보장되어야 하지만 이는 어디까지나 교육목적과 교육목표에 맞아야 한다. 즉 학급경영은 궁극적으로 교육의 목표에 비추어 조정되고 통일되어야 한다.

2. 개별화의 원리

(1) 학급경영은 교육의 궁극적 목표인 아동의 지적 능력, 정서, 성격, 흥미, 적성, 가정적 배경, 사회적 배경 등 각자의 개인차를 인정하고 학급 구성원인 학생 각자가 지니고 있는 독자성을 발견하고 이를 스스로 발전시켜 나가도록 하는 데 있다. 따라서 학급경영은 위와 같은 교육목표에 유기적으로 결합하여 그 효과를 올릴 수 있도록 개별화의 원리에 기초해야 한다.

(2) 개별화의 원리는 아동 각자의 교육 방법상의 지도원리가 될 뿐만 아니라 학급집단의 편성 원리로도 적용될 수 있어야 한다.

3. 자율화의 원리

(1) 학급은 교사가 자신의 교육적 신념과 철학에 따라 창조적, 독자적으로 학급을 운영할 수 있어야 한다.

(2) 학교장의 지시나 명령 및 기존의 법규나 규정에 따른 학급운영을 탈피하고 교사의 주체적 사고력과 창의력을 발휘하여 창조적이고 발전적인 학급이 되도록 해야 한다.

4. 사회화의 원리

(1) 학급은 학생들이 사회화가 이루어지는 장으로서 교사는 학급 구성원들인 학생들이 올바른 사회화가 이루어지도록 계속적인 관심과 노력이 필요하다.

(2) 사회화의 방법으로 ① 학급생활을 통해 상호 신뢰와 협동으로 좋은 인간관계를 형성하도록 하는 것, ② 협의회 공동작업 등과 같은 공동생활의 경험을 체험하도록 하는 것, ③ 집단의 사기, 언어적 환경, 학급정리정돈, 미화 등과 같은 사회화에 대한 환경의 중요성을 인식하게 하는 것 등을 강조해야 한다.

5. 통합화의 원리

(1) 학급경영은 인간을 하나의 통일적 존재로서 전인적 발달을 도모하는 교육의 궁극적 목적을 실현할 수 있도록 모든 개별적 활동들은 이를 실현하기 위해 통합되고 통일되어야 한다.

(2) 구체적인 방법

교과지도와 생활지도를 통합한다. 각 시간의 목표, 각 단원의 목표, 각 교과의 목표나 생활지도의 목표가 학급의 목표와 학년의 목표, 학교의 목표와 일관성 있도록 통합한다.

6. 전문성의 원리

(1) 학급경영을 담당하는 교사는 교장이나 교감보다 더 전문적인 지식과 기술을 가진 존재이므로 일선 관료조직처럼 상사의 지시나 명령에 일방적으로 복종하는 관료적 특징을 적용해서는 안 된다.

(2) 학급경영의 주체인 교사의 전문성이 인정되어야 한다. 그러므로 교장이나 교감도 학급경영자인 교사의 전문적 지도 조언을 받아 학교경영에 반영하는 노력을 기울여야 한다.

(3) 학급경영의 계획과 프로그램 작성 및 그 실천과 결과의 평가에 대한 주도권과 최종적 주장은 학급경영의 전문가인 담임교사가 행사해야 한다.

7. 협동성의 원리

(1) 학급은 담임교사 단독으로 운영되는 것이 아니라 교사집단의 협동체제하에서 운영되어야 한다.

(2) 뿐만 아니라 학급은 학년, 학교와 깊은 관계를 가지므로 상위체제와 끊임없는 협동적 관계를 유지해야 한다.

4 학급경영의 영역

학급경영계획의 수립	목표조사, 학생조사, 학급조사, 가정환경조사, 지역사회조사 등
학급조직의 편성	학년편성, 학급편성, 분담편성 등
교과교육지도	교과학습 준비지도, 교과지도, 학습부진아지도, 가정학습지도 등
특별활동지도	자치활동지도, 특활지도, 학교행사 등
상담 및 생활지도	인성지도, 학업문제지도, 취업 및 진로지도, 여가활동지도 등
환경지도	시설관리, 비품관리, 게시관리, 청소관리, 환경정비 등
학급사무관리	학사관리, 학습지도에 관한 사무, 학생기록물, 가정통신, 각종 잡무 등
부모 및 지역사회관계	학부모와 유대, 지역사회와의 유대, 교육유관기관과의 유대, 지역사회 자원 활용, 봉사 활동 등

5 학급경영계획

1. 특징

(1) 단순한 행사예정이나 활동목표에 대한 통상적인 나열과 같은 형식주의나 고정관념을 타파하고, 주도면밀한 계획을 요구한다.

(2) 학급경영은 학교·학년·학급으로 연결되는 일관된 관계 속에서 목표 - 계획 - 실천 - 평가의 순환적 흐름을 거친다.

(3) 수립 조건
   ① 학교교육목표가 학급경영 실현에 구현되어야 한다.
   ② 학생지도에 필요한 기초조사가 제대로 실행되어야 한다.
   ③ 교수 - 학습활동과 긴밀하게 연결되어야 한다.
   ④ 지역사회요구 및 학생의 요구가 반영되어야 한다.

2. 학급경영의 목표 설정

(1) 담임교사가 담당하고 있는 학생들에 대한 지도 목표를 말한다.

(2) 국가의 교육정책, 교육청, 학교 등과 같은 상위의 목표와 종적(縱的)인 관계를 유지하면서 설정되어야 한다.

(3) 상위의 목표를 그대로 학급경영 목표에 반영하기는 현실적으로 불가능하므로 학급경영 목표를 설정할 때는 국가 사회적 요구나 지역사회의 요구는 참고로 할 뿐, 구체적으로는 학부모의 요구나 학생의 요구를 분석해서 기초자료로 활용해야 한다.

3. 학급 경영안(案) 작성

학급경영 계획은 정형화된 틀은 없으나 학급경영록 형태로 활용할 수 있으며, 학급경영의 전 영역에 걸쳐서 실천 가능한 활동계획을 수립하되 실천계획과 그 결과가 평가될 수 있도록 구성해야 한다.

Ⅰ. 학교경영 목표(교육목표)	Ⅴ. 교육활동계획(주·월별)
Ⅱ. 학급경영 목표 및 방법	1. 학급 역할분담조직
Ⅲ. 학급현황	2. 학급환경정리
1. 학급현황	3. 학습지도
2. 학생 개인자료	4. 생활지도
Ⅳ. 실천계획	Ⅵ. 학생발달 평가
1. 교과지도	1. 개인별 교과활동
2. 생활지도	2. 개인별 행동발달
3. 특별활동지도	3. 클럽활동 상황
4. 재량활동	Ⅶ. 학급경영 평가 및 반성
5. 특색교육지도	

↑ 학급경영안의 예

4. 학급경영의 평가

(1) 학급경영의 발전과 개선, 학급 담임교사의 성장을 위해 필요한 활동이다.

(2) 학기 말이나 학년 말에 실시하는 것이 좋다.

(3) 평가의 결과는 다음 학기, 다음 학년의 계획을 수립하는 자료로 활용한다.

(4) 학급경영 평가는 학급 담임 교사 자신이 평가자가 되는 것이 일반적이다.

(5) 학교경영 평가의 일부로 학교장이 평가하는 경우도 있으나 학교장이 평가하는 경우는 학급담임교사의 능력을 평가하고 지도·조언하기 위한 자료로만 활용되어야 한다.

(6) 가장 중요한 것은 학급 담임교사 자신의 평가이다.

6 학급편성의 방법

1. 학년별 편성

전통적 방법으로 이질집단이나 역년령(歷年齡) 집단과 같다.

2. 학년분할편성

(1) 평균 규모의 학급 유지와 학년분할을 위한 행정적·조직적 방법이다.

(2) 인접한 학년에서 2인의 교사가 두 개의 소집단을 가르치는 것보다 한 교사가 가르치는 것이다.

  예 4학년과 5학년의 학생을 한 학급에 통합하여 평균규모 학급을 유지하여 지도하는 계획

(3) 도서·벽지 등 소규모 학교에서 적용될 가능성이 있다.

3. 복식(複式)학급 편성

(1) 한 학급을 두 개 이상의 학년으로 편성하여 일제히 지도하는 것을 말한다.

(2) 학년 수준을 유지하면서 학생들은 그들의 각 교과의 진도에 따라 수 개 학년의 학습이 허용된다.

(3) 교실 부족, 교사의 부족, 혹은 학생 수의 감소로 인해 한 학년을 한 학급으로 편성할 수 없는 경우에 활용한다.

(4) 편제 방법은 인접한 2개 학년 혹은 3개 학년에 의한 것이 많다.

4. 복식학년제

(1) 한 명의 교사가 여러 학년을 수용하여 학년제처럼 학교조직을 세분하지 않고 여러 학년을 융통성 있게 지도하는 방법이다.

(2) 보통 두 학년 이상이 한 학급에 머물러 있지만 학년 수준은 그대로 유지된다.

(3) 개인차를 최대로 고려하여 과목별 학년 진도를 결정하는 것으로 학년제보다 융통성이 있으며 과목별 학년제라고도 한다.

5. 무학년제 학급(nongraded classroom)

(1) 학급을 구성하는 데 학년제를 적용하지 않고 학생의 능력이나 적성에 맞는 수준의 과정을 밟을 수 있도록 교육조직을 편성·운용하는 제도이다.

(2) 무학년제에서의 교육과정의 수준은 학년이 아니라 교육과정의 단계와 단위로 표시되고 과정의 이동은 학생의 학습 진도에 따라 결정된다.

(3) 무학년제는 학급 내의 심한 개인차를 줄이고 학생들의 능력과 개인차에 따라 자유롭게 이수할 수 있는 장점이 있다.

6. 복수진도계획

(1) 부분적으로 무학년의 조직과 학년 편성을 복합적으로 운영하는 방법이다.

(2) 실험적인 계획으로 초등학교에서 핵심 교과인 국어나 사회 등은 3개 학년 정도 그 진도를 앞서가는 학습을 시작할 수도 있고, 기타 교과는 정상학년 진도에 머무르게 하는 제도이다.

7. 교과전담제

학급담임 중심의 단위학급 또는 자족적 편성과는 반대되는 제도로서 중등학교에서 주로 사용하는 방법이다. 교실에 따라 학생들은 이동 수업을 실시한다.

8. 플라툰(Platoon Grouping)

학생을 두 집단으로 편성해서 한 집단이 교실에서 교과를 공부할 때 다른 집단은 특별활동 교실에서 활동한다. 일 - 학습 - 놀이의 흐름으로 편성한다.

秀 POINT 학급 담임제의 장단점

장점	① 교사와 학생 간의 폭넓은 인간적 접촉의 기회가 많다. ② 교사의 인간적 영향을 많이 받는다. ③ 학생의 개성과 적성을 파악하여 계속적이고 일관된 지도를 할 수 있다. ④ 학습지도와 생활지도를 계획적, 종합적으로 할 수 있다. ⑤ 초등의 경우, 학급담임제란 전 교과 담임제이므로 교과 상호 간의 연계 및 통합 지도가 가능하다. ⑥ 학급의 독자적인 풍토와 문화 형성이 가능하다.
단점	① 학급의 학생들이 한 교사와만 인간관계를 맺기 때문에 학생에 따라서는 감정적 마찰이나 갈등이 있을 수 있고, 교사에 대한 선호도가 다를 수 있다. ② 전 교과를 한 교사의 지도만 받기 때문에 교육의 편중과 고학년에서는 교과의 심화에 따른 전문성이 요구될 때 교사의 역량이 이에 미치지 못할 수도 있다. ③ 학생에 대한 오해나 편애의 위험성이 있다. ④ 학급 왕국을 형성하기도 하며 교사의 독선에 좌우될 위험성도 있다.

9. 동질집단 편성방법

(1) 학교 간 집단편성

학습자의 유형에 따라 상이하고 독립된 학교를 설립한다.

예 • 맹아학교, 농아학교, 뇌성마비학교 등
   • 영재학교, 전문계 학교, 일반계 학교, 종교계 학교 등

(2) 학교 내 집단편성

각 학교 내에서 학생들을 적성, 능력, 흥미 또는 장래의 희망이나 계획에 따라 반 편성을 달리하거나 진로나 노선을 달리하는 것을 말한다.

예 • 초등학교에서 영재아, 속진아, 보통아 집단
   • 중등에서 진로에 따라 과학계, 수학계, 어학계, 예·체능계 등

(3) 학급 내 집단편성

한 학급 내의 아동을 소집단으로 나누는 것을 말한다.

7 효과적인 학급 분위기

1. 특징

(1) 교사와 학생 간의 상호작용이 일어나는 분위기로, 교사들이 권위를 행사하는 방식, 교사가 보여주는 인간적 따뜻함과 후원, 경쟁이나 협동의 격려 그리고 독립적인 판단과 선택의 허락 등의 정도에 따라 조성된다.

(2) 효과적인 학급 분위기는 사회 환경과 조직 환경에 관련이 있다. 이 두 가지 모두 교사의 선택이고 교사들은 알맞은 학급 분위기를 만들기 위해 이들을 바꿀 수 있다.

2. 사회 환경

교사들이 학급에서 조성하는 상호작용의 형태를 말한다. 학급의 사회적 환경은 권위형, 자유방임형 등 다양하게 형성될 수 있다. 교사들이 학급 분위기를 경쟁적, 협동적 혹은 개인주의적 분위기로 바꿈에 따라 달라진다.

학급 분위기	활동의 예	학생에게 부여된 권한	교사에게 부여된 권한
경쟁적: 학생들은 자신들끼리 정답을 찾기 위해 경쟁하거나 교사가 정한 기준에 따라 경쟁한다. 교사는 대답의 타당성을 혼자 판단한다.	훈련과 연습	없음	수업을 조직하고, 매체를 선택하고, 학생 응답의 정확성을 평가한다.
협동적: 학생들은 교사의 감독하에 토론한다. 교사는 아이디어를 다듬고 토론을 좀 더 높은 수준으로 발전시키기 위해 체계적으로 개입한다.	크고 작은 집단토론	의견을 제시하고, 아이디어를 제공하며, 자유롭게 자발적으로 발언하고 토론한다.	토론을 자극하고, 이견을 중재하고, 학생들의 공헌을 조직하고 요약한다.
개인주의적: 교사가 제시한 과제를 수행한다. 학생들 자신들이 최선이라고 생각하는 답을 가지고 숙제를 하도록 격려됨. 과제 완성과 자기 평가가 특히 강조된다.	독립된 자습과제	가장 잘 할 수 있는 수단으로 과제를 완성한다.	과제를 부과하고 검사한다.

↑ 학급 사회 환경의 유형

3. 조직 환경

학급 내의 물리적 또는 시각적 배열을 말한다. 교실의 내·외부적 환경을 어떻게 조직하느냐 하는 것도 학급 분위기 형성에 중요하다. 특히 교실의 내부(책상, 의자 등) 배열은 매일 매일 학생들에게 영향을 미친다. 책상 배열은 학생들이 함께 어울리도록 의도적인 노력이 필요하다. 의사소통 및 개인 간의 공유 장애는 항상 책상의 경직된 배열의 결과로 발생된다. 학생들의 책상을 4~5개씩 집단화함으로써 교사는 학생들의 활발한 의사표현, 발언의 증가, 반응의 자발성 등을 기대한다. 이는 교사의 말과 행동에 의해 만들어진 사회적 환경은 항상 학급의 물리적 환경의 재배열에 의해 만들어진 조직적인 환경과 일치해야 한다는 것을 강조하는 것이다.

(1) 교실환경 정비를 위한 고려사항

① 교실의 시설 및 설비는 학생들의 움직임과 더불어 움직일 수 있어야 하며, 학생들의 성장과 더불어 성장할 수 있어야 한다.
② 교실의 환경을 정비할 때는 언제나 교육적인 의도가 작용해야 한다.
③ 교실의 환경정비는 이용적 관점에서 다루어져야 한다.

(2) 좌석배치에서 고려사항

① 학생 개개인의 신체적 성장도에 따라 편안함과 건강을 고려해야 한다.
② 학생 상호 간의 인간관계를 원만하게 하고 정서적 안정을 기할 수 있도록 해야 한다.
③ 학생 상호 간의 지적 자극을 줄 수 있어야 한다.
④ 학생들의 사회성을 넓혀주어야 한다.

4. 규칙과 절차의 설정

(1) 학급규율 문제 발생 빈도를 줄이기 위해 규칙과 절차를 설정하는 것은 교실 운영의 중요한 활동들 가운데 하나이다. 규칙과 절차는 새로운 학년을 시작하기 전에 교사가 명확히 만들어야 하는 것으로 이는 문제를 방지하고 해결책을 제시하기 위한 교사의 공약이 된다. 규칙과 절차에는 학업과 관련된 규칙, 교실 내의 행동과 관련된 규칙, 수업 첫날 학생들에게 전달해야만 하는 규칙, 적당한 시기에 학생들에게 전달될 수 있는 규칙 등이 있다.

(2) 학급규칙을 만드는 데 필요한 일반적인 주의 사항

① 꼭 필요한 규칙을 만든다. 규칙을 만들어야 하는 이유는 참여도를 높이고 방해 행동 최소화, 신체적 및 심리적 안정성 증대, 다른 사람이나 다른 학급의 활동 방해 막기, 바른 예절과 인간관계의 증진 등이다. 규칙은 이들 중 한가지의 이유에 부합되어야 한다.
② 자신이 만들고자 하는 학급 분위기와 일치하는 규칙을 만든다. 학급경영의 개인적 철학을 분명히 하고 학급 규칙에 이 철학을 반영하도록 한다.
　　예 학급 분위기가 독립적인 판단, 자발성, 위험 감수 등의 방향으로 흐르기를 원하는가? 아니면 교사 주도의 상호작용, 공식적인 학급규칙, 교사가 원하는 방향으로 흐르기를 원하는가?

③ 강요할 수 없는 규칙을 세우지 않는다.

> 예 "말하지 말기", "자리를 옮기기 말기"라는 규칙은 교사의 개인적 철학이 자발성과 문제해결, 집단 활동을 지속적으로 격려할 때에는 강요하기 어렵다. 불공평함과 일관성의 결여는 교사조차도 완전히 확신하지 못하는 규칙을 적용하는 것으로 귀결될지 모른다.

④ 다양한 행동을 모두 포함할 수 있을 만큼 충분히, 일반적으로 기술한다.

> 예 '타인과 타인의 소유물을 존중하기'라는 규칙은 허락 없이 물건 빌리지 않기, 물건을 던지기 않기 등의 다양한 문제를 포함한다. 반면 '존경심을 나타내기'나 '선생님께 복종하기'는 너무 애매하여 대부분의 학생들에게 무시당할 것이고 또한 교사 자신도 강요하기 힘든 규칙이다.

8 학급경영 체제

1. 인간주의적 접근

(1) 학생들의 행동을 즉각적으로 교정하거나 복종하게 만들기보다는 학생들이 스스로 자신의 행동을 통제하는 능력을 키우도록 시간을 허용하는 것이 중요하다고 본다.

(2) 인간주의적 접근을 활용하는 교사는 이러한 목적을 의사소통 기술의 사용, 학생들의 동기 이해, 개인적인 면담, 개인 및 단체 문제해결, 참조적·전문가적 힘 등을 강조하는 방법 등을 통해 이루려고 한다.

(3) 지노트(Ginott)의 적절한 대화를 통한 협동, 글래서(Glasser)의 개인 및 집단 문제해결을 통한 협동 등은 인간주의적 전통의 예이다.

2. 행동주의적 접근

(1) 스키너(Skinner)의 조작적 조건화 이론에 기초를 두며 응용행동 분석이라고도 한다.

(2) 학생의 문제행동을 해결하기 위한 단계

① 개선되기 원하는 나쁜 행동과 그것을 대체할만한 적절한 행동을 확인한다.

② 바르지 못한 행동과 바른 행동에 대한 행동유발 자극을 확인하여 행동이 일어나는 것을 미리 막고, 나중에 비슷한 행동이 증가하지 않도록 교실환경을 바꾼다.

③ 바르지 못한 행동에 깔려 있는 학생의 의도를 파악하고 이러한 의도를 충족시킬 수 있는 행동을 교사가 하지 않는다.

④ 바르지 못한 행동을 대신하는 바른 행동을 강화하기 위한 조치를 확립한다.

⑤ 벌은 마지막 방책으로만 사용한다.

3. 학급경영 전통

(1) 의의

① 학급경영에 대한 인간주의적 접근과 행동주의적 접근이 반응적 시스템인데 비해 1970~80년대에 들어서는 학급 질서유지와 훈육 문제를 예방적 차원에서 접근하기 시작했다.

② 이러한 접근은 유능한 교사는 학생들이 그릇된 행동을 예방하기 위해 무엇을 하고 있는지, 덜 유능한 교사는 왜 학생들이 그와 같은 행동을 일으키게 하는지에 대한 연구에 기초를 둔다.

③ 이 연구들의 결론은 유능한 교사와 유능하지 않은 교사는 잘못된 행동에 대한 반응이 아닌, 잘못된 행동을 막기 위해 취하는 행동에서 구별될 수 있다는 것이었다.

(2) 대표자

에머(Emmer), 에버튼과 앤더슨(Everton & Anderson) 등이 있다.

(3) 유능한 학급 경영자의 효율적 행동

① 분열을 최소화하고 학습참여가 높은 학급을 만들기 위해 학급을 계획하고 구성하면서 처음 몇 주 동안 많은 시간을 투자한다.

② 규칙과 습관을 가르칠 때에도 과목을 가르칠 때처럼 방법적으로 접근한다. 이들은 처음 몇 주간 학생들에게 받아들여질 수 있는 행동을 명확히 가르치고 이러한 지시에 학생들이 따르는지 주의 깊게 관찰한다.

③ 규칙을 어긴 대가에 대해서 학생들에게 알려주고 이 대가를 일관되게 집행한다.

秀 POINT 중요 개념

□ 교육행정의 정의	□ 조건정비설
□ 교육행정의 원리	□ 교육행정가의 자질
□ 과학적 관리론	□ 행정관리론
□ 관료제론	□ 인간 관리론
□ 호돈 실험	□ 사회체제론
□ 규범적 조직	□ 야생조직
□ 사육조직	□ 참모조직
□ 계선조직	□ 비공식 조직
□ 이완결합체	□ 조직화된 무정부조직
□ 전문적 관료제	□ X - Y이론
□ 갈등처리기법	□ 동기의 내용이론
□ 동기의 과정이론	□ 직무 풍요화
□ 지도성 이론	□ 교육기획
□ 교육정책	□ 의사결정 모형
□ 쓰레기통 모형	□ 수용권과 무관심권
□ 의사소통	□ 교육공무원
□ 강임과 강등	□ 직무연수와 자격연수
□ 징계	□ 장학
□ 교육재정	□ 지방교육재정교부금
□ 교육경비분류	□ 영기준예산제도
□ 학교회계제도	□ 학교경영조직
□ 학교경영기법	□ 학습조직

13 | 교사론

핵심체크 POINT

교직의 성격	전문직적 성격
교직관의 유형	성직관, 전문직관, 노동직관, 공직관
교원의 윤리	사도강령과 사도헌장에 규정

1 교직의 성격

1. 교직의 전문직적 성격

(1) 일반 전문직의 성격[리버만(M. Lieberman)]

① 고도의 지적(知的) 기술을 필요로 한다.
② 전문적 사회봉사를 한다.
③ 자율성을 갖는다.
④ 자율의 범위 안에서 책임을 진다.
⑤ 장기간의 전문적 훈련을 필요로 한다.
⑥ 전문적 단체를 조직한다.
⑦ 높은 직업윤리를 갖는다.

(2) 교직의 특수성

① 전(全) 인격체를 대상으로 한다. 교직은 전인으로서의 인간, 즉 지적, 정신적 신체적, 정서적, 문화적 특징을 가진 인간 그 자체를 대상으로 한다.
② 미성숙자를 대상으로 한다. 즉 교직은 아직 성숙하지 않은 인간을 성숙한 인간이 되도록 하는 일을 수행한다.
③ 지적, 정신적 기술을 요구한다. 교직은 어느 직업보다도 인간의 정신적이고 지적인 생활을 대상으로 하는 직업이다.
④ 교직은 물질적, 경제적 측면보다는 봉사와 소명의식을 중시하며, 사회 발전에 중대한 역할을 부여받은 직업이다.

(3) 교직의 전문성에 대한 논의

① 1956년 리버만(M. Libermann)의 『전문직으로서의 교육(Education as a Profession)』
② 1962년 스티넷(T. M. Stinnett)의 『교직의 전문직(The Profession of Teaching)』
③ 1966년 10월 5일 UNESCO와 ILO의 합동회의에서 채택된 『교원의 지위에 대한 권고』

2. 교육관에 따른 교사의 자질

(1) 전통주의적 관점

① 지식의 체계적 전달자
② 인격적 감화자
③ 사회적 통제자
④ 부모의 대리자
⑤ 권위자

(2) 진보주의적 관점

① 아동의 흥미와 욕구 충족자
② 아동이 스스로 학습할 수 있도록 도와주는 조언자, 협조자, 민주적인 지도자
③ 사회생활의 변화에 적응할 수 있도록 교육내용과 방법을 수정, 보완하는 노력자
④ 아동 중심적, 문제해결적 교육방법을 활용하는 능력자
⑤ 학급을 민주적 문제해결 집단으로 조직·운영하는 능력자

(3) 학문 중심적 관점

① 가르칠 교과의 기본 구조와 새로운 지식에 능통한 자
② 내적 보상에 의한 학습동기를 자극하고 지적 흥분을 유발하는 자
③ 탐구방법을 통해 학생들 스스로 학습하는 방법을 배우도록 지도하는 자
④ 기본 아이디어에 중점을 두어 지도하는 자
⑤ 분석적 사고와 직관적 사고를 중시하는 자

(4) 인간 중심적 관점

① 자신의 감정을 솔직하고 일관성 있게 표현하는 진실된 교사
② 아동 하나하나를 고유한 인간, 가치 있는 존재로 존중할 줄 아는 교사
③ 학생의 입장에서 학생을 이해하는 공감적 이해
④ 아동을 존중하고 아동이 그 나름의 방식으로 성장하기를 바라며 허용적인 환경을 제공하는 진정한 애정

3. 교사 자질과 능력[하이트(Hight)의 『교수의 예술(The Art of Teaching)』]

(1) 좋은 교사의 자질

① 자신이 가르치는 교과목에 대해 정통하다.
② 자신이 가르치는 교과목을 좋아한다.
③ 좋은 교사는 학생들을 좋아한다.
④ 광범위하고 생생한 지적 흥미를 가지고 있다.
⑤ 학생들을 생동감과 주의를 집중하기 위한 유머감각을 지니고 있다.

(2) 좋은 교사의 능력

① 좋은 교사는 좋은 기억력을 가지고 있다.
② 좋은 교사는 결단력과 의지력을 가지고 있다.
③ 좋은 교사는 학생들에게 친절하다.

4. 교사의 역할

(1) 실천가로서의 교사

① 실천가로서의 교사를 강조하는 경우는 수업을 예술로 보는 경우이다.

② 만일 수업이 예술이라고 한다면 수업은 실제로 학습될 수 없는 영감, 직관, 재능, 창의성을 필요로 한다.

③ 가르치는 일은 화학반응을 유도하는 것과 같은 것이 아니며 그것은 한 장의 그림을 그리고 한편의 음악을 만드는 것과 비슷하여 정열이 필요하고 어떠한 공식에 의해서 달성될 수 없는 예술성을 지닌다.

④ 실천가로서의 교사는 가르치는 일에 열정적인 헌신이 필요하며 그동안 실천해 왔던 교육과정에 대한 신념과 확신을 가진다.

(2) 이론가로서의 교사

① 수업을 과학으로 보는 경우에 해당한다.

② 수업은 의학이 과학적인 이론과 연구에 토대를 두고 있으며 아무리 창의적인 의사라도 생화학의 원리를 무시하고 처방하지 않듯이 교사도 교수와 학습에 관한 이론을 이해하지 못하는 교사는 생화학의 원리를 이해하지 못하는 의사와 같다.

③ 이론가로서의 교사는 신중하며 불확실성을 받아들이고 판단을 기꺼이 보류할 줄 안다.

(3) 실천가와 이론가의 종합으로서의 교사

① 실천가 혹은 이론가로서의 교사는 서로 배타적인 관계라기보다는 종합적인 관점으로 볼 수 있다.

② 실천가인 동시에 이론가로서의 기능을 다하기 위해서는 다양하게 사용할 수 있는 정보와 지식을 획득해야 하며 과학적 정보의 축적은 끊임없이 재해석되고 개정되어야 한다.

③ 수업기술을 적용할 때에는 확신을 가지고 헌신해야 하며, 어떤 연구물을 읽을 때 교사 자신들은 이론가로서 자신과 학생들의 수행을 객관적이고 주의 깊게 분석해야 한다.

④ 유능한 교사는 수업과 관련된 지식을 빠르고 정확하게 이끌어 낼 수 있어야 하며, 관련된 지식을 습득하고 이끌어내서 그것을 적당하게 사용할 줄 알아야 한다.

⑤ 교사는 예술적 실천가와 과학적 이론가 가운데 양자택일이 아니라 두 가지의 역할을 동시에 수행해야 한다.

5. 평생학습 사회에서 교사의 역할

(1) 교사는 자신이 계속적으로 자신을 적응시키며, 학생들에게 평생학습의 모델이 되어야 한다.

(2) 교사와 학생은 '공동 학습자'가 되어야 하며, 학습자의 자기주도적 학습능력을 촉진시키는 역할을 담당해야 한다.

(3) 자발적 학습과 학습에 대한 긍정적 태도를 육성하는 데 있어 교사는 '교육상담자', '학습방법에 있어서 전문가', '지도자' 혹은 '교육활동의 조정자'이다.

(4) 지식의 전달자가 아니라, 자신의 학습의 필요를 진단하고, 그들 자원이 충분한가 그리고 그들이 제시한 해결방안이 충분한가를 판단하고, 가장 최선의 방법을 택해서 학습하도록 돕는 역할을 해야 한다.

6. 교사 교육기관의 유형

(1) 직전교육기관과 현직교육기관

① 직전교육기관: 교사가 되기 이전의 사람들을 대상으로 교사 준비 교육으로서의 양성교육을 담당하는 기관이다.

② 현직교육기관: 교직에 종사하는 교사를 대상으로 전문성 심화나 직무의 원활한 수행을 위해 교육을 실시하는 기관이다. 종래에는 직전교육이 중시되었으나 최근에는 평생교육의 관점에서 현직교육이 중시되고 있다.

(2) 폐쇄형과 개방형

① 폐쇄형: 교사교육만을 목적으로 하는 목적제 교사 교육기관으로 교육대학과 사범대학이 그 대표적이다.

② 개방형: 교사교육만을 전담하지 않고 다른 기능도 함께 수행하는 기관으로 교직과정을 설치한 일반대학과 유치원 교사나 특수교사, 양호교사 등을 배출하는 대학이 있다.

2 교직관의 유형

1. 성직관

(1) 교직이 인간의 인격형성을 돕는 고도의 정신적 활동이기 때문에 다른 직업과 달리 성스러운 일이라고 보는 관점이다. 이 관점에서 볼 때 교사들에게는 누구보다도 윤리적으로 행동할 것이 요구된다.

(2) 교직은 헌신, 희생 그리고 봉사의 자세가 요구되며, 세속적이고 물질적 가치를 우선해서는 안되는 것으로 여겨진다. 전통적 의미에서 교직은 바로 인간의 정신과 영혼 계발을 제일의 목적으로 삼는 목사나 신부, 승려직과 같은 것으로 여겨져 왔다.

(3) 성직자가 교사였다는 서양의 역사적 사실에 근거하고 있으며 동양에서도 같은 맥락에서 이해할 수 있다. 흔히 군사부일체(君師父一體) 혹은 사도(師道)를 강조하는 관점은 모두 스승의 사명과 역할의 중요성을 깊이 인식한 것으로 볼 수 있다.

2. 전문직관

(1) 교사는 다른 전문직과 동일한 전문직적 요소를 지니고 있다는 관점이다.

(2) 전문가는 '고도의 전문화된 이론 지식을 소유하고 그것을 일상의 근무에 적용하는 방법과 기술을 가지며, 자신들의 전문성을 위한 훈련과 원리, 방법 등을 가지고 이를 위한 단체 결속권을 공유하는 자'를 말한다.

(3) 전문직에 대한 논의를 종합해보면, 전문직의 중요한 요건 중의 하나는 전문성과 자율성이며 이를 인정받기 위해 필요한 장기간의 교육과 계속교육을 통한 전문 능력의 유지와 발전이 요구된다.

3. 노동직관

(1) 교직을 노동직으로 보는 것은 교사를 노동자로 보고 다른 근로자들과 마찬가지로 근로자로서의 법적 권리와 지위를 보장받아야 한다는 것이다.

(2) 노동직관에 근거한 교사들은 자신들의 노동에 대한 경제적 보상과 처우 개선 및 근무조건의 향상을 위한 집단행동을 자연적인 것으로 인식하고 때로는 실천하기도 한다.

(3) 교사들도 일반 근로자들과 자신들을 동등하게 생각하며, 자신들의 실제적인 이익을 위해서 국가나 학교 경영자들을 자신들과 대립적인 입장에 놓고 본다. 이러한 교직의 노동직관이 반영된 대표적인 사례가 교직단체의 노동 조합적 성격이다.

4. 공직관

(1) 교직을 공직(公職)으로 보는 것은 교사는 국민을 대상으로 하는 봉사자라고 보는 관점이다. 교육활동은 사적(私的) 활동이 아니라 공적(公的) 활동이며 따라서 학교의 목적과 방법적 기초는 공동성에 둔다. 이런 맥락에서 교육의 인적 조건인 교사는 공직자의 신분을 갖게 되며, 학교는 공공의 이익을 위한 공기(公器)로서의 성격을 지닌다.

(2) 교직이 공직이라는 또 다른 근거는 교사의 주된 신분이 공무원이며 교육활동은 국가가 주관하는 공무(公務)라고 파악하는 데 근거한다. 교사의 측면에서 공직관은 국민주권주의를 기본원리로 하는 헌법 체제하에서 공직자로서의 위치에 선다는 것을 의미한다.

(3) 교직을 공직으로 보는 것은 교사가 국가와 사회의 유지·발전에 기여한다는 기대를 내포하고 있다. 그러나 이런 공직관이 자칫 명령과 복종에 의해 움직이는 공무원관으로 오해되어서는 안 된다.

3 교사의 기대 효과 - 자기 충족적 예언

1. 자기 충족적 예언

왜곡된 판단이나 평가가 마치 진실인양 취급되는 과정을 말한다. 피그말리온 효과 혹은 자성예언 효과라고도 한다. 사회학자인 머튼(Merton)이 처음 사용하였고 학습실험, 의학치료(Placebo effect), 국제관계 등에서 많이 입증되고 있다. 호돈 효과(Hawthorne Effect)도 이런 예에 속한다.

> 📁 **참고**

플라시보 효과(Placebo effect)와 노시보 효과(Nocebo effect)

플라시보 효과 (Placebo effect)	약의 성분이 병을 낫게 하는 것보다는 약을 먹었으니까 나을 것이라는 기대와 관심이 병을 낫게 하는 현상이다.
노시보 효과 (Nocebo effect)	나쁘게 될 것이라는 기대감 때문에 몸이 더 나빠지는 현상이다. 아무런 증상이 없는데도 불구하고 증상이 있는 것처럼 생각하면 부정적인 신체적 현상이 발생할 수 있다.

2. 피그말리온(Pygmalion)효과 실험

(1) 1968년 로젠탈과 제이콥슨(Rosental & Jacobson)이 Oak 초등학교 1~6학년을 대상으로 연구하였다.

(2) 지적 성장이 만숙형(晩熟型, late bloomer)인 아동을 판별하는 검사를 실시하였다.

(3) 교사의 기대가 자기 충족화되기 위해서는 기대만으로 되는 것이 아니라, 기대는 먼저 행동으로 전환되어 학생들에게 전달되고, 또 기대된 방향으로 학생을 움직일 수 있어야 한다.

(4) 자기 충족적 예언효과의 측면에서 볼 때 교사의 학생에 대한 기대는 학습자의 현재 수준에 알맞게 적절한 행동으로 나타나야 하며, 수업진도도 능력에 따라 조정되어야 한다.

(5) 학생들의 능력 발휘에 대한 교사의 신념은 학생들의 잠재력에 대한 교사의 기대는 물론 교사 자신의 효능감에도 영향을 미친다. 즉 자기효능감이 높은 교사는 교실에서 학생들의 행동을 지나치게 통제하지 않으며, 효과적으로 학생들을 학급 토론에 참여시킨다.

3. 학급 안에서 자기 충족적 예언의 형성과정

(1) 교사는 어떤 학생이 어떤 행동과 학업성취를 이룰 것이라고 기대한다.

(2) 기대는 학생에 따라 다르므로 교사가 학생을 대하는 행동도 다르게 나타난다.

(3) 교사의 학생에 대한 대우가 다르다는 것은 학생들의 자아개념, 성취동기 및 요구 수준에도 영향을 준다.

(4) 이런 대우가 장기간 계속되고 학생들이 여기에 대해 저항하지 않는다면 학생들의 행동이나 학업성취도는 기대대로 조성된다. 즉 교사의 높은 기대를 받은 학생은 높은 수준의 학업 성취를, 낮은 기대를 받은 학생은 낮은 성취를 하게 된다.

(5) 시간이 지날수록 학생들의 성적이나 행동은 기대에 더욱 가까워지게 된다.

(6) 자기 충족적 예언의 효과는 저학년과 하류층 학생들에게 뚜렷하게 나타났다.

4 교원의 윤리

교원의 윤리
사도헌장과 사도강령에 규정되어 있다.

1. 사도헌장(師道憲章)

오늘의 교육은 개인의 성장과 사회의 발전과 내일의 국운을 좌우한다. 우리는 국민교육의 수임자로서 존경받는 스승이요, 신뢰받는 선도자임을 자각한다. 이에 긍지와 사명을 새로이 명심하고 스승의 길을 밝힌다.

(1) 우리는 제자를 사랑하고 개성을 존중하며 한 마음 한 뜻으로 명랑한 학풍을 조성한다.

(2) 우리는 폭넓은 교양과 부단한 연찬(研鑽)으로 교직의 전문성을 높여 국민의 사표(師表)가 된다.

(3) 우리는 원대하고 치밀한 교육계획의 수립과 성실한 실천으로 맡은 바 책임을 완수한다.

(4) 우리는 서로 협동하며 교육의 자주혁신과 교육자의 지위향상에 적극적으로 노력한다.

(5) 우리는 가정교육·사회교육과의 유대를 강화하여 복지국가 건설에 공헌한다.

2. 사도강령(師道綱領)

민주국가의 주인은 국민이므로 나라의 주인을 주인답게 길러내는 교육은 가장 중대한 국가적 과업이다. 우리 겨레가 오랜 역사와 찬란한 문화를 계승·발전시키며, 선진제국과 어깨를 나란히 하여 인류복지 증진에 주도적으로 기여하려면 무엇보다도 문화국민으로서의 의식개혁과 미래사회에 대비한 창의적이고 자주적인 인간육성에 온 힘을 기울여야 한다. 그러기 위하여 우리 교육자는 국가발전과 민족중흥의 선도자로서의 사명과 긍지를 지니고 교육을 통하여 국민 각자의 능력을 최대한으로 계발하여 개인의 자아실현과 국력의 신장, 그리고 민족의 번영에 열과 성을 다하여야 한다.

또한 교육자의 품성과 언행이 학생의 성장발달을 좌우할 뿐만 아니라 국민윤리 재건의 관건이 된다는 사실을 명심하고 사랑과 봉사, 정직과 성실, 청렴과 품위, 준법과 질서에 바탕을 둔 사도확립에 우리 스스로 헌신하여야 한다. 이러한 우리의 뜻은 교직에 종사하는 모든 교육자가 공동체의식을 가지고 노력해야만 이루어질 수 있다는 것을 인식하고, 사도헌장 제정에 때맞추어 우리의 행동지표인 현행 교원윤리강령을 개정하여 이를 실천함으로써 국민의 사표가 될 것을 다짐한다.

5 스승의 윤리

1. 스승과 제자

스승의 주된 임무는 제자로 하여금 고매한 인격과 자주정신을 가지고 국가사회에 봉사할 수 있는 유능한 국민을 육성하는 데 있다.

(1) 우리는 제자를 사랑하고 그 인격을 존중한다.

(2) 우리는 제자의 심신발달이나 가정의 환경에 따라 차별을 두지 아니하고 공정하게 지도한다.

(3) 우리는 제자의 개성을 존중하며, 그들의 개인차와 욕구에 맞도록 지도한다.

(4) 우리는 제자에게 직업의 존귀함을 깨닫게 하고, 그들의 능력에 알맞은 직업을 선택하도록 지도한다.

(5) 우리는 제자 스스로가 원대한 이상을 세우고, 그 실현을 위하여 정진하도록 사제동행(師弟同行) 한다.

2. 스승의 자질

스승은 스승다워야 하며 제자의 거울이 되고 국민의 사표가 되어야 한다.

(1) 우리는 확고한 교육관과 긍지를 가지고 교직에 종사한다.

(2) 우리는 언행이 건전하고 생활이 청렴하여 제자와 사회의 존경을 받도록 한다.

(3) 우리는 단란한 가정을 이룩하고 국법을 준수하여 사회의 모범이 된다.

(4) 우리는 학부모의 경제적·사회적 지위를 이용하지 아니하며 이에 좌우되지 아니한다.

(5) 우리는 자기향상을 위해 전문적인 지식과 전문화된 기술을 계속 연마하는 데 주력한다.

3. 스승의 책임

스승은 제자교육에 열과 성을 다하여 맡은 바 책임을 다하여야 한다.

(1) 우리는 사회의 일원으로서 모든 책임과 의무를 다한다.

(2) 우리는 교재연구와 교육자료 개발에 만전을 기하여 수업에 최선을 다한다.

(3) 우리는 생활지도의 중요성을 인식하여 제자들이 올바른 사람이 될 수 있도록 지도를 철저히 한다.

(4) 우리는 제자와 성인들을 위한 정규교과의 활동에 적극적으로 참여한다.

4. 교육자와 단체

교육자는 그 지위의 향상과 복지의 증진을 위하여 교직단체를 조직하고 적극적으로 참여함으로써 단결된 힘을 발휘할 수 있다.

(1) 우리는 교직단체활동을 통하여 교육자의 처우와 근무조건의 개선을 꾸준히 추진한다.

(2) 우리는 교직단체의 활동을 통하여 교육자의 자질 향상과 교권의 확립에 박차를 가한다.

(3) 우리는 편당적, 편파적 활동에 참가하지 아니하고 교육을 그 방편으로 삼지 아니한다.

(4) 교직단체는 교육의 혁신과 국가의 발전을 위하여 다른 직능단체나 사회단체와 연대활동한다.

5. 스승과 사회

스승은 제자의 성장발달을 돕기 위하여 학부모와 협력하며, 학교·사회와의 상호작용의 원동력이 되고 국가발전의 선도자가 된다.

(1) 우리는 학교의 방침과 제자의 발달 상황을 가정에 알리고, 학부모의 정당한 의견을 학교교육에 반영시킨다.

(2) 우리는 사회의 성질을 정확하게 파악하고 지역사회의 생활과 문화향상을 위하여 봉사한다.

(3) 우리는 사회의 요구를 교육계획에 반영하며 학교의 교육활동을 사회에 널리 알린다.

(4) 우리는 국민의 평생교육을 위하여 광범위하게 협조하고 그 핵심이 된다.

(5) 우리는 확고한 국가관과 건전한 가치관을 가지고 국민의식 개혁에 솔선수범하며, 국가 발전의 선도자가 된다.

교육관련법령

01 | 교육기본법

■ 제1장 총칙

제1조   목적
이 법은 교육에 관한 국민의 권리·의무 및 국가·지방자치단체의 책임을 정하고 교육제도와 그 운영에 관한 기본적 사항을 규정함을 목적으로 한다.

제2조   교육이념
교육은 홍익인간(홍익인간)의 이념 아래 모든 국민으로 하여금 인격을 도야(도야)하고 자주적 생활능력과 민주시민으로서 필요한 자질을 갖추게 함으로써 인간다운 삶을 영위하게 하고 민주국가의 발전과 인류공영(인류공영)의 이상을 실현하는 데에 이바지하게 함을 목적으로 한다.

제3조   학습권
모든 국민은 평생에 걸쳐 학습하고, 능력과 적성에 따라 교육 받을 권리를 가진다.

제4조   교육의 기회균등
① 모든 국민은 성별, 종교, 신념, 인종, 사회적 신분, 경제적 지위 또는 신체적 조건 등을 이유로 교육에서 차별을 받지 아니한다.
② 국가와 지방자치단체는 학습자가 평등하게 교육을 받을 수 있도록 지역 간의 교원 수급 등 교육 여건 격차를 최소화하는 시책을 마련하여 시행하여야 한다.
③ 국가는 교육여건 개선을 위한 학급당 적정 학생 수를 정하고 지방자치단체와 이를 실현하기 위한 시책을 수립·실시하여야 한다. <신설 2021.9.24.>

제5조   교육의 자주성 등
① 국가와 지방자치단체는 교육의 자주성과 전문성을 보장하여야 하며, 국가는 지방자치단체의 교육에 관한 자율성을 존중하여야 한다. <신설 2021.9.24.>
② 국가와 지방자치단체는 관할하는 학교와 소관 사무에 대하여 지역 실정에 맞는 교육을 실시하기 위한 시책을 수립·실시하여야 한다. <개정 2021.9.24.>
③ 국가와 지방자치단체는 학교운영의 자율성을 존중하여야 하며, 교직원·학생·학부모 및 지역주민 등이 법령으로 정하는 바에 따라 학교운영에 참여할 수 있도록 보장하여야 한다. <개정 2021.9.24.>

제6조   교육의 중립성
① 교육은 교육 본래의 목적에 따라 그 기능을 다하도록 운영되어야 하며, 정치적·파당적 또는 개인적 편견을 전파하기 위한 방편으로 이용되어서는 아니 된다.
② 국가와 지방자치단체가 설립한 학교에서는 특정한 종교를 위한 종교교육을 하여서는 아니 된다.

제7조   교육재정

① 국가와 지방자치단체는 교육재정을 안정적으로 확보하기 위하여 필요한 시책을 수립·실시하여야 한다.

② 교육재정을 안정적으로 확보하기 위하여 지방교육재정교부금 등에 관하여 필요한 사항은 따로 법률로 정한다.

제8조   의무교육

① 의무교육은 6년의 초등교육과 3년의 중등교육으로 한다.

② 모든 국민은 제1항에 따른 의무교육을 받을 권리를 가진다.

제9조   학교교육

① 유아교육·초등교육·중등교육 및 고등교육을 하기 위하여 학교를 둔다.

② 학교는 공공성을 가지며, 학생의 교육 외에 학술 및 문화적 전통의 유지·발전과 주민의 평생교육을 위하여 노력하여야 한다.

③ 학교교육은 학생의 창의력 계발 및 인성(인성) 함양을 포함한 전인적(전인적) 교육을 중시하여 이루어져야 한다.

④ 학교의 종류와 학교의 설립·경영 등 학교교육에 관한 기본적인 사항은 따로 법률로 정한다.

제10조   평생교육

① 전 국민을 대상으로 하는 모든 형태의 평생교육은 장려되어야 한다. <개정 2021.9.24.>

② 평생교육의 이수(履修)는 법령으로 정하는 바에 따라 그에 상응하는 학교교육의 이수로 인정될 수 있다. <개정 2021.9.24.>

③ 평생교육시설의 종류와 설립·경영 등 평생교육에 관한 기본적인 사항은 따로 법률로 정한다. <개정 2021.9.24.>

제11조   학교 등의 설립

① 국가와 지방자치단체는 학교와 사회교육시설을 설립·경영한다.

② 법인이나 사인(사인)은 법률로 정하는 바에 따라 학교와 사회교육시설을 설립·경영할 수 있다.

■ 제2장 교육당사자

제12조   학습자

① 학생을 포함한 학습자의 기본적 인권은 학교교육 또는 사회교육의 과정에서 존중되고 보호된다.

② 교육내용·교육방법·교재 및 교육시설은 학습자의 인격을 존중하고 개성을 중시하여 학습자의 능력이 최대한으로 발휘될 수 있도록 마련되어야 한다.

③ 학생은 학습자로서의 윤리의식을 확립하고, 학교의 규칙을 준수하여야 하며, 교원의 교육·연구 활동을 방해하거나 학내의 질서를 문란하게 하여서는 아니 된다.

제13조   보호자

① 부모 등 보호자는 보호하는 자녀 또는 아동이 바른 인성을 가지고 건강하게 성장하도록 교육할 권리와 책임을 가진다.

② 부모 등 보호자는 보호하는 자녀 또는 아동의 교육에 관하여 학교에 의견을 제시할 수 있으며, 학교는 그 의견을 존중하여야 한다.

③ 부모 등 보호자는 교원과 학교가 전문적인 판단으로 학생을 교육·지도할 수 있도록 협조하고 존중하여야 한다. <신설 2023.9.27.>

제14조   교원

① 학교교육에서 교원(교원)의 전문성은 존중되며, 교원의 경제적·사회적 지위는 우대되고 그 신분은 보장된다.

② 교원은 교육자로서 갖추어야 할 품성과 자질을 향상시키기 위하여 노력하여야 한다.

③ 교원은 교육자로서의 윤리의식을 확립하고, 이를 바탕으로 학생에게 학습윤리를 지도하고 지식을 습득하게 하며, 학생 개개인의 적성을 계발할 수 있도록 노력하여야 한다.

④ 교원은 특정한 정당이나 정파를 지지하거나 반대하기 위하여 학생을 지도하거나 선동하여서는 아니 된다.

⑤ 교원은 법률로 정하는 바에 따라 다른 공직에 취임할 수 있다.

⑥ 교원의 임용·복무·보수 및 연금 등에 관하여 필요한 사항은 따로 법률로 정한다.

제15조   교원단체

① 교원은 상호 협동하여 교육의 진흥과 문화의 창달에 노력하며, 교원의 경제적·사회적 지위를 향상시키기 위하여 각 지방자치단체와 중앙에 교원단체를 조직할 수 있다.

② 제1항에 따른 교원단체의 조직에 필요한 사항은 대통령령으로 정한다.

제16조   학교 등의 설립자·경영자

① 학교와 사회교육시설의 설립자·경영자는 법령으로 정하는 바에 따라 교육을 위한 시설·설비·재정 및 교원 등을 확보하고 운용·관리한다.

② 학교의 장 및 사회교육시설의 설립자·경영자는 법령으로 정하는 바에 따라 학습자를 선정하여 교육하고 학습자의 학습성과 등 교육의 과정을 기록하여 관리한다.

③ 학교와 사회교육시설의 교육내용은 학습자에게 미리 공개되어야 한다.

제17조   국가 및 지방자치단체

국가와 지방자치단체는 학교와 사회교육시설을 지도·감독한다.

■ 제3장 교육의 진흥

제17조의2   남녀평등교육의 증진

① 국가와 지방자치단체는 양성평등의식을 보다 적극적으로 증진하고 학생의 존엄한 성(性)을 보호하며 학생에게 성에 대한 선량한 정서를 함양시키기 위하여 다음 각 호의 사항을 포함한 시책을 수립·실시하여야 한다. <개정 2021.9.24.>

1. 양성평등의식과 실천 역량을 고취하는 교육적 방안
2. 학생 개인의 존엄과 인격이 존중될 수 있는 교육적 방안
3. 체육·과학기술 등 여성의 활동이 취약한 분야를 중점 육성할 수 있는 교육적 방안
4. 성별 고정관념을 탈피한 진로선택과 이를 중점 지원하는 교육적 방안
5. 성별 특성을 고려한 교육·편의 시설 및 교육환경 조성 방안

② 국가 및 지방자치단체와 제16조에 따른 학교 및 평생교육시설의 설립자·경영자는 교육을 할 때 합리적인 이유 없이 성별에 따라 참여나 혜택을 제한하거나 배제하는 등의 차별을 하여서는 아니 된다. <개정 2021.9.24.>

③ 학교의 장은 양성평등의식의 증진을 위하여 교육부장관이 정하는 지침에 따라 성교육, 성인지교육, 성폭력예방교육 등을 포함한 양성평등교육을 체계적으로 실시하여야 한다. <개정 2021.9.24.>

④ 학교교육에서 양성평등을 증진하기 위한 학교교육과정의 기준과 내용 등 대통령령으로 정하는 사항에 관한 교육부장관의 자문에 응하기 위하여 양성평등교육심의회를 둔다. <개정 2008.2.29., 2013.3.23., 2021.9.24.>

⑤ 제4항에 따른 양성평등교육심의회 위원의 자격·구성·운영 등에 필요한 사항은 대통령령으로 정한다. <개정 2021.9.24.>

제17조의3　학습윤리의 확립

국가와 지방자치단체는 모든 국민이 학업·연구·시험 등 교육의 모든 과정에 요구되는 윤리의식을 확립할 수 있도록 필요한 시책을 수립·실시하여야 한다.

제17조의4　건전한 성의식 함양

① 국가와 지방자치단체는 학생의 존엄한 성(性)을 보호하고 학생에게 성에 대한 선량한 정서를 함양시킬 수 있도록 필요한 시책을 수립·실시하여야 한다.

② 제1항에 따른 시책에는 학생 개인의 존엄과 인격이 존중될 수 있는 교육적 방안과 남녀의 성 특성을 고려한 교육·편의시설 마련 방안이 포함되어야 한다.

제17조의5　생명존중의식 함양

국가와 지방자치단체는 모든 국민이 인간의 존엄성과 생명존중에 관한 건전한 의식을 함양할 수 있도록 필요한 시책을 수립·실시하여야 한다.[본조신설 2024.2.13.]

제17조의6　평화적 통일 지향

국가 및 지방자치단체는 학생 또는 교원이 자유민주적 기본질서를 확립하고 평화적 통일을 지향하는 교육 또는 연수를 받을 수 있도록 필요한 시책을 수립·실시하여야 한다.

제18조　특수교육

국가와 지방자치단체는 신체적·정신적·지적 장애 등으로 특별한 교육적 배려가 필요한 자를 위한 학교를 설립·경영하여야 하며, 이들의 교육을 지원하기 위하여 필요한 시책을 수립·실시하여야 한다.

제19조　영재교육

국가와 지방자치단체는 학문·예술 또는 체육 등의 분야에서 재능이 특히 뛰어난 자의 교육에 필요한 시책을 수립·실시하여야 한다.

제20조　유아교육

국가와 지방자치단체는 유아교육을 진흥하기 위하여 필요한 시책을 수립·실시하여야 한다.

제21조　직업교육

국가와 지방자치단체는 모든 국민이 학교교육과 사회교육을 통하여 직업에 대한 소양과 능력을 계발하기 위한 교육을 받을 수 있도록 필요한 시책을 수립·실시하여야 한다.

제22조　과학·기술교육

국가와 지방자치단체는 과학·기술교육을 진흥하기 위하여 필요한 시책을 수립·실시하여야 한다.

제22조의2　기후변화환경교육

국가와 지방자치단체는 모든 국민이 기후변화 등에 대응하기 위하여 생태전환교육을 받을 수 있도록 필요한 시책을 수립·실시하여야 한다.[본조신설 2021.9.24.]

제22조의3　진로교육

국가와 지방자치단체는 모든 국민이 자신의 소질과 적성을 바탕으로 진로를 탐색·설계할 수 있도록 진로교육에 필요한 시책을 수립·실시하여야 한다.[본조신설 2023.9.14.]

제22조의4　학교체육

국가와 지방자치단체는 학생의 체력 증진과 체육활동 장려에 필요한 시책을 수립·실시하여야 한다.

제23조　교육의 정보화

① 국가와 지방자치단체는 정보화교육 및 정보통신매체를 이용한 교육을 지원하고 교육정보산업을 육성하는 등 교육의 정보화에 필요한 시책을 수립·실시하여야 한다.

② 제1항에 따른 정보화교육에는 정보통신매체를 이용하는 데 필요한 타인의 명예·생명·신체 및 재산상의 위해를 방지하기 위한 법적·윤리적 기준에 관한 교육이 포함되어야 한다.

제23조의2　학교 및 교육행정기관 업무의 전자화

국가와 지방자치단체는 학교 및 교육행정기관의 업무를 전자적으로 처리할 수 있도록 필요한 시책을 마련하여야 한다.

제23조의3　학생정보의 보호원칙

① 학교생활기록 등의 학생정보는 교육적 목적으로 수집·처리·이용 및 관리되어야 한다.

② 부모 등 보호자는 자녀 등 피보호자에 대한 제1항의 학생정보를 제공받을 권리를 가진다.

③ 제1항에 따른 학생정보는 법률로 정하는 경우 외에는 해당 학생(학생이 미성년자인 경우에는 학생 및 학생의 부모 등 보호자)의 동의 없이 제3자에게 제공되어서는 아니 된다.

제24조　학술문화의 진흥

국가와 지방자치단체는 학술문화를 연구·진흥하기 위하여 학술문화시설 설치 및 연구비 지원 등의 시책을 수립·실시하여야 한다.

제25조   사립학교의 육성

국가와 지방자치단체는 사립학교를 지원·육성하여야 하며, 사립학교의 다양하고 특성있는 설립목적이 존중되도록 하여야 한다.

제26조   평가 및 인증제도

① 국가는 국민의 학습성과 등이 공정하게 평가되어 사회적으로 통용될 수 있도록 학력평가와 능력인증에 관한 제도를 수립·실시할 수 있다.

② 제1항에 따른 평가 및 인증제도는 학교의 교육과정 등 교육제도와 상호 연계되어야 한다.

제26조의2   교육 관련 정보의 공개

① 국가와 지방자치단체는 국민의 알 권리와 학습권을 보장하기 위하여 그 보유·관리하는 교육 관련 정보를 공개하여야 한다.

② 제1항에 따른 교육 관련 정보의 공개에 관한 기본적인 사항은 따로 법률로 정한다.

제26조의3   교육 관련 통계조사

국가와 지방자치단체는 교육제도의 효율적인 수립·시행과 평가를 위하여 교육 관련 통계조사에 필요한 시책을 마련하여야 한다.

제27조   보건 및 복지의 증진

① 국가와 지방자치단체는 학생과 교직원의 건강 및 복지를 증진하기 위하여 필요한 시책을 수립·실시하여야 한다.

② 국가 및 지방자치단체는 학생의 안전한 주거환경을 위하여 학생복지주택의 건설에 필요한 시책을 수립·실시하여야 한다.

제28조   장학제도 등

① 국가와 지방자치단체는 경제적 이유로 교육받기 곤란한 자를 위한 장학제도(장학제도)와 학비보조 제도 등을 수립·실시하여야 한다.

② 국가는 다음 각 호의 자에게 학비나 그 밖에 필요한 경비의 전부 또는 일부를 보조할 수 있다.

1. 교원양성교육을 받는 자
2. 국가가 특히 필요로 하는 분야를 국내외에서 전공하거나 연구하는 자

③ 제1항 및 제2항에 따른 장학금 및 학비보조금 등의 지급 방법 및 절차, 지급받을 자의 자격 및 의무 등에 관하여 필요한 사항은 대통령령으로 정한다.

제29조   국제교육

① 국가는 국민이 국제사회의 일원으로서 갖추어야 할 소양과 능력을 기를 수 있도록 국제화교육에 노력하여야 한다.

② 국가는 외국에 거주하는 동포에게 필요한 학교교육 또는 사회교육을 실시하기 위하여 필요한 시책을 마련하여야 한다.

③ 국가는 학문연구를 진흥하기 위하여 국외유학에 관한 시책을 마련하여야 하며, 국외에서 이루어지는 우리나라에 대한 이해와 우리 문화의 정체성 확립을 위한 교육·연구활동을 지원하여야 한다.

④ 국가는 외국정부 및 국제기구 등과의 교육협력에 필요한 시책을 마련하여야 한다.

02 | 초·중등교육법

■ 제1장 총칙

제1조   목적

이 법은 「교육기본법」 제9조에 따라 초·중등교육에 관한 사항을 성함을 목적으로 한다.

제2조   학교의 종류

초·중등교육을 실시하기 위하여 다음 각 호의 학교를 둔다.
1. 초등학교
2. 중학교·고등공민학교
3. 고등학교·고등기술학교
4. 특수학교
5. 각종학교

제3조   국립·공립·사립학교의 구분

제2조 각 호의 학교(이하 "학교"라 한다)는 설립주체에 따라 다음 각 호와 같이 구분한다.
1. 국립학교: 국가가 설립·경영하는 학교 또는 국립대학법인이 부설하여 경영하는 학교
2. 공립학교: 지방자치단체가 설립·경영하는 학교(설립주체에 따라 시립학교·도립학교로 구분할 수 있다)
3. 사립학교: 법인이나 개인이 설립·경영하는 학교(국립대학법인이 부설하여 경영하는 학교는 제외한다)

제4조   학교의 설립 등

① 학교를 설립하려는 자는 시설·설비 등 대통령령으로 정하는 설립 기준을 갖추어야 한다.
② 사립학교를 설립하려는 자는 특별시·광역시·특별자치시·도·특별자치도 교육감(이하 "교육감"이라 한다)의 인가를 받아야 한다.
③ 사립학교를 설립·경영하는 자가 학교를 폐교하거나 대통령령으로 정하는 중요 사항을 변경하려면 교육감의 인가를 받아야 한다.

제5조   학교의 병설

초등학교·중학교 및 고등학교는 지역의 실정에 따라 상호 병설(병설)할 수 있다.

제6조   지도·감독

국립학교는 교육부장관의 지도·감독을 받으며, 공립·사립학교는 교육감의 지도·감독을 받는다.

제7조   장학지도

교육감은 관할 구역의 학교를 대상으로 교육과정 운영과 교수(교수)·학습방법 등에 대한 장학지도를 할 수 있다.

제8조 학교 규칙

① 학교의 장(학교를 설립하는 경우에는 그 학교를 설립하려는 자를 말한다)은 법령의 범위에서 학교 규칙(이하 "학칙"이라 한다)을 제정 또는 개정할 수 있다.

② 학칙의 기재 사항과 제정·개정 절차 등에 관하여 필요한 사항은 대통령령으로 정한다.

제9조 학생·기관·학교 평가

① 교육부장관은 학교에 재학 중인 학생을 대상으로 학업성취도를 측정하기 위한 평가를 할 수 있다.

② 교육부장관은 교육행정을 효율적으로 수행하기 위하여 특별시·광역시·특별자치시·도·특별자치도 교육청과 그 관할하는 학교를 평가할 수 있다.

③ 교육감은 교육행정의 효율적 수행 및 학교 교육능력 향상을 위하여 그 관할하는 교육행정기관과 학교를 평가할 수 있다.

④ 제2항 및 제3항에 따른 평가의 대상·기준·절차 및 평가 결과의 공개 등에 필요한 사항은 대통령령으로 정한다.

⑤ 평가 대상 기관의 장은 특별한 사유가 있는 경우가 아니면 제1항부터 제3항까지의 규정에 따른 평가를 받아야 한다.

⑥ 교육부장관은 교육감이 그 관할 구역에서 제3항에 따른 평가를 실시하려는 경우 필요한 지원을 할 수 있다.

제10조 수업료 등

① 학교의 설립자·경영자는 수업료와 그 밖의 납부금을 받을 수 있다.

② 제1항에 따른 수업료와 그 밖의 납부금을 거두는 방법 등에 필요한 사항은 국립학교의 경우에는 교육부령으로 정하고, 공립·사립학교의 경우에는 특별시·광역시·특별자치시·도·특별자치도(이하 "시·도"라 한다)의 조례로 정한다. 이 경우 국민의 교육을 받을 권리를 본질적으로 침해하는 내용을 정하여서는 아니 된다.

제10조의2 고등학교 등의 무상교육

① 제2조 제3호에 따른 고등학교·고등기술학교 및 이에 준하는 각종학교의 교육에 필요한 다음 각 호의 비용은 무상(무상)으로 한다.
  1. 입학금
  2. 수업료
  3. 학교운영지원비
  4. 교과용 도서 구입비

② 제1항 각 호의 비용은 국가 및 지방자치단체가 부담하고, 학교의 설립자·경영자는 학생과 보호자로부터 이를 받을 수 없다.

③ 제1항 및 제2항에도 불구하고 대통령령으로 정하는 사립학교의 설립자·경영자는 학생과 보호자로부터 제1항 각 호의 비용을 받을 수 있다.

[시행일] 제10조의2의 개정규정은 다음 각 호와 같이 순차적으로 시행
1. 2020학년도: 고등학교 등 2학년 및 3학년의 무상교육
2. 2021학년도 이후: 고등학교 등 전학년의 무상교육

제11조 학교시설 등의 이용

모든 국민은 학교교육에 지장을 주지 아니하는 범위에서 그 학교의 장의 결정에 따라 국립학교의 시설 등을 이용할 수 있고, 공립·사립학교의 시설 등은 시·도의 교육규칙으로 정하는 바에 따라 이용할 수 있다.

제11조의2 교육통계조사 등

① 교육부장관은 초·중등교육 정책의 효율적인 추진과 초·중등교육 연구에 필요한 학생·교원·직원·학교·교육행정기관 등에 대한 기초자료 수집을 위하여 교육통계조사를 매년 실시하고 그 결과를 공개하여야 한다.

② 교육부장관은 초·중등교육 정책의 효율적인 수립·시행과 평가를 위하여 제1항에 따른 교육통계조사(이하 이 조에서 "교육통계조사"라 한다)로 수집된 자료와 「통계법」 제3조에 따른 통계 및 행정자료 등을 활용하여 교육 관련 지표 및 학생 수 추계 등 예측통계를 작성하여 공개하여야 한다.

③ 교육부장관은 교육통계조사와 제2항에 따른 교육 관련 지표 및 예측통계의 작성을 위하여 중앙행정기관의 장, 지방자치단체의 장, 교육감 및 「공공기관의 운영에 관한 법률」에 따른 공공기관의 장 등 관계 기관의 장에게 자료의 제공을 요청할 수 있다. 이 경우 자료 제공을 요청받은 기관의 장은 특별한 사유가 없으면 이에 따라야 한다.

④ 교육감은 제3항에 따른 자료 제출을 위하여 관할 학교 및 교육행정기관의 장 등에게 자료 제출을 요청할 수 있다. 이 경우 자료 제출 요청을 받은 관할 학교 및 교육행정기관의 장 등은 특별한 사유가 없으면 이에 따라야 하며, 교육감은 관할 학교 및 교육행정기관 등의 부담을 최소화하기 위하여 노력하여야 한다.

⑤ 교육부장관은 교육통계조사와 교육 관련 지표 및 예측통계 작성의 정확성 제고 및 업무 경감을 위하여 관련 자료를 보유한 중앙행정기관의 장, 지방자치단체의 장, 교육감 및 「공공기관의 운영에 관한 법률」에 따른 공공기관의 장 등 관계 기관의 장에게 자료 간 연계를 요청할 수 있다. 이 경우 자료 간 연계를 요청받은 기관의 장은 특별한 사유가 없으면 이에 따라야 한다.

⑥ 교육부장관은 교육통계조사 시 다음 각 호에 해당하는 사람의 주민등록번호가 포함된 개인정보를 수집할 수 있으며, 이를 제5항에 따라 연계를 요청받은 기관에 통계조사 및 분석, 검증 등을 목적으로 제공하거나 제공받을 수 있다.
   1. 조사대상 학교 및 교육행정기관의 교직원
   2. 조사대상 학교의 학생 및 졸업생

⑦ 교육부장관은 교육통계조사에 의하여 수집된 자료를 이용하고자 하는 자에게 이를 제공할 수 있다. 이 경우 「교육관련기관의 정보공개에 관한 특례법」에 따라 공개되는 항목을 제외하고는 특정의 개인이나 법인 또는 단체를 식별할 수 없는 형태로 자료를 제공한다.

⑧ 교육부장관은 교육통계조사 등의 업무를 위하여 대통령령으로 정하는 바에 따라 국가교육통계센터를 지정하여 그 업무를 위탁할 수 있다. 이 경우 교육부장관은 지정이나 업무 위탁에 필요한 경비를 지원할 수 있다.

⑨ 제1항부터 제8항까지에서 규정한 사항 외에 교육통계조사와 교육 관련 지표 및 예측통계 작성의 대상, 절차 및 결과 공개 등에 필요한 사항은 대통령령으로 정한다.

■ 제2장 의무교육

제12조 의무교육

① 국가는 「교육기본법」 제8조 제1항에 따른 의무교육을 실시하여야 하며, 이를 위한 시설을 확보하는 등 필요한 조치를 강구하여야 한다.

② 지방자치단체는 그 관할 구역의 의무교육대상자를 모두 취학시키는 데에 필요한 초등학교, 중학교 및 초등학교·중학교의 과정을 교육하는 특수학교를 설립·경영하여야 한다.

③ 지방자치단체는 지방자치단체가 설립한 초등학교·중학교 및 특수학교에 그 관할 구역의 의무교육대상자를 모두 취학시키기 곤란하면 인접한 지방자치단체와 협의하여 합동으로 초등학교·중학교 또는 특수학교를 설립·경영하거나, 인접한 지방자치단체가 설립한 초등학교·중학교 또는 특수학교나 국립 또는 사립의 초등학교·중학교 또는 특수학교에 일부 의무교육대상자에 대한 교육을 위탁할 수 있다.

④ 국립·공립학교의 설립자·경영자와 제3항에 따라 의무교육대상자의 교육을 위탁받은 사립학교의 설립자·경영자는 의무교육을 받는 사람으로부터 제10조의2 제1항 각 호의 비용을 받을 수 없다.

제13조　취학 의무

① 모든 국민은 보호하는 자녀 또는 아동이 6세가 된 날이 속하는 해의 다음 해 3월 1일에 그 자녀 또는 아동을 초등학교에 입학시켜야 하고, 초등학교를 졸업할 때까지 다니게 하여야 한다.

② 모든 국민은 제1항에도 불구하고 그가 보호하는 자녀 또는 아동이 5세가 된 날이 속하는 해의 다음 해 또는 7세가 된 날이 속하는 해의 다음 해에 그 자녀 또는 아동을 초등학교에 입학시킬 수 있다. 이 경우에도 그 자녀 또는 아동이 초등학교에 입학한 해의 3월 1일부터 졸업할 때까지 초등학교에 다니게 하여야 한다.

③ 모든 국민은 보호하는 자녀 또는 아동이 초등학교를 졸업한 학년의 다음 학년 초에 그 자녀 또는 아동을 중학교에 입학시켜야 하고, 중학교를 졸업할 때까지 다니게 하여야 한다.

④ 제1항부터 제3항까지의 규정에 따른 취학 의무의 이행과 이행 독려 등에 필요한 사항은 대통령령으로 정한다.

제14조　취학 의무의 면제 등

① 질병·발육 상태 등 부득이한 사유로 취학이 불가능한 의무교육대상자에 대하여는 대통령령으로 정하는 바에 따라 제13조에 따른 취학 의무를 면제하거나 유예할 수 있다.

② 제1항에 따라 취학 의무를 면제받거나 유예받은 사람이 다시 취학하려면 대통령령으로 정하는 바에 따라 학습능력을 평가한 후 학년을 정하여 취학하게 할 수 있다.

제15조　고용자의 의무

의무교육대상자를 고용하는 자는 그 대상자가 의무교육을 받는 것을 방해하여서는 아니 된다.

제16조　친권자 등에 대한 보조

국가와 지방자치단체는 의무교육대상자의 친권자나 후견인이 경제적 사유로 의무교육대상자를 취학시키기 곤란할 때에는 교육비를 보조할 수 있다.

■ 제3장 학생과 교직원

● 제1절 학생

제17조　학생자치활동

학생의 자치활동은 권장·보호되며, 그 조직과 운영에 관한 기본적인 사항은 학칙으로 정한다.

제18조　학생의 징계

① 학교의 장은 교육상 필요한 경우에는 법령과 학칙으로 정하는 바에 따라 학생을 징계하거나 그 밖의 방법으로 지도할 수 있다. 다만, 의무교육을 받고 있는 학생은 퇴학시킬 수 없다.

② 학교의 장은 학생을 징계하려면 그 학생이나 보호자에게 의견을 진술할 기회를 주는 등 적정한 절차를 거쳐야 한다.

제18조의2　재심청구

① 제18조 제1항에 따른 징계처분 중 퇴학 조치에 대하여 이의가 있는 학생 또는 그 보호자는 퇴학 조치를 받은 날부터 15일 이내 또는 그 조치가 있음을 알게 된 날부터 10일 이내에 제18조의3에 따른 시·도학생징계조정위원회에 재심을 청구할 수 있다.

② 제18조의3에 따른 시·도학생징계조정위원회는 제1항에 따른 재심청구를 받으면 30일 이내에 심사·결정하여 청구인에게 통보하여야 한다.

③ 제2항의 심사결정에 이의가 있는 청구인은 통보를 받은 날부터 60일 이내에 행정심판을 제기할 수 있다.

④ 제1항에 따른 재심청구, 제2항에 따른 심사 절차와 결정 통보 등에 필요한 사항은 대통령령으로 정한다.

제18조의3　시·도학생징계조정위원회의 설치

① 제18조의2 제1항에 따른 재심청구를 심사·결정하기 위하여 교육감 소속으로 시·도학생징계조정위원회(이하 "징계조정위원회"라 한다)를 둔다.

② 징계조정위원회의 조직·운영 등에 필요한 사항은 대통령령으로 정한다.

제18조의4　학생의 인권보장

학교의 설립자·경영자와 학교의 장은 「헌법」과 국제인권조약에 명시된 학생의 인권을 보장하여야 한다.

제18조의5　보호자의 의무 등

① 보호자는 교직원 또는 다른 학생의 인권을 침해하는 행위를 하여서는 아니 된다.

② 보호자는 제20조의2 제1항에 따른 교원의 학생생활지도를 존중하고 지원하여야 한다.

③ 보호자는 교육활동의 범위에서 교원과 학교의 전문적인 판단을 존중하고 교육활동이 원활히 이루어질 수 있도록 적극 협력하여야 한다.[본조신설 2023.9.27.]

● 제2절 교직원

제19조　교직원의 구분

① 학교에는 다음 각 호의 교원을 둔다.

　1. 초등학교·중학교·고등학교·고등공민학교·고등기술학교 및 특수학교에는 교장·교감·수석교사 및 교사를 둔다. 다만, 학생 수가 100명 이하인 학교나 학급 수가 5학급 이하인 학교 중 대통령령으로 정하는 규모 이하의 학교에는 교감을 두지 아니할 수 있다.

　2. 각종학교에는 제1호에 준하여 필요한 교원을 둔다.

② 학교에는 교원 외에 학교 운영에 필요한 행정직원 등 직원을 둔다.

③ 학교에는 원활한 학교 운영을 위하여 교사 중 교무(교무)를 분담하는 보직교사를 둘 수 있다.

④ 학교에 두는 교원과 직원(이하 "교직원"이라 한다)의 정원에 필요한 사항은 대통령령으로 정하고, 학교급별 구체적인 배치기준은 제6조에 따른 지도·감독기관(이하 "관할청"이라 한다)이 정하며, 교육부장관은 교원의 정원에 관한 사항을 매년 국회에 보고하여야 한다.

제19조의2　전문상담교사의 배치 등

① 학교에 전문상담교사를 두거나 시·도 교육행정기관에 「교육공무원법」 제22조의2에 따라 전문상담순회교사를 둔다.

② 제1항의 전문상담순회교사의 정원·배치 기준 등에 필요한 사항은 대통령령으로 정한다.

제20조   교직원의 임무

① 교장은 교무를 총괄하고, 민원처리를 책임지며, 소속 교직원을 지도·감독하고, 학생을 교육한다. <개정 2021.3.23., 2023.9.27.>

② 교감은 교장을 보좌하여 교무를 관리하고 학생을 교육하며, 교장이 부득이한 사유로 직무를 수행할 수 없을 때에는 교장의 직무를 대행한다. 다만, 교감이 없는 학교에서는 교장이 미리 지명한 교사(수석교사를 포함한다)가 교장의 직무를 대행한다.

③ 수석교사는 교사의 교수·연구 활동을 지원하며, 학생을 교육한다.

④ 교사는 법령에서 정하는 바에 따라 학생을 교육한다.

⑤ 행정직원 등 직원은 법령에서 정하는 바에 따라 학교의 행정사무와 그 밖의 사무를 담당한다.

제20조의2   학교의 장 및 교원의 학생생활지도

① 학교의 장과 교원은 학생의 인권을 보호하고 교원의 교육활동을 위하여 필요한 경우에는 법령과 학칙으로 정하는 바에 따라 학생을 지도할 수 있다. <개정 2023.9.27.>

② 제1항에 따른 교원의 정당한 학생생활지도에 대해서는 「아동복지법」 제17조 제3호, 제5호 및 제6호의 금지행위 위반으로 보지 아니한다. <신설 2023.9.27.>

제20조의3   교원 개인정보의 보호

학교와 학교의 장은 교원의 전화번호, 주민등록번호 등 개인정보가 「개인정보 보호법」 및 「공공기관의 정보공개에 관한 법률」 등 관계 법률에 따라 보호될 수 있도록 필요한 조치를 하여야 한다.[본조신설 2023.9.27.]

제21조   교원의 자격

① 교장과 교감은 별표 1의 자격 기준에 해당하는 사람으로서 대통령령으로 정하는 바에 따라 교육부장관이 검정(검정)·수여하는 자격증을 받은 사람이어야 한다.

② 교사는 정교사(1급·2급), 준교사, 전문상담교사(1급·2급), 사서교사(1급·2급), 실기교사, 보건교사(1급·2급) 및 영양교사(1급·2급)로 나누되, 별표 2의 자격 기준에 해당하는 사람으로서 대통령령으로 정하는 바에 따라 교육부장관이 검정·수여하는 자격증을 받은 사람이어야 한다.

③ 수석교사는 제2항의 자격증을 소지한 사람으로서 15년 이상의 교육경력(「교육공무원법」 제2조 제1항제2호 및 제3호에 따른 교육전문직원으로 근무한 경력을 포함한다)을 가지고 교수·연구에 우수한 자질과 능력을 가진 사람 중에서 대통령령으로 정하는 바에 따라 교육부장관이 정하는 연수 이수 결과를 바탕으로 검정·수여하는 자격증을 받은 사람이어야 한다.

제21조의2   교사 자격 취득의 결격사유

다음 각 호의 어느 하나에 해당하는 사람은 제21조 제2항에 따른 교사의 자격을 취득할 수 없다.

1. 마약·대마·향정신성의약품 중독자

2. 미성년자에 대한 다음 각 목의 어느 하나에 해당하는 행위로 형 또는 치료감호를 선고받아 그 형 또는 치료감호가 확정된 사람(집행유예를 선고받은 후 그 집행유예기간이 경과한 사람을 포함한다)

　　가. 「성폭력범죄의 처벌 등에 관한 특례법」 제2조에 따른 성폭력범죄

　　나. 「아동·청소년의 성보호에 관한 법률」 제2조 제2호에 따른 아동·청소년대상 성범죄

3. 성인에 대한 「성폭력범죄의 처벌 등에 관한 특례법」 제2조에 따른 성폭력범죄 행위로 100만원 이상의 벌금형이나 그 이상의 형 또는 치료감호를 선고받아 그 형 또는 치료감호가 확정된 사람(집행유예를 선고받은 후 그 집행유예기간이 경과한 사람을 포함한다)

제21조의3　벌금형의 분리 선고

「형법」제38조에도 불구하고 제21조의2 제3호에 해당하는 죄와 다른 죄의 경합범(競合犯)에 대하여 벌금형을 선고하는 경우에는 이를 분리하여 선고하여야 한다.

제21조의4　교원자격증 대여·알선 금지

제21조에 따라 받은 자격증은 다른 사람에게 빌려주거나 빌려서는 아니 되며, 이를 알선하여서도 아니 된다.

제21조의5　자격취소 등

① 교육부장관은 제21조에 따라 자격증을 받은 사람이 다음 각 호의 어느 하나에 해당하는 경우에는 그 자격을 취소하여야 한다.
　1. 거짓이나 그 밖의 부정한 방법으로 자격증을 받은 경우
　2. 제21조의4를 위반하여 자격증을 다른 사람에게 빌려준 경우
② 제1항에 따라 자격이 취소된 후 2년이 지나지 아니한 사람은 제21조에 따른 검정을 받을 수 없다.

제22조　산학겸임교사 등

① 교육과정을 운영하기 위하여 필요하면 학교에 제19조 제1항에 따른 교원 외에 산학겸임교사·명예교사 또는 강사 등을 두어 학생의 교육을 담당하게 할 수 있다. 이 경우 국립·공립 학교는 「교육공무원법」제10조의3 제1항 및 제10조의4를, 사립학교는 「사립학교법」제54조의3 제4항 및 제5항을 각각 준용한다.
② 제1항에 따라 학교에 두는 산학겸임교사 등의 종류·자격기준 및 임용 등에 필요한 사항은 대통령령으로 정한다.

■ 제4장 학교

● 제1절 통칙

제23조　교육과정 등

① 학교는 교육과정을 운영하여야 한다.
② 국가교육위원회는 제1항에 따른 교육과정의 기준과 내용에 관한 기본적인 사항을 정하며, 교육감은 국가교육위원회가 정한 교육과정의 범위에서 지역의 실정에 맞는 기준과 내용을 정할 수 있다. <개정 2013.3.23., 2021.7.20.>
③ 교육부장관은 제1항의 교육과정이 안정적으로 운영될 수 있도록 대통령령으로 정하는 바에 따라 후속지원 계획을 수립·시행한다. <신설 2021.7.20.>
④ 학교의 교과(敎科)는 대통령령으로 정한다. <개정 2021.7.20.>

제23조의2　교육과정 영향 사전협의

① 중앙행정기관의 장은 제23조에 따른 교육과정에 소관 법령에 따라 교육실시, 교육횟수, 교육시간, 결과보고 등이 의무적으로 부과되는 법정교육을 반영하는 내용의 법령을 제정하거나 개정하려는 경우에는 사전에 국가교육위원회와 협의하여야 한다.
② 제1항에 따른 사전협의의 범위 및 방법 등에 필요한 사항은 대통령령으로 정한다.[본조신설 2022.10.18.]

제24조   수업 등

① 학교의 학년도는 3월 1일부터 시작하여 다음 해 2월 말일까지로 한다.

② 수업은 주간(주간)·전일제(전일제)를 원칙으로 한다. 다만, 법령이나 학칙으로 정하는 바에 따라 야간수업·계절수업·시간제수업 등을 할 수 있다.

③ 학교의 장은 교육상 필요한 경우에는 다음 각 호에 해당하는 수업을 할 수 있다. 이 경우 수업 운영에 관한 사항은 교육부장관이 정하는 범위에서 교육감이 정한다.

    1. 방송·정보통신 매체 등을 활용한 원격수업

    2. 현장실습 운영 등 학교 밖에서 이루어지는 활동

④ 학교의 학기·수업일수·학급편성·휴업일과 반의 편성·운영, 그 밖에 수업에 필요한 사항은 대통령령으로 정한다.

제25조   학교생활기록

① 학교의 장은 학생의 학업성취도와 인성(인성) 등을 종합적으로 관찰·평가하여 학생지도 및 상급학교(「고등교육법」 제2조 각 호에 따른 학교를 포함한다. 이하 같다)의 학생 선발에 활용할 수 있는 다음 각 호의 자료를 교육부령으로 정하는 기준에 따라 작성·관리하여야 한다.

    1. 인적사항

    2. 학적사항

    3. 출결상황

    4. 자격증 및 인증 취득상황

    5. 교과학습 발달상황

    6. 행동특성 및 종합의견

    7. 그 밖에 교육목적에 필요한 범위에서 교육부령으로 정하는 사항

② 학교의 장은 제1항에 따른 자료를 제30조의4에 따른 교육정보시스템으로 작성·관리하여야 한다.

③ 학교의 장은 소속 학교의 학생이 전출하면 제1항에 따른 자료를 그 학생이 전입한 학교의 장에게 넘겨주어야 한다.

제26조   학년제

① 학생의 진급이나 졸업은 학년제로 한다.

② 제1항에도 불구하고 학교의 장은 관할청의 승인을 받아 학년제 외의 제도를 채택할 수 있다.

제27조   조기진급 및 조기졸업 등

① 초등학교·중학교·고등학교 및 이에 준하는 각종학교의 장은 재능이 우수한 학생에게 제23조·제24조·제26조·제39조·제42조 및 제46조에도 불구하고 수업연한(수업연한)을 단축(수업상의 특례를 포함한다)하여 조기진급 또는 조기졸업을 할 수 있도록 하거나 상급학교 조기입학 자격을 줄 수 있다.

② 제1항에 따라 상급학교 조기입학 자격을 얻어 상급학교에 입학한 경우에는 조기졸업한 것으로 본다.

③ 제1항 및 제2항에 따른 재능이 우수한 학생의 선정(선정)과 조기진급, 조기졸업 및 상급학교 조기입학자격 등에 필요한 사항은 대통령령으로 정한다.

제27조의2   학력인정 시험

① 제2조에 따른 학교의 교육과정을 마치지 아니한 사람은 대통령령으로 정하는 시험에 합격하여 초등학교·중학교 또는 고등학교를 졸업한 사람과 동등한 학력을 인정받을 수 있다.

② 국가 또는 지방자치단체는 제1항에 따른 시험 중 초등학교와 중학교를 졸업한 사람과 동등한 학력이 인정되는 시험의 실시에 필요한 비용을 부담한다.

③ 초등학교·중학교 및 고등학교를 졸업한 사람과 동등한 학력이 인정되는 시험에 필요한 사항은 교육부령으로 정한다.

④ 교육감은 상급학교 학생선발을 위하여 필요한 경우 고등학교를 졸업한 사람과 동등한 학력을 인정받는 시험에 합격한 자의 합격증명과 성적증명 자료를 본인의 동의를 받아 제3자에게 제30조의4에 따른 교육정보시스템으로 제공할 수 있다.

⑤ 제4항에 따른 자료 제공의 제한에 관하여는 제30조의6을 준용한다. 이 경우 "학교의 장"은 "교육감"으로 본다.

제28조   학업에 어려움을 겪는 학생에 대한 교육

① 국가와 지방자치단체는 다음 각 호의 구분에 따른 학생들(이하 "학업에 어려움을 겪는 학생"이라 한다)을 위하여 대통령령으로 정하는 바에 따라 수업일수와 교육과정을 신축적으로 운영하는 등 교육상 필요한 시책을 마련하여야 한다. <개정 2022.12.27.>

1. 성격장애나 지적(知的) 기능의 저하 등으로 인하여 학습에 제약을 받는 학생 중 「장애인 등에 대한 특수교육법」 제15조에 따른 학습장애를 지닌 특수교육대상자로 선정되지 아니한 학생

2. 학업 중단 학생

3. 학업 중단의 징후가 발견되거나 학업 중단의 의사를 밝힌 학생 등 학업 중단 위기에 있는 학생

② 국가 및 지방자치단체는 학업에 어려움을 겪는 학생에 대한 교육의 체계적 실시를 위하여 매년 실태조사를 하여야 한다.

③ 국가 및 지방자치단체는 제2항에 따른 실태조사를 기초로 학업에 어려움을 겪는 학생의 현황 및 교육 상황에 대한 데이터베이스를 구축·운용할 수 있다. <신설 2022.12.27.>

④ 국가와 지방자치단체는 학업에 어려움을 겪는 학생에게 균등한 교육기회를 보장하기 위하여 필요한 예산을 지원한다.

⑤ 교육부장관 및 교육감은 학업에 어려움을 겪는 학생을 위하여 필요한 교재와 프로그램을 개발·보급하여야 한다.

⑥ 교원은 대통령령으로 정하는 바에 따라 학업에 어려움을 겪는 학생의 학습능력 향상을 위한 관련 연수를 이수하여야 하고, 교육감은 이를 지도·감독 및 지원하여야 한다.

⑦ 학교의 장은 제1항제3호에 해당하는 학업에 어려움을 겪는 학생에게 학업 중단에 대하여 충분히 생각할 기회를 주어야 한다. 이 경우 학교의 장은 그 기간을 출석으로 인정할 수 있다.

⑧ 제1항제3호에 해당하는 학업에 어려움을 겪는 학생에 대한 판단기준 및 제7항에 따른 충분히 생각할 기간과 그 기간 동안의 출석일수 인정 범위 등에 필요한 사항은 교육감이 정한다.

⑨ 교육부장관 및 교육감은 제7항 및 제8항에 따른 기간 동안 학생이 교육과 치유를 위한 다양한 활동을 할 수 있도록 지원하여야 한다. <신설 2022.12.27.>

⑩ 제3항에 따른 데이터베이스의 구축 및 운용에 필요한 정보 수집 범위, 방법, 절차, 보존기간 등은 대통령령으로 정한다. <신설 2022.12.27.>

[제목개정 2022.12.27.]

제28조의2　다문화학생등에 대한 교육 지원

① 국가와 지방자치단체는 다음 각 호의 구분에 따른 아동 또는 학생(이하 "다문화학생등"이라 한다)의 동등한 교육기회 보장 등을 위해 교육상 필요한 시책을 마련하여야 한다.

1. 「다문화가족지원법」 제2조 제1호에 따른 다문화가족의 구성원인 아동 또는 학생

2. 국내에 거주하는 외국인이면서 제2조 각 호의 학교에 입학 예정이거나 재학 중인 아동 또는 학생

② 교육부장관은 제1항에 따른 시책을 수립·시행하기 위하여 다문화교육 실태조사를 실시할 수 있다. 이 경우 다문화교육 실태조사의 범위와 방법 등에 필요한 사항은 대통령령으로 정한다.

③ 학교의 장은 다문화학생등의 동등한 교육기회를 보장하고 모든 학교 구성원이 다양성을 존중하며 조화롭게 생활하는 학교 환경을 조성하기 위하여 노력하여야 한다.

④ 교육감은 다문화 학생 등의 한국어교육 등을 위하여 필요한 경우 특별학급을 설치·운영할 수 있다. 이 경우 교육부장관과 교육감은 특별학급의 운영에 필요한 경비와 인력 등을 지원할 수 있다.

⑤ 교육부장관과 교육감은 다문화학생등의 교육지원을 위하여 대통령령으로 정하는 바에 따라 다문화교육지원센터를 설치·운영하거나 지정하여 그 업무를 위탁할 수 있다.

[본조신설 2023.10.24.]

제29조　교과용 도서의 사용

① 학교에서는 국가가 저작권을 가지고 있거나 교육부장관이 검정하거나 인정한 교과용 도서를 사용하여야 한다.

② 교과용 도서의 범위·저작·검정·인정·발행·공급·선정 및 가격 사정(사정) 등에 필요한 사항은 대통령령으로 정한다.

제30조　학교의 통합·운영

① 학교의 설립자·경영자는 효율적인 학교 운영을 위하여 필요하면 지역 실정에 따라 초등학교·중학교, 중학교·고등학교 또는 초등학교·중학교·고등학교의 시설·설비 및 교원 등을 통합하여 운영할 수 있다.

② 제1항에 따라 통합·운영하는 학교의 시설·설비 기준 및 교원배치기준 등에 필요한 사항은 대통령령으로 정한다.

제30조의2　학교회계의 설치

① 국립·공립의 초등학교·중학교·고등학교 및 특수학교에 각 학교별로 학교회계(학교회계)를 설치한다.

② 학교회계는 다음 각 호의 수입을 세입(세입)으로 한다.

1. 국가의 일반회계나 지방자치단체의 교육비특별회계로부터 받은 전입금

2. 제32조 제1항에 따라 학교운영위원회 심의를 거쳐 학부모가 부담하는 경비

3. 제33조의 학교발전기금으로부터 받은 전입금

4. 국가나 지방자치단체의 보조금 및 지원금

5. 사용료 및 수수료

6. 이월금

7. 물품매각대금

8. 그 밖의 수입

③ 학교회계는 학교 운영과 학교시설의 설치 등을 위하여 필요한 모든 경비를 세출(세출)로 한다.

④ 학교회계는 예측할 수 없는 예산 외의 지출이나 예산초과지출에 충당하기 위하여 예비비로서 적절한 금액을 세출예산에 계상(계상)할 수 있다.

⑤ 학교회계의 설치에 필요한 사항은 국립학교의 경우에는 교육부령으로, 공립학교의 경우에는 시·도의 교육규칙으로 정한다.

제30조의3 학교회계의 운영

① 학교회계의 회계연도는 매년 3월 1일에 시작하여 다음 해 2월 말일에 끝난다.

② 학교의 장은 회계연도마다 학교회계 세입세출예산안을 편성하여 회계연도가 시작되기 30일 전까지 제31조에 따른 학교운영위원회에 제출하여야 한다.

③ 학교운영위원회는 학교회계 세입세출예산안을 회계연도가 시작되기 5일 전까지 심의하여야 한다.

④ 학교의 장은 제3항에 따른 예산안이 새로운 회계연도가 시작될 때까지 확정되지 아니하면 다음 각 호의 경비를 전년도 예산에 준하여 집행할 수 있다. 이 경우 전년도 예산에 준하여 집행된 예산은 해당 연도의 예산이 확정되면 그 확정된 예산에 따라 집행된 것으로 본다.

  1. 교직원 등의 인건비
  2. 학교교육에 직접 사용되는 교육비
  3. 학교시설의 유지관리비
  4. 법령상 지급 의무가 있는 경비
  5. 이미 예산으로 확정된 경비

⑤ 학교의 장은 회계연도마다 결산서를 작성하여 회계연도가 끝난 후 2개월 이내에 학교운영위원회에 제출하여야 한다.

⑥ 학교회계의 운영에 필요한 사항은 국립학교의 경우에는 교육부령으로, 공립학교의 경우에는 시·도의 교육규칙으로 정한다.

제30조의4 교육정보시스템의 구축·운영 등

① 교육부장관과 교육감은 학교와 교육행정기관의 업무를 전자적으로 처리할 수 있도록 교육정보시스템(이하 "정보시스템"이라 한다)을 구축·운영할 수 있다.

② 교육부장관과 교육감은 정보시스템의 운영과 지원을 위하여 정보시스템운영센터를 설치·운영하거나 정보시스템의 효율적 운영을 위하여 필요하다고 인정하면 정보시스템의 운영 및 지원업무를 교육의 정보화를 지원하는 법인이나 기관에 위탁할 수 있다.

③ 정보시스템의 구축·운영·접속방법과 제2항에 따른 정보시스템운영센터의 설치·운영 등에 필요한 사항은 교육부령으로 정한다.

제30조의5 정보시스템을 이용한 업무처리

① 교육부장관과 교육감은 소관 업무의 전부 또는 일부를 정보시스템을 이용하여 처리하여야 한다.

② 학교의 장은 제25조에 따른 학교생활기록과 「학교보건법」 제7조의3에 따른 건강검사기록을 정보시스템을 이용하여 처리하여야 하며, 그 밖에 소관 업무의 전부 또는 일부를 정보시스템을 이용하여 처리하여야 한다.

제30조의6 학생 관련 자료 제공의 제한

① 학교의 장은 제25조에 따른 학교생활기록과 「학교보건법」 제7조의3에 따른 건강검사기록을 해당 학생(학생이 미성년자인 경우에는 학생과 학생의 부모 등 보호자)의 동의 없이 제3자에게 제공하여서는 아니 된다. 다만, 다음 각 호의 어느 하나에 해당하는 경우에는 그러하지 아니하다.

  1. 학교에 대한 감독·감사의 권한을 가진 행정기관이 그 업무를 처리하기 위하여 필요한 경우
  2. 제25조에 따른 학교생활기록을 상급학교의 학생 선발에 이용하기 위하여 제공하는 경우
  3. 통계작성 및 학술연구 등의 목적을 위한 것으로서 자료의 당사자가 누구인지 알아볼 수 없는 형태로 제공하는 경우
  4. 범죄의 수사와 공소의 제기 및 유지에 필요한 경우

5. 법원의 재판업무 수행을 위하여 필요한 경우

6. 그 밖에 관계 법률에 따라 제공하는 경우

② 학교의 장은 제1항 단서에 따라 자료를 제3자에게 제공하는 경우에는 그 자료를 받은 자에게 사용목적, 사용방법, 그 밖에 필요한 사항에 대하여 제한을 하거나 그 자료의 안전성 확보를 위하여 필요한 조치를 하도록 요청할 수 있다.

③ 제1항 단서에 따라 자료를 받은 자는 자료를 받은 본래 목적 외의 용도로 자료를 이용하여서는 아니 된다.

제30조의7   정보시스템을 이용한 업무처리 등에 대한 지도·감독

교육부장관과 교육감은 필요하다고 인정하면 제30조의5에 따른 업무처리 및 제27조의2·제30조의6에 따른 자료 제공 또는 이용에 관한 사항을 지도·감독할 수 있다.

제30조의8   학생의 안전대책 등

① 국립학교의 경우에는 학교의 장이, 공립 및 사립 학교의 경우에는 교육감이 시·도의 교육규칙으로 정하는 바에 따라 학교시설(학교담장을 포함한다)을 설치·변경하는 경우에는 외부인의 무단출입이나 학교폭력 및 범죄의 예방을 위하여 학생 안전대책을 수립하여 시행하여야 한다.

② 학교의 장은 학생의 안전을 위하여 다음 각 호의 사항을 시행하여야 한다.

1. 학교 내 출입자의 신분확인 절차 등의 세부기준수립에 관한 사항

2. 영상정보처리기기의 설치에 관한 사항

3. 학교주변에 대한 순찰·감시 활동계획에 관한 사항

③ 제1항 및 제2항에 따른 학생의 안전대책 등에 필요한 사항은 대통령령으로 정한다

제31조   학교운영위원회의 설치

① 학교운영의 자율성을 높이고 지역의 실정과 특성에 맞는 다양하고도 창의적인 교육을 할 수 있도록 초등학교·중학교·고등학교 및 특수학교에 학교운영위원회를 구성·운영하여야 한다.

② 국립·공립학교에 두는 학교운영위원회는 그 학교의 교원 대표, 학부모 대표 및 지역사회 인사로 구성한다.

③ 학교운영위원회의 위원 수는 5명 이상 15명 이하의 범위에서 학교의 규모 등을 고려하여 대통령령으로 정한다.

제31조의2   결격사유

① 「국가공무원법」 제33조 각 호의 어느 하나에 해당하는 사람은 학교운영위원회의 위원으로 선출될 수 없다.

② 학교운영위원회의 위원이 「국가공무원법」 제33조 각 호의 어느 하나에 해당할 때에는 당연히 퇴직한다.

제32조   기능

① 학교에 두는 학교운영위원회는 다음 각 호의 사항을 심의한다. 다만, 사립학교에 두는 학교운영위원회의 경우 제7호 및 제8호의 사항은 제외하고, 제1호의 사항에 대하여는 자문한다. <개정 2021. 9. 24.>

1. 학교헌장과 학칙의 제정 또는 개정

2. 학교의 예산안과 결산

3. 학교교육과정의 운영방법

4. 교과용 도서와 교육 자료의 선정

5. 교복·체육복·졸업앨범 등 학부모 경비 부담 사항

6. 정규학습시간 종료 후 또는 방학기간 중의 교육활동 및 수련활동

7. 「교육공무원법」제29조의3 제8항에 따른 공모 교장의 공모 방법, 임용, 평가 등

8. 「교육공무원법」제31조 제2항에 따른 초빙교사의 추천
9. 학교운영지원비의 조성·운용 및 사용
10. 학교급식
11. 대학입학 특별전형 중 학교장 추천
12. 학교운동부의 구성·운영
13. 학교운영에 대한 제안 및 건의 사항
14. 그 밖에 대통령령이나 시·도의 조례로 정하는 사항
② 삭제
③ 학교운영위원회는 제33조에 따른 학교발전기금의 조성·운용 및 사용에 관한 사항을 심의·의결한다.

제33조　　**학교발전기금**

① 제31조에 따른 학교운영위원회는 학교발전기금을 조성할 수 있다.
② 제1항에 따른 학교발전기금의 조성과 운용방법 등에 필요한 사항은 대통령령으로 정한다.

제34조　　**학교운영위원회의 구성·운영**

① 제31조에 따른 학교운영위원회 중 국립학교에 두는 학교운영위원회의 구성과 운영에 필요한 사항은 대통령령으로 정하고, 공립학교에 두는 학교운영위원회의 구성과 운영에 필요한 사항은 대통령령으로 정하는 범위에서 시·도의 조례로 정한다.
② 사립학교에 두는 학교운영위원회의 위원 구성에 관한 사항은 대통령령으로 정하고, 그 밖에 운영에 필요한 사항은 해당 학교법인의 정관으로 정한다.

제34조의2　　**학교운영위원회 위원의 연수 등**

① 교육감은 학교운영위원회 위원의 자질과 직무수행능력의 향상을 위한 연수를 실시할 수 있다.
② 교육감은 제1항에 따른 연수를 연수기관 또는 민간기관에 위탁하여 실시할 수 있다.
③ 교육감은 제2항에 따라 연수를 위탁받은 기관에 대하여 행정적·재정적 지원을 할 수 있다.
④ 그 밖에 필요한 사항은 대통령령으로 정한다.

● 제3절 삭제

제35조　　삭제

제36조　　삭제

제37조　　삭제

● 제4절 초등학교

제38조 **목적**

초등학교는 국민생활에 필요한 기초적인 초등교육을 하는 것을 목적으로 한다.

제39조 **수업연한**

초등학교의 수업연한은 6년으로 한다.

제40조 삭제

● 제5절 중학교·고등공민학교

제41조 **목적**

중학교는 초등학교에서 받은 교육의 기초 위에 중등교육을 하는 것을 목적으로 한다.

제42조 **수업연한**

중학교의 수업연한은 3년으로 한다.

제43조 **입학자격 등**

① 중학교에 입학할 수 있는 사람은 초등학교를 졸업한 사람, 제27조의2 제1항에 따라 초등학교를 졸업한 사람과 동등한 학력이 인정되는 시험에 합격한 사람, 그 밖에 법령에 따라 이와 동등 이상의 학력이 있다고 인정된 사람으로 한다.

② 그 밖에 중학교의 입학 방법과 절차 등에 필요한 사항은 대통령령으로 정한다.

제43조의2 **방송통신중학교**

① 중학교 또는 고등학교에 방송통신중학교를 부설할 수 있다.

② 방송통신중학교의 설치·교육방법·수업연한, 그 밖에 운영에 필요한 사항은 대통령령으로 정한다.

제44조 **고등공민학교**

① 고등공민학교는 중학교 과정의 교육을 받지 못하고 제13조 제3항에 따른 취학연령을 초과한 사람 또는 일반 성인에게 국민생활에 필요한 중등교육과 직업교육을 하는 것을 목적으로 한다.

② 고등공민학교의 수업연한은 1년 이상 3년 이하로 한다.

③ 고등공민학교에 입학할 수 있는 사람은 초등학교를 졸업한 사람, 제27조의2 제1항에 따라 초등학교를 졸업한 사람과 동등한 학력이 인정되는 시험에 합격한 사람, 그 밖에 법령에 따라 이와 동등 이상의 학력이 있다고 인정된 사람으로 한다.

● **제6절 고등학교 · 고등기술학교**

제45조　목적

고등학교는 중학교에서 받은 교육의 기초 위에 중등교육 및 기초적인 전문교육을 하는 것을 목적으로 한다.

제46조　수업연한

고등학교의 수업연한은 3년으로 한다. 다만, 제49조에 따른 시간제 및 통신제(통신제) 과정의 수업연한은 4년으로 한다.

제47조　입학자격 등

① 고등학교에 입학할 수 있는 사람은 중학교를 졸업한 사람, 제27조의2 제1항에 따라 중학교를 졸업한 사람과 동등한 학력이 인정되는 시험에 합격한 사람, 그 밖에 법령에 따라 이와 동등 이상의 학력이 있다고 인정된 사람으로 한다.
② 그 밖에 고등학교의 입학방법과 절차 등에 필요한 사항은 대통령령으로 정한다.

제48조　학과 및 학점제 등

① 고등학교에 학과를 둘 수 있다.
② 고등학교의 교과 및 교육과정은 학생이 개인적 필요 · 적성 및 능력에 따라 진로를 선택할 수 있도록 정하여져야 한다.
③ 고등학교(제55조에 따라 고등학교에 준하는 교육을 실시하는 특수학교를 포함한다)의 교육과정 이수를 위하여 학점제(이하 "고교학점제"라 한다)를 운영할 수 있다. <신설 2021.9.24.>
④ 고교학점제를 운영하는 학교의 학생은 취득 학점 수 등이 일정 기준에 도달하면 고등학교를 졸업한다. <신설 2021.9.24.>
⑤ 고교학점제의 운영 및 졸업 등에 필요한 사항은 대통령령으로 정한다. <신설 2021.9.24.>

제48조의2　고교학점제 지원 등

① 교육부장관과 교육감은 고교학점제 운영과 지원을 위하여 고교학점제 지원센터를 설치 · 운영할 수 있다.
② 교육부장관과 교육감은 고교학점제 지원센터의 효율적 운영을 위하여 필요하다고 인정하면 교육정책을 연구 · 지원하는 법인이나 기관에 그 업무를 위탁할 수 있다.
③ 국가와 지방자치단체는 고교학점제의 운영을 위하여 필요한 행정적 · 재정적 지원을 하여야 한다.
④ 제1항부터 제3항까지에 따른 고교학점제 지원센터의 설치 · 운영, 위탁 및 행정적 · 재정적 지원 등에 필요한 사항은 대통령령으로 정한다.
[본조신설 2021.9.24.]

제49조　과정

① 고등학교에 관할청의 인가를 받아 전일제 과정 외에 시간제 또는 통신제 과정을 둘 수 있다.
② 고등학교과정의 설치에 필요한 사항은 대통령령으로 정한다.

제50조　분교

고등학교의 설립자 · 경영자는 특별히 필요한 경우에는 관할청의 인가를 받아 분교(분교)를 설치할 수 있다.

| 제51조 | **방송통신고등학교** |

① 고등학교에 방송통신고등학교를 부설할 수 있다.

② 방송통신고등학교의 설치, 교육방법, 수업연한, 그 밖에 그 운영에 필요한 사항은 대통령령으로 정한다.

| 제52조 | **근로청소년을 위한 특별학급 등** |

① 산업체에 근무하는 청소년이 중학교·고등학교 과정의 교육을 받을 수 있도록 하기 위하여 산업체에 인접한 중학교·고등학교에 야간수업을 주로 하는 특별학급을 둘 수 있다.

② 하나의 산업체에 근무하는 청소년 중에서 중학교 또는 고등학교 입학을 희망하는 인원이 매년 2학급 이상을 편성할 수 있을 정도가 될 것으로 예상되는 경우 그 산업체는 희망하는 청소년이 교육을 받을 수 있도록 하기 위하여 중학교 또는 고등학교(이하 "산업체 부설 중·고등학교"라 한다)를 설립·경영할 수 있다.

③ 둘 이상의 산업체에 근무하는 청소년 중에서 입학을 희망하는 인원이 매년 2학급 이상을 편성할 수 있을 정도가 될 것으로 예상되는 경우에는 제2항에도 불구하고 그 둘 이상의 산업체가 공동으로 하나의 산업체 부설 중·고등학교를 설립·경영할 수 있다.

④ 제1항부터 제3항까지의 규정에 따른 특별학급 및 산업체 부설 중·고등학교의 설립 기준과 입학방법 등에 필요한 사항은 시·도의 조례로 정한다.

⑤ 제1항부터 제3항까지의 규정에 따른 특별학급 또는 산업체 부설 중·고등학교에 다니는 청소년을 고용하는 산업체의 경영자는 시·도의 조례로 정하는 바에 따라 그 교육비의 일부를 부담하여야 한다.

⑥ 지방자치단체는 시·도의 조례로 정하는 바에 따라 제1항부터 제3항까지의 규정에 따른 특별학급 또는 산업체 부설 중·고등학교에 다니는 학생의 교육비 중 일부를 부담할 수 있다.

| 제53조 | **취학 의무 및 방해 행위의 금지** |

① 산업체의 경영자는 그 산업체에 근무하는 청소년이 제52조에 따른 특별학급 또는 산업체 부설 중·고등학교에 입학하기를 원하면 그 청소년을 입학시켜야 한다.

② 산업체의 경영자는 그가 고용하는 청소년이 제52조에 따른 특별학급 또는 산업체 부설 중·고등학교에 입학하는 경우에는 그 학생의 등교와 수업에 지장을 주는 행위를 하여서는 아니 된다.

| 제54조 | **고등기술학교** |

① 고등기술학교는 국민생활에 직접 필요한 직업기술교육을 하는 것을 목적으로 한다.

② 고등기술학교의 수업연한은 1년 이상 3년 이하로 한다.

③ 고등기술학교에 입학할 수 있는 사람은 중학교 또는 고등공민학교(3년제)를 졸업한 사람, 제27조의2 제1항에 따라 중학교를 졸업한 사람과 동등한 학력이 인정되는 시험에 합격한 사람, 그 밖에 법령에 따라 이와 동등 이상의 학력이 있다고 인정된 사람으로 한다.

④ 고등기술학교에는 고등학교를 졸업한 사람 또는 법령에 따라 이와 같은 수준 이상의 학력이 있다고 인정된 사람에게 특수한 전문기술교육을 하기 위하여 수업연한이 1년 이상인 전공과(전공과)를 둘 수 있다.

⑤ 공장이나 사업장을 설치·경영하는 자는 고등기술학교를 설립·경영할 수 있다.

● 제7절 특수학교 등

제55조　특수학교

특수학교는 신체적·정신적·지적 장애 등으로 인하여 특수교육이 필요한 사람에게 초등학교·중학교 또는 고등학교에 준하는 교육과 실생활에 필요한 지식·기능 및 사회적응 교육을 하는 것을 목적으로 한다.

제56조　특수학급

고등학교 이하의 각급 학교에 특수교육이 필요한 학생을 위한 특수학급을 둘 수 있다.

제57조　삭제

제58조　학력의 인정

특수학교나 특수학급에서 초등학교·중학교 또는 고등학교 과정에 상응하는 교육과정을 마친 사람은 그에 상응하는 학교를 졸업한 사람과 같은 수준의 학력이 있는 것으로 본다.

제59조　통합교육

국가와 지방자치단체는 특수교육이 필요한 사람이 초등학교·중학교 및 고등학교와 이에 준하는 각종학교에서 교육을 받으려는 경우에는 따로 입학절차, 교육과정 등을 마련하는 등 통합교육을 하는 데에 필요한 시책을 마련하여야 한다.

● 제8절 각종학교

제60조　각종학교

① "각종학교"란 제2조 제1호부터 제4호까지의 학교와 유사한 교육기관을 말한다.

② 각종학교는 그 학교의 이름에 제2조 제1호부터 제4호까지의 학교와 유사한 이름을 사용할 수 없다. 다만, 관계 법령에 따라 학력이 인정되는 각종학교(제60조의2에 따른 외국인학교와 제60조의3에 따른 대안학교를 포함한다)는 그러하지 아니하다.

③ 각종학교의 수업연한, 입학자격, 학력인정, 그 밖에 운영에 필요한 사항은 교육부령으로 정한다.

제60조의2　외국인학교

① 외국에서 일정기간 거주하고 귀국한 내국인 중 대통령령으로 정하는 사람, 「국적법」 제4조에 따라 국적을 취득한 자의 자녀 중 해당 학교의 장이 대통령령으로 정하는 기준과 절차에 따라 학업을 지속하기 어렵다고 판단한 사람, 외국인의 자녀를 교육하기 위하여 설립된 학교로서 각종학교에 해당하는 학교(이하 "외국인학교"라 한다)에 대하여는 제7조, 제9조, 제11조, 제11조의2, 제12조부터 제16조까지, 제21조, 제23조부터 제26조까지, 제28조, 제29조, 제30조의2, 제30조의3, 제31조, 제31조의2, 제32조부터 제34조까지 및 제34조의2를 적용하지 아니한다.

② 외국인학교는 유치원·초등학교·중학교·고등학교의 과정을 통합하여 운영할 수 있다.

③ 외국인학교의 설립기준, 교육과정, 수업연한, 학력인정, 그 밖에 설립·운영에 필요한 사항은 대통령령으로 정한다.

제60조의3　대안학교

① 학업을 중단하거나 개인적 특성에 맞는 교육을 받으려는 학생을 대상으로 현장 실습 등 체험 위주의 교육, 인성 위주의 교육 또는 개인의 소질·적성 개발 위주의 교육 등 다양한 교육을 하는 학교로서 각종학교에 해당하는 학교(이하 "대안학교"라 한다)에 대하여는 제21조 제1항, 제23조 제2항·제3항, 제24조부터 제26조까지, 제29조 및 제30조의4부터 제30조의7까지를 적용하지 아니한다.

② 대안학교는 초등학교·중학교·고등학교의 과정을 통합하여 운영할 수 있다.

③ 대안학교의 설립기준, 교육과정, 수업연한, 학력인정, 그 밖에 설립·운영에 필요한 사항은 대통령령으로 정한다.

■ 제4장의2 교육비 지원 등

제60조의4　교육비 지원

① 국가 및 지방자치단체는 다음 각 호의 어느 하나에 해당하는 학생에게 입학금, 수업료, 급식비 등 대통령령으로 정하는 비용(이하 "교육비"라 한다)의 전부 또는 일부를 예산의 범위에서 지원할 수 있다.

　1. 본인 또는 그 보호자가 「국민기초생활 보장법」 제12조 제3항 및 제12조의2에 따른 수급권자인 학생

　2. 「한부모가족지원법」 제5조에 따른 보호대상자인 학생

　3. 그 밖에 가구 소득 등을 고려하여 교육비 지원이 필요하다고 인정되는 학생으로서 대통령령으로 정하는 학생

② 제1항에 따른 교육비 지원은 소득 수준과 거주 지역 등에 따라 지원의 내용과 범위를 달리할 수 있다.

③ 「국민기초생활 보장법」, 「한부모가족지원법」 등 다른 법령에 따라 제1항과 동일한 내용의 지원을 받고 있는 경우에는 그 범위에서 제1항에 따른 교육비 지원을 하지 아니한다.

제60조의5　교육비 지원의 신청

① 제60조의4제1항에 따른 지원을 받으려는 경우에는 해당 학생 또는 그 학생을 법률상·사실상 보호하고 있는 사람은 교육부장관 또는 교육감에게 교육비 지원을 신청하여야 한다.

② 제1항에 따른 신청을 하는 경우에는 다음 각 호의 자료 또는 정보의 제공에 대한 지원 대상 학생 및 그 가구원(해당 학생과 생계 또는 주거를 같이 하는 사람으로서 대통령령으로 정하는 사람을 말한다. 이하 같다)의 동의 서면을 제출하여야 한다.

　1. 「금융실명거래 및 비밀보장에 관한 법률」 제2조 제2호에 따른 금융자산 및 제3호에 따른 금융거래의 내용에 대한 자료 또는 정보 중 예금의 평균잔액과 그 밖에 대통령령으로 정하는 자료 또는 정보(이하 "금융정보"라 한다)

　2. 「신용정보의 이용 및 보호에 관한 법률」 제2조 제1호에 따른 신용정보 중 채무액과 그 밖에 대통령령으로 정하는 자료 또는 정보(이하 "신용정보"라 한다)

　3. 「보험업법」 제4조 제1항 각 호에 따른 보험에 가입하여 납부한 보험료와 그 밖에 대통령령으로 정하는 보험 관련 자료 또는 정보(이하 "보험정보"라 한다)

③ 제1항에 따른 교육비 지원의 신청 방법·절차 및 제2항에 따른 동의의 방법·절차 등에 필요한 사항은 교육부령으로 정한다.

제60조의6 금융정보 등의 제공

① 교육부장관 및 교육감은 제60조의4에 따라 교육비를 지원하는 경우에는 지원 대상 학생 및 그 가구원의 재산을 평가하기 위하여 「금융실명거래 및 비밀보장에 관한 법률」 제4조 제1항과 「신용정보의 이용 및 보호에 관한 법률」 제32조 제2항에도 불구하고 제60조의5제2항에 따라 제출된 해당 학생 및 그 가구원의 동의 서면을 전자적 형태로 바꾼 문서로 금융회사 등(「금융실명거래 및 비밀보장에 관한 법률」 제2조 제1호에 따른 금융회사등과 「신용정보의 이용 및 보호에 관한 법률」 제2조 제6호에 따른 신용정보집중기관을 말한다.

② 제1항에 따라 금융정보 등의 제공을 요청받은 금융회사 등의 장은 「금융실명거래 및 비밀보장에 관한 법률」 제4조 제1항과 「신용정보의 이용 및 보호에 관한 법률」 제32조 제1항 및 제3항에도 불구하고 명의인의 금융정보등을 제공하여야 한다.

제60조의7 조사·질문

① 교육부장관 및 교육감은 제60조의5에 따라 교육비 지원을 신청한 사람(이하 "교육비신청자"라 한다) 또는 지원이 확정된 자에게 교육비 지원 대상 자격확인을 위하여 필요한 서류나 그 밖의 소득 및 재산 등에 관한 자료의 제출을 요구할 수 있으며, 지원 대상 자격확인을 위하여 필요한 자료를 확보하기 곤란하거나 제출한 자료가 거짓 등의 자료라고 판단하는 경우 소속 공무원으로 하여금 관계인에게 필요한 질문을 하게 하거나, 교육비신청자 및 지원이 확정된 자의 동의를 받아 주거 또는 그 밖의 필요한 장소에 출입하여 서류 등을 조사하게 할 수 있다.

② 교육부장관 및 교육감은 제1항에 따른 업무를 수행하기 위하여 필요한 국세·지방세, 토지·건물 또는 건강보험·국민연금·고용보험·산업재해보상보험·가족관계증명 등에 관한 자료의 제공을 관계 기관의 장에게 요청할 수 있다. 이 경우 관계 기관의 장은 특별한 사유가 없으면 이에 따라야 한다.

③ 제1항에 따라 출입·조사 또는 질문을 하는 사람은 그 권한을 표시하는 증표를 지니고 이를 관계인에게 내보여야 한다.

④ 교육부장관 및 교육감은 교육비신청자 또는 지원이 확정된 자가 제1항에 따른 서류 또는 자료의 제출을 거부하거나 조사 또는 질문을 거부·방해 또는 기피하는 경우에는 제60조의5제1항에 따른 교육비 지원의 신청을 각하하거나 지원결정을 취소·중지 또는 변경할 수 있다.

제60조의8 교육비 지원 업무의 전자화

① 교육부장관 및 교육감은 제60조의4에 따른 교육비 지원 업무를 전자적으로 처리하기 위한 정보시스템(이하 "교육비지원정보시스템"이라 한다)을 구축·운영할 수 있다.

② 교육부장관 및 교육감은 교육비지원정보시스템을 구축·운영하는 경우 제30조의4제1항에 따른 교육정보시스템을 활용할 수 있다.

③ 교육비지원정보시스템은 「사회복지사업법」 제6조의2 제2항에 따른 정보시스템과 연계하여 활용할 수 있다.

제60조의9 교육비 지원을 위한 자료 등의 수집 등

교육부장관 및 교육감은 제60조의4에 따른 교육비 지원을 위하여 필요한 자료 또는 정보로서 다음 각 호의 어느 하나에 해당하는 자료 또는 정보를 수집·관리·보유·활용할 수 있다.

1. 「전자정부법」 제36조 제1항에 따라 행정정보의 공동이용을 통하여 제공받은 자료 또는 정보
2. 그 밖에 이 법에 따른 업무를 수행하는 데에 필요한 자료 또는 정보로서 교육부령으로 정하는 자료 또는 정보

제60조의10 비용의 징수

① 속임수나 그 밖의 부정한 방법으로 제60조의4제1항에 따른 교육비를 지원받거나 학생으로 하여금 지원받게 한 경우에는 교육부장관 또는 교육감은 그 교육비의 전부 또는 일부를 교육비를 지원받은 자 또는 지원받게 한 자로부터 징수할 수 있다.

② 제1항에 따라 징수할 금액은 교육비를 지원받은 자 또는 지원받게 한 자에게 통지하여 징수하고, 교육비를 지원받은 자 또는 지원받게 한 자가 이에 응하지 아니하는 경우 국세 또는 지방세 체납처분의 예에 따라 징수한다.

제60조의11 통학 지원

① 교육감은 학생이 안전하고 편리하게 통학할 수 있도록 필요한 지원을 할 수 있다.

② 제1항에 따른 통학 지원에 필요한 사항은 해당 시·도의 조례로 정한다.

[본조신설 2020.3.24.]

■ 제5장 보칙 및 벌칙

제61조   학교 및 교육과정 운영의 특례

① 학교교육제도를 포함한 교육제도의 개선과 발전을 위하여 특히 필요하다고 인정되는 경우에는 대통령령으로 정하는 바에 따라 제21조 제1항·제24조 제1항·제26조 제1항·제29조 제1항·제31조·제39조·제42조 및 제46조를 한시적으로 적용하지 아니하는 학교 또는 교육과정을 운영할 수 있다.

② 제1항에 따라 운영되는 학교 또는 교육과정에 참여하는 교원과 학생 등은 이로 인하여 불이익을 받지 아니한다.

제62조   권한의 위임

① 이 법에 따른 교육부장관의 권한은 그 일부를 대통령령으로 정하는 바에 따라 교육감에게 위임하거나 국립대학법인 서울대학교 및 국립대학법인 인천대학교에 위탁할 수 있다.

② 이 법에 따른 교육부장관의 권한 중 국립학교의 설립·운영에 관한 권한은 대통령령으로 정하는 바에 따라 관계 중앙행정기관의 장에게 위임할 수 있다.

③ 이 법에 따른 교육부장관 및 교육감의 업무 중 제60조의5부터 제60조의7까지에 따른 교육지원 업무는 대통령령으로 정하는 바에 따라 그 일부를 보건복지부장관 또는 지방자치단체의 장에게 위임할 수 있다.

제63조   시정 또는 변경 명령

제64조   휴업명령 및 휴교처분

① 관할청은 재해 등의 긴급한 사유로 정상수업이 불가능하다고 인정하는 경우에는 학교의 장에게 휴업을 명할 수 있다.

② 제1항에 따른 명령을 받은 학교의 장은 지체 없이 휴업을 하여야 한다.

③ 관할청은 학교의 장이 제1항에 따른 명령에도 불구하고 휴업을 하지 아니하거나 특별히 긴급한 사유가 있는 경우에는 휴교처분을 할 수 있다.

④ 제2항에 따라 휴업한 학교는 휴업기간 중 수업과 학생의 등교가 정지되며, 제3항에 따라 휴교한 학교는 휴교기간 중 단순한 관리 업무 외에는 학교의 모든 기능이 정지된다.

제65조　학교 등의 폐쇄

① 관할청은 학교가 다음 각 호의 어느 하나에 해당하여 정상적인 학사운영이 불가능한 경우에는 학교의 폐쇄를 명할 수 있다.
1. 학교의 장 또는 설립자·경영자가 고의 또는 중과실로 이 법 또는 이 법에 따른 명령을 위반한 경우
2. 학교의 장 또는 설립자·경영자가 이 법 또는 그 밖의 교육 관계 법령에 따른 관할청의 명령을 여러 번 위반한 경우
3. 휴업 및 휴교 기간을 제외하고 계속하여 3개월 이상 수업을 하지 아니한 경우
② 관할청은 제4조 제2항에 따른 학교설립인가 또는 제50조에 따른 분교설치인가를 받지 아니하고 학교의 명칭을 사용하거나 학생을 모집하여 시설을 사실상 학교의 형태로 운영하는 자에게 그가 설치·운영하는 시설의 폐쇄를 명할 수 있다.

제66조　청문

관할청은 제65조에 따라 학교 또는 시설의 폐쇄를 명하려는 경우에는 청문을 하여야 한다.

제67조　벌칙

① 제60조의6제5항을 위반하여 금융정보 등을 이 법에서 정한 목적 외의 다른 용도로 사용하거나 다른 사람 또는 기관에 제공하거나 누설한 자는 5년 이하의 징역 또는 5천만원 이하의 벌금에 처한다.
② 다음 각 호의 어느 하나에 해당하는 자는 3년 이하의 징역 또는 3천만원 이하의 벌금에 처한다.
1. 제4조 제2항에 따른 학교설립인가 또는 제50조에 따른 분교설치인가를 받지 아니하고 학교의 명칭을 사용하거나 학생을 모집하여 시설을 사실상 학교의 형태로 운영한 자
2. 제4조 제3항을 위반하여 폐교인가나 변경인가를 받지 아니한 자
3. 거짓이나 그 밖의 부정한 방법으로 제4조 제2항 또는 제4조 제3항에 따른 학교의 설립인가·폐교인가 또는 변경인가를 받거나 제50조에 따른 분교설치인가를 받은 자
4. 제30조의6제1항 또는 제3항을 위반하여 동의권자의 동의 없이 제3자에게 학생 관련 자료를 제공하거나 제공받은 자료를 그 본래의 목적 외의 용도로 이용한 자
③ 다음 각 호의 어느 하나에 해당하는 자는 1년 이하의 징역 또는 1천만원 이하의 벌금에 처한다.
1. 제63조 제1항에 따른 시정 또는 변경 명령을 위반한 자
2. 제65조 제1항에 따른 폐쇄명령을 위반한 자
④ 속임수나 그 밖의 부정한 방법으로 제60조의4제1항에 따른 교육비를 지원받거나 학생으로 하여금 지원받게 한 자는 1년 이하의 징역, 1천만원 이하의 벌금, 구류 또는 과료에 처한다. [전제68조(과태료)
① 다음 각 호의 어느 하나에 해당하는 자에게는 100만원 이하의 과태료를 부과한다.
1. 제13조 제4항에 따른 취학 의무의 이행을 독려받고도 취학 의무를 이행하지 아니한 자
2. 제15조를 위반하여 의무교육대상자의 의무교육을 방해한 자
3. 제53조를 위반하여 학생을 입학시키지 아니하거나 등교와 수업에 지장을 주는 행위를 한 자
② 제1항에 따른 과태료는 대통령령으로 정하는 바에 따라 해당 교육감이 부과·징수한다.

03 | 지방교육자치에 관한 법률(교육자치법)

■ 제1장 총칙

제1조　　**목적**

이 법은 교육의 자주성 및 전문성과 지방교육의 특수성을 살리기 위하여 지방자치단체의 교육·과학·기술·체육 그 밖의 학예에 관한 사무를 관장하는 기관의 설치와 그 조직 및 운영 등에 관한 사항을 규정함으로써 지방교육의 발전에 이바지함을 목적으로 한다.

제2조　　**교육·학예사무의 관장**

지방자치단체의 교육·과학·기술·체육 그 밖의 학예(이하 "교육·학예"라 한다)에 관한 사무는 특별시·광역시 및 도(이하 "시·도"라 한다)의 사무로 한다.

제3조　　**「지방자치법」과의 관계**

지방자치단체의 교육·학예에 관한 사무를 관장하는 기관의 설치와 그 조직 및 운영 등에 관하여 이 법에서 규정한 사항을 제외하고는 그 성질에 반하지 아니하는 범위에서 「지방자치법」의 관련 규정을 준용한다. 이 경우 "지방자치단체의 장" 또는 "시·도지사"는 "교육감"으로, "지방자치단체의 사무"는 "지방자치단체의 교육·학예에 관한 사무"로, "자치사무"는 "교육·학예에 관한 자치사무"로, "행정안전부장관"·"주무부장관" 및 "중앙행정기관의 장"은 "교육부장관"으로 본다. <개정 2021.3.23.>

■ 제3장 교육감

● 제1절 지위와 권한 등

제18조　　**교육감**

① 시·도의 교육·학예에 관한 사무의 집행기관으로 시·도에 교육감을 둔다.
② 교육감은 교육·학예에 관한 소관 사무로 인한 소송이나 재산의 등기 등에 대하여 해당 시·도를 대표한다. <개정 2021.3.23.>

제19조　　**국가행정사무의 위임**

국가행정사무 중 시·도에 위임하여 시행하는 사무로서 교육·학예에 관한 사무는 교육감에게 위임하여 행한다. 다만, 법령에 다른 규정이 있는 경우에는 그러하지 아니하다.

제20조　　관장사무

교육감은 교육·학예에 관한 다음 각 호의 사항에 관한 사무를 관장한다. <개정 2021.3.23.>

1. 조례안의 작성 및 제출에 관한 사항
2. 예산안의 편성 및 제출에 관한 사항
3. 결산서의 작성 및 제출에 관한 사항
4. 교육규칙의 제정에 관한 사항
5. 학교, 그 밖의 교육기관의 설치·이전 및 폐지에 관한 사항
6. 교육과정의 운영에 관한 사항
7. 과학·기술교육의 진흥에 관한 사항
8. 평생교육, 그 밖의 교육·학예진흥에 관한 사항
9. 학교체육·보건 및 학교환경정화에 관한 사항
10. 학생통학구역에 관한 사항
11. 교육·학예의 시설·설비 및 교구(敎具)에 관한 사항
12. 재산의 취득·처분에 관한 사항
13. 특별부과금·사용료·수수료·분담금 및 가입금에 관한 사항
14. 기채(起債)·차입금 또는 예산 외의 의무부담에 관한 사항
15. 기금의 설치·운용에 관한 사항
16. 소속 국가공무원 및 지방공무원의 인사관리에 관한 사항
17. 그 밖에 해당 시·도의 교육·학예에 관한 사항과 위임된 사항

제21조　　교육감의 임기

교육감의 임기는 4년으로 하며, 교육감의 계속 재임은 3기에 한한다.

제22조　　교육감의 선거

교육감의 선거에 관하여는 제6장에서 따로 정한다.

제23조　　겸직의 제한

① 교육감은 다음 각 호의 어느 하나에 해당하는 직을 겸할 수 없다.
　1. 국회의원·지방의회의원
　2. 「국가공무원법」 제2조에 규정된 국가공무원과 「지방공무원법」 제2조에 규정된 지방공무원 및 「사립학교법」 제2조의 규정에 따른 사립학교의 교원
　3. 사립학교경영자 또는 사립학교를 설치·경영하는 법인의 임·직원
② 교육감이 당선 전부터 제1항의 겸직이 금지된 직을 가진 경우에는 임기개시일 전일에 그 직에서 당연 퇴직된다.

제24조　　교육감후보자의 자격

① 교육감후보자가 되려는 사람은 당해 시·도지사의 피선거권이 있는 사람으로서 후보자등록신청개시일부터 과거 1년 동안 정당의 당원이 아닌 사람이어야 한다.
② 교육감후보자가 되려는 사람은 후보자등록신청개시일을 기준으로 다음 각 호의 어느 하나에 해당하는 경력이 3년 이상 있거나 다음 각 호의 어느 하나에 해당하는 경력을 합한 경력이 3년 이상 있는 사람이어야 한다.

1. 교육경력: 「유아교육법」 제2조 제2호에 따른 유치원, 「초·중등교육법」 제2조 및 「고등교육법」 제2조에 따른 학교(이와 동등한 학력이 인정되는 교육기관 또는 평생교육시설로서 다른 법률에 따라 설치된 교육기관 또는 평생교육시설을 포함한다)에서 교원으로 근무한 경력

2. 교육행정경력: 국가 또는 지방자치단체의 교육기관에서 국가공무원 또는 지방공무원으로 교육·학예에 관한 사무에 종사한 경력과 「교육공무원법」 제2조 제1항제2호 또는 제3호에 따른 교육공무원으로 근무한 경력

제24조의2 교육감의 소환

① 주민은 교육감을 소환할 권리를 가진다.

② 교육감에 대한 주민소환투표사무는 제44조에 따른 선거관리위원회가 관리한다.

③ 교육감의 주민소환에 관하여는 이 법에서 규정한 사항을 제외하고는 그 성질에 반하지 아니하는 범위에서 「주민소환에 관한 법률」의 시·도지사에 관한 규정을 준용한다. 다만, 이 법에서 「공직선거법」을 준용할 때 「주민소환에 관한 법률」에서 준용하는 「공직선거법」의 해당 규정과 다르게 정하고 있는 경우에는 이 법에서 준용하는 「공직선거법」의 해당 규정을 인용한 것으로 본다.

제24조의3 교육감의 퇴직

교육감이 다음 각 호의 어느 하나에 해당된 때에는 그 직에서 퇴직된다.

1. 교육감이 제23조 제1항의 겸임할 수 없는 직에 취임한 때

2. 피선거권이 없게 된 때(지방자치단체의 구역이 변경되거나, 지방자치단체가 없어지거나 합쳐진 경우 외의 다른 사유로 교육감이 그 지방자치단체의 구역 밖으로 주민등록을 이전함으로써 피선거권이 없게 된 때를 포함한다)

3. 정당의 당원이 된 때

4. 제3조에서 준용하는 「지방자치법」 제97조에 따라 교육감의 직을 상실할 때

제25조 교육규칙의 제정

① 교육감은 법령 또는 조례의 범위 안에서 그 권한에 속하는 사무에 관하여 교육규칙을 제정할 수 있다.

② 교육감은 대통령령이 정하는 절차와 방식에 따라 교육규칙을 공포하여야 하며, 교육규칙은 특별한 규정이 없는 한 공포한 날부터 20일이 경과함으로써 효력을 발생한다.

제26조 사무의 위임·위탁 등

① 교육감은 조례 또는 교육규칙이 정하는 바에 따라 그 권한에 속하는 사무의 일부를 보조기관, 소속교육기관 또는 하급교육행정기관에 위임할 수 있다.

② 교육감은 교육규칙이 정하는 바에 따라 그 권한에 속하는 사무의 일부를 당해지방자치단체의 장과 협의하여 구·출장소 또는 읍·면·동(특별시·광역시 및 시의 동을 말한다. 이하 이 조에서 같다)의 장에게 위임할 수 있다. 이 경우 교육감은 당해사무의 집행에 관하여 구·출장소 또는 읍·면·동의 장을 지휘·감독할 수 있다.

③ 교육감은 조례 또는 교육규칙이 정하는 바에 따라 그 권한에 속하는 사무 중 조사·검사·검정·관리 등 주민의 권리·의무와 직접 관계되지 아니하는 사무를 법인·단체 또는 그 기관이나 개인에게 위탁할 수 있다.

④ 교육감이 위임 또는 위탁받은 사무의 일부를 제1항 내지 제3항의 규정에 따라 다시 위임 또는 위탁하고자 하는 경우에는 미리 당해사무를 위임 또는 위탁한 기관의 장의 승인을 얻어야 한다.

제27조 직원의 임용 등

교육감은 소속 공무원을 지휘·감독하고 법령과 조례·교육규칙이 정하는 바에 따라 그 임용·교육훈련·복무·징계 등에 관한 사항을 처리한다.

제28조 시·도의회 등의 의결에 대한 재의와 제소

① 교육감은 교육·학예에 관한 시·도의회의 의결이 법령에 위반되거나 공익을 현저히 저해한다고 판단될 때에는 그 의결사항을 이송받은 날부터 20일 이내에 이유를 붙여 재의를 요구할 수 있다. 교육감이 교육부장관으로부터 재의요구를 하도록 요청받은 경우에는 시·도의회에 재의를 요구하여야 한다.

② 제1항의 규정에 따른 재의요구가 있을 때에는 재의요구를 받은 시·도의회는 재의에 붙이고 시·도의회 재적의원 과반수의 출석과 시·도의회 출석의원 3분의 2이상의 찬성으로 전과 같은 의결을 하면 그 의결사항은 확정된다.

③ 제2항의 규정에 따라 재의결된 사항이 법령에 위반된다고 판단될 때에는 교육감은 재의결된 날부터 20일 이내에 대법원에 제소할 수 있다.

④ 교육부장관은 재의결된 사항이 법령에 위반된다고 판단됨에도 해당교육감이 소를 제기하지 않은 때에는 해당교육감에게 제소를 지시하거나 직접 제소할 수 있다.

⑤ 제4항의 규정에 따른 제소의 지시는 제3항의 기간이 경과한 날부터 7일 이내에 하고, 해당교육감은 제소 지시를 받은 날부터 7일 이내에 제소하여야 한다.

⑥ 교육부장관은 제5항의 기간이 경과한 날부터 7일 이내에 직접 제소할 수 있다.

⑦ 제3항 및 제4항의 규정에 따라 재의결된 사항을 대법원에 제소한 경우 제소를 한 교육부장관 또는 교육감은 그 의결의 집행을 정지하게 하는 집행정지결정을 신청할 수 있다.

제29조 교육감의 선결처분

① 교육감은 소관 사무 중 시·도의회의 의결을 요하는 사항에 대하여 다음 각 호의 어느 하나에 해당하는 경우에는 선결처분을 할 수 있다.

　1. 시·도의회가 성립되지 아니한 때(시·도의회의원의 구속 등의 사유로 「지방자치법」 제64조의 규정에 따른 의결정족수에 미달하게 된 때를 말한다)

　2. 학생의 안전과 교육기관 등의 재산보호를 위하여 긴급하게 필요한 사항으로서 시·도의회가 소집될 시간적 여유가 없거나 시·도의회에서 의결이 지체되어 의결되지 아니한 때

② 제1항의 규정에 따른 선결처분은 지체 없이 시·도의회에 보고하여 승인을 얻어야 한다.

③ 시·도의회에서 제2항의 승인을 얻지 못한 때에는 그 선결처분은 그 때부터 효력을 상실한다.

④ 교육감은 제2항 및 제3항에 관한 사항을 지체 없이 공고하여야 한다.

제29조의2 의안의 제출 등

① 교육감은 교육·학예에 관한 의안 중 다음 각 호의 어느 하나에 해당하는 의안을 시·도의회에 제출하고자 할 때에는 미리 시·도지사와 협의하여야 한다.

　1. 주민의 재정적 부담이나 의무부과에 관한 조례안

　2. 지방자치단체의 일반회계와 관련되는 사항

② 그 밖에 교육·학예에 관한 의안과 청원 등의 제출·심사·처리에 관하여는 「지방자치법」을 준용한다. 이 경우 "지방자치단체의 장"은 "교육감"으로 본다.

제29조의3 　시·도의회의 교육·학예에 관한 사무의 지원

① 시·도의회의 교육·학예에 관한 사무를 처리하기 위하여 조례로 정하는 바에 따라 시·도의회의 사무처에 지원조직과 사무직원을 둔다.
② 제1항에 따라 두는 사무직원은 지방공무원으로 보한다.
③ 제1항에 따라 두는 사무직원은 시·도의회의장의 추천에 따라 교육감이 임명한다.

● 제2절 보조기관 및 소속교육기관

제30조 　보조기관

① 교육감 소속하에 국가공무원으로 보하는 부교육감 1인(인구 800만명 이상이고 학생 150만명 이상인 시·도는 2인)을 두되, 대통령령으로 정하는 바에 따라 「국가공무원법」 제2조의2의 규정에 따른 고위공무원단에 속하는 일반직공무원 또는 장학관으로 보한다. <개정2021.3.23.>
② 부교육감은 해당 시·도의 교육감이 추천한 사람을 교육부장관의 제청으로 국무총리를 거쳐 대통령이 임명한다. <개정 2021.3.23.>
③ 부교육감은 교육감을 보좌하여 사무를 처리한다.
④ 제1항의 규정에 따라 부교육감 2인을 두는 경우에 그 사무 분장에 관한 사항은 대통령령으로 정한다. 이 경우 그중 1인으로 하여금 특정 지역의 사무를 담당하게 할 수 있다.
⑤ 교육감 소속하에 보조기관을 두되, 그 설치·운영 등에 관하여 필요한 사항은 대통령령으로 정한 범위 안에서 조례로 정한다. <개정 2021.3.23.>
⑥ 교육감은 제5항의 규정에 따른 보조기관의 설치·운영에 있어서 합리화를 도모하고 다른 시·도와의 균형을 유지하여야 한다.

제31조 　교육감의 권한대행·직무대리

교육감의 권한대행·직무대리에 관하여는 「지방자치법」 제124조의 규정을 준용한다. 이 경우 "부지사·부시장·부군수·부구청장"은 "부교육감"으로, "지방자치단체의 규칙"은 "교육규칙"으로 본다.

제32조 　교육기관의 설치

교육감은 그 소관 사무의 범위 안에서 필요한 때에는 대통령령 또는 조례가 정하는 바에 따라 교육기관을 설치할 수 있다.

제33조 　공무원의 배치

① 제30조 제5항의 보조기관과 제32조의 교육기관 및 제34조의 하급교육행정기관에는 제38조의 규정에 따른 해당 시·도의 교육비특별회계가 부담하는 경비로써 지방공무원을 두되, 그 정원은 법령이 정한 기준에 따라 조례로 정한다.
② 제30조 제5항의 보조기관과 제32조의 교육기관 및 제34조의 하급교육행정기관에는 제1항 및 「지방자치단체에 두는 국가공무원의 정원에 관한 법률」에 불구하고 대통령령이 정하는 바에 따라 국가공무원을 둘 수 있다.

● 제3절 하급교육행정기관

제34조 　 하급교육행정기관의 설치 등

① 시·도의 교육·학예에 관한 사무를 분장하기 위하여 1개 또는 2개 이상의 시·군 및 자치구를 관할구역으로 하는 하급교육행정기관으로서 교육지원청을 둔다.

② 교육지원청의 관할구역과 명칭은 대통령령으로 정한다.

③ 교육지원청에 교육장을 두되 장학관으로 보하고, 그 임용에 관하여 필요한 사항은 대통령령으로 정한다.

④ 교육지원청의 조직과 운영 등에 관하여 필요한 사항은 대통령령으로 정한다.

제35조 　 교육장의 분장 사무

교육장은 시·도의 교육·학예에 관한 사무 중 다음 각 호의 사무를 위임받아 분장한다.

1. 공·사립의 유치원·초등학교·중학교·고등공민학교 및 이에 준하는 각종학교의 운영·관리에 관한 지도·감독
2. 그 밖에 조례로 정하는 사무

■ 제4장 교육재정

제36조 　 교육·학예에 관한 경비

교육·학예에 관한 경비는 다음 각 호의 재원(재원)으로 충당한다.

1. 교육에 관한 특별부과금·수수료 및 사용료
2. 지방교육재정교부금
3. 해당지방자치단체의 일반회계로부터의 전입금
4. 유아교육지원특별회계에 따른 전입금
5. 제1호 내지 제4호 외의 수입으로서 교육·학예에 속하는 수입

제37조 　 의무교육경비 등

① 의무교육에 종사하는 교원의 보수와 그 밖의 의무교육에 관련되는 경비는 「지방교육재정교부금법」이 정하는 바에 따라 국가 및 지방자치단체가 부담한다.

② 제1항의 규정에 따른 의무교육 외의 교육에 관련되는 경비는 「지방교육재정교부금법」이 정하는 바에 따라 국가·지방자치단체 및 학부모 등이 부담한다.

제38조 　 교육비특별회계

시·도의 교육·학예에 관한 경비를 따로 경리하기 위하여 당해지방자치단체에 교육비특별회계를 둔다.

제39조 　 교육비의 보조

① 국가는 예산의 범위 안에서 시·도의 교육비를 보조한다.

② 국가의 교육비보조에 관한 사무는 교육부장관이 관장한다.

제40조   특별부과금의 부과·징수

① 제36조의 규정에 따른 특별부과금은 특별한 재정수요가 있는 때에 조례가 정하는 바에 따라 부과·징수한다.

② 제1항의 규정에 따른 특별부과금은 특별부과를 필요로 하는 경비의 총액을 초과하여 부과할 수 없다.

■ 제5장 지방교육에 관한 협의

제41조   지방교육행정협의회의 설치

① 지방자치단체의 교육·학예에 관한 사무를 효율적으로 처리하기 위하여 지방교육행정협의회를 둔다.

② 제1항의 규정에 따른 지방교육행정협의회의 구성·운영에 관하여 필요한 사항은 교육감과 시·도지사가 협의하여 조례로 정한다.

제42조   교육감 협의체

① 교육감은 상호 간의 교류와 협력을 증진하고, 공동의 문제를 협의하기 위하여 전국적인 협의체를 설립할 수 있다.

② 제1항의 규정에 따른 협의체를 설립한 때에는 당해협의체의 대표자는 이를 지체 없이 교육부장관에게 신고하여야 한다.

③ 제1항의 규정에 따른 협의체는 지방교육자치에 직접적 영향을 미치는 법령 등에 관하여 교육부장관을 거쳐 정부에 의견을 제출할 수 있으며, 교육부장관은 제출된 의견을 관계 중앙행정기관의 장에게 통보하여야 한다.

④ 교육부장관은 제3항에 따라 제출된 의견에 대한 검토 결과 타당성이 없다고 인정하면 구체적인 사유 및 내용을 명시하여 협의체에 통보하여야 하며, 타당하다고 인정하면 관계 법령 등에 그 내용이 반영될 수 있도록 적극 협력하여야 한다.

⑤ 관계 중앙행정기관의 장은 제3항에 따라 통보받은 내용에 대하여 통보를 받은 날부터 2개월 이내에 타당성을 검토하여 교육부장관에게 그 결과를 통보하여야 하고, 교육부장관은 통보받은 검토 결과를 협의체에 지체 없이 통보하여야 한다.

⑥ 제1항에 따른 협의체는 지방교육자치와 관련된 법률의 제정·개정 또는 폐지가 필요하다고 인정하는 경우에는 국회에 서면으로 의견을 제출할 수 있다.

⑦ 국가는 제1항에 따른 협의체에 대하여 그 운영 등에 필요한 재정을 지원할 수 있다.

⑧ 제1항의 규정에 따른 협의체의 설립신고와 운영 그 밖의 필요한 사항은 대통령령으로 정한다.

■ 제6장 교육감 선거

제43조   선출

교육감은 주민의 보통·평등·직접·비밀선거에 따라 선출한다.

제44조   선거구선거관리

① 교육감선거에 관한 사무 중 선거구선거사무를 수행할 선거관리위원회(이하 "선거구선거관리위원회"라 한다)는 「선거관리위원회법」에 따른 시·도 선거관리위원회로 한다.

② 교육감선거의 선거구선거관리 등에 관하여는 「공직선거법」 제13조 제2항부터 제6항까지의 규정을 준용한다.

제45조   선거구

교육감은 시·도를 단위로 하여 선출한다.

제46조   정당의 선거관여행위 금지 등

① 정당은 교육감선거에 후보자를 추천할 수 없다.

② 정당의 대표자·간부(「정당법」 제12조부터 제14조까지의 규정에 따라 등록된 대표자·간부를 말한다) 및 유급사무직원은 특정 후보자(후보자가 되려는 사람을 포함한다. 이하 이 조에서 같다)를 지지·반대하는 등 선거에 영향을 미치게 하기 위하여 선거에 관여하는 행위(이하 이 항에서 "선거관여행위"라 한다)를 할 수 없으며, 그 밖의 당원은 소속 정당의 명칭을 밝히거나 추정할 수 있는 방법으로 선거관여행위를 할 수 없다.

③ 후보자는 특정 정당을 지지·반대하거나 특정 정당으로부터 지지·추천받고 있음을 표방(당원경력의 표시를 포함한다)하여서는 아니 된다.

제47조   공무원 등의 입후보

① 「공직선거법」 제53조 제1항 각 호의 어느 하나에 해당하는 사람 중 후보자가 되려는 사람은 선거일 전 90일(제49조 제1항에서 준용되는 「공직선거법」 제35조 제4항의 보궐선거등의 경우에는 후보자등록신청 전을 말한다)까지 그 직을 그만두어야 한다. 다만, 교육감선거에서 해당 지방자치단체의 교육감이 그 직을 가지고 입후보하는 경우에는 그러하지 아니하다.

② 제1항을 적용하는 경우 그 소속 기관·단체의 장 또는 소속 위원회에 사직원이 접수된 때에 그 직을 그만둔 것으로 본다.

제48조   투표용지의 후보자 게재순위 등

① 투표용지에는 후보자의 성명을 표시하여야 하며, 후보자의 성명은 왼쪽부터 오른쪽으로 열거하여 한글로 기재한다. 다만, 한글로 표시된 성명이 같은 후보자가 있는 경우에는 괄호 안에 한자를 함께 기재한다.

② 선거구선거관리위원회는 후보자등록마감 후에 후보자나 그 대리인을 현장에 출석시켜 추첨으로 후보자의 투표용지 게재순위를 결정하되, 그 추첨을 시작하는 시각까지 후보자나 그 대리인이 현장에 출석하지 아니한 경우에는 해당 선거구선거관리위원회 위원장이나 그가 지명한 사람이 해당 후보자를 대리하여 추첨한다.

③ 제2항에 따른 투표용지의 후보자 게재순위는 중앙선거관리위원회규칙으로 정하는 바에 따라 자치구·시·군의회의원지역선거구(제주특별자치도는 제주특별자치도의회의원지역선거구를, 세종특별자치시는 세종특별자치시의회의원지역선거구를 말한다)별로 후보자의 투표용지 게재순위가 공평하게 배정될 수 있도록 순차적으로 바꾸어 가는 순환배열 방식으로 결정한다.

④ 후보자등록기간이 지난 후에 후보자가 사퇴·사망하거나 등록이 무효로 된 때라도 투표용지에 해당 후보자의 성명은 그대로 둔다.

⑤ 투표용지에는 일련번호를 인쇄하여야 한다.

찾아보기 · 참고문헌

찾아보기

🗔 내용편

ㅎ

기타

참고문헌

ㄱ

- 강봉규(1999), 상담이론과 실제, 교육출판사.
- 강은진 외(2017), 아동의 창의성 증진을 위한 학교환경 연구, 육아정책연구소, 연구보고 2017-23.
- 강인애(2000), 왜 구성주의인가?, 문음사.
- 강인애(2003), 우리시대의 구성주의, 문음사.
- 경기도교육연구원(2018), 유치원 교육과정 운영 실태 분석 및 발전 방안, 현안보고 2018-06.
- 경기도교육연구원(2018), 학교 안 전문적 학습공동체 실태 조사, 현안보고 2018-15.
- 고구석(2001), 새 학교문화 창조를 위한 교육과정의 탄력적 운영, 교육전남.
- 고려대학교 교육문제연구소편(2007), 알기 쉬운 교육학 용어사전, 도서출판 원미사.
- 교육과학기술부(2012), 3 ~ 5세 연령별 누리과정 해설서.
- 교육부(2013), 누리과정 컨설팅장학 운영매뉴얼.
- 교육부(2015), 유치원 시설안전관리 매뉴얼.
- 교육부 교육복지정책국(2018), 공공성 강화를 통한 유아교육 혁신방안
- 교육부(2019), 2019 유치원운영위원회 길잡이.
- 국립교육평가원(1996), 수행평가의 이론과 실제, 대한교과서주식회사.
- 권낙원 외(2006), 교수-학습 이론의 이해, 문음사.
- 권기욱 외(2000), 교육행정의 이해, 원미사.
- 권대훈(2005), 교육평가, 학지사.
- 김대현 외(2007), 교육과정 및 교육평가, 학지사.
- 김병성(2001), 교육과 사회-거시·미시 교육사회학적 관점-, 학지사.
- 김선희(2010), 멘터링 활동이 유치원 교사의 전문성 발달에 미치는 영향, 한국교원대학교 교육대학원, 석사학위논문.
- 김수동(1997), 루소의 자연주의 교육사상, 문음사.
- 김수연(2018), 교사학습공동체에 참여한 공·사립 유치원 교사들의 경험과 의미, 중앙대학교 교육대학원, 석사학위논문.
- 김신일(2000), 교육사회학, 교육과학사.
- 김영우(1999), 한국초등교육사, 도서출판 하우.
- 김유미(2004), 두뇌를 알고 가르치자, 학지사.
- 김은심 외(2018), 유아교사를 위한 교직실무, 학지사.
- 김정휘 외(2004), 교육심리학 탐구, 형설출판사.
- 김정환(2004), 장학론-이론·연구·실제-, 학지사.
- 김정환(1996), 교육철학, 박영사.
- 김정환(2003), 교육연구 및 통계방법, 원미사.
- 김종서(1988), 교육연구의 방법, 배영사.
- 김종문 외(1999), 구성주의 교육학, 교육과학사.

ㄴ

- 남정걸(2004), 교육행정 및 교육경영, 교육과학사.
- 남정걸(2009), 교육행정 및 교육경영, 교육과학사.
- 남정걸(1999), 장학의 이론과 실제, 교육과학사.
- 노안영(2008), 상담심리학의 이론과 실제, 학지사.
- 노종희(2002), 교육행정학: 이론과 연구, 문음사.

ㅁ

- 마이어 프레데릭, 위대한 교사들, 성기산(역)(1998), 문음사
- 목영해(1995), 후 현대주의 교육학, 교육과학사.
- 문현희(2005), 학습공동체에 대한 유치원 교사의 인식 조사 연구, 한국교원대학교 대학원, 석사학위논문.
- 민영순(2003), 교육심리학, 문음사.

ㅂ

- 박경애(2004), 인지 · 정서 · 행동치료, 학지사.
- 박경애(2005), 상담의 주요 이론과 실제, 교육아카데미.
- 박도순 · 홍후조(2001), 교육과정과 교육평가, 문음사.
- 박도순 외(2007), 교육평가-이해와 적용-, 교육과학사.
- 박도순(2002), 교육연구방법론, 문음사.
- 박성익 외(2009), 교육방법의 교육공학적 이해, 교육과학사.
- 박성익(1998), 교수 · 학습 방법의 이론과 실제(I), 교육과학사.
- 박성익(1998), 교수 · 학습 방법의 이론과 실제(II), 교육과학사.
- 박의수 외(1995), 교육의 역사와 철학, 동문사.
- 박상호 외(1997), 최신 교육방법 · 교육공학, 집문당.
- 박재문(2001), 한국교육사, 학지사.
- 변영계(2002), 교수 · 학습 이론의 이해, 학지사.
- 변영계(2006), 교수 · 학습이론의 이해, 학지사.
- 변영계 외(2006), 수업설계, 학지사.
- 변영계 외(2002), 교육방법 및 교육공학, 학지사.

ㅅ

- 서울대학교 교육연구소 편(1998), 교육학대백과사전 1, 2, 3, 하우동설.
- 서울대학교 교육연구소(2005), 한국교육사, 교육과학사.
- 성기산(1993), 서양교육사연구, 문음사.
- 성태제(2002), 현대교육평가, 학지사.
- 성태제·사기자(2006), 연구방법론, 학지사.
- 성태제(2002), 교육연구방법의 이해, 학지사.
- 손인수(1986), 교육사교육철학연구, 문음사.
- 손인수(1992), 한국근대교육사 1885~1945, 연세대학교 출판부.
- 송상호 외(2005), 매력적인 수업설계, 교육과학사.
- 송병순(1994), 교육사회학, 문음사.
- 신득렬(2003), 교육사상사, 학지사.
- 신득렬(2003), 현대 교육철학, 학지사.
- 신득렬(2002), 위대한 대화, 계명대학출판부.
- 신연정(2018), 유치원 교사의 교직 전문성 인식이 교수몰입과 교직헌신에 미치는 영향, 성신여자대학교 교육대학원, 석사학위논문.
- 신철순(1995), 교육행정 및 경영, 교육과학사.

ㅇ

- 연문희 외(2008), 학교상담-21세기 학생생활지도, 양서원.
- 연세대학교 교육철학연구회 편(2002), 위대한 교육사상가들Ⅵ, 교육과학사.
- 연세대학교 교육철학연구회 편(1999), 위대한 교육사상가들Ⅰ, 교육과학사.
- 오인탁(2001), 파이데이아-고대 그리스의 교육사상-, 학지사.
- 유네스코한국위원회·한국평생교육기구 편(1985), 평생교육의 기초와 체제, 법문사.
- 육아정책연구소(2019), "아동 행복, 육아행복 실현을 위한 생애주기별 육아정책의 방향과 과제", 2019 육아정책 심포지엄.
- 윤광보 외(2005), 교육방법과 교육공학의 이해, 양서원.
- 윤운성(2001), 교육의 심리적 이해, 양서원.
- 윤완(2001), 대한제국말기 민립학교의 교육활동 연구, 도서출판 한결.
- 윤정일 외(1999), 교육행정학원론, 학지사.
- 이건인 외(2008), 교육심리학, 학지사.
- 이건만(1999), 교육사회학의 이론과 실제, 문음사.
- 이경화 외(2009), 효과적인 교수-학습을 위한 교육심리학, 교육과학사.
- 이돈희(2002), 교육사상사(동양편), 학지사.
- 이돈희(1995), 도덕교육원론, 교육과학사.
- 이동원(1997), 인간교육과 협동학습, 성원사.
- 이숙종(1999), 코메니우스의 교육사상, 교육과학사.
- 이상섭(2001), 교육행정 및 교육경영, 형설출판사.

- 이성진(2003), 교육심리학서설, 교육과학사.
- 이성호(2004), 교육과정 개발의 원리, 학지사.
- 이영만(2001), 통합교육과정, 학지사.
- 이인숙(2007), 동료장학에 참여한 단일학급 유치원 교사의 변화과정, 한국교원대학교 교육대학원, 석사학위논문.
- 이장호(2003), 상담 심리학, 박영사.
- 이장호 외(2001), 상담심리학의 기초, 학문사.
- 이정모 외(1999), 인지심리학, 학지사.
- 이종각(2000), 교육사회학총론, 동문사.
- 이종성(2003), 교육연구의 설계와 자료 분석, 교학연구사.
- 이현청(1995), 교육사회학, 양서원.
- 이화여자대학교 교육공학과(2004), 21세기 교육방법 및 교육공학, 교육과학사.
- 이화여자대학교 교육공학과(2004), 교육공학, 교육과학사.
- 이화여자대학교 교육공학과(1999), 교육방법 및 교육공학, 교육과학사.
- 이홍우(2004), 교육의 개념, 문음사.
- 이홍우(2003), 교육의 목적과 난점, 교육과학사.
- 이홍우 외(2004), 교육과정이론, 교육과학사.
- 임철일(2006), 교수설계이론-학습과제 유형별 교수전략-, 교육과학사.

ㅈ

- 전성현 외(2001), 교수-학습의 이론적 탐색, 도서출판 원미사.
- 정영근 외(1999), 교육학적 사유를 여는 교육의 철학과 역사, 문음사.
- 정제헌(2017), 유치원 교사의 교수 효능감 수준에 따른 유아의 창의성과 의사소통능력의 차이, 동아대학교 교육대학원, 석사학위논문.
- 정종진(1996), 학교학습과 동기, 교육과학사.
- 정하영(2012), 어린이집 행사에 관한 교사와 학부모의 중요도 및 만족도 인식차이, 세종대학교 교육대학원, 석사학위논문.
- 정확실 역(1996), 대교수학, 교육과학사.
- 조남두 외(2006), 교육행정론, 도서출판 원미사.
- 조승제(2006), 교과교육과 교수·학습방법론, 양서원.
- 주삼환(2003), 교육의 질 향상을 위한 장학의 이론과 기법, 학지사.
- 주영흠(2003), 서양교육사상사, 양서원.

ㅊ

- 최운실(1990), 한국의 평생교육, 교학사.
- 최은영 외(2019), 교사의 유아·놀이중심 교육활동 지원방안, 육아정책연구소 수탁보고 2019-10.

ㅌ

- 탁국진(2007), 심리검사-개발과 평가방법의 이해-, 학지사.

ㅎ

- 한국교육심리학회편(2000), 교육심리학 용어사전, 학지사.
- 한국교육철학회 편(1982), 존 듀이와 프라그마티즘, 삼일당.
- 한국교육공학회편(2005), 교육공학 용어사전, 교육과학사.
- 한동일(1978), 서양교육사, 정익사.
- 한명희 외(2005), 교육의 철학적 이해, 문음사.
- 한명희(1997), 서양교육사 신론, 도서출판 아름다운 세상.
- 한미순(2000), 비고츠키와 교육: 문화-역사적 접근, 교육과학사.
- 한정선 외(2008), 미래사회를 위한 교육방법 및 교육공학, 교육과학사.
- 한준상 외(1991), 교육과정논쟁-교육과정의 사회학-, 집문당.

번역서

- Beck, J. S., Cognitive Therapy, 최영희 외역(1997), 인지치료, 하나 의학사.
- Bodrova E., & Leong, D. J., Tools of the Mind: The Vygotskian Approach to Early Childhood Education, 김억환 외역 (1999), 정신의 도구: 비고츠키 유아교육, 이화여자대학교 출판부.
- Borich, G., Effective Teaching Methods, 박승배 외역(2004), 효과적인 교수법, 아카데미프레스,
- Boyd, W., The History of Western Education, 이홍우 외역(1996), 서양교육사, 교육과학사.
- Brubacher, J. S., A History of the Problems of Education, 이원호 역(1984), 교육사-교육문제변천사, 문음사.
- Dewey, J., Democracy and Education: An Introduction to the Philosophy of Education, 이홍우 역(1989), 민주주의와 교육, 교육과학사.
- Eggen, P. D. etal., Educational Psychology: Windows on Classrooms -6th edition-, 신종호 외역(2007), 교육심리학 - 교육실제를 보는 창-, 학지사.
- Gagné. R. M., The Conditions of Learning and Theory of Instruction, 전성현 외역(2000), 교수-학습이론, 학지사.
- Gardner, H., Intelligence: Multiple Perspectives, 김정휘 역(2006), 지능 심리학, 시그마프레스.
- Gardner, H., Intelligence Reframed, 문용린 역(2001), 다중지능-인간 지능의 새로운 이해, 서울: 김영사.
- Hilgard, E. R. & bOWER, G. H., Theory of Learning, 이관용 외역(1988), 학습의 이론, 중앙적성출판사.
- Hoy, W. K. & Miskel C. G. Educational Administration, 송화섭 역(2000), 최신교육행정의 이론탐색과 실제, 학문사.
- Kerferd, G. B., The Sophistic Movement, 김남두 역(2003), 소피스트 운동, 대우학술 총서 540, 아카넷.
- Mayer, F., The Great Teachers, 성기산 역(1997), 문음사.
- Monroe, P., A Brief Course in the History of Education, 조종인 역(1995), 서양교육사, 교육과학사.
- Nye, R. D., Three Psychologies: Perpectives froom Freud, Skinner, and Rogers, 이영만 외역(1999), 프로이드 · 스키너 · 로져

스, 중앙적성출판사.

- Peters, R. S., Ethics and Education, 이홍우 역(1994), 윤리학과 교육, 교육과학사.

- Peters, R. S., Essays on Educators, 정희숙 역(1989), 서광사.

- Reble, A., Geschichte der Pädagogik, 정영근 외역(2002), 서양교육사, 문음사.

- Rich, J. M etal., Theories of Moral Development, 추병완 역(1999), 백의.

- Rousseau, J. J., Emile, oude l'education, 권응호 역(1991), 에밀, 홍신문화사.

- Schofield, H., The Philosophy of Education: An Introduction, 이명준 역(2000), 분석적 교육 철학, 원미사.

- Seng, T. O. etal., Educational Psychology: A Practitioner-Researcher Approach, 구광현 외역(2006), 실천과 연구의 통합: 교육심리학, 시그마프레스.

- Spiegelberg, H., The Phenomenological Movement, 최경호 외역(1991), 현상학적 운동 I, 도서출판 이론과 실천.

- Shaffer, D. R., Developmental Psychology, 송길연 외역(2004), 발달심리학, 시그마프레스.

- Stipe, D., Motivation to Learn, 전성연 외역(1999), 학습동기, 학지사.

- Strike, K. A., The Ethics of Teaching, 조동섭 외역(1996), 교수의 윤리, 원미사.

- Vygotsky, L. S., Thought and Language, 윤초희 역(2011), 사고와 언어, 교육과학사.

- Woolfolk, A., Educational Psychology, 김아영 외역(2001), 교육심리학, 학문사.

- 진영첩, Chu Hsi: Life and Thought, 표정훈(2001), 진영첩의 주자강의, 푸른역사,

- 今寸仁司, 近代性のみへ構造, 이수정 역(1999), 근대성의 구조, 민음사.

- 시마다 겐지, 朱子學と陽明學, 김석근 외역(1998), 주자학과 양명학, 까치.

2025 대비 최신개정판

해커스공무원
이이수
교육학 기본서 | 2권

개정 5판 1쇄 발행 2024년 7월 1일

지은이	이이수
펴낸곳	해커스패스
펴낸이	해커스공무원 출판팀

주소	서울특별시 강남구 강남대로 428 해커스공무원
고객센터	1588-4055
교재 관련 문의	gosi@hackerspass.com
	해커스공무원 사이트(gosi.Hackers.com) 교재 Q&A 게시판
	카카오톡 플러스 친구 [해커스공무원 노량진캠퍼스]
학원 강의 및 동영상강의	gosi.Hackers.com

ISBN	2권: 979-11-7244-170-8 (14370)
	세트: 979-11-7244-168-5 (14370)
Serial Number	05-01-01

공무원 교육 1위,
해커스공무원 **gosi.Hackers.com**

ŦŦ 해커스공무원

· 해커스 스타강사의 **공무원 교육학 무료 특강**
· **해커스공무원 학원 및 인강**(교재 내 인강 할인쿠폰 수록)
· '회독'의 방법과 공부 습관을 제시하는 **해커스 회독증강 콘텐츠**(교재 내 할인쿠폰 수록)
· 정확한 성적 분석으로 약점 극복이 가능한 **합격예측 온라인 모의고사**(교재 내 응시권 및 해설강의 수강권 수록)